नज़रिया

नज़रिया

उपेन्द्र राय

वाणी प्रकाशन

वाणी प्रकाशन
4695, 21-ए, दरियागंज, नयी दिल्ली 110 002
फ़ोन : +91 11 23273167 फ़ैक्स : +91 11 23275710

शाखाएँ

अशोक राजपथ, पटना 800 004, बिहार

कॉफ़ी हाउस कैम्पस, महात्मा गांधी मार्ग, इलाहाबाद 211 001, उत्तर प्रदेश

महात्मा गांधी अन्तरराष्ट्रीय हिन्दी विश्वविद्यालय, वर्धा 442 001, महाराष्ट्र

सुल्तानिया रोड, मोतिया पार्क, भोपाल 462 001, मध्य प्रदेश

www.vaniprakashan.com
marketing@vaniprakashan.in
sales@vaniprakashan.in

Nazaria
by Upendra Rai

ISBN : 978-93-5518-067-4
Journalism

प्रथम संस्करण 2022

मूल्य : ₹ 950

थॉमसन प्रेस (इंडिया) लि. में मुद्रित

वाणी प्रकाशन का लोगो मक़बूल फ़िदा हुसेन की कूची से

भारत के गृहमंत्री तथा सशक्त एवं
आधुनिक भारत निर्माण के शिल्पकार
माननीय श्री अमित शाह जी को
सादर समर्पित।

मेरी मां की पुण्य स्मृति को सादर समर्पित
जिन्होंने मुझे आत्मकेंद्रित चिंतन की बजाय
सदैव लोककल्याण के मार्ग का
अनुसरण करने की प्रेरणा दी।

प्रस्तावना

सन् 2010 से लेकर बाद के वर्षों में देश ने राजनीतिक, सामाजिक और आर्थिक क्षेत्र में बड़े बदलाव देखे हैं। ये वो दौर रहा, जब यूपीए दोबारा सत्ता में आई और अपने राजनीतिक एजेंडे को आगे बढ़ाया। नई परियोजनाओं पर काम शुरू हुआ। दुनिया भर में मंदी छाई रही, लेकिन भारत ने अपनी मजबूत अर्थव्यवस्था के दम पर इस मंदी की आंच अपने नागरिकों पर नहीं आने दी। इस करिश्मे के चलते दुनिया भर ने भारत का लोहा मानना शुरू कर दिया। लेकिन इसी दौर में देश में तमाम तरह के बड़े घोटाले भी सामने आए, जिनको सरकार की ही संवैधानिक संस्था सीएजी ने परत दर परत उजागर करना शुरू किया। टूजी स्पेक्ट्रम, कॉमनवेल्थ गेम्स और कोल-ब्लॉक आवंटन में सामने आए घपलों ने यूपीए सरकार की पोल खोलकर रख दी और ईमानदार माने जाने वाले तत्कालीन प्रधानमंत्री मनमोहन सिंह की छवि तार-तार हो गई।

देश ने इस दौर में अन्ना का भ्रष्टाचार के खिलाफ और लोकपाल बिल के लिए आंदोलन को देखा, इस आंदोलन को मिलते जोरदार समर्थन को देखा और इसी आंदोलन के बल पर देश में एक नई राजनीतिक पार्टी को जन्म लेते भी देखा। ये अलग बात है कि इन नौ वर्षों में ही इस राजनीतिक दल ने अर्श से फर्श तक की यात्रा कर डाली। देश का आम नागरिक इस दौर में भ्रष्टाचार को अपनी दुर्गति

की वजह मान चुका था और राजनीतिक विकल्प की तलाश में निकल चुका था। विकल्प की इस तलाश में जनता ने बाबा रामदेव की स्वाभिमान रैली को देखा और मनमोहन सरकार द्वारा इस आंदोलन के दमन को भी देखा।

लेकिन इस सभी घटनाक्रम के समानांतर गुजरात में उम्मीद की एक लौ जलनी शुरू हो चुकी थी। गुजरात के तत्कालीन मुख्यमंत्री नरेंद्र मोदी का राजनीतिक कद यूपीए सरकार को चुनौती देते लगातार बढ़ रहा था। बीजेपी एक पार्टी के रूप में भले ही कांग्रेस और उसके गठबंधन के मुकाबले सांगठनिक तौर पर बिखरी नजर आ रही थी, लेकिन नरेंद्र मोदी के करिश्माई व्यक्तित्व ने अपना असर दिखाना शुरू कर दिया था। भाजपा के अंदर शुरुआती विरोध के बावजूद शीर्ष नेतृत्व नरेंद्र मोदी की देशव्यापी छवि को आगे कर राजनीतिक लड़ाई में यूपीए सरकार के खिलाफ लामबंद होना शुरू हो गया। इस करिश्मे ने अपना असर दिखाया और सन् 2014 के लोकसभा चुनाव में देश के सबसे पुराने राजनीतिक दल को अब तक की सबसे बड़ी चुनावी हार का सामना करना पड़ा। नई उम्मीदों और आकांक्षाओं के साथ देश को नरेंद्र मोदी के रूप में एक ऐसा सशक्त अगुआ मिल चुका था, जो समस्याओं से नजरें चुराने में नहीं बल्कि इनसे सीधा टकराने का हौसला रखता था।

आज देश में नरेंद्र मोदी सरकार के तकरीबन साढ़े सात साल बीत चुके हैं। इन सालों में सरकार ने क्या कुछ खोया-पाया है इसका हिसाब सरकार जनता को दे रही है। तो वहीं जनता भी इस रिपोर्ट कार्ड को गौर से देखकर आगे की संभावनाओं का जायजा ले रही है। एक पत्रकार के रूप में मैंने भी इन साढ़े पांच सालों में देश के राजनीतिक, सामाजिक और आर्थिक मुद्दों से रूबरू होते हुए उनका आकलन किया जो सहारा न्यूज नेटवर्क के मेरे कार्यकाल के दौरान 'राष्ट्रीय सहारा' और बाद के समय में अन्य समाचार माध्यमों में प्रकाशित होते रहे हैं।

बहुत मुमकिन है कि आप में से बहुतों ने इन आलेखों को जीवन की आपाधापी में समयाभाव के चलते न देखा और पढ़ा हो। ये पुस्तक आप सब उन्हीं पाठकों को समर्पित है।

सादर,

25 जनवरी 2021

—उपेन्द्र राय

सी-24, ग्रेटर कैलाश-1
नई दिल्ली-110048

अनुक्रम

1

लोकप्रियता के शिखर पर ब्रांड मोदी

''आज हरेक नागरिक को महसूस होता होगा कि प्रधानमंत्री मोदी पूर्ण बहुमत वाली पार्टी के प्रधानमंत्री हैं। उनको अपनी बात मनवाने के लिए लड़ने की क्या जरूरत है। लेकिन वे हर जगह लड़ते हुए दिखते हैं। ऐसा क्यों है? क्यों वे पक्ष में बैठकर भी विपक्ष में बैठे हैं, ऐसा महसूस होता है। मेरी समझ में शायद इसलिए कि वे हर लाइन के सामने एक बड़ी लाइन खींचते जा रहे हैं। या यों कहें कि पुरानी परंपराओं या सड़ी-गली मान्यताओं से ऊपर उठकर कुछ ऐसा कर रहे हैं, जो एक लीक पर चलने वालों को हजम नहीं हो रहा। वे कुछ तोड़कर बेहतर और नया बना रहे हैं और जब कुछ पुराना टूटता है तो हमें बड़ी तकलीफ होती है; क्योंकि वस्तुओं का प्रेम भी बहुत गहरे में हमें चोट पहुंचाता है।''

नरेंद्र मोदी का नाम पूरी दुनिया में एक बड़ा स्थान बना चुका है। यह मुकाम इतने कम समय में कैसे हासिल हुआ? यह नाम कैसे सिर्फ एक नाम से उठकर ब्रांड मोदी के रूप में परिवर्तित हो गया। अगर इसकी पड़ताल पर उतरें तो एक बात स्पष्ट हो जाती है कि प्रधानमंत्री मोदी सिर्फ एक व्यक्ति नहीं रहे। अब वे एक व्यक्तित्व बन चुके हैं और जब किसी भी व्यक्ति में व्यक्तित्व का जन्म होता है, तो उसके अंदर अज्ञात में घुसने का अनूठा साहस पैदा हो जाता है। आमतौर पर सामान्य व्यक्ति को एक नाला भी पार करना पड़ जाए तो पहले नाले का इतिहास जानना चाहता है कि कहीं कोई इस नाले में डूबकर मरा तो नहीं। कहीं इसमें दलदल तो नहीं। कुल मिलाकर अज्ञात में घुसने से पहले उस व्यक्ति के मन में अनेकों संशय आ जाते हैं। लेकिन प्रधानमंत्री मोदी ने अज्ञात में छलांग लगाने का अदम्य साहस दिखाया और वह कर दिखाया जो इससे पहले आजादी के बाद शायद किसी ने नहीं किया। विमुद्रीकरण का निर्णय जिस साहस से उन्होंने अपने माथे लेकर घोषित किया वह कोई सामान्य निर्णय नहीं था।

बहुत ईमानदारी से मैं स्वीकार करना चाहूंगा कि मेरा एक कनिष्ठ सहयोगी, जो मुम्बई में मेरे साथ काम कर चुका है, जून-जुलाई, 2016 में मुझे फोन करके बताता है, ''सर, शेयर बाजार में हल्ला है कि आगे आने वाले समय में 500 और 1000 रुपये के नोट बंद हो जाएंगे।' तब मैंने उसको डांटते हुए कहा था, ''तुम पागल हो गये हो क्या? अगर ऐसा होगा तो मोदी जी के खिलाफ लोग सड़कों पर उतर जाएंगे।'' भारत की अर्थव्यवस्था ज्यादातर कैश पर चलती है।'' लेकिन 8 नवम्बर 2016 की शाम जब मैंने प्रधानमंत्री का राष्ट्र के नाम संदेश सुना तो थोड़ी देर के लिए मुझे भी लगा कि प्रधानमंत्री ने लगता है बेकार में अपने लिए मुसीबत मोल ले ली। लेकिन जैसे-जैसे नोटबंदी को लेकर एक के बाद दूसरे सर्कुलर आते गये और प्रधानमंत्री मोदी का जनता के साथ संवाद बनता गया, बात वैसे-वैसे उनके हक में उतरती गयी। जिस तरह से एक-एक पहलू पर

लेकिन जैसे-जैसे नोटबंदी को लेकर एक के बाद दूसरे सर्कुलर आते गये और प्रधानमंत्री मोदी का जनता के साथ संवाद बनता गया, बात वैसे-वैसे उनके हक में उतरती गयी।

प्रधानमंत्री ने ध्यान दिया और जरूरी बातों को प्रभावी ढंग से लागू करवाया, वो सिर्फ प्रधानमंत्री मोदी ही कर सकते थे। वैसा क्विक निर्णय किसी और से अपेक्षित नहीं हो सकता। जिस तरह से किसी बड़ी कम्पनी का मुख्य कार्यकारी अधिकारी काम करता है, जरूरत पड़ने पर प्रधानमंत्री ने उस तरह भी काम करके दिखाया। रातों-रात सबकी जेब में पड़े नोट कागज के टुकड़े हो गये, पूरा विपक्ष मोदी के खिलाफ हो गया, जहां तक मैंने महसूस किया कि करीब 20-25 दिन तक उनकी पार्टी के अंदर भी बहुत कानाफूसी हुई पर पूरी दुनिया ने देखा कि निर्णय के पीछे आत्मबल की शक्ति थी। वेनेजुएला में तो पांच दिनों के अंदर सरकार को नोटबंदी का फैसला वापस लेना पड़ा था। लेकिन हमारे देश में यह पूरी तरह सफल रहा। और प्रधानमंत्री के निर्णय के खिलाफ एक भी प्रदर्शन नहीं हुआ। यहां तक कि कुछ लोग जब एटीएम या बैंक कतारों में मोदी को बुरा-भला बोलते पाये गये तो जनता ने उन्हें आड़े हाथों लेकर सबक भी सिखाया। नोटबंदी के निर्णय से प्रधानमंत्री मोदी सबके घरों से होते हुए सबके मन-मस्तिष्क में उतर गये और अंततः उनके सफल प्रबंधन ने सभी तरह के संदेहों को आस्था में परिवर्तित कर दिया। देश के सबसे बड़े राज्य उत्तर प्रदेश की जीत लोगों के मन में उनके प्रति उसी आस्था की जीत है।

देश के सबसे बड़े राज्य उत्तर प्रदेश की जीत लोगों के मन में उनके प्रति उसी आस्था की जीत है।

जिस तरह से प्रधानमंत्री ने कालाधन और भ्रष्टाचार के खिलाफ मुहिम छेड़ी उससे भी पूरी दुनिया में मोदी की इमेज 'डिसिजन मेकर' के रूप में स्थापित हुई। जिस तरह से बेखौफ होकर सारी एजेंसियाँ काम कर रही हैं, वह प्रधानमंत्री की स्पष्ट नीति एवं निर्देशन का ही परिणाम है। महाभारत काल में भी भगवान श्रीकृष्ण ने कई बार कहा कि क्रांति केवल एक व्यक्ति में घटती है, समाज तो हमेशा उस व्यक्ति का अनुसरण करता है। अब प्रधानमंत्री मोदी ने अपने निर्णयों और उन पर टिके रहने का माद्दा दिखाते हुए यह साबित कर दिया है कि उन्हें आलोचना, पार्टी के अंदर की कानाफूसी और विपक्ष की धमकियों से कोई अंतर नहीं पड़ता। नये तुर्की का निर्माण करते समय मुस्तफा कमाल अतातुर्क पाशा के सामने जिस तरह की मुश्किलें रही होंगी, उसी तरह

की मुश्किलें हमारे प्रधानमंत्री के सामने भी हैं। जब मुस्तफा कमाल अतातुर्क पाशा ने तुर्की की बागडोर संभाली और कहा कि हमें एक नये तुर्की का निर्माण करना है, तब उनके निर्णयों का बहुत भारी विरोध हुआ, लेकिन बहुतायत लोगों ने पाशा को सपोर्ट किया। जब पाशा ने प्रचलन में रहीं फारसी और अरबी भाषाओं को बदलने के लिए बैठक बुलायी और अपने सभी मंत्रियों से पूछा कि कितना समय लगेगा अगर पूरे तुर्की में रोमन भाषा को लागू किया जाए! तो एक दिन बाद कुछ मंत्रियों ने कहा कि 10 साल और कुछ ने कहा 5 साल। तब अतातुर्क पाशा ने कहा था कि 5 साल और 10 साल आज से समाप्त हुआ और अभी से तुर्की में रोमन भाषा में कामकाज होगा। न कि अरबी और फारसी में! तब पूरी दुनिया में अतातुर्क पाशा के निर्णय से सनसनी फैल गयी थी। ठीक वैसे ही जैसे मोदी के निर्णय से देश और देश के बाहर सनसनी फैल गयी। पाशा के दूसरे निर्णय से भी पूरी दुनिया सकते में आ गयी जब उन्होंने सेना को यह फरमान दिया कि मेरे देश में कोई भी लंबी दाढ़ी और लंबे बाल वाला व्यक्ति नहीं होना चाहिए। जो सड़क पर दिखे उसे पकड़ो और उसके दाढ़ी और बाल काट डालो। जो इस आदेश को नहीं मानेगा उसे दंडित किया जाएगा। इस आदेश की खूब आलोचना भी हुई लेकिन वहां की जनता ने इस निर्णय में भी सहयोग दिया। फलस्वरूप एक नये तुर्की का निर्माण हुआ और तुर्की दुनिया का इकलौता मुस्लिम देश है, जो यूरोपियन यूनियन में शामिल हुआ और आज तुर्की एक पूर्ण विकसित राष्ट्र की तरह उत्तरोत्तर आगे बढ़ रहा है। प्रधानमंत्री मोदी ने भी जिस तरह से एक नये भारत के निर्माण की बात की वह कमाल अतातुर्क पाशा की याद दिलाती है।

> *महाभारत काल में भी भगवान श्रीकृष्ण ने कई बार कहा कि क्रांति केवल एक व्यक्ति में घटती है, समाज तो हमेशा उस व्यक्ति का अनुसरण करता है।*

तीसरी बात जो मोदी को दुनिया में ब्रांड के रूप में स्थापित करती है, वह है उनके लड़ने की क्षमता। आज हरेक नागरिक को महसूस होता होगा कि प्रधानमंत्री मोदी पूर्ण बहुमत वाली पार्टी के प्रधानमंत्री हैं। उनको अपनी बात मनवाने के लिए लड़ने की क्या जरूरत है। लेकिन वे हर जगह लड़ते हुए दिखते हैं। ऐसा क्यों है? क्यों वे पक्ष में बैठकर भी विपक्ष में बैठे हैं,

ऐसा महसूस होता है। मेरी समझ में शायद इसलिए कि वे हर लाइन के सामने एक बड़ी लाइन खींचते जा रहे हैं। या यों कहें कि पुरानी परंपराओं या सड़ी-गली मान्यताओं से ऊपर उठकर कुछ ऐसा कर रहे हैं, जो एक लीक पर चलने वालों को हजम नहीं हो रहा। वे कुछ तोड़कर बेहतर और नया बना रहे हैं और जब कुछ पुराना टूटता है तो हमें बड़ी तकलीफ होती है, क्योंकि वस्तुओं का प्रेम भी बहुत गहरे में हमें चोट पहुंचाता है। अचानक रास्ते में पाकिस्तान में उतर जाना, टैरर अटैक के बाद भी पेरिस की यात्रा पर जाना, प्रधानमंत्री का सुरक्षा घेरा तोड़कर बनारस के मदनपुरा की खुली सड़कों पर रोड शो करना, अमेरिका, यूएई समेत आधा दर्जन दुनिया के बड़े देशों में बड़ी रैलियां करना और वहां की सरकारों को अपनी हैसियत का एहसास कराना और अपने देश में लाखों-करोड़ों को प्रत्यक्ष और अप्रत्यक्ष कभी सामने, कभी रेडियो तो कभी टेलीविजन पर आकर घंटों बातें करना, बिना लिखा हुआ भाषण पढ़ना, यह बताता है कि जो निकल रहा है वह स्वतः स्फूर्त है, उसमें भाव, भावना और नीयत तीनों साफ हैं। इसलिए आज मोदी सिर्फ एक प्रधानमंत्री का नाम नहीं है बल्कि एक ब्रांड यानी एक विश्वसनीयता है, जिस पर देश ही नहीं, अब दुनिया भी भरोसा करने को पूरी तरह तैयार है।

(राष्ट्रीय सहारा, 18 मार्च, 2017)

2

इनकी तो बात ही कुछ और है

''जिस भावना से राष्ट्रपिता महात्मा गांधी ने देश में रामराज्य लाने की बात कही थी। तब गांधी के रामराज्य को किसी भी पार्टी या नेता ने साम्प्रदायिकता से नहीं जोड़ा था। लेकिन बीजेपी जब-जब रामराज्य की बात करती है तो साम्प्रदायिकता का आरोप लगता है, उसे सोचना चाहिए कि ऐसा क्यों होता है? सिर्फ इसलिए कि कहीं न कहीं कर्म और वचन में अंतर आ जाता है। इस अंतर को पाटने की सबसे बड़ी जिम्मेदारी प्रधानमंत्री मोदी पर जाती है। अब जनता पूरी तरह से उनके साथ है। अब न तो राज्य सभा में वे कमजोर होंगे, न राष्ट्रपति का चुनाव समझौता के तहत करना होगा। अब वे उड़ने के लिये तैयार हैं तो उन्हें निश्चित करना होगा कि जनता रूपी एटीसी से उनका संपर्क न टूटे और वे इस बदलाव की बड़ी चाहत को साकार करते हुए लोगों की आंखों में आंखें डालकर एक नई उम्मीद और नया भरोसा पैदा कर सकें।''

आखिरकार पांचों राज्यों के नतीजे अब सबके सामने हैं। बसपा सुप्रीमो मायावती ने प्रेस कॉन्फ्रेंस के दौरान जो आरोप बीजेपी अध्यक्ष अमित शाह पर लगाए, वे बहुत हास्यास्पद लगे। अगर उनके कहे मुताबिक हुआ होता तो पंजाब में कांग्रेस को बहुमत नहीं मिलता। गोवा और मणिपुर में बीजेपी पहले नम्बर पर बहुमत के साथ होती। पर उत्तर प्रदेश एवं उत्तराखंड के अलावा बाकी तीन राज्यों में ऐसा नहीं हुआ, इसलिए बसपा सुप्रीमो को स्वस्थ मानसिकता से अपनी हार स्वीकार कर लेनी चाहिए। हमारे देश में ही क्या बल्कि पूरी दुनिया में जब दो खिलाड़ी आमने-सामने होते हैं तो एक टीम जीत को प्राप्त करती है तो दूसरी को हारना पड़ता है। खेल समाप्त होने के बाद दोनों टीम के खिलाड़ी एक दूसरे के गले मिलते हैं और अपने-अपने गंतव्य को लौट जाते हैं।

उत्तर प्रदेश एवं उत्तराखंड के अलावा बाकी तीन राज्यों में ऐसा नहीं हुआ, इसलिए बसपा सुप्रीमो को स्वस्थ मानसिकता से अपनी हार स्वीकार कर लेनी चाहिए।

लेकिन बसपा प्रमुख के इस आरोप-प्रत्यारोप को देखकर मुझे मुस्तफा कमाल अतातुर्क पाशा का वह ऐतिहासिक भाषण याद आता है। 22 दिसम्बर 1912 को टर्कीज सेना ने इटली को जीत लिया था और इटली के टोब्रुक शहर के लोगों ने टर्कीज फोर्सेस के ऊपर पत्थर और सड़े हुए अंडे फेंके थे। तब पाशा ने अपनी सेनाओं और इटली के लोगों को संबोधित करते हुए कहा था कि युद्ध में कई बार बहुत प्रतिभाशाली लोगों की भी हार हो जाती है, इसका यह मतलब नहीं कि वह जीवन की सारी लड़ाई हार गए। उन्होंने कहा, ''अब हम बहुत लड़ चुके, आओ अब हम सब विश्राम करें और एक नये निर्माण के लिए फिर से खड़े हों, जिसमें कोई युद्ध न हो।'' और पाशा ने इटली, लीबिया, आस्ट्रिया इन सभी हारे हुए शासकों को बिना बंदी बनाए ऐसे स्वागत किया जैसे कोई अपने किसी बिछड़े हुए मित्र का स्वागत करता है। बसपा सुप्रीमो को इस ऐतिहासिक घटना से सीख लेनी चाहिए और प्रधानमंत्री मोदी एवं अमित शाह को भी अपने हारे हुए साथियों का ऐसे ही स्वागत करना चाहिए। लोकतंत्र में इसके लिए बहुत खुला स्थान है।

उत्तर प्रदेश में मिले परिणामों से अब एक बात तो बिल्कुल साफ हो गयी कि जाति-पाति, धर्म, धारणा के दरवाजे अब टूट चुके हैं। गांवों में रहने वाला व्यक्ति भी अब घोषणा पत्रों और वादों की राजनीति से आगे जा चुका है। लैपटॉप और मोबाइल फोन उनका मन बदल पाने में सक्षम नहीं रहे। सूचना क्रांति का अगर सबसे ज्यादा फायदा किसी एक व्यक्ति ने उठाया है तो वे हैं हमारे प्रधानमंत्री नरेन्द्र मोदी। रेडियो पर चलने वाले 'मन की बात' ने लोगों का ऐसा मन बदला है कि दो-तिहाई से ज्यादा लोगों का मन मोदी के साथ एकाकार हो गया। दो दशक के अपने पत्रकारिय जीवन में मैंने कई प्रधानमंत्रियों को देखा, लेकिन प्रधानमंत्री मोदी में जो खतरा मोल लेने की ताकत है, वह शायद मैंने किसी में नहीं पाया। विमुद्रीकरण को लागू करना और इस पूरी मुहिम को सफल बना देना, यह बताता है कि हिन्दुस्तान के लोगों के लिये पीएम मोदी एक सबसे बड़ी उम्मीद हैं। यही कारण है कि ब्रांड मोदी ने केवल हिन्दुस्तान में ही नहीं, बल्कि हिन्दुस्तान के बाहर रहने वाले लोगों के दिलों को बखूबी जीता है। भारतीय पासपोर्ट का वजन पहले से ज्यादा वजनदार हुआ है। ये तब पता चलता है जब हम यूरोप, अमेरिका या किसी अन्य देशों में यात्रा करते हैं।

कहा जाता है कि 'ग्रेट पावर कम्स विद ग्रेटर रिस्पांसिबिलिटी'। इस जीत के साथ प्रधानमंत्री मोदी की जिम्मेदारियां पहले से कहीं ज्यादा बढ़ चुकी हैं। एक बार फिर से ये जीत सिर्फ प्रधानमंत्री मोदी की जीत है, क्योंकि किसी भी राज्य में उन्होंने मुख्यमंत्री का कोई चेहरा नहीं दिया था। लिहाजा चुनौतियां वही पुरानी हैं, रोटी, कपड़ा, रोजगार और मकान। अब इन पुरानी चुनौतियों को कैसे नये अंदाज में वे हल करेंगे, यह देखना है। भ्रष्टाचार और काले धन के खिलाफ चल रही मुहिम को प्रधानमंत्री मोदी ने एक नये मुकाम तक पहुंचा दिया है, जिसके लिये पूरी दुनिया में खूब वाहवाही मिली और सही में उनके इस प्रयास को नकारा नहीं जा सकता। अगर प्रधानमंत्री मोदी को उनकी सुधारवादी मुहिम के लिये एवं सामाजिक सुधार की पृष्ठभूमि तैयार करने के लिये कल उनके लिए नोबेल पुरस्कार की घोषणा हो जाये तो इसमें कोई आश्चर्य की बात नहीं होगी।

रेडियो पर चलने वाले 'मन की बात' ने लोगों का ऐसा मन बदला है कि दो-तिहाई से ज्यादा लोगों का मन मोदी के साथ एकाकार हो गया।

इसलिए कि विमुद्रीकरण के बाद भ्रष्टाचार और काले धन के खिलाफ जो मुहिम चल रही है, उसे जितना परवान चढ़ाना चाहिए था, उसमें प्रधानमंत्री ने कोई कसर नहीं छोड़ी।

अलग-अलग राज्यों में छोटी-छोटी क्षेत्रीय पार्टियों के चलते लड़ाई सिर्फ राज्य के संसाधनों पर पांच-पांच साल के कब्जे तक सीमित रह गई थी। साथ ही कानून व्यवस्था का काम भी कब्जे की लड़ाई में एक दल को सहयोग पहुंचाने का रह गया था। कहीं न कहीं आम जनता ने इस बंदरबांट के खेल को समझा और क्षेत्रीय पार्टियों को लम्बे अवकाश पर भेज दिया। अब भारतीय जनता पार्टी को सुशासन के रूप में उसी भावना से काम करना चाहिए, जिस भावना से राष्ट्रपिता महात्मा गांधी ने देश में रामराज्य लाने की बात कही थी। तब गांधी के रामराज्य को किसी भी पार्टी या नेता ने साम्प्रदायिकता से नहीं जोड़ा था।

ब्रांड मोदी ने केवल हिन्दुस्तान में ही नहीं, बल्कि हिन्दुस्तान के बाहर रहने वाले लोगों के दिलों को बखूबी जीता है।

लेकिन बीजेपी जब-जब रामराज्य की बात करती है तो साम्प्रदायिकता का आरोप लगता है, उसे सोचना चाहिए कि ऐसा क्यों होता है? सिर्फ इसलिए कि कहीं न कहीं कर्म और वचन में अंतर आ जाता है। इस अंतर को पाटने की सबसे बड़ी जिम्मेदारी प्रधानमंत्री मोदी पर जाती है। अब जनता पूरी तरह से उनके साथ है। अब न तो राज्य सभा में वे कमजोर होंगे, न राष्ट्रपति का चुनाव समझौता के तहत करना होगा। अब वह उड़ने के लिये तैयार हैं तो उन्हें निश्चित करना होगा कि जनता रूपी एटीसी से उनका संपर्क न टूटे और वे इस बदलाव की बड़ी चाहत को साकार करते हुए लोगों की आंखों में आंखें डालकर एक नई उम्मीद और नया भरोसा पैदा कर सकें। साल 2019 का समय प्रधानमंत्री के लिये एक सुअवसर भी साबित हो सकता है और अभिशाप भी। सुअवसर इन अर्थों में कि वह इससे भी बड़ा व्यक्तित्व बनकर उभरें और अभिशाप तब होगा जब वे जनता की उम्मीदों पर खरा नहीं उतर पायेंगे। मेरी शुभकामना है कि वे एक और बड़ी लकीर खींचें जो किसी ने न खींची हो।

(राष्ट्रीय सहारा, 12 मार्च, 2017)

3

सबका भरोसा जीतने की चुनौती

''योगी आदित्यनाथ को अपनी छवि के विपरीत उत्तर प्रदेश के 22 करोड़ लोगों को अहसास कराना होगा कि वो सबके नेता हैं। विशेषकर मुसलमानों को, क्योंकि उनके प्रति इस तबके में पूर्वाग्रह है। प्रधानमंत्री जी ने कहा कि जब वो गुजरात के मुख्यमंत्री थे तो 6 करोड़ गुजरातियों की बात करते थे, प्रधानमंत्री हुए तो 125 करोड़ लोगों की बात करते हैं। बेटी बचाओ अभियान चल रहा है तो देश की हर बेटी मेरी बेटी है, लेकिन कई बार ऊंचे मन से कही गई बात नीचे पहुंचते-पहुंचते अर्थ से अनर्थ में तब्दील हो जाती है। जैसी छवि योगी जी की रही है, यह उनके लिये बड़ी चुनौती है कि कैसे वो उसमें आमूलचूल परिवर्तन करते हैं।''

पहली बार ऐसा हुआ है कि उत्तर प्रदेश के मुख्यमंत्री के रूप में एक ऐसा व्यक्ति आसीन हुआ है, जिसके पास धरोहर के रूप में आध्यात्मिक विरासत है, जो गेरुआ वस्त्र धारण करता है और पूर्ण रूप से संन्यासी के रूप में व्यवहार करता है। जो सांसद बनने से पहले ही जनता की सेवा करता रहा है। मुख्यमंत्री के रूप में उनके समक्ष कई चुनौतियां भी हैं। आग बाहर लगी हो तो पानी की बाल्टियों से उसे बुझाया जा सकता है, लेकिन अंदर लगी हो तो उसे बुझाने के लिए अध्यात्म की बाल्टियों की जरूरत होती है। इस नाते उत्तर प्रदेश के मुख्यमंत्री चुने गए योगी आदित्यनाथ सौभाग्यशाली हैं। प्रदेश की विभिन्न चुनौतियों से निपटने के लिए प्रशासनिक अमले के साथ उनके पास आध्यात्मिक अनुभव भी है। लेकिन अध्यात्म और प्रशासन के बीच कैसे तालमेल बिठाया जाए यह चुनौती उनके सामने हमेशा रहेगी। इसकी झलक मुख्यमंत्री आवास की नाम पट्टिका में योगी आदित्यनाथ की जगह आदित्यनाथ योगी के उकेरे जाने में देखी जा सकती है।

मतलब प्रशासन प्रथम। यह होना भी चाहिए। जैसे प्रधानमंत्री नरेन्द्र मोदी ने शपथ लेने के बाद स्वच्छता अभियान, मिनिमम गवर्नमेंट-मैक्सिमम गवर्नेंस और पारदर्शी प्रशासन का नारा दिया था, उसी तर्ज पर योगी आदित्यनाथ ने भी शुरुआत की है। इसकी झलक है सचिवालय में पान-मसाला, पोलीथिन इत्यादि पर पाबंदी, निचले स्तर के अधिकारियों से संवाद, हजरतगंज थाने का निरीक्षण। ये सभी कदम भले छोटे हों लेकिन प्रतीकात्मक संदेश देते हैं कि आने वाले समय में सरकार की कार्यशैली क्या होगी। स्वच्छता को लेकर उन्होंने जो संदेश दिया, इसका असर उनके मंत्रिमंडल सहयोगी बलिया के उपेन्द्र तिवारी द्वारा अपने दफ्तर में खुद साफ-सफाई करने में दिखा। योगी जी एक कुशल प्रशासक के रूप में सामने आ रहे हैं। लेकिन कुछ कदम तो असहज करने वाले हैं। जैसे भाजपा ने प्रदेश में अवैध बूचड़खाने बंद करने की बात अपने घोषणा-पत्र में कही थी, और आते ही इस पर कार्रवाई भी शुरू हो गई। किसी को इससे विरोध भी नहीं हो सकता। लेकिन प्रशासन चलाने

योगी आदित्यनाथ सौभाग्यशाली हैं। प्रदेश की विभिन्न चुनौतियों से निपटने के लिए प्रशासनिक अमले के साथ उनके पास आध्यात्मिक अनुभव भी है।

का अपना एक गोल्डन रूल होता है, जिसे अपनाया जाना चाहिए। मानवीय आधार पर अवैध झोपड़पट्टियों को गिराने से पहले कुछ मोहलत दी जाती है। इस प्रकार के मामलों से असहिष्णुता का जन्म होता है और एक वर्ग विशेष में असंतोष की भावना पैदा होती है।

कल मेरी मुलाकात प्रधानमंत्री जी से हुई। प्रधानमंत्री और मुख्यमंत्री दोनों का उद्देश्य और नीयत सुशासन और रामराज्य लाने की है। जब गांधी रामराज्य लाने की बात करते थे तो उन पर कोई सांप्रदायिक होने का आरोप नहीं लगता था लेकिन जब यही बात भाजपा करती है तो उस पर सांप्रदायिक होने के आरोप लगने लगते हैं। प्रधानमंत्री के स्तर पर दिया गया आदेश कैसे निचले स्तर तक पहुंचते-पहुंचते अर्थ से अनर्थ के रूप में तब्दील हो जाता है, इस संबंध में उन्हें मैंने एक कहानी सुनाई। कहानी बनारस की है, जहां एक कमिश्नर ने वहां के जिलाधिकारी से आग्रह किया कि उनके बेटे की शादी में उस्ताद बिस्मिल्लाह खां शहनाई वादन करें तो बड़ा अच्छा होगा। जिलाधिकारी ने आव देखा ना ताव तुरंत एसएसपी को, एसएसपी ने डीएसपी को, डीएसपी ने थाने को, थाने ने चौकी को और चौकी ने उस बीट पर लगे हेड कांस्टेबल को उस्ताद बिस्मिल्लाह खां के घर भेज दिया। उसने खां साहब को थाने चलने का आग्रह किया। सुबह-सुबह का वक्त था खां साहब ने तैयार होने के लिए समय मांगा। लेकिन हेड कांस्टेबल थानेदार से पांच मिनट की मुलाकात की बात कहते हुए उन्हें बनियान में ही थाने ले आया। सारे मोहल्ले में हड़कंप मच गया। थानेदार समझदार था। उसने खां साहब के कपड़े घर से मंगाए और उन्हें एसएसपी के यहां ले गया। जब उन्हें कमिश्नर साहब के यहां ले जाया गया तो उन्होंने अपनी नाराजगी जताई। बेहद रुआंसा होकर भारत रत्न समेत उन्हें मिले तमाम पुरस्कारों को आग लगाने की बात कही। कमिश्नर साहब को बात समझते देर न लगी। उन्होंने खां साहब से खेद प्रकट किया। थानेदार से बीट इंचार्ज तक को सस्पेंड करने को कहा। मेरी बात पूरी करने से पहले ही प्रधानमंत्री मेरी बात समझ चुके थे। कमिश्नर सहृदय व्यक्ति थे, लेकिन खां साहब को जलालत का सामना करना पड़ा था।

प्रधानमंत्री नरेन्द्र मोदी ने शपथ लेने के बाद स्वच्छता अभियान, मिनिमम गवर्नमेंट - मैक्सिमम गवर्नेंस और पारदर्शी प्रशासन का नारा दिया था, उसी तर्ज पर योगी आदित्यनाथ ने भी शुरुआत की है।

कहीं ना कहीं फायरब्रांड नेता योगी आदित्यनाथ को अपनी छवि के विपरीत उत्तर प्रदेश के 22 करोड़ लोगों को अहसास कराना होगा कि वो सबके नेता हैं। विशेषकर मुसलमानों को, जिनकी प्रदेश में एक बड़ी भागीदारी है, क्योंकि उनके प्रति इस तबके में पूर्वाग्रह है। प्रधानमंत्री जी ने कहा कि जब वो गुजरात के मुख्यमंत्री थे तो 6 करोड़ गुजरातियों की बात करते थे, प्रधानमंत्री हुए तो 125 करोड़ लोगों की बात करते हैं। बेटी बचाओ अभियान चल रहा है तो देश की हर बेटी मेरी बेटी है, लेकिन कई बार ऊंचे मन से कही गई बात नीचे पहुंचते-पहुंचते अर्थ से अनर्थ में तब्दील हो जाती है। जैसी फायरब्रांड छवि योगी जी की रही है, यह उनके लिये बड़ी चुनौती है कि कैसे वो उसमें आमूलचूल परिवर्तन करते हैं। वैसे अच्छी बात यह है कि उन्होंने प्रधानमंत्री की तर्ज पर काम की शुरुआत की है। मीडिया भी उनके कदमों को तरजीह दे रहा है।

जब गांधी रामराज्य लाने की बात करते थे तो उन पर कोई सांप्रदायिक होने का आरोप नहीं लगता था लेकिन जब यही बात भाजपा करती है तो उस पर सांप्रदायिक होने के आरोप लगने लगते हैं।

दूसरी बात एंटी रोमियो स्क्वैड के गठन के बाद प्रदेश भर से पुलिस द्वारा इसके दुरुपयोग की खबरें आने लगी हैं जबकि इसका मकसद महिलाओं के खिलाफ अपराध रोकना था, जिसका वादा भाजपा ने घोषणा-पत्र में किया था। सरकार की मंशा गलत नहीं है, लेकिन कार्यान्वयन संदेह पैदा करता है। योगी जी शपथ ले रहे थे तब उनकी प्रशासनिक क्षमता पर सवाल उठाए जा रहे थे, लेकिन मैं कहना चाहूंगा कि कोरे कागज पर बहुत कुछ लिखने की संभावना होती है, लेकिन जो छपा हुआ कागज होता है वो कबाड़ी के यहां बिकता है। भले योगी जी के पास अनुभव ना हो, लेकिन कई बार कम अनुभव वाला भी वह कर गुजरता है जो बहुत अनुभव वाला नहीं कर पाता। योगी जी के अंदर बहुत संभावना है, और लोगों को उनसे बहुत उम्मीदें भी हैं। राममंदिर का मुद्दा भी उनके लिए एक कठिन परीक्षा की घड़ी है, क्योंकि उन्हें दोनों समुदायों की भावनाओं को संतुलित सम्मान देना है। जैसा कि मैंने पहले के आलेखों में जिक्र किया है कि किस प्रकार क्षेत्रीय दलों ने राज्यों को चलाया और उसका दोहन किया है। वैसे में राज्य में एक राष्ट्रीय दल का

होना शुभ संकेत है। ऐसे में प्रधानमंत्री ने राजकाज के जो मापदंड तय किए हैं, और जनता ने उन पर मुहर भी लगाई है, वो योगी जी के लिए चुनौती हैं। जिन उम्मीदों के साथ लोगों ने भाजपा को प्रचंड बहुमत दिया है, और योगी जी को देश के सबसे बड़े प्रदेश की कमान सौंपी गई है, अगर वो पूरी नहीं हुई तो जनता का भरोसा टूटेगा।

(राष्ट्रीय सहारा, 26 मार्च, 2017)

4

खजाने का ख्याल उतना ही जरूरी

''125 करोड़ से ज्यादा आबादी वाले अपने देश में युवाओं की फीसद दुनिया भर से ज्यादा है। फिर भी बेरोजगारी अपने चरम पर है और अशिक्षा का भयंकर बोलबाला है। शासन और सत्ता का प्रभाव प्रदेश की राजधानियों और कुछ गिने-चुने शहरों तक ही सीमित है। इनको ठीक करने की जरूरत है। अब इन समस्याओं से प्रधानमंत्री मोदी जिस संकल्पशीलता, दूरदर्शिता, कुशलता और सख्ती से जूझ रहे हैं, वैसी सामर्थ्य हर मुख्यमंत्री या चुने हुए जनप्रतिनिधियों को भी दिखाना चाहिए। पर ये सारा कुछ प्रधानमंत्री मोदी में तो दिख रहा है, लेकिन उनके बाद एक बड़ा शून्य पसरा हुआ है।''

आयकर विभाग का मुख्य स्लोगन 'कोष मूलो दंड', आचार्य कौटिल्य के अर्थशास्त्र से लिया गया है। इसका मतलब है—राजस्व प्रशासन का मुख्य आधार। इसी को किसी दूसरे विद्वान ने कहा था, ''राजनीति, अर्थनीति की चेरी होती है।'' योगी आदित्यनाथ ने उत्तर प्रदेश के मुख्यमंत्री पद की शपथ लेने के बाद जब कैबिनेट की पहली बैठक की तो उन्होंने किसानों की कर्जमाफी की घोषणा सबसे पहले की। हालांकि ऐसा करने वाले देश-प्रदेश की सरकारों के वे पहले मुखिया नहीं थे। खुद उत्तर प्रदेश की समाजवादी सरकार ने भी कर्ज माफी दी थी। दरअसल, लोक-लुभावन राजनीतिक वादों के बाद जब कोई सरकार बनती है तो उसके मुख्यमंत्री और प्रधानमंत्री के माथे पर तब बहुत बल पड़ता है, जब उन्हें कर्ज माफी का फैसला लेना पड़ता है। खासतौर से तब जब उनको यह पता चलता है कि पिछली सरकार खजाना खाली करके जा चुकी है। लेकिन सिर्फ राजनीतिक स्वार्थ को पूरा करने के लिए जनता की भावनाओं और उनकी उम्मीदों को परवान चढ़ाना कहां तक जायज है! और ऐसे हालात में जब केंद्र की नरेन्द्र मोदी सरकार ने भ्रष्टाचार में आकंठ डूबे सिस्टम से लड़ने के लिए पूरी तरह से मोर्चा खोल रखा हो। टैक्स वसूली के लिए दिन-रात काम किया जा रहा हो। ऐसे में सरकारी खजाने और बैंकों पर भारी-भरकम बोझ लादना कहां तक जायज है! अगर तमाम चुनावी वादे पूरे कर दिये जाएं तो सारी अर्थव्यवस्था ही भयंकर घाटे में चली जाएगी।

योगी आदित्यनाथ ने उत्तर प्रदेश के मुख्यमंत्री पद की शपथ लेने के बाद जब कैबिनेट की पहली बैठक की तो उन्होंने किसानों की कर्जमाफी की घोषणा सबसे पहले की।

इस साल डायरेक्ट या इनडायरेक्ट टैक्स कलेक्शन में 18 फीसद का उछाल देखा गया है। डायरेक्ट टैक्स कलेक्शन 8 लाख 47 हजार करोड़ रुपये हुआ है, वहीं इनडायरेक्ट टैक्स कलेक्शन 7 लाख करोड़ तक जा पहुंचा है। दूसरी तरफ, अगर लिए गए कर्ज को देखें तो स्थिति काफी भयावह दिखती है। साल 2004-2014 के बीच सभी सरकारी, गैर सरकारी एवं वित्तीय संस्थानों ने मिलाकर करीब 63 लाख करोड़ रुपये यानी 690 बिलियन डॉलर का लोन बांटा है। पूरे विश्व में कुल 18 देश ही ऐसे हैं, जिनकी अर्थव्यवस्था

690 बिलियन डॉलर से अधिक है यानी दुनिया के लगभग दो सौ देशों में किसी की भी अर्थव्यवस्था की हालत या हैसियत इतनी बड़ी नहीं है, जितनी की रकम भारतीय बैंकों या वित्तीय संस्थानों ने 10 सालों में कर्ज में बांट दी है। हां, इससे यह तो पता चलता है कि भारत दुनिया की एक बड़ी अर्थव्यवस्था का हिस्सा है। लेकिन दूसरी तरफ इतनी बड़ी इकॉनमी को बड़ा बनाए रखने के लिए एक बड़े वित्तीय अनुशासन में भी चलना होता है। इसकी देश में कमी है। आरबीआई की ही एक रिपोर्ट के मुताबिक करीब 6 लाख करोड़ रुपये से ज्यादा की संपत्ति एनपीए (नन परफॉर्मिंग एसेट्स) में बदल चुकी है। यह रकम काफी बड़ी है। जब किसी बैंक का एनपीए तीन फीसद तक पहुंचता है तो अर्थव्यवस्था में खतरे की घंटी बजने लगती है। लेकिन कुछ बैंक का एनपीए तो 18 फीसद तक जा पहुंचा है। बैंकों के अंदर तरलता बनी रहे इसके लिए सरकार ने बजट में करीब 25 हजार करोड़ रुपये का प्रावधान किया था, जिससे कि हर बैंकों को कुछ मिनिमम कैपिटल सरकार की तरफ से दिया जा सके। इसके बावजूद कुछ बैंकों के हालात बेहद नाजुक बने हुए हैं। किंगफिशर एयरलाइंस को दिए गए कर्ज को लेकर जिस तरह से आईडीबीआई बैंक के पूर्व चेयरमैन समेत आधा दर्जन अधिकारियों की गिरफ्तारी हुई, उससे सरकारी बैंकों में अलग तरह का भय व्याप्त है।

टैक्स वसूली के लिए दिन-रात काम किया जा रहा हो। ऐसे में सरकारी खजाने और बैंकों पर भारी-भरकम बोझ लादना कहां तक जायज है!

विमुद्रीकरण के दौरान सरकार के पास 15 लाख करोड़ रुपये से ज्यादा धन जमा हुआ। लेकिन तीन माह के भीतर करीब 9 लाख करोड़ रुपये से ज्यादा की नई करेंसी बाजार में आ गई। विमुद्रीकरण के दौरान उम्मीद थी कि अगले कुछ ही महीनों में ब्याज दरों में भारी कटौती होगी और नौकरी पेशा लोगों को आसान दरों पर कर्ज लेना संभव हो सकेगा। लेकिन बहुत आजमाइश के बाद भारत सरकार ने कम आय वर्ग या गरीब लोगों के लिए अपने बजट में तीन से चार फीसद तक सब्सिडी देने की घोषणा की, जिसमें 9 से 12 लाख के घर खरीदने पर 4 फीसद तक की छूट और 12 से 18 लाख के मकान खरीदने पर तीन फीसद की छूट शामिल है। हालांकि जबसे

जन-धन योजना समेत तमाम योजनाओं में गरीब वर्ग के खातों में पैसे सीधे पहुंचने लगे हैं, उनके मन में सरकार के प्रति भरोसा बहुत बढ़ा है। लेकिन अब भी जितना पैसा उप्र, बिहार जैसे राज्यों से सरकारी-गैरसरकारी बैंकों में जमा होता है, उनका बहुत छोटा हिस्सा ही उन राज्यों में खर्च होता है। बाकी सारा पैसा देश के बड़े-बड़े औद्योगिक घरानों को कर्ज देने में लगा दिया जाता है। आरबीआई के मुताबिक जिस राज्य से जितना पैसा बैंकों में जमा होता है, उसका बड़ा हिस्सा उसी राज्य को कर्ज के मद में सहयोग देने के लिए खर्च होना चाहिए।

जब किसी बैंक का एनपीए तीन फीसद तक पहुंचता है तो अर्थव्यवस्था में खतरे की घंटी बजने लगती है। लेकिन कुछ बैंक का एनपीए तो 18 फीसद तक जा पहुंचा है।

ऐसा नहीं है कि मैं किसानों की कर्जमाफी के खिलाफ हूं, लेकिन मेरी नजर में इसके बजाय उन्हें बेहतर संसाधन, बेहतर तकनीक, बेहतर शिक्षा और उनसे बेहतर कम्युनिकेशन मुहैया करने की जरूरत है। सरकारी योजनाओं को और पारदर्शी तरीके से उन तक पहुंचाने की जरूरत है। कृषि मंत्रालय का बजट 70 हजार करोड़ रुपये से ज्यादा का है, लेकिन इसमें से कितना पैसा किसानों तक पहुंचता है, यह अभी भी बड़ा प्रश्न है। 125 करोड़ से ज्यादा आबादी वाले अपने देश में युवाओं की फीसद दुनिया भर से ज्यादा है। फिर भी बेरोजगारी अपने चरम पर है और अशिक्षा का भयंकर बोलबाला है। शासन और सत्ता का प्रभाव प्रदेश की राजधानियों और कुछ गिने-चुने शहरों तक ही सीमित है। इनको ठीक करने की जरूरत है। अब इन समस्याओं से प्रधानमंत्री मोदी जिस संकल्पशीलता, दूरदर्शिता, कुशलता और सख्ती से जूझ रहे हैं, वैसी सामर्थ्य हर मुख्यमंत्री या चुने हुए जनप्रतिनिधियों को भी दिखाना चाहिए। पर ये सारा कुछ प्रधानमंत्री मोदी में तो दिख रहा है, लेकिन उनके बाद एक बड़ा शून्य पसरा हुआ है।

(राष्ट्रीय सहारा, 9 अप्रैल, 2017)

5

नीयत साफ तो गलतियां भी माफ

''जादू की छड़ी तो किसी के हाथ नहीं आ सकती। पर यह तो सब स्वीकारेंगे कि पीएम के रूप में उनकी मंशा भारत को एक मजबूत राष्ट्र बनाने की है। इसके लिए उन्होंने नोटबंदी, भ्रष्टाचार के खिलाफ जंग जैसा माहौल छेड़ने का जो साहस दिखाया है, वह बताता है कि प्रधानमंत्री पद की गरिमा को वे एक नई ऊंचाई तक ले जाना चाहते हैं। इंसान होने के नाते गलतियां प्रधानमंत्री से भी हो सकती हैं। लेकिन नीयत साफ हो तो बड़ी से बड़ी गलती को आम जनता माफ भी कर देती है। जिस तरह से मोदी ने एक बड़ी लकीर खींची है, उसके सामने कोई और बड़ी लकीर खिंच जाए, ऐसी संभावना दूर-दूर तक दिखाई नहीं देती।''

तीन सालों में प्रधानमंत्री नरेन्द्र मोदी की जो सबसे बड़ी उपलब्धि है वो ये है कि उन्होंने देश के आम लोगों का भरोसा जीतने के साथ-साथ अंतरराष्ट्रीय मंच पर अपने व्यक्तित्व और काम के दम पर एक अलग मुकाम बनाया है, जो उन्हें अन्य प्रधानमंत्रियों से अलग लीग में ले जाता है। गुजरात का मुख्यमंत्री पद छोड़ने के बाद जब उन्होंने प्रधानमंत्री पद की शपथ ली तब विपक्ष एवं भाजपा के कुछ नेताओं ने भी दबे स्वरों में कहा था कि मोदी जी के ज्ञान का स्तर अभी उतना भी विकसित नहीं है कि वह अन्य देशों के राष्ट्राध्यक्षों के साथ बैठकर अंतरराष्ट्रीय मुद्दों पर विचार-विमर्श कर सकें। उन्होंने अपने को एक स्वयंसेवक से लेकर भारत ही नहीं, बल्कि विश्व में अपना नाम दमदार नेता के रूप में स्थापित करवा लिया। आज अमेरिका और ब्रिटेन में भी उनको सुनने के लिए 40-50 हजार लोग यों ही चले आते हैं। उनके अंग्रेजी में दिए गए भाषणों से पता चलता है कि खुद को बदलने की दिशा में उन्होंने अपने ऊपर भी कई प्रयोग किए। अहसास कराया कि भाषा से किसी की प्रतिभा की परख नहीं करनी चाहिए।

प्रधानमंत्री नरेन्द्र मोदी के कार्यकाल के तीन साल अब पूरे होने जा रहे हैं। जिस तरीके से उन्होंने 'मन की बात' के जरिए आम लोगों से अपना संपर्क बनाए रखा है, वह चमत्कार से कम नहीं। भले ही दिल्ली, मुंबई में रहने वाले दो-चार करोड़ लोग अपनी व्यस्ततम जिंदगी के कारण 'मन की बात' नहीं सुनते हों, लेकिन जब-जब मैं अपने गांव गाजीपुर और शेरपुर जाता हूं, तब-तब मुझे आश्चर्य होता है कि पूरे साल गांव में रहने वाले लोग जो बमुश्किल ही किसी शहर की यात्रा करते हैं, वे भी प्रधानमंत्री से इस कदर जुड़े हुए हैं। प्रधानमंत्री के 'मन की बात' सुदूर ग्रामीण क्षेत्रों में रहने वाले लोगों के लिए एक रिलिजन बन चुकी है। यही कारण है कि जितनी जगह प्रधानमंत्री ने लोगों के मन-मस्तिष्क में बनाई है, शायद उतनी जगह इससे पहले किसी प्रधानमंत्री ने नहीं बनाई।

आज अमेरिका और ब्रिटेन में भी उनको सुनने के लिए 40-50 हजार लोग यों ही चले आते हैं।

जब भी नई सरकार बनती है तो वह अपनी नई-नई योजनाओं के साथ आती है। उनके प्रचार-प्रसार पर करोड़ों खर्च किए जाते हैं। यह न रुकने

वाला सिलसिला है जो हमेशा चलता रहेगा, लेकिन कुछ योजनाएं ऐसी भी हैं, जिन्होंने हिंदुस्तान के आवाम की जिंदगी बदलने में महत्त्वपूर्ण भूमिका निभाई है। उन योजनाओं में जन-धन खातों का खुलना, गैस सब्सिडी छोड़ने के लिए प्रधानमंत्री का आह्वान, मेक इन इंडिया का नारा, स्वच्छ भारत योजना, सैनिकों के लिए वन रैंक-वन पेंशन, ग्रामीण विद्युतीकरण, क्लीन एनर्जी, स्किल डेवलपमेंट जैसी योजनाओं का जिक्र जरूरी हो जाता है।

दो दिन पहले इंडियन मर्चेंट चैम्बर्स के एक फंक्शन के लिए वीडियो कॉन्फ्रेंसिंग के जरिए उनका संबोधन था, जिसमें प्रधानमंत्री की दो-तीन बातें मुझे बेहद अच्छी लगीं। गैस की सब्सिडी पर उन्होंने कहा कि देश में बहुत से लोगों को पता ही नहीं था कि ये सब्सिडी हमें क्यों मिलती है, हमें इसकी जरूरत है भी या नहीं। प्रधानमंत्री ने कहा कि हमने अपनी ही गरीब माताओं-बहनों के लिए ये आह्वान किया जो धुएं के बीच अपना खाना बनाती हैं, उनके लिए जो सक्षम लोग हैं, वे अपनी सब्सिडी छोड़ें। डेढ़ करोड़ लोगों ने सब्सिडी छोड़ी और उसका सीधा फायदा उन गरीब माताओं-बहनों को हुआ जो 40 सिगरेट के बराबर का धुआं पीकर अपने घर का खाना बनाती थीं। मोदी ने कहा कि डेढ़ करोड़ से बढ़ाकर 5 करोड़ लोगों को गैस सिलिंडर देने का उनका तात्कालिक लक्ष्य है।

प्रधानमंत्री के 'मन की बात' सुदूर ग्रामीण क्षेत्रों में रहने वाले लोगों के लिए एक रिलिजन बन चुकी है।

इंडियन मर्चेंट चैम्बर की महिला एसोसिएशन को संबोधित करते हुए पीएम ने यह भी कहा कि माताओं-बहनों को पासपोर्ट में पति के रूप में या पिता के रूप में किसी भी पुरुष का नाम देना अब अनिवार्य नहीं रहा। इससे महिला शक्ति को एक अलग पहचान मिली। कहने का आशय यह कि प्रधानमंत्री देश के 125 करोड़ लोगों के गार्जियन की अपनी भूमिका बखूबी निभा रहे हैं।

जब भी नई सरकार बनती है तो वह अपनी नई-नई योजनाओं के साथ आती है।

तीन साल के भीतर जिस तरह से भारतीय पासपोर्ट का वजन पूरी दुनिया में बढ़ा है, पहले मैंने ऐसा कभी महसूस नहीं किया था। जब मैं 2014 से पहले विदेश यात्राएं करता था अमेरिका या ब्रिटेन या यूरोप में इमिग्रेशन अफसर

सवालों की झड़ी लगा देते थे, लेकिन अब बस यह पूछते हैं कि आप कितने दिन के लिए आए हैं। आपकी यात्रा पर्सनल है, या ऑफिशियल। पहले होटल की बुकिंग से लेकर एयर टिकट तक सब कुछ दिखाना पड़ता था, लेकिन पिछले तीन सालों में मुझे एक बार भी इन चीजों को नहीं दिखाना पड़ा। जिस तरीके से मोदी के आह्वान पर पूरी दुनिया ने संयुक्त राष्ट्र संघ के निर्देश पर 'विश्व योग दिवस' मनाया, यह भी उनकी बड़ी उपलब्धि है। यूनाइटेड नेशंस की बिल्डिंग पर 'हैप्पी दिवाली' का लिखा जाना, दुनिया की सबसे ऊंची बिल्डिंग बुर्ज खलीफा को तिरंगे के रंग में रंगना बताता है कि भारत की हैसियत अंतरराष्ट्रीय मंच पर पहले से ज्यादा मजबूत हुई है।

मोदी के आह्वान पर पूरी दुनिया ने संयुक्त राष्ट्र संघ के निर्देश पर 'विश्व योग दिवस' मनाया, यह भी उनकी बड़ी उपलब्धि है।

हमारे देश में आने वाले राष्ट्राध्यक्षों का स्वागत जिस अंदाज में अब मोदी करते हैं, वैसा पहले किसी प्रधानमंत्री ने नहीं किया। अमेरिकी राष्ट्रपति बराक ओबामा को बराक नाम से पुकारना, चीनी राष्ट्रपति शी जिनपिंग को अहमदाबाद में पूरे गुजराती अंदाज में झूले पर बिठाकर उनसे गुफ्तगू करना और ऑस्ट्रेलियाई प्रधानमंत्री को अक्षरधाम मंदिर की सीढ़ियों पर बैठाकर अनूठे दोस्ताने अंदाज में बात करना पूरी दुनिया ने देखा। जादू की छड़ी तो किसी के हाथ नहीं आ सकती। पर यह तो सब स्वीकारेंगे कि पीएम के रूप में उनकी मंशा भारत को एक मजबूत राष्ट्र बनाने की है। इसके लिए उन्होंने नोटबंदी, भ्रष्टाचार के खिलाफ जंग जैसा माहौल छेड़ने का जो साहस दिखाया है, वह बताता है कि प्रधानमंत्री पद की गरिमा को वे एक नई ऊंचाई तक ले जाना चाहते हैं। इंसान होने के नाते गलतियां प्रधानमंत्री से भी हो सकती हैं। लेकिन नीयत साफ हो तो बड़ी से बड़ी गलती को आम जनता माफ भी कर देती है। जिस तरह से मोदी ने एक बड़ी लकीर खींची है, उसके सामने कोई और बड़ी लकीर खिंच जाए, ऐसी संभावना दूर-दूर तक दिखाई नहीं देती।

(राष्ट्रीय सहारा, 16 अप्रैल, 2017)

6

नब्ज़ की पहचान, जीत का मूल मंत्र

''प्रधानमंत्री ने कहीं गहरे में यह महसूस किया होगा कि लालबत्ती या वीआईपी कल्चर जनता और जनप्रतिनिधियों के बीच एक बड़ी दीवार है, जिसे ढहाने की जरूरत है। लिहाजा लालबत्ती हटाने का फैसला लेकर प्रधानमंत्री ने आम लोगों को जहां लोकशाही का बड़ा भरोसा दिया है वहीं अहंकार से तने हुए सिर और नाक पर गुस्सा रखने वाले जनप्रतिनिधियों को भी यह समझाया है कि वे कोई सुपरमैन नहीं हैं। उनको जो भी शक्ति या अधिकार मिले हैं, वह जनता के प्रति अपने कर्तव्यों के निर्वहन के लिए, न कि उनके मिथ्या अभिमान या सनक पूरी करने के लिए।''

नरेन्द्र मोदी ने लालबत्ती हटाने का फैसला लेकर देश-दुनिया में यह संदेश देने की कोशिश की है कि लोकतंत्र में जनता की सेवा करने वाले राजनेताओं या नौकरशाहों को आम नागरिक की तरह ही व्यवहार करना चाहिए। उन्हें आम जन की तरह दिखना भी चाहिए। जिस तरीके से हमारे देश में पांच लाख से ज्यादा लोग वीआईपी के रूप में चिन्हित हैं, उससे तो यही लगता है कि लोग जनता की सेवा करने के नाम पर पद प्राप्त करते हैं, अधिकार प्राप्त करते हैं, लेकिन कुर्सी पर बैठने के बाद राजा की तरह व्यवहार करने लगते हैं। यद्यपि लोकतंत्र की मूल अवधारणा ही है कि जनता के द्वारा, जनता के लिए किया जाने वाला शासन। इसलिए लालबत्ती एवं वीआईपी कल्चर को खत्म करने की प्रधानमंत्री की मुहिम उन्हें आम आदमी के और करीब ले जा रही है। लोकतंत्र में ऐसे हर निर्णय का स्वागत होना चाहिए, जो लोकमनभावन हो।

> *लालबत्ती एवं वीआईपी कल्चर को खत्म करने की प्रधानमंत्री की मुहिम उन्हें आम आदमी के और करीब ले जा रही है।*

लालबहादुर शास्त्री जब प्रधानमंत्री बने तो लोगों में यह भरोसा बना था कि जब एक गरीब किसान परिवार से ताल्लुक रखने वाला व अत्यंत सादगी से जीवन जीने वाला व्यक्ति भी अपने उच्च नैतिक आदर्शों के बल पर प्रधानमंत्री की कुर्सी पर पहुंच सकता है, तो हमें भी अपने बच्चों को शास्त्री जी जैसा ही कर्मठ, ईमानदार एवं आदर्श व्यक्ति बनाना है। शास्त्री जी शायद भारत के इतिहास के पहले व्यक्ति होंगे, जिनके पास अपनी कोई संपत्ति नहीं थी। जब वे प्रधानमंत्री बने तो उनके सामने कई चुनौतियां थीं। उनमें एक बड़ी चुनौती अपने सामान्य जीवन स्तर को बनाये रखने की भी थी। हालांकि पीएम के रूप में उन्हें बड़ी-बड़ी सरकारी गाड़ियां सहज उपलब्ध थीं, लेकिन उन्होंने सरकारी खजाने पर बोझ न डालते हुए अपने वेतन और कर्ज की रकम मिलाकर एक छोटी फिएट कार खरीदी थी। शास्त्री जी की तरह रफी अहमद किदवई भी सादगी की प्रतिमूर्ति थे। मंत्री पद पर रहते हुए जब उनका देहांत हुआ था, तब उनके पास मात्र ढाई सौ रुपये थे। किदवई साहब नेहरू सरकार में ऐसे मंत्री थे, जिन्होंने अपनी प्रारंभिक शिक्षा घर पर ही अपने चाचा से प्राप्त की थी। बाद में वह गवर्नमेंट हाई स्कूल, बाराबंकी पढ़ने गए थे।

इसी तरह, तत्कालीन गृह मंत्री सरदार बल्लभ भाई पटेल जैसे दिग्गज नेता के आगे-पीछे चलने वाली दस-बीस गाड़ियों का काफिला नहीं होता था। यही व्यवस्था कमोबेश इंदिरा गांधी तक चलती रही थी। लेकिन उनकी हत्या के बाद पूरे देश में लालबत्ती एवं वीआईपी कल्चर ने जिस तरीके से अपना प्रभाव जमाया, उससे फ्यूड्ल कल्चर को बड़ा बल मिला। ऐसे में लालबत्ती हटाने का फैसला लेकर प्रधानमंत्री ने आम लोगों को जहां लोकशाही का बड़ा भरोसा दिया है वहीं अहंकार से तने हुए सिर और नाक पर गुस्सा रखने वाले जनप्रतिनिधियों को भी यह समझाया है कि वे कोई सुपरमैन नहीं हैं। उनको जो भी शक्ति और अधिकार मिले हैं, वह जनता के प्रति अपने कर्तव्यों के निर्वहन के लिए, न कि उनके मिथ्या अभिमान या सनक पूरी करने के लिए।

> *शास्त्री जी शायद भारत के इतिहास के पहले व्यक्ति होंगे, जिनके पास अपनी कोई संपत्ति नहीं थी।*

यहां मैं नीदरलैंड का उदाहरण देना चाहूंगा जहां के प्रधानमंत्री मार्क रूटे दुनिया की सोलहवीं बड़ी अर्थव्यवस्था वाले देश के प्रधानमंत्री हैं, और रोजाना साइकिल से दफ्तर जाते हैं। वहीं स्वीडन के प्रधानमंत्री ओल्फ पाल्मे का भी उदाहरण है, जिनकी 28 फरवरी, 1986 में उस वक्त हत्या कर दी गई थी, जब वह थिएटर से फिल्म देखकर बिना किसी सुरक्षा के पैदल ही अपने घर जा रहे थे। स्वीडन भी दुनिया की एक बड़ी अर्थव्यवस्था वाला देश था और आज भी वह दुनिया की बड़ी अर्थव्यवस्थाओं में शुमार है। यही नहीं, कनाडा के प्रधानमंत्री जस्टिन ट्रूडो की लोकप्रियता के चर्चे कनाडा समेत दुनिया भर के देशों में हैं कि किस तरह वे जनता की सेवा के लिए चौबीसों घंटे उपलब्ध हैं। कभी-कभी उनको भी साइकिल या किसी सोलर पैनल से चलने वाली छोटी गाड़ी से दफ्तर आते-जाते हुए देखा जा सकता है। जस्टिन ट्रूडो के पिता पियरे ट्रूडो कनाडा के 15 सालों तक प्रधानमंत्री रहे और ऐसे में बचपन से ट्रूडो ने भी प्रधानमंत्री की शानो-शौकत देखी होगी। लेकिन अब जब वे देश के प्रधानमंत्री हैं तो जनता की सेवा में वह अपने पिता से भी दो कदम आगे निकल गए हैं।

जैसा मैंने पहले कहा कि अपने देश में पांच लाख से ज्यादा लोग वीआईपी के रूप में प्रतिष्ठित हैं। यह संख्या दुनिया के सात विकसित देशों की तादाद में लाखों गुनी ज्यादा है। ब्रिटेन में करीब 84 लोग वीआईपी के रूप में चिह्नित हैं तो फ्रांस में करीब 106 लोग इसी श्रेणी में हैं। इसी तरह, अमेरिका जैसे देश में मात्र 252, जापान में 125, जर्मनी में 142 लोग वीआईपी वर्ग में शुमार हैं। हाल यह है कि दुनिया की सबसे बड़ी आबादी वाले देश चीन तक में वीआईपी की संख्या सिर्फ 435 है, जबकि रूस में यह आंकड़ा महज 312 लोगों का है। कनाडा और इटली में कमोबेश ऐसा ही हाल है।

> *नीदरलैंड का उदाहरण देना चाहूंगा जहां के प्रधानमंत्री मार्क रूटे दुनिया की सोलहवीं बड़ी अर्थव्यवस्था वाले देश के प्रधानमंत्री हैं, और रोजाना साइकिल से दफ्तर जाते हैं।*

इनके बरअक्स ही प्रधानमंत्री ने लालबत्ती और वीआईपी कल्चर को समाप्त करने का फैसला किया है। यह करते हुए प्रधानमंत्री ने संदेश दिया है कि जनप्रतिनिधियों के सिर अहंकार से तने नहीं होने चाहिए। चूंकि नरेन्द्र मोदी ने गरीबी से लेकर प्रधानमंत्री की कुर्सी तक पहुंचने का लम्बा सफर तय किया है। लिहाजा, उन्होंने कहीं गहरे में यह महसूस किया होगा कि लालबत्ती या वीआईपी कल्चर जनता और जनप्रतिनिधियों के बीच एक बड़ी दीवार है, जिसे ढहाने की जरूरत है। लिहाजा, उन्होंने जनप्रतिनिधियों और बड़ी जिम्मेदारी के पद पर बैठे लोगों को आम जन से जोड़ने की कोशिश की है। कई बार बड़े-बड़े शहरों के डॉक्टर भी किसी मरीज की असाध्य बीमारी को ढूंढ़ नहीं पाते, लेकिन गांवों में बैठा कोई अनुभवी डॉक्टर मरीज की नाड़ी टटोल कर उसका मर्ज पकड़ लेता है, और चंगा कर देता है। प्रधानमंत्री मोदी का ताजा अनुभव उसी गांव वाले डॉक्टर की तरह है, जो देश की नब्ज़ को ठीक-ठीक पहचानते हैं, और जो जनता को भाता है, उन्हीं निर्णयों को वे प्राथमिकता देते हैं। यही उनकी जीत का मूल मंत्र है।

(राष्ट्रीय सहारा, 23 अप्रैल, 2017)

7

मंजिल भुला देगी रास्ते की मुश्किलें

''मोदी ने इस मिथक को तोड़ा है कि भ्रष्टाचार खत्म नहीं हो सकता। जब वे सभाओं में कहते हैं, 'गरीबों का लूटा गया एक-एक पैसा सरकारी खजाने में लाएंगे, गरीबों पर खर्च करेंगे' तो लोगों को यह बात जुमला नहीं लगती। जाहिर है कि भ्रष्टाचार खत्म नहीं हो गया पर मोदी सरकार भ्रष्टाचार के खिलाफ है, इस बाबत कुछ किया जा रहा है, कुछ हो रहा है—यह विश्वास लोगों के मन में जम गया है। मोदी सरकार पर भ्रष्टाचार का दाग इन तीन सालों में नहीं लगा है।''

आदमी पूरा हुआ तो देवता बन जाएगा, ये जरूरी है कि उसमें कुछ कमियाँ बाकी रहें। किसी शायर की ये पंक्ति प्रधानमंत्री नरेन्द्र मोदी के बारे में इस वक्त एकदम मौजूं हैं। कुछ कमियाँ उनके निर्णयों में हो सकती हैं। कुछ काम लोगों की उम्मीदों के अनुरूप अभी उस तरह स्वरूप नहीं ले पा रहे हैं। लेकिन इस दिशा में उनके ईमानदार प्रयास जारी हैं। और आज नरेन्द्र मोदी के कद के सामने देश का कोई नेता नहीं, चाहे बीजेपी के भीतर देखें या बाहर। दुनिया के बड़े नेताओं में मोदी की गिनती हो रही है। वे देश-दुनिया में ब्रांड बनकर उभरे हैं। विकास-विश्वास का 'मोदी ब्रांड' सबकी नजरों में है।

प्रधानमंत्री मोदी ने इस मिथक को तोड़ा है कि भ्रष्टाचार खत्म नहीं हो सकता। जब वे सभाओं में कहते हैं, 'गरीबों का लूटा गया एक-एक पैसा सरकारी खजाने में लाएंगे, गरीबों पर खर्च करेंगे' तो लोगों को यह बात जुमला नहीं लगती। जाहिर है कि भ्रष्टाचार खत्म नहीं हो गया पर मोदी सरकार भ्रष्टाचार के खिलाफ है, इस बाबत कुछ किया जा रहा है, कुछ हो रहा है-यह विश्वास लोगों के मन में जम गया है। मोदी सरकार पर भ्रष्टाचार का दाग इन तीन सालों में नहीं लगा है, जबकि यूपीए कार्यकाल में भ्रष्टाचार रोजमर्रे की बात हो गई थी। नोटबंदी के बाद बेनामी संपत्ति अधिनियम को अधिसूचित कर सरकार ने संकेत दिया कि काला धन के खिलाफ अभियान थमने वाला नहीं है। वहीं चुनावी चंदे की सीमा तय करने का भी अच्छा संकेत गया है। डायरेक्ट बेनिफिट ट्रांसफर ने बिचौलिये खत्म कर देश को करीब 50 हजार करोड़ रुपये की बचत कराई है। 28 करोड़ लोगों के जनधन खातों से जुड़ने और 2 करोड़ से ज्यादा लोगों के भीम एप से जुड़ने ने आम जन में 'मोदी ब्रांड' विकास के प्रति भरोसा पैदा किया है। देश की आबादी में 60-65 फीसद किसान हैं। उन्हें 'प्रधानमंत्री फसल बीमा योजना' के जरिए आर्थिक सुरक्षा देने की कोशिश कर मोदी ने उनका भी विश्वास जीता है। गन्ना किसानों का बकाया चुका कर और ई-नैम के जरिए देश भर की मंडियों से किसानों को जोड़कर मोदी सरकार ने बड़ी राहत पहुंचाई है। 2016-17 में अनाज का अनुमानित रिकॉर्ड उत्पादन विकास

'प्रधानमंत्री फसल बीमा योजना' के जरिए आर्थिक सुरक्षा देने की कोशिश कर मोदी ने उनका भी विश्वास जीता है।

के 'मोदी ब्रांड' को मान्यता दिला रहा है। देश की आधी आबादी को राहत पहुंचाने के लिए कई कदम उठाए। 'उज्ज्वला योजना' के तहत 2 करोड़ से ज्यादा गरीब महिलाओं को मुफ्त गैस कनेक्शन और चूल्हे दिये। 5 करोड़ गरीब महिलाओं को ये कनेक्शन दिए जाने हैं। 'सुकन्या योजना' में 1 करोड़ से ज्यादा खाते खुले और 11 हजार करोड़ रुपये से अधिक जमा हो चुके हैं। 'बेटी बचाओ, बेटी पढ़ाओ' का अभियान चलाया गया। अंतरराष्ट्रीय स्तर पर भी भारत ने लिंगानुपात में 21 अंक की छलांग लगाई है, अब यह 87वें स्थान पर है। कामकाजी गर्भवती महिलाओं के लिए 26 हफ्ते की छुट्टी तो मोदी सरकार का बड़ा उपहार है। मुस्लिम महिलाओं को तलाक और हलाला से आजादी के लिए प्रधानमंत्री की अपील ने भी महिलाओं का दिल जीता है। वहीं संगठित मजदूरों को अधिक से अधिक बोनस की जद में लाने के लिए सीलिंग भी तोड़ी गई। मजदूरों को यूएनआई नंबर उपलब्ध कराकर अब ईपीएफ का पैसा निकालना आसान बना दिया गया है। व्यापार में डिजिटल ट्रांजेक्शन का फायदा भी सबसे ज्यादा कारोबारी वर्ग को हो रहा है। मोदी सरकार ने युवाओं को हुनरमंद बनाने से लेकर अपने पैरों पर खड़े होने का सपना दिखाया है। 7.45 करोड़ से ज्यादा छोटे उद्यमियों को बाधारहित लोन उपलब्ध कराए गए हैं, 3.17 लाख करोड़ रुपये बांटे जा चुके हैं। स्टार्ट अप इंडिया के लिए 10 हजार करोड़ का फंड सरकार ने बनाया है, जिसका फायदा उद्यमी उठा रहे हैं। इसी तरह, कौशल विकास योजना के तहत नौजवानों को हुनरमंद किया जा रहा है। चालीस साल पुरानी मांग पूरी कर मोदी सरकार ने पूर्व सैनिकों का दिल जीत लिया।

शास्त्री जी शायद भारत के इतिहास के पहले व्यक्ति होंगे, जिनके पास अपनी कोई संपत्ति नहीं थी।

13 करोड़ लोगों को सामाजिक बीमा के दायरे में लाया गया है। इसके अलावा, 800 से ज्यादा दवाओं की कीमतें घटाना, दिल की बीमारी के लिए स्टेंट सस्ता करना, देश भर में एम्स की स्थापना, मेडिकल कॉलेजों की संख्या बढ़ाना ऐसे कदम हैं, जिनका फायदा आम लोगों को हो रहा है, या होने वाला है। महज 3 तीन साल में 1 लाख 20 हजार किमी. ग्रामीण सड़कों का निर्माण हुआ है। सरकार का दावा है कि 18,456 गांवों में से

12 हजार गांवों तक बिजली पहुंचा दी गई है। वर्ष 2022 तक हर गरीब को आवास मिले, इसके लिए महज 3 से 4 फीसद की दर से लोन दिए जा रहे हैं। इतना ही नहीं, हवाई चप्पल पहन कर लोग हवाई यात्रा कर सकें, इस मकसद की ओर सरकार बढ़ रही है। साथ ही, वीआईपी कल्चर खत्म करने की अपील, लालबत्ती हटाना, आम नागरिकों को सेल्फ अटेस्ट करने का अधिकार, तृतीय-चतुर्थ वर्ग की नौकरी के लिए इंटरव्यू खत्म किया जाना–ये कदम ऐसे रहे जिसने जनता को सरकार से कनेक्ट किया। 'एक राष्ट्र, एक कर, एक बाजार' के तहत जीएसटी की पहल की गई है। उम्मीद है कि इससे देश में मल्टीपल टैक्स का युग खत्म होगा। 100 स्मार्ट शहर बनाने का जारी प्रयास हो या बुलेट ट्रेन लाने की कोशिश–इनसे देश की आर्थिक तस्वीर बदल जाएगी। 'भारत नेट' से देश की 77, 831 ग्राम पंचायतों को जोड़ा गया है। महज 3 साल में 1.7 लाख किमी केबल वायर बिछाए गए हैं। अंतरिक्ष में भारत ने जबरदस्त सफलता हासिल की है। न्यू एज नेविगेशन प्रणाली ने भारतीय उपमहाद्वीप के चप्पे-चप्पे की निगरानी के लिए भारत को समर्थ बनाया है। तीन साल के कामकाज को अगर उपलब्धियों के तराजू में तौलें तो 'स्वीट स्पॉट' कहे जाने वाले सभी 6 स्वर्ण सूचकों में उछाल के रूप में विकास के मोदी ब्रांड पर मुहर लगी है। इनमें उच्चतम एफडीआई, उच्च जीडीपी विकास दर, राजकोषीय घाटे और चालू घाटे पर नियंत्रण, रुपया विनिमय दर पर नियंत्रण, कम मुद्रास्फीति शामिल हैं। ये कोई सामान्य उपलब्धि नहीं हैं। इसीलिए 'मोदी ब्रांड' भी अब सामान्य ब्रांड नहीं रह गया है। समस्याएं अभी भी हैं, इसे नकारा नहीं जाना चाहिए परंतु चौतरफा सकारात्मक प्रयास करने में मोदी सरकार अक्षम नहीं है। रास्ता कितना ऊबड़-खाबड़ क्यों न हो, मंजिल तक पहुंचना ही लक्ष्य नजर आ रहा है ब्रांड मोदी का।

चालीस साल पुरानी मांग पूरी कर मोदी सरकार ने पूर्व सैनिकों का दिल जीत लिया।

(राष्ट्रीय सहारा, 14 मई, 2017)

8

करों के जंजाल से मुक्त होगा राष्ट्र

''केंद्र और राज्य, दोनों जगह की सरकारें राजस्व में बढ़ोतरी की उम्मीद कर रही हैं। इसकी एक वजह तो साफ है कि जीएसटी से लगभग 32 से 34 फीसद राजस्व हासिल होगा, जो पहले से लागू करों के योग से थोड़ा ज्यादा है। राजस्व में मामूली बढ़त का संकेत सामान्य गणित से भी मिलता है, लेकिन असली बढ़त तो उन उम्मीदों से है, जो जीएसटी के लागू होने के बाद कारोबार और अर्थव्यवस्था में मजबूती से जुड़ी हैं। इतना ही नहीं, टैक्स प्रक्रिया पारदर्शी होने से टैक्स की चोरी कम होने की भी उम्मीद की जा रही है। जाहिर है टैक्स की वसूली बढ़ेगी। इसके अलावा, नया टैक्स बेस तैयार होने की उम्मीद है जिससे सरकार की आमदनी में इजाफा होगा। जीएसटी के बाद अंतरराष्ट्रीय स्तर पर भारतीय उत्पाद प्रतिस्पर्धी होंगे। निर्यात बढ़ने की उम्मीद की जा सकती है।''

जीएसटी यानी गुड्स एंड सर्विसेस टैक्स को लेकर जीएसटी काउंसिल ने श्रीनगर में टैक्स दरों पर व्यापक सहमति का बड़ा ऐलान किया है। एक जुलाई से देशभर में जीएसटी लागू होने जा रही है, जिससे पहले यह सहमति जरूरी थी। जीएसटी काउंसिल में विभिन्न राज्यों के वित्त मंत्री शामिल हैं। श्रीनगर की बैठक में यह तय कर लिया गया कि किन वस्तुओं पर कितना टैक्स लगेगा। 1205 वस्तुओं या सेवाओं पर जीएसटी की अलग-अलग स्लैब दरों के अनुरूप ये दरें तय की गई हैं। श्रीनगर से जीएसटी की दरों की इस लिस्ट का ऐलान दूरगामी राजनीतिक निहितार्थ भी रखता है। विशेष राज्य का दर्जा हासिल रखने वाले जम्मू-कश्मीर से इस ऐलान को यह संकेत देने की कोशिश के तौर पर भी देखा जा रहा है कि अब 'एक देश, एक कर, एक बाजार' का वक्त है।

श्रीनगर से दुनिया को भी संकेत देने की कोशिश की गई है कि जम्मू-कश्मीर जीएसटी की पहल को स्वीकार कर रहे हैं। इस तरह समूचा भारत जीएसटी पर एकमत है। यानी दुनिया को भारत के रूप में एक बड़ा बाजार तैयार होकर मिलने जा रहा है, जहां कर संबंधी दुविधाएं इतिहास हो जाएंगी। व्यापार के लिए अनुकूल माहौल होगा। इसलिए विदेशी निवेशक कम से कम जोखिम लेकर निवेश कर सकेंगे। जीएसटी को भारतीय अर्थव्यवस्था में गेमचेंजर के रूप में देखा जा रहा है। मोदी सरकार की यह बड़ी उपलब्धियों में एक है कि इसने 17 साल से चल रही जीएसटी पर रायशुमारी को सर्वसम्मति में बदल डाला।

जम्मू-कश्मीर से इस ऐलान को यह संकेत देने की कोशिश के तौर पर भी देखा जा रहा है कि अब 'एक देश, एक कर, एक बाजार' का वक्त है।

कांग्रेस कह सकती है कि यह उसकी पहल है, लेकिन इसको अंजाम तक पहुंचाने में इच्छाशक्ति के मामले में मोदी सरकार ने कांग्रेस की पूर्ववर्ती सरकारों को मात दे दी है। जीएसटी 'एक देश, एक कर, एक बाजार' के सपने को पूरा करेगा। यह केंद्र और राज्यों के 17 से ज्यादा अप्रत्यक्ष करों के बदले इकलौता कर होगा। अलग-अलग राज्यों में वस्तुओं की कीमतें अब अलग-अलग नहीं होंगी। यह दर एक समान होगी। न सिर्फ खरीददारों

के लिए, बल्कि दुकानदारों के लिए भी अब समूचा भारत एक बाजार होगा। यही जीएसटी का खास आकर्षण है। चावल, गेहूं जैसे अनाज कुछ राज्यों में सस्ते हो सकते हैं, जहां अलग से वैट लगाए जाते रहे हैं। रोजमर्रा की चीजें जैसे टूथपेस्ट, साबुन, हेयर ऑयल महंगी होंगे। दूध, दही जैसी आवश्यक वस्तुएं टैक्स के दायरे से बाहर रहेंगी, इसलिए इनकी कीमत पर कोई फर्क नहीं पड़ेगा। अलबत्ता, दवा, चाय, चीनी जैसी चीजों के दामों में पांच से 12 फीसद का फर्क पड़ेगा। कोयला सस्ता होगा, जिससे बिजली उत्पादन के साथ-साथ इस्पात उद्योग को बढ़ावा मिलेगा। 1205 वस्तुओं की जो सूची है जिसमें अलग-अलग दरें हैं, उन्हें देखकर साफ है कि इसका उपभोक्ताओं पर मिलाजुला प्रभाव देखने को मिलेगा। लेकिन, उम्मीद जगती है कि समूचा भारत जब एक बाजार के रूप में दिखाई देगा तो उससे कारोबार, सेवा, उत्पादन को बूस्ट मिलेगा। बिजनेस करने वालों को आसानी होगी क्योंकि उन्हें तरह-तरह के टैक्स से आजादी मिल जाएगी। इससे देश के पैमाने पर कर प्रणाली पारदर्शी हो जाएगी।

न सिर्फ खरीददारों के लिए, बल्कि दुकानदारों के लिए भी अब समूचा भारत एक बाजार होगा।

केन्द्र और राज्य, दोनों जगह की सरकारें राजस्व में बढ़ोतरी की उम्मीद कर रही हैं। इसकी एक वजह तो साफ है कि जीएसटी से लगभग 32 से 34 फीसद राजस्व हासिल होगा, जो पहले से लागू करो के योग से थोड़ा ज्यादा है। राजस्व में मामूली बढ़त का संकेत सामान्य गणित से भी मिलता है, लेकिन असली बढ़त तो उन उम्मीदों से है, जो जीएसटी के लागू होने के बाद कारोबार और अर्थव्यवस्था में मजबूती से जुड़ी हैं। इतना ही नहीं, टैक्स प्रक्रिया पारदर्शी होने से टैक्स की चोरी कम होने की भी उम्मीद की जा रही है। जाहिर है टैक्स की वसूली बढ़ेगी। इसके अलावा, नया टैक्स बेस तैयार होने की उम्मीद है जिससे सरकार की आमदनी में इजाफा होगा।

जीएसटी के बाद अंतरराष्ट्रीय स्तर पर भारतीय उत्पाद प्रतिस्पर्धी होंगे। निर्यात बढ़ने की उम्मीद की जा सकती है। ऐसा हुआ, तो विदेशी मुद्रा के रूप में देश को फायदा होगा। विदेशी मुद्रा भंडार एफडीआई से भी मजबूत होगा, जो भारत आने के लिए जीएसटी लागू होने का इंतजार कर रही हैं।

जीएसटी से जिस सकारात्मक आर्थिक माहौल की उम्मीद की जा रही है, वह प्रचुर विदेशी निवेश से बंधा हुआ है। हालांकि सरकार जीडीपी ग्रोथ को लेकर अनुमान लगाए बैठी है कि 1.5 फीसद से लेकर 2 फीसद तक यह बढ़ सकती है, लेकिन इस बारे में जो अंतरराष्ट्रीय अनुभव हैं, उन पर एतबार करें तो ऐसा होना मुश्किल लगता है। 1990 से 2000 के बीच जिन देशों में जीएसटी लागू की गई थी, वहां जीडीपी में विकास दर में गिरावट देखने को मिली थी, और यह नकारात्मक तक हो गया था। सिंगापुर इसका बड़ा उदाहरण है, जिसने 1994 में जीएसटी लागू की थी। यहां जीएसटी लागू होने से पहले जीडीपी 5.5 फीसद थी, जो 3-फीसद तक लुढ़क गई। ऑस्ट्रेलिया, कनाडा, जापान, मलयेशिया और सिंगापुर में जीएसटी लागू हो चुकी है।

जीएसटी से जिस सकारात्मक आर्थिक माहौल की उम्मीद की जा रही है, वह प्रचुर विदेशी निवेश से बंधा हुआ है।

एक अपशकुन यह भी है कि दुनिया में जहां कहीं भी जीएसटी लागू हुई है, वहां इसे लागू करने वाली सरकार दोबारा चुनकर नहीं आई है। इसकी वजह मूल रूप से जीएसटी लागू होने के बाद महंगाई का बढ़ना और जीडीपी का 5 फीसद तक लुढ़क जाना तो कई देशों में नकारात्मक जीडीपी हो जाना रहा है। मतलब कि जीएसटी के बाद जनता परेशान रही है। ऐसे में सवाल है कि क्या मोदी सरकार भी जीएसटी के नतीजे से अलोकप्रिय होकर सत्ता से बाहर हो जाएगी? विरोधी दलों के लिए ये बांछें खिलने वाली खबर हो सकती है, जिन्हें मोदी की लोकप्रियता के सामने कोई रास्ता नहीं सूझ रहा है। लेकिन, भारत ने कई अंतरराष्ट्रीय मान्यताओं को बीते दिनों में तोड़ा है। नोटबंदी जैसी पहल के बावजूद अर्थव्यवस्था में विकास दर को भारत ने बहुत ज्यादा प्रभावित होने नहीं दिया। अंतरराष्ट्रीय विद्वान जहां भारतीय अर्थव्यवस्था के रसातल में जाने की आशंका जता रहे थे, और इसका फायदा बाद में भारत को होने का अनुमान जता रहे थे, उनको कृषि और औद्योगिक उत्पादन ने रिकॉर्ड बनाकर झुठला दिया।

जाहिर है इसे लागू करने से पहले मोदी सरकार विश्वास से भरी हुई है। जनता को इसने मानसिक रूप से तैयार कर लिया है। डिजिटलाइजेशन और कैशलेस के पथ पर देश को अग्रसर कर जीएसटी की इसने तैयारी भी की है।

ऐसे में चूंकि दुनिया में ऐसा हुआ है, इसलिए भारत में भी होगा–यह मान लेना मोदी सरकार की क्षमता को नकारने जैसा है। इस बात के पूरे आसार हैं कि जीएसटी को लेकर दुनिया के जो नकारात्मक अनुभव हैं, उन्हें भी भारत उलट देगा। इस तरह साफ दिख रहा है कि जीएसटी से भारतीय अर्थव्यवस्था को एक नई गति मिलेगी और वह हमारी अर्थव्यवस्था में सुनहरा अध्याय लिखने जा रहा है।

(राष्ट्रीय सहारा, 21 मई, 2017)

9

नये दोस्त बनाने का मौका भी

''पीएम मोदी खुद भी लीक से हटकर चलने वाले हैं। वे चौंकाने वाले फैसले कर सकते हैं। एक सवाल आता है कि संघ क्या चाहता है? संघ विवाद नहीं चाहता, अपनी मजबूती चाहता है, संघ संगठन का विस्तार चाहता है। इसलिए विपक्ष को तोड़ने और एनडीए के कुनबे को जोड़ने या मजबूत करने के तरीके पर संघ अमल चाहता है–यह कहा जाए तो गलत नहीं होगा। मोदी की यूरोप यात्रा के तुरंत बाद की राजनीतिक सक्रियता राष्ट्रपति चुनाव ही होने वाली है। यूरोप दौरे से पहले नेताओं से मिलने-मिलाने का दौर भी इसी की तैयारी में था।''

राष्ट्रपति प्रणब मुखर्जी का कार्यकाल अगले महीने 25 जुलाई को खत्म हो रहा है। उनकी जगह कौन अगले राष्ट्रपति होंगे, इस बारे में धुंधली तस्वीर भी देश के सामने नहीं आ पाई है। जो बात तय है, वो यह कि बीजेपी के नेतृत्व वाले एनडीए की पसंद के व्यक्ति ही राष्ट्रपति बनेंगे। अब बीजेपी या एनडीए की पसंद का आधार क्या होगा, यही वह सवाल है जहां से वो तस्वीर निखरती हुई जवाब बनकर सामने आएगी जो भारत के 14वें राष्ट्रपति की होगी।

ऐसा नहीं है कि बीजेपी या एनडीए के पास राष्ट्रपति बनाने या जिताने के लिए स्पष्ट बहुमत है। मगर एनडीए के पास निर्वाचक मंडल के जो कुल मत है, वे आवश्यक मत से महज 14,573 मत कम हैं। इन मतों का जुगाड़ अकेले जेडीयू भी कर सकता है। अन्नाद्रमुक और टीआरएस भी जीत की गारंटी बनकर सामने आ सकते हैं। फिर जगनमोहन की पार्टी वाईएसआर कांग्रेस और डीएमके, दोनों बीजेपी को समर्थन देने को तैयार हैं। बीजेडी के रूप में भी समर्थन की उम्मीद बीजेपी को है यानी राष्ट्रपति चुनाव में प्रधानमंत्री नरेन्द्र मोदी और बीजेपी अध्यक्ष अमित शाह की चिंता यह नहीं है कि जीत कैसे हासिल की जाए। चिंता यह है कि इस चुनाव के बहाने राजनीतिक समीकरण को नये सिरे से किस तरह परवान चढ़ाया जाए कि अगले लोकसभा चुनाव की तैयारी का सफर शुरू हो। बीजेपी नेतृत्व के सामने एनडीए को बांधे रखना भी छोटी मगर महत्त्वपूर्ण चुनौती है। अगर पिछला राष्ट्रपति चुनाव याद हो तो एनडीए में रह कर भी शिवसेना और जेडीयू ने यूपीए के उम्मीदवार प्रणब मुखर्जी को वोट दिया था। बीजेपी तब सत्ता में नहीं थी, मगर अब पूरी ताकत के साथ सत्ता में है। ऐसे में टीम मोदी-शाह अपने गठबंधन में कोई दरार कतई नहीं चाहेंगे। फिर भी शिवसेना की प्रकृति और हालिया सियासत को देखते हुए उसकी लीक से हटकर चलने की आदत फिर से दिखने का खतरा बना हुआ है।

यही वह सवाल है जहां से वो तस्वीर निखरती हुई जवाब बनकर सामने आएगी जो भारत के 14वें राष्ट्रपति की होगी।

शिवसेना मराठी मानुष का दांव चलकर बीजेपी को दबाव में लेने की कोशिश में है। शिवसेना की ही तरह जेडीयू के रुख को आंकना भी मुश्किल

रहा है। जेडीयू एक बार फिर अपने ही गठबंधन से अलग हटकर वोट देने की प्रवृत्ति को जारी रख सकता है, इसके पूरे आसार हैं। और इस बार जेडीयू का रुख टीम मोदी-शाह के हक में जाता दिख रहा है। बिहार के मुख्यमंत्री नीतीश कुमार का सोनिया के साथ मीटिंग में नहीं जाना और अगले ही दिन प्रधानमंत्री से मुलाकात करना बताता है कि राजनीतिक समीकरण पलटने वाले हैं। और यह सिर्फ राष्ट्रपति चुनाव के लिए होगा, ऐसा नहीं है। राष्ट्रपति चुनाव तो 'लिटमस टेस्ट' है। यह बताएगा कि भावी राजनीतिक समीकरण में कौन कहां खड़ा है, किसके साथ खड़ा है? सर्वसम्मत उम्मीदवार का दांव चला जा सकता है, लेकिन इसके लिए बीजेपी या एनडीए की ओर से तय उम्मीदवार पर कांग्रेस या वामपंथी तैयार होंगे, ऐसा कतई नहीं लगता। और बीजेपी अपनी सुनिश्चित जीत के सामने उम्मीदवार से समझौता क्यों करे? बीजेपी इस स्थिति में है कि चाहे जिसे भी राष्ट्रपति बना दे। फिर भी सियासत में कोई दांव छोड़े नहीं जाते हैं। सर्वसम्मत उम्मीदवार का पासा भर फेंक देने से खेमों में बंटा विपक्ष और बिखर सकता है। लेकिन सर्वसम्मत उम्मीदवार कोई ऐसा मसला नहीं है, जिसके लिए टीम मोदी-शाह को अधिक माथा खपाने की जरूरत हो। असली मंशा है कि इस मौके का इस्तेमाल एनडीए कुनबे को और मजबूत करने में कैसे हो सकता है। एक, विपक्ष को तोड़कर और दूसरा, अपने से जोड़कर।

> *राष्ट्रपति चुनाव में प्रधानमंत्री नरेन्द्र मोदी और बीजेपी अध्यक्ष अमित शाह की चिंता यह नहीं है कि जीत कैसे हासिल की जाए।*

दोनों ही तरीकों पर काम चल रहा है। यूपीए के नजरिए से सोचें तो यह अभी इतना कमजोर है कि जेडीयू और डीएमके जैसी पार्टियां भी सोनिया की बुलाई मीटिंग तक को अहमियत देती नजर नहीं आतीं। जब सोनिया गांधी सबको एक साथ बिठा तक नहीं पा रही हैं, तो मिलकर चुनाव लड़ने के सपने को पूरा करना आसान नहीं होगा। बावजूद इसके ऐसा नहीं लगता कि कांग्रेस और उनके साथ वामपंथी भी बीजेपी या एनडीए को वॉकओवर देने वाले हैं। ये चुनाव जरूर लड़ेंगे, क्योंकि दूसरों की पसंद के सर्वसम्मत उम्मीदवार खुद इन्हें पसंद नहीं होंगे। दूसरी बात यह है कि कमजोर यूपीए को मजबूत उम्मीदवार मिलना भी मुश्किल लगता है। यही वजह है कि कांग्रेस के नेतृत्व

वाला विपक्ष रणनीति तक नहीं बना पा रहा है, उम्मीदवार तो बहुत दूर की बात है। बीजेपी उम्मीदवार चुनने से लेकर समीकरण बुनने तक में फायदे का ख्याल रखने के लिए सबसे ज्यादा सहूलियत वाली स्थिति में है। एक संभावना यह है कि वह किसी आदिवासी को उम्मीदवार बनाए, जिसके लिए उसे झारखंड मुक्ति मोर्चा जैसी राजनीतिक पार्टियों का भी समर्थन मिल सकता है, वहीं छत्तीसगढ़ जैसे इलाकों से कांग्रेस के वोट बैंक में पार्टी सेंध भी लगा सकती है। आदिवासी देश में उतने बड़े वोट बैंक नहीं हैं कि किसी राजनीतिक पार्टी का कोई सियासी समीकरण इससे प्रभावित होने वाला हो। लिहाजा, आदिवासी उम्मीदवार के नाम पर दूसरे दलों को भी आपत्ति नहीं होने वाली। बीजेडी, टीआरएस, वाईएसआर जगनमोहन जैसे दल भी आदिवासी उम्मीदवार के नाम पर समर्थन देने को आसानी से तैयार दिखेंगे। मोदी-शाह के पास मौका है कि वे किसी सेलेब्रिटी के नाम का भी दांव खेलें। इससे भी जीत का रास्ता आसान हो सकता है, और विपक्ष को कमजोर किया जा सकता है। उदाहरण के लिए सचिन तेंदुलकर का नाम सामने किया जाता है, तो पूरा महाराष्ट्र एकमत होगा।

राष्ट्रपति चुनाव तो 'लिटमस टेस्ट' है। यह बताएगा कि भावी राजनीतिक समीकरण में कौन कहां खड़ा है, किसके साथ खड़ा है?

इसके अलावा, बाकी इलाकों में भी इस नाम की आंधी में विपक्ष को पैर रखने तक की जगह नहीं मिलेगी। इसी तरह अमिताभ बच्चन का नाम सामने किया जाता है, तो भी किसी आम उम्मीदवार से वे ताकतवर उम्मीदवार साबित हो सकते हैं। हालांकि आपको आश्चर्य लग सकता है कि ऐसे नामों पर विचार क्यों किया जा रहा है। मगर राजनीतिक फैसलों में परमुटेशन-कॉम्बिनेशन महत्त्वपूर्ण होते हैं। पीएम मोदी खुद भी लीक से हटकर चलने वाले हैं। वे चौंकाने वाले फैसले कर सकते हैं। एक सवाल आता है कि संघ क्या चाहता है? संघ विवाद नहीं चाहता, अपनी मजबूती चाहता है, संघ संगठन का विस्तार चाहता है। इसलिए विपक्ष को तोड़ने और एनडीए के कुनबे को जोड़ने या मजबूत करने के तरीके पर संघ अमल चाहता है–यह कहा जाए तो गलत नहीं होगा।

बीजेपी तब सत्ता में नहीं थी, मगर अब पूरी ताकत के साथ सत्ता में है।

मोदी की यूरोप यात्रा के तुरंत बाद की राजनीतिक सक्रियता राष्ट्रपति चुनाव ही होने वाली है। यूरोप दौरे से पहले नेताओं से मिलने-मिलाने का दौर भी इसी की तैयारी में था। इसलिए यह करीब-करीब तय है कि बीजेपी ने राष्ट्रपति चुनाव में अपनी जीत पक्की कर ली है। देखने की बात यही है कि अपने कुनबे को मजबूत करने के लिए उसने किस समीकरण को पसंद किया है।

(राष्ट्रीय सहारा, 4 जून, 2017)

10

नैतिकता से दूर राजनीति

''हमारे यहां जब कोई व्यक्ति जनप्रतिनिधि बनता है, मंत्री बनता है। सबसे पहली बात ये होती है कि जनता से उसका संवाद टूट जाता है। और बनता भी है तो पांच साल बाद जब फिर चुनाव आते हैं। अब सवाल यह उठता है कि भारतीय राजनीति का पर्याय क्या है, जो एक समय त्याग और बलिदान हुआ करता था। अब सत्तासीन होने के बाद एकमेव उदेश्य यह हो गया है कि कैसे खुद को धनवान और शक्तिशाली बनाये। अब सत्ता में कोई भी व्यक्ति राजनीति में अपने नैतिक बल के सहारे संचालित होने का माद्दा नहीं रखता। जैसा गांधी जी कहते थे कि राजनीति में अगर नैतिकता को हटा दिया जाए तो भटकी हुई राजनीति हो जाएगी। सवाल यही उठता है कि राजनीति में से नैतिकता क्यों खो गयी ? क्या इसके लिए हम सभी जिम्मेदार हैं या यह दोष कुछ चंद राजनीतिक जीवन में सक्रिय लोगों पर मढ़ कर अलग हो जाना चाहिए? क्या यह सामूहिक जिम्मेदारी का विषय नहीं है? कोई भी राष्ट्र तभी जन्म लेता है जब उसके सभी गणों में चेतना निर्मित होती है।''

इकबाल ने लिखा है कि कुछ बात है कि हस्ती, मिटती नहीं हमारी। सदियों रहा है दुश्मन, दौर-ए-जहां हमारा। हमारी हस्ती कब धीरे-धीरे मिटती चली गयी, उसका बहुत गहरे में हमें भी पता ही नहीं चला। गरीबी, अशिक्षा, भ्रष्टाचार और मानव विकास के अन्य वैश्विक सूचकांक में हम कहां खड़े हैं, इसका अहसास हमें तब लगता है जब हर साल जारी होने वाली विभिन्न सूचियों में दुनिया भर के देशों के बीच हम खुद को सबसे निचले पायदान पर पाते हैं। एक बड़ा सवाल उठता है कि वो हस्ती किस बात की रही होगी। जब कोई बड़ी उपलब्धि होती है तो थोड़ा बहुत हमें अपनी हस्ती का पता चलता है। जैसे हाल ही में इसरो ने 104 उपग्रह छोड़कर विश्व कीर्तिमान बनाया। इस खबर से हर भारतीय को सुखद अनुभूति हुई होगी।

लेकिन इकबाल ने जिस हस्ती की बात की होंगी इस गीत को लिखते वक़्त वो हिन्दुस्तान के त्याग, बलिदान और उसकी आध्यात्मिक ऊंचाई से जुड़ी रही होगी। अगर आजादी के नायकों की भूमिका पर नजर डाली जाए तो गांधी के अहिंसा के दर्शन, भगत सिंह के मैं नास्तिक क्यों हूं, 'ड्रीमलैंड' की भूमिका विचारों को समझा जाए तो या किस प्रकार नेताजी सुभाषचन्द्र बोस ने आधी दुनिया का दौरा करते जिस तरह आजाद हिन्द फौज की स्थापना की। कहीं ना कहीं ये इकबाल का यह गीत इन उदाहरणों से प्रेरित हैं जो हमारे आजादी के संघर्ष में बलिदान की कहानी कहते हैं। आजादी के बाद हमारे स्कूलों में नैतिक शिक्षा की किताबें होती थीं, जिन्हें हम सब ने अपने बचपन में पढ़ा भी है। पंडित नेहरू की कैबिनेट में मंत्री रहते हुए लालबहादुर शास्त्री ने सिर्फ एक रेल दुर्घटना के सवाल पर नैतिक जिम्मेदारी लेते हुए अपने पद से त्यागपत्र दे दिया था। भारतीय राजनीति में नैतिक जिम्मेदारी ये जो दो शब्द हैं पूरे तरीके से गायब हो गए हैं। संयुक्त प्रगतिशील गठबंधन के 10 सालों के दौरान कई घोटाले सामने आए। टू जी हो, सीएजी की रिपोर्ट में सामने आया कोयला घोटाला हो या राष्ट्रमंडल खेल में भ्रष्टाचार की बात हो, किसी भी मंत्री या संबंधित व्यक्ति ने किसी सार्वजनिक स्थल पर या मीडिया में किसी भी प्रकार नैतिक जिम्मेदारी लेने की जहमत नहीं उठाई। इस्तीफा तो दूर की कौड़ी रही।

भारतीय राजनीति में नैतिक जिम्मेदारी ये जो दो शब्द हैं पूरे तरीके से गायब हो गए हैं।

वहीं जब 70 के दशक में अमेरिका में वाटरगेट कांड सामने आया। और राष्ट्रपति रिचर्ड निक्सन समेत 69 लोगों को इस्तीफा देना पड़ा। मुकदमा चला और 48 लोग जेल गए। इसके बाद नए प्रकार की नैतिकता का सूत्रपात हुआ। और निक्सन के बाद कोई भी अमेरिकी राष्ट्रपति ऐसा नहीं हुआ जिसपर सीधे तौर पर भ्रष्टाचार का आरोप लगा हो। ठीक वैसे ही साल 2008-09 में ब्रिटेन में हाउस ऑफ लॉर्ड्स और हाउस ऑफ कॉमंस में कुछ सांसदों द्वारा अतिरिक्त खर्च का स्कैंडल सामने आया। इस संदर्भ में पहले सूचना के अधिकार के तहत जानकारी देने पर बहस चल ही रही थी कि द टेलीग्राफ अखबार ने खुलासा कर दिया। जिसमें करीब 3 दर्जन सांसदों द्वारा बेहद मामूली रकम खर्च करने की बात आई। जिसके बाद मुकदमा चला, कुछ को जेल भी हुई। कुछ सांसदों ने इसके बाद राजनीति से संन्यास भी ले लिया। इसमें कुछ सांसद भारतीय मूल के भी थे। सवाल उठा है कि हमारे यहां जब कोई व्यक्ति जनप्रतिनिधि बनता है, मंत्री बनता है। सबसे पहली बात ये होती है कि जनता से उसका संवाद टूट जाता है। और बनता भी है तो पांच साल बाद फिर जब चुनाव आते हैं। अब सवाल यह उठता है कि भारतीय राजनीति का पर्याय क्या है, जो एक समय त्याग और बलिदान हुआ करता था। अब सत्तासीन होने के बाद एकमेव उदेश्य यह हो गया है कि कैसे खुद को धनवान और शक्तिशाली बनाये। अब सत्ता में कोई भी व्यक्ति राजनीति में अपने नैतिक बल के सहारे संचालित होने का माद्दा नहीं रखता। जैसा गांधी जी कहते थे कि राजनीति में अगर नैतिकता को हटा दिया जाए तो भटकी हुई राजनीति हो जाएगी।

कोई भी राष्ट्र तभी जन्म लेता है जब उसके सभी गणों में चेतना निर्मित होती है।

सवाल यही उठता है कि राजनीति में से नैतिकता क्यों खो गयी? क्या इसके लिए हम सभी जिम्मेदार हैं या यह दोष कुछ चंद राजनीतिक जीवन में सक्रिय लोगों पर मढ़ कर अलग हो जाना चाहिए? क्या यह सामूहिक जिम्मेदारी का विषय नहीं है? कोई भी राष्ट्र तभी जन्म लेता है जब उसके सभी गणों में चेतना निर्मित होती है। अपने दो दशक की पत्रकारिता की यात्रा में यह देख कर निराशा होती है कि संविधान की प्रस्तावना में निहित त्याग,

बलिदान और कर्तव्यों के प्रति अपने दायित्व से हम मुंह मोड़ते हुए नजर आते हैं। आज शासन में आने और सरकार बनाने की लड़ाई का उद्देश्य सिर्फ प्राकृतिक संसाधनों पर कब्जे और लूट की गिद्ध दृष्टि तक सिमट कर रह गयी है। पूरी राजनीति पांच साल के पट्टे की लड़ाई बन कर रह गयी है। इस खाई को पाटने के लिए हमें बड़ी कीमत चुकानी होगी।

फ्रांस की राजनीति में जब लुइ 14 था तो वो इतना अहंकारी व्यक्ति था कि जब वो दरबार में आता था तब पर्दा हटाया जाता था। और कहा जाता था कि सूर्य की रौशनी को आने की इजाजत है। जब उसने अपने बेटे लुइ 15 को पत्र लिखा तो उसने सुझाव में कहा की राज्य संचालन के लिए ईमानदार लोगों को अपने साथ रखना चाहिए और त्यागी और बलिदानी सेनापति को अपने साथ रखना चाहिए। लेकिन इस पर अमल ना होने का नतीजा यह रहा की लुइ 16 के आते फ्रांस में विद्रोह हो गया। और फ्रांस में नवनिर्माण का सूत्रपात हुआ। कुछ ऐसा ही पत्र औरंगजेब ने अपने बेटे के लिए लिखा था। सवाल यह उठता है कि हर कोई अपनी आने वाली पीढ़ी को तो कुछ देना चाहता है लेकिन बुनियादी भूल कहां होती है? कहां भटकाव शुरू होता है?

पूरी राजनीति पांच साल के पट्टे की लड़ाई बन कर रह गयी है।

अगर भारतीय इतिहास के पन्नों को पलटें तो घननंद के इतिहास को देख सकते हैं। जो अपने ही राजकोष से धन चुरा कर दूसरी जगह रखता रहा और महामात्य ने जब इसके खिलाफ आवाज उठाई तो उन्हें मृत्युदंड दे दिया। और साथ ही साथ आचार्य चाणक्य के पिता ने जब विद्रोह किया तो उन्हें भी क्रोध का शिकार होना पड़ा। जब किसी घटती हुई घटना की पृष्ठभूमि को ऐतिहासिक नजरिए से देखा जाता है तो सीधे-सीधे हमें साफ तौर पर पता चलता है कि जो परम्परा हमें पीछे से मिलती है, जो सीख बचपन में मिलती है, जो नागरिकता की पहली पाठशाला हमारे परिवार को कहा जाता है, वही हमारे जीवन में उतरता है। तो संविधान की शपथ लेकर विभिन्न संवैधानिक पदों पर बैठे लोगों के आचरण में भ्रष्टाचार कहां से जन्म लेता है? क्या इन भ्रष्टाचार और इस प्रकार की आकांक्षाओं को समाप्त करने के लिए वही प्रयास जरूरी हैं, जो राजग के प्रधानमंत्री नरेन्द्र मोदी द्वारा किये जा रहे हैं?

क्या कालेधन और बेनामी संपत्ति पर कानून बना देने से भ्रष्टाचार कम होने वाला है? या आयकर विभाग के लगातार छापों से यह कम होने वाला है। या और बढ़ने वाला है। नोटबंदी के बाद हवाले से जाने वाला पैसा बंद हो गया है। या अभी भी चल रहा है। दिल्ली से मुंबई जाने वाले पैसा का भाव पहले एक लाख रुपये पर 300 था, अब 400 हो गया है। इस बात की गारंटी कौन लेता है या कैसे ले सकता है कि इन कॉस्मेटिक उपायों के कारण भ्रष्टाचार समाप्त हो जाएगा।

> *सवाल यह उठता है कि हर कोई अपनी आने वाली पीढ़ी को तो कुछ देना चाहता है लेकिन बुनियादी भूल कहां होती है? कहां भटकाव शुरू होता है?*

ऐसा नहीं है कि आरोप सिर्फ यूपीए में लगे थे या एनडीए में नहीं लगे, भले अदालतों में साबित ना हो पाए हों। लेकिन शास्त्री जी की नैतिक छाया के इर्दगिर्द आज कोई राजनेता आसपास भी नहीं फटकता दिखता है। दिल्ली में अरविन्द केजरीवाल के सुशासन का प्रयोग असफल होता दिखा रहा है। बुराड़ी जो दिल्ली का एक भाग है वहां की सड़कें खोखले वादों और लफ्फाजियों की गवाही देती नजर आ रही हैं। सिर्फ पिछले 15 सालों में हुए कामों को आगे बढ़ाया जाता तो दिल्ली की तस्वीर कुछ और होती। सवाल यह है कि जनहित के कामों को करने के लिए वो कौन सी ताकते हैं जो ईमान के सवाल पर काम करने वालों का हाथ रोकती हैं? इकबाल की कविता को सही अर्थों में रूप देना है तो सतही सत्ता की अहंकार वाली राजनीति को छोड़कर, सहज और सरल लोगों को साथ लेकर नैतिकता, बलिदान और सेवा वाली राजनीति करनी होगी। पश्चिमी देशों में सड़क किनारे बिना किसी सुरक्षा के तामझाम के राष्ट्र अध्यक्षों को अपने पास से गुजरते हुए देखना सरल भावना पैदा करती है। यही सरलता हमारे देश की बड़ी पंचायतों में उतरी तो शायद एक बार फिर हिंदुस्तान को महान देश बनाने की दिशा में एक नयी शुरुआत हो सकती है।

(राष्ट्रीय सहारा, 26 फरवरी, 2017)

11

बोलने से ज्यादा करने की जरूरत

''यह कहना कि अभिव्यक्ति की स्वतंत्रता पर पाबंदी है, देश की संप्रभुता पर सवाल उठाने जैसा है। सच तो यह है कि विचारों को प्रकट करने की स्वतंत्रता जितनी इस देश में है, उतनी बहुत कम देशों में होगी। यह इसी का नतीजा है कि अपने कश्मीर के कुछ तबकों में पाकिस्तान को एक आदर्श मुल्क के तौर पर पेश किया जाता है, जहां के बच्चे भी 'इंडिया गो बैक' की फैशन परेड में शामिल हो जाते हैं। पर वे 'पाकिस्तान की जन्नत की हकीकत' जान कर भी अनजान बने रहते हैं, जिसके ऐसे बुरे हालात हैं, उतने दुनिया के शायद ही किसी देश के होंगे–यह किसी से छुपा नहीं है।''

अभिव्यक्ति की स्वतंत्रता पर एक बार फिर बहस शुरू हो गई है। जेएनयू हो, दिल्ली विश्वविद्यालय का रामजस कॉलेज हो, कश्मीर हो या देश का कोई भी हिस्सा, अभिव्यक्ति की आजादी पर बहस करने वालों से मैं सवाल पूछना चाहता हूं कि इसके लिए उन्हें किस तरह की आजादी चाहिए? क्या हिंदुस्तान विरोधी नारे लगाने की आजादी को अभिव्यक्ति की स्वतंत्रता कहा जाए या उनके मन में जो आ जाए, उसी पर बहस करने की छूट दी जाए उनको? मेरी राय में जेएनयू या रामजस में जो कुछ घटा उसका अभिव्यक्ति की स्वतंत्रता से कोई लेना-देना नहीं है। यह तो दो विद्यार्थी संगठनों की लड़ाई है। यों कहें कि यह बहस नहीं वितंडा है। विचारों के स्तर पर अभी कोई छात्र संगठन ग्रेजुएट भी नहीं हो पाया है, परिपक्व नहीं हो पाया है। वह चाहे अखिल भारतीय विद्यार्थी परिषद हो या वाम विचारधारा में आस्था रखने वाले आइसा, एसएफआई या अन्य।

गौर करने वाली बात है कि जिन राजनीतिक दलों या संगठनों से ये सभी छात्र संगठन जुड़े हुए हैं, और जहां से इन्हें विचारों की ऊर्जा और मार्गदर्शन मिलता है, उनके नेता भी इस प्रकार के घटनाक्रम को बच्चों की लड़ाई से ज्यादा तरजीह नहीं देते। ऐसे में यह कहना कि अभिव्यक्ति की स्वतंत्रता पर पाबंदी है, देश की संप्रभुता पर सवाल उठाने जैसा है। सच तो यह है कि विचारों को प्रकट करने की स्वतंत्रता जितनी इस देश में है, उतनी बहुत कम देशों में होगी। यह इसी का नतीजा है कि अपने कश्मीर के कुछ तबकों में पाकिस्तान को एक आदर्श मुल्क के तौर पर पेश किया जाता है, जहां के बच्चे भी 'इंडिया गो बैक' की फैशन परेड में शामिल हो जाते हैं। पर वे 'पाकिस्तान की जन्नत की हकीकत' जान कर भी अंजान बने रहते हैं, जिसके ऐसे बुरे हालात हैं, उतने दुनिया के शायद ही किसी देश के होंगे—यह किसी से छुपा नहीं है।

मेरी राय में जेएनयू या रामजस में जो कुछ घटा उसका अभिव्यक्ति की स्वतंत्रता से कोई लेना-देना नहीं है।

वैसे एक बात मैं कहना चाहूंगा कि एक जीवंत समाज में भिन्न विचारों के बीच स्वस्थ प्रतिद्वंद्विता जरूरी होती है। देश-समाज का आधुनिक वैज्ञानिक विकास उसी प्रतियोगिता का फलस्वरूप तो है। मैं कार्ल मार्क्स, सिगमंड फ्रायड

और अल्बर्ट आइंस्टाइन के विचारों और वैज्ञानिक खोजों को बहुत हद तक इस सदी के सबल निर्माण का जिम्मेदार मानता हूं, जो भिन्न क्षेत्रों में काम करते हुए एक ही चीज, विकास को संभव कर रहे थे। इनके बाद भी दुनिया में वैचारिक-वैज्ञानिक विकास का सिलसिला जारी है। अगर अभिव्यक्ति की स्वतंत्रता को महत्त्व देने की बात हो तो सबसे पहले मैं उन महान वैज्ञानिकों-विचारकों का शुक्रगुजार होऊंगा, जिन्होंने बिना बहस-वितंडा किये हमें गौरवशाली बनाया।

वैज्ञानिकों की ही अभिव्यक्ति का परिणाम है कि हम मंगल पर जीवन के अवशेष खोजने के करीब हैं।

आसमान में कड़कती बिजली को देखकर हमारे पूर्वज पहले डर जाया करते थे। लेकिन उस बिजली को हमारे वैज्ञानिकों ने ऐसा बांधा कि उससे हम बल्ब, पंखे समेत जीवन को आसान बनाने वाली तमाम मशीनों को संचालित कर लेते हैं। वैज्ञानिकों ने हमें इतने आविष्कार दिए, जिनसे हम इतने सशक्त बन पाए हैं कि आज हम बीमारियों के रूप में आती मौत को भी बहुत पीछे करने में सक्षम हो पाए हैं। इसी तरह, देखने, सुनने व गति की सीमा को वैज्ञानिकों ने अपने आविष्कार से अकल्पनीय विस्तार दिया है। आज हम खगोलीय दूरबीन के जरिये अरबों-खरबों किलोमीटर दूर चांद-तारों की दुनिया के पार भी देख लेते हैं। सुनने की हमारी सीमित क्षमता दूरसंचार के जरिये धरती से लेकर अंतरिक्ष तक असीमित हो जाती है। सुदूर ग्रहों की तस्वीर भी हम सहज देख पा रहे हैं। 47 वर्ष पूर्व अमेरिका और रूस ने चंद्रमा पर यान उतार कर दुनिया को चौंका दिया था। वैज्ञानिकों की ही अभिव्यक्ति का परिणाम है कि हम मंगल पर जीवन के अवशेष खोजने के करीब हैं। सूरज पर यान उतारने की ओर अग्रसर हैं। यह वैज्ञानिकों की अभिव्यक्ति का ही परिणाम है कि बाजार में ऐसे विमान जल्द ही आने वाले हैं कि हम दिल्ली से न्यूयॉर्क तक का सफर महज 3.5 घंटे में ही पूरा कर सकेंगे। वैज्ञानिकों की इस अभिव्यक्ति को मैं सबसे आजाद अभिव्यक्ति मानता हूं। हम जिस झूठी अभिव्यक्ति के लिए मरने-मारने पर आमादा हो जाते हैं, उसके बजाए हमें इन वैज्ञानिकों की अभिव्यक्ति से प्रेरणा लेनी चाहिए।

वैज्ञानिकों की ही अभिव्यक्ति का परिणाम है कि हम मंगल पर जीवन के अवशेष खोजने के करीब हैं।

सवाल है कि हमें अभिव्यक्ति की स्वतंत्रता क्यों चाहिए? इसलिए कि अभिव्यक्ति की स्वतंत्रता हमारे मनुष्य होने या बने रहने के लिहाज से बहुत जरूरी है। मानव की इससे बड़ी उपलब्धि और कुछ नहीं हो सकती। पर क्या किसी चौराहे पर खड़े होकर कुछ लोगों के सामने माइक पकड़कर भाषण देना ही अभिव्यक्ति की स्वतंत्रता है या पशुओं के स्तर–भय, भूख, निद्रा और काम-वासना से थोड़ा ऊपर उठकर एक सशक्त, समावेशी समाज की रचना के लिए काम करना या उसकी बेहतरी के लिए कुछ ऐसी खोजें करना जो मनुष्य को इस सृष्टि के अस्तित्व के उस विराट हिस्से की तरफ ले जाती हों, ये काम जरूरी हैं?

दरअसल, भय, भूख, निद्रा व सेक्स के मामले में मनुष्य और पशुओं में चेतना के स्तर का अंतर नहीं है।

मनुष्य के अलावा, किसी भी जीव में ऐसी क्षमता नहीं है कि वह धरती पर एक सभ्य-समाज बनाने के उपाय करने से लेकर उस विराट तक की चेतना यात्रा कर सके। एक साधारण मनुष्य भी सतत साधना के जरिये अपनी चेतना का उन्नयन करते हुए बुद्ध और महावीर बन सकता है। दरअसल, भय, भूख, निद्रा और सेक्स के मामले में मनुष्य और पशुओं में चेतना के स्तर का अंतर नहीं है। लेकिन उस मनुष्य के लिए, जिसकी चेतना अभी शरीर तक ही सीमित है, अभिव्यक्ति की स्वतंत्रता अगर भय, भूख, निद्रा और सेक्स तक ही केंद्रित रह जाए तो इसमें भी कोई ताज्जुब नहीं। इसलिए कि बुद्धि और संस्कार किसी में प्रत्यारोपित किए जा सकते हैं, लेकिन चेतना और संवेदना को नहीं।

हां, अगर भय से घिरा समाज अपने लिए सुरक्षा मांगता है, तो कानून से उसे सुरक्षा पाने का पूरा अधिकार है। भुखमरी से जूझ रही आबादी को भरपेट भोजन पाने का अधिकार है। इसी तरह, लैंगिक स्तर पर समाज में कोई भेदभाव नहीं होना चाहिए। इसमें समानता होनी चाहिए। इस तरह के सवाल उठाये जाएं तो मुझे नहीं लगता कि देश के किसी भी दल, संगठन या सरकार को कोई आपत्ति होगी। लेकिन इन या इनके जैसे सार्थक एवं रचनात्मक विषयों के बजाय देश को बांटने वाली, अलगाववाद या आतंकवाद को शह देने वाली, तबाह करने वाले देश के समर्थन या देश की घोषित नीतियों के विरुद्ध

बातों पर नाहक बहस होने लगे तो उसकी प्रतिक्रिया में नजारा कभी-कभी जवाहरलाल नेहरू विश्वविद्यालय या रामजस कॉलेज के परिसर की तरह हंगामी व हिंसक हो जाता है। हां, इस तरह का परिदृश्य 'तुम शक्तिशाली या हम शक्तिशाली' की आजमाइश के फलस्वरूप भी होता है। यहां याद रखना है कि अभिव्यक्ति की आजादी में विध्वंस को न्योतने की मांग शामिल नहीं है। यह जिन सवालों में नहीं है, उनको सुना जाना भी लाजिमी है। इससे इनकार नहीं है।

(राष्ट्रीय सहारा, 5 मार्च, 2017)

12

थोड़ा उदार बनें ट्रंप

''अमेरिकियों ने अपने देश का हृदय इतना विशाल बनाया कि वहां सबके लिये थोड़ी-बहुत जगह उपलब्ध हो गई। दुनिया भर से इतने प्रतिभावान लोग अमेरिका पहुंचे और उसके विकास में अपना योगदान देकर उसे दुनिया का सिरमौर बना दिया। अमेरिका के हर बड़े संगठन में भारतीयों की सूझ-बूझ और प्रतिभा का डंका बजता है। चाहे वह हेल्थ सेक्टर हो, फाइनेन्सियल मॉर्केट हो या फिर नासा, हर जगह भारतीयों ने अपने हुनर का परचम लहराया है। अगर एच+1बी वीजा का कोटा अमेरिकी सरकार घटाकर बहुत नीचे ले आती है तो उससे भारत और भारतीयों का कोई बहुत नुकसान नहीं होने वाला है। जिस तरह से पानी को कहीं भी रखा जाए अपने लिये जगह बना ही लेता है। ठीक उसी तरह प्रतिभावान व्यक्ति अपने लिये उचित स्थान प्राप्त कर ही लेता है।''

अमेरिका में जब डोनाल्ड ट्रंप सरकार का गठन हो रहा था, तब भारत में भी खुशी का माहौल था। वजह थी आतंकवाद के खिलाफ ट्रंप की स्पष्ट नीति। लेकिन अमेरिका के कांसास शहर में भारतीय सॉफ्टवेयर इंजीनियर की हत्या सिर्फ इसलिये की गई कि वह दूसरे देश से है, अमेरिकी नहीं है। दूसरी घटना मार्च के पहले सप्ताह में शुक्रवार को वाशिंगटन में हुई जब 39 साल के सिख दीप राय को यह कहते हुए गोली मार दी गई कि 'अपने देश वापस जाओ।' तीसरी घटना हरनीश पटेल के साथ हुई, जो 14 सालों से अमेरिका में अपने परिवार के साथ रह रहे थे। उनको भी यही कहते हुए गोली मार दी गई कि 'अपने देश वापस जाओ।'

बात सिर्फ भारत की नहीं है, बात दुनिया के और देशों की भी है।

ये तीन चौंका देने वाली घटनाएं अमेरिका जैसे देश पर बड़ा सवालिया निशान खड़ा करती हैं। वहां नस्लीय हिंसा दावानल की तरह फैलती दिख रही है। ट्रंप सरकार बनने के बाद जो माहौल अमेरिका में बन चुका है, वह अब किसी के समझ में नहीं आ रहा है। अमेरिका दुनिया में एक अलग पहचान रखने वाला देश है; जहां लगभग 300 देशों की नागरिकता रखने वाले लोग प्रवास करते हैं। अमेरिकियों ने अपने देश का हृदय इतना विशाल बनाया कि वहां सबके लिये थोड़ी-बहुत जगह उपलब्ध हो गई। दुनिया भर से इतने प्रतिभावान लोग अमेरिका पहुंचे और उसके विकास में अपना योगदान देकर उसे दुनिया का सिरमौर बना दिया। अमेरिका के हर बड़े संगठन में भारतीयों की सूझ-बूझ और प्रतिभा का डंका बजता है। चाहे वह हेल्थ सेक्टर हो, फाइनेन्सियल मार्केट हो या फिर नासा, हर जगह भारतीयों ने अपने हुनर का परचम लहराया है। अगर एच+1बी वीजा का कोटा अमेरिकी सरकार घटाकर बहुत नीचे ले आती है तो उससे भारत और भारतीयों का कोई बहुत नुकसान नहीं होने वाला है। जिस तरह से पानी को कहीं भी रखा जाए अपने लिये जगह बना ही लेता है। ठीक उसी तरह प्रतिभावान व्यक्ति अपने लिये उचित स्थान प्राप्त कर ही लेता है। ट्रंप की अदूरदर्शिता और राजनीतिक सूझ-बूझ न होने के कारण इतनी मुश्किलें अमेरिका के सामने आने वाली हैं, जो अमेरिका को सैकड़ों साल पीछे ले जायेंगी।

वही एच+1बी वीजा कम जारी होने से कनाडा और यूरोपियन यूनियन के देशों की चांदी हो जायेगी। उनकी अर्थव्यवस्था को पनपने का बहुत अच्छा मौका मिलेगा। इस समय अमेरिका में करीब 1.66 लाख भारतीय बच्चे पढ़ाई कर रहे हैं। अगर वहां के हालात ठीक नहीं होते तो वहां अपने बच्चों को पढ़ने के लिये कौन भेजेगा? बात सिर्फ भारत की नहीं है, बात दुनिया के और देशों की भी है।

न्यूयार्क में रहने वाले मेरे एक करीबी मित्र ने बताया कि उनके पड़ोस में किसी भारतीय के घर कढ़ी बनाने के लिये छौंक लगाई जा रही थी। इसकी गंध पड़ोस के घरों तक पहुंची। अब पड़ोसी अमेरिकन को एक नया बहाना मिल गया और 15-20 लोग भारतीय के दरवाजे जा पहुंचे और उनको भला-बुरा कहने लगे, भारतीय खान-पान पर फिकरे कसने लगे। कुछ अमेरिकी लड़कों ने सोशल मीडिया, यहां तक कि कम्युनिटी रेडियो पर भी इन बातों को लेकर विरोध जताया और कहा कि भारतीयों को यहां से चले जाना चाहिए।

न्यूयार्क में रहने वाले अमेरिकी ही इतनी नफरत से भर चुके हों तो सवाल बहुत गंभीर हो जाता है।

ये घटना कोई सामान्य घटना नहीं है। अमेरिका के सुदूर कंट्री साइड एरिया में अगर ऐसा कुछ घटता है तो उसे थोड़ा-बहुत समझा जा सकता है। लेकिन न्यूयार्क की ये घटना बहुत डर पैदा करती है। यहां रहने वाले अमेरिकियों की समझ पर एक भरोसा आता है। अब अगर न्यूयार्क में रहने वाले अमेरिकी ही इतनी नफरत से भर चुके हों तो सवाल बहुत गंभीर हो जाता है। कोई भी राष्ट्रपति हो या कोई भी सरकार हो, उसका पहला राजधर्म यही होता है कि वह अपने देश की सीमा में रहने वाले सभी प्राणियों की रक्षा करे। अगर इस भावना में गिरावट आती है तो उसके लिये सरकार एवं नेतृत्व दोनों को उत्तरदायी ठहराना चाहिए। अमेरिका सिर्फ अमेरिकी लोगों के लिये है—ये संदेश देना अमेरिका के कद को छोटा करता है।

अगर हम इतिहास को पलटें तो यह पता चलता है कि प्रथम विश्व युद्ध के समय जब पूरा यूरोप, जापान और रूस युद्ध की विभीषिका में जूझ रहे थे, तब तत्कालीन अमेरिकी राष्ट्रपति थॉमस बुडरी विल्सन ने दुनिया के सभी प्रतिभाशाली लोगों के लिये अमेरिका के दरवाजे खोल दिये थे।

फिर आइंस्टीन समेत दुनिया भर के अनेक वैज्ञानिक अमेरिका में जाकर बस गये। यहीं से अमेरिकी वैज्ञानिक युग की शुरुआत होती है। इस सदी को बदलने में जो योगदान अल्बर्ट आइंस्टीन का है, वह शायद ही किसी का हो। कल्पना कीजिए, अगर आइंस्टीन जर्मनी में रहते तो जर्मनी की हैसियत वैज्ञानिक खोजों में अमेरिका से ज्यादा होती।

ऐसा नहीं है कि पिछले 20 सालों में जितने राष्ट्रपति हुए उन पर यह दबाव नहीं रहा होगा कि बेरोजगार अमेरिकी बच्चों को कैसे काम उपलब्ध कराया जाय? ओबामा ने भी अमेरिकी बच्चों को मेहनत करने की सलाह दी थी ताकि भारतीय बच्चे उनसे उनकी नौकरियां न छीन लें। लेकिन अमेरिका में सामाजिक समरसता कभी नहीं टूटी। बीच का रास्ता लेते हुए हर राष्ट्रपति ने पूरी जिम्मेदारी से अमेरिका को दुनिया के लिये एक बेहतरीन गंतव्य बनाये रखा। सबने इसका पूरा ख्याल रखा कि चुनाव जीतने के लिये उन्हें क्या वादे करने चाहिए। यहां राष्ट्रपति ट्रंप को अपने पूर्ववर्ती रूजवेल्ट और विल्सन से सीख लेनी चाहिए कि किस तरह उन्होंने अमेरिका को एक महान और शक्तिशाली देश बनाया और उदार भी।

आइंस्टीन जर्मनी में रहते तो जर्मनी की हैसियत वैज्ञानिक खोजों में अमेरिका से ज्यादा होती।

हां, अपना चुनाव जीतने के लिये जनता को ज्यादा भावुक बना देना भी ठीक नहीं है। एक उदाहरण मैं ब्रिटेन के इतिहास से देना चाहूंगा। जब ब्रिटेन के प्रधानमंत्री के रूप में डिजरायली को चुना गया तो पूरी दुनिया में बहस चल पड़ी कि कैथोलिक और प्रोटेस्टेंटों के बीच एक यहूदी को कैसे प्रधानमंत्री चुन लिया गया? लेकिन इतिहास बताता है कि डिजराइली से ज्यादा सफल कोई प्रधानमंत्री ब्रिटेन को शायद ही मिला। यही वजह है कि दुनिया में लोग मानते रहे हैं कि अमेरिका और ब्रिटेन की बात ही कुछ और है। लेकिन अब ट्रंप के अमेरिका में भयानक रूप लेती नस्लीय हिंसा ने अमेरिका के गौरव को नीचे गिराने का काम किया है।

(राष्ट्रीय सहारा, 19 मार्च, 2017)

13

नये विचारों से निकलेगा समाधान

''किसी भी कार्य को करने या किसी भी नवनिर्माण की चेतना जागृत करने से पहले अगर हमें अपने इतिहास का ठीक-ठीक ज्ञान हो तो हम उन भूलों को नहीं दोहराएंगे। जब जिन्ना ने पाकिस्तान को बनाने की बात की थी, तब कहा था कि भारत और पाकिस्तान के बीच ऐसा ही रिश्ता होगा जैसा अमेरिका और कनाडा के बीच है। यानी जैसे अमेरिका और कनाडा मैत्रीपूर्वक साथ-साथ रहते हुए विकसित हुए वैसे ही भारत और पाकिस्तान भी एक नया इतिहास बनाएंगे। आज जो हालात पाकिस्तान के हैं, या उसकी वजह से हैं, उनकी जड़ में धर्म के नाम पर पाकिस्तान का निर्माण रहा है। और जिस देश का निर्माण धर्म के आधार पर हुआ हो उससे धर्मनिरपेक्षता की उम्मीद बेमानी हो जाती है।''

कश्मीर की समस्या कोई नई नहीं है। भारत के बंटवारे के बाद से कश्मीर भारत के सामने एक बड़ी चुनौती के रूप में भी रहा है। और पाकिस्तान किस तरह से लगातार वहां पर जहर डालता रहा है, इस चीज को भारत के साथ-साथ पूरी दुनिया ने देखा है। यह कोई अब लुका-छिपी की बात नहीं रह गई है। जब अटल बिहारी वाजपेयी देश के प्रधानमंत्री थे, तब उन्होंने कश्मीर समस्या के स्थायी समाधान के लिए एक फार्मूला दिया था। इंसानियत, कश्मीरियत और हिंदुस्तानियत इन तीन बिंदुओं के इर्द-गिर्द कश्मीर समस्या के समाधान तलाशने की बात की थी। और इस पर पहल के कुछ सकारात्मक परिणाम भी आए थे।

ऐसा नहीं है कि प्रधानमंत्री नरेन्द्र मोदी ने कश्मीर समस्या को वाजपेयी जी की नजर से देखने की कोशिश नहीं की थी। अगर बात इंसानियत की की जाए तो प्रधानमंत्री मोदी ने, कश्मीर में 2014 में जब भीषण बाढ़ और प्राकृतिक आपदा आई थी, तब व्यक्तिगत सक्रियता दिखाते हुए राहत कार्य की समीक्षा की और हालात पर लगातार नजर रखी। वे खुद कश्मीर गए भी। इसके अलावा, भारतीय सेना ने भी अपने स्तर से कोई कोर कसर नहीं छोड़ी और दिन-रात राहत कार्य में जुटी रही। इससे बाढ़ के बाद एक अच्छा माहौल भी दिखा और एक अच्छा संदेश भी गया। दूसरी बात जो कश्मीरियत की है, चुनाव के बाद जब राज्य में किसी को बहुमत नहीं मिला तब पीडीपी के साथ सरकार बनाने की उन्होंने पहल की तमाम आशंकाओं और भविष्यवाणियों को झुठलाते हुए गठबंधन सरकार का गठन कराया। यह सरकार आज भी चल रही है। यह पहल इसलिए बेहद महत्त्वपूर्ण रही क्योंकि पीडीपी को अलगाववादियों से हमदर्दी रखने वाली पार्टी के रूप में देखा जाता रहा है। कश्मीरियत को बल मिले और अवाम के बीच सकारात्मक संदेश जाए, विशेषकर प्रधानमंत्री मोदी के प्रति लोगों का भरोसा बढ़े, इस दिशा में यह एक बड़ा प्रयास माना गया। आज महबूबा मुफ्ती राजनीतिक पंडितों को गलत साबित करते हुए वहां भाजपा के साथ गठबंधन सरकार चला रही हैं। और तीसरी बात जो हिंदुस्तानियत की थी, अब पहल करने

> *तब उन्होंने कश्मीर समस्या के स्थायी समाधान के लिए एक फार्मूला दिया था।*

की बारी कश्मीर की है। और पूरा देश आशा भरी निगाहों से महबूबा के नेतृत्व वाली गठबंधन सरकार की तरफ देख रहा है। उसकी इच्छा है कि कश्मीर अमन और तरक्की के रास्ते पर बढ़े। इटालियन विचारक सेनिन्का ने कहा था कि जो देश अपने इतिहास को याद नहीं रखता वो अपने भविष्य का निर्माण नहीं कर सकता। यह बात इसलिए भी यहां मौजूं है कि किसी भी कार्य को करने या किसी भी नवनिर्माण की चेतना जागृत करने से पहले अगर हमें अपने इतिहास का ठीक-ठीक ज्ञान हो तो हम उन भूलों को नहीं दोहराएंगे।

राजनीति में प्रिंसिपल ऑफ न्यूट्रल जस्टिस की बात की जाए तो उसका असर बाहर साफ-साफ देखने को मिला है।

जब जिन्ना ने पाकिस्तान को बनाने की बात की थी, तब कहा था कि भारत और पाकिस्तान के बीच ऐसा ही रिश्ता होगा जैसा अमेरिका और कनाडा के बीच है। यानी जैसे अमेरिका और कनाडा मैत्रीपूर्वक साथ-साथ रहते हुए विकसित हुए वैसे ही भारत और पाकिस्तान भी एक नया इतिहास बनाएंगे। आज जो हालात पाकिस्तान के हैं, या उसकी वजह से हैं, उनकी जड़ में धर्म के नाम पर पाकिस्तान का निर्माण रहा है। और जिस देश का निर्माण धर्म के आधार पर हुआ हो उससे धर्मनिरपेक्षता की उम्मीद बेमानी हो जाती है। जिन्ना जब पाकिस्तान की मांग कर रहे थे, तब गांधी जी ने कहा था कि किसी भी उद्देश्य की पूर्ति के लिए साध्य और साधन, दोनों पवित्र होने चाहिए। यानी जो भावना और विचार पाकिस्तान निर्माण में इस्तेमाल हुए उसका प्रतिफल आज देखने को मिलता है। अगर हम इसे भारत के संदर्भ में देखें तो इंदिरा गांधी द्वारा पंजाब में अकालियों के खिलाफ भिंडरावाले का इस्तेमाल अंत में उनकी अपनी जान पर ही भारी पड़ा। यही नहीं, जिस तमिलनाडु को लेकर लिट्टे के प्रति उनके मन में हमदर्दी रही, उसी संगठन की वजह से उनके बेटे राजीव गांधी को भी अपनी जान गंवानी पड़ी। अगर राजनीति में प्रिंसिपल ऑफ न्यूट्रल जस्टिस की बात की जाए तो उसका असर बाहर साफ-साफ देखने को मिला है। लेकिन कश्मीर का संकट भारत के भविष्य के लिए चिंता का विषय है। नोटबंदी के दौरान यह बात कही जा रही थी कि जिस काले धन के दम पर कश्मीर में अलगाववादी अपना आंदोलन चला रहे थे,

उनकी अब कमर टूट चुकी है। लेकिन जिस तरह से पिछले कुछ समय में आतंकवादी घटनाएं बढ़ी हैं, वे इस धारणा को तोड़ती नजर आती हैं। खासकर जिस तरह युवाओं की भीड़ मुठभेड़ के दौरान आतंकवादियों को बचाने के लिए बीच में आ-जा रही है, वह कहीं ना कहीं बुनियादी भूल होती जा रही है। उस बुनियादी भूल या उस विचारधारा को रोकने के लिए कोई बेहतर और रचनात्मक विचारधारा नहीं ला पा रहे हैं।

मोदी सरकार इस साल मई में तीन साल पूरे कर रही है, लेकिन कश्मीर की दिशा में जितने कदम उसे चलने चाहिए थे, वह नहीं चल पाई है। और वहां के लोगों का भरोसा जीतने के लिए जो वैचारिक और रचनात्मक ताकत हमें वहां रोपनी चाहिए थी, हम वह नहीं रोप पाए हैं। धारा 370 के तहत हम वहां संसाधन मुहैया तो कराते हैं, लेकिन वहां सारी ताकत विद्रोह और असंतोष को रोकने में खप जाती है। और जब कोई व्यवस्था इस कदर असंतोष का रूप ले ले तो नये सिरे से प्रयास जरूरी हो जाता है। एक नया संतुलन सभी राजनीतिक दलों को मिलकर ढूंढ़ना होगा। इसके अलावा जो जवान सालों से अपनी सेवाएं वहां दे रहे हैं, और अपने साथियों को शहीद होते हुए देखते हैं, अगर उनका संयम चूक गया तो हालात बेहद कठिन हो जाएंगे। ऐसा सेना अध्यक्ष जनरल विपिन रावत ने कुछ दिन पहले कहा था। कश्मीर समस्या उस दिन काफी हद तक सुलझ जाएगी जब पाकिस्तान अंतरराष्ट्रीय मंच पर अलग-थलग होगा। अफगानिस्तान के राष्ट्रपति ने कुछ दिन पहले ठीक ही कहा था कि पाकिस्तान के दोमुंहेपन पर लगाम लगाए जाने की जरूरत है।

धारा 370 के तहत हम वहां संसाधन मुहैया तो कराते हैं, लेकिन वहां सारी ताकत विद्रोह और असंतोष को रोकने में खप जाती है।

(राष्ट्रीय सहारा, 2 अप्रैल, 2017)

14

राहुल : युवा होने का मतलब

''राहुल गांधी के व्यक्तित्व में दलगत राजनीति से ऊपर उठकर लीक से हटकर सोचने की क्षमता है। कांग्रेस पार्टी बिहार और उत्तर प्रदेश में क्षेत्रीय दलों के साथ मिलकर चुनाव लड़ना चाहती थी, लेकिन अकेले राहुल गांधी ने 'एकला चलो' का नारा दिया और नतीजा सबके सामने है। अज्ञात में घुसने का साहस एक युवा चित्त ही कर सकता है और इसी वजह से राहुल गांधी के सामने दूसरे नेता बौने नजर आते हैं।''

भारतीय राजनीति में आज युवा शक्ति इतनी क्यों प्रासंगिक हो गई है? सारी राजनीतिक धुरी धीरे-धीरे राहुल गांधी की ओर केंद्रित होती क्यों दिखाई दे रही है? अलग-अलग मत हो सकते हैं, लेकिन राहुल गांधी का विजन सिर्फ सत्ता की राजनीति तक सीमित नहीं है। सत्ता से ऊपर उठकर वह यह देखना चाहते हैं कि अगर देश के सामने चुनौतियां 21वीं-22वीं सदी की हैं तो वह पांचवीं सदी की किताबों को पलटना जरूरी नहीं समझते। नए जमाने की नई चुनौतियों के लिए राहुल देश को तैयार करना चाहते हैं।

भारतीय राजनीति में राहुल गांधी इकलौते ऐसे नेता हैं जिसका व्यक्तित्व एक कोरे कागज की तरह है।

एक फकीर से पूछा गया कि एक भिखारी और गौतम बुद्ध में क्या अंतर है। दोनों चौराहे पर कटोरा लेकर भीख मांग रहे हैं। फकीर का उत्तर बहुत अर्थपूर्ण था। भिखारी कौड़ी-कौड़ी जोड़कर राजा बनना चाहता था जबकि राजा होते हुए भी बुद्ध चौराहे पर खड़े हैं। हो सकता है यह कहानी सिंबोलिक हो, लेकिन इतना तो जरूर है कि हर पार्टी का एक ही लक्ष्य है। किसी भी तरह से सत्ता को हासिल करना। सत्ता के जरिए संसाधनों पर अपना अधिकार जमाना। लेकिन राहुल गांधी सिर्फ और सिर्फ सत्ता की दौड़ में शामिल नहीं हैं वह अपने पिता स्व. राजीव गांधी की तरह अपने काम और अपने विचारों के प्रति बेहद आश्वस्त हैं।

भारतीय राजनीति में राहुल गांधी इकलौते ऐसे नेता हैं, जिसका व्यक्तित्व एक कोरे कागज की तरह है जिस पर बहुत कुछ लिखे जाने की संभावना मौजूद है, क्योंकि बाजार में अक्सर गुदा हुआ कागज रद्दी के भाव बिकता है। और कोरे कागज का काफी मूल्य होता है। मैं ये नहीं कहना चाहता हूं कि राहुल गांधी के अलावा बाकी नेताओं में कुछ खास नहीं है। दिल्ली आने के बाद एक पुरानी महिला फोटोग्राफर से मुलाकात हुई। उन्होंने अपना अनुभव बयान करते हुए ये कहा कि नेहरू जी प्रधानमंत्री थे और उनकी कैबिनेट में जितने मंत्री थे, उनका एक अलग व्यक्तित्व और कृतित्व था। जब पार्लियामेंट में सरदार वल्लभ भाई पटेल आते थे तो बिल्कुल अलग दिखते थे। उसी तरह मोरारजी, मौलाना अबुल कलाम आजाद समेत हर नेता जनमानस की आंखों

में अपनी एक अलग धाक लिए हुए थे। लेकिन आजकल के जनप्रतिनिधि लगभग एक जैसे ही दिखते हैं।

सवाल है कि क्या राहुल गांधी की उम्र के और लोग नहीं हैं जो राजनीति से जुड़े हैं और प्रासंगिक भी हैं? उत्तर बिल्कुल साफ है–80 युवा सांसद तो पंद्रहवीं लोकसभा में ही चुनकर आए हैं। लेकिन और सांसदों और राहुल गांधी में एक मूलभूत अंतर है। राहुल गांधी के व्यक्तित्व में दलगत राजनीति से ऊपर उठकर लीक से हटकर सोचने की क्षमता है। कांग्रेस पार्टी बिहार और उत्तर प्रदेश में क्षेत्रीय दलों के साथ मिलकर चुनाव लड़ना चाहती थी, लेकिन अकेले राहुल गांधी ने 'एकला चलो' का नारा दिया और नतीजा सबके सामने है। अज्ञात में घुसने का साहस एक युवा चित्त ही कर सकता है और इसी वजह से राहुल गांधी के सामने दूसरे नेता बौने नजर आते हैं। हमारे देश की आबादी 1 अरब 10 करोड़ है, जिसमें 70 फीसद लोग ऐसे हैं जिनकी उम्र 40 साल से कम है और आधी से अधिक आबादी तो 25 साल से भी कम उम्र की है, लेकिन यहां पर मैं ये भी स्पष्ट कर देना चाहता हूं कि युवा होने का संबंध उम्र से बिल्कुल नहीं है। क्योंकि 60 और 70 के दशक में हमारे देश में युवा पैदा होते ही नहीं थे, क्योंकि 14-15 साल में शादी हो जाती थी फिर एक-दो साल में बच्चे हो जाते थे। हमारे देश में शरीर से युवा तो तब भी थे लेकिन विचारों में बूढ़े थे। अब आमतौर पर शादी 24 से 30 साल के बीच होने लगी है और अब जो हमारे देश के युवाओं को 14-15 साल का वक्त मिला है उससे युवाओं की शक्ति और तरुणाई के चलते भारत दुनिया में प्रासंगिक बन गया है। इस वजह से युवा शक्ति राष्ट्रीय फलक पर उभर कर दिखने लगी है। जहां तक राहुल गांधी का सवाल है तो वह ऐसी ही युवा शक्ति के प्रतीक हैं।

> *नए जमाने की नई चुनौतियों के लिए राहुल देश को तैयार करना चाहते हैं।*

(राष्ट्रीय सहारा, 12 जनवरी, 2010)

15

छह कदमों की छलांग और आसमान

''पहले हम दिन को घंटों और पहरों में आंकते थे, लेकिन अब एक आम भारतीय भी एयर टाइम का पेमेंट करता है। यानी मोबाइल फोन पर हर सेकेंड के लिए आप, हम या यूं कहें कि कुल करीब 50 करोड़ लोग एक-एक सेकेंड का पैसा अदा करने में सक्षम हो गए हैं। शायद तकनीकी क्रांति और आर्थिक क्रांति के चलते ये संभव हो पाया।''

पिछले छह दशक में काफी कुछ बदल गया है। बहुत पुरानी बात नहीं है जब दिल्ली के कनॉट प्लेस जाने के लिए तांगे की सवारी करनी होती थी। अब वर्ल्ड क्लास की मेट्रो आपको कनॉट प्लेस पहुंचाती है। 12 साल पहले तक राजधानी दिल्ली में महानगर टेलीफोन लिमिटेड से कनेक्शन लेने के लिए कम से कम दो साल तक का इंतजार करना होता था। अब सबकुछ फटाफट हो जाता है।

बैंक से पैसा निकालने के लिए ब्रांच जाने की जरूरत नहीं है, शेयर बाजार में निवेश करने के लिए ब्रोकर के चक्कर नहीं काटने पड़ते हैं, खबरों के लिए बीबीसी रेडियो की शाम की बुलेटिन का इंतजार नहीं करना पड़ता है। एटीएम, ऑनलाइन ट्रेंडिंग और 24 घंटे वाला न्यूज चैनल अब हमारी जिंदगी का हिस्सा है।

एटीएम, ऑनलाइन ट्रेंडिंग और 24 घंटे वाला न्यूज चैनल अब हमारी जिंदगी का हिस्सा है।

ये सब हुआ कैसे? इतनी तेजी से बदलाव के पीछे कौन सी घटनाएं रहीं? गणतंत्र के छह दशक पूरे होने पर मैं उन छह घटनाओं का जिक्र करना चाहता हूं जिन्होंने हमारी जिंदगी बदल दी। इन्हीं की बदौलत विकसित देशों के सामने बच्चा दिखने वाला हिंदुस्तान अब छलांगे लगाने लगा है।

शुरुआत मैं देश के पहले प्रधानमंत्री जवाहरलाल नेहरू के जमाने से ही करना चाहता हूं। नेहरू का सपना था देश को आत्मनिर्भर बनाना। इसके लिए उन्होंने जरूरी क्षेत्रों में सरकारी कंपनियों का गठन शुरू किया। 1951 से 1956 के बीच 29 करोड़ रुपये की लागत से पांच सरकारी कंपनियां खोली गईं। धीरे-धीरे इनकी संख्या बढ़ती गई। आज केंद्र सरकार की कंपनियों की संख्या करीब तीन सौ है, जिनमें 5 लाख से ज्यादा लोग काम करते हैं। इसी प्रक्रिया से स्टेट बैंक ऑफ इंडिया, लाइफ इंश्योरेंश कॉर्पोरेशन, ओएनजीसी, सेल, गेल, इंडियन ऑयल और एनटीपीसी जैसी बड़ी सरकारी कंपनियां बनीं जिन पर देश को नाज है।

इन सरकारी कंपनियों ने देश की अर्थव्यवस्था को एक प्लेटफॉर्म दिया, उन जरूरी इंफ्रास्ट्रक्चर के क्षेत्र में निवेश किया जहां पहले निजी निवेश का आना मुश्किल था। इन सरकारी कंपनियों का ही असर था कि 2008 में दुनिया मंदी

के भंवर में फंसी तो भारतीय अर्थव्यवस्था पर इसका असर कम से कम रहा। सरकारी बैंकों ने सस्ते कर्ज बांटे और मंदी के बावजूद कंजम्पशन में कमी नहीं आने दी। इसके अलावा सरकारी कंपनियों में अपनी मामूली हिस्सेदारी बेचकर भी सरकार ने खूब कमाई की। 1991 से लेकर अबतक सरकारी कंपनियों में विनिवेश से सरकार को करीब 58,000 करोड़ रुपये की आमदनी हुई है। अनुमान है कि अगले तीन महीने में ही विनिवेश से सरकार को करीब 32,000 करोड़ रुपये की कमाई होगी। मतलब ये कि जिन सरकारी कंपनियों के सरकारी चाल-चलन पर लगातार सवाल उठते रहे हैं उन्होंने न केवल देश की अर्थव्यवस्था को स्थिरता दी है, बल्कि करोड़ों की कमाई भी कराई है। आगे भी इंडिया ग्रोथ स्टोरी में इन रत्नों की अहम भूमिका रहेगी।

> *सरकारी कंपनियों का ही असर था कि 2008 में दुनिया मंदी के भंवर में फंसी तो भारतीय अर्थव्यवस्था पर इसका असर कम से कम रहा।*

साठ साल का दूसरा अहम पड़ाव रहा हरित क्रांति। डॉ. एम.एस. स्वामीनाथन की अध्यक्षता में 1965 में शुरू हुए इस अभियान ने भूखे देश को अनाज के मामले में आत्मनिर्भर बनाया। अनुमान है कि हरित क्रांति से करीब 40 करोड़ लोगों को सीधा फायदा हुआ। कभी अनाज की कमी वाले देश से अनाज का निर्यात शुरू हुआ। पंजाब और हरियाणा देश के विकसित राज्य बने। अब 'हरित क्रांति-2' की बात हो रही है। अब उन इलाकों में खेती की नई तकनीक पहुंचाने की बात हो रही है, जहां आधुनिकीकरण की काफी गुंजाइश है। ऐसा होता है तो अनाज उत्पादन में हम दुनिया में अव्वल होंगे।

साठ साल का तीसरा अहम पड़ाव रहा मारुति कार का आना। 1981 में कंपनी बनी और 1983 में मारुति का पहला मॉडल 800 सड़कों पर आया। मारुति ने किस तरह से हमारी जिंदगी बदली इसका एक नमूना देखिए। मारुति का उत्पादन शुरू होने से पहले 1973 से 1983 के बीच देश में कुल 35,000 कारें बिकीं। लेकिन मारुति ने अपने पहले 10 साल में ही 10 लाख गाड़ियां बेचीं। अब तो हालत ये है कि अकेले मारुति हर महीने एक लाख गाड़ियां बेचती है और देश दुनिया की तमाम जानी मानी कंपनियां आपको कार की सवारी कराने के लिए दरवाजे पर खड़ी हैं।

छह दशक का चौथा अहम पड़ाव रहा 1991 में शुरू हुआ उदारीकरण। उस समय के वित्तमंत्री डॉ. मनमोहन सिंह के नेतृत्व में लाइसेंस-परमिट राज को खत्म करने की जो प्रक्रिया शुरू हुई उससे भारत के कॉर्पोरेट जगत में एक नया भरोसा जगा। उदारीकरण का ही नतीजा है कि हमारा फॉरेक्स रिजर्व 300 अरब डॉलर को पार कर गया है, हमारे देश से निर्यात 150 अरब डॉलर पर पहुंच गया है और तरक्की की रफ्तार कई सालों से 8 परसेंट के करीब रही है। उदारीकरण से रोजगार के मौके बढ़े हैं, उद्यमियों को नई ऊर्जा मिली है, एक्सपोर्ट बढ़ा है और विदेशी निवेश में काफी तेजी आई है। अब जरूरत है आर्थिक सुधार की प्रक्रिया को नए मुकाम पर ले जाने की।

साठ साल के इतिहास में टेलिकॉम क्रांति की भूमिका की अनदेखी नहीं की जा सकती। 1991 में देश में कुल 50 लाख लोगों के पास फोन था। अब तो हर महीने इससे काफी ज्यादा लोगों को नया कनेक्शन मिल रहा है। इस क्रांति के पीछे रहा 1995 में देश में मोबाइल फोन का आगमन। मोबाइल फोन आने के साथ ही ग्राहक भी बढ़े और फोन पर बात करना भी सस्ता हुआ। पहले हमें इनकमिंग कॉल के भी पैसे देने पड़ते थे, एसटीडी कॉल के लिए 50 रुपये प्रति मिनट तक देने पड़ते थे। आज इनकमिंग मुफ्त है और एसटीडी 1-2 रुपये में ही हो जाता है। टेलिकॉम की इस क्रांति ने दूरियां कम कर दी हैं। पहले हम दिन को घंटों और पहरों में आंकते थे, लेकिन अब एक आम भारतीय भी एयर टाइम का पेमेंट करता है। यानी मोबाइल फोन पर हर सेकेंड के लिए आप, हम या यूं कहें कि कुल करीब 50 करोड़ लोग एक-एक सेकेंड का पैसा अदा करने में सक्षम हो गए हैं। शायद तकनीकी क्रांति और आर्थिक क्रांति के चलते ये संभव हो पाया।

> *साठ साल के इतिहास में टेलिकॉम क्रांति की भूमिका की अनदेखी नहीं की जा सकती।*

पिछले साठ साल में आईटी सेक्टर देश की छवि को नए मुकाम पर ले गया। नारायणमूर्ति, नंदन नीलकेणी और अजीम प्रेमजी जैसे लोगों ने साबित करके दिखाया कि देश में ऐसा काम हो सकता है जिसकी विश्व में सराहना हो। आईटी सेक्टर में सफलता की बदौलत ही भारत की अर्थव्यवस्था को पूरी दुनिया में नोटिस किया जाने लगा, आईआईटी और आईआईएम की धाक

बढ़ी और भारत के ट्रेंड इंजीनियर को बड़े-बड़े ऑफर मिलने लगे। इन छह अहम पड़ावों में कुछ खास है। इन सबकी शुरुआत के पीछे रहा एक बड़ा आइडिया, एक विजन और उसे पूरा करने वाले विजनरी। इन सारी मुहिम की शुरुआत करने वालों में जुनून था, देश को दुनिया में अव्वल बनाने की ख्वाहिश थी। उन्होंने देश की ताकत को पहचाना और उसे आगे बढ़ाया।

(राष्ट्रीय सहारा, 26 जनवरी, 2010)

16

तरक्की की गारंटी नहीं हैं छोटे राज्य

''सवाल यह है कि क्या आंध्र प्रदेश को बांटकर अलग तेलंगाना राज्य बनाने की मांग महज एक लालच है? क्या तेलंगाना के मुखर समर्थक राजनीति में अपनी हस्ती बढ़ाने में तो नहीं लगे हैं? उन्हें मालूम है कि आंध्र प्रदेश नहीं बंटता है तो उनका राजनीतिक कद छोटा ही रहेगा, उनकी मुख्यमंत्री बनने की इच्छा कभी पूरी नहीं होगी और जनता की सेवा करने का उन्हें मौका नहीं मिलेगा।''

छोटा है तो बेहतर ही होगा, ये तर्क हमेशा सही ही नहीं हो सकता है। राज्यों के मामले में तो बिल्कुल नहीं। राज्य छोटे हों या बड़े उनके विकास का साइज से कोई लेना-देना नहीं है। छोटा सा हरियाणा कई राज्यों पर भारी पड़ता है तो बड़ा महाराष्ट्र या तमिलनाडु लगातार नई ऊंचाइयां छू ही रहे हैं। दूसरी ओर, उत्तर प्रदेश सबसे बड़ा होने के बावजूद कभी भी देश की विकास यात्रा की अगुआई नहीं कर पाया जबकि गोवा छोटा होने के बावजूद टूरिज्म में अलग अपना जहान बना पाया।

क्या गारंटी है कि छोटे राज्यों में भ्रष्टाचार कम होगा?

क्या गारंटी है कि छोटे राज्यों के शिक्षक छात्रों की पढ़ाई पर ज्यादा ध्यान देंगे? क्या गारंटी है कि छोटे राज्यों में टैक्स बाबू ईमानदारी से टैक्स वसूलेंगे? क्या गारंटी है कि छोटे राज्यों में औद्योगिक विकास ज्यादा तेजी से होगा? क्या गारंटी है कि छोटे राज्यों में नेता जनता की भावनाओं को ज्यादा तरजीह देंगे? क्या गारंटी है कि छोटे राज्यों में भ्रष्टाचार कम होगा? उल्टे, मधु कोड़ा के मामले ने साबित कर दिया है कि मीडिया की नजर से दूर छोटे राज्यों में मलाई काटना ज्यादा आसान है।

सवाल यह है कि क्या आंध्र प्रदेश को बांटकर अलग तेलंगाना राज्य बनाने की मांग महज एक लालच है? क्या तेलंगाना के मुखर समर्थक राजनीति में अपनी हस्ती बढ़ाने में तो नहीं लगे हैं? उन्हें मालूम है कि आंध्र प्रदेश नहीं बंटता है तो उनका राजनीतिक कद छोटा ही रहेगा, उनकी मुख्यमंत्री बनने की इच्छा कभी पूरी नहीं होगी और जनता की सेवा करने का उन्हें मौका नहीं मिलेगा।

तेलंगाना के समर्थक कई तर्क देते हैं। उनका सबसे बड़ा तर्क है कि आंध्र प्रदेश बढ़ रहा है लेकिन तेलंगाना को इसका फायदा नहीं हो रहा है। राज्य में आत्महत्या करने वाले किसानों में सबसे बड़ी तादाद में तेलंगानावासियों की ही है। तेलंगाना क्षेत्र में दो बड़ी बिजली परियोजनाएं हैं, कई सिंचाई के प्रोजेक्ट्स हैं, लेकिन बिजली और पानी का फायदा राज्य के दूसरे इलाकों को ही मिलता है। तेलंगाना इलाके में चंद लोगों के पास ही जमीन का मालिकाना हक है। इलाके की बड़ी आबादी के पास न तो जमीन है और न ही रोजगार के बड़े साधन। उनके पास बस हैदराबाद है, और कुछ नहीं। अलग राज्य बनाकर वो हैदराबाद के सहारे विकास की पटरी पर तेजी से बढ़ना चाहते हैं।

तेलंगाना के समर्थकों के तर्क में दम है। विकास के लिए बिजली और पानी तो चाहिए ही। ऐसा शहर भी चाहिए जहां निवेशक बिना झिझक के निवेश कर सकें।

हैदराबाद के रूप में तेलंगाना के पास ऐसा शहर है (अगर तेलंगाना के हिस्से में हैदराबाद शहर आता है) जहां बिल गेट्स से लेकर अजीम प्रेमजी तक को निवेश करने में कोई संकोच नहीं हैं। लेकिन हैदराबाद की लाचारी है। शहर की तरक्की के पीछे सर्विस सेक्टर का हाथ रहा है। हम सभी जानते हैं कि सर्विस सेक्टर बहुत बड़ा मोबाइल होता है। मतलब यह कि जहां माहौल अच्छा दिखा, निवेश वहीं होगा। इसीलिए हैदराबाद आंध्र प्रदेश की राजधानी हो या तेलंगाना की, निवेशक को आकर्षित करने के लिए इसका ब्रांड बनाए रखना जरूरी होगा।

राज्य में आत्महत्या करने वाले किसानों में सबसे बड़ी तादाद में तेलंगानावासियों की ही है।

तेलंगाना को तेजी से विकास के रास्ते पर दौड़ने के लिए सबसे जरूरी होगा, केंद्र से करोड़ों अरबों रुपये की मदद। बिजली, पानी, सड़क, शिक्षा, स्वास्थ्य–सबके लिए अरबों रुपये चाहिए जो तेलंगाना के पास नहीं होगा। तो सवाल यह है कि क्या आंध्र प्रदेश का हिस्सा रहते हुए भी तेलंगाना का तेजी से विकास संभव नहीं है?

मेरा विरोध छोटे राज्य बनने से नहीं है। तेलंगाना बनने से मुझे कोई ऐतराज नहीं है। प्रशासनिक बेहतरी और विकास के लिए अगर देश को 50 राज्यों में भी बांट दिया जाता है तो सही है। लेकिन मेरा विरोध उस तर्क से है जिसके मुताबिक छोटे राज्य बना देना ही सारी समस्याओं का हल है। इन्हीं दलीलों के सहारे झारखंड, छत्तीसगढ़ और उत्तराखंड बने थे। क्या इनके अलग होते ही इन राज्यों में तेजी से तरक्की होने लगी?

पिछले पांच साल में झारखंड 8.75 परसेंट की रफ्तार से बढ़ा है, जबकि बिहार जिससे अलग झारखंड बनाया गया था, इसी दौरान 11 परसेंट से ज्यादा रफ्तार से आगे बढ़ा है। उत्तराखंड और छत्तीसगढ़ में भी विकास दर 8 परसेंट के करीब रही है। लेकिन हमें यह नहीं भूलना चाहिए कि पिछले पांच सालों में देश में भी औसत विकास दर 8 परसेंट से ऊपर ही रही है।

ऐसे में झारखंड और छत्तीसगढ़ जैसे खदान-संपन्न इलाकों का बढ़ना तो लाजिमी ही था। लेकिन उन आंकड़ों पर भी तो नजरें इनायत कीजिए जो बहुत अच्छी तस्वीर नहीं पेश करते हैं। पिछले पांच सालों में झारखंड और छत्तीसगढ़ में नक्सलियों के हमले में बेतहाशा बढ़ोतरी हुई है। हाल यह है कि देश में कुल नक्सली हमलों में 60 परसेंट से ज्यादा तो इन्हीं राज्यों में होते हैं। इन राज्यों में ट्राइबल आबादी विकास की धारा से अब भी गायब है। छत्तीसगढ़ में तीन-चौथाई आबादी उन इलाकों में रहती है जहां कोई सड़क ही नहीं है। झारखंड का हाल भी बहुत बेहतर नहीं है।

छत्तीसगढ़ में तीन-चौथाई आबादी उन इलाकों में रहती है जहां कोई सड़क ही नहीं है।

छत्तीसगढ़ एक मामले में खुशकिस्मत है कि वहां मुख्यमंत्रियों का कार्यकाल पूरा हो पा रहा है। झारखंड के मुख्यमंत्रियों का हिसाब-किताब रखना पत्रकारों के लिए भी भारी मुसीबत है। यही नहीं झारखंड के नेता करप्शन इंडेक्स में सारे रिकॉर्ड तोड़ रहे हैं।

छोटे राज्यों को देखकर मुझे तो यही लगता है कि राजनीति से इतर किसी खास उद्देश्य से अगर नए राज्य बनाए जाते हैं तो बात समझ में आती है, लेकिन छोटे राज्य बनाने की प्रक्रिया को ही जादू की छड़ी समझ लेना सही नहीं है।

(राष्ट्रीय सहारा, 2 फरवरी, 2010)

17

महंगाई से पार पाने की चुनौती

''वित्तमंत्री का ध्यान उन मुद्दों पर होना चाहिए, जहां पॉलिसी डायरेक्शन की जरूरत है। सरकारी घाटे को कम करने के फैसले लेने होंगे। इसके लिए अगर इंडस्ट्री को दिए गए राहत पैकेज को वापस लेने की जरूरत हो तो उन्हें ऐसा करना चाहिए। सारी राहत एक साथ वापस लेने से इंडस्ट्री की मुश्किलें कुछ बढ़ सकती हैं। ऐसे में जरूरत है कि उन राहतों को चरणों में वापस लिया जाए।''

दो हफ्ते में वित्तमंत्री प्रणब मुखर्जी बजट पेश करने वाले हैं। वित्तमंत्री के सामने मांगों की लंबी लिस्ट हमेशा से रहती है। उद्योग जगत एक्साइज ड्यूटी में कमी और अन्य टैक्स-कटौती जैसी हर छूट चाहता है। टैक्सपेयर कम टैक्स देने की मांग करता है। किसानों को सस्ता कर्ज चाहिए, फसल-बीमा की सुविधा चाहिए, सिंचाई की सुविधा के लिए ज्यादा सरकारी अनुदान चाहिए। गांवों को सड़क, बिजली और पानी चाहिए जबकि शहरी आबादी बेहतर इंफ्रास्ट्रक्चर की मांग कर रही है।

वित्तमंत्री इन मांगों को पूरा करने की कोशिश तो करेंगे ही, लेकिन फिलहाल उनकी चुनौती महंगाई पर काबू पाना है। सोमवार को जारी आंकड़ों के मुताबिक महंगाई दर फिर से साढ़े दस परसेंट से ऊपर चली गई है। इतना ही नहीं, खाने-पीने का सामान तो पिछले साल के मुकाबले जनवरी में 18 परसेंट महंगा हो गया है। पिछले एक साल में चीनी 100 परसेंट, आलू 41 परसेंट, दालें 40 परसेंट और सब्जियां 21 परसेंट महंगी हुई हैं।

किसानों को सस्ता कर्ज चाहिए, फसल-बीमा की सुविधा चाहिए, सिंचाई की सुविधा के लिए ज्यादा सरकारी अनुदान चाहिए।

अब वित्तमंत्री के सामने चुनौती है कि महंगाई पर काबू पाने की कोशिश करें या फिर सामाजिक कार्यों पर खर्च करने के लिए जरूरी पैसों का इंतजाम करें। 2008 में मंदी से इंडस्ट्री को उबारने के लिए ढेर सारी मदद दी गई। इसमें प्रमुख था एक्साइज ड्यूटी और सर्विस टैक्स में कटौती। कटौती रंग लाई। जिन वस्तुओं पर छूट दी गई उनकी बिक्री तेजी से बढ़ी। कार पर एक्साइज ड्यूटी में छूट मिली थी और पिछले कई महीनों से कारों की बिक्री 30 परसेंट की रफ्तार से बढ़ रही है। कंज्यूमर ड्यूरेबल्स को भी छूट का फायदा मिला था और उसकी बिक्री में तो 40 परसेंट तक का इजाफा हुआ है। ऐसी स्थिति में वित्तमंत्री पर दबाव है कि वे इंडस्ट्री को दी गई राहत को वापस लें। राहत वापस लेने के पीछे तर्क भी हैं। इंडस्ट्रियल प्रोडक्शन के ताजा आंकड़ों के मुताबिक इसमें करीब 17 परसेंट की बढ़ोतरी हुई है। विकास दर 7 परसेंट से ज्यादा रहने का अनुमान है। ऐसे में क्या इंडस्ट्री को किसी सहारे की जरूरत है?

सब कुछ ठीक हो रहा है तो वाकई इंडस्ट्री को सहारे की जरूरत नहीं है। लेकिन क्या वित्तमंत्री सारी छूट को वापस लेकर महंगाई और बढ़ाने का

रिस्क लेंगे? खाने-पीने की चीजें तो काफी महंगी हैं ही, ऐसे में मैन्यूफैक्चरिंग गुड्स भी महंगे हो जाएंगे तो महंगाई की दर दो अंकों को भी पार कर सकती है। फिर तो रिजर्व बैंक पर भी तेजी से ब्याज दर बढ़ाने का दबाव पड़ेगा, जिसका ग्रोथ पर भी असर पड़ेगा। ऐसे में वित्तमंत्री क्या करें? जवाब जानने के लिए यह जानना जरूरी है कि हाल के दिनों में खाने-पीने की चीजों के दाम क्यों बढ़े हैं।

इंडस्ट्रियल प्रोडक्शन के ताजा आंकड़ों के मुताबिक इसमें करीब 17 परसेंट की बढ़ोतरी हुई है।

पहले चीनी के अर्थशास्त्र को समझते हैं। इस साल चीनी का उत्पादन एक करोड़ 50 लाख टन पहुंचने का अनुमान है। जबकि हमारी खपत करीब दो करोड़ तीस लाख टन की रहेगी। जाहिर है, हमारे देश में चीनी की कमी है लेकिन क्या इतनी कमी है कि कीमत एक महीने में 20 परसेंट बढ़ जाय? कमी का अंदाजा सरकार को भी था। फिर समय पर ही इंपोर्ट करने का फैसला क्यों नहीं किया गया? दो साल पहले देश में चीनी का उत्पादन मांग से कहीं अधिक था। ऐसे में सरकार ने दूरदर्शिता क्यों नहीं दिखाई? सरकार के उस फैसले को क्यों नहीं ठीक तरह से लागू कराया गया, जिसमें टेंडर और कंपनियों पर तय सीमा से ज्यादा चीनी का स्टॉक रखने पर रोक लगा दी गई थी।

स्टॉक लिमिट लगाने का फैसला काफी पहले लिया गया, लेकिन उनको लागू करने की जरूरत तब महसूस की गई जब चीनी की कीमत काफी बढ़ चुकी थी। इस ढिलाई से किसे फायदा हुआ- चीनी के व्यापारियों को, जबकि कंज्यूमर की चाय फीकी होती रही। अब भी बहुत देर नहीं हुई है। गन्ना उगाने वाले किसान को ज्यादा दाम दीजिए, देश में गन्ने की कोई कमी नहीं होगी। तत्काल चीनी की कीमत पर काबू लगाने के लिए दिल से स्टॉक लिमिट को लागू कराइए, ट्रेडर की हवा निकलेगी लेकिन कंज्यूमर को राहत दिलाने के लिए ऐसा करना ही होगा।

गेहूं और चावल के मामले में भी सप्लाई मैनेजमेंट में गड़बड़ी साफ दिखती है। अनुमान के मुताबिक गेहूं उगाने वाले किसान को औसतन एक क्विंटल के लिए एक हजार से एक हजार पचास रुपये ही मिलते हैं,

लेकिन बाजार में आते-आते इसकी कीमत 1,800 रुपये हो जाती है। सारे खर्चों को जोड़ भी दिया जाय तो भी इतना मार्जिन किसी भी तरह से जायज नहीं ठहराया जा सकता है। मतलब साफ है, किसान को कीमत नहीं मिलती, कंज्यूमर महंगाई के चलते आधे पेट खाने से काम चला रहा है। लेकिन एक छोटा सा तबका है जो हम सबको चूना लगा रहा है। ऐसे में यह नारा ठीक लगता है कि 'जागो सरकार जागो'।

ऐसी स्थिति में यह साफ है कि बजट के जरिए प्रणब बाबू खाद्य पदार्थों की महंगाई को कंट्रोल नहीं कर सकते हैं। यह महंगाई जमाखोरों और कालाबाजारियों की देन है। जिसे कंट्रोल करने के लिए प्रशासनिक तंत्र को दुरुस्त करने की जरूरत है। राज्य सरकारों के साथ तालमेल बढ़ाइए, फैसलों को ईमानदारी से लागू कराइए, खाने-पीने की चीजें अपने आप सस्ती हो जाएंगी।

दो साल पहले देश में चीनी का उत्पादन मांग से कहीं अधिक था। ऐसे में सरकार ने दूरदर्शिता क्यों नहीं दिखाई?

इस स्थिति में वित्तमंत्री का ध्यान उन मुद्दों पर होना चाहिए जहां पॉलिसी डायरेक्शन की जरूरत है। सरकारी घाटे को कम करने के लिए ठोस फैसले लेने होंगे। इसके लिए अगर इंडस्ट्री को दिए गए राहत पैकेज को वापस लेने की जरूरत हो तो उन्हें ऐसा करना चाहिए। सारी राहत एक साथ वापस लेने से इंडस्ट्री की मुश्किलें कुछ बढ़ सकती हैं। ऐसे में जरूरत है कि उन राहतों को चरणों में वापस लिया जाए। साथ ही बजट में जीएसटी का रोडमैप होना चाहिए और हम सबको उम्मीद है कि डायरेक्ट टैक्स कोड को लागू करने की रूपरेखा भी बजट में होगी और महंगाई के जिन्न को फिर से बोतल में वापस लाने के लिए प्रशासन को चुस्त-दुरुस्त बनाना होगा।

सबसे बड़ा सवाल यह है कि कमोडिटी एक्सचेंज समेत कृत्रिम तरीके से भाव बढ़ाने में लगे कुछ मुट्ठी भर लोगों पर सरकारी एजेंसियां अपनी नकेल क्यों नहीं कसती हैं। आज देश की दो-तिहाई आबादी जरूरी चीजों के लिए मोहताज है। फिर सवाल यह उठता है कि आखिर सरकार की सबसे बड़ी प्राथमिकता क्या है? क्या सरकारी मशीनरी महंगाई से निबटने में सक्षम नहीं है?

(राष्ट्रीय सहारा, 14 फरवरी, 2010)

18

देश की यूएसपी यंग जेनरेशन

''बीस साल में शब्द बदले हैं, उनके मतलब बदल गए हैं, बोलने का तरीका बदल गया है, सोच बदली है, समस्याओं को देखने का नजरिया भी बदल गया है।''

अब जनसंख्या को ही ले लीजिए। स्कूल में अर्थशास्त्री माल्थस की यह थ्योरी पाठ के जरिए हर बच्चे को घूंट-घूंट कर पिलाई जाती थी कि हमारी सबसे बड़ी जरूरत जनसंख्या कंट्रोल करने की है। जलवायु, गांवों में मनोरंजन के साधनों का नहीं होना—न जाने किन-किन वजहों का हवाला देते हुए बताया जाता था कि हमारी जनसंख्या तेजी से बढ़ रही है और यह नहीं रुकी तो प्रलय होगा। फैमिली प्लानिंग का स्लोगन 'हम दो हमारे दो' हर गली, हर नुक्कड़, हर गांव, हर शहर में हमारा पीछा करता था। रेडियो, टीवी या अखबार हर जगह छाया रहता था—हम दो हमारे दो। बड़े-बड़े राष्ट्रीय सेमिनार में चर्चा का विषय होता था कि क्यों फैमिली प्लानिंग की पॉलिसी फेल हो रही है।

डेमोग्राफिक डिविडेंड

लेकिन अब जनसंख्या कंट्रोल करने की बात दब गई है। अब डेमोग्राफिक डिविडेंड की बात हो रही है। मतलब यह कि आबादी को अपनी ताकत समझा जाने लगा है। ऐसी ताकत जो सबसे तेजी से तरक्की करने वाले चीन के पास भी नहीं है। हमारी यंग आबादी हमारी यूएसपी है। इसी की बदौलत हम दुनिया के आर्थिक मैप पर छा जाने के सपने देख रहे हैं और यह महज सपना नहीं है। हमारी काबिल यंग फौज ने वाकई कई क्षेत्रों में हमें काफी तेजी से तरक्की दिलाई है।

2008 में दुनिया में जिस तरह से फाइनेंसियल सेक्टर चरमराया, सबने भारतीय मॉडल की तारीफ करनी शुरू कर दी।

बीस साल पहले दुनिया के पॉलिसी बनाने वाले ठेकेदार—आईएमएफ और वर्ल्ड बैंक—हमें पॉलिसी में बदलाव लाने की नसीहत दे रहे थे। वे हमें बता रहे थे कि हमारा सब्सिडी बिल कितना हो, हमारी फिस्कल डेफिसिट कितना फीसद रहनी चाहिए, लोक कल्याणकारी सामाजिक कार्यक्रमों पर किए जाने वाले खर्चे में कितनी कटौती की जरूरत है, सरकारी कंपनियों में सरकारी हिस्सेदारी कितना कम करने की जरूरत है। लेकिन अब समय बदल गया है। 2008 में दुनिया में जिस तरह से फाइनेंसियल सेक्टर चरमराया, सबने भारतीय मॉडल की तारीफ करनी शुरू कर दी।

आईएमएफ अपना पॉलिसी लेसन भारतीय रिजर्व बैंक से लेने लगा है, भारत को एडजस्ट करने के लिए जी-8 की बजाय जी-20 को दुनिया की पॉलिसी तय करने की संस्था बनाया जा रहा है।

बारह साल में ही दोगुनी होने लगी औसत आमदनी

आखिर बीस साल में क्या हो गया है कि शब्द के मतलब ही बदल गए हैं? बीस साल में ग्रोथ हुआ है। नब्बे के दशक तक हम चार फीसद ग्रोथ के लिए तरसते थे। लेकिन आर्थिक सुधार के पहले दशक में ही सालाना औसत विकास दर छह परसेंट रही जो 2002 के बाद बढ़कर आठ परसेंट से भी ज्यादा हो गई है। 1982 में लागू आर्थिक नीति के अनुसार लोगों की जिस आमदनी को दोगुना होने में 57 साल लगते, वह नई आर्थिक नीतियों के चलते महज 12 साल में ही संभव हो गई। मतलब यह है कि अगर हम 8 परसेंट की रफ्तार से तरक्की करते रहे तो हमारी आमदनी हर बारह साल में सौ फीसद बढ़ेगी।

अनुमान है कि 1980 के बाद आधा से ज्यादा ग्रोथ प्रोडक्टिविटी सुधरने की वजह से हुई।

आखिर 1991 में क्या हो गया कि हमारी विकास की रफ्तार अचानक काफी तेज हो गई। सीधे शब्दों में कहें तो लाइसेंस परमिट राज खत्म कर दिया गया। मतलब यह कि स्कूटर बनाने के लिए, सीमेंट की फैक्टरी खोलने के लिए या फिर स्टील प्लांट की क्षमता बढ़ाने के लिए लाइसेंस लेने की जरूरत खत्म कर दी गई। कंपनी खोलना आसान बना दिया गया, सामानों का आयात-निर्यात आसान हो गया, कस्टम ड्यूटी में लगातार कटौती की गई, इनकम टैक्स की दर घटाई गई - कुल मिलाकर छोटे-बड़े उद्यमी को नई ऊर्जा मिली। इसी की वजह से निजी उद्योगों की संख्या में बेतहाशा बढ़ोतरी हुई और इसके साथ कार्यकुशलता भी बढ़ी। एक अनुमान है कि 1980 के बाद आधा से ज्यादा ग्रोथ प्रोडक्टिविटी सुधरने की वजह से हुई। यह दुनिया में एक रिकॉर्ड है। मतलब यह कि पूंजी का बेहतर इस्तेमाल हुआ, मशीन और आदमी से क्वालिटेटिव काम लिया गया, पूंजी पर रिटर्न कई गुना बढ़ गया।

प्राइवेट सेक्टर का बड़ा योगदान

इस बदलाव में प्राइवेट सेक्टर का बड़ा योगदान रहा है। 1990 से 2007 के बीच जहां सरकारी कंपनियों की संख्या में महज 194 का इजाफा हुआ, वहीं निजी क्षेत्र की कंपनियों की संख्या 8,153 से बढ़कर 15,063 हो गई। इसी दौरान करीब 500 नई विदेशी कंपनियां भी आईं। लेकिन इसका मतलब यह कतई नहीं है कि सबकुछ ठीक हो गया है। बड़े-बड़े अपार्टमेंट्स के बगल में झुग्गियां इस चमत्कारी ग्रोथ स्टोरी को चैलेंज कर रही हैं। शहरी इंफ्रास्ट्रक्चर चरमरा गया है। गाड़ियों की बिक्री तो तेजी से बढ़ रही है, लेकिन पार्किंग के लिए जगह सिमटती जा रही है। खराब सड़कों की वजह से सालाना हमें करीब 20,000 करोड़ रुपये का नुकसान हो रहा है। काम करने वालों की आमदनी बढ़ी है, लेकिन जिन्हें काम नहीं मिल पा रहा है उनकी तादाद भी कम नहीं हो रही है और गांवों में तो इंडिया ग्रोथ स्टोरी की शुरुआत ही नहीं हो पाई है। उन 15 करोड़ परिवारों के बारे में भी सोचिए जहां बिजली नहीं पहुंचती है या उन 40 परसेंट गाँवों की हालत का अंदाजा लगाइए जहां सड़कें हैं ही नहीं।

गाड़ियों की बिक्री तो तेजी से बढ़ रही है, लेकिन पार्किंग के लिए जगह सिमटती जा रही है।

इसका इलाज आर्थिक सुधारों को बंद करने से नहीं होगा। जरूरत है सुधार को नई दिशा देने की। 20 साल के अनुभव से सीखने की जरूरत है। हमें हर हाल में ग्रोथ तो चाहिए ही, जरूरत है इसके डिस्ट्रीब्यूशन को बेहतर बनाने की। यूएन की एक ताजा रिपोर्ट के मुताबिक भारत में 2008 से 2009 में जो ग्रोथ में कमी आई उसकी वजह से करीब 1 करोड़ 30 लाख लोग गरीबी रेखा के नीचे चले गए। ये बताता है कि गरीबी की दुश्मन ग्रोथ ही है।

(राष्ट्रीय सहारा, 23 फरवरी, 2010)

19

चाहिए रेलमंत्री जो पूरे देश की सोचे

''रेलवे में निजी निवेश को बढ़ाने के लिए मंत्रालय की इमेज बदलनी होगी। ममता दीदी को निवेशकों को यह भरोसा दिलाना होगा कि वह पश्चिम बंगाल की ही नहीं, पूरे देश की रेल मंत्री हैं। पश्चिम बंगाल की तरक्की पर बेशक वह खास ध्यान रखें पर साथ ही बिहार, मध्य प्रदेश और छत्तीसगढ़ जैसे पिछड़े राज्यों के अलावा महाराष्ट्र, गुजरात और तमिलनाडु जैसे उन्नत राज्यों की जरूरतों का भी ख्याल रखें।''

पिछले 14 सालों में रेल मंत्रालय में बिहार का दबदबा रहा है। अलग-अलग समय में रामविलास पासवान, नीतीश कुमार और लालू प्रसाद इस मंत्रालय में विराजमान रहे हैं। इस दौरान राज्य को कई नए प्रोजेक्ट, कई नई ट्रेनें मिलीं। देश की अर्थव्यवस्था के साथ-साथ रेलवे का भी विकास हुआ है। लालू प्रसाद के जादू-टोने से रेलवे ने 20,000 करोड़ रुपये का कैश सरप्लस भी दिखाया। रेलवे की माली हालत पर बहस हो सकती है, लेकिन इसमें कोई दो राय नहीं है कि पिछले 14 सालों में रेल मंत्रालय की बिहार पर खूब मेहरबानी रही है। 1996 से 1998 के बीच रेल मंत्री रहे रामविलास पासवान के कार्यकाल पर एक नजर दौड़ाने से यह बात साफ हो जाती है कि इन दो सालों में बिहार को 102 नई ट्रेनें मिलीं। हाजीपुर को रेलवे जोन बनाया गया, करीब 10,000 लोगों की रेलवे में नियुक्ति हुई और नेपाल से सटे बिहार के इलाकों में छोटी लाइन को बड़ी लाइन में बदलने की मंजूरी मिली।

रामविलास पासवान के कार्यकाल पर एक नजर दौड़ाने से यह बात साफ हो जाती है कि इन दो सालों में बिहार को 102 नई ट्रेनें मिलीं।

इसके बाद अलग-अलग समय में नीतीश कुमार करीब पांच साल के लिए रेल मंत्री रहे। उनके समय में बिहार को 109 नई ट्रेनें मिलीं, कोसी नदी पर 3,500 करोड़ रुपये का पुल बनाने की मंजूरी मिली। बाढ़ में पावर प्रोजेक्ट को मंजूरी मिली और राज्य को रेल कोच मेंटेनेंस फैक्टरी मिली।

इसके बाद लालू प्रसाद का नंबर आता है। वे 2004 से 2009 तक देश के रेल मंत्री रहे। इस दौरान बिहार को करीब 19,000 करोड़ रुपये के करीब 300 छोटे-बड़े प्रोजेक्ट मिले। इसमें मधेपुरा और छपरा के भी प्रोजेक्ट शामिल हैं। इन दोनों क्षेत्रों में लालू प्रसाद अलग-अलग समय में चुनाव लड़ चुके हैं। इन प्रोजेक्टों के पूरे होने से करीब ढाई लाख लोगों को नौकरी मिली। समय बदला और रेल मंत्रालय के आका भी बदल गए। अब इस पर ममता बनर्जी का राज है और उनके आते ही पश्चिम बंगाल को तरजीह मिलने लगी है। पिछले बजट में बंगाल को 18 नई ट्रेनें दी गईं। दो स्टेशन लालगढ़ और सिंगूर को मॉडल स्टेशन बनाने का ऐलान हुआ। साथ ही राज्यों में 90 नए स्टेशन बनाने की भी घोषणा हुई। इतना ही नहीं, पश्चिम बंगाल में इस साल विधान

सभा चुनाव होने हैं और ममता दीदी इस बार भी अपने राज्य की झोली में कई प्रोजेक्ट डालने की तैयारी में हैं। खबर है कि 15,000 करोड़ रुपये के 24 प्रोजेक्ट्स को कैबिनेट के इंफ्रास्ट्रक्चर कमेटी की मंजूरी मिल चुकी है।

मेरा मतलब यह कतई नहीं है कि बिहार या पश्चिम बंगाल में निवेश की जरूरत नहीं है। ये दोनों पिछड़े राज्य हैं, जहां निजी निवेश की कमी रही है। ऐसे में इन राज्यों में सरकारी निवेश तो बढ़ना ही चाहिए। निवेश बढ़ेगा, माहौल सुधरेगा तो निजी निवेश भी आएगा। फिर इन राज्यों की भी तरक्की होगी जिसका फायदा पूरे देश को मिलेगा। मेरा बस इतना ही कहना है कि उत्तर प्रदेश, छत्तीसगढ़, मध्य प्रदेश, उड़ीसा, झारखंड जैसे दूसरे पिछड़े राज्य भी हैं। क्या इन राज्यों पर भी रेल मंत्रालय की मेहरबानी नहीं होनी चाहिए? क्या इन राज्यों का गुनाह यही है कि यहां के नेताओं को रेल मंत्रालय में जगह नहीं मिली है?

नीतीश कुमार करीब पांच साल के लिए रेल मंत्री रहे। उनके समय में बिहार को 109 नई ट्रेनें मिलीं।

मेरा मानना है कि रेल मंत्री को अपना नजरिया बदलने की जरूरत है। साथ ही रेल मंत्रालय के फैसलों में भागीदारी बढ़ाने की भी जरूरत है। अगले 10 साल में रेलवे के विस्तार पर 14 लाख करोड़ रुपये खर्च होने हैं। इसका बड़ा हिस्सा यानी करीब 42,000 करोड़ रुपये पूर्वी-पश्चिमी फ्रेट कॉरीडोर पर खर्च होना है। इतनी बड़ी रकम कैसे खर्च हो ताकि देश का भला हो, इसके लिए जरूरी है कि रेल मंत्रालय के फैसले किसी विधानसभा चुनाव या किसी वीआईपी को खुश करने के लिए नहीं लिए जाएं।

रेलवे के सामने कई चुनौतियां हैं। सबसे बड़ी चुनौती है आमदनी बढ़ाना। रेलवे की कमाई का 70 परसेंट हिस्सा माल ढुलाई से आता है। कोयला, स्टील, कच्चा लोहा, खाने-पीने के सामानों की ढुलाई का मुख्य जरिया गाड़ियां ही रही हैं। जिस तरह से महंगाई बढ़ रही है उसे देखते हुए इस बजट में माल-भाड़ा बढ़ाना बड़ी चुनौती है। ऐसे में रेलवे की आमदनी बढ़ाने के लिए जरूरी है कि ज्यादा माल ढुलाई हो। माल ढुलाई का वॉल्यूम बढ़ाने के लिए रेलवे को ज्यादा बोगियों की जरूरत है, लेकिन ऐसा हो नहीं पा रहा है। रेलवे की मौजूदा फैक्टरी में हर महीने करीब 1,400 बोगियां बननी चाहिए

लेकिन बनती हैं महज 700। ऐसे में न तो ज्यादा माल ढुलाई हो पाएगी और न ही रेलवे की आमदनी बढ़ेगी। आमदनी नहीं बढ़ी तो फिर 10 साल में 14 लाख करोड़ रुपये के निवेश की योजना का क्या होगा? इसलिए यह जरूरी है कि रेल मंत्री रेलवे के सीईओ की तरह नजर आएं। यदि ऐसा हुआ तो जहां निवेश पर ज्यादा रिटर्न मिलेगा, निवेश वहीं बढ़ेगा। इसका मतलब यह नहीं है रेलवे अपनी सामाजिक जिम्मेदारी छोड़ दे। पिछड़े इलाकों में निवेश पर तत्काल अच्छा रिटर्न नहीं मिलेगा, लेकिन निवेश के लिए रेलवे की आमदनी तो बढ़नी चाहिए।

रेलवे में निजी निवेश को बढ़ाने के लिए मंत्रालय की इमेज बदलनी होगी। ममता दीदी को निवेशकों को यह भरोसा दिलाना होगा कि पश्चिम बंगाल की ही नहीं, पूरे देश की रेल मंत्री हैं। पश्चिम बंगाल की तरक्की पर बेशक वह खास ख्याल रखें पर साथ ही बिहार, उत्तर प्रदेश, मध्य प्रदेश, छत्तीसगढ़ जैसे पिछड़े राज्यों के अलावा महाराष्ट्र, गुजरात और तमिलनाडु जैसे उनन्त राज्यों की जरूरतों का भी ख्याल रखें। इससे रेलवे की आमदनी भी बढ़ेगी और निवेश करने के लिए ज्यादा पैसा भी बचेगा।

रेलवे के सामने कई चुनौतियां है। सबसे बड़ी चुनौती है आमदनी बढ़ाना।

बुधवार को रेल बजट पेश करते वक्त ममता दीदी को यह तय करना होगा कि उनको क्या करना है। मेरी गुजारिश होगी कि वह ऐसा काम करें जिससे रेलवे का भला हो। ऐसा हुआ तो पश्चिम बंगाल का अपने आप भला हो जाएगा और वहां के रेलवे प्रोजेक्ट समय पर पूरे हो जाएंगे। कौन कहता है कि अच्छा आर्थिक फैसला वोट नहीं दिलाता है।

(राष्ट्रीय सहारा, 21 फरवरी, 2010)

20

जाति की गणना क्यों नहीं?

''कुछ सालों से जाति के आधार पर जनगणना कराने की मांग फिर से उठने लगी है। इस मामले में तरह-तरह की दलीलें दी जा रही हैं। सबसे बड़ी दलील यह है कि जिस जाति को आधार बनाकर सरकारी नौकरी दी जाती है, जिसके आधार पर आईआईटी और आईआईएम में एडमिशन दिया जाता है, उसके बारे में आंकड़े इकट्ठा करने से परहेज क्यों?''

अगले साल जनगणना होनी है। करीब 20 लाख कर्मचारी साढ़े छह लाख गांवों, साढ़े पांच हजार कस्बों और सैकड़ों शहरों का दौरा कर एक अरब बीस करोड़ लोगों के बारे में जानकारी इकट्ठा करेंगे। लोगों का खानपान क्या है, परिवार की मासिक आमदनी कितनी है, सुविधाओं का क्या हाल है, जनसंख्या बढ़ोतरी की रफ्तार क्या है, अनुसूचित जाति और अनुसूचित जनजातियों की तादाद में कितनी बढ़ोतरी हुई है? इन सब आंकड़ों का विश्लेषण होगा। देश को एक बार फिर से पता चलेगा कि अलग-अलग धर्म मानने वाले लोगों की आबादी में किस रफ्तार से बढ़ोतरी हो रही है।

ऐसे में सवाल उठता है कि जब हम इतनी सारी जानकारी इकट्ठा कर ही रहे हैं तो किस जाति के कितने लोग हैं, इसकी गणना क्यों नहीं? गौरतलब है कि 1931 के बाद जाति के आधार पर जनगणना कराना बंद कर दिया गया। दलील दी गई कि जाति को जनगणना में शामिल करने से जातिवाद बढ़ता है। आजाद भारत का सपना जातिविहीन समाज बनाने का था, इसीलिए जाति के आधार पर जनगणना कराने पर विचार ही नहीं किया गया। लेकिन पिछले कुछ सालों से जाति के आधार पर जनगणना कराने की मांग फिर से उठने लगी है।

गौरतलब है कि 1931 के बाद जाति के आधार पर जनगणना कराना बंद कर दिया गया।

इस मामले में तरह-तरह की दलीलें दी जा रही हैं। सबसे बड़ी दलील यह है कि जिस जाति को आधार बनाकर सरकारी नौकरी दी जाती है, जिसके आधार पर आईआईटी और आईआईएम में एडमिशन दिया जाता है, उसके बारे में आंकड़े इकट्ठा करने से परहेज क्यों?

जाति को जनगणना में शामिल करने के पक्ष में यह भी तर्क है कि जिन पिछड़ी जातियों के उत्थान पर हर साल हजारों करोड़ रुपये खर्च किए जाते हैं, उसका सही आकलन भी जरूरी है। मंडल कमीशन के अनुसार पिछड़ी जातियों यानी ओबीसी की आबादी देश की कुल आबादी का 52 परसेंट है। लेकिन हाल में कराए गए सरकारी सर्वे के आंकड़े इससे अलग हैं। नेशनल सैंपल सर्वे के आंकड़ों के मुताबिक देश की कुल आबादी में ओबीसी का हिस्सा 35 परसेंट है।

केन्द्र के ग्रामीण विकास मंत्रालय के हाल के सर्वे के मुताबिक भी गांवों में ओबीसी की आबादी 38.5 परसेंट है। सबसे ज्यादा 54 परसेंट ओबीसी तमिलनाडु में हैं, जबकि उत्तर प्रदेश में ओबीसी की संख्या 52 परसेंट और बिहार में महज 37 परसेंट है। यह आंकड़ा गांवों का है। इसमें शहरी आबादी को अगर जोड़ दिया जाए तो कुल आबादी में ओबीसी का अनुपात और थोड़ा कम होगा।

सवाल है कि इन आंकड़ों में से किस पर भरोसा करें, मंडल कमीशन पर जिसने 1931 की जनगणना को आधार बनाकर 52 परसेंट आंकड़ा बताया था या फिर नेशनल सैंपल सर्वे या ग्रामीण विकास मंत्रालय पर। सही आंकड़ों के बिना सरकारी नौकरियों या फिर बड़े शिक्षण संस्थानों में अलग-अलग तबकों के लिए कितना आरक्षण मिले, यह कैसे तय हो सकता है। यह सवाल कई बार उठ चुका है। माना जा रहा है कि देश के कानून मंत्री वीरप्पा मोइली भी इसके पक्ष में हैं कि जनगणना में जाति पर सवाल पूछे जाने चाहिए। उनका कहना है कि सही आंकड़े के बिना समाज कल्याण योजनाओं का फायदा सही लोगों तक पहुंचना मुश्किल है। लेकिन सरकार में उनके सहयोगी इस दलील को मानने को तैयार नहीं हैं। हाल ही में गृह मंत्रालय की ओर से बयान आया कि 2011 की जनगणना में जाति को आधार बनाकर सवाल नहीं पूछे जाएंगे। मतलब यह कि आबादी में अलग-अलग जातियों का अनुपात क्या है, इसकी जानकारी हमें अब जनगणना में भी नहीं मिलेगी।

गृह मंत्रालय की ओर से बयान आया कि 2011 की जनगणना में जाति को आधार बनाकर सवाल नहीं पूछे जाएंगे।

वही डर कि जनगणना में जाति को शामिल करने से जातिवाद बढ़ेगा। और भी कई मुश्किलें हैं कि जाति के आंकड़े कैसे जुटाए जाएंगे। एक जाति के अंदर कई जातियां होती हैं। अंतरजातीय शादियों के बढ़ने से एक ही परिवार में कई जातियों के लोग रहते हैं। साथ ही यह भी पाया गया है कि सरकारी फायदे पाने के लिए कई बार लोग अपनी जाति बदल लेते हैं। समाजशास्त्रियों का यह भी कहना है कि जाति दरअसल संदर्भ के हिसाब से तय होती है– शादी, धर्म और सरकारी रिकॉर्ड के हिसाब से जाति भी बदलती जाती है।

समाजशास्त्रियों का यह भी मानना है कि माइग्रेशन के बढ़ने से एक ही जाति के लोग अलग-अलग जगहों पर अलग नामों से जाने जाते हैं। ऐसे समूहों की जाति कैसे तय होगी? हाल के दिनों में अंतरजातीय शादियों की संख्या में बढ़ोतरी हुई। अंतरजातीय शादियों से पैदा होने वालों के बच्चों की जाति कैसे तय होगी? इन सबसे बड़ा सवाल- कोई अपनी जाति अपनी कमीज पर पहनकर नहीं चलना चाहता है। तो क्या सरकार उसकी जाति कुरेदकर निकाले?

> *समाजशास्त्रियों का यह भी कहना है कि जाति दरअसल संदर्भ के हिसाब से तय होती है।*

दोनों पक्षों की दलीलों में दम है। जातिवाद हटाना है तो जाति की चर्चा हम जितना कम करें, ठीक है। जनगणना जैसे पर्व में जाति की चर्चा रंग में भंग डाल सकती है। लेकिन क्या साठ साल से जाति को झाड़कर कालीन के नीचे डाल देने से जातिवाद में कमी आई है? बात रोटी की हो या फिर बेटी की, जाति हमारे जेहन से बाहर निकल नहीं पायी है। ऐसे में जाति के आधार पर जनगणना कराने भर से जातिवाद बढ़ेगा, यह मैं नहीं मानता।

लेकिन मेरा असली विरोध दोहरी मानसिकता से है। एक तरफ आप यह कहते हैं कि जाति जनगणना में प्रवेश न करे, लेकिन दूसरी तरफ आप जाति के आधार पर नौकरियां दे रहे हैं, बच्चों को एडमिशन दे रहे हैं। एक न एक को तो बदलना ही होगा। तभी तो हम मानेंगे कि जातिवाद की लड़ाई में हमारी सोच एक है। एक लक्ष्य पाने के लिए दो परस्पर विरोधी सोच तो हो नहीं सकती है न।

दस साल में एक बार हम जाति की चर्चा करने से घबराते हैं, क्योंकि हमें डर है कि इससे जातिवाद को बढ़ावा मिलेगा। फिर हर साल इसके आधार पर सरकारी पदों पर एंट्री क्यों? क्या इस विरोधाभास को दूर करने की जरूरत नहीं है?

(राष्ट्रीय सहारा, 6 मार्च, 2010)

21

आईपीएल यानी इंडियन प्राइड लीग

''आईपीएल एक सपना है। सपना है आसमान को छूने का, सपना है दुनिया में धाक जमाने का, सपना है आत्म सम्मान का और सपना है नए रास्ते तलाशने का। आईपीएल की वजह से देश के कई खिलाड़ियों को बड़े स्टेज पर कुछ कर दिखाने का मौका मिला है। रवींद्र जडेजा और यूसुफ पठान जैसे खिलाड़ियों ने इसका फायदा भी उठाया है। अब देश की हर गली, हर नुक्कड़ पर क्रिकेट खेलने वाले को लगता है कि उसके लिए सफलता की चाबी इंडियन एलेवन में जगह पाना ही नहीं है। अब किसी आईपीएल फ्रेंचाइजी में जगह मिल जाए तो भी बात बन सकती है।''

तीन साल में ही इंडियन प्रीमियर लीग अठारह हजार करोड़ रुपये का ब्रांड बन गया है। इतनी जल्दी इतना बड़ा मुकाम हासिल कर लेना वाकई गर्व की बात है। जो इससे जुड़े हैं उन्हें फटाफट क्रिकेट के इस अवतार पर नाज है, पड़ोसी भले ही जलते रहें। भारत में खेल का यह पहला ब्रांड है जिस पर पूरी दुनिया की नजर लगी हुई है। हर देश के खिलाड़ी इससे जुड़ना चाहते हैं। ऑस्ट्रेलिया के मैथ्यू हेडेन और एडम ग्रिलक्रिस्ट ने तो अंतरराष्ट्रीय क्रिकेट को अलविदा भी कह दिया है, लेकिन आईपीएल के मैदान पर वो अब भी डटे हुए हैं।

यह शायद भारत का इकलौता खेल का ब्रांड है, जिससे जुड़ने के लिए कॉरपोरेट इंडिया के दिग्गजों के साथ-साथ बॉलीवुड के बादशाह भी बेताब हैं। मुकेश अंबानी, प्रीति जिंटा, शाहरुख खान, शिल्पा शेट्टी और विजय माल्या तो तीन साल से इससे जुड़े हुए हैं। अब पवन मुंजाल, वेणुगोपाल धूत जैसे दिग्गज भी लाइन में खड़े हैं। आईपीएल के पहले एडिशन के साथ 40 कंपनियां जुड़ी थीं, इसके दूसरे संस्करण में 68 कंपनियों ने इसका हाथ थामा। उम्मीद है कि आईपीएल-3 को 80 कंपनियों का साथ मिलेगा। इनमें से कई एडवरटाइजर्स हैं तो किसी ने प्रसारण का अधिकार लिया है तो कोई इंटरनेट के जरिए इसका प्रसारण करेगा।

भारत में खेल का यह पहला ब्रांड है जिस पर पूरी दुनिया की नजर लगी हुई है।

इस होड़ की वजह भी है। सबको फायदा जो हो रहा है। मुकेश अंबानी ने मुंबई इंडियन टीम को करीब 500 करोड़ रुपये में खरीदा था। अब उनके निवेश की वैल्यू कम से कम 1,000 करोड़ रुपये है। मतलब यह कि तीन साल में निवेश पर 100 परसेंट का रिटर्न। आईपीएल के पहले एडिशन को जीतने के बाद एक साल में ही राजस्थान रॉयल्स की वैल्यू में करीब 200 परसेंट का उछाल आया। वहीं दो साल तक फिसड्डी रहने के बावजूद शाहरुख खान की टीम कोलकाता नाइट राइडर्स मुनाफा कमाने में कामयाब रही।

टीम की कमाई तो हो ही रही है, होटलों को भी इससे करोड़ों का कारोबार मिल रहा है। टूर ऑपरेटर्स का बिजनेस काफी तेजी से बढ़ रहा है। टीवी की बिक्री बढ़ी है, खेल का सामान बनाने वाली कंपनियों को आईपीएल में

बड़ा मौका दिखने लगा है। और तो और मैचों का सीधा प्रसारण करने वाले सेट मैक्स को इस साल करीब 800 करोड़ रुपये की कमाई की उम्मीद है।

इतना ही नहीं, आईपीएल से सरकार की आमदनी भी बढ़ी है। पहले साल आईपीएल से सरकार को टैक्स के रूप में 91 करोड़ रुपये मिले थे। उम्मीद है कि इस साल टैक्स से सरकार की कमाई करीब 200 करोड़ रुपये पहुंच जाएगी। वोडाफोन, एयरटेल, वीडियोकॉन, सिटी, माइक्रोमैक्स, डी एल एफ जैसी बड़ी कंपनियों का करोड़ों रुपया दांव पर लगा है और सबको वैल्यू फॉर मनी की उम्मीद है।

आखिर ऐसा क्या है आईपीएल में जिसके कारण सबकी कमाई हो रही है? मामला महज क्रिकेट और बॉलीवुड के संगम का ही नहीं है। देश में फिल्म स्टार का जलवा है और क्रिकेट-स्टार को भी पूजा जाता है। ऐसे में दोनों एक जगह हों तो क्या कहने। लेकिन आईपीएल की लोकप्रियता के पीछे क्रिकेट और बॉलीवुड का एक साथ होना भर नहीं है। मेरे हिसाब से आईपीएल एक सपना है। सपना है आसमान को छूने का, सपना है दुनिया में धाक जमाने का, सपना है आत्म सम्मान का और सपना है नए रास्ते तलाशने का। आईपीएल की वजह से देश के कई खिलाड़ियों को बड़े स्टेज पर कुछ कर दिखाने का मौका मिला है। रवींद्र जडेजा और यूसुफ पठान जैसे खिलाड़ियों ने इसका फायदा भी उठाया है। अब देश की हर गली, हर नुक्कड़ पर क्रिकेट खेलने वाले को लगता है कि उसके लिए सफलता की चाबी इंडियन एलेवन में जगह पाना ही नहीं है। अब किसी आईपीएल फ्रेंचाइजी में जगह मिल जाए तो भी बात बन सकती है। यही वजह है कि आईपीएल के हरेक संस्करण में हमें एक नया स्टार मिला है। मामला आत्मसम्मान का भी है। तेजी से तरक्की कर रहे देश को दुनिया में अपनी धाक मनवाने का आईपीएल एक जरिया है। आईपीएल एक ऐसा प्लेटफॉर्म है, जिससे जुड़ने के लिए आस्ट्रेलिया, न्यूजीलैंड, इंग्लैंड, पाकिस्तान या वेस्टइंडीज के खिलाड़ी तरसते रहते हैं।

तेजी से तरक्की कर रहे देश को दुनिया में अपनी धाक मनवाने का आईपीएल एक जरिया है।

लेकिन ऐसा नहीं है कि आईपीएल के साथ सब कुछ अच्छा ही हो रहा है। आईपीएल की चकाचौंध के पीछे हमारी कॉमनवेल्थ गेम्स की तैयारी छुप गई है। हम यह भूल गए हैं कि दो साल में ओलम्पिक गेम्स होने हैं जिसकी तैयारी अभी से करनी होगी। आईपीएल की वजह से वर्ल्ड कप हॉकी का आयोजन फीका रहा और हमारी टीम का प्रदर्शन भी काफी साधारण रहा। आईपीएल की चकाचौंध की वजह से शायद हम भूल गए हैं कि घरेलू क्रिकेट में भारी बदलाव की जरूरत है। साथ ही हम यह भी भूल गए हैं कि आईपीएल के आयोजक यानी बीसीसीआई में भी भारी बदलाव की जरूरत है।

आईपीएल की चकाचौंध की वजह से शायद हम भूल गए हैं कि घरेलू क्रिकेट में भारी बदलाव की जरूरत है।

आईपीएल कमिश्नर ललित मोदी का सपना इंडियन प्रीमियर लीग को नेशनल बास्केटबॉल एसोसिएशन लीग बनाने का है। क्रिकेट प्रेमी देश में संभव है कि उनका सपना पूरा भी हो जाए। यदि ऐसा होता है तो आईपीएल खेल की दुनिया के सबसे अव्वल ब्रांड में से एक होगा। दुनिया के हर कोने से क्रिकेट के महारथी इसमें हिस्सा लेने आएंगे। और एडवरटाइजर्स की लंबी लाइन लगी होगी। लेकिन उस क्रिकेट का क्या होगा जिसमें किसी सुनील गावस्कर या सर गारफील्ड सोबर्स ने महारत हासिल की थी। मेरा मतलब टेस्ट क्रिकेट से है जिसके हर कवर ड्राइव या फ्लिक पर हजारों कॉलम लिखे जाते थे। क्या फटाफट टी-20 क्रिकेट शास्त्रीय क्रिकेट को निगल जाएगा?

(राष्ट्रीय सहारा, 13 मार्च, 2010)

22

हम अपनी हैसियत पहचानते क्यों नहीं

''अपने हितों को साधने के लिए अमेरिका को हमारे कंधे पर बंदूक रखकर गोली चलाना बंद करना होगा। हम बड़ी आर्थिक ताकत बनने जा रहे हैं। हमारी तरक्की को दुनिया सलाम करने लगी है। और इसका फायदा उठाने में अमेरिका भी लगा है। अब जरूरत है अपनी हैसियत का फायदा दूसरे क्षेत्रों में हमें खुद मिले। तभी अमेरिका और पाकिस्तान के सुर बदलेंगे।''

शुक्रवार को रिजर्व बैंक ने ब्याज दर बढ़ाई। लगातार आठ दिनों तक तेज रहे अमेरिकी शेयर बाजार में गिरावट शुरू हो गई। वजह रिजर्व बैंक का एक्शन ही था। सोना बीस डॉलर प्रति औंस सस्ता हो गया। सारे मेटल के दाम में एक से तीन परसेंट की गिरावट आ गई।

भारत के रिजर्व बैंक के फैसले से अमेरिकी शेयर बाजार को क्या फर्क पड़ता है? फर्क पड़ता है। भारत सोने का सबसे बड़ा कंज्यूमर है। अंतरराष्ट्रीय बाजार में चीनी, गेहूँ, कच्चा तेल और मेटल्स के भाव पर भारत की विकास दर में तेजी या कमी का असर होता है। रिजर्व बैंक ने महंगाई रोकने के लिए जो कदम उठाए, उससे ग्रोथ रेट पर थोड़ा बहुत असर पड़ सकता है इसी आशंका में अमेरिकी बाजार गिरे, मेटल सस्ता हुआ। यह भारतीय बाजार की हैसियत का एक नमूना है।

भारत के पक्ष में वोट करने के लिए अमेरिका ने इंटरनेशनल एटॉमिक एनर्जी एजेंसी में पैरवी की।

एक और नमूना हमें अमेरिका के साथ परमाणु करार के समय भी मिला था। भारत के पक्ष में वोट करने के लिए अमेरिका ने इंटरनेशनल एटॉमिक एनर्जी एजेंसी में पैरवी की। चीन और न्यूजीलैंड जैसे देशों को डील के पक्ष में कराया। अमेरिका की इतनी मेहरबानी वैसे ही थोड़े है। उसे भारत के बाजार में कमाई की अपार संभावना दिखती है। अमेरिकी कंपनियों को भारत के मिडिल क्लास काबिल लोगों की लंबी-चौड़ी फौज ललचाती है। उनको यहां निवेश पर भारी रिटर्न साफ दिख रहा है।

भारतीय बाजार की धाक पिछले कुछ सालों में काफी बढ़ी है। हमारे शेयर बाजार का जलवा भी विदेशियों को काफी भा रहा है। यही वजह है कि पिछले एक साल में ही विदेशी संस्थागत निवेशकों ने भारतीय शेयर बाजार में 85,000 करोड़ रुपये लगाए हैं। इसी दौरान भारतीय शेयर बाजार 95 परसेंट चढ़ा है। विदेशी पूंजी निवेश की वजह से ही पिछले एक साल में रुपया डॉलर के मुकाबले 10 परसेंट मजबूत हुआ है। लेकिन क्या भारतीय बाजार की धाक का फायदा दूसरे क्षेत्रों में हमें मिल रहा है? मेरे खयाल से नहीं। अब आतंकवादी डेविड हेडली का ही मामला ले लीजिए। डेविड हेडली वही है जिसने 2008 में मुंबई में आतंकवादी हमले की साजिश रची थी।

उसने खुद यह कबूल किया है। इस घिनौने हमले में छह अमेरिकी मरे थे। जबकि सैकड़ों भारतीयों की जानें गई थीं। इसलिए हमारी सरकार द्वारा अमेरिका की खुफिया एजेंसी एफबीआई को जिंदा पकड़े गए आतंकवादी अजमल कसाब से पूछताछ करने की इजाजत दी गई। तर्क यह दिया गया कि आतंकवाद के खिलाफ लड़ाई में अमेरिका हमारे साथ है और हमें जांच में एफबीआई की दक्षता का इस्तेमाल करना चाहिए। एफबीआई को हमने सारी जानकारियां दीं।

विदेशी पूंजी निवेश की वजह से ही पिछले एक साल में रुपया डॉलर के मुकाबले 10 परसेंट मजबूत हुआ है।

लेकिन जब अमेरिका की बारी आई तो वह डेविड हेडली को हमें सौंपने से साफ इनकार कर गया। इतना ही नहीं, जब हमारी टीम हेडली से पूछताछ करने अमेरिका गई तो उसे खाली हाथ वापस लौटना पड़ा। काफी हाय-तौबा के बाद यह तय हुआ कि वीडियो कॉन्फ्रेंसिंग के जरिए हमें डेविड हेडली से पूछताछ की इजाजत होगी।

इसे क्या समझा जाय—अमेरिका की दादागीरी या फिर हमारी कूटनीति की विफलता। मेरे ख्याल से दोनों। अमेरिका वही करता है जो उसके फायदे का हो। बात आतंकवाद के खिलाफ लड़ाई की हो या पाकिस्तान को सहायता देने की हो। भारत के बाजार का दोहन करने का मामला हो तो वह दोनों घुटने के बल भी चलने को तैयार हो जाता है। ऐसे समय में हम गलतफहमी पाल लेते हैं कि अमेरिका हमारा हितैषी है और हमारी सारी तकलीफों में हमारे साथ खड़ा होगा। यह गलतफहमी ही हमारी कमजोरी है। हमारी कूटनीति में धार नहीं है। हमारी कूटनीति में एक हाथ से दो, तब दूसरे हाथ से कुछ मिलेगा वाली बात नहीं है। इसीलिए हम हमेशा धोखा खाते रहे हैं।

अब जो खबरें आ रही हैं उसमें तो धोखा ही धोखा है। खबर है कि अमेरिका पाकिस्तान के साथ परमाणु करार करने जा रहा है। दलील है कि पाकिस्तान में बिजली की भारी कमी है जिसकी वजह से वहां सामाजिक असंतोष बढ़ने का खतरा है। इस्लामाबाद में अमेरिका के राजदूत एन पेटर्सन ने एक इंटरव्यू में कहा कि पाकिस्तान के साथ चौबीस मार्च को होने वाली बातचीत में इस मसले पर विचार हो सकता है। कमाल का तर्क है।

बिजली नहीं है तो परमाणु तकनीक दो, विकास नहीं हो रहा है तो हथियार दो। और हम बस गलतफहमी में जीते जा रहे हैं कि अमेरिका ने हमारे साथ परमाणु करार कर हमारी दोस्ती को नया आयाम दिया है। दरअसल, परमाणु करार के नाम पर हमें झुनझुना पकड़ाया गया है ताकि पाकिस्तान को मलाई मिले तो हम चूं ना करें।

परमाणु करार के नाम पर हमें झुनझुना पकड़ाया गया है ताकि पाकिस्तान को मलाई मिले तो हम चूं ना करें।

अमेरिका वाकई आतंकवाद से लड़ाई में हमारा दोस्त है तो डेविड हेडली को जल्दी से हमें सौंपे। इतना ही नहीं, पाकिस्तान पर भी दबाव डाले कि इस मामले में भारत की चिंताओं को समझे और उसे दूर करने के लिए जरूरी कदम उठाए। लेकिन इसके लिए हमारी डिप्लोमेसी को धारदार बनाना होगा। अंतरराष्ट्रीय मंच पर अपनी बातों को हमें मजबूती से रखना होगा। तभी अमेरिका के भी होश ठिकाने आएंगे और पाकिस्तानी सरकार में भी डर पैदा होगा।

अपने हितों को साधने के लिए अमेरिका को हमारे कंधे पर बंदूक रखकर गोली चलाना बंद करना होगा। हम बड़ी आर्थिक ताकत बनने जा रहे हैं। हमारी तरक्की को दुनिया सलाम करने लगी है। और इसका फायदा उठाने में अमेरिका भी लगा है। अब जरूरत है अपनी हैसियत का फायदा दूसरे क्षेत्रों में हमें खुद मिले। तभी अमेरिका और पाकिस्तान के सुर बदलेंगे।

(राष्ट्रीय सहारा, 20 मार्च, 2010)

23

बड़े शहर बनाम छोटे शहर के सवाल

''यूनाइटेड नेशन्स की पिछले हफ्ते जारी रिपोर्ट के मुताबिक दुनिया की आधी आबादी यानी 3 अरब 40 करोड़ शहरी हो गई। आज से साठ साल पहले 1950 में दुनिया की आबादी का महज 29 परसेंट शहरों में रहता था। 2050 तक दुनिया की कुल आबादी में 9 परसेंट का इजाफा होने का अनुमान है। तब शहरी आबादी कुल आबादी का 84 परसेंट हो जाएगी।''

दुनिया की आधी आबादी शहरों में रहती है। मानव सभ्यता के इतिहास में ऐसा पहली बार हुआ है। 2009 में दुनिया की आधी आबादी यानी 3 अरब 40 करोड़ शहरी हो गई। आज से साठ साल पहले 1950 में दुनिया की आबादी का महज 29 परसेंट शहरों में रहता था। पिछले साठ साल का यह बदलाव काफी अहम है।

अगले 40 साल में इसमें भारी बदलाव आने वाला है। अनुमान है कि 2050 तक दुनिया की कुल आबादी में 9 परसेंट का इजाफा होगा। लेकिन तब शहरी आबादी कुल आबादी का 84 परसेंट हो जाएगी। मतलब यह हुआ कि गांव तो होंगे लेकिन काफी कम। खेती से जुड़े किसान भी शहरों मे रहना पसंद करेंगे।

शहरी आबादी यानी रोजगार के ज्यादा मौके, पढ़ने-लिखने की बेहतर सुविधा, आधुनिक तकनीक से ज्यादा करीबी, प्रशासन में ज्यादा भागीदारी और बेहतर कानून व्यवस्था। विकास की रफ्तार में शहरी आबादी का बड़ा योगदान होता है। यही वजह है कि विकास का फायदा भी ज्यादा शहरी आबादी को ही मिलता है। सरकार अपने कार्यक्रमों के जरिए शहरों और गांवों के फासले को कम करने की कोशिश करती है। शहर और गांव के बीच बढ़ती खाई एक अलग मसला है। लेकिन विकास की कड़ी में कौन देश कहां खड़ा है इसमें उस देश की शहरी आबादी का अनुपात कितना है, यह एक अहम सूचक है। ज्यादा विकसित देश का मतलब हुआ कि वहां शहरी आबादी का अनुपात काफी ज्यादा होगा। अफ्रीकी देशों में करीब चालीस परसेंट आबादी शहरों में रहती है। उत्तरी अमेरिका में यह अनुपात 80 परसेंट से ज्यादा है। जबकि यूरोप में 70 परसेंट से ज्यादा लोग शहरों में रहते हैं। जबकि 2001 की जनगणना के मुताबिक भारत की आबादी का 30 परसेंट से भी कम शहरों में रहता है।

विकास की रफ्तार में शहरी आबादी का बड़ा योगदान होता है।

यूनाइटेड नेशन्स की पिछले हफ्ते जारी रिपोर्ट में यह पता चला है कि शहरी आबादी तो बढ़ रही है, लेकिन इस आबादी का बड़ा हिस्सा छोटे शहरों में रहता है। दिल्ली और मुंबई जैसे शहरों में रहने वालों की संख्या में तेजी से इजाफा तो हो ही रहा है, लेकिन शहरी आबादी का बड़ा हिस्सा नागपुर,

मुजफ्फरपुर, कोयंबटूर या मेरठ जैसे शहरों में है। यूएन की रिपोर्ट के मुताबिक भारत की शहरी आबादी का महज 14 परसेंट एक करोड़ से ज्यादा आबादी वाले शहरों में रहता है। जबकि 50 परसेंट ऐसे शहरों में रहता है जिनकी आबादी 5 लाख से कम है। और यही सबसे बड़ी चुनौती है।

शहरी आबादी को जो सुविधाएं मिलनी चाहिए वो देश के छोटे शहरों में नहीं हैं। सरकारी आंकड़ों में ऐसी आबादी शहरी है, लेकिन सारी सुविधाएं गांवों वाली। प्रसिद्ध समाजशास्त्री दिपांकर गुप्ता के मुताबिक आंध्र प्रदेश, कर्नाटक, महाराष्ट्र, उत्तर प्रदेश, बिहार और मध्य प्रदेश के आधे शहर दरअसल शहर नहीं हैं। इन शहरों में रहने वालों का मुख्य व्यवसाय खेती ही है। शहर को शहर कहलाने के लिए यह जरूरी है कि वहां रहने वाले कम से कम 70 परसेंट लोग खेती से अलग दूसरे धंधों से जुड़े हों। लेकिन भारत में इस परिभाषा को नहीं माना जाता है।

शहरी आबादी को जो सुविधाएं मिलनी चाहिए वो देश के छोटे शहरों में नहीं हैं।

सवाल यह है कि ऐसे शहरों की बदौलत क्या हम विकास का झंडा बुलंद कर सकते हैं? क्या इन शहरों की जरूरतों का हमें अंदाजा है? शहर हमारे लिए दिल्ली, मुंबई, कोलकाता, चेन्नई या हैदराबाद हैं। यहां के ट्रांसपोर्ट की जरूरत, यहां के लिए स्वच्छ पीने का पानी वर्ल्ड क्लास इंफ्रास्ट्रक्चर, मेट्रो, लो-फ्लोर बस, झुग्गियों में रहने वालों का पुनर्वास, कानून-व्यवस्था को कैसे चुस्त-दुरुस्त बनाया जाय ये सारे हमारे एजेंडा में हैं। लेकिन छोटे शहरों को कैसे निखारा जाए, वहां औद्योगिक विकास कैसे हो, सर्विस सेक्टर कैसे फले-फूले, इस पर हम दिमाग लगाते ही नहीं हैं।

यह हमारी प्राथमिकता में नहीं है। गांवों से वोट आता है इसलिए उसके लिए कुछ करते दिखना सही राजनीति है।

यह हमारी प्राथमिकता में नहीं है। गांवों से वोट आता है इसलिए उसके लिए कुछ करते दिखना सही राजनीति है। बड़े शहरों में कमाई है। इनको चमकाकर विदेशियों को रिझाना है इसलिए इनकी चर्चा भी लगातार होती है। ऐसे शहर पावर सेंटर भी हैं। यहां बड़े नेता, बड़े उद्योगपति, बड़े सरकारी बाबू भी रहते हैं। इसीलिए इन शहरों का खास ख्याल रखा जाता है।

लेकिन उन शहरों का क्या, जहां से सबसे ज्यादा एक्सपोर्ट होता है, जहां काम करने वालों को श्रम कानून का संरक्षण नहीं होता है, जहां स्किल सुधारने की ट्रेनिंग नहीं मिलती, जहां बच्चों को पढ़ाने के लिए अच्छा स्कूल नहीं मिलता है और जहां जॉब प्रोटेक्शन नहीं है। इन छोटे शहरों की बदौलत ही इंडिया ग्रोथ स्टोरी को पंख लगे हैं। लेकिन इन्हीं छोटे शहरों को हम भूले हुए हैं। असंगठित क्षेत्र में काम करने वाले सबसे ज्यादा इन्हीं शहरों में रहते हैं। स्मॉल स्केल इंडस्ट्रीज इन्हीं शहरों में फलते-फूलते हैं।

सवाल है कि छोटे शहरों की भलाई में इतना फायदा है तो फिर इस पर ध्यान क्यों नहीं दिया जाता है?

इन शहरों को सजाने-संवारने की जरूरत है। इसी से गांवों का भला होगा और बड़े शहरों पर भी दबाव कम होगा। ऐसा होता है तो जिस इन्क्लूसिव ग्रोथ की बात हो रही है वो भी अपने आप हो जाएगा। जिस क्षेत्रीय असंतुलन से हम घबराते हैं वह अपने आप खत्म हो जाएगा।

सवाल है कि छोटे शहरों की भलाई में इतना फायदा है तो फिर इस पर ध्यान क्यों नहीं दिया जाता है? शहरी गरीब की तरह छोटे शहर भी वोट बैंक नहीं हैं। नेताओं को जैसे ही लगेगा कि छोटे शहरों में रहने वालों की आबादी इतनी है कि वे लोक सभा में किसी भी पार्टी की औकात घटा या बढ़ा सकते हैं तो फिर इन शहरों की तस्वीर भी बदलेगी।

(राष्ट्रीय सहारा, 30 मार्च, 2010)

24

सिर्फ कानून बनाने से काम नहीं चलेगा

''हमें यह भी नहीं भूलना चाहिए कि लाखों स्कूल, तमाम यूनिवर्सिटीज के जरिए हम बच्चों को सिर्फ साक्षर ही बना पाए हैं, शिक्षित नहीं। शिक्षा के लिए जिस चेतना की जरूरत होती है, उसे हम उनमें नहीं जगा पाये हैं। हमारे युवा ग्रेजुएट तो हैं, लेकिन जिस मौलिक शिक्षा की परिकल्पना महात्मा गांधी, बुद्ध, महावीर या संत कबीर ने की थी, वह आज हमारे सिस्टम से ही गायब है।''

शिक्षा हमारे बच्चों का अब अधिकार है। बच्चे अब स्कूल में दाखिले का हक मांग सकेंगे। सरकार को इसका इंतजाम करना होगा। अगले पांच साल तक हर साल इस पर 34 हजार करोड़ रुपये खर्च होंगे। इसे लागू करने के लिए 12 लाख शिक्षकों की जरूरत होगी। इस कानून के साथ भारत उन 135 देशों की कतार में खड़ा हो गया है जहां शिक्षा के अधिकार का कानून है। कहीं 6 साल तक मुफ्त और अनिवार्य शिक्षा का प्रावधान है तो कहीं 10 साल तक।

कहीं 6 साल तक मुफ्त और अनिवार्य शिक्षा का प्रावधान है तो कहीं 10 साल तक।

सुनने में बड़ा अच्छा लगता है। हमारे देश में सभी साक्षर होंगे, सभी बच्चों को स्कूल नसीब होगा–यह सोचकर गर्व होता है। यदि सचमुच ऐसा होता है तो भारत भी विकसित देशों की कतार में जल्दी ही खड़ा होगा। गरीबी कम होगी, गरीब-अमीर के बीच फासले कम होंगे। इंडस्ट्री को काबिल लोगों की कमी नहीं होगी, हमारी अर्थव्यवस्था की मैराथन भी 100 मीटर की दौड़ की तरह तेजी से दौड़ेगी। यूपीए सरकार की यह पहल वाकई काबिले तारीफ है।

लेकिन सबसे बड़ा सवाल यह है कि इतनी बड़ी चुनौती पूरी होगी कैसे? कानून तो पहले भी बहुत बने हैं। 24 साल पहले 1986 में यह कानून बना था कि 14 साल से कम उम्र के बच्चे खतरनाक जगहों पर काम नहीं करेंगे। लेकिन हम सभी जानते हैं कि खदानों में, पटाखे बनाने वाली फैक्ट्रियों में लाखों बच्चे अब भी काम करते हैं।

इस कानून के बनने के बीस साल बाद यानी 2006 में एक और कानून आया। इसमें कहा गया कि घर में या होटलों में 14 साल से कम उम्र के बच्चों से काम करवाना कानूनन अपराध है। कानून अपनी जगह है, लेकिन बच्चे तो अब भी इन जगहों पर काम कर रहे हैं। अनुमान है कि 14 साल से कम उम्र के करीब एक करोड़ दस लाख बच्चे अब भी काम करते हैं। मतलब यह कि काम करने वाले हर 100 में से 4 कामगार ऐसे हैं जिनकी उम्र 14 साल से कम है। घरों में, ढाबों में, छोटी दुकानों में अब भी लाखों बच्चे काम कर रहे हैं। वे इस बात से बिल्कुल बेखबर हैं कि उनसे काम करवाना गैरकानूनी है।

मेरा मतलब यह है कि ऐसे कई कानून हमारे देश में हैं जिनको अमली जामा पहनाने का रास्ता हम आज तक खोज नहीं पाए हैं। फिर सबको शिक्षा का कानून लागू हो पाएगा इसकी क्या गारंटी है। फिर भी कोशिश करने में क्या हर्ज है और कोशिश जम कर हो भी रही है।

अनुमान है कि 14 साल से कम उम्र के करीब एक करोड़ दस लाख बच्चे अब भी काम करते हैं।

सरकार चाहती है कि हर इलाके में अच्छे स्कूल बनें, शिक्षकों की ठीक से ट्रेनिंग हो, जहां सरकारी स्कूल नहीं हैं, वहां प्राइवेट स्कूलों को इस बात के लिए तैयार किया जाए कि वे बच्चों को दाखिला दें। इसके बदले में प्राइवेट स्कूलों को सरकारी मदद भी मिलेगी। देश के करीब 20 परसेंट स्कूल तो प्राइवेट सेक्टर में ही हैं।

सवाल है कि क्या इतने भर से काम चल जाएगा? आंकड़े बताते हैं कि स्कूल में दाखिला भर दिलाने से बात नहीं बनती है। पहली क्लास में दाखिला लेने वाले हर 100 बच्चों में 32 बच्चे पांचवीं कक्षा तक पहुंचने से पहले ही स्कूल छोड़ जाते हैं। और सिर्फ 50 बच्चे ही आठवीं तक पढ़ाई पूरी कर पाते हैं। शिक्षा मंत्री कपिल सिब्बल भी मानते हैं कि 22 करोड़ स्कूल जाने वाले बच्चों में से एक करोड़ 80 लाख ही कॉलेज पहुंच पाते हैं। क्या शिक्षा का अधिकार मिलने से बच्चे स्कूल में ज्यादा टिकेंगे?

अभी सरकार की पहली प्राथमिकता बच्चों को स्कूल पहुंचाना है। सारी कवायद इसी दिशा में हो रही है। लेकिन क्या इतना ही जरूरी यह सुनिश्चित करना नहीं है कि बच्चे शिक्षा पूरी करें और उनकी ट्रेनिंग भी अव्वल दर्जे की हो?

आंकड़े बताते हैं कि स्कूल में दाखिला भर दिलाने से बात नहीं बनती है।

शिक्षा पूरी करने में सबसे बड़ी रुकावट आती है दो वक्त की रोटी का इंतजाम करने की टेंशन। जिस देश में 35 करोड़ लोग गरीबी–रेखा से नीचे रह रहे हों, वहां लाखों बच्चों को स्कूल जाने से पहले हर रोज यह फैसला करना पड़ता है कि वह पेट पूजा की सामग्री जुटाने पर ध्यान लगाएं या फिर ए, बी, सी, डी सीखें। ऐसे हालात में जीत हमेशा पेट पूजा की होती है।

साथ ही हमें यह भी नहीं भूलना चाहिए कि हमारे स्कूल बच्चों को बोर करते हैं, परीक्षा उन्हें डराती है और टीचर एलियन लगते हैं। ऐसे में बच्चों को स्कूल में रखने के लिए नये तरीके खोजने होंगे। देश में 20 परसेंट प्राइवेट स्कूल हैं जिनमें देश के 70 से 80 परसेंट बच्चों को दाखिला मिलना लगभग असंभव है। ऐसे स्कूलों में सरकार गरीब बच्चों के लिए सीटें रिजर्व करने की बात कर रही है। सीटें रिजर्व होंगी और बदले में सरकार गरीब बच्चों की फीस भरेगी। यह फीस सरकारी स्कूल की फीस के बराबर होगी। इसकी वजह से दूसरे बच्चों की फीस बढ़ेगी।

अमेरिका सहित करीब 50 देशों में शिक्षा के अधिकार का कानून नहीं है। लेकिन अमेरिका में इसके बावजूद साक्षरता की दर करीब 100 परसेंट है।

अमेरिका सहित करीब 50 देशों में शिक्षा के अधिकार का कानून नहीं है। लेकिन अमेरिका में इसके बावजूद साक्षरता की दर करीब 100 परसेंट है। ऐसे में सवाल उठता है कि क्या कानून बनाने भर से सबको शिक्षा मिल जाएगी?

अच्छे कानून बनाना अच्छी बात है लेकिन इन्हें लागू करने में हम ज्यादा ध्यान नहीं देते हैं। कानून बनाना शुरुआत भर है। असली चैलेंज तो इसे सही मायने में लागू करना होता है। क्या यह कानून यह सुनिश्चित कर पाएगा कि सरकारी स्कूलों में टीचर समय पर पहुंचे और पढ़ाने में ज्यादा ध्यान लगाएं? क्या यह कानून सरकारी स्कूल का फिसड्डीवाला टैग खत्म कर पाएगा? क्या यह कानून पढ़ाई को रूटीन के बजाय मजेदार बना पाएगा? क्या यह कानून यह सुनिश्चित कर पाएगा कि बच्चे पढ़ाई पूरी कर एक सार्थक जिंदगी के सपने देख सकें। अगर शिक्षा के अधिकार वाला कानून इन सवालों का जवाब नहीं देता है तो मेरे लिए यह कानून भी दूसरे कानून की तरह रस्म अदायगी ही है।

हमें तो एक विजन चाहिए जो देश को नॉलेज इकॉनामी की दुनिया में एक बड़ा सेंटर बनाए। हमें यह भी नहीं भूलना चाहिए कि लाखों स्कूल, तमाम यूनिवर्सिटीज के जरिए हम बच्चों को सिर्फ साक्षर ही बना पाए हैं, शिक्षित नहीं। शिक्षा के लिए जिस चेतना की जरूरत होती है, उसे हम उनमें नहीं जगा पाये हैं। हमारे युवा ग्रेजुएट तो हैं, लेकिन जिस मौलिक शिक्षा की

परिकल्पना महात्मा गांधी, बुद्ध, महावीर या संत कबीर ने की थी, वह आज हमारे सिस्टम से ही गायब है। क्या हम इस बदलाव के जरिए उस मूलभूत भारतीय सोच को बहाल कर पाएंगे? लेकिन उसे लागू करने की बात तो दूर, उसकी चर्चा तक नहीं होती है। फिलहाल हमारा ध्यान कानून को लागू करने में लगा है, लेकिन शिक्षा की स्पिरिट को कैसे बहाल करेंगे?

(राष्ट्रीय सहारा, 10 अप्रैल, 2010)

25

केवल बंदूक नहीं है इलाज

''सीएजी की रिपोर्ट में साफ पता चलता है कि नक्सलियों से लड़ाई में जिस प्लानिंग की जरूरत होती है, उसकी भारी कमी है। पैसा है लेकिन उसके सही उपयोग का ब्लू प्रिंट नहीं है। जवान हैं लेकिन उनको न तो सही ट्रेनिंग मिल रही है और न ही सही हथियार। इन सब वजहों से जवानों में बड़े ऑपरेशन के लिए जिस तरह के मनोबल की जरूरत होती है उसकी भारी कमी है।''

छत्तीसगढ़ के दंतेवाड़ा में जो हुआ, उसके बाद डर तो लगेगा ही। देश के कई इलाकों में नक्सलियों का राज चलता है यह तो पता था लेकिन माओवादी इतने शक्तिशाली हो गए हैं कि उनसे लड़ाई में सीआरपीएफ के 76 बहादुर जवानों को जान गंवानी पड़ी, यह चौंकाता है।

76 जवान कैसे शहीद हुए, इस पर कई थ्योरी है। कोई इसे खुफिया तंत्र की खामी मान रहा है तो किसी का यह तर्क है कि दरअसल सीआरपीएफ के जवान ऐसी लड़ाई के लिए ट्रेंड ही नहीं हैं। कोई कहता है कि सीआरपीएफ और स्थानीय पुलिस में तालमेल था ही नहीं, तो किसी का तर्क है कि एक 'ह्यूमन एरर' की हमें भारी कीमत चुकानी पड़ी।

हो सकता है कि जांच के बाद सच्चाई का पता चले, लेकिन इतना तो तय है कि नक्सलियों से निपटने की हमारी पॉलिसी में कई खामियां हैं। कभी हम नक्सलवाद को कानून-व्यवस्था की समस्या मानते हैं, तो कभी इसको विकास से जोड़कर देखा जाता है।

माओवादियों के पास हथियार की ताकत तो है ही, उनके पास स्थानीय लोगों का समर्थन भी है।

पॉलिसी में खामी की वजह से ही देश के करीब 130 जिले ऐसे हैं, जहां जिला मुख्यालय से बाहर सरकारी तंत्र काम नहीं करता। उन इलाकों में माओवादियों का कब्जा है। माओवादियों के पास हथियार की ताकत तो है ही, उनके पास स्थानीय लोगों का समर्थन भी है। अब सवाल यह है कि आजादी के छह दशक के बाद भी केंद्र या राज्य की सरकारें लोगों का भरोसा जीतने में कामयाब क्यों नहीं हो पाईं?

इसकी कई वजहें हैं। किस कंपनी को खनन का अधिकार दिया जाएगा, इसका फैसला दिल्ली के किसी होटल में हो जाता है। इस फैसले में मुनाफे में हिस्सेदारी तो तय हो जाती है, लेकिन कभी इस बात की चर्चा नहीं होती है कि कितने लोगों की पुश्तैनी जमीन छिनेगी, कितने बेघर-बेरोजगार होंगे और इसका पर्यावरण पर क्या असर होगा। विस्थापित लोगों को बसाने का प्लान तो बनता है लेकिन उसे लागू करने में भारी घपला नजर आता है। भ्रष्ट और आक्रामक प्रशासन तंत्र के कारण लोगों का आक्रोश और बढ़ता है। और मामला हद से ज्यादा बिगड़ जाए तो लोग दूसरा रास्ता तलाशते हैं।

गलत ही सही, लेकिन माओवादियों की विचारधारा में उन्हें एक ऐसी सोच दिखाई देती है, जिसमें जनता की बात होती है, लोगों की भलाई को केंद्र में रखा जाता है।

नक्सली हिंसा को मैं जायज नहीं मानता हूं। माओवादी दरअसल रास्ते से भटका हुआ बेरोजगार युवक है, जिसको सही-गलत की समझ ही नहीं है। उसने एक आइडियोलॉजी को अपनी गलती छुपाने की ढाल बना लिया जबकि सच यह है कि उसके पास न तो कोई आइडियोलॉजी है और न ही विकास का कोई ब्लूप्रिंट। लेकिन भटके हुए माओवादियों के झांसे में लाचार लोग फिर भी आ जाते हैं, क्योंकि उनका शासनतंत्र पर से भरोसा पूरी तरह से उठ गया है।

नक्सली हिंसा को मैं जायज नहीं मानता हूं। माओवादी दरअसल रास्ते से भटका हुआ बेरोजगार युवक है।

मेरे कहने का मतलब यह भी कतई नहीं है कि विकास के लिए खनन की जरूरत नहीं है। बड़ी बिजली परियोजनाओं के लिए किसान से जमीन नहीं ली जाए। सड़कों के लिए जमीन का अधिग्रहण न हो। विकास के लिए जमीन की जरूरत तो होगी ही। मेरा बस इतना ही कहना है कि विकास का ब्लूप्रिंट तैयार करते वक्त राष्ट्रपिता महात्मा गांधी के मंत्र को याद रखना जरूरी है, जिसमें उन्होंने कहा था कि किसी भी काम में फैसला लेने से पहले यह सोच लें कि इसका असर सबसे गरीब आदमी पर क्या होगा?

लेकिन क्या हमारे प्लानर इतने संवेदनशील हैं? संवेदना की बात तो दूर, उन्हें तो इसकी परवाह तक नहीं है। लेकिन डर से ही सही, अब उन्हें अपनी सोच बदलनी होगी। सीआरपीएफ की ज्यादा टुकड़ियां तैनात कर देने भर से इस समस्या से निजात नहीं पाई जा सकती।

सवाल यह है कि सीआरपीएफ की टुकड़ियां तैनात करने पर तो खूब जोर दिया जाता है, लेकिन उनके मनोबल का ख्याल रखा जाता है क्या? दंतेवाड़ा के बाद खबरें आ रही हैं कि किस तरह सीआरपीएफ के जवानों को अमानवीय परिस्थितियों में काम करना पड़ता है। पानी नहीं, बिजली नहीं, बीमार पड़ गए तो दवाई नहीं। हालत ज्यादा बिगड़ जाए तो क्वालिफाइड डॉक्टर नहीं मिलते। डॉक्टर खोजने निकलो तो पता चला कि नक्सलियों का हमला हो गया। जंगलों में कैंप है वहां मच्छर और सांप का खतरा अलग से।

एलीट दर्जा प्राप्त सीआरपीएफ का यह हाल है तो राज्य सरकारों के पुलिस का क्या हाल होगा, इसकी कल्पना ही की जा सकती है।

जवानों का मनोबल बनाए रखने के लिए जरूरी सुविधाएं क्यों नहीं दी जा रही हैं? क्या पैसों की कमी है? कंट्रोलर एंड ऑडिटर जनरल (सीएजी) की 2009 की रिपोर्ट के मुताबिक नक्सलवाद से निपटने के लिए जितने पैसे दिए जाते हैं वो पूरा खर्च नहीं हो पाता है। और जो खर्च भी होता है वो गैरजरूरी चीजों पर ज्यादा होता है।

> *जवानों का मनोबल बनाए रखने के लिए जरूरी सुविधाएं क्यों नहीं दी जा रही हैं?*

रिपोर्ट के अनुसार, 2009-2010 में पुलिस के आधुनिकीकरण के लिए केंद्र सरकार ने 820 करोड़ रुपये मुहैया कराए। रिपोर्ट के मुताबिक इस रकम से अपना हिस्सा लेने के लिए जरूरी प्लान बनाने में बिहार और पश्चिम बंगाल ने देरी की, आंध्र प्रदेश को पैसे मिले, लेकिन इसमें से एक बड़ी रकम राज्य सरकार ने गैर जरूरी चीजों में खर्च कर दी। नक्सलियों से लड़ाई के लिए बिहार पुलिस को एके-47 जैसे आधुनिक हथियार दिए गए, लेकिन उनका इस्तेमाल वीआईपी की सुरक्षा में किया गया। महाराष्ट्र में 850 रिमोट स्टेशन यूनिट खरीदे गए लेकिन इनमें से 452 रिमोट स्टेशन गोदाम में पड़े सड़ रहे हैं। सीएजी की रिपोर्ट से साफ पता चलता है कि नक्सलियों से लड़ाई में जिस प्लानिंग की जरूरत है उसकी भारी कमी है। पैसा है लेकिन उसके सही उपयोग का ब्लूप्रिंट नहीं है। जवान हैं, लेकिन उनको न तो सही ट्रेनिंग मिल रही है और न ही सही हथियार। इन सब वजहों से जवानों में बड़े ऑपरेशन के लिए जिस तरह के मनोबल की जरूरत होती है, उसकी भारी कमी है।

ऐसे में जिस लड़ाई में हमारा सामना उस समूह से है जिसकी मंशा सिर्फ मरना-मारना है, उससे क्या हम सही ढंग से निपट पाएंगे। गृहमंत्री जी इस्तीफा देने की बजाय इन पहलुओं पर गौर कीजिए।

(राष्ट्रीय सहारा, 11 अप्रैल, 2010)

26

पारदर्शिता से ही छंटेगी धुंध

''आईपीएल की गंदगियों के बाहर आने से इसकी इमेज पर तो असर पड़ा ही है, लेकिन यही मौका है इन सारी गंदगियों को साफ करने का। अभी सारे स्टेकहोल्डर की ओर से इस बारे में ठोस पहल होनी चाहिए। किसी ललित मोदी को हटाने या पर कतरने से काम नहीं चलेगा। हर उस शख्स का पता लगाना होगा जिसने क्रिकेट की आड़ में मनमानी की है।''

हाल के दिनों में जिस तरह की खबरें आ रही हैं, उसके बाद से आईपीएल के मैचों को देखने का नजरिया ही बदल गया है। छक्के पहले भी लगते थे, अब भी लगते हैं। जीत का जश्न तब भी मनाया जाता था और अब भी मनाया जा रहा है। कमाल कैच पर शाबाशी तब भी दी जाती थी और अब भी। लेकिन कुछ तो बदल गया है। कोई अप्रत्याशित परिणाम हो जाए तो लगता है मैच फिक्स तो नहीं था। गेंद जरूरत से ज्यादा खेल करने लगे तो लगता है कहीं बाल टेंपरिंग तो नहीं हो रही है।

आईपीएल के पहले एडिशन का अप्रत्याशित परिणाम बेमानी लगने लगा है। कोई अनजान खिलाड़ी मैच में छा जाए तो दाल में कुछ काला दिखता है। चीयरलीडर्स का चीयर करना अटपटा लगने लगा है। क्रिकेट की खूबसूरत अनिश्चितता के बावजूद यह हजम नहीं हो रहा है कि आईपीएल के तीसरे एडिशन के सेमीफाइनल में कौन पहुंचेगा, इस पर आखिरी चरण के मैचों तक सस्पेंस बरकरार रहा। क्या सब कुछ पहले से तय था? क्या विज्ञापनों के हितों को ध्यान में रखते हुए ऐसा हुआ?

गेंद जरूरत से ज्यादा खेल करने लगे तो लगता है कहीं बाल टेंपरिंग तो नहीं हो रही है।

मैं चाहता हूं कि मेरी यह शंकाएं बेबुनियाद हों। मैं चाहता हूं कि आईपीएल की चमक को फीकी करने वाली इन सारी शंकाओं का निपटारा जल्दी हो जाए। अनजाना बनने से भी तो काम नहीं चलेगा। पिछले 10 दिनों के खुलासों को देखने के बाद लगता है कि कहीं कुछ गड़बड़ है। अचानक सब कुछ उल्टा-पुल्टा क्यों हो गया है? जिस आईपीएल के ब्रांड की तारीफ करते लोग नहीं थकते थे, उसमें चमक फीकी क्यों पड़ती दिख रही है? जिस आईपीएल ने मिडिल क्लास के ड्राइंग रूम में जगह बना ली थी, उसके बारे में इतने सवाल क्यों उठने लगे हैं? साफ-साफ गलती इसके चलाने वालों की है। सबको मालूम है कि देश में क्रिकेट बिकता है। इसमें बॉलीवुड का तड़का लग जाए तो फिर क्या कहना। यही हुआ भी। तीन साल में ही आईपीएल ब्रांड करीब बीस हजार करोड़ रुपये का ब्रांड बन गया। दुनिया में इसकी तूती बोलने लगी। एडवरटाइजर्स को इसमें बड़ा मौका दिखने लगा। इसी को ध्यान में रखते हुए नए-नए विज्ञापन बनाए जाने लगे। जुजु हो या आइडिया का उंगली क्रिकेट। ये सारे विज्ञापन आईपीएल की ही देन हैं।

लेकिन इतने इनोवेशन के बीच लालच का खेल भी परवान चढ़ता रहा। आरोप है कि किसको किस कीमत पर आईपीएल की फ्रेंचाइजी दी गई, इसमें घपला हुआ। चहेतों को ऑनलाइन राइट्स दिए गए। किस आधार पर? पता नहीं। टीम के ऑक्शन में किसी को चिल्लर के भाव पर टीम दी गई तो किसी के लाखों डॉलर लगे। ऐसा कैसे हुआ? इन सबके अलावा टीम की फंडिंग में सारे नियमों को ताक पर रखा गया। विदेशों से पैसा आया, इनकम टैक्स के नियमों की धज्जियां उड़ाई गई। अब ये सारे आरोप लग रहे हैं।

इतना बड़ा मजाक होता रहा और किसी को पता भी नहीं चला। इसकी वजह साफ है। जब तक तुम मेरी मदद करो, मैं तुम्हें मालामाल करता रहूंगा का खेल चलता रहा। इसमें सभी खुश थे। लेकिन जैसे एक ग्रुप को फायदा पहुंचाने के लिए दूसरे ग्रुप के हितों को मारने की कोशिश की गई, सब कुछ तेजी से बाहर आने लगा।

सबको मालूम है कि देश में क्रिकेट बिकता है। इसमें बॉलीवुड का तड़का लग जाए तो फिर क्या कहना।

मसला यह नहीं है कि शशि थरूर ने कोच्चि को फ्रेंचाइजी दिलाने के लिए क्या-क्या हथकंडे अपनाए या ललित मोदी ने अपनी मनमानी से आईपीएल चलाया। बड़ा सवाल यह है कि ऐसा सिस्टम ही क्यों बना, जिसमें किसी की मनमानी चले।

आईपीएल शुरू करने का आइडिया बीसीसीआई का है। आईपीएल के जरिये क्रिकेट का कॉरपोरेटाइजेशन किया गया। बड़े बिजनेस को क्रिकेट से जुड़ने का मौका मिला, छोटे-बड़े खिलाड़ियों को क्रिकेट एक बड़ा करियर ऑप्शन दिखा। यह सारे कदम काबिले तारीफ हैं। लेकिन आईपीएल के जरिये बीसीसीआई जो छलांग मारना चाहता था क्या वो खुद इसके लिए तैयार था? बीसीसीआई ने क्रिकेट का आधुनिकीकरण तो कर दिया, लेकिन खुद को बदलने की कोई कोशिश नहीं हुई। उल्टे बीसीसीआई नेताओं का पार्किंग लॉट बनता जा रहा है। कोई नेता अपने राज्य में प्रभावी है तो वह अपने राज्य के क्रिकेट फेडरेशन को अपनी बपौती समझने लगता है। नेताओं का प्रभाव तो बढ़ गया लेकिन क्रिकेट की किसे परवाह है।

क्रिकेट देशवासियों के लिए मनोरंजन के साथ-साथ समाज में आगे बढ़ने का जरिया भी है। इसीलिए यह जरूरी है कि इसे चलाने वाली संस्था में पारदर्शिता हो। पारदर्शिता किसी बीसीसीआई या किसी आईपीएल गवर्निंग बॉडी की मोहताज नहीं हो सकती है। खेल के आयोजन में पारदर्शिता तभी आएगी जब इसमें लोगों की भागीदारी बढ़े, बीसीसीआई लोगों के प्रति जवाबदेह बने।

बीसीसीआई ने क्रिकेट का आधुनिकीकरण तो कर दिया, लेकिन खुद को बदलने की कोई कोशिश नहीं हुई।

पारदर्शिता की बात हो रही है तो हमें यह भी नहीं भूलना चाहिए कि जो क्रिकेट हमारे ड्रॉइंग रूम में पहुंच गया है, उससे जुड़ने वाली कंपनियों की भी जिम्मेदारी है कि वो भी अपने लेन-देन में पारदर्शिता को पूरी तरह से लागू करें। यदि ऐसा नहीं हुआ तो कॉरपोरेट इंडिया की सारी गंदगी भी लोगों के ड्रॉइंग रूम में पहुंच जाएगी। और फिर अपने ब्रांड की चमक लोगों के बीच कायम रखना उनके लिए मुश्किल होगा।

आईपीएल की गंदगियों के बाहर आने से इसकी इमेज पर तो असर पड़ा ही है, लेकिन यही मौका है इन सारी गंदगियों को साफ करने का। अभी सारे स्टेकहोल्डर की ओर से इस बारे में ठोस पहल होनी चाहिए। किसी ललित मोदी को हटाने या पर कतरने से काम नहीं चलेगा। हर उस शख्स का पता लगाना होगा जिसने क्रिकेट की आड़ में मनमानी की है।

हमें यह नहीं भूलना चाहिए कि आईपीएल की चमक को बनाए रखने के लिए बड़े और कठोर फैसले लेने होंगे। सबका भला इसी में है। ऐसा नहीं हुआ तो सोने का अंडा देने वाली मुर्गी को हम समय से पहले मार देंगे।

(राष्ट्रीय सहारा, 20 अप्रैल, 2010)

27

सोच बदलिए और तरीका भी

''हम ऑफिस कैसे चलाएं इसका भी पर्यावरण से गहरा ताल्लुक है। अनुमान है कि अकेले अमेरिका में अगर कंपनियों की सारी बैठकें वीडियो कॉन्फ्रेंसिंग के जरिए की जाएं तो सालाना 170 अरब डॉलर की बचत होगी और करीब 50 करोड़ टन ग्रीन हाउस गैस को वातावरण में पहुंचने से रोका जा सकेगा। यान बचत की बचत और शुद्ध हवा का बोनस अलग से। क्या हमें भी इस दिशा में कोशिश नहीं करनी चाहिए?''

बाईस अप्रैल को पूरी दुनिया में 40वां सेव अर्थ डे मनाया गया। आपको पता ही है कि उस दिन दिल्ली की मुख्यमंत्री शीला दीक्षित हमारी (राष्ट्रीय सहारा, समाचार पत्र) गेस्ट एडिटर थीं। मुझे लगता है कि पर्यावरण को कैसे ठीक किया जाए, इस पर शीला दीक्षित के तौर-तरीके से हमें सबक लेने की जरूरत है। उन्होंने साबित किया कि विकास का रास्ता रोके बिना भी शहर को ग्रीन बनाया जा सकता है।

मुझे याद है कि 1997 में दिल्ली की सड़कों पर कुछ ही देर चलने के बाद मेरी आंखें जलने लगी थीं। सांस लेने में तकलीफ होती थी। कुछ ही घंटे घर से बाहर रहने पर त्वचा पर मैल की मोटी परत जम जाती थी। मैं कई ऐसे मित्रों को जानता हूं जिनके बाल समय से पहले ही सफेद हो गए। मुझे यह जानने में देर नहीं लगी कि यह सारा खेल दिल्ली की सड़कों पर चलने वाली गाड़ियों का है।

सुप्रीम कोर्ट ने पहल की है। शीला दीक्षित ने उसे अमली जामा पहनाया। दिल्ली की सड़कों पर सीएनजी की बसें चलने लगीं। फिर ऑटोरिक्शा की बारी आई। अब तो बहुत सारी कारें भी सीएनजी पर चलती हैं। अब दिल्ली की सड़कों पर चलने से आंखों में जलन नहीं होती है। न ही चेहरे पर गंदगी की परत जमती है।

सुप्रीम कोर्ट ने पहल की है। शीला दीक्षित ने उसे अमली जामा पहनाया। दिल्ली की सड़कों पर सीएनजी की बसें चलने लगीं।

इसी तरह शीला दीक्षित ने विकास की गाड़ी को रोके बगैर दिल्ली का ग्रीन कवर पिछले 10 साल में 3 परसेंट से बढ़ाकर 23 परसेंट कर दिया। शहर में प्लास्टिक पर रोक लगी, प्रदूषण फैलाने वाली इंडस्ट्री को बाहर किया गया। इन सबके बावजूद दिल्ली का विकास तेजी से होता रहा। मेरे कहने का यह कतई मतलब नहीं है कि शीला दीक्षित की दिल्ली में पर्यावरण संरक्षण के लिए सब ठीक ही हो रहा है। यमुना नदी को बचाने में सरकार पूरी तरह से विफल रही है। पर्यावरण को बचाने के लिए जरूरी पब्लिक ट्रांसपोर्ट के मामले में दिल्ली अब भी फिसड्डी है और शहर के बीच कई खुले नाले पर्यावरण सुरक्षा का मजाक उड़ा रहे हैं।

दिल्ली के उदाहरण के जरिए मैं बस इतना कहना चाह रहा हूं कि पर्यावरण बचाने के लिए किसी काम को रोकने की जरूरत नहीं है। मामला टिहरी बांध बनाने का हो या फिर सरदार सरोवर का। हर बार बहस इसी पर खत्म हो जाती थी कि देश के विकास के लिए बलिदान तो देना ही पड़ेगा। मतलब यह कि यह मान लिया गया कि विकास और पर्यावरण में विरोधाभास है और एक को बचाने के लिए दूसरे की तिलांजलि देनी होगी।

दरअसल 70 और 80 के दशक के पर्यावरणविद् हर बात का विरोध करते थे। बड़े बांध, परमाणु तकनीक, खेतों में खाद का उपयोग, नई एफिशिएन्ट तकनीक, इन सबका विरोध होता था। परिणाम देखिए। परमाणु तकनीक के विरोध का मतलब हुआ कोयला या डीजल से बिजली का उत्पादन और हम अच्छी तरह जानते हैं कि कोयले या डीजल से बिजली पैदा करना पर्यावरण के लिए कितना नुकसानदायक है।

> *यह मान लिया गया कि विकास और पर्यावरण में विरोधाभास है और एक को बचाने के लिए दूसरे की तिलांजलि देनी होगी।*

उसी तरह खेती में खाद के उपयोग का भी विरोध किया जाता है। पर्यावरणविद ऑर्गेनिक खेती पर जोर देने की बात करते हैं। मेरा बस एक सीधा सवाल है। ऑर्गेनिक फूड इतने महंगे होते हैं कि देश की बड़ी आबादी उसे खरीद ही नहीं पाएगी। फिर भूखी आबादी को पर्यावरण बचाने के लिए कैसे तैयार कर पाएंगे। साथ ही ऑर्गेनिक खेती के लिए ज्यादा जमीन की जरूरत होगी। खाद का उपयोग बंद होगा तो अनाज का उत्पादन बढ़ाने के लिए खेतों का क्षेत्रफल बढ़ाना होगा। इसका मतलब होगा ज्यादा पेड़ों की कटाई। क्या ग्रीन ब्रिगेड इसके लिए तैयार होगी?

मेरे कहने का सीधा मतलब यह है कि तथाकथित ग्रीन काम करने से ही पर्यावरण को नहीं बचाया जा सकता है। जरूरत है हर काम को ठीक से करने की। तभी हम प्रकृति से सामंजस्य बना पाएंगे। अब हैदराबाद का ही उदाहरण लीजिए। वहां की सड़कों पर 3000 बसें ऐसी चलती हैं जो 15 साल से ज्यादा पुरानी हैं। पूरे राज्य में 95 लाख गाड़ियों में 15 लाख ऐसी हैं जो सड़कों पर चलने लायक नहीं हैं। इनके लिए लाख ग्रीन ईंधन का

इंतजाम कर दीजिए, इनके प्रदूषण में कोई कमी नहीं होगी। ऐसे में जरूरी है इन गाड़ियों को बदलने की।

इसी तरह भारत स्टेज 4 ईंधन के इस्तेमाल से भी प्रदूषण में काफी कमी आ सकती है। अनुमान है कि इसके इस्तेमाल से ग्रीनहाउस गैस के एमिशन में 50 परसेंट तक की कमी हो सकती है। भारत स्टेज 3 ईंधन का भी पूरे देश में इस्तेमाल हो तो प्रदूषण में 35 परसेंट तक की कमी हो सकती है। लेकिन भारत स्टेज 4 ईंधन देश के 13 शहरों में ही उपलब्ध है, जबकि भारत स्टेज 3 ईंधन की भी कई इलाकों में कमी है। क्या इसकी व्यवस्था नहीं करनी चाहिए कि भारत स्टेज 3 और स्टेज 4 ईंधन पूरे देश में उपलब्ध हों। इसके साथ ही क्या बड़ी-बड़ी मुहिम चलाने से पहले हमें इसके लिए जनमानस को तैयार नहीं करना चाहिए।

सीधा मतलब यह है कि तथाकथित ग्रीन काम करने से ही पर्यावरण को नहीं बचाया जा सकता है।

आखिर में मैं दो आइडिया देना चाहता हूं। सारे रिसर्च में यह साबित हो चुका है कि शाकाहारी भोजन पर्यावरण बचाने में मदद करता है। एक रिपोर्ट के मुताबिक एक किलो गेहूं पैदा करने के लिए 900 लीटर पानी की जरूरत होती है, जबकि एक किलो मीट के लिए 15,000 लीटर पानी चाहिए। ऐसे में क्या शाकाहारी भोजन को बढ़ावा देकर पर्यावरण नहीं बचाया जा सकता है?

हम ऑफिस कैसे चलाएं इसका भी पर्यावरण से गहरा ताल्लुक है। अनुमान है कि अकेले अमेरिका में अगर कंपनियों की सारी बैठकें वीडियो कॉन्फ्रेंसिंग के जरिए की जाएं तो सालाना 170 अरब डॉलर की बचत होगी और करीब 50 करोड़ टन ग्रीन हाउस गैस को वातावरण में पहुंचने से रोका जा सकेगा। यानी बचत की बचत और शुद्ध हवा का बोनस अलग से। क्या हमें भी इस दिशा में कोशिश नहीं करनी चाहिए?

(राष्ट्रीय सहारा, 24 अप्रैल, 2010)

28

सावधान! कोई सुन रहा है

"यह निजता के अधिकार का उल्लंघन तो है ही, साथ ही देश की सुरक्षा के साथ खिलवाड़ भी है। यह सच है कि आतंकवादी और दूसरे देशद्रोही तत्व लोगों के मौलिक अधिकारों के साथ खिलवाड़ करते हैं। उनके खतरनाक इरादों का पता लगाने के लिए इंटेलिजेंस एजेंसी के किसी भी काम पर रोक नहीं लगनी चाहिए। लेकिन सवाल है कि इंटेलिजेंस एजेंसी के इस हथियार के बेजा इस्तेमाल को कैसे रोका जाए?"

टेलीफोन पर सारी बातें कोई सुन रहा है। बातचीत प्राइवेट हो या फिर ऑफिस की, यह गारंटी नहीं है कि जिनके बीच बातचीत हो रही है, वह उन्हीं तक रहे। किसी सरकारी एजेंसी का कोई अमला इसे रिकॉर्ड कर अपने हिसाब से उपयोग कर सकता है। इस ताजे खुलासे के बाद देश का सबसे जाना-पहचाना रहस्य एक बार फिर से सामने आ गया है और हमेशा की तरह सरकारी जवाब वही है, कि टेलीफोन टैपिंग नहीं हो रही है।

कौन सच बोल रहा है? यूपीए सरकार के गृहमंत्री, जिन्होंने संसद में कहा कि जिन लोगों के टेलीफोन टैपिंग पर बवाल मचा है उनके टेलीफोन टैप करने की गृह मंत्रालय द्वारा इजाजत दी ही नहीं गई। या फिर साप्ताहिक मैगजीन आउटलुक, जो पिछले दो हफ्ते से खबरें छाप रहा है कि बड़े नेताओं के साथ-साथ दूसरों की टेलीफोन टैपिंग हो रही है।

देश के कानून के मुताबिक आठ एजेंसियां किसी का भी फोन टैप कर सकती हैं।

गृहमंत्री पी. चिदंबरम का ट्रैक रिकॉर्ड देखें तो यही लगता है कि संसद में दिया गया उनका बयान तथ्यों पर आधारित ही होगा और तथ्य यह है कि टेलीफोन टैपिंग हो रही है, लेकिन इसके लिए जरूरी अनुमति गृह मंत्रालय से नहीं ली जा रही है। देश के कानून के मुताबिक आठ एजेंसियां किसी का भी फोन टैप कर सकती हैं। इन एजेंसियों में आईबी, इनकम टैक्स, सीबीआई, नारकोटिक्स कंट्रोल ब्यूरो, डायरेक्टरेट ऑफ रेवेन्यू इंटेलिजेंस, सेंट्रल इकोनॉमिक इंटेलिजेंस ब्यूरो, इन्फोर्समेंट डायरेक्टरेट और हर राज्य की पुलिस शामिल हैं।

लेकिन ऐसा करने से पहले टेलीफोन टैप करने की वजह बतानी होती है और केंद्रीय एजेंसी को गृह सचिव से और राज्यों की पुलिस को राज्य के मुख्य सचिव/गृह सचिव से लिखित इजाजत लेनी होती है। इतना ही नहीं, हर महीने कैबिनेट सचिव की अध्यक्षता में सचिवों के समूह की बैठक में यह समीक्षा होती है कि किसी का फोन नाजायज तरीके से टैप तो नहीं हो रहा है।

लेकिन टेलीफोन टैपिंग फिर भी हो रही है। बिना किसी इजाजत और बिना किसी समीक्षा के। सरकार की सहूलियत के लिए किसी का भी टेलीफोन टैप हो सकता है। 'आउटलुक' मैगजीन के मुताबिक, जिनका फोन टैप हुआ है,

उनमें दिग्विजय सिंह, नीतीश कुमार, शरद पवार और प्रकाश करात जैसे बड़े नाम भी शामिल हैं। इन नामों पर गौर करें तो साफ पता चलता है कि इनके फोन पर किसी खास मकसद से निगरानी रखी गई।

शरद पवार का आईपीएल कनेक्शन तलाशा जा रहा था, तो नीतीश कुमार पर इस उम्मीद में नजर रखी जा रही थी कि हो सकता है यूपीए सरकार चलाने के लिए उनकी पार्टी के सहयोग की जरूरत पड़े। इस लिस्ट को देखने से तो यही लगता है कि राष्ट्रीय सुरक्षा के लिए नहीं, बल्कि सत्ताधारी पार्टी की जरूरत के हिसाब से लोगों के टेलीफोन टैप होते हैं। इंटेलिजेंस के महकमे में यह खुला सच है कि सुरक्षा एजेंसी को नेताओं पर नजर रखने की हिदायत होती है। जो अधिकारी इस मौखिक निर्देश का पालन करता है, उसको इसका इनाम भी मिलता है।

इंटेलिजेंस के महकमे में यह खुला सच है कि सुरक्षा एजेंसी को नेताओं पर नजर रखने की हिदायत होती है।

यह निजता के अधिकार का उल्लंघन तो है ही, साथ ही देश की सुरक्षा के साथ खिलवाड़ भी है। यह सच है कि आतंकवादी और दूसरे देशद्रोही तत्व लोगों के मौलिक अधिकारों के साथ खिलवाड़ करते हैं। उनके खतरनाक इरादों का पता लगाने के लिए इंटेलिजेंस एजेंसी के किसी भी काम पर रोक नहीं लगनी चाहिए। लेकिन सवाल है कि इंटेलिजेंस एजेंसी के इस हथियार के बेजा इस्तेमाल को कैसे रोका जाए? एक ही तरीका है। ऐसा कानून बने जिसमें मौखिक निर्देश पर किसी का टेलीफोन टैप करने वालों पर कानूनी कार्रवाई हो। ऐसा हुआ तो मौखिक निर्देश देने वाले भी दस बार सोचेंगे और उस पर अमल करने वालों पर कानूनी तलवार लटकती रहेगी।

इसके साथ-साथ विभिन्न इंटेलीजेंस एजेंसियों के बीच सामंजस्य बनाने की भी जरूरत है। आठ एजेंसियां तो सूचना इकट्ठा करने का काम कर ही रही हैं। लेकिन इनसे इतर नेशनल टेक्निकल रिसर्च ऑर्गनाइजेशन भी धड़ल्ले से किसी का भी टेलीफोन टैप कर रहा है, जबकि इसे टेलीफोन टैप करने का अधिकार ही नहीं है। लेकिन नेशनल टेक्निकल रिसर्च ऑर्गनाइजेशन के अधिकारियों ने खुद माना है कि टेलीफोन टैप करने की मशीनें दिल्ली के चाणक्यपुरी, लोदी रोड, नॉर्थ और साउथ एवेन्यू, नॉर्थ और साउथ ब्लॉक जैसे

इलाकों में लगी रहती हैं। इन इलाकों से गुजरने वाले नेताओं, बड़े अधिकारियों और बड़े पावर ब्रोकर के फोन धड़ल्ले से टैप हो रहे हैं। 'आउटलुक' मैगजीन के अनुसार, कई मजेदार बातचीत भी रिकॉर्ड हो रही है।

कोई साउथ ब्लॉक का बड़ा अधिकारी 8 करोड़ रुपये की घूस की डील फाइनल कर रहा है, तो कोई बड़ा बिजनेसमैन 11 लाख रुपये में रातें रंगीन करने का इंतजाम कर रहा है। सारी घिनौनी जानकारियां अब बाहर आ रही हैं, यह तो लोकतंत्र के लिए अच्छा है। जनता को यह पता चल रहा है कि सर्वोच्च सत्ता पर काबिज लोग किस तरह से सरकार चलाने के नाम पर उनके साथ मजाक कर रहे हैं। लेकिन जानकारी इकट्ठा करने का तरीका पूरी तरह से गैर-लोकतांत्रिक है। साथ ही, इन जानकारियों के आधार पर कार्रवाई भी उन्हीं के खिलाफ होगी जो सत्ताधारी पक्ष की हां में हां नहीं मिलाते हैं। ऐसी जानकारी से न तो जनता का भला होगा और न ही सरकारी तंत्र में पारदर्शिता बढ़ेगी। सिर्फ कुछ लोगों की ब्लैकमेलिंग होगी।

'आउटलुक' मैगजीन के अनुसार, कई मजेदार बातचीत भी रिकॉर्ड हो रही है।

अब फैसला आपको करना है। सुरक्षा देने के नाम पर ब्लैकमेलिंग जारी रखने की इजाजत देंगे या फिर ब्लैकमेलर को चेतावनी देंगे कि अपनी करनी से बाज आओ वरना... ! इंटेलिजेंस इकट्ठा करने के नाम पर कोई हमारे निजता के अधिकार से खिलवाड़ करे, यह तो हो ही नहीं सकता है। इसके लिए कानून में बदलाव की जरूरत है तो वो तत्काल हो। अभी जो पूरे देश में इस पर बहस छिड़ी है, उसका निपटारा हमारे निजता के अधिकार को ध्यान में रखकर ही हो।

(राष्ट्रीय सहारा, 1 मई, 2010)

29

हजारों करोड़ का फूड कूपन

''इसके पक्ष में बोलने वालों का तर्क है कि पोस्ट ऑफिस या बैंक एकाउंट के जरिए सीधे पैसा ट्रांसफर करने से सरकार की काफी बचत होगी, फूड सब्सिडी का पूरा फायदा लोगों को मिलेगा। इस सिस्टम में भी सरकार को न तो बाजार से खाद्यान्न खरीदने का झंझट होगा और न ही स्टोरेज की चिंता। सवाल यह है कि कैश ट्रांसफर की प्रणाली में इसकी चर्चा नहीं होती कि अगर खाद्यान्न के दाम काफी तेजी से बढ़ते हैं, जैसा कि पिछले पांच सालों से हो रहा है तो फिर उतने ही पैसे से लोग कैसे खाद्यान्न खरीद पाएंगे? एक तरीका है कि महंगाई दर के हिसाब से कैश ट्रांसफर बढ़ा दिया जाए। तो फिर फूड सब्सिडी बिल तो बढ़ता ही जाएगा।''

यूपीए-वन के 72,000 करोड़ रुपये के किसान बोनस के बाद अब यूपीए-टू का 63,000 करोड़ रुपये का फूड कूपन आने वाला है। मकसद है, गरीबों को सस्ता खाद्यान्न देना। फायदा देश के गरीब परिवारों का होगा। कितने परिवारों का भला होगा, इस पर बहस है।

प्लानिंग कमीशन का मानना है कि देश में गरीबी-रेखा से नीचे रहने वाले परिवारों की संख्या 6 करोड़ 52 लाख है। लेकिन राज्य सरकारों का कहना है कि उन्होंने 11 करोड़ 50 लाख परिवारों को बीपीएल (बिलो पॉवर्टी लाइन) कार्ड बांटे और देश में इतने ही गरीब परिवार हैं। कहानी में एक और ट्विस्ट है। प्रधानमंत्री आर्थिक सलाहकार कमेटी के पूर्व अध्यक्ष सुरेश तेंदुलकर की अध्यक्षता में बनी कमेटी का मानना है कि देश में 8 करोड़ तीस लाख ऐसे परिवार हैं जो वाकई मुश्किल से अपनी गुजर-बसर कर रहे हैं।

फूड सिक्योरिटी कानून बनने के बाद गरीब परिवार को हर महीने 3 रुपये किलो के भाव से गेहूं या चावल मिलेगा।

कौन-सा आंकड़ा माना जाए, इस पर बहस हो रही है। प्लानिंग कमीशन इस पर माथा-पच्ची कर रहा है। फिर रिपोर्ट मंत्रियों के समूह के पास जाएगी, लेकिन एक बात लगभग तय है। फूड सिक्योरिटी कानून बनने के बाद गरीब परिवार को हर महीने 3 रुपये किलो के भाव से गेहूं या चावल मिलेगा। इन्हें सस्ता खाद्यान्न बांटना तो सरकार की सामाजिक जिम्मेदारी का हिस्सा है, लेकिन इतना खाद्यान्न आएगा कहां से? 2009-10 में सरकार ने करीब 600 लाख टन खाद्यान्न की खरीद की थी। यह कानून लागू होता है तो अकेले बीपीएल परिवार के लिए 345 लाख टन गेहूं की जरूरत होगी। उस पर से एपीएल (एबव पॉवर्टी लाइन) परिवार के लिए अलग से खाद्यान्न का इंतजाम करना पड़ेगा। मतलब यह हुआ कि सरकार जितना खाद्यान्न खरीदती है, लगभग उतने का ही बंटवारा हो जाएगा। फिर बफर स्टॉक का क्या होगा? और बफर स्टॉक में कमी हुई तो खाने-पीने के सामान की महंगाई रोकने में सरकार कुछ कर पाएगी क्या?

सबसे बड़ा सवाल यह है कि फूड सिक्योरिटी कानून को लागू कैसे किया जाए? इस मामले में तीन मॉडल पर चर्चा हो रही है। इस बात पर विचार हो

रहा है कि क्यों न गरीब परिवारों को फूड कूपन दे दिया जाए। फूड कूपन देने से फायदा यह होगा कि लोग जब चाहें, जिस क्वालिटी का चाहें और जिस स्टोर से चाहें, कूपन देकर खाद्यान्न खरीद सकते हैं। सरकार को न तो बाजार से खाद्यान्न खरीदने का झंझट होगा और न ही स्टोरेज की चिंता। मंडी से खरीदने, उसके ट्रांसपोर्टेशन और स्टोरेज में ही भारी खर्च हो जाता है। इससे सरकार की बचत होगी, जिसका फायदा लोगों को मिलेगा। फूड सिक्योरिटी को लागू करने का दूसरा तरीका है कि लोगों को सीधे रुपया ही दे दिया जाए। इसके पक्ष में बोलने वालों का तर्क है कि पोस्ट ऑफिस या बैंक एकाउंट के जरिए सीधे पैसा ट्रांसफर करने से सरकार की काफी बचत होगी, फूड सब्सिडी का पूरा फायदा लोगों को मिलेगा। इस सिस्टम में भी सरकार को न तो बाजार से खाद्यान्न खरीदने का झंझट होगा और न ही स्टोरेज की चिंता।

सबसे बड़ा सवाल यह है कि फूड सिक्योरिटी कानून को लागू कैसे किया जाए?

सवाल यह है कि कैश ट्रांसफर की प्रणाली में इसकी चर्चा नहीं होती कि अगर खाद्यान्न के दाम काफी तेजी से बढ़ते हैं, जैसा कि पिछले पांच सालों से हो रहा है तो फिर उतने ही पैसे से लोग कैसे खाद्यान्न खरीद पाएंगे? एक तरीका है कि महंगाई दर के हिसाब से कैश ट्रांसफर बढ़ा दिया जाए। तो फिर फूड सब्सिडी बिल तो बढ़ता ही जाएगा।

लोगों को खाद्यान्न पहुंचाने का तीसरा तरीका यह है कि जन वितरण प्रणाली का सहारा लिया जाए। इस सिस्टम की सबसे बड़ी खामी रही है कि इसके जरिए वितरित खाद्यान्न जरूरतमंदों तक नहीं पहुंच पाता है। नेशनल सैम्पल सर्वे के आंकड़ों के मुताबिक, जो वाकई गरीब हैं, उनमें से 56 परसेंट के पास बीपीएल कार्ड है ही नहीं! उस पर जन वितरण प्रणाली चलाने वालों की मनमानी और ब्लैक मार्केटिंग का खतरा!

ऐसे में, सवाल उठता है कि फूड सिक्योरिटी कानून की बात तो हो रही है, लेकिन कितने लोगों को इसका फायदा पहुंचाना है यह भी तय नहीं है। साथ ही, इतने भारी खर्च का फायदा लोगों तक कैसे पहुंचाया जाए, इसका भी ब्लू प्रिंट नहीं है। क्या फूड सिक्योरिटी बिल से पहले इन मसलों पर सहमति बनाने की जरूरत नहीं है? ऐसा नहीं होगा, तो 63,000 करोड़ रुपये के बड़े हिस्से की बंदरबांट हो जाएगी।

मेरा एक और सवाल है। फूड सिक्योरिटी के लिए सबसे जरूरी है कि खाद्यान्न का उत्पादन बढ़े। खाद्यान्न का उत्पादन बढ़ेगा तो सबको वाजिब कीमत पर खाने-पीने का सामान मिल पाएगा। लेकिन हमारे देश में खेती की उत्पादकता बढ़ाने पर कभी ध्यान ही नहीं दिया गया। उत्पादकता बढ़ाने के लिए निवेश बढ़ाने की जरूरत होती है, लेकिन खेती में सरकारी निवेश में लगातार कमी हो रही है।

फूड सिक्योरिटी के लिए सबसे जरूरी है कि खाद्यान्न का उत्पादन बढ़े।

एक तरफ फूड सब्सिडी बिल में लगातार बढ़ोतरी हो रही है, तो दूसरी ओर खेती में सरकारी निवेश में लगातार कमी हो रही है। अस्सी के दशक में, जहां जीडीपी का 3 परसेंट खेती पर सब्सिडी के रूप में दिया जाता था, 2001 के बाद यह बढ़कर 7 परसेंट पहुंच गया। इसी दौरान खेती में निवेश जीडीपी के 3.4 से घटकर 1.9 परसेंट रह गया। अनुमान है कि खेती में निवेश पर औसतन 9.5 परसेंट का रिटर्न मिलता है, जबकि खाद सब्सिडी पर रिटर्न महज 0.85 परसेंट है।

लेकिन सरकारी महकमे को खैरात बांटने की आदत सी हो गई है। निवेश बढ़ाकर खेती की उत्पादकता बढ़ाने की जहमत कौन उठाए? सबसे आसान रास्ता है, सब्सिडी बढ़ाते जाओ। तभी तो बंदरबांट की गुंजाइश बनती है। हमारे नेता लंबे समय की योजना पर कब काम करेंगे?

(राष्ट्रीय सहारा, 8 मई, 2010)

30

अमेरिका में इंडिया शाइनिंग

''क्या भारतीय प्रोफेशनल्स की तरक्की के पीछे सिर्फ आईआईटी और आईआईएम का हाथ है या फिर और भी कुछ है? मेरे हिसाब से इसका जवाब भारतीय दर्शन में है। हमारे दर्शन में जरूरत से ज्यादा लालच को बुरा माना गया है और 2008 में आए वित्तीय संकट के बाद पूरी दुनिया मानने लगी है कि काफी ज्यादा मुनाफा कमाने के लिए जरूरत से ज्यादा रिस्क लेने से सबका बुरा होता है।''

हारवर्ड बिजनेस स्कूल के 102 साल के इतिहास में पहली बार किसी गैर अमेरिकी को वहां का डीन बनाया गया है। यह सौभाग्य भारतीय मूल के नितिन नोहरिया को मिला है। 48 साल के नोहरिया हारवर्ड बिजनेस स्कूल के सबसे कम उम्र के डीन होंगे। आईआईटी मुंबई से केमिकल इंजीनियरिंग की पढ़ाई पूरी करने के बाद नोहरिया ने एमआईटी से मैनेजमेंट में पीएचडी की। पिछले 22 साल से वे हारवर्ड बिजनेस स्कूल में ही प्रोफेसर हैं।

नोहरिया सिर्फ जन्म से ही भारतीय नहीं हैं। उनके चाल-चलन, उनकी सोच, सबमें भारतीयता झलकती है। और इसी को वह अपनी सबसे बड़ी ताकत भी मानते हैं। हाल के दिनों में भारतीयों की ताकत दुनिया को कॉर्पोरेट बोर्ड रूम में खूब दिखी है। दुनिया की आठ बड़ी कंपनियों के सीईओ भारतीय हैं। इनमें अमेरिका की ताकतवर कंपनी पेप्सिको की सीईओ इंदिरा नूई प्रमुख हैं। कभी दुनिया के सबसे बड़े बैंक रहे सिटी ग्रुप के सीईओ भी नागपुर के विक्रम पंडित हैं। तो एडोबी सिस्टम्स के सीईओ शांतनु प्रकाश भी भारतीय ही हैं।

इस हाई प्रोफाइल लिस्ट में ताजा एंट्री लेने वाले हैं गौतम मुक्काविली, जिन्हें पेप्सी के फूड डिवीजन को चमकाने की बड़ी जिम्मेदारी दी गई है।

इस लिस्ट में कॉग्निजेंट के फ्रांसिस्को डिसूजा, एलएसआई के अभिजीत तलवलकर, सिग्मा एल्ड्रीच के जय पी नगरकट्टी, हरमान इंटरनेशनल के दिनेश सी पालीवाल और क्वेस्ट डॉयग्नोस्टिक्स के सूर्या महापात्र शामिल हैं। इस हाई प्रोफाइल लिस्ट में ताजा एंट्री लेने वाले हैं गौतम मुक्काविली, जिन्हें पेप्सी के फूड डिवीजन को चमकाने की बड़ी जिम्मेदारी दी गई है।

आईआईटी और आईआईएम वाकई उम्दा संस्थान हैं। यहां पत्थर तराश कर धारदार बनाए जाते हैं।

आखिर क्या खास है भारत के प्रोफेसनल्स में, कि बड़ी कंपनियों के बोर्ड रूम में उनका दबदबा बढ़ता ही जा रहा है? भारतीय प्रोफेशनल्स का अंग्रेजी में दखल और आईआईटी और आईआईएम में पढ़ाई का स्तर इसका कारण माना जा रहा है। आईआईटी और आईआईएम वाकई उम्दा संस्थान हैं। यहां पत्थर तराश कर धारदार बनाए जाते हैं। चयन परीक्षा में ही तय हो जाता है कि बच्चे मैराथन दौड़ने के लिए कितने तैयार हैं।

फिर उन्हें अव्वल दर्जे की ट्रेनिंग दी जाती है और हर परिस्थिति का सामना करने के लिए तैयार किया जाता है।

लेकिन क्या भारतीय प्रोफेशनल्स की तरक्की के पीछे सिर्फ आईआईटी और आईआईएम का हाथ है या फिर और भी कुछ है? मेरे हिसाब से इसका जवाब भारतीय दर्शन में है। हमारे दर्शन में जरूरत से ज्यादा लालच को बुरा माना गया है और 2008 में आए वित्तीय संकट के बाद पूरी दुनिया मानने लगी है कि काफी ज्यादा मुनाफा कमाने के लिए जरूरत से ज्यादा रिस्क लेने से सबका बुरा होता है।

कभी दुनिया की सबसे बड़ी इंश्योरेंस कंपनी रही एआईजी को समय पर सरकारी सहायता नहीं मिली होती तो वह भी डूब जाती।

अमेरिका में 2002 से मकानों की कीमतों में बेतहाशा बढ़ोतरी हो रही थी। यह तेजी ऐसी थी कि जो इसका हिस्सा था वो तो ऐंठ रहा था लेकिन जो इससे महरूम था, वह इस बूम का हिस्सा बनने के लिए तरस रहा था। इस बूम में ज्यादा से ज्यादा लोगों को हिस्सेदार बनाने के लिए अनोखे प्रॉडक्ट बने। लोन देने वाले बैंक ने मोर्गेज की रकम को तोड़कर कई प्रॉडक्ट बना डाले, जिसका नाम कोलेटरलाइज्ड डेट ऑब्लिगेशन यानी सीडीओ रखा गया। दलील यह थी कि घर की कीमत बढ़ेगी तो मॉर्गेज की वैल्यू बढ़ेगी। मॉर्गेज कीमती होगा तो सीडीओ का वैल्यूएशन भी बढ़ेगा। अमेरिका और दुनिया के कई देशों में पेंशन, फंड, इंश्योरेंस कंपनी और छोटे-बड़े निवेशकों ने जमकर सीडीओ खरीदे। जोखिम को इतने लोगों में फैला दिया गया कि घर की कीमत जब गिरने लगी तो एक साथ करोड़ों निवेशक इसकी चपेट में आ गए।

उसके बाद क्या हुआ हम सभी जानते हैं। बेयर स्टर्न और लीमन ब्रदर्स जैसी दुनिया पर धाक जमाने वाली कंपनियां दिवालिया हो गईं। कभी दुनिया की सबसे बड़ी इंश्योरेंस कंपनी रही एआईजी को समय पर सरकारी सहायता नहीं मिली होती तो वह भी डूब जाती। इसी वित्तीय संकट में कभी दुनिया के सबसे बड़े बैंक रहे सिटी ग्रुप को बौना बना दिया। मेरे कहने का मतलब यह है कि मैनेजमेंट के अति आक्रामक रुख ने पूरी दुनिया को तबाह कर दिया। यही वजह है कि अमेरिकी जनता को वॉल स्ट्रीट से नफरत हो गई है। बिजनेस पर से समाज का भरोसा उठ गया है।

इसी भरोसे को जीतने के लिए भारतीय प्रोफेशनल्स को तरजीह दी जाने लगी है। भारतीय प्रोफेशनल्स का अप्रोच थोड़ा अलग है। इनका भी उद्देश्य कंपनियों का टॉप लाइन और बॉटम लाइन बढ़ाना होता है। लेकिन भारतीय दर्शन के मुताबिक इनके लिए साधन और साध्य दोनों महत्त्वपूर्ण हैं। मुनाफा जरूरी है, लेकिन जरूरत से ज्यादा लेकर नहीं। लंबी रेस का घोड़ा बनने के लिए एथिकल मैनेजमेंट की जरूरत होती है।

हारवर्ड बिजनेस स्कूल के होने वाले डीन नितिन नोहरिया यहीं पढ़ाते हैं। डीन चुने जाने के ठीक बाद दिए एक इंटरव्यू में उन्होंने कहा कि कई बिजनेस लीडर अब लंबे समय के लिए बिजनेस चलाने की जरूरत को समझने लगे हैं। मुझे उम्मीद है कि हाल के दिनों में जो कुछ हुआ है उससे यह सबक लिया जाय कि बिजनेस अब ऐसे चले जिससे समाज का भला हो। मैं कोशिश करूंगा कि हमारे छात्र इस बात को समझें और उसे अमल में लाएं।

उदारता। उदारता का ही नतीजा है कि उन्हें इतनी बड़ी जिम्मेदारी मिली है। उदार इंसान को जिंदगी में उम्मीद से अधिक मिल जाता है और मैं यह सलाह अपने सारे छात्रों को देता हूं।

उनसे जब पूछा गया कि उनकी जिंदगी का सबसे बड़ा सबब क्या है तो उन्होंने कहा–उदारता। उदारता का ही नतीजा है कि उन्हें इतनी बड़ी जिम्मेदारी मिली है। उदार इंसान को जिंदगी में उम्मीद से अधिक मिल जाता है और मैं यह सलाह अपने सारे छात्रों को देता हूं।

मेरा मानना है कि दुनिया अब इस सोच को मानने लगी है। जैसे-जैसे इस सोच की अहमियत बढ़ेगी, भारतीय प्रोफेशनल्स की धाक बढ़ेगी। इसकी जोरदार शुरुआत तो हो ही चुकी है। अब जरूरत है इसी सोच को भारतीय कंपनियों में भी लागू करने की।

(राष्ट्रीय सहारा, 9 मई, 2010)

31

संकीर्णता के खिलाफ आधुनिकता की लड़ाई

''आधुनिकता के दुश्मनों का साथ वो दे रहे हैं, जिन पर आधुनिकता बहाल करने की जिम्मेदारी है। मेरा मतलब देश की राजनीतिक पार्टियों से है। खाप-पंचायतों के फैसलों पर जिस तरह से राजनीतिक पार्टियों ने चुप्पी साधी हुई है उससे तो यही लगता है। वोट हासिल करने के लिए आधुनिकता के दुश्मनों की तरफदारी करना नवीन जिंदल जैसे लोगों की मजबूरी हो सकती है पर आधुनिक जीवन-दृष्टि की तरफदार जनता की नहीं। इसीलिए ऐसी कुंठित मानसिकता के खिलाफ हमें यह लड़ाई नेताओं के बगैर ही लड़नी होगी।''

इक्कीसवीं सदी में पहुंचने के दस साल बाद हमें लगने लगा था कि परंपरा बनाम आधुनिकता की बहस खत्म हो गई है। कानून का हाथ किसी भी तरह की पारंपरिक कुंठाओं से ऊपर है। देश के नेताओं को भले ही उन कुंठाओं को जिंदा रखने में फायदा दिखे, लेकिन लोगों ने आगे बढ़ने का फैसला कर लिया था। हमने मान लिया था कि शादी-विवाह व्यक्तिगत पसंद-नापसंद के आधार पर तय होने चाहिए। परिवार की सहमति है तो सोने पर सुहागा। नहीं भी है तो हमें व्यक्तिगत फैसले की कद्र करना सीखना चाहिए। उसी तरह कोई क्या पहने, कहां नौकरी करे, कौन सा करियर ऑप्शन चुने, इन सब मसलों पर बहस खत्म हो गई थी।

खाप पंचायतें कानून भी बना रही हैं और उन्हें लागू भी करा रही हैं।

देश में आम सहमति बनी थी कि हमारी पारंपरिक धरोहर काफी समृद्ध है, लेकिन उनकी विकृतियों को दूर करने के लिए आधुनिकता अपनाने में हिचकिचाएंगे नहीं। लेकिन यह क्या कुछ दिनों से अखबार खाप-पंचायत, ऑनर कीलिंग, कहां काम करें इस पर फतवा जैसी खबरों से भरे पड़े हैं। जिन तालिबानी शक्तियों का खमियाजा सबसे ज्यादा हमें भुगतना पड़ा, वैसी ही प्रवृत्ति फिर से हमारे बीच क्यों सर उठाने लगी है?

हरियाणा के गांवों में खाप-पंचायतें काफी चर्चा में हैं पिछले कई सालों से इनकी मांग रही है कि एक गोत्र में शादी करने पर कानूनी रूप से रोक लगानी चाहिए। मांग मानी नहीं गई हैं। लेकिन इससे क्या फर्क पड़ता है। खाप पंचायतें कानून भी बना रही हैं और उन्हें लागू भी करा रही हैं। कभी एक गोत्र, कभी एक गांव और कभी दूसरी जाति में शादी करने की जुर्रत करने वालों को मौत की सजा तक सुना दी जाती है। मीडिया हल्ला मचाता है, थाने में रिपोर्ट लिखाई जाती है, किसी मामले से कोर्ट से सजा भी हो जाती है, लेकिन खाप पंचायतों के फरमान में फिर भी कोई कमीं नहीं हो रही है।

खाप के जलवे की वजह दरअसल यह है कि राजनीति में जाति की अहमियत घटने की बजाय बढ़ती ही जा रही है।

खाप के जलवे की वजह दरअसल यह है कि राजनीति में जाति की अहमियत घटने की बजाय बढ़ती ही जा रही है। ऐसा नहीं होता तो फिर

टेक्सास यूनिवर्सिटी से पढ़े और देश के सबसे बड़े उद्योग घराने से एक जिंदल ग्रुप के नवीन जिंदल जैसे शख्स खाप पंचायत की वकालत क्यों करते? नवीन जिंदल ऐसा करने वाले अकेले नेता नहीं है। हरियाणा का कोई भी नेता खाप पंचायत के खिलाफ बोलने की हिम्मत नहीं जुटा पाता है। देश के दूसरे राज्यों में भी हालात बहुत अलग नहीं है। हरियाणा में खाप पंचायतें तो दूसरे राज्यों में अलग-अलग जातियों की पंचायतें। ऐसी पंचायतें नेताओं के बड़े काम की होती हैं। चुनाव में अपने पसंदीदा नेताओं को वोट दिलाना और चुनाव के बाद उनसे सरकारी ठेके हासिल करना उनका मुख्य काम होता है। ठेका हासिल करने के लिए बाहुबल की जरूरत होती है और इस तरह की पंचायतें अनाप-शनाप फैसले पर गांव में दहशत का माहौल बनाए रखती हैं। दहशत के साए में इन पंचायतों का काम चलता रहता है और नेताओं को चुनाव या चुनाव बाद भी इसके फायदे मिलते रहते हैं।

हरियाणा का कोई भी नेता खाप पंचायत के खिलाफ बोलने की हिम्मत नहीं जुटा पाता है।

खाप पंचायतें और इनकी जैसी दूसरी पंचायतें संविधान को सीधी चुनौती दे रही हैं। ऐसी सोच वाले यह फतवा जारी करते हैं कि मुस्लिम महिलाओं को ऐसी जगहों पर काम नहीं करना चहिए जहां पुरुष हों या फिर इस तरह का फरमान कि मुसलमान बैंक में काम न करें, क्योंकि बैंक में सूद लिया दिया जाता है। और ताजा फरमान यह आया है कि इंश्योरेंस पॉलिसी खरीदना इस्लाम के उसूल के खिलाफ है।

ऐसे फरमान हमारे मौलिक अधिकारों का हनन कर रहे हैं। यह आधुनिकता को चुनौती है। आधुनिकता का मतलब निरंकुश होना नहीं है। आधुनिकता हमें व्यक्ति के मौलिक अधिकारों का सम्मान करना सिखाती है।

आधुनिकता ला ऑफ लैंड का सम्मान करना सिखाती है। आधुनिकता ही सिखाती है कि कोई अपने जन्म से नहीं, बल्कि अपने कामों से छोटा और बड़ा बनता है। फिर भी एक व्यक्ति के रूप में उसके मौलिक अधिकार में कोई अंतर नहीं पड़ता। और यही आधुनिकता खतरे में है। प्यार पर पहरे लगने लगे हैं। सोच पर रोक लगाने की बात हो रही है। इससे हमारा करियर चुनने का अधिकार छीनने की बात हो रही है। जिंदगी सजाने-संवारने के हमारे प्रयासों पर किसी की बुरी नजर लगी है।

आधुनिकता के दुश्मनों का साथ वो दे रहे हैं जिन पर आधुनिकता बहाल करने की जिम्मेदारी है। मेरा मतलब देश की राजनीतिक पार्टियों से है। खाप-पंचायतों के फैसलों पर जिस तरह से राजनीतिक पार्टियों ने चुप्पी साधी हुई है उससे तो यही लगता है। वोट हासिल करने के लिए आधुनिकता के दुश्मनों की तरफदारी करना नवीन जिंदल जैसे लोगों की मजबूरी हो सकती है पर आधुनिक जीवन-दृष्टि की तरफदार जनता की नहीं। इसीलिए ऐसी कुंठित मानसिकता के खिलाफ हमें यह लड़ाई नेताओं के बगैर ही लड़नी होगी। केवल कानून बनाकर ऐसे फरमानों को रोका नहीं जा सकता है। जरूरत है सतर्क जनभागीदारी वाली एक मुहिम की।

व्यक्तिगत स्वतंत्रता पर पहरे को बर्दाश्त नहीं किया जाता है। यह संकीर्णता के खिलाफ आधुनिकता की लड़ाई है।

इस मुहिम के जरिए हमें यह तय करना है कि हमारी और हमारे बच्चों की जिंदगी में कुंठित मानसिकता की कोई जगह नहीं है। यह लड़ाई उन सबकी है जो यह मानते हैं कि रूल ऑफ लॉ जाति-पाति, अमीर-गरीब में फर्क नहीं करता है। हमें उस विचार को आगे बढ़ाने की जरूरत है जिसमें व्यक्तिगत स्वतंत्रता पर पहरे को बर्दाश्त नहीं किया जाता है। यह संकीर्णता के खिलाफ आधुनिकता की लड़ाई है।

हमें यह समझना होगा कि धर्म और परंपरा हमें अच्छा इंसान बनने में मदद करते हैं। वह धर्म या वह परंपरा जो हमारी जान ले, जो व्यक्तिगत स्वतंत्रता का हनन करे, उसकी हमें जरूरत नहीं है। अब इस विचार को जोर-शोर से जीने की जरूरत है। धर्म और परंपरा के नाम पर दहशत फैलाने वालों को हमें सबक सिखाना ही होगा। तेजी से तरक्की कर रहे देश के लिए यह जरूरी है कि वहां कुंठित सामाजिक बंधन तेजी से टूटे।

धर्म और परंपरा के नाम पर दहशत फैलाने वालों को हमें सबक सिखाना ही होगा।

(राष्ट्रीय सहारा, 16 मई, 2010)

32

कानून के दुश्मन का कोई जाति-धर्म नहीं

''बड़ा सवाल यह है कि क्या अपराध की कोई जाति होती है? मैं जानता हूं कि गृहमंत्री पी. चिंदंबरम की इस तरह की सोच नहीं है। उनके सेक्यूलरिज्म पर उंगली नहीं उठाई जा सकती है। लेकिन क्या उनकी पुलिस फोर्स के बारे में भी ऐसा ही कहा जा सकता है? क्या देश की बड़ी आबादी की सोच भी कुछ इस तरह की ही नहीं हो गई है?''

तेरह मई को ग्यारह बजे दिन में दिल्ली से लंदन के लिए एमिरेट्स एयरलाइंस का एक विमान उड़ान भरने को तैयार था। उड़ान भरने से पहले किसी यात्री ने अपने संबंधी को फोन किया। फोन पर उसने बताया कि विमान उड़ान भरने वाला हैं। इसी के साथ-साथ वह भी उड़ने के लिए तैयार है। बस क्या था। बगल में बैठी महिला यात्री को शक हुआ। केबिन क्रू को बुलाया गया। विमान को उड़ान भरने से रोका गया। सीआईएसएफ को खबर की गई।

फोन पर बातचीत करने वाले शख्स देवबंद के फारूकिया मदरसा चलाने वाले इस्लामिक विद्वान मौलाना नूर उल हुदा थे। सीआईएसएफ के जवान फौरन हाजिर हुए। नूर उल हुदा से पूछताछ हुई। विमान की पूरी पड़ताल हुई। सारी तसल्ली के बाद 12 बजकर 16 मिनट पर विमान को उड़ान भरने की इजाजत दी गई। लेकिन नूर उल हुदा की मुश्किलें फिर भी खत्म नहीं हुई। फोन पर हुई उनकी बातचीत का अलग ही अर्थ निकाला गया। नूर उल हुदा साहब एक धार्मिक सम्मेलन में भाग लेने लंदन जा रहे थे। लेकिन सम्मेलन तो दूर, उन्हें पूरी रात दिल्ली की तिहाड़ जेल में बितानी पड़ी।

शुक्र है गृहमंत्री पी चिदंबरम का, जिनकी वजह से नूर उल हुदा जल्दी छूट गए। गृहमंत्री को जैसे ही जानकारी मिली कि दिल्ली एअरपोर्ट पर इस तरह की घटना हुई है, उन्होंने गृह सचिव को इस मामले में दखल देने को कहा। गृह सचिव की दिल्ली पुलिस कमिश्नर से बात हुई। तब जाकर दिल्ली पुलिस को लगा कि कहीं कोई चूक हुई है। दूसरे दिन अदालत में नूर उल हुदा को जमानत मिल गई और वह वापस देवबंद चले गए। बाद में दिल्ली पुलिस ने नूर उल हुदा के खिलाफ मामला वापस लेने का फैसला किया।

नूर उल हुदा साहब एक धार्मिक सम्मेलन में भाग लेने लंदन जा रहे थे। लेकिन सम्मेलन तो दूर, उन्हें पूरी रात दिल्ली की तिहाड़ जेल में बितानी पड़ी।

नूर उल हुदा खुशकिस्मत है कि उनकी गिरफ्तारी की खबर तत्काल गृहमंत्रालय तक पहुंच गई। देश में पुलिस से ऐसी कई गलतियां हो जाती हैं जिसकी वजह से कई भले - चंगे इंसानों की जिंदगी ही बदल जाती हैं। इस पूरे घटनाक्रम से कई सवाल उठते हैं। विमान में बैठी सहयात्री को नूर उल हुदा की बात पूरी तरह से समझ में नहीं आई होगी। सहयात्री ने पुलिस को

बताया कि नूर उल हुदा फोन पर यह बता रहे थे कि जहाज उड़ने वाला है और इसके साथ-साथ वो लोग भी उड़ने वाले हैं। किसी को इसका मतलब कुछ भी लगे, लेकिन फोन पर अपने परिजन को यह बताना कि जहाज उड़ने वाला है, उत्तर भारत में बोलचाल की आम भाषा का हिस्सा हैं। जो यहां की भाषा से परिचित नहीं हैं, उनको इसके दूसरे मतलब लग सकते हैं। लेकिन फोन पर इस तरह कि बातचीत का इतना बड़ा परिणाम! यह समझ में नहीं आता हैं। नूर उल हुदा को पहले तो विमान से उतारना ही उचित नहीं था। ऊपर से रात भर जेल में रखना तो और भी शर्मनाक हैं। शक होने के बाद पूछताछ करके पुलिस यह तसल्ली कर सकती थी नूर उल हुदा निर्दोष हैं। पुलिस कोई चांस नहीं लेना चाहती थी। लेकिन जरा नूर उल हुदा के बारे में सोचिए। सम्मेलन में भाग लेने के लिए उन्होनें कितनी तैयारी की होगी। विदेश भ्रमण के उनके कितने मंसूबे होगे। लेकिन सब धरा का धरा रह गया। लेकिन बड़ा सवाल यह है कि किसी खास कौम का होने की वजह से कोई हमेशा शक के घेरे में रहता है? क्या कम्यूनिटी प्रोफाइलिंग होती है? अगर यह सच है तो उस कौम के सदस्यों को हम मुख्यधारा से कैसे जोड़ पाएंगे?

बड़ा सवाल यह है कि किसी खास कौम का होने की वजह से कोई हमेशा शक के घेरे में रहता है?

यह एक अकेली घटना नहीं है। इस तरह के कई हादसे देश में होते रहते हैं। कुछ गिने-चुने मामलों में तो पुलिस अपनी भूल को सुधार लेती है लेकिन कई मामलों में निर्दोष सजा पा जाते हैं। जो लोग पकड़े जाते हैं और उनको सजा भी मिल जाती है, तो समाज में उनकी बदनाम छवि बन जाती है। यहां बड़ा सवाल यह है कि क्या अपराध की कोई जाति होती है? क्या आतंकवाद की जड़ किसी खास कौम से जुड़ी है? मैं जानता हूं कि गृहमंत्री पी. चिदंबरम की इस तरह की सोच नहीं है। उनके सेक्यूलरिज्म पर उंगली नहीं उठाई जा सकती है। लेकिन क्या उनकी पुलिस फोर्स के बारे में भी ऐसा ही कहा जा सकता है? क्या देश की बड़ी आबादी की सोच भी कुछ इस तरह की ही नहीं हो गई है?

अगर ऐसा है तो फिर एक बड़ी मुहिम की जरूरत है। सबसे पहले अपनी पुलिस फोर्स को इस मामले में प्रशिक्षित करने की जरूरत है। सबकी सुरक्षा हम सबकी पहली प्राथमिकता है। बड़े हादसे पुलिस की सूझ-बूझ से रुके तो हम सबका भला होगा। लेकिन मिस कम्यूनिकेशन के नाम पर किसी को पकड़ने और बदनाम करने को बर्दाश्त नहीं किया जा सकता है। इसके लिए सोच बदलने की जरूरत है। संदिग्ध बातचीत और हरकतों की खबर पुलिस को होनी चाहिए। यह हम सबकी जिम्मेदारी है। लेकिन सूचना पर एक्शन लेने से पहले पुलिस के पास ठोस सबूत होने चाहिए। साथ ही मीडिया की भी यह जिम्मेदारी है कि बिना किसी ठोस सबूत के वह मीडिया ट्रायल शुरू न कर दे। अगर इन मामलों में हम सावधानी नहीं बरतते हैं तो आतंकवाद के खिलाफ हमारी लड़ाई कभी सफल नहीं होगी। सुरक्षा व्यवस्था पुख्ता बनाने के लिए पुलिस फोर्स को दिमाग के साथ-साथ दिल की भी जरूरत होगी। दिमाग सबूत तलाशेगा और दिल में यह बात होनी चाहिए कि कानून के दुश्मन की कोई जाति नहीं होती है, कोई धर्म नहीं होता है। जाति और धर्म के आधार पर किसी को कानून का दुश्मन करार करना कानून के साथ मजाक है।

सुरक्षा व्यवस्था पुख्ता बनाने के लिए पुलिस फोर्स को दिमाग के साथ-साथ दिल की भी जरूरत होगी।

(राष्ट्रीय सहारा, 23 मई, 2010)

33

जाति गणना की विरोधाभासी राजनीति

''मैं जाति की राजनीति का पक्षधर नहीं हूं। न ही मेरा जोर इस बात पर है कि जाति को जनगणना का हिस्सा नहीं बनाया गया तो अनर्थ हो जाएगा। मेरा असली विरोध दोहरी मानसिकता से है। एक तरफ आप जाति के आधार पर नौकरियां दे रहे हैं, बच्चों को एडमिशन दे रहे हैं और दूसरी ओर जाति की गणना का विरोध भी कर रहे हैं। मेरी राय में एक को तो बदलना ही होगा। तभी तो हम मानेंगे कि जातिवाद के खिलाफ लड़ाई में हमारी सोच एक है।''

जाति आधारित जनगणना को सरकार की मंजूरी नही मिली है। लेकिन अखबारों में इसके विरोध में लगातार खबरें छप रही हैं। एक अखबार में शीर्षक है कि जाति की गणना सामाजिक उथल-पुथल की उलटी गिनती है। उस लेख में यह कहा गया है कि जाति की गणना शुरू करने से आंकड़े तो सही नहीं ही मिलेंगे। साथ ही समाज का एक बार फिर मंडलीकरण हो जाएगा। आतंकवाद और नक्सलवाद के खतरे से देश को बचाने के लिए अभी सामाजिक सौहार्द की जरूरत है। लेकिन जाति की गणना से इसमें कमी आएगी।

आतंकवाद और नक्सलवाद के खतरे से देश को बचाने के लिए अभी सामाजिक सौहार्द की जरूरत है।

एक दूसरे अखबार में लेख है कि जाति आधारित जनगणना से सामाजिक कलह बढ़ेगा। अलग-अलग जातियों में ओबीसी की लिस्ट में शामिल होने की होड़ बढ़ेगी। हर जाति अगर ओबीसी की लिस्ट में ही शामिल हो जाती है तो फिर जिनको वाकई जरूरत है, उन्हें जातिगत रिजर्वेशन का फायदा नहीं मिल पाएगा।

तीसरे लेख में यह दलील है कि देश में आर्थिक विकास की वजह से जातिगत भावनाओं में कमी आई है। लोगों में वर्ग (क्लास) से जुड़ी भावनाएं जागृत हुई हैं। यूनियन भी वर्ग के आधार पर बनते हैं। ऐसे में हर पॉलिसी जाति के आधार पर तय होने लगेगी तो विकास के रास्ते से हम भटक जाएंगे।

इन सारी दलीलों से हमारा सामना पहले भी हो चुका है। 1990 में मंडल कमीशन की सिफारिशों को लागू करने की घोषणा के बाद अखबारों में इसी तरह के लेख मिलते हैं। सरकारी नौकरियों में रिजर्वेशन लागू हुआ। पूरे देश में इसका काफी विरोध हुआ। मामला अदालत भी पहुंचा। विरोधियों को अदालत से भी निराशा ही मिली। फिर इसका विरोध भी थमा और जातिगत भावनाओं के उभार का सिलसिला भी थमा।

इसी तरह की भावनाओं से हमारा सामना एक बार फिर हुआ जब आईआईटी और आईआईएम जैसे बड़े शिक्षण संस्थानों में ओबीसी के लिए रिजर्वेशन की बात हुई है। फिर से विरोधी सुर मुखर हुए हैं। आईआईटी और आईआईएम जैसे संस्थानों की ब्रांड इक्विटी बचाने की बात हुई है।

लेकिन मनमोहन सिंह सरकार ने जिस तरह से इस रिजर्वेशन को लागू किया उससे विरोधियों के तेवर नरम पड़ गए।

लेकिन इस बार का विरोध कुछ अलग है। विकास की राजनीति का हवाला देने वालों के साथ-साथ जनगणना में जाति को शामिल करने का विरोध वे लोग भी कर रहे हैं जो सरकारी नौकरियों में रिजर्वेशन के पक्षधर रहे हैं। सबकी दलील यही है कि जाति की जितनी चर्चा होगी, विकास का एजेंडा उतना ही कमजोर होगा।

मैं जाति की राजनीति का पक्षधर नही हूं। न ही मेरा जोर इस बात पर है कि जाति को जनगणना का हिस्सा नहीं बनाया गया तो अनर्थ हो जाएगा। दरअसल मेरा असली विरोध दोहरी मानसिकता से है। एक तरफ आप जाति के आधार पर नौकरियां दे रहे हैं, बच्चों को एडमिशन दे रहे हैं और दूसरी ओर जाति की गणना का विरोध भी कर रहे हैं। मेरी राय में एक को तो बदलना ही होगा। तभी तो हम मानेंगे कि जातिवाद के खिलाफ लड़ाई में हमारी सोच एक है। एक लक्ष्य को पाने के लिए परस्पर विरोधी सोच तो हो नहीं सकती है।

हम मानते हैं कि जाति की जितनी कम चर्चा हो, वह उतना ही सही है, तो फिर हम नौकरियों और एडमिशन में जाति को आधार कैसे बना सकते हैं।

दस साल में एक बार हम जाति की चर्चा करने से घबराते हैं, क्योंकि हमें डर है कि इससे जातिवाद को बढ़ावा मिलेगा। फिर हर साल इसके आधार पर सरकारी पदों पर एंट्री क्यों? क्या इस विरोधाभास को दूर करने जरूरत नहीं है?

क्या इस पूरी बहस में इस विरोधाभास को खत्म करने की बात हुई है? मेरे ख्याल से इस विरोधभास का विरोध न करने वाले देश का भला नहीं कर रहे हैं। अगर हम मानते हैं कि जाति की जितनी कम चर्चा हो, वह उतना ही सही है, तो फिर हम नौकरियों और एडमिशन में जाति को आधार कैसे बना सकते हैं। जब कभी ऐसी चर्चा होती है तो हमारा सुर बदल जाता है। हम कहने लगते हैं कि जाति देश की हकीकत है और पिछड़ापन जाति से जुड़ा है।

ऐसा कैसे हो सकता है? जनगणना में जाति को शामिल करने से जातिवाद बढ़ेगा लेकिन क्या जाति के नौकरी देने का आधार बनाने से जातिवाद घटेगा।

हम यह पहले तय कर लें कि हमें जाति को रखना है या इसको जड़ से खत्म करना है। अलग-अलग संदर्भ में अलग-अलग दलील का कोई औचित्य नहीं है।

जनगणना में जाति को शामिल करने के खिलाफ दूसरी दलील है कि इसके बाद जातियों में ओबीसी लिस्ट में शामिल होने की होड़ बढ़ेगी। मैं यहां बस इतना बताना चाहूंगा कि नेशनल कमीशन फॉर बैकवर्ड क्लासेज का गठन 1993 में ही हुआ था। कोई भी जाति अपने को कमीशन से ओबीसी की लिस्ट में शामिल किए जाने की मांग कर सकती है। ऐसे ही मांग लगातार होती भी रही हैं। फिलहाल ओबीसी लिस्ट में 1963 जातियां हैं। इस लिस्ट को बढ़ाए या घटाए जाने के संबन्ध में कमीशन का फैसला मान्य होता है। तो फिर जाति को जनगणना में शामिल करने से ऐसी कोई होड़ मचेगी, ऐसा मुझे नहीं लगता है।

यही वजह है कि चाहे वह लालू प्रसाद हों या फिर मुलायम सिंह यादव या फिर नीतीश कुमार सब अपने ऊपर लगे ओबीसी के टैग को हटाने के चक्कर में हैं।

जाति को जनगणना में शामिल करने का विरोध करने वालों के मन में शायद इस बात का भी डर है कि ऐसा होने से एक बार फिर मुलायम सिंह यादव और लालू प्रसाद जैसे लोगों की राजनीतिक ब्रांड को बल मिलेगा। यही लोग जाति को जनगणना में शामिल करने के मुखर समर्थक रहे हैं।

लेकिन मैं ऐसा नहीं मानता हूं। मंडल की राजनीति के बीस साल बाद का सच यही है कि ओबीसी का एक राजनीतिक ग्रुप होने का मिथ टूट चुका है। यही वजह है कि चाहे वह लालू प्रसाद हों या फिर मुलायम सिंह यादव या फिर नीतीश कुमार सब अपने ऊपर लगे ओबीसी के टैग को हटाने के चक्कर में हैं। नीतीश जहां दलितों को रिझाने में लगे हैं तो लालू की नजर ब्राह्मणों पर है वहीं मुलायम सिंह भी बड़ा गठबंधन तैयार करने में लगे हैं।

इस लेख के जरिए मैं बस इतना कहना चाहता हूं कि देश पहले यह तय करे कि इक्कीसवीं सदी में जाति के जिन्न को पूरी तरह से दफनाना है कि नहीं। अगर आम सहमति जाति को खत्म करने पर बनती है तो जाति को आधार बनाकर कोई पॉलिसी नहीं बननी चाहिए। नहीं तो फिर जाति को जनगणना में शामिल करने में क्या हर्ज है।

(राष्ट्रीय सहारा, 30 मई, 2010)

34

आईसीयू में महाराजा

''महाराजा आईसीयू में हैं। महाराजा को आखिर में बीमारी क्या है? इसकी सबसे बड़ी बीमारी है कि इसका इलाज करने वाले यानी टॉप मैनेजमेंट, जो चाहता ही नहीं है कि महाराजा स्वस्थ हों। डॉक्टर की नीयत में ही अगर खोट हो तो मरीज कभी ठीक नहीं हो सकता।''

पहले मंगलौर हादसा फिर कर्मचारियों का अचानक हड़ताल पर जाना। उसके बाद मैनेजमेंट का यूनियनों की मान्यता रद्द करने का फरमान। इससे साफ है कि एअर इंडिया में भी भारी गड़बड़ है। कंपनी की ऐसी माली हालत है कि उसे सरकारी सहायता के बगैर आईसीयू मे भी जिंदा नहीं रखा जा सकता है। कर्मचारियों का काम से मन हट गया लगता है। मैनेजमेंट के तुगलकी फरमान से वे इतने नाराज हैं कि बात-बात हड़ताल पर जाने की धमकी देते हैं।

कंपनी की ऐसी माली हालत है कि उसे सरकारी सहायता के बगैर आईसीयू मे भी जिंदा नहीं रखा जा सकता है।

आप कहेंगे कि यह सीनियर मैनेजमेंट पर बहुत बड़ा इल्जाम है लेकिन तथ्यों पर नजर डालेंगे तो लगेगा कि गुनाह इससे भी बड़ा है।

2005 से 2006 के बीच इंडियन एयरलाइन्स के 17 विमान जमीन पर पड़े रहे। इसकी वजह थी वेंडरों को समय पर पैसा नहीं देना। उनके लिए जरूरी पार्ट्स की सप्लाई बंद कर दी गई। इंडियन एयरलाइन्स की जेट शॉप में पहले जहां तीन इंजन बनते थे, वहां अब कोई इंजन नहीं बनते हैं। पांच बोइंग विमान कई महीने तक इसीलिए उड़ान नहीं भर पाए, क्योंकि इसको चलाने के लिए केबिन क्रू ही नहीं था। मतलब यह कि हजारों करोड़ रुपये के विमान चलाने के लिए कुछ एक लाख तक का इंतजाम नहीं किया गया।

जो है उसका तो ठीक से उपयोग नहीं हुआ। इसके बावजूद उड्डयन मंत्रालय के आदेश पर 68 नए विमान खरीदने का फैसला कर लिया गया, जबकि कंपनी सिर्फ 24 विमान खरीदने के मूड में थी। जिस कंपनी का सालाना टर्न ओवर 7,000 करोड़ रुपये का हो वह 35,000 करोड़ रुपये के विमान का ऑर्डर कैसे कर सकती है? मतलब यह कि 7,000 करोड़ रुपये में से सालाना कर्ज और उस पर ब्याज चुकाने में 6,000 करोड़ का बोझ।

जिस कंपनी का सालाना टर्न ओवर 7,000 करोड़ रुपये का हो वह 35,000 करोड़ रुपये के विमान का ऑर्डर कैसे कर सकती है?

यही वजह है कि 2006 से 2010 के बीच एअर इंडिया को 14,000 करोड़ रुपये का घाटा हुआ। वर्किंग कैपिटल के लिए कर्ज से ओवर-ड्रॉफ्ट 18,500 करोड़ हो गया है। ऊपर विमान की खरीद से 23,000 करोड़ रुपये का कर्ज। यदि बोइंग 787 ड्रीमलाइनर की खरीद पूरी हो जाती है तो यह कर्ज और बढ़ जाएगा।

एयर क्राफ्ट की खरीद में कंपनी के प्रस्ताव की अनदेखी हुई। मंत्रालय के आग्रह पर एयर क्राफ्ट का चुनाव किया गया है। इस बात पर ध्यान नहीं दिया गया कि एअर इंडिया को इसकी जरूरत है या नहीं। कर्मचारियों का कहना है कि एअर इंडिया को सिर्फ 24 विमानों की जरूरत थी। लेकिन ऑर्डर किया गया 68 विमानों का। जिस कंपनी का सालाना टर्न ओवर 7,000 करोड़ रुपये का हो वह 35,000 करोड़ रुपये के विमान का ऑर्डर कैसे कर सकती है?

मैनेजमेंट की दूसरी बड़ी गलती रही एअर इंडिया और इंडियन एयरलाइन्स को मर्ज करना। एअर इंडिया और इंडियन एयरलाइन्स का मर्ज बिना सोचे-समझे गलत मंशा से किया गया। इंडियन एयरलाइन्स के पास एयरबस की फ्लीट थी। तो एअर इंडिया के पास बोइंग। ऐसे में कर्मचारियों के स्किल रोल अलग-अलग थे। यह अभी तक ठीक नहीं हुआ है। इसी वजह से पूरे मैन पावर का उपयोग नहीं हो रहा है।

मर्जर से सालाना 600 करोड़ रुपये बचत की बात हो रही थी लेकिन हुआ ठीक उल्टा। एअर इंडिया के घाटे का क्या हाल है यह हम देख चुके हैं। अब तक अनुमान यह है कि सरकारी एयरलाइंस को सिर्फ जिंदा रखने के लिए हर साल 5,000 करोड़ रुपये के सरकारी अनुदान की जरूरत होती है।

कर्मचारियों का कहना है कि एअर इंडिया को सिर्फ 24 विमानों की जरूरत थी।

एअर इंडिया की बरबादी में विदेशी एयरलाइंस की ज्यादा उड़ाने भरने का भी बड़ा हाथ रहा है। 2004 से 2009 के बीच विदेशी एयरलाइंस को 90,000 बाइलेटरल सीट्स दिए गए। इससे उनकी तो चांदी हो गई लेकिन एअर इंडिया के पास इसका फायदा उठाने की क्षमता ही नहीं थी। सीधा सा अर्थ था, इसका फायदा मिला देसी और विदेशी प्राइवेट एयरलाइंस को।

एअर इंडिया की कमाई में सेंध ग्राउंड हैंडलिंग का काम छीन लेने से भी लगी। ग्राउंड हैंडलिंग से एअर इंडिया और इंडियन एयरलाइन्स की आमदनी करीब 1,000 करोड़ रुपये थी। अब यह काम इनके पास नहीं है। इतना ही नहीं, इसके लिए कंपनी को पैसा चुकाना पड़ता है।

इस पूरी कहानी पर गौर करने पर यही लगता है कि जिसे महाराजा को सुधारने की जिम्मेदारी दी गई, उसने इसे बर्बाद करने में कोई कसर नहीं छोड़ी। रही-सही कसर एअर इंडिया सीएमडी अरविंद जाधव ने पूरी कर दी। अरविंद जाधव के काम करने के तरीके से कोई भी खुश नहीं है। सीनियर मैनेजमेंट से उनकी पटती नहीं है। कर्मचारियों को बेइज्जत करने का वह कोई मौका नहीं छोड़ते हैं। यही वजह है कि जहां एअर इंडिया में पहले सालाना तीन हड़तालें हुआ करती थीं, अरविंद जाधव के समय में इनकी संख्या बढ़कर छह तक हो गई है। जो सीएमडी अपने कर्मचारियों को खुश नहीं रख सकता हो, वह पैसेंजर का कितना ख्याल रखेगा, इसका अंदाजा लगाया जा सकता है। अंततः हवाई यात्रा करने वालों को तो यही लगता है कि जिस कंपनी में इतनी झंझटें हैं उसमें उनकी यात्रा कितनी सुरक्षित होगी।

हवाई यात्रा करने वालों को तो यही लगता है कि जिस कंपनी में इतनी झंझटें हैं उसमें उनकी यात्रा कितनी सुरक्षित होगी।

अरविंद जाधव के काम करने का नमूना देखिए। उन्होंने पहले ही दिन यह फरमान जारी कर दिया कि कंप्लीमेंटरी टिकट और यात्रियों को अपग्रेड करने का अधिकार सिर्फ उन्हें होगा। चार दिन के बाद उनका फैसला आया कि एक रीजन से दूसरे रीजन में सीनियर मैनेजर का ट्रांसफर उनकी इजाजत के बगैर नहीं हो सकता। सवाल है कि सीएमडी का ध्यान अगर इन्ही कामों में लगा रहेगा तो कंपनी को सुधारने में कौन समय लगाएगा। और यही हो भी रहा है। कंपनी दम तोड़ रही है, लेकिन इसकी सुध लेने वाले बस एक दूसरे को दोष देने में लगे हैं। इस लीडरशिप से तो हमें बदलाव की उम्मीद छोड़ ही देनी चाहिए। ऐसे में एयरलाइंस को बचाना है तो बदलाव की शुरुआत ऊपर से ही होनी चाहिए।

(राष्ट्रीय सहारा, 5 जून, 2010)

35

पहले मेकओवर तो करें ममता!

‘‘दरअसल विरोध की राजनीति ममता में इतना घर कर गई है कि वह सही गलत का फर्क ही भूल गई हैं। वह लेफ्ट विरोधी हैं, इंडस्ट्री विरोधी हैं, लोकतंत्र के उसूलों में उनकी खास आस्था नहीं है। महिला आरक्षण विधेयक पर उनके नाटकीय रवैये से तो सोनिया गांधी तक हतप्रभ थीं। रेलमंत्री के रूप में भी उनका कार्यकाल कुछ खास नहीं रहा है। यूपीए-2 के पहले साल में आधे से अधिक दिनों वह मंत्रालय से गायब रहीं। रेल मंत्रालय में उनकी अनुमति का इंतजार कर रही फाइलों का अंबार लगा है।’’

ममता बनर्जी ने पश्चिम बंगाल के चुनावी जंग का सेमीफाइनल राउंड जीत लिया है। राज्य में 34 साल से राज कर रही वाममोर्चे की स्थानीय निकाय के चुनावों में करारी हार हुई है। राज्य के 81 स्थानीय निकायों में से महज 18 पर अब वाममोर्चे का कब्जा है। 2005 में वाममोर्चे की 54 स्थानीय निकायों में जीत हुई थी। दूसरी ओर ममता बनर्जी की पार्टी तृणमूल कांग्रेस के पास अब 25 निकाय हैं जबकि कांग्रेस की टैली सात पर बरकरार है।

स्थानीय निकाय के नतीजों से साफ होता है कि पश्चिम बंगाल में ममता लहर कायम है। राज्य के कुल मतदाताओं के 17 परसेंट ने इस चुनाव में भाग लिया और राज्य के कुल 294 विधानसभा क्षेत्रों में से 40 इन्हीं इलाकों में पड़ते हैं। कुलमिलाकर वाममोर्चे को यह एक बड़ी चेतावनी है। अगर यह ट्रेंड जारी रहा तो 34 साल के बाद राइटर्स बिल्डिंग से इनका निकलना तय है।

1984 के लोकसभा चुनाव में सोमनाथ चटर्जी जैसे दिग्गज को जाधवपुर से हराकर ममता बनर्जी ने राज्य की राजनीति में सनसनी फैला दी थी।

2011 के विधानसभा चुनाव में लेफ्ट का किला ढहना लगभग तय है। पश्चिम बंगाल को ममता बनर्जी में एक आशा की किरण दिख रही है। लेकिन सवाल है कि क्या ममता पश्चिम बंगाल के लोगों की उम्मीदों पर खरा उतरेंगी।

उनका पिछला ट्रैक रिकॉर्ड देखें तो बहुत भरोसा नहीं जगता है। 1984 के लोकसभा चुनाव में सोमनाथ चटर्जी जैसे दिग्गज को जाधवपुर से हराकर ममता बनर्जी ने राज्य की राजनीति में सनसनी फैला दी थी। लेकिन कुछ ही सालों के बाद ममता का कांग्रेस से मोहभंग हो गया। उनका मानना था कि लेफ्ट को राज्य की सत्ता से हटाने में कांग्रेस सक्षम नहीं है। 1998 में उन्होंने तृणमूल कांग्रेस बनाई और पिछले बारह सालों में वह कभी कांग्रेस तो कभी बीजेपी का साथ लेकर चुनावी समर में उतरती रही हैं।

नीति के नाम पर लेफ्ट विरोध के अलावा उनका कोई विजन नहीं है। लेफ्ट के विरोध का तरीका भी उनका अल्ट्रा लेफ्ट वाला है। अब टाटा के सिंगूर प्लांट का ही उदाहरण ले लीजिए। नैनो जैसे बड़े प्रोजेक्ट के पश्चिमी बंगाल में आने से वहां की औद्योगिकीकरण की प्रक्रिया को बड़ा बल मिलता

लेकिन जमीन अधिग्रहण के विरोध में ममता ऐसी डटीं कि रतन टाटा को पश्चिम बंगाल को बाय-बाय कहना पड़ा। ममता के इस विरोध में उनका साथ दिया एसयूसीआई जैसे अल्ट्रालेफ्ट संगठन ने। यह एसयूसीआई ममता बनर्जी की पार्टी का चुनावी सहयोगी भी है।

पॉलिसी में ममता सीपीएम विरोधी हैं तो स्टाइल में लोकतांत्रिक परंपराओं पर उनकी बहुत आस्था नहीं है। यही वजह है कि पिछले कई सालों से किसी भी मसले पर वाममोर्चे की सरकार से उन्होंने बातचीत की जरूरत महसूस की ही नहीं। लोकतंत्र में भरोसा रखने वाले को जनता के फैसलों का सम्मान करना ही होता है। पिछले तीन दशक से पश्चिम बंगाल की जनता ने वाममोर्चे की सरकार को चुना है। ममता को यह तो मानना ही चाहिए था। सिंगूर पर किसी तरह से वह मुख्यमंत्री बुद्धदेव भट्टाचार्य से बातचीत करने के लिए राजी हुईं तो यहां भी उनका रवैया किसी भी कीमत पर सरकार की बात नहीं मानने वाला ही रहा।

पिछले तीन दशक से पश्चिम बंगाल की जनता ने वाममोर्चे की सरकार को चुना है। ममता को यह तो मानना ही चाहिए था।

लेफ्ट विरोध में ममता इतनी मगन हैं कि लेफ्ट का विरोध करने वाले हर संगठन से उनकी सहानुभूति है। यही वजह है कि इन्होंने यह तक कह डाला कि पश्चिम बंगाल में कोई माओवादी है ही नहीं। बाद में उन्होंने सफाई दी कि माओवादी और मार्क्सवादी में कोई अंतर नहीं है और दोनों ही राज्य के अलग-अलग हिस्सों में तबाही मचाए हुए हैं।

इसी तरह पश्चिम बंगाल सरकार ने नंदीग्राम से केमिकल हब को हटाकर एक किसी टापू में शिफ्ट करने का फैसला किया तो ममता चुप रहीं। लेकिन जैसे ही इस केमिकल हब को केंद्र सरकार की मंजूरी मिली, ममता बनर्जी ने इसका विरोध करना शुरू कर दिया। अब ममता का तर्क है कि केमिकल हब को टापू में शिफ्ट करने से वहां का पर्यावरण दूषित होगा। लिहाजा, ऐसा वह हर्गिज नहीं होने देंगी।

दरअसल विरोध की राजनीति ममता में इतना घर कर गई है कि वह सही गलत का फर्क ही भूल गई हैं। वह लेफ्ट विरोधी हैं, इंडस्ट्री विरोधी है, लोकतंत्र के उसूलों पर भी उनकी खास आस्था नहीं है। महिला आरक्षण विधेयक पर उनके नाटकीय रवैये से सोनिया गांधी तक हतप्रभ थीं।

रेलमंत्री के रूप में भी उनका कार्यकाल कुछ खास नहीं रहा है। यूपीए-2 के पहले साल में आधे से अधिक दिनों वह मंत्रालय से गायब रहीं। कितनी ही कैबिनेट मीटिंग में वह भाग नहीं ले पाईं। रेल मंत्रालय में उनकी अनुमति का इंतजार कर हीं फाइलों को अंबार लगा हुआ है। औसतन मंत्री जी को हफ्ते में 50 से 60 फाइलों का निपटारा करना होता है। अभी हाल यह है कि मंत्रालय में करीब 600 फाइलों को मंत्री जी की अनुमति का इंतजार है। फैसले नहीं होंगे तो काम कैसे आगे बढ़ेगा ? यही वजह है कि यूपीए-2 के पहले साल में रेल मंत्रालय का प्रदर्शन फिसड्डी ही रहा। मामला मुंबई में लोकल ट्रेन के मोटरमैन की हड़ताल का हो या फिर नई दिल्ली स्टेशन पर भगदड़ का, मंत्री जी हमेशा सीन से गायब ही रहीं।

लेकिन वहां सुशासन लाने के लिए उनको खुद की इमेज का मेकओवर करना होगा। क्या खुद ममता बनर्जी के लिए यह आसान होगा?

लेकिन इस सबके बावजूद ममता पश्चिम बंगाल में पॉपुलर हैं। हैंडलूम साड़ी, रबर के चप्पल और एक साधारण मेड इन इंडिया घड़ी उनकी खासियत है। मारुति जेन में सफर करने वाली वह इकलौती केंद्रीय मंत्री हैं। कहीं यही सादगी तो उनकी यूएसपी नहीं है? लेफ्ट के गढ़ को वह बस भेदने ही वाली हैं। लेकिन वहां सुशासन लाने के लिए उनको खुद की इमेज का मेकओवर करना होगा। क्या खुद ममता बनर्जी के लिए यह आसान होगा? पश्चिम बंगाल की जनता के साथ-साथ पूरे देश को इसका इंतजार रहेगा।

(राष्ट्रीय सहारा, 6 जून, 2010)

36

महंगी दुर्घटना, सस्ती जान

''अमेरिकी खुफिया एजेंसी सीआईए के दस्तावेजों के सामने लाने से इस बात का खुलासा हो रहा है कि वारेन एंडरसन को छुड़ाने में अमेरिकी ताकत का इस्तेमाल किया गया। ऐसी ताकत जो भारत के प्रधानमंत्री या किसी भी राज्य के मुख्यमंत्री को यह आदेश दे सकती है कि वह उसके किसी कैदी को रिहा कर दे और उसे पूरे सम्मान के साथ अमेरिका भेज दे। अगर वाकई यह सब अमेरिकी इशारों पर हुआ था तो दुनिया के सबसे बड़े लोकतंत्र के सूरमा नेताओं को शर्म से डूब मरना चाहिए। हम भी शर्मसार हैं कि हमने ऐसे नेताओं को देश की सत्ता चलाने दी।''

किसी को यह भी नहीं लगा कि जान तो जान है। भला जान की क्या कीमत हो सकती है। लेकिन कीमत भी लगती है। सौदे भी होते हैं। हां, सौदेबाजी में कुछ बातों का खास ख्याल रखा जाता है। जैसे - जान किसकी गई, गुनहगार कौन है और मामला देशी है या विदेशी? और गुनाह में कोई अमेरिकी शामिल हो तो इंसाफ के मायने ही बदल जाते हैं।

पिछले लगभग 26 सालों से भोपाल गैस त्रासदी पीड़ित लोगों को इंसाफ दिलाने के नाम पर इन्हीं खास बातों का ख्याल रखा जा रहा है। गलती अमेरिकी कंपनी यूनियन कार्बाइड से हुई और मुख्य गुनहगार कंपनी के सीईओ वारेन एंडरसन भी अमेरिकी हैं। क्या यही वजह है कि 26 सालों से इंसाफ दिलाने के नामों पर मजाक ही हो रहा है?

1984 में जहरीले गैस के रिसाव से भोपाल में 20 हजार लोग मरे और करीब पांच लाख सत्तर हजार बीमार पड़े।

मजाक के कुछ नमूने देखिए। 1984 में जहरीले गैस के रिसाव से भोपाल में 20 हजार लोग मरे और करीब पांच लाख सत्तर हजार बीमार पड़े। लेकिन सरकारी फाइलों में कई साल तक मरने वालों की संख्या तीन हजार बताई गई और बीमार की संख्या महज एक लाख। इसी आंकड़े को मानकर यूनियन कार्बाइड के साथ एक समझौता हुआ। तय हुआ कि अमेरिकी कंपनी के मुआवजे के रूप में 713 करोड़ रुपये देगी और बदले में उस कंपनी के विरुद्ध दर्ज सारे मुकदमे वापस ले लिए जाएंगे। इसमें से 113 करोड़ रुपये जान - माल के नुकसान की भरपाई में खर्च होने थे और बाकी के 600 करोड़ मुआवजे के रूप में बांटे जाते थे।

सवाल है कि किसने किया ऐसा समझौता? क्या इसके लिए हादसे से पीड़ित लोगों की राय ली गई? छह लाख लोगों के लिए 600 करोड़ रुपये! यानि हर पीड़ित के हिस्से में दस हजार रुपये का मुआवजा! यह मजाक नहीं है तो और क्या है। देसी मामलों में तो इससे कई गुना ज्यादा मुआवजा बंटा है। दिल्ली के उपहार सिनेमा हादसे में मरने वालों के परिवारों को 15 से 18 लाख रुपये तक मुआवजा मिला और घायल के परिवार को एक लाख रुपये मिले। लेकिन एक ऐसा हादसा, जिसमें एक बड़े शहर की

यह मजाक नहीं है तो और क्या है। देसी मामलों में तो इससे कई गुना ज्यादा मुआवजा बंटा है।

करीब एक तिहाई आबादी तबाह हो गई, उसके मुआवजे के रूप में चिल्लर। जो कोई भी इस पाप का भागी है, देश की जनता उसे कभी माफ नहीं करेगी।

पीड़ितों के साथ तो मजाक हुआ लेकिन मुख्य आरोपी यानि वारेन एंडरसन को बचाने में कोई कसर नहीं छोड़ी गई। दुर्घटना के चार दिन बाद उसे पहले गिरफ्तार किया गया और फिर चार ही घंटे के बाद मध्य प्रदेश सरकार के विशेष विमान द्वारा भोपाल से दिल्ली पहुंचाया गया। विशेष विमान से यात्रा की इजाजत राज्य के मुख्यमंत्री खास लोगों को ही देते हैं। इस मामले में खास आदमी था 20,000 लोगों का हत्यारा। हत्यारे को बचाने का फैसला उस समय के मुख्यमंत्री का था या फिर उस समय के प्रधानमंत्री के इशारे पर यह सब हुआ–देश को यह जानने का हक है। देश को यह भी जानने का हक है कि इस घिनौने सच को 26 साल से दबाकर क्यों रख गया?

हत्यारे को बचाने का फैसला उस समय के मुख्यमंत्री का था या फिर उस समय के प्रधानमंत्री के इशारे पर यह सब हुआ।

क्या हत्यारे एंडरसन को बचाने वालों को यह अहसास था कि खुद एंडरसन के देश अमेरिका में जान की सुरक्षा की कितनी अहमियत है। एक मिसाल देखिए- अमेरिका के गल्फ ऑफ मैक्सिको में ब्रिटिश पेट्रोलियम के तेल के कुएं से 24 अप्रैल 2010 से कच्चे तेल का रिसाव हो रहा है। इस दुर्घटना में 11 लोगों की जान गई है और 597 पक्षियों को मरा हुआ पाया गया है। इस रिसाव को रोकने में ब्रिटिश पेट्रोलियम अब तक 7,500 करोड़ रुपये खर्च कर चुकी है। ऊपर से पर्यावरण को नुकसान पहुंचाने के आरोप में कंपनी को कितना मुआवजा देना होगा, यह तय होना बाकी है। अनुमान है कि ब्रिटिश पेट्रोलियम को इस दुर्घटना की वजह से 80 हजार करोड़ रुपये तक का चूना लग सकता है।

ग्यारह अमेरिकी जानों की कीमत 80,000 करोड़ रुपये लेकिन 20,000 भारतीयों की हत्या के बदले महज 713 करोड़ रुपये! इस तरह के भयानक मजाक को अंजाम देने वाले 26 साल तक कैसे चैन से सो पाए? यह ताज्जुब की बात है।

ताज्जुब की बात यह भी है कि 1984 के बाद देश में 8 बार प्रधानमंत्री की कुर्सी बदली, मध्यप्रदेश में 8 नए मुख्यमंत्री बने हैं। इतने बड़े नेताओं

को कभी भी यह नहीं लगा कि भोपाल में जो घोर अन्याय हुआ है, इसका प्रायश्चित होना चाहिए। भूल सुधार तो दूर कभी भोपाल की त्रासदी के बाद कम से कम कानून में ऐसे बदलाव हों कि यूनियन कार्बाइड जैसे हादसे को अंजाम देने के बाद कोई इस तरह से चिल्लर बांट कर ही छुटकारा न पा ले। उल्टे ऐसे कानून बन रहे हैं जिसमें यह तय होगा कि परमाणु दुर्घटना से होने वाले नुकसान की भरपाई करने में निजी कंपनी की लाइबिलिटी तय कर दी जाय। मतलब यह कि नुकसान कितना भी बड़ा क्यों न हो कंपनी को मामूली हर्जाना ही देना होगा। हाय रे नेता और हाय रे हमारा लोकतंत्र!

भोपाल गैस त्रासदी में अब जो तथ्य सामने आ रहे हैं, उनसे साफ पता चलता है कि यूनियन कार्बाइड चलाने वालों को यह अच्छी तरह से पता था कि इस तरह की दुर्घटना हो सकती है। फिर भी बचाव के तरीके नहीं खोजे गए। वही अमेरिकी घमंड, गरीब देश की गरीब जनता की सुरक्षा में अमेरिकी कंपनी क्यों खर्च करे? नुकसान हो भी गया तो अमेरिकी दादागीरी से किसी अमेरिकी का बाल बांका भी नहीं होगा।

मतलब यह कि नुकसान कितना भी बड़ा क्यों न हो कंपनी को मामूली हर्जाना ही देना होगा। हाय रे नेता और हाय रे हमारा लोकतंत्र!

और वही हुआ भी। अमेरिकी खुफिया एजेंसी सीआईए के दस्तावेजों के सामने आने से इस बात का खुलासा हो रहा है कि वॉरेन एंडरसन को छुड़ाने में अमेरिकी ताकत का इस्तेमाल किया गया। ऐसी ताकत जो भारत के प्रधानमंत्री या किसी भी राज्य के मुख्यमंत्री को यह आदेश दे सकती है कि वह उसके किसी कैदी को रिहा कर दे और उसे पूरे सम्मान के साथ वापस अमेरिका भेज दे। अगर वाकई यह सब अमेरिकी इशारों पर हुआ था तो दुनिया के सबसे बड़े लोकतंत्र के सूरमा नेताओं को शर्म से डूब मरना चाहिए। हम भी शर्मशार हैं कि हमने ऐसे नेताओं को देश की सत्ता चलाने दी।

भोपाल हादसे को हमें भूलना नहीं चाहिए। 26 साल पहले के अन्याय को तो बदला नहीं जा सकता है लेकिन आगे इस तरह के अन्याय नहीं हों इसके लिए हमें बुजदिल और कायर नेताओं को उनके पापों का प्रायश्चित करने पर मजबूर करना ही होगा।

(राष्ट्रीय सहारा, 13 जून, 2010)

37

उम्मीदों पर खरी उतरेंगी ममता?

''लगभग आम राय बनती जा रही है कि पश्चिम बंगाल में करीब तीन दशकों से खड़े वाम मोर्चे के दुर्ग की ईंटें दरकने लगी हैं और राइटर्स बिल्डिंग की कुर्सी ममता बनर्जी के आने के इंतजार में है। लेकिन सबसे बड़ा सवाल यह है कि ममता के पास प्रदेश के विकास का कोई मॉडल है भी या नहीं?''

इस पर आम राय लगती है कि अगले वर्ष होने वाले पश्चिम बंगाल विधान सभा चुनाव में तीन दशकों से खड़ा लेफ्ट किला ढहना तय है। माकपा के नेता दबी जुबान और इसकी अगुवाई वाले वाम मोर्चे के नेता इसे खुलेआम कबूल भी रहे हैं। वाम के खिलाफ और तृणमूल कांग्रेस के पक्ष में 2008 के पंचायत चुनावों से शुरू हुए जनादेशों का यह शानदार ट्रेंड ताजा हुए स्थानीय निकाय चुनावों में भी जारी है। निश्चित रूप से ये रुझान बंगाल की जनता में बदलाव के लिए एक तड़प जाहिर करते हैं। लड़खड़ाती कांग्रेस के बजाय इन्हें ममता बनर्जी की तृणमूल कांग्रेस में उम्मीद की एक किरण दिख रही है। यह उम्मीद इसलिए भी पुख्ता लगती है कि ममता ने असली जंग का सेमी-फाइनल राउंड जीत लिया है। यह राइटर्स बल्डिंग की ओर तेजी से बढ़ती दिखाई दे रही हैं।

लड़खड़ाती कांग्रेस के बजाय इन्हें ममता बनर्जी की तृणमूल कांग्रेस में उम्मीद की एक किरण दिख रही है।

बदलावों को लेकर बंगाल की यह बेकरारी इस कदर है कि तृणमूल कांग्रेस की ममता के रूप में मौजूद लग रहे विकल्प को परखने का सब्र नहीं है। उसकी विचारधारा को समझने का, जिस पर वह अपना सारा दारोमदार टिकाने जा रहा है। उसका ट्रैक रिकॉर्ड जानने-जांचने का। बिना वाममोर्चे को शाबासी दिए भी यह बात अपनी जगह सच है कि उसके पास एक मॉडल तो था। हालांकि वह भी आंदोलन-अभियानों की लहर पर ही सवार होकर सत्ता में आया था। लेकिन उसके पास 'आयातित' ही सही पर मार्क्सवादी दर्शन था। उसकी पूर्ववर्ती सत्ताधारी पार्टी कांग्रेस के पास भी आजादी के आंदोलनों में तपा और विविधता वाले देश के अनुरूप मध्यमार्गी दर्शन था। इसके और पहले नवजागरण के रूप में आमूल परिवर्तन का आगाज बंगाल से ही हुआ था। यानी बंगाल का इतिहास हमेशा से तार्किक मॉडल से लैस रहा है।

राज्य को एक निश्चित दिशा-दशा देने का विजन कम मालूम पड़ता है।

इस विरासत के संदर्भ में ममता की तृणमूल कांग्रेस के वाम और कांग्रेस के वैकल्पिक अभ्युत्थान को पढ़ें। उसकी बुनियाद में नेता की असंदिग्ध ईमानदारी, सादगी और लड़ाकूपन के बावजूद प्रतिक्रियावाद की क्षणिकता

ज्यादा दिखाई देती है। नीति के नाम पर केवल वामदलों का विरोध है। बस उनका विरोध करना है, चाहे वे अच्छे फैसलों का ही क्यों न हो। राज्य को एक निश्चित दिशा-दशा देने का विजन कम मालूम पड़ता है। लेफ्ट के विरोध का तरीका भी उनका अल्ट्रालेफ्ट वाला है। अब टाटा के सिंगूर प्लांट का ही उदाहरण ले लीजिए। नैनो जैसे बड़े प्रोजेक्ट के पश्चिम बंगाल में आने से यहां के औद्योगिकीकरण की प्रक्रिया को बड़ा बल मिलता। लेकिन जमीन अधिग्रहण के विरोध में वह ऐसी डटीं कि रतन टाटा को पश्चिम बंगाल को बाय-बाय करना पड़ा। ममता के इस विरोध में उनका साथ दिया एसयूसीआई जैसे अल्ट्रालेफ्ट संगठन ने। यह एसयूसीआई ममता बनर्जी की पार्टी का चुनावी सहयोगी भी है।

लेफ्ट विरोध में ममता इतनी मगन हैं कि लेफ्ट का विरोध करने वाले हर संगठन से उनकी सहानुभूति है। यही वजह है कि इन्होंने यह तक कह डाला कि पश्चिम बंगाल में कोई माओवादी है ही नहीं। बाद में उन्होंने सफाई दी कि माओवादी और मार्क्सवादी में कोई अंतर नहीं है और दोनों ही राज्य के अलग-अलग हिस्सों में तबाही मचाए हुए हैं।

पॉलिसी में ममता सीपीएम विरोधी हैं तो स्टाइल में लोकतांत्रिक परंपराओं पर उनकी बहुत आस्था नहीं है। यही वजह है कि पिछले कई सालों से किसी भी मसले पर वाममोर्चे की सरकार से उन्होंने बातचीत की जरूरत महसूस की ही नहीं। लोकतंत्र में भरोसा रखने वाले को जनता के फैसलों का सम्मान करना ही होता है। पिछले तीन दशक से पश्चिम बंगाल की जनता ने वाममोर्चे की सरकार को चुना है। ममता को यह तो मानना ही चाहिए था। सिंगूर पर किसी तरह से वह मुख्यमंत्री बुद्धदेव भट्टाचार्य से बातचीत करने के लिए राजी हुईं तो यहां भी उनका रवैया किसी भी कीमत पर सरकार की बात नहीं मानने वाला ही रहा।

लोकतंत्र में भरोसा रखने वाले को जनता के फैसलों का सम्मान करना ही होता है।

इसी तरह पश्चिम बंगाल सरकार ने नंदी ग्राम से केमिकल हब को हटाकर एक किसी टापू में शिफ्ट करने का फैसला किया तो ममता चुप रहीं। लेकिन जैसे ही इस केमिकल हब को केंद्र सरकार की मंजूरी मिली, ममता बनर्जी ने इसका विरोध करना शुरू कर दिया। अब ममता का तर्क है कि केमिकल

हब को टापू में शिफ्ट करने से वहां का पर्यावरण दूषित होगा। लिहाजा, ऐसा वह हर्गिज नहीं होने देंगी।

लोकतंत्र में भरोसा रखने वाले को जनता के फैसलों का सम्मान करना ही होता है।

दरअसल विरोध की राजनीति ममता में इतना घर कर गई है कि वह सही गलत का फर्क ही भूल गई हैं। वह लेफ्ट विरोधी हैं, इंडस्ट्री विरोधी है, लोकतंत्र के उसूलों पर भी उनकी खास आस्था नहीं है। महिला आरक्षण विधेयक पर उनके नाटकीय रवैये से सोनिया गांधी तक हतप्रभ रहीं।

मतलब यह कि ममता की पूरी फंक्शनिंग में कोई तरतीब नहीं हैं जबकि वह बंगाल की कमान संभालने की तैयारी कर रही हैं। एक आंदोलन की अगुआई करना एक बात है और उसकी सहमतियों को शासन-प्रशासन के ढर्रे में ले आना बिल्कुल दूसरी। सिंगूर और नंदीग्राम में ज्यादतियों का विरोध करते हुए उन्होंने विकास का वैकल्पिक ढांचा देने के उपलब्ध मौके का लाभ नहीं उठाया। शायद ही किसी को याद हो कि ममता का औद्योगिकीकरण के प्रति क्या रुख है!

लेकिन लेफ्ट के गढ़ को भेदने और वहां सुशासन लाने के लिए उनको खुद का इमेज मेकओवर करना होगा। क्या खुद ममता बनर्जी के लिए यह आसान होगा ? पश्चिम बंगाल की जनता के साथ-साथ पूरे देश को इसका इंतजार रहेगा।

(राष्ट्रीय सहारा, 19 जून, 2010)

38

सब्सिडी का दूसरा पहलू है

''सरकार के फैसले के बाद सबकुछ महंगा होने वाला है - ऑफिस आना - जाना, किचन का खाना, सामान की ढुलाई और होम लोन की ईएमआई। पेट्रोल-डीजल की कीमत बढ़ने से हम सबको इतना नुकसान होने वाला है तो सरकार ने ऐसा फैसला ही क्यों लिया ? सबसे बड़ी वजह यह है कि पेट्रोल-डीजल को बाजार में सस्ते में बेचने की वजह से एचपीसीएल, बीपीएल और इंडियन ऑयल जैसी सरकारी तेल वितरण कंपनियों को भारी घाटा हो रहा था।''

पेट्रोल अब महंगा मिलेगा। डीजल की कीमत में दो रुपये की बढ़ोतरी हुई है। केरोसीन की कीमत में आठ साल बाद कोई फेरबदल किया गया है। तीन रुपये की बढ़ोतरी के बावजूद केरोसीन के हर लीटर पर सरकार को करीब 16 रुपये का अब भी नुकसान होगा। यही हाल एलपीजी सिलेंडर का भी है। शुक्रवार को एलपीजी की कीमत 35 रुपये बढ़ाई गई। इसके बाद भी हर सिलेंडर की बिक्री पर सरकारी तेल कंपनियों को करीब 237 रुपये का चूना लगेगा।

> *अंतरराष्ट्रीय बाजार में पेट्रोल और डीजल महंगा होगा तो घरेलू बाजार में ये दोनों महंगे होंगे।*

शुक्रवार को जो सबसे बड़ा फैसला लिया गया वह यह था कि पेट्रोल और डीजल की कीमत अब बाजार तय करेगा। अंतरराष्ट्रीय बाजार में पेट्रोल और डीजल महंगा होगा तो घरेलू बाजार में ये दोनों महंगे होंगे। पेट्रोल के मामले में तो यह फैसला तत्काल लागू कर दिया गया है, जबकि डीजल का रेगुलेशन चरणों में होगा।

महंगाई से परेशान लोग नाराज हैं, राजनीतिक पार्टियों में गुस्सा है। सबका यही मानना है कि पेट्रोल-डीजल की कीमत में बढ़ोतरी के बाद महंगाई का और बढ़ना तय है। वित्त मंत्रालय के मुख्य आर्थिक सलाहकार कौशिक बसु ने खुद माना है कि पेट्रोल-डीजल की कीमत बढ़ने से महंगाई की दर में तत्काल एक परसेंट की बढ़ोतरी होगी। इतना ही नहीं, जिस तरह से महंगाई की दर तेजी से बढ़ रही है रिजर्व बैंक भी तत्काल ब्याज दर बढ़ाने का फैसला करे। मतलब यह कि शुक्रवार के फैसले के बाद सबकुछ महंगा होने वाला है- ऑफिस आना-जाना, किचन का खाना, सामान की ढुलाई और होम लोन की ईएमआई। पेट्रोल-डीजल की कीमत बढ़ाने से हम सबको इतना नुकसान होने वाला है तो सरकार ने ऐसा फैसला ही क्यों लिया? सबसे बड़ी वजह यह है कि पेट्रोल-डीजल को बाजार में सस्ते में बेचने की वजह से एचपीसीएल, बीपीएल और इंडियन ऑयल जैसी सरकारी तेल वितरण कंपनियों को भारी घाटा हो रहा था।

2003 से 2009 के बीच खरीद से कम कीमत पर बेचने की वजह से सरकारी तेल कंपनियों को साढ़े तीन लाख करोड़ का घाटा हुआ।

जी हां, साढ़े तीन लाख करोड़ रुपये। यह कितनी बड़ी रकम है इसका अंदाजा इसी बात से लगाया जा सकता है कि इतने सारे पैसे से सरकार के महत्त्वाकांक्षी प्रोजेक्ट नरेगा को करीब दल सालों तक चलाया जा सकता है। अभी हर महीने कंपनियों को 5,000 करोड़ का घाटा हो रहा है। अनुमान है कि कीमतें नहीं बढ़ी तो सरकारी तेल कंपनियों को इस साल भी करीब 77,000 करोड़ रुपये का घाटा होता। शुक्रवार के फैसले के बाद भी इन कंपनियों को इस साल 53,000 करोड़ रुपये का घाटा होगा। इतने बड़े घाटे की वसूली डायरेक्ट और इनडायरेक्ट टैक्स के रूप में हमसे और आपसे ही की जाती है।

जैसा कि हम जानते हैं भारत-नेपाल बॉर्डर पर आवाजाही में कोई पाबंदी नहीं है।

सवाल यह है कि कुछ सरकारी तेल कंपनियों को बचाने के लिए सरकार ने करोड़ों लोगों की मुश्किलें क्यों बढ़ा दी हैं ? यहां हमें यह समझना होगा कि फिलहाल तो हमारी मुश्किलें जरूर बढ़ेंगी, लेकिन लंबे समय के नजरिए से देखें तो सब्सिडी हटाना इतना बुरा फैसला भी नहीं है।

इतनी भारी भरकम सब्सिडी की वजह से भारी भरकम बरबादी भी होती है। एक एलपीजी सिलेंडर की कीमत अपने देश में करीब 300 रुपये है जबकि इसकी कीमत नेपाल में 700 रुपये से भी ज्यादा है। जैसा कि हम जानते हैं भारत-नेपाल बॉर्डर पर आवाजाही में कोई पाबंदी नहीं है। ऐसे में अपने देश के सिलेंडर के नेपाल में कई खरीदार मिल जाते हैं। इसी तरह केरोसीन की अपने देश मे जो कीमत है वह पाकिस्तान, बांग्लादेश, नेपाल और भूटान से काफी कम है। इसी वजह से अनुमान है कि गरीबों को दिये जाने वाले केरोसीन का 40 परसेंट या तो मिलावट के काम आता है या फिर उसकी तस्करी होती है।

डिमांड बढ़ेगी तो कीमत भी बढ़ेगी।

सीधे नुकसान को सख्त कानून से कम भी किया जा सकता है। लेकिन सब्सिडी का दूसरा पहलू भी है जिससे हमें सिर्फ नुकसान ही होता है। कच्चे तेल की जरूरत का करीब 80 परसेंट हम इंपोर्ट करते हैं। ऐसे में अंतरराष्ट्रीय बाजार में कच्चे तेल की कीमत में उतार-चढ़ाव का हम पर भी भारी असर होता है। दूसरी कमोडिटी की तरह ही अंतरराष्ट्रीय बाजार में कच्चे तेल की

कीमत भी डिमांड और सप्लाई के अर्थशास्त्र से तय होती है। डिमांड बढ़ेगी तो कीमत भी बढ़ेगी। हम सभी जानते हैं कि महंगाई बढ़ती है तो डिमांड भी कम होती है और डिमांड कम होने के साथ ही कीमतें अपने आप घटने लगती हैं। यानी हमारी सरकार ने शुक्रवार को जो फैसला किया उससे अंतरराष्ट्रीय बाजार में कच्चे तेल की कीमत घटने में मदद मिलेगी। हो यह रहा है कि दुनिया के करीब 50 देशों मे सब्सिडी के चलन से कीमतें कितनी भी बढ़ जाएं, मांग में कमी नहीं होती। क्योंकि बढ़ती कीमत का सीधा असर कंज्यूमर पर नहीं पड़ता। लेकिन अब धीरे-धीरे चीन और इंडोनेशिया समेत कई देश दूरदर्शिता दिखाते हुए अपने यहां सब्सिडी की व्यवस्था को खत्म कर रहे हैं।

मानव स्वभाव है कि महंगी चीज को सावधानी से इस्तेमाल किया जाए।

2006-2008 के अंतरराष्ट्रीय बाजार के कच्चे तेल की कीमत 70 डॉलर प्रति बैरल से 150 डॉलर प्रति बैरल पहुंच गई लेकिन मांग में फिर भी कोई कमी नहीं हुई। इंटरनेशनल मॉनिटरी फंड के मुताबिक 2007 से 2008 के बीच दुनिया के अमीर देशों में कच्चे तेल की मांग में 10 लाख बैरल प्रतिदिन की कमी आई थी, लेकिन विकासशील देशों में इसकी मांग 11 लाख बैरल बढ़ी। अमेरिका समेत दूसरे अमीर देशों में पेट्रोल-डीजल पर कोई सब्सिडी नहीं दी जाती है, इसलिए वहां कीमतें बढ़ने पर मांग में अपने आप कमी आती है। लेकिन भारत जैसे देश में, जहां सब्सिडी दी जाती है, वहां महंगाई के बावजूद मांग पर कोई फर्क नहीं पड़ता।

अर्थशास्त्री मानते हैं कि सब्सिडी की वजह से डिमांड-सप्लाई का जो खेल बिगड़ता है वह किसी का भला नहीं करता है। मानव स्वभाव है कि महंगी चीज को सावधानी से इस्तेमाल किया जाए। लेकिन ऐसी चीज जिसकी कीमतें पहले से तय होती है, उसके इस्तेमाल में बरबादी ज्यादा होती है। कच्चे तेल के इस्तेमाल में हम जितनी सावधानी बरतेंगे, देश और दुनिया का उतना ही भला होगा। शुद्ध हवा का बोनस अलग से।

सावधानी हम तभी बरतेंगे जब पेट्रोल-डीजल खरीदते वक्त हमारी जेब पर बोझ पड़ेगा। हमारे इस्तेमाल में जैसे ही कंट्रोल होगा, अंतरराष्ट्रीय बाजार में कच्चे तेल की कीमत अपने आप नीचे आने लगेगी। इंडोनेशिया में ऐसा हुआ भी। 2005 में वहां पेट्रोल-डीजल की कीमत 100 परसेंट बढ़ा दी गई और तत्काल मांग में 30 परसेंट की कमी आ गई।

अब हमें यह तय करना है कि पेट्रोल-डीजल के लिए हम सीधे तौर पर ज्यादा कीमत तय कर इसकी मांग को कंट्रोल करें या फिर सरकारी नुकसान की भरपाई ज्यादा टैक्स देकर करते रहें और अंतरराष्ट्रीय बाजार में मांग बढ़ाकर कच्चे तेल के व्यापारियों की झोली भरते रहें।

(राष्ट्रीय सहारा, 27 जून, 2010)

39

यह नई की पुरानी पीढ़ी से लड़ाई है

''नई जेनरेशन शिफ्ट हुई है। उसे बदलते लाइफस्टाइल की समझ है। उसने 21वीं सदी की तरह जीना सीख लिया है। उसे लगता है कि जिस परंपरा को वह सालोसाल से ढो रही हैं उसमें बदलाव की जरूरत है। इसी रिएक्शन में वह फैसले लेने लगती है। अपनी डेस्टिनी खुद तय करती है। यहीं से दिक्कत शुरू हो जाती है।''

पिछले पखवाड़े राजधानी दिल्ली में हुई कुलदीप-मोनिका और शोभा की हत्याओं ने देश के सभ्य समाज को झकझोर दिया है। इज्जत या ऑनर के नाम पर की जाने वाली इस तरह की हत्याओं को अब तक पंजाब, हरियाणा और पश्चिमी उत्तर प्रदेश के ग्रामीण क्षेत्रों की पंचायतों, खापों और विशेष जातियों से ही जोड़कर देखा जाता रहा है। लेकिन अब इस तरह की वारदातों का सर्वाधिक चिंतनीय पहलू यह उजागर हो रहा है कि यह ऑनर कीलिंग न केवल ग्रामीण क्षेत्रों तक सीमित है, न विशेष जाति तक और न ही विशेष धर्म तक। ये हत्याएं एक व्यापक परिघटना का रूप ले चुकीं हैं जिसने इसे नए सिरे से समझने की तात्कालिकता पैदा कर दी है।

हरियाणा और पश्चिमी उत्तर प्रदेश के ग्रामीण क्षेत्रों की पंचायतों, खापों और विशेष जातियों से ही जोड़कर देखा जाता रहा है।

समझने की जरूरत यहां यह है कि भारत के लोकतांत्रिक समाज में शिक्षा और चेतना के व्यापक प्रचार-प्रसार के बावजूद ये घटनाएं क्यों हो रही हैं? सवाल यह भी है कि आदर्श संविधान के तहत अनेकानेक लोकतांत्रिक संस्थाओं की मौजूदगी में इस तरह के व्यक्तिगत अधिकारों का हनन करने वाली प्रवृत्तियां क्यों सिर उठा रही हैं ?

विचारधारा के क्रम में उत्तर-आधुनिक काल में वैश्विक स्तर पर ज्यादा जोर इस बात पर रहा है कि बहुलतावादी समाज में विभिन्न जाति समूहों, धर्म और संस्कृतियों के बीच बार-बार पैदा होने वाले दारुण और जटिल मतभेदों के बावजूद एक दूसरे की कद्र करना कैसे सीखें ? दुनिया में राजनीतिक, वैचारिक, सांस्कृतिक और शैक्षणिक हर क्षेत्र में मौजूद विविधता को कैसे आत्मसात करें। भारतीय संदर्भ में अनेकता में एकता का नारा भी इसी विचार पर आधारित है।

इसी को 'लिव विद डिफरेंसेज' कहते हैं। इसे ही हमारे मनीषियों ने 'सह अस्तित्व' कहा है।

इन सारी तर्कश्रृंखलाओं का अर्थ यह है कि हमारी सोच आपकी सोच से अलग हो सकती है। आपका कल्चर हमारे कल्चर से अलग हो सकता है। फिर भी दूसरों के प्रति अपने मन में सम्मान कैसे बनाए रखा जाय।

इसी को 'लिव विद डिफरेंसेज' कहते हैं। इसे ही हमारे मनीषियों ने 'सह अस्तित्व' कहा है। मैं हर रोज ऐसे कई लोगों से मिलता हूं जिनके विचार मुझसे काफी जुदा होते हैं। कइयों के तो बिल्कुल उलट। फिर भी अनेक लोगों से मैं प्रभावित हुए बगैर नहीं रह पाता हूं। यही जिंदगी का फलसफा है, यही पॉवरफुल विचार है जो हमें सीखने और बेहतर जीवन जीने की प्रेरणा देता है। हालांकि इज्जत के नाम की जाने वाली हत्याओं के संदर्भ में यह पॉवरफुल विचार जाने कहां गायब हो जाता है। यह कहने की आवश्यकता नहीं है कि ऑनर कीलिंग सह अस्तित्व की मूल अवधारणा को ही जड़ से काटने लगती है।

इस समाज की एक इकाई परिवार है जो वर्तमान संस्थाओं में सबसे प्राचीनतम है।

वैसे इसकी दूसरी वजह देश में पितृ सत्तात्मक समाज का अस्तित्व में होना है और समूची राजनीति, न्याय व्यवस्था और सामाजिक व्यवस्था इसके इर्द-गिर्द केंद्रित है। इन संस्थाओं के सर्वोच्च पदों पर बैठे सदस्यों की आज्ञाकारिता अपनी परंपरागत स्थिति के आधार पर शक्ति अर्जित करती है। इस समाज की एक इकाई परिवार है जो वर्तमान संस्थाओं में सबसे प्राचीनतम है। इसलिए उससे यह अपेक्षा की जाती है कि यह आधुनिकता की बजाय परंपरा का ही प्रतिनिधित्व करेगा। अपने मूल स्वरूप की दृष्टि से यह अनुमान लगाया जाता है कि परिवार प्रगतिशील न होकर रूढ़िवादी या अनुदारवादी ही होगा। यही वजह है कि ऐसे समाज में जाति और धर्म की पहचान समुद्र की लहरों की तरह कभी उग्र हो जाती है और कभी शांत रहती है। यही कट्टरपंथी पहचान और सोच 'लिव विद डिफरेंसेज' यानी सह अस्तित्व के विचार पर हथियार उठाता है। इज्जत के नाम पर इज्जत का खून करता है। इज्जत के नाम पर अपनों का खून बहाता है, जिन्हें पाल-पोसकर बड़ा करने से समाज में इज्जत बनती है।

परंपरागत संस्थाओं में दूब की तरह जीवित रहने की असामान्य क्षमता होती है और आधुनिक सोच के साथ खुद की संस्कृति बनाने वाली युवा पीढ़ी की लड़ाई इसी परंपरागत संस्थाओं का प्रतिनिधित्व करने वालों से है। आज का जेनरेशन विकसित सूचना तंत्र का प्रॉडक्ट है। उसके पास लाइव न्यूज है।

उसके पास गूगल है, जिसके जरिए वह कुछ ही सेकंड में हजारों-लाखों पन्नों तक पहुंच सकता है। उसके पास आईफोन है, आईपैड है, ब्लैकबेरी के रूप में इंटरनेट से लैस मोबाइल कंप्यूटर है। इस जेनरेशन के पास खुद का अर्जित ज्ञान है। इसलिए वह कॉन्फिडेंट है। वह आधुनिकीकरण की प्रक्रिया का मुख्य संचालक है। वह परंपरा और आधुनिकता के बीच संबन्धों का निर्धारण कर रहा है। वह अनुकूल परंपराओं को प्रोत्साहित और प्रतिकूल परंपराओं को हतोत्साहित करता है।

18 साल में वोट देने के अधिकार से उसका सशक्तीकरण हुआ है।

शादी की उम्र इक्कीस साल होने से उसे युवावस्था को पूरी तरह से जीने का मौका मिल रहा है। 18 साल में वोट देने के अधिकार से उसका सशक्तीकरण हुआ है। पहले 14 से 15 साल में शादियां हो जाती थीं, फिर बच्चे हो जाते थे। लोग बचपन से सीधे बुढ़ापे में छलांग मार लेते थे। ऐसे में थोपे हुए फैसलों को मानने के अलावा उसके पास कोई चारा नहीं था। यह जेनरेशन शरीर से तो नौजवान होता था लेकिन दिल से बिल्कुल बूढ़ा। मेड इन यूएसए टी-शर्ट या पेरिस का जेल लगाने से परहेज नहीं था लेकिन सोच बिल्कुल तालिबानी।

लेकिन अब जेनरशन शिफ्ट हुई है। नई जेनरेशन ने मीडिया की नजर से दुनिया देखी है। उसे बदलते लाइफ-स्टाइल की समझ है। वह स्पेस खोज रहा है। उसने इक्कीसवीं सदी की तरह जीना सीख लिया है। पुराने जेनरेशन को भला यह कैसे मंजूर हो सकता है। उस जेनरेशन में बच्चों को जायदाद समझा जाता था। अपने बच्चों के बारे में फैसले लेना अधिकार समझा जाता था। कहां पढ़ना है, क्या पढ़ना है, कितने तक पढ़ाई करनी है, किस स्कूल में जाना है, इंजीनियर बनना है या डॉक्टर, किस जाति में शादी करनी है, किस खानदान से बहू लाना है, यह सब पहले से तय होता है। बच्चों को बस इन खांचों में ढल जाना होता था।

बच्चे ढल भी जाते थे, क्योंकि इससे पहले कि वे युवा होते, उनमें सोचने-समझने की ताकत होती, उन पर पूरी जिंदगी थोप दी जाती थी। लेकिन अब यह सब संभव नहीं है। शादी देर से हो रही है, नौकरी करने के लिए अलग-अलग जगह जाना होता है, अलग-अलग कल्चर से रू-ब-रू होना पड़ता है।

अपने कल्चर की अच्छाई-बुराई जानने का भी समय मिलता है। यानी 15 से लेकर 25 साल के बीच उसे दुनिया देखने का मौका मिलता है। तब उसे लगता है कि जिस परंपरा को वह सालों साल से ढो रहा है उसमें बदलाव की जरूरत है। इसी रिएक्शन में वह फैसले लेने लगता है। अपनी डेस्टिनी खुद तय करने का फैसला करता है और यहीं से दिक्कत शुरू हो जाती है।

तब टक्कर शुरू होती है विचार और विश्वास की। इस टक्कर में कभी इज्जत के नाम खून होता है तो कभी आत्महत्या। तालिबानी सोच के सामने होता है आधुनिक विचार। जीत आधुनिक विचार की होगी, क्योंकि समय चक्र को आगे बढ़ना है। लेकिन संक्रमण काल में ऑनर कीलिंग जैसी घिनौनी वारदातें होंगी। कानून की मदद और जनमत के दबाव की वजह से यह संक्रमण काल ज्यादा दिन नहीं चलने वाला है और जब यह खत्म होगा तब इस पीढ़ी के विचारों पर किसी तालिबानी विश्वास का पहरा नहीं होगा। और ऑनर कीलिंग जैसी वारदातों का इतिहास बन जाना संभव होगा।

(राष्ट्रीय सहारा, 3 जुलाई, 2010)

40

विकास की रफ्तार रोकते नक्सली

''नक्सलियों के निशाने हमेशा विकास के लिए जरूरी सुरक्षा उपकरण और रेलवे ही क्यों बन रहे हैं ? कहीं नक्सलियों का विरोध विकास की परिकल्पना से ही तो नहीं है ? मेरे हिसाब से नक्सलियों की हरकतें विकास की रफ्तार को रोक रही हैं। नक्सलियों की वजह से करीब दो लाख करोड़ रुपये का निवेश खटाई में पड़ा है। इसमें 54 हजार करोड़ रुपये वाले उड़ीसा में पॉस्को का प्रोजेक्ट भी है। जिसके लिए अभी तक जमीन के अधिग्रहण का काम ही पूरा नही हो पाया है। इस प्रोजक्ट में स्टील का उत्पादन 2011 में शुरू होना था।''

नक्सलियों का नरसंहार जारी है और बार-बार निशाना बन रहे हैं सीआरपीएफ के जवान। मंगलवार को छत्तीसगढ़ के बस्तर इलाके में नक्सलियों ने 27 जवानों की जान ले ली। इतना ही नहीं घायल जवानों की गर्दनें काटी गईं, और उनके अंगों को क्षत-विक्षत कर दिया गया। जवानों के हथियारों को लेकर नक्सली फरार हो गए, जिनमें एके-47 रायफलें भी शामिल हैं। पिछले दो महीने में इस तरह की यह दूसरी बड़ी वारदात है। इससे पहले छत्तीसगढ़ के दंतेवाड़ा में 6 अप्रैल को नक्लसियों के हमले में 36 जवान शहीद हो गए थे। इस साल अप्रैल से अब तक नक्सली हमले के 40 से ज्यादा मामले हो चुके हैं। इन हमलों में 350 से ज्यादा लोगों की जाने गई हैं जिनमें करीब 140 सुरक्षाकर्मी रहे हैं।

सुरक्षाकर्मियों पर तो हमले हो ही रहे हैं हाल के दिनो में नक्सलियों ने रेलवे की परिसंपत्तियों को भी निशाना बनाया है। पिछले ही साल रेलवे की परिसम्पत्तियों पर 58 बार हमले किए गए। इन्हीं हमलों को देखते हुए नक्सली बहुल इलाकों से गुजरने वाली ट्रेनों की सुरक्षा बढ़ा दी गई है। इन इलाकों से गुजरते वक्त ट्रेन की रफ्तार भी धीमी कर दी जाती है। हम सभी जानतें हैं कि किसी क्षेत्र के विकास में रेलवे कनेक्टिविटी की कितनी अहमियत है। विकास में चुस्त-दुरस्त कानून व्यवस्था की जरूरत तो होती ही है। सवाल यह उठता है कि नक्सलियों के निशाने सुरक्षाकर्मी, विकास के लिए जरूरी सुरक्षा उपकरण और रेलवे ही क्यों बन रहे हैं? कहीं नक्सलियों का विरोध विकास की परिकल्पना से ही तो नहीं है? मेरे हिसाब से नक्सलियों की हरकतें विकास की रफ्तार को रोक रही हैं।

पिछले ही साल रेलवे की परिसम्पत्तियों पर 58 बार हमले किए गए।

हमें यह जानना होगा कि नक्सलियों की वजह से करीब 2 लाख करोड़ रुपये का निवेश खटाई में पड़ा है। इसमें 54 हजार करोड़ रुपये वाला पॉस्को का प्रोजेक्ट भी है। दक्षिण कोरिया की सबसे बड़ी स्टील कंपनी पॉस्को ने 2005 में उड़ीसा सरकार के साथ करार किया था। इस स्टील प्लान्ट से उत्पादन 2011 में शुरू होना था। लेकिन प्रोजेक्ट के लिए अभी तक जमीन अधिग्रहण का काम ही पूरा नहीं हो पाया है। दरअसल, इस प्रोजेक्ट के लिए पॉस्को को

करीब 4,000 एकड़ जमीन की जरूरत है। प्रोजेक्ट का विरोध करने वालों का कहना है कि इस प्रोजेक्ट की वजह से 20,000 लोग बेघर होंगे, कितनों की जमीनें छिन जाएगी, विरोध करने वालों का बड़ा हिस्सा है आदिवासी। हम सबकी तरह आदिवासियों को भी अपनी जन्मभूमि से लगाव है। उनकी तो जन्मभूमि और कर्मभूमि दोनों ही जंगल और जमीन है। उनकी कर्मभूमि छीनी जाय यह उनको मंजूर नहीं है। इसीलिए वे इसका विरोध कर रहे हैं।

कमोबेश ऐसे ही हालात झारखंड, छत्तीसगढ़, पश्चिम बंगाल और आंध्रप्रदेश में भी है। इन इलाकों में रहने वाले गरीब लोगों की कर्मभूमि छिन जाने के डर का फायदा नक्सली उठा रहे हैं। ये इलाके आदिवासी बहुल हैं। सदियों से आदिवासियों का अपनी जन्मभूमि से अनोखा रिश्ता रहा है। उन्हीं जंगलों में उनका आशियाना होता है। वनसंपदा से ही उनका जीवन-यापन होता रहा है। लेकिन कभी खनन के नाम पर तो कभी इंडस्ट्री लगाने के नाम पर आदिवासियों की जमीनें छिनती रहीं और इंडस्ट्रीज मालामाल होती रहीं। ऐसे में नक्सली ही उनके घाव पर मरहम लगाते रहे हैं। आदिवासियों के शोषण के विरोध में कई स्वर भी उठे हैं। और अरुंधती रॉय जैसी लेखिका ने आदिवासियों के पक्ष में आवाज उठाने के लिए नक्सलियों के काम की तारीफ तक कर डाली।

सदियों से आदिवासियों का अपनी जन्मभूमि से अनोखा रिश्ता रहा है।

देश को नक्सलियों से मुक्त कराने का जिम्मा सीआरपीएफ के जवानों को सौंपा गया हैं। सीआरपीएफ के पास करीब ढाई लाख अर्धसैनिक बलों की बड़ी फौज हैं। इनको हर तरह की सुविधाएं दी गई हैं। लेकिन इनके 200 बड़े अफसरों में से करीब ड़ेढ़ सौ के खिलाफ कभी न कभी कोई जांच हो चुकी है। मतलब यह है कि सीआरपीएफ को दिशा निर्देश देने वालों का ही दामन पूरी तरह से साफ नहीं हैं। ऐसे में वह इतनी बड़ी मुहिम में किस तरह से सफल होंगे, इस पर बड़ा सवाल हैं। लेकिन सबसे बड़ा सवाल यह है कि जिन परिस्थितियों में नक्सली पनपते हैं उनको कैसे खत्म किया जाए? सुरेश तेंडुलकर कमेटी के मुताबिक शहरों की कुल आबादी का 26 परसेंट और गांवों की आबादी का 42 परसेंट हिस्सा गरीबी रेखा के नीचे है। इतना ही नहीं, देश की दो तिहाई आबादी ऐसी है जिसके पास

न तो रहने का घर, न ही पीने का पानी और न ही स्वास्थ्य और शिक्षा सुविधाओं तक उसकी कोई पहुंच है। इसी ग्रुप का हिस्सा हैं दिल्ली और मुंबई में काम करने वाले वह ड्राइवर जो महीने में मुश्किल से 10 हजार रुपये कमा पाते हैं। कहने के लिए वह गरीबी रेखा से ऊपर हैं, लेकिन इन शहरों में उसे रहने के लिए एक झोपड़ी भी नसीब नहीं है। लंबी गाड़ियों का ड्राइवर अपने साहबों को करोड़ों रुपये की डील करते सुनता हैं। अपने आकाओं को सारी सुख - सुविधाओं का उपभोग करते देखता है। लेकिन उसे दो वक्त की रोटी मयस्सर नहीं है। ऐसे में फ्रस्ट्रेशन में उससे गुनाह हो जाए तो वह तो दोषी है ही, लेकिन व्यवस्था उससे कहीं ज्यादा दोषी है।

सबसे बड़ा सवाल यह है कि जिन परिस्थितियों में नक्सली पनपते हैं उनको कैसे खत्म किया जाए?

आदिवासियों की हालत वैसी ही है। अपनी ही जन्मभूमि से वह दूसरों को अरबों रुपये कमाते हुए देखते हैं। जिसका एक छोटा सा हिस्सा मांगने पर उस पर नक्सलियों के साथ सांठगांठ का आरोप लग जाता हैं। अपना हक मांगने वालों के साथ ऐसा बर्ताव क्यों ? हमारा लोकतंत्र एक वेलफेयर स्टेट है। जनता को जरूरी सुविधाओं के नाम पर हर साल टैक्स के अरबों रुपये बहाए भी जाते हैं। तो फिर वे अरबों रुपये किस ब्लॉक होल में गुम हो जाते हैं? क्या सरकार की यह जिम्मेदारी नहीं है कि हर नागरिक को जरूरी सुविधाएं मुहैया कराए? हालांकि इसके लिए जरूरत होगी एक ईमानदार कोशिश की। उसके बिना नक्सलियों के खिलाफ कोई भी मुहिम सफल नहीं होगी।

(राष्ट्रीय सहारा, 4 जुलाई, 2010)

41

पत्थर फेंकने पर पत्थरबाजी क्यों

''कश्मीरियों का कहना है कि विरोध जताने के लिए पत्थरबाजी उनकी परंपरा रही है और यह परंपरा सोलहवीं सदी से चली आ रही है। उस समय मुगलों ने कश्मीर पर चढ़ाई कर वहां के तत्कालीन राजा युसुफशाह चक को अपदस्थ कर दिया था। विरोध में कश्मीरियों ने मुगल सेना पर पत्थर बरसाए। यह सिलसिला कई दिनों तक चला था। तब से विरोध जताने के लिए पत्थरबाजी की परंपरा जारी है।''

कश्मीर फिर से सुर्खियों में है। कई दिनों से श्रीनगर में कर्फ्यू लगा हुआ है। किसी को इलाज की जरूरत है तो कोई पढ़ने को बेताब है, किसी को राशन की जरूरत है तो कोई खुली हवा में सांस लेने के लिए तरस रहा है। लेकिन सब मजबूर हैं। कर्फ्यू जो लगा हुआ है।

कश्मीरियों को इस तरह की जिंदगी कई सालों से आदत सी हो गई थी। लेकिन पिछले कुछ सालों से माहौल बदला था। पार्टियों के नारे भी बदल गए। कभी बंदूक और गोली की बात करने वाले नारा देने लगे, 'न बंदूक से न गोली से, बात बनेगी बोली से।'

> *कश्मीरियों को इस तरह की जिंदगी कई सालों से आदत सी हो गई थी।*

2008 के विधानसभा चुनाव के बाद तो लगा कि सबकुछ बदल गया है। चुनाव में लोगों ने जमकर हिस्सा लिया। उमर अब्दुल्ला मुख्यमंत्री बने और आम लोगों को लगा कि कश्मीर की राजनीति में यह जेनरेशन शिफ्ट के अलावा वहां के समाज ने हिंसा को पूरी तरह तिलांजलि देकर अमन-चैन की जिंदगी को आत्मसात कर लिया है। टूरिस्ट फिर से बेखौफ कश्मीर जाने लगे थे। फिल्मों की शूटिंग शूरु हो गई थी। कश्मीर की थीम पर कई फिल्में बनने लगीं। लेकिन अचानक सबकुछ फिर से बदलने लगा है। फिर फॉरेन हैंड की बात होने लगी है। फिर से सेना की तैनाती पर चर्चा हो रही है। कर्फ्यू लगने लगे हैं। हिंसक वारदातों में मासूम नौजवानों की मौतें होने लगी हैं। नेता फिर से केंद्र को दोषी करार देने का आसान सा फॉर्मूला अपनाने लगे हैं। आखिर ऐसा क्या हो गया ?

सारा खेल पत्थरबाजी ने बिगाड़ दिया है। पिछले दो साल में पत्थरबाजी में करीब 1,500 सुरक्षाकर्मी घायल हुए हैं और 373 वाहनों को नुकसान पहुंचा है। लेकिन पत्थरबाजी रोकने के लिए सुरक्षाकर्मियों की गोलियों के शिकार कई मासूम नौजवान बन चुके हैं। पत्थरबाजी के आरोप में कइयों को गिरफ्तार भी किया जा चुका है और अब यह पत्थरबाजी कश्मीर के अमन-चैन को एक बार फिर से बिगाड़ने लगी है।

कश्मीरियों का कहना है कि विरोध जताने के लिए पत्थरबाजी उनकी परंपरा रही है और यह परंपरा सोलहवीं सदी से चली आ रही है। उस समय मुगलों ने कश्मीर पर चढ़ाई कर वहां के तत्कालीन राजा युसुफशाह चक

को अपदस्थ कर दिया था। विरोध में कश्मीरियों ने मुगल सेना पर पत्थर बरसाए। यह सिलसिला कई दिनों तक चला था। तब से विरोध जताने के लिए पत्थरबाजी की परंपरा जारी है।

2008 में पब्लिक सेफ्टी एक्ट बनने के बाद पत्थरबाजी को गैरकानूनी करार दे दिया गया। पुलिस का आरोप है कि पत्थरबाजी स्वतःस्फूर्त विरोध नहीं, बल्कि आतंकवादियों का हथियार बनती जा रही है। यही वजह है कि एक साथ कई जगहों पर पत्थरबाजी शुरू होती है। पत्थर फेंकने वालों को पैसे दिए जाते हैं और इसके पीछे उन्हीं तत्वों का हाथ है, जो कश्मीर को भारत से अलग करने की मुहिम में लगे हैं। सीमा पार से फोन पर और एसएमएस के जरिए नौजवानों को पत्थरबाजी के लिए भड़काने की पुख्ता जानकारी मिली है। कुछ व्यापारियों पर भी आरोप लगे हैं कि उन्होंने पत्थरबाजी के लिए नौजवानों को पैसे देकर उकसाया है।

> *आतंकवादी और सुरक्षाकर्मियों के बीच घमासान में आम कश्मीरी ही तो सबसे ज्यादा पिसे।*

मेरा सवाल है कि पत्थरबाजी पर इतना बवाल क्या जायज है? हर लोकतांत्रिक व्यवस्था में विरोध प्रदर्शन करने को पूरी आजादी होती है। विरोध जताने में कहीं नारे लग जाय या फिर कहीं थोड़ी पत्थरबाजी हो जाय तो इतनी हाय-तौबा मचाने की जरूरत नहीं। और स्पेशल कानून बनाकर विरोध प्रदर्शन पर रोक तो बिल्कुल ठीक नहीं है।

विरोध पर रोक लगाने से पहले कश्मीरियों के दर्द को जरा समझिए। पिछले तीस सालों से कश्मीरी बंदूक के साए में जी रहे हैं। हर कश्मीरी एक दर्द के साथ जी रहा है। कब कौन सी अनहोनी हो जाय, पता नहीं। आतंकवादी और सुरक्षाकर्मियों के बीच घमासान में आम कश्मीरी ही तो सबसे ज्यादा पिसे। कभी किसी का बेटा छिन गया तो कभी किसी की बेटी लापता हो गई। कभी लैंड माइन फटने से पूरा का पूरा गांव बरबाद हो गया। कभी कोई बम निशाने से भटक गया तो किसी की गाढ़ी कमाई से बना मकान पूरी तरह ध्वस्त हो गया।

इन भयानक तीस सालों में एक पूरी जेनरेशन पैदा हुई और पली बढ़ी। यह जेनरेशन अब संचार क्रांति के फायदों से रूबरू हो रही है।

इसके पास गूगल है, ब्लैकबेरी है, सेटेलाइट चैनल के जरिए इसका वास्ता दुनिया से भी हो रहा है। कभी खबर आती है कि अपने बल बूते कोई महेंद्र सिंह धोनी रातों-रात सुपरस्टार हो गया तो कोई आईआईएम अहमदाबाद में पढ़कर गोल्डमैनसैक्स में करोड़ों पा रहा है। लेकिन बंदूक के साए में पले नौजवानों के पास तो अपना हुनर दिखाने का न कोई मौका है और न ही उम्दा ट्रेनिंग के कोई अवसर। इनके बीच में किसी डॉक्टर फैजल का यूपीएससी में टॉप करना तो बस एक चमत्कार है।

कहने के लिए तो हम जन्नत में रहते हैं लेकिन दरअसल हम पिछले सत्रह सालों से खूबसूरत जेल में रह रहे हैं।

इस जेनरेशन की कराह को हाल में रिलीज होने वाली फिल्म 'लम्हा' में दर्शाया गया है। इस फिल्म में एक नौजवान कह रहा है, 'कहने के लिए तो हम जन्नत में रहते हैं लेकिन दरअसल हम पिछले सत्रह सालों से खूबसूरत जेल में रह रहे हैं।' इसी फिल्म के डॉयरेक्टर राहुल ढोलकिया ने एक इंटरव्यू में कहा कि कश्मीर में वह एक अनिश्चितता पाते हैं जो कभी भी भयानक रूप ले सकती है। फिल्म वालों को अतिश्योक्ति की आदत होती है लेकिन वास्तविकता इससे बहुत अलग नहीं है। हकीकत यह है कि कश्मीर की नई जेनरेशन लगातार एक त्रासदी के साए में जी चुकी है। अब जब सबकुछ सामान्य हो रहा है तो उसकी इच्छाएं हिलोरें मारने लगी हैं। ऐसे में इन इच्छाओं को सही रास्ता दिखाने की जरूरत है। विरोध, बंद और मामूली पत्थरबाजी पर बंदिश लगाने से मामला फिर बिगड़ जाएगा। इस जेनरेशन को आगे बढ़ने का मौका दीजिए।

(राष्ट्रीय सहारा, 11 जुलाई, 2010)

42

मीडिया : मिशन से व्यवसाय तक

''हमें यह नहीं भूलना चाहिए कि मास मीडिया समाज का आईना तो होता है ही। साथ ही इसकी जिम्मेदारी समाज को आईना दिखाना भी है। हमारा काम अच्छाई दिखाने के साथ-साथ बुराइयों का पदार्फाश करना भी है। हमारा काम समाज की गंदगियों को महिमामंडित करना नहीं बल्कि समाज को नई दिशा देना भी है। हमारा काम गंदगी में नमक-मिर्च मिलाकर छिछले तरीके से परोसना नहीं है। गंदगी है तो वो साफ जरूर होनी चाहिए। इसके साथ ही गंदगी को गंदगी ही बताया जाए उसी में समाज का भला है।''

मेरा मानना है कि मनुष्य का जीवन एक अवसर है जिसकी यात्रा गौतम बुद्ध के लोक की तरफ भी हो सकती है, जहां मनुष्य का स्वागत करने के लिए खुद बुद्ध, महावीर, कबीर और मीरा उपलब्ध हो सकते हैं। लेकिन दूसरा रास्ता मनुष्य की चेतना के नीचे से गुजरते हुए पशुओं के लोक की तरफ भी जाता है। अब यह मनुष्य की सोच पर निर्भर करता है कि किस तरह का समाज वह बनाना चाहता है। ऐसा लोक जहां बुद्ध का वास हो या ऐसी नगरी जहां पाशविक प्रवृत्तियों का बोलबाला हो। मेरा मानना है कि मनुष्य अपने कर्मों से हर पल इसका चुनाव करने के लिए स्वतंत्र होता है कि उसे कौन सी नगरी चाहिए। बुद्ध की नगरी या पशुओं का लोक।

अलग-अलग नगरियों की चर्चा करने के पीछे मेरी मंशा यह बताना है कि मीडिया कब मिशन हो और कब बाजारू हो जाए इसमें बहुत ज्यादा फर्क नहीं है। फर्क है एप्रोच का। अब रियलिटी टीवी को ही ले लीजिए।

यह मनुष्य की सोच पर निर्भर करता है कि किस तरह का समाज वह बनाना चाहता है।

हमारे देश का संचार माध्यम सच्चाई दिखाए यह तो बड़ी अच्छी बात है। संचार माध्यम, चाहे वो न्यूजपेपर हों, न्यूज चैनल्स हों, सिनेमा हो या फिर जनरल इंटरटेनमेंट चैनल हों, ये सब समाज के आईना होते हैं। इसीलिए इंटरटेनमेंट चैनल्स ने जब रियलिटी शो दिखाने शुरू किए तो मुझे अच्छा लगा। म्युजिकल शो के जरिए कई धुरंधर गायकों की खोज हुई। डांस शो से कई लोगों ने जनमानस में जगह बनाई। कई शो में अनेक कलाकारों ने ऐसे अद्‍भुत करतब दिखाए जिससे लगा कि अपने देश में वाकई प्रतिभाओं की कोई कमी नहीं है। कई चैनल्स ने पहल करके ऐसे मसले भी उठाए जिन पर व्यापक बहस की जरूरत है। बहस हुई भी और देश में एक माहौल बना।

यह तो रियलिटी टीवी की अच्छाइयां हुईं। इन शोज में मिशन और व्यवसाय में खास अंतर नहीं था। म्युजिकल शो ने अच्छे व्यवसाय किए और टैलेंट खोजने का एक मिशन भी पूरा हुआ। लेकिन अब रियलिटी टीवी के नाम पर क्या हो रहा है? इंसाफ का मजाक उड़ाया जा रहा है। पिछले जन्म जैसी बातों पर चर्चा करके भ्रांतियों को बढ़ावा दिया जा रहा है। लोगों के इमोशन के साथ खेला जा रहा है। अश्लीलता तो मानो रियलिटी शो का दूसरा नाम बन गई है।

सेक्स कमोडिटी बन गया है। विवाह पूर्व और विवाहेतर संबंधों को चटकारे के साथ परोसा जा रहा है। बेड रूम की बातें ड्राइंग रूम में नमक मिर्च लगाकर हो रही हैं। यहां मैं यह साफ कर दूं कि मेरा मतलब यह कतई नहीं है कि बेड रूम की घिनौनी हरकतों पर पर्दा डाला जाए। गंदगी कहीं भी हो उसकी सफाई तो होनी ही चाहिए। लेकिन सच्चाई सामने लाने के नाम पर फूहड़ मजाक तो बिल्कुल ठीक नहीं है।

रियलिटी शो के नाम पर आया राखी का इंसाफ। यह शो मजाक के अलावा कुछ भी नहीं था। इंसाफ की देवी भी ऐसी जिसको इंसाफ से दूर-दूर तक कोई लेना-देना नहीं था। इनकी दिलचस्पी सिर्फ नाटक करने में थी। खुलेआम अभद्र गालियां और चप्पल-जूते की बौछार। ये सब इस शो के मुख्य आभूषण थे। बहस की क्वालिटी ऐसी कि दोस्त के साथ बैठकर सुनने में भी शर्म आ जाए।

रियलिटी शो के नाम पर आया राखी का इंसाफ।

ऐसे शो को टेलीविजन रेटिंग प्वाइंट तो मिल जाएंगे। लेकिन इसके दूरगामी असर के बारे में जरा सोचिए। इंसाफ और कानून जैसे गंभीर मसलों को ऐसे ही फूहड़ तरीके से अगर पेश किया गया तो इस पर से लोगों का भरोसा उठ जाएगा। विधायिका देश के शासन तंत्र के सबसे मजबूत स्तंभों में से एक है। लोगों को इंसाफ मिले और कानून का पालन हो यह किसी भी सभ्य समाज की पहली जरूरत है। कानून और इंसाफ की इसी तरह प्रदर्शनी लगती रही तो फिर क्या होगा पता नहीं।

टेलीविजन के जरिए इंसाफ दिलाने की कोशिश स्टार प्लस ने भी की थी। लेकिन वहां इंसाफ दिलाने का जिम्मा किरण बेदी के पास था। किरण बेदी कोई फैसला करें तो उसका एक वजन होता है। किरण बेदी के पास प्रशासन तंत्र में ऊंचे पदों पर रहने का लंबा अनुभव रहा है। अपने करियर में भी उन्होंने पूरी ईमानदारी और निष्ठा के साथ कई मामलों का निपटारा भी किया है। ऐसे लोग अगर कोर्ट के बाहर इंसाफ दिलाने की प्रक्रिया को आगे बढ़ाते हैं तो ज्यूडिशियरी का बोझ हल्का होगा। ऐसी पहल स्वागत योग्य है।

लेकिन राखी सावंत जैसे लोग अगर उसी किरदार में आने लगें तो समझिए यह टीआरपी बटोरने के अलावा और कुछ नहीं है। मुझे तो ऐसे लोगों की सोच पर तरस आता है जो इस तरह के शो को पब्लिक प्लेटफॉर्म पर लाने की सोचते हैं। और इन्हीं सब अवसरों पर लगता है कि मीडिया के मिशन को बाजार के सामने आहुति दे दी गई।

किरण बेदी कोई फैसला करें तो उसका एक वजन होता है।

माना कि जनरल इंटरटेनमेंट स्पेस में बड़ी प्रतिस्पर्धा है। अपना अस्तित्व बनाए रखने के लिए हर चैनल को नए और लुभावने प्रयोग करने होते हैं। लेकिन इसका मतलब यह बिल्कुल नहीं है कि हम कुछ भी दिखाने लगें, कुछ भी परोसने लगें। दरअसल ऐसे शो को लाकर हम सरकार को न्यौता दे रहे हैं कि आओ और हमारे कंटेंट को कंट्रोल करो।

हमें यह नहीं भूलना चाहिए कि मास मीडिया समाज का आईना तो होता है ही, साथ ही इसकी जिम्मेदारी समाज को आईना दिखाना भी है। हमारा काम अच्छाई दिखाने के साथ-साथ बुराइयों का पर्दाफाश करना भी है। हमारा काम समाज की गंदगियों को महिमामंडित करना नहीं बल्कि समाज को नई दिशा देना भी है। हमारा काम गंदगी में नमक-मिर्च मिलाकर छिछले तरीके से परोसना नहीं है। गंदगी है तो वो साफ जरूर होनी चाहिए। इसके साथ ही गंदगी को गंदगी ही बताया जाए उसी में समाज का भला है।

मेरा मतलब साफ है। मास मीडिया की बड़ी जिम्मेदारी होती है। हमें बाजार की हकीकत का तो ख्याल रखना ही पड़ता है। साथ ही हमें इस बात का भी ख्याल रखना होता है कि हम मर्यादा की लक्ष्मण रेखा को ना लांघें। संतुलन बनाना मुश्किल है लेकिन असंभव नहीं है। और अगर हमने संतुलन बनाने की खुद कोशिश नहीं की तो यह जिम्मेदारी किसी और को दी जाएगी जो और भी बुरा होगा।

मीडिया की जिम्मेदारी के बारे में मुझे यह कहना है कि सामाजिक जिम्मेदारियों के बारे में संवेदनशील होना होगा। इस पूरे विश्लेषण के जरिए मैं यह समझाने की कोशिश कर रहा हूं कि मीडिया चाहे मिशन में लगा हो फिर सिर्फ बाजारू लॉजिक से चल रहा हो उसे खबरों के अंदर की परतों को खोलना पड़ेगा। तभी मीडिया सही तरीके से अपनी जिम्मेदारी निभा पाएगा।

अब सवाल उठता है कि भविष्य में मीडिया का कौन सा स्वरूप होगा? क्या मीडिया से मिशन बिल्कुल खत्म हो जाएगा? या फिर व्यवसाय के चक्कर में मीडिया अपनी जिम्मेदारी पूरी तरह से भूल जाएगा। मेरे खयाल से इन सवालों का जबाव विकिलीक्स के खुलासे और उसके बाद होने वाले बदलाव में निहित है।

2011 में हुए खुलासों ने तो अमेरिकी विदेश मंत्रालय को हिलाकर रख दिया है।

विकिलीक्स एक गैर सरकारी संस्था है जिसका काम है उन तथ्यों को जनता तक पहुंचाना, जो कहीं छपते ही नहीं है। 2007 से अब तक विकिलीक्स ने कई खुलासे किए हैं। अफगानिस्तान और इराक के बारे में किए गए खुलासों से अमेरिका की पहले ही काफी फजीहत हो चुकी है। 2011 में हुए खुलासों ने तो अमेरिकी विदेश मंत्रालय को हिलाकर रख दिया है। ये खुलासे उन दस्तावेजों के हैं जो दुनियाभर के करीब 250 जगहों में फैले अमेरिकी दूतावास से वहां के राजनयिक अपने हेडक्वाटर्स भेजते हैं। उन दस्तावेजों में साफगोई से राजनयिक अपने मन की बात वाशिंगटन पहुंचाते हैं और इसी आधार पर अमेरिकी विदेश नीति तैयार की जाती है।

विकिलीक्स ने उन बातों को सामने लाया जो पर्दे के पीछे हो रही थीं। कुछ नमूने देखिए। 9/11 के हमले के बाद अमेरिका ने पूरी दुनिया में आतंकवाद के खिलाफ लड़ाई छेड़ी। इस सिलसिले में दुनिया भर में कई लोगों को गिरफ्तार किया गया। उन गिरफ्तार लोगों को ग्वांटानामो बे की खास जेल में रखा गया। बराक ओबामा जब राष्ट्रपति बने तो उन्होंने ऐलान किया कि ग्वांटानामो बे जेल को बंद कर दिया जाएगा।

विकिलीक्स के दस्तावेज से यह खुलासा हुआ कि किस तरह से अमेरिका के राजनयिक ने कैदियों की जिंदगी के सौदे किए।

जेल बंद करने का फैसला तो हो गया लेकिन मुसीबत यह थी कि वहां के कैदियों का क्या होगा। विकिलीक्स के दस्तावेज से यह खुलासा हुआ कि किस तरह से अमेरिका के राजनयिक ने कैदियों की जिंदगी के सौदे किए। स्लोवानिया को यह कहा गया कि ओबामा से मिलने के लिए समय चाहिए तो उसे कुछ कैदियों को अपने देश ले जाना होगा। चीन ने शर्त रखी कि अगर अफगानिस्तान पहुंचने के लिए अमेरिकी सेना को चीन से रास्ता चाहिए तो चीन सरकार के

विद्रोहियों को उसके हवाले करना होगा। यह पूरा खुलासा अमेरिकी सरकार के मानव अधिकार की वकालत की सच्चाई की पोल खोलने के लिए काफी है। वह देश जो लोकतंत्र और मानवाधिकार की बात करता है वो कैदियों की जिंदगी का भी सौदा करने से परहेज नहीं करता है।

मेरे खयाल से भविष्य का मीडिया विकिलीक्स इन्सपायर्ड होगा।

इन्हीं दस्तावेजों में यह भी छिपा हुआ है कि 26/11 के मुंबई हमले के बाद जब आतंकवादी संगठन लश्कर ए तैयबा पर प्रतिबंध लगाने की बात हो रही थी तो उसी समय पाकिस्तान सरकार के आला अधिकारी ने आतंकवादी संगठन को प्रतिबंध लगने की पहले ही सूचना दे दी थी। यही वजह है कि जब लश्कर के बैंक खातों को सील किया गया तो उसमें चंद हजार रुपये ही बचे थे, बाकी सारे पैसे पहले ही निकाल लिए गए थे।

इन्हीं दस्तावेजों में पाकिस्तान स्थित एक अमेरिकी राजनयिक का यह भी बयान है कि अमेरिका चाहे कुछ भी कर ले, पाकिस्तानी सरकार के आतंकवादी संगठनों से रिश्ते खत्म नहीं हो सकते हैं।

विकिलीक्स ने वह कर दिखाया जो पारंपरिक मीडिया नहीं कर पा रहा था। पारंपरिक मीडिया ने अपने आप को व्यवसाय के बंधन में इतना निरीह बना लिया कि बड़े खुलासे होने बंद हो गए। मीडिया को अपनी औकात बताने के लिए विकिलीक्स का होना जरूरी था। मेरे खयाल से भविष्य का मीडिया विकिलीक्स इन्सपायर्ड होगा। और जिस तरह के डोनेशन विकिलीक्स के संस्थापक असांजे को मिल रहे हैं उससे लगता है मीडिया का मिशन व्यवसाय के हिसाब से भी सही है।

(राष्ट्रीय सहारा, 18 जुलाई, 2010)

43

200 अरब डॉलर की मुसीबत

"दूसरे देशों में बहस तेज हो गई है लेकिन अपने देश में न्यूक्लियर पावर प्रोजेक्ट्स का क्या होगा? महाराष्ट्र के जैतापुर में न्यूक्लियर पार्क बनाने पर तेजी से काम चल रहा है तो गुजरात में न्यूक्लियर पावर प्लांट लगाने का फैसला हो चुका है। जापान की घटना के बाद दोनों ही जगह स्थानीय लोगों का विरोध मुखर हो गया है। सवाल यह है कि क्या हमें अपने परमाणु कार्यक्रम पर फिर से विचार करने की जरूरत है?"

मुसीबत कभी अकेले नहीं आती है। यह अपने साथ कई छोटी-बड़ी मुसीबतें भी साथ लाती है। जापान में पिछले शुक्रवार को 8.9 तीव्रता वाला भूकम्प आया। लगातार भूकम्प को झेलने वाले देश के लिए यह भी चौंकाने वाली बात थी। इसके बाद आई सुनामी ने तो जैसे जापान को तबाह ही कर दिया। इससे पहले जापान में इतनी बड़ी सुनामी 9वीं शताब्दी में आई थी। भूकम्प और सुनामी से 10 हजार से ज्यादा लोग अपनी जान गंवा चुके हैं और इतने ही गायब भी हैं। भूकम्प ने करीब चार लाख लोगों को बेघर भी कर दिया है। बेघर लोगों के पास खाना नहीं है, पीने का पानी नहीं है। रिलीफ कैम्पों में भी खाने-पीने के सामानों की भारी कमी है।

भूकम्प और सुनामी से तबाही का यह हाल है कि कई शहरों का अस्तित्व ही मिट गया है। अनुमान है कि प्राकृतिक विपदा की वजह से जापान को करीब 200 अरब डॉलर का आर्थिक नुकसान हुआ है। दुनिया की तीसरी सबसे बड़ी अर्थव्यवस्था के लिए 200 अरब डॉलर का नुकसान बहुत बड़ा नहीं है। लेकिन मानव त्रासदी की भरपाई कैसे होगी। भूकम्प और सुनामी से जूझ रहे देश में परमाणु रेडियोधर्मिता का खतरा साफ दिख रहा है। हिरोशिमा और नागासाकी के जख्म 66 साल के बाद भी भरे नहीं हैं। ऐसे में क्या फुकुशिमा की मुसीबत को जापान झेल पाएगा।

हिरोशिमा और नागासाकी के जख्म 66 साल के बाद भी भरे नहीं हैं।

फुकुशिमा के दाइची न्यूक्लियर प्लांट को इस तरह से बनाया गया था कि वह रिक्टर स्केल पर 8 की तीव्रता वाले भूकम्प को सह सकता था। साथ ही सुनामी की पांच मीटर ऊंची लहरों को बिना किसी नुकसान के झेल पाने की भी इसकी क्षमता थी। लेकिन प्रकृति कहां किसी प्लानिंग को मानती है। पिछले आठ दिनों से फुकुशिमा दाइची प्लांट को बचाने की कोशिश हो रही है। कभी यह कोशिश कामयाब होती दिखती है तो कभी लगता है कि जापान में 1945 का एक्शन रिप्ले होने वाला है। फुकुशिमा दाइची प्लांट को अगर बचाने में कामयाबी नहीं मिली तो बहुत बुरा होगा। रेडियोधर्मिता की वजह से जानमाल का नुकसान तो होगा ही, जापानियों के मनोविज्ञान पर भी कभी न भरने वाला घाव हो जाएगा। उस घाव से होने वाले नुकसान का अंदाजा नहीं लगाया जा सकता है।

फुकुशिमा की दुर्घटना के बाद पूरी दुनिया में न्यूक्लियर पावर की सुरक्षा पर बहस तेज हो गई है। न्यूक्लियर टेक्नोलॉजी के उपयोग को खत्म करने की मांग को लेकर पिछले रविवार को यूरोप के कई देशों में प्रदर्शन हुए। जर्मनी में यह प्रदर्शन इतना मुखर था कि वहां की सरकार ने 17 में से सात परमाणु रिएक्टरों को कुछ दिनों के लिए बंद करने का फैसला भी कर दिया। साथ ही चीन की सरकार ने घोषणा की है कि नए रिएक्टर लगाने की इजाजत नहीं दी जाएगी। फिलहाल चीन में 25 नए न्यूक्लियर रिएक्टर लगाने पर काम चल रहा है। चीन सरकार के फैसले से यह स्पष्ट नहीं हो पाया है कि जिन प्रोजेक्ट पर काम चल रहा है उनका क्या होगा?

फिलहाल चीन में 25 नए न्यूक्लियर रिएक्टर लगाने पर काम चल रहा है।

दूसरे देशों में बहस तेज हो गई है लेकिन अपने देश में न्यूक्लियर पावर प्रोजेक्ट्स का क्या होगा? महाराष्ट्र के जैतापुर में न्यूक्लियर पार्क बनाने पर तेजी से काम चल रहा है तो गुजरात में न्यूक्लियर पावर प्लांट लगाने का फैसला हो चुका है। जापान की घटना के बाद दोनों ही जगह स्थानीय लोगों का विरोध मुखर हो गया है। सवाल यह है कि क्या हमें अपने परमाणु कार्यक्रम पर फिर से विचार करने की जरूरत है?

सबसे पहले यह जानने की जरूरत है कि अगर परमाणु बिजली को नहीं अपनाया गया तो भारत की बिजली जरूरतें पूरी कैसे होंगी? दुनिया के हर विकसित देश में कुल बिजली का 10 से 50 परसेंट हिस्सा परमाणु स्त्रोत से ही आता है। जापान की बिजली का 14 परसेंट हिस्सा न्यूक्लियर प्लांट से आता है, तो फ्रांस की बिजली जरूरतों का करीब 60 परसेंट हिस्सा न्यूक्लियर रिएक्टर की ही देन है। लेकिन भारत में परमाणु स्त्रोत के जरिए बिजली उत्पादन फिलहाल नगण्य ही है। परमाणु ऊर्जा की खासियत होती है कि इससे प्रदूषण नहीं होता है। इसको बनाने में ज्यादा समय भी लगता है और चलाने में बहुत कम खर्च होता है। न्यूक्लियर पावर का मतलब यह भी हुआ कि आपको बिजली पैदा करने के लिए कच्चा तेल और कोयले की कम जरूरत पड़ेगी। कच्चे तेल पर बढ़ती निर्भरता हमारी सबसे बड़ी मुसीबतों में से एक है। हमें उन सारे कदमों को तलाशना चाहिए जो कच्चे तेल पर

हमारी निर्भरता को कम करें। न्यूक्लियर पावर वह रास्ता हमें देता है। एनर्जी की जरूरतों को पूरा करने के लिए न्यूक्लियर पावर तो अच्छा ऑप्शन है। लेकिन इसकी सुरक्षा का क्या होगा? यह जगजाहिर है कि भूकम्प से निपटने की तकनीक में जापान का कोई सानी नहीं है। आपदा प्रबंधन के तौर-तरीके में जापानी सिस्टम लाजवाब है। इतने अव्वल सिस्टम के बावजूद जापान में न्यूक्लियर मेल्टडाउन का खतरा हो सकता है तो फिर दूसरे देशों में क्या होगा?

हमारे लिए दूसरी अच्छी बात यह है कि हमारे यहां परमाणु रिएक्टर तब लग रहे हैं जब दुनिया ने पिछली दुर्घटनाओं से बहुत कुछ सीख लिया है

जापान के ठीक विपरीत अपने देश में आपदा प्रबंधन मजाक के अलावा कुछ नहीं है। भूकम्प और सुनामी जैसी प्राकृतिक विपदाओं से निपटने में हमारा सिस्टम बिल्कुल ही लचर है। क्या हम ऐसे सिस्टम पर अपने न्यूक्लियर प्लांट्स की सुरक्षा छोड़ सकते हैं? और अगर हम न्यूक्लियर प्लांट को सारी दुर्घटनाओं से सुरक्षित नहीं बना सकते हैं तो हम अपनी आने वाली पीढ़ी से बेईमानी करेंगे। वैसे यह एक अच्छी बात यह है कि अपने देश में जहां-जहां न्यूक्लियर प्लांट लगाने की बात हो रही है, वे ऐसे क्षेत्र हैं, जहां भूकम्प का खतरा कम है। हमारे लिए दूसरी अच्छी बात यह है कि हमारे यहां परमाणु रिएक्टर तब लग रहे हैं जब दुनिया ने पिछली दुर्घटनाओं से बहुत कुछ सीख लिया है और टेक्नोलॉजी में उसी हिसाब से सुधार कर लिया है। इसलिए हमें बहुत घबराने की जरूरत नहीं है। लेकिन हमारे लिए सबसे बड़ा सबक यही है कि हम न्यूक्लियर प्लांट्स की सुरक्षा में कोई कोताही न करें।

(राष्ट्रीय सहारा, 20 मार्च, 2011)

44

और यह लोकतंत्र की जीत है

''तो क्या यह मान लिया जाए कि लोकपाल बने या ना बने भ्रष्टाचार रुकने वाला नहीं है। मेरा मानना है कि करप्शन को खत्म करने के लिए किसी एजेंसी को बना भर देने से काम नहीं चलेगा। भ्रष्टाचार रोकने के लिए यह जानना होगा कि पब्लिक लाइफ में करप्शन की वजह क्या है। मेरा मानना है कि हाल के दिनों में भ्रष्टाचार के बढ़ते मामलों की सबसे बड़ी वजह यह कि हमने आर्थिक उदारीकरण को तो लागू करने में तत्परता दिखाई, लेकिन उसी से मिलते-जुलते प्रशासनिक उदारीकरण की कभी बात ही नहीं की। किसी मंत्री के एक फैसले से या किसी सचिव के एक हस्ताक्षर से अगर किसी कंपनी को या किसी एनजीओ को हजारों करोड़ रुपये का फायदा हो जाए तो समझ लीजिए कि हम ऐसे सिस्टम में काम कर रहे हैं जहां घूसखोरी नहीं होना अचरज की बात है।''

चार दिन के अनशन के बाद सरकार ने गांधीवादी समाजसेवक अन्ना हजारे की सारी मांगे मान ली हैं। और लोकपाल कानून का मसौदा तैयार करने के लिए दस सदस्यों वाली कमेटी बनाई गई है। इस कमेटी में 5 नुमाइंदे सरकार की तरफ से हैं और पांच सदस्य सिविल सोसाइटी के दिग्गजों के बीच से लिए गए हैं। शनिवार को इस आशय की सरकारी अधिसूचना भी जारी कर दी गई। इस अधिसूचना के साथ ही लोकपाल बिल का ड्राफ्ट तैयार करने का काम शुरू हो गया और 30 जून तक बिल का ड्राफ्ट तैयार हो जाएगा। कुल मिलाकर यह कहा जा सकता है कि भ्रष्टाचार के खिलाफ जनता की मुहिम को कुछ तो सफलता मिली।

सवाल यह है कि क्या लोकपाल के आने से भ्रष्टाचार खत्म हो जाएगा?

अब सवाल यह है कि क्या लोकपाल के आने से भ्रष्टाचार खत्म हो जाएगा? मेरे खयाल से ऐसा सोचना बड़ी जल्दबाजी होगी। लोकपाल कानून का बनना एक अहम पड़ाव होगा लेकिन इसके बनने से सब कुछ बदल जाएगा ऐसा मान लेना जल्दबाजी होगी। कानून व्यवस्था बहाल करने और भ्रष्टाचार रोकने के लिए कई एजेंसियां पहले से ही काम कर रही हैं। सीवीसी है, सीबीआई है, इनकम टैक्स विभाग है, इंफोर्समेंट डायरेक्टरेट है, राज्य सरकारों की कई एजेंसियां हैं। लेकिन इन सबके बावजूद भ्रष्टाचार तो हो ही रहा है।

मेरा मानना है कि भ्रष्टाचार दरअसल मन का खेल है। मन में उठे लालच को पूरा करने के लिए उठाए गए सारे कदम भ्रष्टाचार की तरफ ही जाते हैं। भ्रष्टाचार में लिप्त किसी भी सरकारी अधिकारी से बात कीजिए, उसे गलत काम करने का मलाल नहीं होता है। उल्टे गलत काम को सही ठहराने के लिए उसके पास कई सटीक तर्क होते हैं। सबसे बड़ा तर्क यह होता है कि काफी पढ़ाई करने के बाद बड़ा ओहदा मिला, लेकिन ठीक से गुजारा फिर भी नहीं हो पा रहा है। उसकी तनख्वाह इतनी कम होती है कि वो ठीक से जिंदगी नहीं जी पाता है। अपने बच्चों को ठीक से पढ़ा नहीं पाता है, ईमानदारी से की गई कमाई में इतना नहीं बचता है कि जरूरत पड़ने पर मां-बाप का इलाज हो सके। इस तरह के तर्क बेबुनियाद नहीं हैं। सरकारी असफर की

इतनी कमाई नहीं होती है कि वह फाइव स्टार हॉस्पिटल में मां-बाप का इलाज करा सके या फिर अमेरिका के बड़े स्कूल में बच्चों को पढ़ा सके। अरमानी के कपड़े ईमानदारी के पैसे से नहीं खरीदे जा सकते हैं और ना ही सरकारी मुलाजिम एक नंबर की कमाई से मर्सिडीज खरीद सकता है। अगर इस तरह की लक्जरी सुविधाएं वाकई सबकी जरूरत हैं तो सरकारी अफसर या नेताओं की एक नंबर की इतनी कमाई नहीं होती है कि वो इन जरूरतों को पूरा कर पाएं। लेकिन क्या इस तरह की जरूरतों को पूरा करने के लिए भ्रष्टाचार में लिप्त होना जायज है। जैसा कि मैं पहले ही लिख चुका हूं कि मन की लालच ही सबकी जड़ है। लालच बढ़ेगी तो मर्सिडीज भी जरूरी लगेगी वरना मर्सिडीज तो विलासिता का सामान है ही।

मन की लालच ही सबकी जड़ है। लालच बढ़ेगी तो मर्सिडीज भी जरूरी लगेगी वरना मर्सिडीज तो विलासिता का सामान है ही।

तो क्या यह मान लिया जाए कि लोकपाल बने या ना बने भ्रष्टाचार रुकने वाला नहीं है। मेरा मानना है कि करप्शन को खत्म करने के लिए किसी एजेंसी को बना भर देने से काम नहीं चलेगा। भ्रष्टाचार रोकने के लिए यह जानना होगा कि पब्लिक लाइफ में करप्शन की वजह क्या है? मेरा मानना है कि हाल के दिनों में भ्रष्टाचार के बढ़ते मामलों की सबसे बड़ी वजह यह कि हमने आर्थिक उदारीकरण को तो लागू करने में तत्परता दिखाई, लेकिन उसी से मिलते-जुलते प्रशासनिक उदारीकरण की कभी बात ही नहीं की। किसी मंत्री के एक फैसले से या किसी सचिव के एक हस्ताक्षर से अगर किसी कंपनी को या किसी एनजीओ को हजारों करोड़ रुपये का फायदा हो जाए तो समझ लीजिए कि हम ऐसे सिस्टम में काम कर रहे हैं जहां घूसखोरी नहीं होना अचरज की बात है। समाज का एक हिस्सा बदल जाए और दूसरे हिस्से पुराने ढर्रे पर चलें तो तनाव तो होता ही है। भ्रष्टाचार के बढ़ते मामले उसी तनाव का परिणाम हैं। जांच करने वाली एजेंसियों को चुस्त-दुरुस्त कीजिए, न्यायपालिका को इतना सक्षम बनाइए कि न्याय मिलने में देरी नहीं हो।

कानून तोड़ने वालों को कानून से डरना सिखाइए।

कानून तोड़ने वालों को कानून से डरना सिखाइए। लेकिन इस सबसे करप्शन में कमी नहीं आएगी। इस सबसे करप्ट लोगों को तो सजा मिल जाएगी, लेकिन करप्शन नहीं रुकेगा। करप्शन रोकने के लिए आर्थिक उदारीकरण से सबक लेते हुए प्रशासनिक उदारीकरण का ऐसा मॉडल बनाइए, जहां कोई एक आदमी चाहकर भी मनमानी नहीं कर पाए।

मैं आशावादी हूं और महात्मा गांधी की तरह मुझे पूरा भरोसा है कि भ्रष्टाचार पर लगाम लगेगी। 30 के दशक में राष्ट्रपिता ने कहा था कि जब देश की जनता अपने नेताओं से हिसाब मांगने लगे तो समझिए करप्शन कम हो जाएगा। अन्ना हजारे के अनशन के बाद लोगों के जेहन में यह तो होने ही लगा है कि अपने नेताओं और प्रशासकों से हिसाब मांगने का समय आ गया है। मेरे खयाल से पिछले चार-पांच दिनों की सबसे बड़ी यही सीख है। अब मुझे पूरी तरह से यह भरोसा हो गया है कि यह पब्लिक है और यह सब जानती है। पब्लिक सब जानने लगे तो समझिए कि सुशासन के दिन आने वाले हैं।

अन्ना हजारे ने देश की जनता को जगाया। उनका आंदोलान किसी सरकार या किसी पार्टी के खिलाफ नहीं था। उनके निशाने पर सिर्फ भ्रष्टाचार था जो अच्छी बात थी। लेकिन इस तरह के आंदोलन के भटकने का खतरा होता है। भ्रष्टाचार जैसी अमूर्त चीज के खिलाफ लड़ने वाली भीड़ अगर भटक जाए तो मुश्किल हो सकती है। यहां मैं सरकार को इस बात की शाबासी दूंगा कि लोकपाल से जुड़ी जरूरी मांगों को तत्काल मानकर आंदोलन को भटकने से बचा लिया।

मुझे इस बात से खुशी हुई कि अन्ना हजारे के आंदोलन और इसपर सरकार के रुख से लोकतंत्र मजबूत हुआ है।

हम सबको यह मानना चाहिए कि भ्रष्टाचार के खिलाफ लड़ाई में लोकतंत्र से बड़ा कोई और हथियार हो नहीं सकता है। इसीलिए हमें इस बात का ख्याल रखना चाहिए कि हमारे किसी काम से लोकतंत्र कमजोर ना हो। मुझे इस बात से खुशी हुई कि अन्ना हजारे के आंदोलन और इसपर सरकार के रुख से लोकतंत्र मजबूत हुआ है। और हमें इस बात की खुशी मनानी चाहिए।

(राष्ट्रीय सहारा, 10 अप्रैल, 2011)

45

कहां है सपोर्ट सिस्टम

''भारत के समाज में व्यक्तित्व के विकास में परिवार की बड़ी अहम भूमिका रही है। परिवार स्कूल भी होता है, बैंक भी होता है और इंश्योरेंस भी। कहने का मतलब यह है कि परिवार में शिक्षा मिलती है, आर्थिक सहयोग मिलता है और सामाजिक सुरक्षा भी। परिवार के बिना कई मुश्किलें आती हैं। संभव है कि नोएडा की उन बहनों की मुश्किल भी यह थी कि उनसे उनका परिवार के साथ-साथ सारा सपोर्ट सिस्टम खत्म हो गया। मां-बाप पहले मर गए, भाई भी अपनी शादी के बाद अलग रहने लगा और उन दोनों ने खुद शादी करके परिवार बसाने की कोशिश नहीं की। मां-बाप का परिवार टूट गया और अपना परिवार बसा नहीं।''

ऐसी कहानियां डराती हैं। डर इस बात का होता है कि जिस तरह का शहर हम बना रहे हैं क्या वो हमारी जरूरतों को पूरा करने में सक्षम हैं, डर इस बात का होता है कि हमारी जिंदगी से परिवार गायब तो नहीं हो रहा है। डर इस बात का होता है कि इस भागदौड़ वाली जिंदगी में हम यह कैसे भूल जाते हैं कि हमारे पड़ोस में एक ऐसा परिवार जी रहा है जो जिंदा लाश बन गया है लेकिन हमें पता भी नहीं चल पाता है।

ऐसी ही डरावनी कहानी दिल्ली से सटे नोएडा के दो बहनों की है। दोनों बहनों ने सात महीने पहले दुनिया से अपना नाता तोड़ लिया। इन सात महीनों में कई दिन ऐसे गुजरे होंगे जब दोनों को दाना पानी भी नसीब नहीं हुआ होगा। इन सात महीनों में मौसम बदले लेकिन इन बहनों ने पांच महीने बिना बिजली और बिना टेलीफोन के ही काट डाले। इस घर में कई दिनों तक गैस नहीं जले, बाहर से खाना नहीं मंगाया गया, कई महीने से कोई खरीदारी नहीं हुई, चार महीने से किसी बाहरी से कोई बातचीत नहीं हुई। इस घर में रहने वाली दोनों बहनों ने अपनी सारी जरूरतों को खत्म कर दिया था। वो इसके बावजूद जिंदा रहीं लेकिन ताज्जुब की बात है कि किसी को कानों कान खबर तक नहीं हुई। सात महीना काफी लंबा समय होता है। 210 दिनों में पड़ोसियों को यह जानकारी हो जानी चाहिए थी कि इस घर में सब कुछ ठीक नहीं चल रहा है। पुलिस को खबर हो जानी चाहिए थी। रेजिडेंट वेलफेयर एसोसिएसन को पता चल जाना चाहिए था। लेकिन किसी ने यह जानने कि कोशिश नहीं की कि सात महीने से किसी बाहरी संपर्क के बिना दो बहनें कैसे रह सकती हैं। आखिरकार पड़ोसियों को ही शक हुआ। पुलिस जब आई तो काफी देर हो चुकी थी। फ्लैट के अंदर हालत यह थी कि इसके खुलते ही ऐसी गंध बाहर आ रही थी कि गंध से लोग बेहोश हो जाते। दोनों बहनें मुश्किल से जिंदा थी।

> *डर इस बात का होता है कि हमारी जिंदगी से परिवार गायब तो नहीं हो रहा है।*

> *इन सात महीनों में मौसम बदले लेकिन इन बहनों ने पांच महीने बिना बिजली और बिना टेलीफोन के ही काट डाले।*

ऐसा क्यों हुआ कि सात महीने से दो महिलाएं एक फ्लैट में बंद हों और किसी को पता ही ना चले। क्या इसके लिए शहरों का सामाजिक स्ट्रक्चर जिम्मेदार है। शहरों में व्यक्तिगत स्वतंत्रता पर जोर दिया जाता है। एक दूसरे की जिंदगी में दखल देना अच्छा नहीं माना जाता है। बड़े शहरों में इस बात का ख्याल रखा जाता है। व्यक्तिगत स्वतंत्रता को आधुनिकता की मुख्य परिकल्पना मानी जाती है। क्या इसी की वजह से ही तो नोएडा की उन दो बहनों के घर में किसी ने झांकने की नहीं सोची। अब सवाल यह उठता है कि उन दोनों बहनों ने ऐसा किया क्यों। कई तरह की थ्योरी आ रही है। सबसे मजबूत थ्योरी यह है कि अपने माता-पिता के मरने के बाद दोनों बहनें अपने आप को इतना अकेली महसूस करने लगी कि उनमें जिदगी जीने की तमन्ना ही खत्म हो गई। माता-पिता की मौत के बाद दोनों बहनें स्थायी रुप से डिप्रेशन की शिकार हो गईं। इसी वजह से उन्होंने दुनिया से दूरी बनानी शुरू कर दी। दूरी इस तरह से बढ़ गई कि एक समय ऐसा आया जब उन्होंने दुनिया से पूरी तरह से रिश्ता ही तोड़ दिया।

> *व्यक्तिगत स्वतंत्रता को आधुनिकता की मुख्य परिकल्पना मानी जाती है।*

हो सकता है कि ऐसा ही हुआ हो। लेकिन इन दोनों बहनों ने अपने मां-बाप पंद्रह साल पहले ही खो दिए थे। उसके बाद उन्होंने नौकरी की। वो दोनों काफी पढ़ी लिखी थी। एक टेक्सटाइल इंजीनियर थीं तो दूसरी चार्टर्ड अकाउंटेंट। किसी भी सोसाइटी में इतने पढ़े लिखे लोग इलीट ग्रुप में जगह पाते हैं और समाज में सम्मान पाते हैं। लेकिन इन बहनों को यह सब नहीं भाया। क्या यह मान लिया जाए कि पंद्रह साल से चला आ रहा है डिप्रेशन इतना बढ़ गया था कि जिंदगी जीने की चाहत ही खत्म हो गई थी। या फिर हो सकता है कि हादसे की कोई और ही वजह रही हो। भारत के समाज में व्यक्तित्व के विकास में परिवार की बड़ी अहम भूमिका रही है। परिवार स्कूल भी होता है, बैंक भी होता है और इंश्योरेंस भी। कहने का मतलब यह है कि परिवार में शिक्षा मिलती है, आर्थिक सहयोग मिलता है और सामाजिक सुरक्षा भी। परिवार के बिना कई मुश्किलें आती हैं। संभव है कि नोएडा की उन बहनों की मुश्किल भी यह थी कि उनसे उनका परिवार के साथ-साथ सारा

सपोर्ट सिस्टम खत्म हो गया। मां-बाप पहले मर गए, भाई भी अपनी शादी के बाद अलग रहने लगा और उन दोनों ने खुद शादी करके परिवार बसाने की कोशिश नहीं की। मां-बाप का परिवार टूट गया और अपना परिवार बसा नहीं—क्या त्रासदी की वजह यही थी।

मेरे ख्याल से इस बड़ी त्रासदी की कई वजहें हैं। शहरों की एकाकी जिंदगी के साथ-साथ परिवार का टूटना भी इस हादसे की वजह रही होगी। लेकिन इसके अलावा भी कुछ था जिसके चलते इन बहनों ने अपने आप को सात महीने के लिए समाज से पूरे तरह से अलग कर लिया था। मेरे खयाल से मां-बाप खोने के बाद नोएडा की इन बहनों का मानसिक संतुलन थोड़ा सा बिगड़ गया। मानसिक असंतुलन के मामलों में हमारे समाज का रुख बड़ा अजीब है। पहले तो इसे छिपाने की कोशिश होती है। और मामला अगर हाथ से निकल जाए तो मानसिक रूप से बीमार को पागल कहकर समाज से बहिष्कृत कर दिया जाता है। ऐसे में मानसिक रूप से बीमार की हालत सोचिए। वह बीमारी से तो लड़ ही रहा होता है साथ ही समाज के ताने भी सुनता रहता है। रिएक्शन में कभी समाज को कोसता है तो कभी अपने आप को। और रिएक्शन अगर लगातार होता रहे तो नोएडा के उन दो बहनों जैसी दुर्घटना हो सकती है। इस डरावनी कहानी से हमें सीख लेने की जरूरत है। सबसे अच्छा तो यही होगा कि ऐसी परिस्थिति ही ना पैदा हो कोई डिप्रेशन का शिकार हो। लेकिन अगर ऐसा हो गया तो कोशिश होनी चाहिए उसे कैसे उस परिस्थिति से उबारा जाए। और सबसे जरूरी यह है कि मानसिक बीमारी को एक बीमारी ही समझा जाए जिसका इलाज हो सकता है। ऐसा हुआ तो नोएडा की ऐसी घटनाओं को होने से हम बचा पाएंगे।

मानसिक असंतुलन के मामलों में हमारे समाज का रुख बड़ा अजीब है।

(राष्ट्रीय सहारा, 17 अप्रैल, 2011)

46

फिर न्यूक्लियर प्लांट का विरोध

''फिलहाल देश की कुल बिजली उत्पादन का महज तीन परसेंट हिस्सा न्यूक्लियर प्लांट से आता है। इसको अगले 8 साल में छह परसेंट करने की योजना है। इसके लिए अगले कुछ साल में 44 नए न्यूक्लियर प्लांट लगाने की योजना है। सरकार की योजना है कि 2050 तक देश की कुल बिजली जरूरत का 25 परसेंट हिस्सा न्यूक्लियर प्लांट से पूरा हो। जैतापुर का यह 9,900 मेगावाट वाला प्रोजेक्ट उसी दिशा में उठाया गया एक बड़ा कदम है। इसीलिए इस प्रोजेक्ट के पैरोकार लाख विरोध के बावजूद जैतापुर प्लांट पर काम रोकना नहीं चाहते हैं।''

तीन साल पहले देश में इस मसले पर खूब बहस हुई थी। विरोध के स्वर लेफ्ट पार्टियों की तरफ से उठ रहे थे। उनका कहना था कि बिजली की जरूरतों को पूरा करने के लिए न्यूक्लियर पावर का ऑप्शन ठीक नहीं है। उनके मुताबिक यह खर्चीला ऑप्शन है जिसे हम अमेरिका के कहने पर अपना रहे हैं। लेकिन लेफ्ट के तर्क को नहीं माना गया। कांग्रेस ने न्यूक्लियर पावर के मसले पर वामपंथियों से नाता तोड़ना बेहतर समझा। फिर लोकसभा चुनाव हुए। जनता की अदालत में कांग्रेस की जीत हुई और लेफ्ट बुरी तरह से हार गया। ऐसा लगा कि न्यूक्लियर पावर के मसले पर बहस की कोई गुंजाइश नहीं है।

लेकिन बहस फिर से शुरू हो गई है। इस बार विरोध लेफ्ट या राइट की तरफ से नहीं हो रहा है। विरोध की वजह इस बार जापान है। जापान के फुकुशिमा न्यूक्लियर प्लांट में दुर्घटना के बाद न्यूक्लियर पावर की अवधारणा पर ही सवाल उठने लगे हैं। फुकुशिमा के दाइची न्यूक्लियर प्लांट को इस तरह से बनाया गया था कि वो रिक्टर स्केल पर 8 की तीव्रता वाले भूकंप को सह सकता था। साथ ही 5 मीटर लंबी सुनामी की लहरों को बिना किसी नुकसान के झेल पाने की भी इसकी क्षमता थी। लेकिन प्रकृति कहां किसी प्लानिंग को मानती है। रिक्टर स्केल पर 9 की तीव्रता वाले भूकंप के बाद फुकुशिमा दाइची प्लांट के अस्तित्व पर ही सवाल उठने लगे हैं।

कांग्रेस ने न्यूक्लियर पावर के मसले पर वामपंथियों से नाता तोड़ना बेहतर समझा।

फुकुशिमा की दुर्घटना के बाद पूरी दुनिया में न्यूक्लियर पावर की सुरक्षा पर बहस तेज हो गई है। न्यूक्लियर टेक्नोलॉजी के उपयोग को खत्म करने की मांग को लेकर मार्च में यूरोप के कई देशों में प्रदर्शन हुए। जर्मनी में यह प्रदर्शन इतना मुखर था कि वहां की सरकार ने 17 में से सात परमाणु रिएक्टरों को कुछ दिनों के लिए बंद करने का फैसला भी कर दिया। साथ ही चीन की सरकार ने घोषणा की है कि नए रिएक्टर लगाने की इजाजत नहीं दी जाएगी। फिलहाल चीन में 25 नए न्यूक्लियर रिएक्टर लगाने का काम चल रहा है।

साथ ही चीन की सरकार ने घोषणा की है कि नए रिएक्टर लगाने की इजाजत नहीं दी जाएगी।

पूरी दुनिया में इतना कुछ हो रहा है, तो भारत में भी इसका असर होना तय था। महाराष्ट्र के रत्नागिरी जिले में दुनिया के सबसे बड़े जैतापुर न्यूक्लियर पावर प्लांट पर काम शुरू हो गया है। 9,900 मेगावाट वाले इस प्लांट के लिए 2,300 एकड़ जमीन का अधिग्रहण हो चुका है। लेकिन हाल के दिनों में इसके खिलाफ मुहिम तेज हो गई है। विरोध करने वाले भारी भरकम दलीलें भी दे रहे हैं।

जैतापुर प्लांट का विरोध करने वालों की सबसे बड़ी दलील यह है कि इस इलाके में बहुत भूकंप आते हैं। 1985 से 2005 के बीच यानी 20 साल के अंदर यहां 95 बार भूकंप आए। यह सच है कि सारे भूकंप कम तीव्रता वाले थे। लेकिन इतने सारे भूकंप के आने का मतलब तो यही निकाला जा सकता है कि इस इलाके में बड़े भूकंप भी आ सकते हैं। और यदि सच में बड़े भूकंप आ जाते हैं तो फिर फुकुशिमा जैसे हालत पैदा हो सकते हैं। क्या प्लांट लगाने वालों ने इसपर विचार किया है?

लेकिन हाल के दिनों में इसके खिलाफ मुहिम तेज हो गई है। विरोध करने वाले भारी भरकम दलीलें भी दे रहे हैं।

विरोध करने वालों की दूसरी दलील यह है कि यह पूरा इलाका तटीय है, जहां 20,000 मछुआरों की जिंदगी समुद्री मछली के व्यापार पर निर्भर है। प्लांट बन गया तो इस पूरे इलाके में मछली मारना संभव नहीं होगा। फिर इनके जीविकोपार्जन का क्या होगा? साथ ही यह इलाका पूरी दुनिया में अल्फोंसो आम के लिए प्रसिद्ध है। प्लांट बन गया तो रेडिएशन की वजह से इस उत्तम क्वालिटी के आम के खरीदार नहीं मिलेंगे। और इसका व्यापार भी खत्म हो जाएगा।

जैतापुर प्लांट का विरोध करने वालों की तीसरी दलील है कि यहां फ्रांस की अरेवा कंपनी के जो रिएक्टर लग रहे हैं उसका अभी तक दुनिया में कभी टेस्ट ही नहीं हुआ है। अरेवा के इसी तरह के रिएक्टर फ्रांस और फीनलैंड में लगने थे। लेकिन सेफ्टी की वजह से उनकी स्थापना में देरी हो रही है। तो क्या हमें ऐसे रिएक्टर लगाने चाहिए जिनकी सुरक्षा का हमें पूरी तरह से भरोसा ही ना हो। अभी तक हमारे देश में जितने भी न्यूक्लियर प्लांट लगे हैं, उन सबका विकास देश में ही हुआ था। पहली बार हम किसी विदेशी कंपनी से

रिएक्टर इंपोर्ट कर रहे हैं। जैतापुर के लिए फ्रांस की अरेवा से करार हुआ है, तो दूसरे प्लांट के लिए अमेरिका और रूस की कंपनियों से रिएक्टर खरीदने की बात हो रही है।

विरोधियों की दलील तो हमने जान ली। अब जरा यह देखें कि जैतापुर प्लांट के पक्ष में बोलने वाले क्या कह रहे हैं। उनकी सबसे बड़ी दलील है कि 9 परसेंट की रफ्तार से तरक्की करने वाले देश को बहुत बिजली की जरूरत है। कोयला और कच्चे तेल से बिजली पैदा करना खर्चीला भी है और उससे पर्यावरण को भी भारी नुकसान होता है। भारत में पैदा होने वाली हानिकारक ग्रीनहाउस गैस का 36 परसेंट से ज्यादा पावर प्लांट से ही निकलता हैं। देश की बिजली की जरूरतों को पूरा करना हो और पर्यावरण को भी बचाना हो, तो न्यूक्लियर पावर से बेहतर विकल्प हो ही नहीं सकता है।

कोयला और कच्चे तेल से बिजली पैदा करना खर्चीला भी है और उससे पर्यावरण को भी भारी नुकसान होता है।

फिलहाल देश की कुल बिजली उत्पादन का महज तीन परसेंट हिस्सा न्यूक्लियर प्लांट से आता है। इसको अगले 8 साल में छह परसेंट करने की योजना है। इसके लिए अगले कुछ साल में 44 नए न्यूक्लियर प्लांट लगाने की योजना है। सरकार की योजना है कि 2050 तक देश की कुल बिजली जरूरत का 25 परसेंट हिस्सा न्यूक्लियर प्लांट से पूरा हो। जैतापुर का यह 9,900 मेगावाट वाला प्रोजेक्ट उसी दिशा में उठाया गया एक बड़ा कदम है। इसीलिए इस प्रोजेक्ट के पैरोकार लाख विरोध के बावजूद जैतापुर प्लांट पर काम रोकना नहीं चाहते हैं।

अब सवाल यह है कि देश हित में क्या है? जैतापुर प्लांट का रुकना या फिर इसका आगे बढ़ना। हमारे लिए अच्छी बात यह है कि हमारे यहां परमाणु रिएक्टर तब लग रहे हैं जब दुनिया ने पिछली दुर्घटनाओं से बहुत कुछ सीख लिया है और टेक्नोलॉजी में उसी हिसाब से सुधार कर लिया है। लेकिन किसी भी फैसले को लेते वक्त इस बात का ख्याल रखना जरूरी है कि न्यूक्लियर प्लांट की सुरक्षा में किसी प्रकार की कोताही ना हो।

(राष्ट्रीय सहारा, 24 अप्रैल, 2011)

47

राम (देव) लीला की लहर

''बाबा की इस मुहिम को इतना समर्थन क्यों मिल रहा है? मेरे ख्याल से इसकी सबसे बड़ी वजह यह है कि मौजूदा राजनीतिक पार्टियों पर से लोगों का भरोसा कम हुआ है। लोगों को यह साफ दिखने लगा है कि हमारे नेता देश हित की बात ही करते हैं, काम सिर्फ अपने हितों के लिए करते हैं। पब्लिक अब वाकई यह सब जान गई है और उन्हें बाबा रामदेव जैसे लोगों पर भरोसा करने का मन हो रहा है।''

अब लगता है कि जैसे बाबा के नाम की लहर चल पड़ी है। और यही सबसे बड़ा सवाल भी है। आखिर बाबा रामदेव की मुहिम को इतना समर्थन क्यों मिल रहा है? मेरे हिसाब से इसका जबाव पाने के लिए हमें देश में पिछले 15 सालों में हुए बदलाव को जानना होगा। पिछले पंद्रह साल में देश में कई लहरें चली हैं। सबने हमारी जिंदगी पर दूरगामी असर डाले हैं। उन लहरों में से दो लहरों की मैं यहां बात करना चाहूंगा। एक लहर एन आर नारायणमूर्ति के नेतृत्व में चली। नारायणमूर्ति ने देश को बताया कि सरकार के बगैर जी हां, सरकार के बगैर, भी भारत में वर्ल्ड क्लास कंपनी खोली जा सकती है।

बाबा रामदेव का बड़ा योगदान यह रहा है कि उन्होंने हेल्थ और फिटनेस को भारतीयों के दिल में बसा दिया है।

नारायणमूर्ति की इंफोसिस ने भारतीय कंपनियों को विश्वविजयी बनाया, करोड़पति कर्मचारी का कंसेप्ट दिया, दुनिया को यह बताया कि भारत में क्वालिटी वाला काम हो सकता है। लेकिन इतना कुछ करने के बावजूद भी नारायणमूर्ति के मन में बेचैनी बनी रही। यही बेचैनी बाबा रामदेव के अंदर भी मैंने देखी है। बाबा रामदेव का बड़ा योगदान यह रहा है कि उन्होंने हेल्थ और फिटनेस को भारतीयों के दिल में बसा दिया है। यह बाबा रामदेव की ही देन है कि उन्होंने संस्कृत की किताबों में बंद योगाभ्यास को जनता तक पहुंचाया, दुनिया को योग के फायदे बताए। इसकी वजह से देश में एक बड़ी जमात ऐसी तैयार हुई है जो तन-मन से तंदुरुस्त है और जिसे अपनी काबिलियत पर भरोसा है।

बाबा का दूसरा बड़ा योगदान यह रहा है कि उन्होंने देश की योगिक परंपरा में लोगों का भरोसा बढ़ाकर देश की पारंपरिक नींव को मजबूत किया। साधारण आदमी अपने इसी योगदान से खुश हो जाता। लेकिन बाबा के अंदर देश के लिए कुछ और करने की बेचैनी है। और बाबा की इस बेचैनी को देश का हर वो शख़्स समझ सकता है जिसने पिछले पंद्रह साल में सरकारी मदद के बगैर कुछ नया करने की कोशिश की है। बाबा सफल हैं और वो चाहते हैं कि देश के दूसरे लोग भी सफल हों। लेकिन इस रास्ते में कई अड़ंगे हैं। सबसे बड़ा अड़ंगा तो भ्रष्टाचार लगा रहा है।

इसका मतलब यह नहीं है कि पहले देश में भ्रष्टाचार नहीं था। देश में पहले भी भ्रष्ट लोग थे लेकिन वो इतने ताकतवार थे कि उनके खिलाफ आवाज ही नहीं उठती थी। लेकिन पिछले पंद्रह साल से जारी धन के लोकतांत्रिकरण के बाद देश में एक तबका ऐसा भी बन गया है जो ताकतवर तो है लेकिन भ्रष्ट नहीं है और उसे सिस्टम की गंदगी ज्यादा चुभती है। उन्हीं लोगों की आवाज बाबा उठा रहे हैं।

यहां एक और सवाल यह है कि बाबा की इस मुहिम को इतना समर्थन क्यों मिल रहा है? मेरे ख्याल से इसकी सबसे बड़ी वजह यह है कि मौजूदा राजनीतिक पार्टियों पर से लोगों का भरोसा कम हुआ है। लोगों को यह साफ दिखने लगा है कि हमारे नेता देश हित की बात ही करते हैं, काम सिर्फ अपने हितों के लिए करते हैं। पब्लिक अब वाकई यह सब जान गई है और उन्हें बाबा रामदेव जैसे लोगों पर भरोसा करने का मन हो रहा है।

बाबा रामदेव की लड़ाई भ्रष्टाचार के खिलाफ है। इस मुहिम में उनके निशाने पर है ब्लैक मनी।

बाबा रामदेव की लड़ाई भ्रष्टाचार के खिलाफ है। इस मुहिम में उनके निशाने पर है ब्लैक मनी। एक रिपोर्ट के मुताबिक भारतीयों का करीब 462 अरब डॉलर विदेशी बैंकों में जमा है। दूसरे अनुमानों के मुताबिक यह रकम एक ट्रिलियन डॉलर से भी ज्यादा है। मतलब यह कि अलग-अलग अनुमानों के मुताबिक ब्लैक मनी देश की जीडीपी के एक तिहाई से लेकर उसके बराबर तक है। एक खास बात और, देश के कुल काले धन का 72 परसेंट हिस्सा विदेशी बैंकों में जमा है। मतलब यह कि बाकी 28 परसेंट हिस्सा कैश या बेनामी प्रॉपर्टी के रुप में देश में ही है।

चौंकाने वाली बात यह है कि सिस्टम में ब्लैक मनी का बोलबाला आर्थिक उदारीकरण के बाद बढ़ा है। अनुमान है कि 61साल में इकट्ठा हुए काले धन का करीब 70 परसेंट पिछले 20 साल की ही देन है। मतलब यह कि 1991 के बाद लाइसेंस-परमिट राज तो खत्म हो गया लेकिन इसी के साथ भ्रष्ट लोगों की काली कमाई भी बढ़ गई। गौरतलब है कि 1991 के बाद टैक्स दरों में भारी कमी आई है। इनकम टैक्स की पीक दर कभी

98 परसेंट हुआ करती थी जो अब घटकर महज 30 परसेंट रह गई है। इसीलिए यह कहना कि टैक्स की ऊंची दर की वजह से सिस्टम में काला धन इकट्ठा हुआ सही नहीं है।

उदारीकरण से ब्लैक मनी का क्या लेना-देना है? 1991 के बाद आयात-निर्यात के नियमों में ढील दी गई। इसी के साथ शुरू हुआ एक्सपोर्ट-इंपोर्ट की कीमतों को घटा-बढ़ाकर बताने का खेल। और आज ब्लैक मनी का यह सबसे बड़ा जरिया बन गया है।

मेरा मानना है कि सबसे ज्यादा जरूरी यह है कि ब्लैक मनी पैदा करने वाली फैक्ट्री की पहचान हो और उसे खत्म किया जाए।

काली कमाई कैसे रोकी जाए इसपर बाबा रामदेव की अपनी थ्योरी है। मेरा मानना है कि सबसे ज्यादा जरूरी यह है कि ब्लैक मनी पैदा करने वाली फैक्ट्री की पहचान हो और उसे खत्म किया जाए। हमें सालों से पता है कि आयात-निर्यात में घपला होता है। पहले कस्टम की दर ज्यादा थी तो टैक्स की चोरी ज्यादा होती थी। और कस्टम अधिकारियों के पास करोड़ों की काली कमाई होती थी। कस्टम की दरें कम हुईं तो आयात-निर्यात की वैल्यू बताने में घपला शुरू हो गया। अब इसपर लगाम लगाने की जरूरत है। इसी तरह हमें पता है कि किस सरकारी,गैर सरकारी महकमें में किन-किन आधारों पर काली कमाई होती है। उनपर शिंकजा कसने से काली कमाई रोकी जा सकती है। लेकिन इस सबसे ज्यादा जरूरी यह है कि कानून का सरलीकरण कर लूपहोल्स को खत्म किया जाए।

हमें यह याद रखना होगा कि काली कमाई, सही कमाई करने वालों के सामने स्पीड ब्रेकर खड़ी करती है। तेजी से तरक्की करने के लिए स्पीड ब्रेकर को खत्म करना ही होगा। और बाबा रामदेव जब काली कमाई को खत्म करने की बात कर रहे हैं तो उनके मन में भी इसी स्पीड ब्रेकर को खत्म करने की चाहत है।

(राष्ट्रीय सहारा, 5 जून, 2011)

48

देसी सुपरस्टार की विदेशी मौत

''हुसैन साहब का विरोध करने वाले यह कैसे भूल गए कि 60 के दशक में उन्होंने राम मनोहर लोहिया के कहने पर 150 से ज्यादा ऐसी पेंटिंग बनाई थीं, जिनकी थीम रामायण और महाभारत थी। हर दिन एक पंडित उन्हें रामायण और महाभारत की कहानी सुनाता और वो इससे प्रेरित होकर पेंटिंग करते और यह सिलसिला कई दिनों तक चला। भारतीय संस्कृति के रंग में रचे बसे हुसैन साहब के लिए दरअसल कला धार्मिक बंधनों से कहीं ऊपर थी। कला उनके लिए अभिव्यक्ति का संप्रेषण थी जो कभी भी दकियानूसी से डरती नहीं थी। उनकी इसी दिलेरी को कई संकीर्ण विचारधारा वाले संगठनों का विरोध झेलना पड़ा। अपनी जवानी में तो वो सारा विरोध झेल गए। लेकिन जिंदगी के आखिरी पड़ाव में यह विरोध उन्हें हद से ज्यादा चुभने लगा। इसीलिए भारत के इस हीरे को अपना ही देश छोड़ना पड़ा।''

भारत के पिकासो कहे जाने वाले मकबूल फिदा हुसैन अब इस दुनिया में नहीं रहे। इतने महान कलाकर की मृत्यु पर दुःख तो होगा ही। यह कहने में बिल्कुल अतिश्योक्ति नहीं होगी कि हुसैन साहब भारत के महानतम कलाकारों में से एक थे। बीसवीं सदी में उनसे बड़ा कोई दूसरा पेंटर नहीं हुआ। हुसैन साहब ने पेंटिग के क्षेत्र में चालीस के दशक से लेकर 2011 तक राज किया है। इतने बड़े कलाकार को जिंदगी के कुछ आखिरी साल देश के बाहर गुजारना पड़े तो इसका और भी दुःख होता है।

हुसैन साहब भारत के महानतम कलाकारों में से एक थे। बीसवीं सदी में उनसे बड़ा कोई दूसरा पेंटर नहीं हुआ।

पिकासो की तरह एम एफ हुसैन का भी विवादों से चोली दामन का साथ रहा। कभी उन पर हिंदुओं की भावनाओं को ठेस पहुंचाने का आरोप लगा तो कभी मुसलमानों ने उन पर कुरान के अपमान का आरोप लगाया। इमरजेंसी का समर्थन करने की वजह से उन्हें कलाकार समुदाय की आलोचना सहनी पड़ी। इंदिरा गांधी की तुलना दुर्गा से करने की वजह से कई राजनीतिक पार्टियों को उनके विचार से भारी झटका लगा, तो उन पर राज्यसभा की सदस्यता के पांच साल बर्बाद करने के आरोप भी लगे।

लेकिन इन आरोपों के बावजूद कभी किसी ने उनकी कलाकारी, उनके हुनर और उनकी भारतीयता पर सवाल नहीं उठाए। लेकिन उनकी जिंदगी ज्यों-ज्यों अवसान की तरफ बढ़ने लगी, उनकी भारतीयता पर सवाल उठने लगे। हालात ऐसे बन गए कि जिंदगी के आखिरी पांच साल उन्हें खाड़ी देश कतर में बिताने पड़े। महाराष्ट्र के पंधरपुर में जन्मे और अपने आप को सच्चा मराठी मानुस और सच्चा मुंबईकर समझने वाले हुसैन को मरते वक्त अपनी ही मिट्टी नसीब नहीं हुई। यह कितनी बड़ी विडंबना है। ऐसा आखिर हो कैसे गया?

पिकासो की तरह एम एफ हुसैन का भी विवादों से चोली दामन का साथ रहा।

एम एफ हुसैन ने सत्तर के दशक में ज्ञान की देवी सरस्वती की पेंटिंग बनाई थी। करीब 20 साल बाद यानी 1996 में कुछ हिंदू संगठनों को लगा कि यह पेंटिंग उनके समुदाय की धार्मिक भावनाओं को ठेस पहुंचाने वाली है। इसके बाद से इन संगठनों ने एम एफ हुसैन का जीना हराम कर दिया।

उनकी पेंटिंग प्रदर्शनियों पर तोड़ फोड़ होने लगी, उनके घर पर पत्थरबाजी होने लगी और देश की कई अदालतों में उनके खिलाफ धार्मिक भावनाओं को ठेस पहुंचाने के आरोप में मुकदमे शुरू हो गए।

इसके बाद 2004 में एम एफ हुसैन ने एक फिल्म बनाई जिसका नाम था मीनाक्षी-ए टेल ऑफ थ्री सिटीज। इस फिल्म में एक गाना है जो कुछ मुस्लिम संगठनों को आपत्तिजनक लगा। आरोप है कि इस गाने में कुरान की पंक्तियों का बेजा इस्तेमाल हुआ है। एम एफ हुसैन के खिलाफ विरोध प्रदर्शनों के लिए इतना काफी था।

हालांकि देश की अदालतों से उन्हें राहत मिलती रही। सुप्रीम कोर्ट में उनके खिलाफ मामले रद्द हो गए।

इसके बाद से हालात लगातार बिगड़ते गए। 2004 में हुसैन साहब ने भारत माता की एक पेंटिंग बनाई। 2004 में इसे एक खरीदार भी मिल गया। लेकिन 2006 में इस पेंटिंग के सामने आने के बाद इतना बवाल शुरू हो गया कि हुसैन साहब को देश छोड़कर ही जाना पड़ा। हालांकि देश की अदालतों से उन्हें राहत मिलती रही। सुप्रीम कोर्ट में उनके खिलाफ मामले रद्द हो गए। हाईकोर्ट के एक फैसले में यह कहा गया कि 90 साल की उम्र वाले पेंटर को अपने घर में रहकर पेंटिंग करने का पूरा हक है। लेकिन अदालती फैसले भी हुसैन साहब को उनके आखिरी दिनों में अपने घर में रहने का हक नहीं दिला पाए।

खुद हुसैन साहब चाहते थे कि उनकी जिंदगी के आखिरी लम्हे अपने मुल्क में ही गुजरें। नवंबर 2009 में एक अंग्रेजी अखबार को दिए इंटरव्यू में उन्होंने कहा था कि ''मजबूत संचार तंत्र के सहारे मैं अपने मुल्क से संपर्क रखने में कामयाब रहा हूं। बावजूद इसके मेरे मन में अपने मुल्क लौटने की चाहत है। आखिरकार कोई अपनी मां की गोद को कैसे भूल सकता है। मुझे उम्मीद है कि सत्ताधारी लोग मुझे अपने देश में आखिरी सांस लेने की इजाजत देंगे।'' अफसोस कि इतने बड़े कलाकार की आखिरी ख्वाहिश कभी पूरी नहीं हो सकी। उनके मरने के बाद यह कोशिश हुई कि उनके शव को भारत में ही दफनाया जाए, लेकिन उनके परिवार वालों को यह मंजूर नहीं हुआ।

उनके मरने के बाद कुछ हिंदू संगठनों के आकाओं को भी अपनी गलती का एहसास हुआ। लेकिन तब तक काफी देर हो चुकी थी।

हुसैन साहब का विरोध करने वाले यह कैसे भूल गए कि 60 के दशक में उन्होंने राम मनोहर लोहिया के कहने पर 150 से ज्यादा ऐसी पेंटिंग बनाई थीं, जिनकी थीम रामायण और महाभारत थी। हर दिन एक पंडित उन्हें रामायण और महाभारत की कहानी सुनाता और वो इससे प्रेरित होकर पेंटिंग करते और यह सिलसिला कई दिनों तक चला। भारतीय संस्कृति के रंग में रचे बसे हुसैन साहब के लिए दरअसल कला धार्मिक बंधनों से कहीं ऊपर थी। कला उनके लिए अभिव्यक्ति का संप्रेषण थी जो कभी भी दकियानूसी से डरती नहीं थी। उनकी इसी दिलेरी को कई संकीर्ण विचारधारा वाले संगठनों का विरोध झेलना पड़ा। अपनी जवानी में तो वो सारा विरोध झेल गए। लेकिन जिंदगी के आखिरी पड़ाव में यह विरोध उन्हें हद से ज्यादा चुभने लगा। इसीलिए भारत के इस हीरे को अपना ही देश छोड़ना पड़ा।

अफसोस कि इतने बड़े कलाकार की आखिरी ख्वाहिश कभी पूरी नहीं हो सकी।

अब सवाल यह उठता है कि क्या इसे टाला जा सकता था? मेरे खयाल से यह संभव था। भारत में अभिव्यक्ति की स्वतंत्रता पर पहरे लगाने वालों की कमी नहीं रही है। यहां हर छोटी-बड़ी बात का बतंगड़ बना दिया जाता है। कभी इस किताब को बैन करने की बात होती है तो कभी उस फिल्म पर कैंची चलाने की मांग होती है। कभी कलाकार से नहीं पूछा जाता है कि उनकी कला के पीछे की मंशा क्या थी? धर्म और समाज के तथाकथित ठेकेदारों को 'अभिव्यक्ति की स्वतंत्रता' एक थोथी दलील लगती है। और दुर्भाग्यवश अब तक की सरकारें इन ठेकेदारों के सामने घुटने टेकती रहीं हैं।

सरकारी सोच बदलने में और भी कई साल लग सकते हैं। लेकिन मुझे उम्मीद है कि हुसैन साहब की मौत के बाद धर्म और समाज के तथाकथित ठेकेदारों को सबक मिलेगा। फिलहाल पूरे देश को एक नगीने को खोने का दुख है। सही श्रद्धांजलि के लिए जरूरी है कि हम कला को दकियानूसी चश्मे से देखना बंद करें।

(राष्ट्रीय सहारा, 12 जून, 2011)

49

कहां गया टेंशन फ्री शिक्षा का वादा

''शिक्षकों पर ज्यादा बोझ डालने के खिलाफ दलील दी जाती है कि शिक्षक ऐसे काम में लगे होते हैं, जिसको घंटों में नहीं नापा जा सकता है। रिसर्च के लिए घंटों अध्ययन करने की जरूरत होती है। तब जाकर क्वालिटी आउटपुट निकल पाता है। क्वालिटी आउटपुट के लिए घंटों की मेहनत एकदम जरूरी है। लेकिन घंटों के इनपुट से मिनटों का ही इनपुट निकले तो समझ लीजिए की सिस्टम की कार्यक्षमता बहुत ही खराब है।''

बारहवीं क्लास में 98 परसेंट से ज्यादा नंबर पाने वाला छात्र दिल्ली विश्वविद्यालय के अपने पसंदीदा कॉलेज में अपने पसंदीदा विषय में दाखिला नहीं पाता है। उसी कॉलेज में किसी खास विषय में दाखिले के लिए 99.99 परसेंट नंबर को भी काफी नहीं माना जाता है। दिल्ली विश्वविद्यालय में दाखिला चल रहा है और खबरें आ रहीं हैं कि 95 परसेंट से ज्यादा मार्क्स पाने वाला छात्र भरोसे के साथ नहीं कह सकता है कि उसे अच्छे कॉलेज में दाखिला मिल ही जाएगा। वह समझौता करने के लिए भी तैयार है। वह अच्छे कॉलेज में दाखिला पाने के लिए वह विषय भी पढ़ना चाहता है जिसमें उसकी कोई रुचि नहीं है। और यह कितने दुख की बात है।

नींव में ही अरुचि हो तो सारी जिंदगी अरुचिकर हो जाती है।

कॉलेज से समझौता तो सुना था लेकिन विषय के साथ समझौता हजम नहीं होता है। यह देश की बड़ी विडंबना है। नींव में ही अरुचि हो तो सारी जिंदगी अरुचिकर हो जाती है। किसी ने सपना देखा कि उसे अर्थशास्त्री बनना है। लेकिन परिस्थिति ने उसे समाजशास्त्री बनने को मजबूर कर दिया। इस मजबूरी की वजह से उसकी पूरी जिंदगी एक कचोट के साथ कटेगी। वह अर्थशास्त्री होता तो मौद्रिक नीति को नई दिशा देता, विकास का नया मॉडल बनाता, फालतू सरकारी खर्च की कटौती के नए रास्ते इजाद करता, ऐसा रिसर्च करता जिससे नोबेल कमेटी भी प्रभावित (अर्थशास्त्र में नोबेल पुरस्कार भी दिया जाता है) हो जाती। लेकिन किस्मत ने उसे समाजशास्त्री बना दिया है। रोटी कमाने के लिए कुछ तो करना ही पड़ेगा। सो वह अपनी दुकान किसी तरह से चला रहा है। ऐसे समझौतों से ना तो समाजशास्त्र का भला होता है और ना ही अर्थशास्त्र का। असली नुकसान देश का होता है जिसका एक मेधावी युवा अपना सपना पूरा करने का मौका ही नहीं पाता है।

असली नुकसान देश का होता है जिसका एक मेधावी युवा अपना सपना पूरा करने का मौका ही नहीं पाता है।

इससे देश का इतना नुकसान है तो फिर इसे ठीक करने के लिए कोशिश क्यों नहीं होती है। इसे जानने से पहले यह जानना जरूरी है कि छात्रों को इस तरह के समझौते क्यों करने पड़ते हैं?

अब दिल्ली यूनिवर्सिटी का ही हाल देख लीजिए। इसके करीब दस कॉलेज ऐसे हैं जिन्हें देश के 20 सबसे अच्छे कॉलेजों में गिना जाता है। इसकी वजह से हर साल इन कॉलेजों में दाखिला लेने के लिए भीड़ बढ़ती जा रही है। लेकिन पिछले बीस सालों में इन कॉलेजों की क्षमता विस्तार के लिए सोचा ही नहीं गया। आईआईटी की मांग बढ़ी तो नए आईआईटी खुल गए। आईआईएम के लिए एस्पिरेंट की संख्या में काफी इजाफा हुआ तो नए आईआईएम खुले और पुराने का विस्तार हुआ। और विस्तार के बावजूद आईआईटी और आईआईएम की क्वालिटी में कमी की किसी ने शिकायत नहीं की। नए आईआईटी और आईआईएम खुले लेकिन नए सेंट स्टीफेंस, प्रेसिडेंसी या लोयला कॉलेज खोलने की कोई कोशिश ही नहीं हुई। उल्टे पटना कॉलेज या बनारस हिंदू विश्वविद्यालय जैसे संस्थानों की क्वालिटी गिरती गई और किसी ने इनको सुधारने की जरूरत नहीं समझी। ऐसे में हालत यह हो गई है कि देश में कुछ ही ऐसे कॉलेज हैं जहां शिक्षा का स्तर वाकई भरोसा जगाता है और हर साल वहां दाखिला लेने वालों की संख्या में बेतहाशा बढ़ोतरी हो रही है। अब चूंकि छात्रों के पास च्वाइस कम है इसीलिए वो इन कॉलेजों में दाखिला लेने के लिए किसी भी विषय को चुन लेते हैं।

आईआईटी की मांग बढ़ी तो नए आईआईटी खुल गए।

जब नए कॉलेज खोलने की बात होती है और पुरानों में क्षमता विस्तार की बात होती है तो कहा जाता है कि इतने पैसे कहां से आएंगे। पैसे तो लगेंगे लेकिन क्षमता विस्तार में इतने पैसे नहीं लगेंगे जितना अनुमान लगाया जाता है। अब दिल्ली यूनिवर्सिटी के कॉलेजों को ही ले लीजिए। यहां के शिक्षकों पर काम का बोझ बहुत ही कम है। हफ्ते में एक प्रोफेसर औसतन पांच से ज्यादा क्लास नहीं लेते हैं। इस औसत को आसानी से बढ़ाकर 15 किया जा सकता है। ऐसा होता है तो छात्रों को शिफ्ट में बुलाया जा सकता है। और इस तरह मौजूदा संसाधन में भी क्षमता में 50 से 60 परसेंट की बढ़ोतरी आसानी से की जा सकती है।

शिक्षकों पर ज्यादा बोझ डालने के खिलाफ दलील दी जाती है कि शिक्षक ऐसे काम में लगे होते हैं, जिसको घंटों में नहीं नापा जा सकता है।

रिसर्च के लिए घंटों अध्ययन करने की जरूरत होती है। तब जाकर क्वालिटी आउटपुट निकल पाता है। क्वालिटी आउटपुट के लिए घंटों की मेहनत एकदम जरूरी है। लेकिन घंटों के इनपुट से मिनटों का ही इनपुट निकले तो समझ लीजिए की सिस्टम की कार्यक्षमता बहुत ही खराब है।

फिलहाल हम ऐसे सिस्टम में काम कर रहे हैं जिसमें देश को भारी नुकसान हो रहा है, क्योंकि देश की युवाशक्ति वो नहीं कर पा रही है जो वो चाहती है। सिस्टम में सुधार की कोशिश के तहत 12वीं तक नंबर के बजाय ग्रेड देने की वकालत की गई। दलील यह थी कि इससे बच्चों का तनाव कम होगा और शिक्षा की रटंतू पद्धति से बच्चों को छुटकारा मिलेगा।

> *देश की सबसे बड़ी ताकत उसकी युवा शक्ति है।*

लेकिन यह कैसा सिस्टम है जहां 12वीं तक बच्चे तनाव मुक्त रहें। लेकिन 12वीं से निकलते ही तनाव के प्रेशर कुकर में डाल दिए जाएं। उस 12वीं पास बच्चे की कल्पना कीजिए जिसने जी-तोड़ मेहनत करके 90 परसेंट से ज्यादा नंबर हासिल किए हैं। उसने तो समझा कि इतनी मेहनत के बाद आगे की जिंदगी आसान होने वाली है। उसे क्या पता कि उसकी इतनी मेहनत व्यर्थ गई। अब तो पूरी जिंदगी बड़े समझौतों के साथ ही जीना होगा।

जिस देश की सबसे बड़ी ताकत उसकी युवा शक्ति है। जो देश अपने डेमोग्राफिक डिविडेंड की बदौलत दुनिया का सुपरपावर बनने का ख्वाब देख रहा हो, उसके लिए बेहद जरूरी है कि शिक्षा के क्षेत्र में डिमांड-सप्लाई के मिसमैच को खत्म किया जाए। इसके लिए अगर सैकड़ों सेंट स्टीफेंस कॉलेज खोलने पड़े तो ऐसा ही होना चाहिए। इस मामले में पहल सरकार को ही करनी होगी।

(राष्ट्रीय सहारा, 19 जून, 2011)

50

यह बहस बेमानी है

''प्रधानमंत्री के पद पर आसीन व्यक्ति अपनी जिम्मेदारी तभी ठीक से निभा सकता है जब उसे इस बात का भरोसा हो कि उसे फैसले लेने का पूरा अधिकार है। आखिरकार उस पद पर बैठे व्यक्ति पर पूरे देश की जिम्मेदारी होती है। एक गलत फैसले से अरबों रुपये का नुकसान हो सकता है। इसीलिए उस पद पर आसीन व्यक्ति पर तरह-तरह की बंदिशें लगाना ठीक नहीं है। यह सही है कि प्रधानमंत्री के फैसलों पर टिप्पणी हो, उनतक सही विचार पहुंचाने की सबको छूट मिले, उनको हर हितों की जानकारी हो। लेकिन उस पद के ऊपर भी कोई अथॉरिटी हो और वह भी बिना जनता के द्वारा चुनी गई, यह बात हजम नहीं होती।''

प्रसिद्ध अर्थशास्त्री और नोबेल पुरस्कार विजेता अमर्त्य सेन की एक किताब आई थी आगुमेंटेटिव इंडियन। इस किताब में कहा गया है कि भारत की तार्किक परंपरा किस तरह से लोकतंत्र और धर्मनिरपेक्षता के लिए जरूरी है। कहने का मतलब यह कि बहस करना हमारे स्वभाव में है और चूंकि तर्क-वितर्क और बहस हमारी परंपरा का हिस्सा रहा है इसीलिए इसके प्रति लोगों का नजरिया बहुत स्वस्थ है। हमें बहस में मजा आता है और हम विरोधी तर्क को भी सकारात्मक तरीके से लेते हैं। लोकतंत्र और धर्मनिरपेक्षता की नींव भी तो यही है।

अब सवाल यह उठता है कि क्या स्वस्थ बहस की परंपरा खतरे में है। किसी पत्रकार ने मन की खबर नहीं छापी तो उसे मरवा दिया गया। कोई खबर छपने से कुछ लोग आहत हुए तो पत्रकार के सगे-संबंधियों का अपहरण हो गया। किसी ने मन की बात नहीं कही तो उसकी बॉस से शिकायत कर उसे नौकरी से निकलवा दिया गया। इस तरह के उदाहरण हमारे स्वस्थ तार्किक परंपरा पर हमला हैं। और हमें हर हाल में उस स्वस्थ परंपरा को बचाने के लिए प्रयास करना होगा।

भारत की तार्किक परंपरा किस तरह से लोकतंत्र और धर्मनिरपेक्षता के लिए जरूरी है।

उसी स्वस्थ परंपरा पर हमला लोकपाल बिल का मसौदा तैयार करने के दौरान भी हुआ। बिल का मसौदा तैयार करने के लिए सिविल सोसायटी को सरकार का न्यौता मिलना बहुत बड़ी घटना थी। आजाद भारत में पहली बार ऐसा हुआ कि कानून बनाने की प्रक्रिया में जनता को सीधे तौर पर शामिल किया गया। लेकिन ड्राफ्टिंग कमेटी की नौ बैठकों के बाद यह लग गया कि यह प्रयोग फिलहाल सफल नहीं हो सकता है। और इस प्रयोग के असफल होने में सिविल सोसायटी के प्रतिनिधि भी दोषी हैं।

सवाल यह उठता है कि क्या स्वस्थ बहस की परंपरा खतरे में है।

लोकपाल ड्राफ्टिंग कमेटी में शामिल सिविल सोसायटी के सारे प्रतिनिधिओं के प्रति मेरे मन में बहुत सम्मान है। भ्रष्टाचार के खिलाफ अन्ना हजारे की मुहिम का मैं बड़ा समर्थक हूं। उन्होंने पूरे देश को यह तो एहसास दिला ही दिया है कि लोकतंत्र में वाकई जनता ही जनार्दन है। लेकिन लोकपाल पर

बहस के दौरान उनकी टीम की तरफ से लोकतांत्रिक प्रक्रिया के सम्मान में मुझे थोड़ी कमी दिखी। वेद और पुराणों में अक्सर इस तरह के उद्धरण मिलते हैं कि हठी साधु अपनी तपस्या के बल से देवताओं को डराने धमकाने की मंशा बना लेते थे। उनका ध्येय इतिहास के स्वर्णाक्षरों में अपना नाम अमर करने का होता था। ऐसी हठी साधु मंशा भी समाज के लिए लाभकारी नहीं है। अब उन दो मुद्दों पर गौर कीजिए जिन पर सिविल सोसायटी और सरकार के प्रतिनिधियों के बीच मतभेद उभर कर सामने आए। सिविल सोसायटी के प्रतिनिधियों की मांग थी कि प्रधानमंत्री को भी लोकपाल के दायरे में लाया जाए। उनकी दलील है कि लोकतंत्र में कोई भी अपवाद नहीं हो सकता है। हर किसी के लिए एक ही कानून होना चाहिए। सिद्धांत के हिसाब से यह बहुत ही उम्दा विचार है। लेकिन बात जब प्रधानमंत्री की हो तो उस पद के बारे में यूं ही टिप्पणी करना सही नहीं है। प्रधानमंत्री के पद पर आसीन व्यक्ति अपनी जिम्मेदारी तभी ठीक से निभा सकता है जब उसे इस बात का भरोसा हो कि उसे फैसले लेने का पूरा अधिकार है। आखिरकार उस पद पर बैठे व्यक्ति पर पूरे देश की जिम्मेदारी होती है। एक गलत फैसले से अरबों रुपये का नुकसान हो सकता है। इसीलिए उस पद पर आसीन व्यक्ति पर तरह-तरह की बंदिशें लगाना ठीक नहीं है। यह सही है कि प्रधानमंत्री के फैसलों पर टिप्पणी हो, उनतक सही विचार पहुंचाने की सबको छूट मिले, उनको हर हितों की जानकारी हो। लेकिन उस पद के ऊपर भी कोई अथॉरिटी हो और वह भी बिना जनता के द्वारा चुनी गई, यह बात हजम नहीं होती।

सिविल सोसायटी के प्रतिनिधियों की मांग थी कि प्रधानमंत्री को भी लोकपाल के दायरे में लाया जाए।

मेरे कहने का मतलब यह बिल्कुल नहीं है कि प्रधानमंत्री के पद को निरंकुश बना दिया जाए। उस पद पर भी चेक एंड बैलेंस हो। लेकिन यह सब ऐसे मसलें हैं जिनपर व्यापक बहस की जरूरत है। इस मामले में अगर अन्ना हजारे या उनकी टीम को लगता है कि वो जनता की आवाज हैं तो यह सही नहीं है। उनके विचार उनके व्यक्तिगत विचार हो सकते हैं, यही देश का विचार होगा, यह कहना सही नहीं है। अन्ना हजारे और उनकी टीम को

यह समझना चाहिए कि अपनी जिद पर अड़े नहीं रहना चाहिए। लोकतंत्र में उनके जैसे हजारों विचार रखने वाले हो सकते हैं और अपनी जिद में उन्हें दूसरों के विचारों की अवहेलना करने का अधिकार नहीं है।

संसद के बाहर किसी कमेटी को इतना बड़ा फैसला लेने का अधिकार नहीं है।

लोकपाल के दायरे में प्रधानमंत्री को रखना चाहिए या नहीं, यह 5-10 लोगों की टीम तय नहीं कर सकती है। संसद में बहस के बाद अगर यह तय होता है तो यह माना जा सकता है कि यह देश का विचार है। संसद के बाहर किसी कमेटी को इतना बड़ा फैसला लेने का अधिकार नहीं है। एक दूसरे मसले पर भी मतभेद उभरकर सामने आया है। सिविल सोसायटी के प्रतिनिधियों का कहना है कि न्यायपालिका को भी लोकपाल के दायरे में रखा जाए। मेरे ख्याल से यह संविधान में निहित सेपरेशन ऑफ पावर की अवधारणा के खिलाफ है। लोकतांत्रिक व्यवस्था में यह जरूरी है कि शासन के सारे अंग अपना काम स्वतंत्र रूप से करें। प्रेस की स्वतंत्रता खत्म होती है या फिर न्यायपालिका, विधायिका के इशारे पर चलने लगती है तो देश का भला नहीं होगा। शासन के सारे अंग जरूरी हैं और उनके पावर को कम करने से लोकतंत्र का भला नहीं होगा। न्यायपालिका में कोई कमी है तो उसे दुरुस्त करने का काम न्यायपालिका को ही करने दिया जाए, तभी संविधान की मूल अवधारणा बची रहेगी। न्यायपालिका इसको कैसे दुरुस्त करे इसपर व्यापक बहस हो सकती है। लेकिन किसी कमेटी की बैठक में इस मसले का हल खोजना बेमानी होगी।

लोकपाल पर बहस में हमें इस बात का ख्याल रखना चाहिए की हम ऐसी संस्था ना बना दें जो बिल्कुल निरंकुश हो जाए और सारी संस्थाओं की स्वतंत्रता खत्म कर दे। लोकतंत्र का मतलब बहस और मतभेदों को समाहित कर आगे बढ़ना है। इस नींव पर चोट करने का हक किसी को भी नहीं है।

(राष्ट्रीय सहारा, 26 जून, 2011)

51

कैसी है ये रियलिटी

''यह बच्चों के साथ बड़ा मजाक नहीं है तो और क्या है। वो अब अपने मां-बाप के सपनों की सीढ़ी हो गये हैं। हर मां-बाप अपने बच्चों के जरिए अपने अधूरे सपनों को पूरा करना चाहता है। असफल एक्टर अपने बच्चे को सुपरस्टार बनते देखना चाहता है तो क्लर्क अपने बेटे को आईएएस बनाना चाहता है। लेकिन सपनों को पूरा करने के लिए किसी शॉर्टकट का सहारा नहीं लिया जाता। रियलिटी शो की लॉटरी का टिकट नहीं खरीदा जाता। उसे अच्छे से पढ़ाया-लिखाया जाता है। जो खिलाड़ी बनना चाहता है उसे उम्दा ट्रेनिंग दिलवाई जाती है। हर मां-बाप की कोशिश होती है कि उसका बच्चा दुनिया में अव्वल मुकाम हासिल करे। लेकिन बच्चे कभी सीढ़ी नहीं बनते हैं।''

माना कि गरीबी है, आगे बढ़ने के मौके कम हैं, क्वालिटी शिक्षा की कमी है। लेकिन इसका मतलब यह नहीं है कि बच्चों को लॉटरी खरीदना सिखाया जाए, रियलिटी शो के जुए में झोंका जाए, सफलता का शॉर्टकट आजमाने के लिए उकसाया जाए। मैं रियलिटी शोज का विरोधी नहीं हूं। लेकिन इन शोज से बच्चों को दूर रखने में ही हम सबकी भलाई है। टीआरपी के नाम पर बच्चों को गिनी पिग बनाना बिल्कुल बेमानी है।

जिंदगी में कोई शॉर्टकट नहीं होता है। कुछ पाने के लिए कड़ी मेहनत करनी ही पड़ती है। सफलता के लिए लक्ष्य का पता होना चाहिए, मेहनत और लगन के साथ सही मार्गदर्शन भी होना चाहिए। लेकिन अब यह परिभाषा बदल रही है। सफलता का शॉर्टकट बाजार में बिकने लगा है। इसकी मांग तेजी से बढ़ रही है और खरीदार इसकी कोई भी कीमत देने को तैयार हैं।

> *टीआरपी के नाम पर बच्चों को गिनी पिग बनाना बिल्कुल बेमानी है।*

मैं बात कर रहा हूं रियलिटी शोज की। म्यूजिकल शोज के जरिए देश को कई कलाकार मिले हैं। सोनू निगम और श्रेया घोषाल मिले हैं। अभिजीत सावंत और श्रीराम जैसों को इंडियन आइडल जीतने का फायदा हुआ। रियलिटी शोज के जरिए रातों-रात सुपरस्टार्स बनने के कई उदाहरण हैं। लेकिन इनके साथ-साथ जरा उनके बारे में सोचिए जो हार गए और जिनके सपने पूरे नहीं हुए। कुछ प्रतियोगियों ने तो सही सबक लेकर वापसी की पर कई डिप्रेशन में चले गए और कुछ ने तो खुदकुशी तक की कोशिश की। शुक्र है कि इन रियलिटी शोज में भाग लेने वालों को जीत-हार की समझ होती है। जीतकर भी सहज रहने की समझ होती है और हारकर भी वापसी की तमन्ना रहती है।

लेकिन कई ऐसी प्रतियोगिताएं हैं जहां भाग लेने वालों को जीत-हार का मतलब भी पता नहीं होता। मैं बात कर रहा हूं बच्चों के रियलिटी शोज की। एक ऐसे ही रियलिटी शो के बारे में एक न्यूज एजेंसी की रिपोर्ट चौंकाने वाली है। 12 साल का एक प्रतियोगी अपने पिता के साथ हजारों मील दूर से शो में भाग लेने आता है। शाम के पांच बजे हैं। सुबह से उसने कुछ नहीं खाया है। बच्चा चिल्ला रहा है कि उसे भूख लगी है। लेकिन उसके पिता उस पर और रियाज का दबाव बना रहे हैं। बच्चे की बारी एक घंटे बाद आएगी जो उसके

आगे चार-पांच घंटे तक चल सकता है। बच्चा तब तक भूखा रहेगा। उसके पिता का कहना है कि उन्होंने बच्चे के स्कूल से इस बात की इजाजत ले ली है कि उसे एक साल परीक्षा नहीं देने की छूट मिले। उनका कहना है कि वह एक छोटे शहर में रहते हैं लेकिन बड़े शहरों के सपने देखते हैं। रियलिटी शो जीतकर उनका बेटा उनके सपने को पूरा कर सकता है। पिता के सपने पूरे होंगे और बच्चा रातों-रात स्टार बन जाएगा। परिवार की जिंदगी सेट हो जाएगी। उन्हें इसकी परवाह नहीं है कि वे अपने बेटे से उसका बचपन छीन रहे हैं। परिवार का बोझ उसके कोमल कंधे पर डाल रहे हैं।

एक म्यूजिकल रियलिटी शो में देश भर से करीब पचास हजार बच्चे ऑडिशन देते हैं। ऐसे शोज हर साल होने लगे हैं। इसके अलावा डांस, कॉमेडी और अलग-अलग टैलेंट के कई और शोज भी चल निकले हैं। कुल मिलाकर ऐसे शोज में हर साल लाखों बच्चे भाग लेते हैं। इनमें जीतने वालों की संख्या दस से ज्यादा नहीं है। एक तरह से ये रियलिटी शोज ग्रेट इंडिया लॉटरी शो हैं। लॉटरी लगी तो रातों-रात करोड़पति नहीं तो सांप-सीढ़ी के खेल की तरह धड़ाम से नीचे।

उन्हें इसकी परवाह नहीं है कि वे अपने बेटे से उसका बचपन छीन रहे हैं।

यह बच्चों के साथ मजाक नहीं तो और क्या है। वे अब मां-बाप के सपनों की सीढ़ी हो गए हैं। मां-बाप बच्चों के जरिए अपने अधूरे सपने पूरा करना चाहते हैं। इसमें कोई बुराई भी नहीं है। असफल एक्टर अपने बच्चे को सुपरस्टार बनाना चाहता है तो क्लर्क अपने बेटे को आईएएस बनाना चाहता है। लेकिन सपनों को पूरा करने के लिए शॉर्टकट का सहारा नहीं लिया जाता। रियलिटी शो की लॉटरी का टिकट नहीं लिया जाता। बच्चे को अच्छे से पढ़ाया-लिखाया जाता है। जो खिलाड़ी बनना चाहता है उसे उम्दा ट्रेनिंग दिलवाई जाती है। हर किसी की कोशिश होती है कि उसका बच्चा दुनिया में अव्वल मुकाम हासिल करे।

रियलिटी शो के नाम पर बच्चों से क्या-क्या करवाया जा रहा है- भद्दे डांस, घिनौने संवाद, द्विअर्थी गाने। टेलीविजन स्क्रीन पर यह सब देखकर ग्लानि होती है। उस बच्चे के बारे में सोचिए जिसे इसमें भाग लेना होता है। छोटी उम्र में पूरी दुनिया के सामने उसकी रैंकिंग की जाती है, उसे बताया

जाता है कि एक परफेक्ट गाना या डांस नहीं करके उसने कितना बड़ा गुनाह किया है। बचपन में उस पर फेल्योर का तमगा लगा दिया जाता है, जिसका बोझ उसको बाकी जिंदगी ढोना होता है। ऊपर से मां-बाप के ताने कि ऐसे बच्चे का क्या जो उनके सपने भी न पूरा कर सके। क्या ऐसा बच्चा बाकी जिंदगी एक सामान्य इंसान की तरह जी पाएगा?

बच्चों के चेहरे पर हार की हताशा से दिल सिहर जाता है। ईसा मसीह ने कहा था कि धन्य हैं वह इंसान जो कतार में आखिरी होने में समर्थ है। लेकिन हम अपने बच्चों को अव्वल बनाने के फेर में ये भूल जाते हैं कि जीवन की पहली सीढ़ी पर ही हम उनके जीवन में ऐसा जहर घोल देते हैं कि बच्चा बचपन में प्यार और लगाव की भाषा भूलकर प्रतिद्वंद्विता की भाषा सीख जाता है। क्लास में अव्वल तो एक ही आ सकता है। रियलिटी शो में टॉप एक ही कर सकता है। लेकिन जो दौड़ में पीछे छूट जाते हैं उनके बारे में कौन सोचता है? वे लोग भी अपने ही हैं। बाद में उनका दुख-दर्द कौन बांटता है?

ईसा मसीह ने कहा था कि धन्य हैं वह इंसान जो कतार में आखिरी होने में समर्थ है।

पूरी दुनिया में हजारों किताबें, अनेक विद्यालय-विश्वविद्यालय खुल रहे हैं लेकिन हर जगह अव्वल आने की शिक्षा दी जा रही है। कहीं यह नहीं बताया जा रहा कि पहले के चक्कर में जो बच्चे पीछे छूट जाते है, उनको अपमान का जो स्वाद बचपन में लग जाता है, उससे उन्हें कैसे बचाएं? कहीं न कहीं हमारी शिक्षा और सामाजिक सोच में बुनियादी खोट है। इस पर गंभीरता से सोचने की जरूरत है। मां-बाप होने के नाते इतनी हिम्मत जुटाने की जरूरत है कि अगर हमारा बच्चा अच्छा गायक बनना चाहता है तो बेसिक शिक्षा के बाद पूर्ण रूप से गायक बनने की सुविधाएं उसे दें। अगर बेटी नृत्यांगना बनना चाहती है तो उसे वह प्रशिक्षण दिलवाएं। हो सकता है इस प्रयास में हम एक सुंदर समाज बना सकें, व्यक्ति वहीं होगा जहां होने के लिए प्रकृति ने उसे पैदा किया। मुझे लगता है कि तब कहीं जाकर एक स्वस्थ और कुंठारहित समाज बनेगा।

कहीं न कहीं हमारी शिक्षा और सामाजिक सोच में बुनियादी खोट है। इस पर गंभीरता से सोचने की जरूरत है।

(राष्ट्रीय सहारा, 13 मई, 2012)

52

व्यापार घाटा से लगा है रुपये को बुखार

''वैश्विक आर्थिक संकट का असर तो हमारी करेंसी पर हो ही रहा है। साथ ही हम लगातार अपने ही गोल पोस्ट में भी दनादन गोल दागे जा रहे हैं जिसका नुकसान भी रुपया उठा रहा है। पिछले वित्त वर्ष में हमारा व्यापार घाटा करीब 185 अरब डॉलर पहुंच गया था। ये हमारी जीडीपी का करीब 11 परसेंट है। व्यापार घाटा यानी हमारे आयात और निर्यात में अंतर। हम जितने का सामान दूसरे देशों को बेचते हैं उससे 185 अरब डॉलर ज्यादा का सामान खरीदते हैं। मतलब यह कि अपनी कमाई का 185 अरब डॉलर देश से बाहर जाता है। व्यापार घाटा इतना बड़ा हो तो करेंसी की शान घटती ही है।''

रुपया अपने देश की शान है। हाल में इसे नया लुक देकर हमने इसकी शान को और भी बढ़ाया है। लेकिन पिछले कुछ समय से रुपया लगातार कमजोर हो रहा है। पिछले साल अगस्त से लेकर अब तक रुपया 23 परसेंट दुबला हो चुका है। इस साल फरवरी से भाव में गिरावट काफी तेजी से हो रही है और डॉलर के मुकाबले यह 12 परसेंट कमजोर हो चुका है। अपनी करेंसी इतनी तेजी से कमजोर हो तो चिंता की बात है। देश की शान, आर्थिक ताकत में कमी के साथ-साथ यह कमजोरी कई मुसीबतें भी साथ लाती है।

मुसीबतों पर बात करने से पहले यह जान लें कि ऐसा क्या हो गया है कि रुपया इतनी तेजी से कमजोर पड़ रहा है। पूरी दुनिया में आर्थिक संकट की आहट के साथ ही डॉलर में मजबूती का दौर शुरू हो गया था। दुनिया कई मुसीबतों से घिरी है। सबसे बड़ा संकट ग्रीस, स्पेन, पुर्तगाल समेत दूसरे यूरोपीय देशों में है। ग्रीस भारी कर्ज में डूबा है और उसे उबारने वाला कोई नहीं मिल रहा है। यूरोपीय यूनियन और इंटरनेशनल मोनेटरी फंड शर्तों के साथ ही कर्ज देने को तैयार है। शर्त है कि ग्रीस अपने खर्चों मे कटौती करे ताकि वो कुछ सालों में फिर से कर्ज चुकाने की हालत में हो। लेकिन ग्रीस के लोगों के साथ-साथ वहां के नेताओं को यह शर्त मंजूर नहीं है। हाल में हुए आम चुनाव में ग्रीस की जनता ने उन पार्टियों को नकार दिया जो खर्च में कटौती की वकालत कर रहे थे। जनादेश स्पष्ट नहीं था इसलिए वहां जून में दोबारा चुनाव होंगे। आर्थिक अनिश्चितता कायम है।

अपनी करेंसी इतनी तेजी से कमजोर हो तो चिंता की बात है।

ग्रीस यूरोपियन यूनियन का सदस्य है। उसके संकट का असर यूनियन के दूसरे देशों पर भी होने लगा है। फिलहाल हालत यह है कि ग्रीस के साथ-साथ यूरोप के कुछ और देशों में बैंकों के सामने खातेदारों की लंबी कतार लगी है। सबको जमा पूंजी निकालने की चिंता है। असर ये पड़ा कि ग्रीस का संकट अब यूरोपियन यूनियन के देशों में बैंकिंग सेक्टर का संकट बनता जा रहा है। किसी देश का बैंक मुसीबत में हो तो उसके नतीजे दूरगामी होते हैं। पूरी दुनिया में यही हो रहा है। अभी अमेरिकी संकट का निपटारा हुआ नहीं था कि यूरोपियन यूनियन

सबसे बड़ा संकट ग्रीस, स्पेन, पुर्तगाल समेत दूसरे यूरोपीय देशों में है।

का संकट गहराता जा रहा है। याद रखिए कि अमेरिका और यूरोपियन यूनियन को मिला दिया जाए तो हम पूरी दुनिया की जीडीपी के आधे हिस्से की बात कर रहे हैं। शरीर के आधे हिस्से में बीमारी हो तो बाकी हिस्सा स्वस्थ कैसे रह सकता है।

आर्थिक संकट के दौर में लोग पैसा वहीं लगाना चाहते हैं जहां निवेश सबसे सुरक्षित रहे। फिलहाल लंबे समय से डॉलर भरोसेमंद निवेश रहा है। डॉलर में निवेश बढ़ने से इसका भाव बढ़ता है और इसके मुकाबले दूसरे करेंसी कमजोर होते हैं। रुपया के साथ भी यही हो रहा है। डॉलर के मुकाबले दुनिया की सारी करेंसी कमजोर हो रही हैं लेकिन रुपया उन सबसे ज्यादा तेजी से कमजोर हो रहा है।

आर्थिक संकट के दौर में लोग पैसा वहीं लगाना चाहते हैं जहां निवेश सबसे सुरक्षित रहे।

वैश्विक आर्थिक संकट का असर तो हमारी करेंसी पर हो ही रहा है। साथ ही हम लगातार अपने ही गोल पोस्ट में भी दनादन गोल दागे जा रहे हैं जिसका नुकसान भी रुपया उठा रहा है। पिछले वित्त वर्ष में हमारा व्यापार घाटा करीब 185 अरब डॉलर पहुंच गया था। ये हमारी जीडीपी का करीब 11 परसेंट है। व्यापार घाटा यानी हमारे आयात और निर्यात में अंतर। हम जितने का सामान दूसरे देशों को बेचते हैं उससे 185 अरब डॉलर ज्यादा का सामान खरीदते हैं। मतलब यह कि अपनी कमाई का 185 अरब डॉलर देश से बाहर जाता है। व्यापार घाटा इतना बड़ा हो तो करेंसी की शान घटती ही है। इतने बड़े घाटे की वजह से देश में डॉलर की मांग बहुत बढ़ जाती है। किसी चीज की मांग बहुत बढ़ जाए तो वह ऐसे ही महंगा हो जाता है। यही डॉलर के साथ हो रहा है।

हमारे व्यापार घाटे को बढ़ाने में कच्चा तेल और सोना के आयात का बड़ा योगदान है। पिछले साल हमने 141 अरब डॉलर का कच्चा तेल खरीदा था। इसके अलावा 48 अरब डॉलर के सोने का आयात किया गया। इन आंकड़ों से साफ हो जाता है कि व्यापार घाटे का विलेन है कच्चा तेल और सोना। अर्थव्यवस्था के लिए कच्चा तेल जरूरी है। लेकिन इसके आयात को कम तो किया ही जा सकता है। एक रास्ता तो ये है कि देश में तेल का उत्पादन बढ़ाया जाए। इसके लिए लांग टर्म प्लान की जरूरत होगी।

तत्काल आयात कम करने के लिए जरूरी है कि पेट्रोल और डीजल की कीमतें देश में बढ़ाई जाए।

अर्थशास्त्र का बेसिक नियम कहता है कि कीमत बढ़ने से मांग घटती है। वैश्विक बाजार में कच्चे तेल की कीमत बढ़ने से हमारा इंपोर्ट बिल तो बढ़ गया लेकिन हमने पेट्रोल-डीजल की कीमत नहीं बढ़ाकर इसकी मांग में कमी लाने की कोशिश भी नहीं की। कुछ महीनों पहले मैंने इसी कॉलम में उदाहरण के साथ बताया था कि किस तरह से पेट्रोल-डीजल के लिए बाजार भाव से कीमत वसूलना सबके लिए फायदेमंद होता है। लेकिन अपने देश में दूरगामी फायदे को कौन देखता है।

अर्थशास्त्र का बेसिक नियम कहता है कि कीमत बढ़ने से मांग घटती है।

सोने के आयात में कमी लाने के लिए सरकार ने इस बजट में इस पर टैक्स लगाने का प्रस्ताव रखा तो इतना बवाल हुआ कि उसे वापस लेना पड़ा। ऐसी नीतियों का नतीजा है कि हमारा व्यापार घाटा लगातार बढ़ता जा रहा है। जिससे रुपये की शान (और कीमत) में लगातार कमी आ रही है। हालात कितने भयावह हैं इसका अंदाजा इससे लगाया जा सकता है कि हमारा व्यापार घाटा 185 अरब डॉलर का है जबकि हमारे पास करीब 300 अरब डॉलर का मुद्रा भंडार है। मतलब ये कि अगर देश में डॉलर का आना बिल्कुल बंद हो जाए तो हम अपनी फिजूलखर्ची को दो साल तक भी नहीं चला सकते हैं।

रुपये की कमजोरी हम सबके लिए बुरी खबर है। हम जितना आयात करते हैं उससे बहुत कम निर्यात करते हैं। रुपये का भाव घटने से आयात के सामान की ज्यादा कीमत देनी पड़ रही है जिसमें खाने के तेल और दाल जैसे खाने-पीने के जरूरी सामान भी हैं। रुपये की कमजोरी से विदेशी कर्ज ले रखी कंपनियों के लिए उसे चुकाना मुश्किल हो रहा है। फर्ज कीजिए कि किसी कंपनी ने इसी साल फरवरी में विदेशी कर्ज लिया। उसे अब कर्ज चुकाने के लिए 12 परसेंट ज्यादा लौटाने होंगे। ऐसे में कंपनी का तो बैंड ही बजेगा।

माना कि रुपये की कमजोरी की एक बड़ी वजह दुनिया में आर्थिक माहौल है। लेकिन इसे ठीक करने के लिए हमारे हाथ में भी बहुत कुछ है। जरूरत है कड़े और दूरगामी फैसलों की। अपनी शान और आर्थिक ताकत बचाने के लिए हम इतना तो कर ही सकते हैं।

(राष्ट्रीय सहारा, 20 मई, 2012)

53

हक किसका, हिस्सेदार कौन?

''पेट्रोलियम उत्पादों की कीमत तय करने के लिए हमने जिस तरीके को अपनाया है उससे कालाबाजारी और मिलावट करने वालों के अलावा किसी का भी भला नहीं हो रहा है। फिर यह दुहाई कि पेट्रोलियम सेक्टर से घाटा इतना बढ़ गया है कि ग्रोथ स्टोरी की हवा निकल सकती है, ऐसा बहाना बनाना तो छोड़ ही देना चाहिए।''

पेट्रोल की कीमत में रिकॉर्ड बढ़ोतरी के बाद देश में एक बहस छिड़ गई है। जनभावना का आकलन करें तो यह माना जा सकता है कि ज्यादातर लोग कीमत बढ़ाने के खिलाफ हैं। जिनके पास पेट्रोल की गाड़ी है उनकी जेब पर चोट पड़ी है और उनका गुस्सा समझा जा सकता है। और जो डीजल और एलपीजी का उपयोग करते हैं, उन्हें अब इस बात का डर है कि सरकार के इस बोल्ड कदम के बाद अगले फैसले से उनकी जेब पर चोट पड़ने वाली है। जब जेब पर चोट पड़े तो गुस्सा किसी को भी आ ही जाता है।

लेकिन मेरा मानना है कि यह मामला ऐसा नहीं है कि इस पर बहस भावना में बहकर या गुस्से में हो। पूरे मामले पर विचार करने के लिए कुछ सवालों पर गंभीरता से विचार होना चाहिए। क्या पेट्रोल-डीजल की कीमत बाजार पर छोड़ दी जाए? क्या पेट्रोल-डीजल की कीमत पर टैक्स बिल्कुल खत्म कर देना चाहिए? क्या पेट्रोल की कीमत बढ़ाने के अलावा सरकार के पास कोई और विकल्प नहीं था? क्या और घाटा सहने की हालत में सरकार थी?

क्या पेट्रोल-डीजल की कीमत पर टैक्स बिल्कुल खत्म कर देना चाहिए?

इन सवालों का जवाब खोजने से पहले मैं यह बता दूं कि एक झटके में पेट्रोल की कीमत में साढ़े सात रुपये की बढ़ोतरी खटकती है। इससे पहले कीमत पिछले साल नवम्बर में बढ़ाई गई थी जब अंतरराष्ट्रीय बाजार में कच्चे तेल का भाव 110 डॉलर प्रति बैरल था। उसके बाद अंतरराष्ट्रीय बाजार में कच्चे तेल की कीमत 127 डॉलर प्रति बैरल पहुंच गई लेकिन अपने देश में पेट्रोल और डीजल उसी कीमत पर मिलते रहे। और जब पेट्रोल की कीमत आखिरकार इस हफ्ते बढ़ाई गई तब अंतरराष्ट्रीय बाजार में कच्चे तेल का भाव 106 डॉलर प्रति बैरल था। एक झटके में कीमत बढ़ाने से क्या यह अच्छा नहीं होता कि अंतरराष्ट्रीय बाजार भाव को ध्यान में रखकर हर 15 दिन में इसकी कीमत बढ़ाई-घटाई जाती?

फिलहाल अंतरराष्ट्रीय बाजार में कच्चे तेल की कीमत 106 डॉलर प्रति बैरल है। एक बैरल यानी करीब 159 लीटर।

फिलहाल अंतरराष्ट्रीय बाजार में कच्चे तेल की कीमत 106 डॉलर प्रति बैरल है। एक बैरल यानी करीब 159 लीटर। अगर मान लिया जाए कि एक डॉलर 55.50 रुपये के बराबर है तो अभी हमें 159 लीटर कच्चे तेल के लिए 5883 रुपये देने होंगे। मतलब यह साफ हुआ कि एक लीटर कच्चे तेल

की कीमत हुई करीब 37 रुपये। इसे रिफाइन करने का खर्च फर्ज कीजिए कि चार रुपये है, तो एक लीटर पेट्रोल की कीमत हुई 41 रुपये। लेकिन दिल्ली में इसकी कीमत करीब 74 रुपये है।

अब सवाल उठता है कि 37 रुपये का सामान पेट्रोल पंप पर 74 रुपये में क्यों बिक रहा है? इसके लिए यह जानना जरूरी है कि इन उत्पादों पर टैक्स कितना लगता है। भारत में पेट्रोल पर औसतन 51 परसेंट टैक्स लगता है जबकि हमारे पड़ोसी श्रीलंका में 37 परसेंट और पाकिस्तान में 30 परसेंट टैक्स लगता है। डीजल पर जहां अपने देश में 30 परसेंट औसतन टैक्स लगता है वहीं पाकिस्तान में इसकी दर 15 परसेंट और श्रीलंका में यह 20 परसेंट है। यहां मैं जिस टैक्स की बात कर रहा हूं वह कस्टम, एक्साइज, सेल्स टैक्स और सारे तरह के टैक्स का सम्मिश्रण है। वित्त वर्ष 2009-10 में केंद्र सरकार पेट्रोलियम सेक्टर से करीब 90 हजार करोड़ रुपये की आमदनी हुई।

यहां मैं जिस टैक्स की बात कर रहा हूं वह कस्टम, एक्साइज, सेल्स टैक्स और सारे तरह के टैक्स का सम्मिश्रण है।

ये आंकड़े देने का मतलब यह नहीं है कि टैक्स कम किया जाए। टैक्स से ही तो सरकार की आमदनी बढ़ेगी, जो विकास के काम के साथ-साथ सामाजिक कल्याण की योजनाओं पर खर्च होगा। मेरे कहने का मतलब यह है कि इतना ज्यादा टैक्स वसूलने के बाद सरकार यह स्वांग भरे कि पेट्रोलियम पदार्थों पर भारी भरकम सब्सिडी दी जाती है, उचित नहीं है। हां, सब्सिडी दी जाती है लेकिन उसका फायदा किसी को नहीं हो रहा है, डीजल पर सब्सिडी दी जाती है और उसके पीछे दलील यह है कि यह किसानों के काम आता है, लेकिन आंकड़े कुछ और ही कहते हैं। देश में डीजल की सबसे ज्यादा खपत ट्रकों में होती है। कुल डीजल की खपत का 37 परसेंट ट्रक चलाने का काम आता है। इंडस्ट्री क्षेत्र 10 परसेंट डीजल का उपयोग करता है। कार चलाने में 15 परसेंट डीजल की खपत होती है, जबकि खेती में महज 12 परसेंट डीजल की खपत होती है। किसानों के नाम पर मर्सिडीज वालों को सब्सिडी कितनी जायज है?

डीजल पर सब्सिडी दी जाती है और उसके पीछे दलील यह है कि यह किसानों के काम आता है,

इसी तरह केरोसिन पर भारी भरकम सब्सिडी बरसों से चली आ रही है। 2002 में केरोसिन की कीमत नौ रुपये प्रति लीटर तय की गई। गौरतलब है कि केरोसिन की कीमत बांग्लादेश में करीब 30 रुपये और नेपाल में करीब 36 रुपये लीटर है। इस भारी सब्सिडी का भी लॉजिक है कि इसका फायदा गरीबों को मिलता है। लेकिन यह जगजाहिर है कि केरोसिन की कुल खपत का 40 परसेंट कालाबाजार में बिकता है। अनुमान के मुताबिक कालाबाजारी का यह बाजार करीब 10 हजार करोड़ रुपये का है। यहां भी सवाल है-किसके लिए सब्सिडी?

जगजाहिर है कि केरोसिन की कुल खपत का 40 परसेंट कालाबाजार में बिकता है।

इन आंकड़ों के जरिए मैं बस इतना कहना चाहता हूं कि पेट्रोलियम उत्पादों की कीमत तय करने के लिए हमने जिस तरीके को अपनाया है उससे कालाबाजारी और मिलावट करने वालों के अलावा किसी का भी भला नहीं हो रहा है। गरीबों को तो केरोसिन मिलता नहीं है, क्योंकि इसके काले कारोबार पर हम रोक नहीं लगा पाए हैं। और फिर यह दुहाई कि पेट्रोलियम सेक्टर से घाटा इतना बढ़ गया है कि ग्रोथ स्टोरी की हवा निकल सकती है, ऐसा बहाना बनाना तो छोड़ ही देना चाहिए। डीजल की कीमत बढ़ने से महंगाई बढ़ेगी। और महंगाई का असर सबसे ज्यादा गरीबों पर पड़ता है, यह सच है। लेकिन इसके सही तरीके खोजे जाने चाहिए। रेलवे डीजल का बड़ा कंज्यूमर है। रेलवे को सस्ता डीजल देने की व्यवस्था क्यों नहीं की जा सकती है। इससे रेलवे द्वारा ढोए जाने वाले सामानों की कीमत नहीं बढ़ेगी। किसानों को बढ़ी कीमत से बचाने का इरादा है, जो सही भी है, तो किसानों को भी सब्सिडाइज्ड डीजल देने का इंतजाम होना चाहिए। बाकी कंज्यूमर को सस्ता डीजल देकर सालाना एक लाख करोड़ रुपये का घाटा उठाने का कोई औचित्य नहीं है।

मैं इन कॉलम्स में लगातार इस बात का पैरोकार रहा हूं कि पेट्रोल-डीजल की कीमत को बाजार पर ही छोड़ दिया जाए। जिनको बाजार की कीमत के मार से बचाना है उनको चिन्हित किया जाए और उसके दूसरे तरीके खोजे जाएं। फिलहाल जो पॉलिसी चल रही है उससे किसी का भला नहीं हो रहा है।

(राष्ट्रीय सहारा, 27 मई, 2012)

54

बदलाव की आमिर बयार

''अब सिविल सोसाइटी काफी मजबूत हो रही है। लोग अपने हक के लिए लड़ने लगे हैं और युवा 'सब चलता है' के लिए तैयार नहीं हैं। इन बदलावों को देखकर देश के कई लोगों के साथ-साथ मुझमें भी उम्मीद जगी है। आमिर ने अच्छी शुरुआत की है। इस मुहिम को आगे बढ़ाने का दायित्व हम सबका है।''

हमें पहले से पता था कि भारतीयों को बेटा चाहिए। इसी चाहत की वजह से कोख में ही कई लड़कियां मार दी जाती हैं। इस पाप में कई डॉक्टर भी शामिल हैं। कानून की धज्जियां उड़ाते ये डॉक्टर देश के हर कोने में मौजूद हैं। भ्रूण हत्या गैरकानूनी है, उस पर रोक-टोक भी है लेकिन फिर भी यह सालों से बेधड़क चल रही है। ऐसे डॉक्टरों का धंधा वहां ज्यादा चलता है जहां बेटों की चाहत ज्यादा है। जिन इलाकों में लोगों को बेटी का मोल समझ में आने लगा है वहां ऐसे डॉक्टरों का धंधा डगमगा रहा है।

हमें यह भी पहले से ही पता था कि सख्त कानून रहते भी शादियों में दहेज का लेन-देन होता है। मनपसंद दहेज नहीं लाने पर बहुओं को प्रताड़ित किया जाता है। हर दिन दहेज की आग में कई लड़कियां जलती हैं। पंजाब में अमेरिका और कनाडा के नाम पर दहेज ऐंठा जाता है तो उत्तर भारत में दूल्हा जितना बड़ा अफसर होता है, दहेज के बाजार में उसकी उतनी ही बड़ी डिमांड होती है। हमें पहले से ही पता था कि बच्चों का यौन शोषण होता है। शोषण करने वाले सगे-संबंधी ही होते हैं। बच्चा डरता है, सहमता है पर जानकारी के अभाव में तड़प कर रह जाता है। इस ट्रैप से निकलने के लिए वह मन ही मन घुटता रहता है। शोषण बच्चों में मानसिक विकृति पैदा करता है और यह कुंठा जिंदगी भर उसका पीछा करती है।

उत्तर भारत में दूल्हा जितना बड़ा अफसर होता है, दहेज के बाजार में उसकी उतनी ही बड़ी डिमांड होती है।

हमें पहले से पता था कि देश का मेडिकल प्रोफेशन खुद ही इंटेंसिव केयर यूनिट में है। डाक्टर गैरजरूरी टेस्ट कराते हैं। जरूरत से ज्यादा दवाइयां लिखते हैं। किडनी के साथ-साथ पैंक्रियाज भी ट्रांसप्लांट कर देते हैं। घुटने में दर्द हो तो कमर का ऑपरेशन कर देते हैं। हॉस्पिटल में मरीज को दो दिन रखना हो तो दस दिन रखना चाहते हैं। दवा कंपनियों से डॉक्टरों को मोटा कमीशन मिलता है। पैथालॉजी लैब से भी कमीशन आता है। कुल मिलाकर स्थिति ऐसी है कि जिस बीमारी का इलाज 100 रुपये में हो सकता है उसके इलाज में डॉक्टर मरीज से 1000 रुपये खर्च करा देते हैं। कुछ रकम सीधे डॉक्टर साहब के पास आती है और कुछ कमीशन के रूप में पिछले दरवाजे से।

डॉक्टरों में मुनाफे की प्रवृत्ति को बढ़ावा दे रहे हैं प्राइवेट मेडिकल कॉलेज, जहां कैपिटेशन फीस के नाम पर छात्रों से 50 से 60 लाख रुपये लिए जाते हैं। पढ़ाई पर इतने पैसे खर्च करने के बाद डॉक्टर व्यापारी बन जाता है और निवेश के बेहतरीन रिटर्न की तलाश में वह सब करता है जो मरीज का खून चूसने जैसा हो।

कोई टीवी पर याद नहीं दिलाता तो भी हमें यह सब पता था। लेकिन हमें समाज की इन बुराइयों के बारे में याद दिलाने की जरूरत थी। हमें एक बार फिर याद दिलाने की जरूरत थी कि हमारी चुप्पी से ही ऐसी बुराइयां फल-फूल रही हैं। आमिर खान ने अपने टेलीविजन शो 'सत्यमेव जयते' के जरिए हमें बताने की कोशिश की है कि भले ही बुराइयां सदियों पुरानी हों, हम अगर सच्चे मन से पहल करेंगे तो इन्हें खत्म किया जा सकता है।

आमिर खान ने अपने टेलीविजन शो 'सत्यमेव जयते' के जरिए हमें बताने की कोशिश की है कि भले ही बुराइयां सदियों पुरानी हों, हम अगर सच्चे मन से पहल करेंगे तो इन्हें खत्म किया जा सकता है।

अच्छी बात यह है कि आमिर को इस मुहिम में सफलता भी मिल रही है। उनका यह शो किस तरह लोगों को उद्वेलित कर रहा है इसका अंदाजा इससे लगाया जा सकता है कि ट्विटर के पूरे यूजर बेस के 75 परसेंट लोगों ने इस पर कमेंट किया है। महज चार एपिसोड के बाद ही फेसबुक पर इस शो के करीब 10 लाख फैंस हो चुके हैं। मतलब यह कि आमिर खान की पहल का असर उन युवाओं पर हो रहा है जो वाकई इन बुराइयों को खत्म करने में काफी मददगार साबित हो सकता है।

सरकारी महकमे में भी 'सत्यमेव जयते' का असर दिख रहा है। पहले एपिसोड के बाद ही राजस्थान के मुख्यमंत्री अशोक गहलोत ने आमिर खान को भरोसा दिलाया कि वे भ्रूण हत्या रोकने के लिए ठोस पहल करेंगे। याद दिला दूं कि शो के पहले एपिसोड के लिए हमारे मीडिया ग्रुप के दो संवाददाता भी शाबासी के हकदार हैं। उन्होंने दिन-रात मेहनत करके वर्ष 2005 में ही खुलासा किया था कि राजस्थान में कई डॉक्टर भ्रूण हत्या के घिनौने कारोबार में लिप्त हैं। इसके अलावा प्रधानमंत्री ने आमिर खान और प्रसून जोशी से

कुपोषण के खिलाफ कैंपेन में हिस्सा लेने को कहा है। बिहार सरकार ने राज्य के बिटिया बचाओ आंदोलन में आमिर से शामिल होने का आग्रह किया है। संयोग से बच्चों के यौन शोषण से जुड़े एपिसोड के प्रसारण के ठीक बाद संसद में एक कानून पास हुआ जो इस घिनौने काम को रोकने में मददगार साबित हो सकता है। लेकिन क्या इतने भर से काम चल जाएगा। आमिर खान की पहल वाकई काबिले तारीफ है। इंटरटेनमेंट के जरिए अगर समाज सुधार भी हो जाए तो क्या कहने। और यह कला आमिर खान के पास खूब है। वे कॉमर्शियल फिल्मों के एक्टर हैं लेकिन पॉपुलर फिल्मों को कैसे सार्थक बनाया जाए, यह कोई उनसे सीखे। 'लगान' हो या 'तारे जमीं पर' या 'थ्री इडियट्स' या फिर 'पीपली लाइव' हो; आमिर खान ने सामाजिक सरोकार के विषयों को रुचिकर बनाकर नई ऊंचाई छुई है। 'सत्यमेव जयते' भी उनके इसी प्रयास की अगली कड़ी है। शो में ग्लैमर तो है लेकिन उससे ज्यादा सामाजिक बुराइयों को खत्म करने की बेचैनी है।

प्रधानमंत्री ने आमिर खान और प्रसून जोशी से कुपोषण के खिलाफ कैंपेन में हिस्सा लेने को कहा है।

आलोचकों का कहना है कि आमिर के शो में कुछ भी नया नहीं है। इस तरह की पहल पहले भी हो चुकी है और लाख कोशिशों के बावजूद कोई नतीजा नहीं निकला। भ्रूण हत्या जारी है। दहेज के व्यापार में कोई मंदी नहीं है। मेडिकल प्रोफेशन में लालच बढ़ता जा रहा है।

लेकिन मैं इतना भी निराशावादी नहीं हूं। पहली बार समाज में बेचैनी दिख रही है। पहली बार यह भरोसा जगा है कि दहेज जैसे कैंसर को खत्म किया जा सकता है। कानून पहले भी थे और अब भी हैं। लेकिन अब सिविल सोसाइटी काफी मजबूत हो रही है। लोग अपने हक के लिए लड़ने लगे हैं और युवा 'सब चलता है' के लिए तैयार नहीं हैं। इन बदलावों को देखकर देश के कई लोगों के साथ-साथ मुझमें भी उम्मीद जगी है। आमिर ने अच्छी शुरुआत की है। इस मुहिम को आगे बढ़ाने का दायित्व हम सबका है। यह समाज हमारा है। इसे बेहतर बनाना भावी पीढ़ी के लिए जरूरी है। मौजूदा पीढ़ी के सामने इस जवाबदेही का निर्वाह करने के सिवाय कोई विकल्प नहीं है।

(राष्ट्रीय सहारा, 3 जून, 2012)

55

जी-20 में फ्रंट फुट पर होंगे पीएम

''प्रधानमंत्री मनमोहन सिंह ने इंफ्रास्ट्रक्चर पर खर्च बढ़ाने का फैसला लेकर एक अच्छा संकेत दिया है। सरकारी खर्च बढ़ाकर ही इस समय वैश्विक आर्थिक संकट का हल निकल सकता है। मुझे खुशी है कि हमारे प्रधानमंत्री ने इस पर ठोस पहल की है। जो दूसरे देशों को भी रास्ता दिखाएगी।''

पिछले कुछ समय से मैं आर्थिक विषयों पर चर्चा कर रहा हूं। इसका मतलब यह नहीं है कि दूसरी बड़ी घटनाएं नहीं हो रही हैं। भारतीय जनता पार्टी में घमासान है। पार्टी के नेता आजकल अंदरूनी कलह में इस कदर उलझे हैं कि देश-दुनिया के बाकी मसलों पर सुध लेने का समय उनके पास नहीं है। इसके अलावा अगले राष्ट्रपति का चुनाव कुछ दिनों में होने वाला है। उच्च शिक्षा के क्षेत्र में बड़े बदलाव हो रहे हैं जिसको लेकर सरकार और संस्थानों के बीच नए सिरे से झगड़ा शुरू हो गया है। कांग्रेस वर्किंग कमेटी की साल भर बाद हुई बैठक में अहम फैसले लिए गए।

इस बीच एक अच्छी खबर भी आई। कभी बीमारू राज्यों में अग्रणी रहे बिहार ने सबसे तेजी से तरक्की का तमगा हासिल किया है। बिहार की 13.1 परसेंट की विकास दर पूरे देश की विकास दर के दोगुने से भी ज्यादा है। इस तरक्की के पीछे जो कोई भी है, उनको ढेर सारी शुभकामनाएं। लेकिन उन्हें याद रखना होगा कि बिहार में अभी तरक्की की शुरुआत ही हुई है। महाराष्ट्र, गुजरात या तमिलनाडु जैसे दूसरे राज्यों की बराबरी करने के लिए उन्हें अभी भी मीलों का सफर तय करना है। लेकिन अच्छी बात है कि तरक्की की कहानी जब पिछड़े इलाकों में लिखी जाने लगे तो समझ लेना चाहिए कि देश की तरक्की कोई नहीं रोक सकता है।

बिहार की 13.1 परसेंट की विकास दर पूरे देश की विकास दर के दोगुने से भी ज्यादा है।

लेकिन देश की तरक्की में अभी कई तरह की बाधाएं दिख रही हैं। कुछ तो दुनिया में हो रही घटनाओं का असर है तो कुछ समस्याएं हमारी खुद की बनाई हुई हैं। लाख कोशिशों के बावजूद महंगाई का ग्राफ नीचे उतरने का नाम नहीं ले रहा है। पिछले हफ्ते को छोड़ दिया जाए तो रुपया लगातार कमजोर हो रहा है। व्यापार घाटा बहुत बढ़ गया है। फिजूलखर्ची पर काबू नहीं होने की वजह से वित्तीय घाटा लगातार बढ़ता जा रहा है। सब्सिडी सुरसा की तरह विकराल होती जा रही है। इंडस्ट्रियल प्रोडक्शन में गिरावट आ रही है। और सबने मिलकर इंडस्ट्रियल प्रोडक्शन को पिछले नौ साल के सबसे निचले स्तर पर ला दिया है। महंगाई इतनी है कि विकास को रफ्तार देने के लिए चाहकर भी रिजर्व बैंक ब्याज दर में तेजी से कटौती नहीं कर सकता है।

देश में सबकुछ अच्छा नहीं है तो दुनिया के दूसरे इलाकों का हाल और भी बुरा है। ग्रीस दिवालिया होने के कगार पर है तो स्पेन के बड़े बैंक डूबने वाले हैं। संकट के दौर से इटली और पुर्तगाल जैसे देश भी गुजर रहे हैं। इसी मायूसी के माहौल में मैक्सिको में दुनिया के कद्दावर देशों के समूह जी-20 के राष्ट्राध्यक्षों का अगले हफ्ते सम्मेलन हो रहा है। इस सम्मेलन का मुख्य मुद्दा है आर्थिक स्थिरता और विकास के साथ-साथ रोजगार के मौके बढ़ाना। मेरा मानना है कि हमेशा कि इस सम्मेलन में भी हमारे प्रधानमंत्री फ्रंट फुट पर ही खेलने वाले हैं।

अंतरराष्ट्रीय मंच पर अर्थशास्त्री मनमोहन सिंह के सुझावों पर दुनिया के बड़े नेता काफी ध्यान देते हैं।

कई सालों से ऐसा हो रहा है कि वैश्विक मंचों पर जब भी हमारे प्रधानमंत्री ने बोलना शुरू किया तो बराक ओबामा के साथ-साथ दूसरे नेताओं ने उनकी बातों को ध्यान से सुना है। पिछले साल जी-20 के कान शिखर सम्मेलन में भी प्रधानमंत्री के विचारों को काफी सराहा गया। ऐसा लगता है कि मनमोहन सिंह के विचारों पर आठ महीने पहले अमल हो गया होता तो यूरोपीय आर्थिक संकट के निपटारे में मदद मिल सकती थी। प्रधानमंत्री ने नवंबर के कान शिखर सम्मेलन में कहा था कि इंटरनेशनल मोनेटरी फंड पूरे मामले पर नजर रखे और जरूरत पड़े तो इन देशों को कर्ज देकर उनकी मदद भी करे। आठ महीने बाद स्पेन के आला नेताओं ने आईएमएफ के अधिकारियों के साथ बैठक की और हो सकता है कि स्पेन के बैंकों को बचाने के लिए आईएमएफ सहायता भी करे। यही सुझाव अगर आठ महीने पहले माना गया होता तो यूरोपीय आर्थिक संकट को फैलने से रोका जा सकता था। यही वजह है कि अंतरराष्ट्रीय मंच पर अर्थशास्त्री मनमोहन सिंह के सुझावों पर दुनिया के बड़े नेता काफी ध्यान देते हैं। मेरे ख्याल में मैक्सिको में 18-19 जून को यही होने वाला है।

मैक्सिको में छा जाने की भी पूरी तैयारी है। पिछले कुछ हफ्तों से देश की आर्थिक गाड़ी चलाने का जिम्मा फिर प्रधानमंत्री ने अपने हाथों में ले लिया है। गठबंधन की मजबूरी की वजह से प्रधानमंत्री ने अपनी दिलचस्पी शायद थोड़ी घटा दी थी। लेकिन अब फिर सबकुछ बदलने लगा है।

इसी हफ्ते प्रधानमंत्री ने इंफ्रास्ट्रक्चर क्षेत्र से जुड़े मंत्रालयों के मंत्रियों को अपने निवास पर बुलाकर लंबित परियोजनाओं की समीक्षा की। सबको यह निर्देश दिया गया कि अटके पड़े सारे काम जल्दी से आगे बढ़ाए जाएं। और तीन महीने में स्टेटस रिपोर्ट दें। उन्होंने विकास की रफ्तार बढ़ाने के लिए इंफ्रास्ट्रक्चर प्रोजेक्ट पूरे करने के लक्ष्य भी दे दिए हैं। इसके तहत इस वित्त वर्ष में इंफ्रास्ट्रक्चर पर करीब दो लाख करोड़ रुपया खर्च करने की योजना है। योजना के तहत दो एयरपोर्ट बनेंगे, दो पोर्ट बनेंगे, नेशनल हाईवे अथॉरिटी को ज्यादा सड़कें बनाने का निर्देश दिया जाएगा और मुंबई-अहमदाबाद के बीच बुलेट ट्रेन चलाने को मंजूरी दी जाएगी।

मेरे ख्याल से अपने इसी एप्रोच की वकालत वे मैक्सिको शिखर सम्मेलन में करने वाले हैं। यूरोप और अमेरिका में संकट और चीन की विकास रफ्तार में आई कमी के बाद दुनिया को संकट से बचाने के लिए एक बोल्ड एप्रोच की जरूरत है। ऐसे माहौल में राजनेता अगर पहले आप, पहले आप करेंगे तो किसी देश का भला नहीं होगा। चीन के शासक इस बात का इंतजार करने लगें कि अमेरिका पहले अपना घर दुरुस्त कर ले तब वे अपने देश की अर्थव्यवस्था पटरी पर लाएंगे, तो इससे न चीन का भला होगा और न ही अमेरिका को संकट से छुटकारा मिलेगा।

इसके तहत इस वित्त वर्ष में इंफ्रास्ट्रक्चर पर करीब दो लाख करोड़ रुपया खर्च करने की योजना है।

आर्थिक मोर्चे पर वैश्विक अनिश्चितता के इस माहौल में जी-20 के सदस्य देश अपने-अपने घरों को दुरुस्त करने के लिए दूरगामी फैसले करें तो पूरी दुनिया का भला होगा। प्रधानमंत्री मनमोहन सिंह ने इंफ्रास्ट्रक्चर पर खर्च बढ़ाने का फैसला लेकर एक अच्छा संकेत दिया है। अब उन्हें दूसरे देशों को भी यह समझाना होगा और जी-20 इसके लिए सबसे उपयुक्त मंच है। जरूरत पड़ी तो जी-20 के सदस्य देशों के सेंट्रल बैंकों को मुद्रा नीति में नरमी अपनानी पड़ सकती है। चीन में इसी हफ्ते ब्याज दर में कटौती की शुरुआत हो गई है। सरकारी खर्च बढ़ाकर ही इस समय वैश्विक आर्थिक संकट का हल निकल सकता है। मुझे खुशी है कि हमारे प्रधानमंत्री ने इस दिशा में ठोस पहल की है जो दूसरे देशों को भी रास्ता दिखाएगी।

मैक्सिको के बाद प्रधानमंत्री ब्राजील के रियो डी जेनेरो में संयुक्त राष्ट्र के रियो+20 शिखर सम्मेलन में हिस्सा लेंगे। पर्यावरण और प्राकृतिक संसाधनों को ध्यान में रखकर दीर्घकालिक विकास के मुद्दे पर आयोजित यह सम्मेलन 1992 के रियो शिखर सम्मेलन के 20 साल और 2002 के जोहान्सबर्ग शिखर सम्मेलन के 10 साल पूरे होने पर बुलाया गया है। पर्यावरण और विकास के बीच संतुलन साधने के मुद्दे पर एक बार फिर विकसित और विकासशील देशों के बीच खींचतान होगी। विकासशील देश लंबे समय से कह रहे हैं कि विकास के साथ-साथ तय समय सीमा में पर्यावरण संरक्षण के लिए उन्हें विकसित देशों से वाजिब सहायता मिले, जिसके लिए अमेरिका जैसे विकसित देश फिलहाल तैयार नहीं दिख रहे हैं। भारत और ब्राजील जैसे विकासशील देश इस बार अमीर देशों से कमिटमेंट चाहते हैं।

> *पर्यावरण और विकास के बीच संतुलन साधने के मुद्दे पर एक बार फिर विकसित और विकासशील देशों के बीच खींचतान होगी।*

(राष्ट्रीय सहारा, 10 जून, 2012)

56

अब विपक्ष को रचना है इतिहास

''देश तो अब तक यही मानता था कि प्रणब मुखर्जी को कांग्रेस से कोई बड़ा पद नहीं मिलने वाला है। लेकिन यह इतिहास लिखने का दौर है। कांग्रेस अध्यक्ष सोनिया गांधी ने अपने हिस्से का इतिहास लिख दिया है। विपक्ष उसे पूरा करेगा या नहीं, देश इंतजार कर रहा है।''

दुनिया के सबसे बड़े लोकतंत्र के प्रथम नागरिक की ताजपोशी की तैयारियों में राजनीतिक व्यवस्था लग चुकी है। कांग्रेस की अगुवाई में सत्तारूढ़ यूपीए ने वित्त मंत्री प्रणब मुखर्जी के नाम की घोषणा कर दी है। प्रणब मुखर्जी के नाम के औपचारिक एलान के घंटे भर के अंदर ही गठबंधन सरकार को बाहर से समर्थन दे रही समाजवादी पार्टी ने भी वोटिंग की नौबत आने की स्थिति में प्रणब मुखर्जी के साथ खड़े होने की घोषणा कर दी है। लेफ्ट की तरफ से भी प्रणब मुखर्जी के पक्ष में संकेत आ रहे हैं। सीपीएम नेता वृंदा करात ने प्रणब को बधाई देते हुए कहा कि फैसला वामदलों की बैठक में होगा। चुनाव होने की स्थिति में भी प्रणब मुखर्जी को नॉर्थ ब्लॉक से रायसीना हिल्स पहुंचाने के लिए इतने लोगों का समर्थन काफी है। इसलिए यह मानकर चल सकते हैं कि देश के 13वें राष्ट्रपति प्रणब मुखर्जी ही होंगे।

राजनीतिक गलियारों में दादा के नाम से जाने जाने वाले प्रणब मुखर्जी की राह शुक्रवार से पहले इतनी आसान नहीं दिख रही थी। माहौल ऐसा दिख रहा था कि दादा की राह में ममता बनर्जी पहाड़ की तरह खड़ी हैं। देश के सबसे गरिमामय पद के चुनाव के लिए जोड़-तोड़ और मोल-भाव की बातें शुरू हो चुकी थी। लग रहा था कि हम दुनिया को यह संदेश तो देने नहीं जा रहे हैं कि दुनिया को लोकतंत्र का तोहफा देने वाला भारत अपने पहले नागरिक को चुनने में भी दलगत राजनीति से ऊपर नहीं उठ सका। लेकिन कहते हैं न, अंत भला तो सब भला। सोनिया गांधी की तरफ से प्रणब मुखर्जी की उम्मीदवारी की घोषणा होते ही माहौल बदलने लगा। निष्पक्ष या विपक्ष में खड़े दिख रहे लोग भी साथ आने लगे और शुक्रवार की रात ढलने से पहले अंधियारा जा चुका था।

सीपीएम नेता वृंदा करात ने प्रणब को बधाई देते हुए कहा कि फैसला वामदलों की बैठक में होगा।

केंद्र की गठबंधन सरकार में साझीदार तृणमूल कांग्रेस की प्रमुख ममता बनर्जी ने प्रणब के नाम का विरोध किया और अपनी तरफ से पूर्व राष्ट्रपति एपीजे अब्दुल कलाम के साथ मनमोहन सिंह और सोमनाथ चटर्जी का नाम समाजवादी पार्टी के साथ मिलकर बढ़ाया था। इन तीन में ममता ने कलाम की रट पकड़ ली लेकिन समाजवादी पार्टी का स्टैंड यह रहा कि हम किसी को भी प्राथमिकता देने के हक में नहीं हैं। ममता अपना चुना नाम थोपना चाहती थीं।

उनके हाव-भाव ऐसे थे कि 'माई वे या हाइवे'। लेकिन प्रणब के नाम की घोषणा के बाद मुलायम सिंह ने उन्हें संतुलित तरीके से स्वीकार कर लिया। मुलायम का मानना था कि तीनों नाम सुझाव के स्तर पर बढ़ाए गए थे, सिर्फ इसलिए कि उनका सुझाव नहीं माना गया तो देश मध्यावधि चुनाव में ढकेल दिया जाए, सर्वथा गलत होता। ममता यह समझ नहीं पा रही हैं और अब वो कह रही हैं कि खेल खत्म नहीं हुआ है।

ममता के खेल का आशय अगर इस बात से है कि उनकी पसंद के उम्मीदवार एपीजे अब्दुल कलाम चुनाव लड़ेंगे तो कलाम साहब ने खुद ही जीत की गारंटी न होने की हालत में लड़ने से मना कर दिया है। कलाम साहब की जीत की एकमात्र संभावना यह थी कि ममता और मुलायम के साथ-साथ भाजपा की अगुवाई वाला एनडीए उनका साथ देता। इतने के बाद भी उनको कुछ और दलों को मनाना पड़ता। खैर, जो हो न सका, उस पर क्या चर्चा करें? अब राजनीतिक हालात तो यही हैं कि ममता के पास उम्मीदवार भी नहीं बचा है। जयललिता और नवीन पटनायक के समर्थन से अब तक पूर्व लोकसभा स्पीकर पीए संगमा चुनाव लड़ने पर अड़े हुए हैं। संभव है कि एनडीए के फैसले के बाद उनकी स्थिति भी साफ हो जाए। राजनीति के गलियारों में चर्चा है कि एनडीए को उपराष्ट्रपति पद देकर प्रणब मुखर्जी के समर्थन में लाने की भी तैयारी चल रही है। ताकि अगर संगमा के अड़ने पर चुनाव कराना पड़ जाए तो दादा बड़े अंतर के साथ राष्ट्रपति भवन पहुंच सकें।

अब राजनीतिक हालात तो यही हैं कि ममता के पास उम्मीदवार भी नहीं बचा है।

राष्ट्रपति को चुनने का अधिकार 776 सांसदों और 4120 विधायकों के पास है। राष्ट्रपति के चुनाव में इन 4896 लोगों के वोट का मूल्य 10,98,882 है। जीत के लिए 50 फीसद से एक ज्यादा यानि 5,49,442 वोट चाहिए। इन 4,896 वोटरों के दलगत समीकरण यह हैं कि ममता को अलग करने के बाद यूपीए, सपा, बसपा और लेफ्ट मिलकर 53 फीसद वोट बनाते हैं। यानि प्रणब मुखर्जी की जीत स्पष्ट दिख रही है। एनडीए अगर उम्मीदवार उतारता है तो उसे हार की तैयारी के साथ ही ऐसा करना होगा। शुक्रवार को एनडीए की जो बैठक बिना फैसले के खत्म हो गई, उसमें भी कई नेताओं की यह राय थी कि यूपीए को उपराष्ट्रपति पद के बदले राष्ट्रपति पद के लिए

समर्थन दिया जाए या फिर सैद्धांतिक तौर पर सरकार के उम्मीदवार के विरोध में विपक्ष का मजबूत उम्मीदवार सामने रखा जाए। यूपीए में भी इस राय के कई नेता हैं कि विपक्ष को उपराष्ट्रपति का पद देकर राष्ट्रपति का चुनाव आम सहमति से कराया जाए।

वैसे राष्ट्रपति चुनाव का इतिहास रहा है कि 1977 से पहले और बाद के सभी चुनावों में कम से कम दो उम्मीदवार तो रहे ही हैं। यहां तक कि देश के पहले राष्ट्रपति राजेंद्र प्रसाद के खिलाफ भी चार उम्मीदवार मैदान में उतरे थे। 1977 में 37 उम्मीदवारों ने नामांकन किया था लेकिन नीलम संजीव रेड्डी के अलावा बाकी 36 लोगों के पर्चे खारिज हो गए, इसलिए चुनाव कराने की नौबत ही नहीं आई। इसलिए चुनाव होना इस पद की गरिमा कम नहीं करता क्योंकि चुनाव लोकतंत्र की शोभा है। लेकिन इसमें सौदेबाजी जैसी चीज नजर आने लगे तो मंदिर की प्रतिष्ठा पर आंच आती है।

राष्ट्रपति चुनाव का इतिहास रहा है कि 1977 से पहले और बाद के सभी चुनावों में कम से कम दो उम्मीदवार तो रहे ही हैं।

देश के सभी राजनीतिक दलों को यह ध्यान में रखना चाहिए कि राष्ट्रपति भले ही किसी पार्टी या पार्टी समूह के समर्थन से चुना जाए लेकिन जब चुन लिया जाता है तो वह पार्टियों से ऊपर उठ जाता है। विपक्ष की भी इस मद में इतनी आस्था होती है कि वह केंद्र सरकार की शिकायत लेकर रायसीना हिल्स ही जाता है। इसलिए ममता को उनका खेल मुबारक बोलकर विपक्ष को संयुक्त रूप से आम सहमति के साथ देश का पहला नागरिक चुनना चाहिए। इतिहास लिखने के मौके बार-बार नहीं आते हैं। देश तो अब तक यही मानता था कि प्रणब मुखर्जी को कांग्रेस से कोई बहुत बड़ा पद नहीं मिलने वाला है। लेकिन यह इतिहास लिखने का दौर है। कांग्रेस अध्यक्ष सोनिया गांधी ने अपने हिस्से का इतिहास लिख दिया है। विपक्ष उसे पूरा करेगा या नहीं, देश इंतजार कर रहा है। वैसे विपक्ष को यह एहसास तो होगा ही कि प्रणब मुखर्जी साहब ने अपने पांच दशक से ज्यादा के राजनीतिक करियर में कई इतिहास रचे हैं। और ऐसे राजनेता के राष्ट्रपति भवन पहुंचने से उसकी शोभा बढ़ेगी और देश का भला होगा।

(राष्ट्रीय सहारा, 17 जून, 2012)

57

बहस में छात्रों की सुधि कौन लेगा?

''आईआईटी जैसे बड़े संस्थानों में दाखिले के लिए छात्रों के बीच लेवल प्लेइंग फील्ड का होना बहुत जरूरी है। मतलब यह है कि आईआईटी में दाखिले की कुंजी कोचिंग इंस्टीच्यूट के पास हो तो यह अच्छी बात नहीं है। अगर आईआईटी में दाखिला पाने वालों में अधिकतर वही छात्र होते हैं, जो कोचिंग संस्थानों का सहारा लेते हैं तो यह स्वस्थ परंपरा भी नहीं है। इसे बदलना ही चाहिए।''

अपने देश में सरकार से जुड़ी हर चीज हास-परिहास का विषय है। बोलचाल में सरकारी शब्द का बहुत सम्मानजनक अर्थ नहीं लगाया जाता है। सरकारी दफ्तर का मतलब होता है- ऐसा दफ्तर जहां काम न के बराबर होता हो, जहां कर्मचारी काम करने के लिए पैसे मांगते हों और जहां फाइलों को एक कमरे से दूसरे कमरे तक पहुंचने में ही महीनों लग जाते हों। सरकारी कंपनी का मतलब होता है- ऐसी कंपनी जहां इफिशियंसी जैसी कोई चीज न पाई जाती हो और जिसके प्रोडक्ट या सर्विस थर्ड क्लास के होते हों। सरकारी संस्था का मतलब ऐसी संस्था माना जाता है, जहां मेरिट की अनदेखी हो और जुगाड़ का बोलबाला हो। मैं इनसे पूरी तरह सहमत नहीं हूं लेकिन पॉपुलर परसेप्शन यही है।

> *सरकारी संस्था का मतलब ऐसी संस्था माना जाता है, जहां मेरिट की अनदेखी हो और जुगाड़ का बोलबाला हो।*

मैंने कई ऐसे सरकारी ऑफिसर देखे हैं, जो मेरिट की बदौलत दुनिया की किसी भी संस्था के लिए एसेट हो सकते हैं। कई सरकारी कंपनियों से मेरा वास्ता पड़ा है और मैं उनकी कार्यकुशलता का कायल हूं। और कुछ सरकारी कंपनियां ऐसी भी हैं जो वाकई महारत्न हैं। ऐसे ही सरकारी रत्नों में एक हैं हमारे देश के आईआईटी। ऐसे समय में जब दुनिया में मेड इन इंडिया टैग का कोई मोल नहीं था, उस समय में भी आईआईटी से निकले लोगों को काफी सम्मान मिलता था। भले ही शिक्षण संस्थानों की वैश्विक सूची में आईआईटी टॉप टेन में न आते हों लेकिन ब्रांड आईआईटी का लोहा सबने माना है। भले आईआईटी ने किसी बड़े वैज्ञानिक को न पैदा किया हो और न ही यहां से कोई स्टीव जॉब्स या बिल गेट्स जैसा क्रिएटिव जीनियस निकला हो, लेकिन देश-दुनिया की कोई बड़ी कंपनी ऐसी नहीं है जहां आईआईटी ग्रेजुएट्स का बोलबाला न हो। देश का कोई बड़ा दफ्तर ऐसा नहीं है, जहां आईआईटी ग्रेजुएट अफसर न हों।

इन्फोसिस जैसी बड़ी कंपनियों ने ब्रांड इंडिया को दुनिया में जो सम्मान दिलाया है, उसके पीछे आईआईटी और उसके इंजीनियरों का ही हाथ है। आखिरकार आईआईटी के खास होने की क्या वजह है- इसका सरकारी होना जिसकी वजह से इसे फंड की कभी कोई कमी नहीं हुई? इसकी फैकल्टी जो वाकई विश्वस्तरीय रही है? इसमें पढ़ने वाले छात्र, जिन्होंने आम संस्था को खास बना दिया? या फिर आईआईटी की स्वायत्तता, जिसकी वजह से यह सरकारी संस्था हमेशा सरकारी दखल से दूर रही?

मेरे विचार से आईआईटी को विश्वस्तरीय बनाने में इन सबका हाथ रहा है। स्वायत्तता की वजह से इस संस्था में हमेशा गुणवत्ता पर ध्यान दिया गया और उसे हासिल करने तथा कायम रखने के लिए निवेश में कोई कंजूसी नहीं की गई। दुनिया भर से बड़े-बड़े प्रोफेसर बुलाए गए। इन संस्थानों में दाखिला पाने के लिए प्रवेश परीक्षा की ऐसी प्रक्रिया विकसित की गई जिसे पास करने के लिए छात्रों का टैलेंटेड होना काफी जरूरी था। लेकिन अब उस प्रवेश परीक्षा में बदलाव की बात चल रही है। अगले साल से आईआईटी दाखिले के टेस्ट की सूरत बदल जाएगी। आखिरी चयन में 12वीं क्लास के नंबर को भी तरजीह मिलेगी। और छात्रों की क्या रैंकिंग होगी, यह एडवांस टेस्ट द्वारा तय होगा। इस नई प्रक्रिया को लेकर विवाद हो गया है। मानव संसाधन विकास मंत्रालय और आईआईटी के शिक्षक व पूर्व छात्र आमने-सामने खड़े हो गए हैं।

या फिर आईआईटी की स्वायत्तता, जिसकी वजह से यह सरकारी संस्था हमेशा सरकारी दखल से दूर रही?

मई के महीने में सरकार की तरफ से इस बदलाव की घोषणा हुई। उसके बाद आईआईटी कानपुर ने तय किया कि वह इस बदलाव को नहीं मानेगा और अपने यहां दाखिले के लिए अलग से प्रवेश परीक्षा आयोजित करेगा। इसके बाद इसी हफ्ते आईआईटी दिल्ली ने भी यह ऐलान कर दिया कि वह भी अपने यहां दाखिले के लिए अलग प्रवेश परीक्षा लेगा। इतना ही नहीं, आईआईटी दिल्ली का कहना है कि वह दूसरे संस्थानों के साथ मिलकर यह टेस्ट आयोजित करेगा। दूसरी तरफ मानव संसाधन विकास मंत्रालय का कहना है कि साठ के दशक से चली आ रही प्रवेश परीक्षा के पैटर्न का बदलना जरूरी था। इस प्रवेश परीक्षा के बैरियर को वही पार कर पाता था, जिसने अच्छे कोचिंग इंस्टीच्यूट से कोचिंग ली हो। दरअसल, आईआईटी प्रवेश परीक्षा की चाबी अब कोचिंग इंस्टीच्यूट के पास है जिसकी वजह से कोचिंग इंस्टीच्यूट की फीस नहीं भर पाने वाले कई मेधावी छात्रों को आईआईटी में दाखिला नहीं मिल पाता है।

मानव संसाधन विकास मंत्रालय का कहना है कि साठ के दशक से चली आ रही प्रवेश परीक्षा के पैटर्न का बदलना जरूरी था।

बात में दम तो है। आईआईटी जैसे बड़े संस्थानों में दाखिले के लिए छात्रों के बीच लेवल प्लेइंग फील्ड का होना बहुत जरूरी है। मतलब यह है कि

आईआईटी में दाखिले की कुंजी कोचिंग इंस्टीच्यूट के पास हो तो यह अच्छी बात नहीं है। अगर आईआईटी में दाखिला पाने वालों में अधिकतर वही छात्र होते हैं, जो कोचिंग संस्थानों का सहारा लेते हैं तो यह स्वस्थ परंपरा भी नहीं है। इसे बदलना ही चाहिए। लेकिन सवाल यह है कि क्या नया सिस्टम पहले से बेहतर होगा? क्या नए सिस्टम के लागू होने से आईआईटी में आने वाले छात्रों की क्वालिटी में कमी आएगी? क्या नया सिस्टम आईआईटी की स्वायत्तता में दखल है? ये सारे सवाल जायज हैं और इन पर ठीक से विचार होना चाहिए। लेकिन मेरा यह कहना है कि जब तक हमें इन सवालों के जवाब नहीं मिल जाते तब तक पुराने सिस्टम को ढोना सही है क्या? हमें पता है कि पुराने सिस्टम से छात्रों के एक वर्ग को सबसे ज्यादा फायदा हो रहा है तो क्या लेवल प्लेइंग फील्ड बनाने की जरूरत नहीं है? किसी भी बदलाव पर सवाल उठते हैं। कई शंकाएं पैदा होती हैं। उनका समाधान होना चाहिए। लेकिन किसी सिस्टम को पांच दशक तक ढोना सही नहीं है। बदलाव की इस पहल के लिए मैं मानव संसाधन विकास मंत्रालय की तारीफ करता हूं। नए सिस्टम को जब तक हम परख नहीं लेते हैं तब तक इसकी गुणवत्ता पर टिप्पणी कैसे की जा सकती है?

हमें यह नहीं भूलना चाहिए कि आईआईटी का ब्रांड, उसकी क्वालिटी या उसकी स्वायत्तता अपने आप में उसकी शोभा नहीं है। आईआईटी की शोभा वहां के छात्रों से है। परीक्षा के नए सिस्टम का छात्रों पर क्या असर पड़ेगा, क्या नए सिस्टम का विरोध करने वालों ने यह जानने की कोशिश की। मेरे खयाल से विरोध सिर्फ इसलिए नहीं होना चाहिए कि यह किसी के अहं को संतुष्ट नहीं कर पा रहा है। मामला छात्रों का है। प्रवेश परीक्षा प्रणाली में हर जरूरी सुधार होने चाहिए- जिससे हर वर्ग के छात्रों को लेवल प्लेइंग फील्ड मिले, छात्रों की कम से कम परेशानी में ज्यादा भलाई हो और आईआईटी की चमक भी बरकरार रहे।

किसी भी बदलाव पर सवाल उठते हैं। कई शंकाएं पैदा होती हैं। उनका समाधान होना चाहिए।

(राष्ट्रीय सहारा, 24 जून, 2012)

58

टॉप गियर में आर्थिक सुधार

''मुझे भरोसा है कि प्रधानमंत्री एक बार फिर विकास की गाड़ी को पटरी पर लाने में सफल होंगे। बाजार ने भी उनकी नई पहल को सराहा है। रुपये की कमजोरी रुकी है और शेयर बाजार ने एक ही दिन में 450 अंकों की छलांग मारी है, जिनकी आहट भर से इतना सकारात्मक माहौल बन सकता है तो उनके फैसलों का क्या असर होगा, आप इसका खुद अंदाजा लगा सकते हैं।''

'हमें विदेशी निवेश की जरूरत है- दोनों पोर्टफोलियो और डायरेक्ट। अगर इस रास्ते में कोई बाधा है, पॉलिसी में कोई रुकावट है तो उसको दूर करने के लिए ठोस कदम उठाए जाएंगे' प्रधानमंत्री ने ब्राजिल से स्वदेश लौटते वक्त मेरे सवालों के जवाब में यह कहा था। रियो प्लस 20 सम्मेलन से लौटते वक्त मैंने प्रधानमंत्री से पूछा था कि रेटिंग एजेंसियां अपने देश की रेटिंग लगातार घटा रही हैं। अप्रैल में एस एंड पी ने और अब फिच ने। रेट्रोस्पेक्टिव टैक्स कानून में बदलाव के फैसले से विदेशी निवेश पर असर हो रहा है। मैंने उनसे पूछा कि वोडाफोन के मामले में सरकार क्या करने जा रही है? क्या विदेशी निवेश को बढ़ावा देने के लिए सरकार ठोस कदम उठाने जा रही है? प्रधानमंत्री ने साफ शब्दों में कहा था कि निवेश के रास्ते में जो भी अड़चनें आएंगी, उन्हें दूर किया जाएगा। उनका मतलब साफ था कि नए कदम उठाए जाएंगे और रेटिंग भी सुधरेगी।

प्रधानमंत्री के मूड से उसी दिन यह आभास हो गया था कि आर्थिक मोर्चे पर अब बड़े फैसले होने वाले हैं। इसी बीच वित्त मंत्रालय से प्रणब मुखर्जी के इस्तीफे के बाद वित्त मंत्रालय का जिम्मा सीधे प्रधानमंत्री के पास आ गया है। उसके ठीक बाद तरक्की की रफ्तार बढ़ाने की कवायद काफी तेज हो गई है। तरक्की के लिए सबसे जरूरी है निवेशकों का मूड ठीक करना। देसी निवेशकों का मूड इसलिए खराब है कि ब्याज दर ऊंची है और इंफ्रास्ट्रक्चर के प्रोजेक्ट्स अटके पड़े हैं। अपनी विदेश यात्रा से पहले इंफ्रास्ट्रक्चर पर जोर देकर प्रधानमंत्री ने देसी निवेशकों को राहत दी थी।

रेट्रोस्पेक्टिव टैक्स कानून में बदलाव के फैसले से विदेशी निवेश पर असर हो रहा है।

विदेशी निवेशकों की जो चिंताएं हैं, सो अलग है। उनकी एक बड़ी चिंता जीएएआर को लेकर है। जीएएआर यानी जनरल एंटी एवायडेंस रुल्स। दुनिया के 30 से ज्यादा देशों के टैक्स कोड में जीएएआर का जिक्र है। इसकी चर्चा सबसे पहले डायरेक्ट टैक्स कोड में हुई थी। फिर इस साल के आम बजट में इसका जिक्र हुआ। काफी विरोध के बाद यह ऐलान हुआ कि जीएएआर को 1 अप्रैल, 2013 से लागू किया जाएगा। आखिर जीएएआर है क्या? सीधी और सपाट बात करें तो जीएएआर का मतलब हुआ उस तरह के सारे

कारोबार जिसमें टैक्स की बचत होती है लेकिन अगर आयकर अधिकारियों को लगता है कि इस तरह के कारोबार सिर्फ टैक्स बचाने के लिए किए गए हैं तो उस बचत को मना किया जा सकता है। मतलब यह है कि टैक्स छूट देनी है या नहीं, यह आयकर के अधिकारी तय करेंगे।

निवेशकों और कारोबारियों को लग रहा है कि जीएएआर के बहाने कहीं हम लाइसेंस और परमिट राज की तरफ तो नहीं बढ़ रहे हैं। अगर टैक्स लगाने और छोड़ने का अधिकार आयकर विभाग के अधिकारियों पर छोड़ा जाएगा तो इस अधिकार के दुरुपयोग का खतरा बढ़ेगा। जब से जीएएआर पर चर्चा शुरू हुई तभी से विदेशी संस्थागत निवेशकों ने देसी बाजार से पैसा निकालना शुरू कर दिया। उन्हें यह डर सता रहा था कि पता नहीं कब उन पर टैक्स अधिकारियों की गाज गिर जाए। गुरुवार को वित्त मंत्रालय ने जीएएआर पर सफाई जारी की। अब पूरे मामले को प्रधानमंत्री ने अपने हाथ में ले लिया है। मुझे पूरा भरोसा है कि जिस प्रधानमंत्री ने 20 साल पहले लाइसेंस और परमिट राज की कब्र खोदी थी उसे वे किसी रूप में फिर से वापस नहीं आने देंगे।

अगर टैक्स लगाने और छोड़ने का अधिकार आयकर विभाग के अधिकारियों पर छोड़ा जाएगा तो इस अधिकार के दुरुपयोग का खतरा बढ़ेगा।

विदेशी निवेशकों की दूसरी चिंता रेट्रोस्पेक्टिव टैक्स संशोधन को लेकर है। पूरे मामले को समझने के लिए यह जानना जरूरी है कि ऐसा संशोधन क्यों किया गया। कुछ समय पहले भारत में मोबाइल सेवा देने वाली विदेश कंपनी हच को एक दूसरी विदेशी कंपनी वोडाफोन ने खरीद लिया। इस खरीद के बाद टैक्स अधिकारियों ने वोडाफोन से लांग टर्म कैपिटल गेंस टैक्स चुकाने को कहा। वोडाफोन ने इस बात का विरोध किया और मामला कोर्ट में पहुंच गया। सुप्रीम कोर्ट ने वोडाफोन के पक्ष में फैसला दिया। कोर्ट ने कहा कि चूंकि यह खरीद-फरोख्त भारत के बाहर हुई है इसलिए इस पर अपने देश के टैक्स कानून लागू नहीं होते हैं। लेकिन वित्त मंत्रालय का कहना था कि भले ही ट्रांजेक्शन दो विदेशी कंपनियों के बीच हुआ लेकिन मामला भारत में सर्विस देने वाली कंपनी का था, इसलिए टैक्स की मांग जायज है। अपनी मांग मंगवाने के लिए वित्त मंत्रालय ने आयकर कानून में रेट्रोस्पेक्टिव प्रभाव से यानी पिछली तारीख से संशोधन कर दिया।

विदेशी निवेशकों को वित्त मंत्रालय का यह फैसला पसंद नहीं आया। उनका मानना है कि अपनी मांग मनवाने के लिए सरकार कानून में संशोधन कर सकती है तो फिर निवेश की पॉलिसी में स्थिरता कहां से आएगी। उनकी राय है कि निवेश एक भरोसे से किया जाता है। भरोसा पॉलिसी की वजह से आता है। अगर पॉलिसी में ही बैक डेट से बदलाव होने लगे तो फिर भरोसा जगेगा कैसे? इस मामले में प्रधानमंत्री की तरफ से कोई फैसला नहीं आया है, लेकिन खबरें आ रही हैं कि प्रधानमंत्री कोई ऐसा फैसला नहीं करेंगे जिससे निवेशकों का मूड खराब हो।

वित्त मंत्रालय का जिम्मा जिस दिन से सीधे प्रधानमंत्री के पास आया है तब से एक सकारात्मक माहौल बना है।

दरअसल, वित्त मंत्रालय का जिम्मा जिस दिन से सीधे प्रधानमंत्री के पास आया है तब से एक सकारात्मक माहौल बना है। अधिकारियों को लगने लगा है कि उनको वे हर फैसले तेजी से लेने होंगे जो तरक्की की रफ्तार को बढ़ाएं, निवेश का माहौल तैयार करें और राह के सारे रोड़े खत्म करें। अब बात हो रही है कि जल्द ही पेंशन सुधार और इंश्योरेंस सेक्टर में विदेशी निवेश की सीमा बढ़ाने के फैसले पर आम सहमति बनाई जाए।

मुझे भरोसा है कि प्रधानमंत्री एक बार फिर विकास की गाड़ी को पटरी पर लाने में सफल होंगे। बाजार ने भी उनकी नई पहल को सराहा है। रुपये की कमजोरी रुकी है और शेयर बाजार ने एक ही दिन में 450 अंकों की छलांग मारी है, जिनकी आहट भर से इतना सकारात्मक माहौल बन सकता है तो उनके फैसलों का क्या असर होगा, आप इसका खुद अंदाजा लगा सकते हैं। प्रधानमंत्री को आर्थिक सुधारों का जनक ऐसे ही नहीं कहा जाता। उन्हें सही समय पर सही फैसला लेना आता है। प्रधानमंत्री विकास दर को हाइवे पर लाने और बाजार की रौनक लौटाने के लिए हर जरूरी कदम उठाएंगे, यह यकीन है।

(राष्ट्रीय सहारा, 1 जुलाई, 2012)

59

कहां हो रहा है ट्रिकल डाउन

''जरूरत लड़कियों को घर में बंद रखने की नहीं बल्कि उन्हें उनकी मर्जी से घूमने-पहनने की आजादी देने की है। पहनावे का इस तरह की घटनाओं में रत्ती भर भी असर नहीं होता है। लड़कों की बीमारी को लड़कियों के कपड़ों से ढंका नहीं जा सकता। मानसिक बीमारी की शिकार पंचायतों और उनके ठेकेदारों को यह कैसे समझाया जाए, यह बड़ा सवाल है।''

अर्थशास्त्र की एक थ्योरी है, ट्रिकल डाउन। इस थ्योरी के मुताबिक विकास दर बढ़ने से उन तबकों का भी फायदा होता है जो विकास प्रक्रिया में सीधे तौर पर जुड़े नहीं होते हैं। मतलब यह है कि इंडस्ट्रियल प्रोडक्शन में बढ़ोतरी होती है, सर्विस सेक्टर आगे बढ़ता है, कॉरपोरेट इंडिया मुनाफे कमाता है और सरकारी कंपनियां विस्तार करती हैं तो इन सबके फायदे बूंद-बूंद नीचे गांवों और कमजोर तबके तक भी पहुंचते हैं। पिछले कुछ साल से देश में हो रही तरक्की के फायदे अब गांवों में भी दिखने लगे हैं।

लेकिन क्या ट्रिकल डाउन आर्थिक के साथ-साथ सामाजिक मामलों में भी होता है! कम से कम दिल्ली के आसपास के इलाकों की कामकाजी संरचना को देखते हुए ऐसा नहीं लगता है। देश की राजधानी दिल्ली जवाहरलाल नेहरू के 1947 में दिए गए 'ट्रिस्ट विद डेस्टिनी' भाषण का गवाह है। लोकतंत्र की प्रतिमूर्ति संसद यहीं है तो दुनिया के सारे विचारों को कम से कम आवास तो यहां मिला ही हुआ है। दिल्ली को भले ही दुनिया का सबसे लिबरल शहर नहीं कहा जा सकता हो लेकिन इसे दकियानूसी शहर तो बिल्कुल नहीं कहा जा सकता है। मिर्जा गालिब इस शहर की गलियों में घूमे तो मानवता के प्रतीक महात्मा गांधी ने इसी शहर में कई सालों तक सांस ली। इस शहर की हर गली, हर मुहल्ले में विविधता बसती है। लोग इससे एडजस्ट होते भी दिख रहे हैं।

देश की राजधानी दिल्ली जवाहरलाल नेहरू के 1947 में दिए गए 'ट्रिस्ट विद डेस्टिनी' भाषण का गवाह है।

लेकिन दिल्ली के मूल्यों का ट्रिकल डाउन इफेक्ट यहां से सौ किलोमीटर दूर तक भी नहीं हो पाया है। वरना पश्चिमी उत्तर प्रदेश के बागपत जिले के एक गांव में अजीबोगरीब फैसले कैसे होते। बागपत के असारा गांव में इस हफ्ते यह फैसला लिया गया कि 40 से कम उम्र की महिलाओं को बाजार जाने की इजाजत नहीं दी जा सकती है। गांव में प्रेम विवाह पर प्रतिबंध लगा दिया गया है और महिलाओं को मोबाइल फोन रखने की इजाजत नहीं है। उन्मुक्त बाजार और खुली सोच वाले समाज के केंद्र दिल्ली के बहुत पास बसे इस गांव में ऐसे फैसले चौंकाते हैं।

यहां यह बताना जरूरी है कि हरियाणा और पंजाब के साथ-साथ पश्चिमी उत्तर प्रदेश को हरित क्रांति से खूब फायदा हुआ है। इन इलाकों के गांव और शहर देश के सबसे संपन्न इलाकों में शुमार हैं। दिल्ली से सटे होने की वजह से यहां के लोगों को रोजगार के कई मौके हैं और इन इलाकों में रियल एस्टेट का बूम होने का फायदा भी यहां रहने वाले लोगों को खूब मिला है। इस तरह के फैसले न तो गरीबी के फ्रस्टेशन माने जा सकते हैं और न ही अमीरी के दंभ में जारी फरमान। यहां यह बताना जरूरी है कि इन इलाकों में सेक्स रेशियो यानी महिलाओं की संख्या पुरुषों की तुलना में देश के बाकी इलाकों से कम है। साथ ही महिलाओं की साक्षरता दर भी यहां पुरुषों के मुकाबले काफी कम है।

हरियाणा और पंजाब के साथ-साथ पश्चिमी उत्तर प्रदेश को हरित क्रांति से खूब फायदा हुआ है।

बागपत के असारा गांव का यह फतवा अपने आप में इस तरह का अकेला फैसला नहीं है। महिलाओं को 'कंट्रोल' करने वाले इस तरह के कई फैसले इन इलाकों की पंचायतों और गांवों में कई बार लिए गए हैं। सगोत्रीय विवाह को लेकर खाप पंचायतों की ओर से कई बार खूनी फरमान जारी हो चुके हैं। लड़कियों के जींस पहनने पर रोक लगाने के लिए खाप पंचायतों के कई फैसले आए हैं। इनका यह भी कहना है कि लड़कियों द्वारा मोबाइल फोन के इस्तेमाल से प्रेम विवाह नामक वाइरस का खतरा बढ़ता है। इन पंचायतों की दलील है कि जींस पहनने वाली और मोबाइल फोन इस्तेमाल करने वाली महिलाएं उन्मुक्त हो जाती हैं, जिससे सामाजिक भ्रष्टाचार बढ़ता है। जनवरी, 2011 में मुजफ्फरनगर के एक गांव में लड़कियों के जींस पहनने पर रोक लगा दी गई। कहा गया कि लड़कियों के जींस पहनने से छेड़खानी के मामले बढ़ते हैं। 2010 में हरियाणा, राजस्थान और उत्तर प्रदेश की खाप पंचायतों में यह फैसला लिया गया कि हिंदू मैरिज एक्ट में बदलाव कर अगर सगोत्रीय विवाह पर रोक नहीं लगाई जाती है तो पूरे देश में यह लोग इसके लिए आंदोलन करेंगे। दुख की बात है कि इस तरह के फतवे हर जाति और हर धर्म की पंचायतों की तरफ से जारी हुए हैं।

आकर्षक दिखना या फिर अपनी सुविधा और पसंद से पोशाक पहनना हर इंसान का मौलिक अधिकार है। तथाकथित रूप से भड़कीले पोशाक की वजह से किसी के मन में उत्तेजना का पैदा होना मानसिक बीमारी का संकेत है। यह विडंबना है कि छेड़खानी करने वाले या बलात्कार की कोशिश करने वाले पर अंकुश लगाने के उपाय तलाशने के बदले उन पर रोक लगाने की कोशिश होती है जो मानसिक रूप से स्वस्थ हैं और जिन्हें अपनी पसंद से जीवन जीना अच्छा लगता है। अंकुश लगाने की जरूरत है उन आवारा लड़कों पर जो खुद की मानसिक बीमारियों की वजह से लड़कियों को पीड़ा पहुंचाते हैं। गुवाहाटी में दो दर्जन आवारा लोगों ने एक युवती को असह्य यातना दी। इसमें मरीजों की पहचान मुश्किल नहीं है। अगर वह लड़की दो दर्जन सहेलियों के साथ होती तो क्या आवारा लोगों की इतनी हिमाकत होती?

> *तथाकथित रूप से भड़कीले पोशाक की वजह से किसी के मन में उत्तेजना का पैदा होना मानसिक बीमारी का संकेत है।*

जरूरत लड़कियों को घर में बंद रखने की नहीं बल्कि उन्हें उनकी मर्जी से घूमने-पहनने की आजादी देने की है। घरों में बंद रखने की जरूरत ऐसे आवारा लोगों को है जो यह नहीं समझ पा रहे हैं कि यह तय करना उनका काम नहीं है कि कोई कैसे चलेगा, कैसे रहेगा। पहनावे का इस तरह की घटनाओं में रत्ती भर भी असर नहीं होता है। आप इसे रोहतक के 'अपना घर' की वारदातों से भी समझ सकते हैं और हाल में सामने आई हुगली की घटना से भी। हुगली में तो मानसिक विक्षिप्त महिलाओं को दरिंदों ने हवस का शिकार बनाया। इसलिए लड़कों की बीमारी को लड़कियों के कपड़ों से ढंका नहीं जा सकता। मानसिक बीमारी की शिकार पंचायतों और उनके ठेकेदारों को यह कैसे समझाया जाए, यह बड़ा सवाल है।

अब यह जानने की जरूरत है कि इन इलाकों में कंट्रोल की ऐसी घिनौनी मानसिकता है क्यों? परंपरा और रिवाज से अलग मैं इसे दूसरी तरह से देखता हूं। महंगी कार खरीदने और रहन-सहन बदलने के बावजूद इनके सोचने के तौर-तरीके नहीं बदले। मोटा-मोटी आर्थिक तौर पर सहज जीवन जी रहे यह लोग कानून और सभ्य समाज के तौर-तरीकों को ताक

पर रखने की तमन्ना पालते हैं। इस तमन्ना को कोई प्रेमी जोड़ा या कोई लड़की चुनौती दे तो यह लोग तिलमिला उठते हैं। झूठी बादशाहत को घर में ही चुनौती मिलती है तो बौखलाहट में जारी होने लगते हैं तालिबानी फरमान। इस पूरे इलाके में हॉरर किलिंग के कई मामले सामने आए हैं और उससे भी ज्यादा सामने नहीं आ पाए।

इन इलाकों के मेहनती किसानों की वजह से देश अनाज के मामले में आत्मनिर्भर बना। कई महान नेता यहीं से निकले। लेकिन मेहनतकशों के बीच में घिनौनी मानसिकता वाले कई मुफ्तखोर भी हैं जिन्हें विरासत में दूषित परंपरा मिली है। जरूरत है कि इन इलाकों की स्वयंभू पंचायतों पर मेहनतकशों का कब्जा हो। तभी ऐसे तुगलकी फरमानों से मुक्ति मिलेगी और भ्रूण से सुरक्षित बाहर आ सकी बच्चियां खुली हवा में सांस ले सकेंगी।

(राष्ट्रीय सहारा, 15 जुलाई, 2012)

60

आराधना, खामोशी और कटी पतंग

''राजेश खन्ना की खासियत यह थी कि उन्होंने अपने समय को पहचाना और समाज में पूजे जाने वाले प्रोफेशनल्स को ही पर्दे पर जिया। हरेक भूमिका के जरिए वे दर्शकों की आकांक्षाओं से जुड़ जाते थे। राजेश खन्ना ने पर्दे पर हमेशा मिडिल क्लास की उम्मीदों, सपनों और दिक्कतों को ही जिया। उनके सुपरस्टार बनने की यही यूएसपी रही।''

इस हफ्ते पूरे देश की आंखों में राजेश खन्ना उमड़ते रहे। स्वाभाविक भी है। भारतीय और खासकर हिंदी फिल्मों के पहले सुपरस्टार ने दुनिया का साथ छोड़ दिया था। सुपरस्टार का खिताब उन्हें यों ही नहीं मिला था। लगातार 16 हिट से यह मुकाम उन्होंने हासिल की थी। उनकी फैन फॉलोइंग ऐसी थी कि जन्मदिन के दिन उन्हें ट्रक भर फूलों के गुलदस्ते मिलते थे। लड़कियां उनकी तस्वीरों से शादी करती थी और जिन इलाकों में भी उनकी फिल्मों की शूटिंग होती थी, ट्रैफिक ठहर-सा जाता था।

जतिन खन्ना के राजेश खन्ना बनने के सफर में कई कहे-अनकहे पहलू हैं। आज के दौर में यह सोचना आसान है कि कोई रियलिटी शो जीतकर फिल्म में काम पा लेता है या प्लेबैक सिंगिंग का कांट्रैक्ट हथिया लेता है। लेकिन 60 के दशक में प्रतियोगिता के जरिए फिल्मों में एंट्री कितनी कठिन रही होगी? राजेश खन्ना ने ऐसी ही एक प्रतियोगिता जीती और फिल्मी दुनिया में कदम रखा। गौरतलब है कि उसी प्रतियोगिता में अमिताभ बच्चन भी भाग लेना चाहते थे लेकिन किसी वजह से उन्हें यह मौका नहीं मिला।

1966 से शुरू हुए अपने सुनहले सफर में राजेश खन्ना ने 180 फिल्मों में काम किया, जिसमें 17 छोटी फिल्में थीं।

1966 से शुरू हुए अपने सुनहले सफर में राजेश खन्ना ने 180 फिल्मों में काम किया, जिसमें 17 छोटी फिल्में थीं। जिन 163 फीचर फिल्मों में उन्होंने काम किया, उनमें से 106 में वे मुख्य भूमिका में रहे। 1969 से 1974 के बीच उन्होंने 33 फिल्मों में काम किया, जिनमें 30 फिल्में हिट साबित हुई हैं। सचमुच ये चकाचौंध करने वाले आंकड़ें हैं। इतने कम समय में इतनी हिट फिल्में बनाना कैसे संभव हो सका? अलग-अलग कहानी, सुपरहिट गाने, अलग-अलग हीरोइन के साथ-साथ अलग-अलग केमिस्ट्री। सबके कॉकटेल ने राजेश खन्ना को बॉलीवुड का बेताज बादशाह बना दिया।

अलग-अलग तरह से इस बादशाहत की इस सप्ताह बहुत चर्चा हो चुकी है। मैं इस बेताज बादशाह के साम्राज्य की वजह जानने की कोशिश करूंगा। आखिर उनके करिश्मा का क्या राज था? साथ-साथ यह भी जानने की कोशिश करुंगा कि इतने बड़े सुपरस्टार इतनी जल्दी हमें छोड़कर क्यों चले गए?

राजेश खन्ना के जादू के पीछे क्या था-उनका लुक, उनकी अदाकारी, उनकी फिल्मों का चयन, उनकी फिल्मों के डायरेक्टर, उनकी फिल्मों का संगीत, हीरोइन के साथ उनकी केमेस्ट्री या कुछ और? राजेश खन्ना की सफलता में इस सबका हाथ रहा है, अगर ऋषिकेश मुखर्जी नहीं होते तो आनंद नहीं होता। किशोर कुमार नहीं होते तो 'जिंदगी एक सफर है सुहाना' जैसा कालजयी गीत नहीं गाया जाता। शर्मिला टैगोर नहीं होतीं तो 'आराधना' अभूतपूर्व हिट नहीं होती। लेकिन ऋषिकेश दा ने दूसरों को भी चांस दिया था, किशोर कुमार ने कई दूसरे अभिनेताओं के लिए भी गाए, आरडी बर्मन ने दूसरी फिल्मों में भी संगीत दिए और शर्मिला टैगोर ने दूसरे अभिनेताओं के साथ भी काम किया। आखिर क्या खास था, राजेश खन्ना में कि यह अद्वितीय स्टारडम सिर्फ उन्हें ही नसीब हुआ?

राजेश खन्ना की खासियत यह थी कि उन्होंने अपने समय को पहचाना।

इसे जानने के लिए साठ के दशक के भारत को समझना होगा। देश की आजादी के बाद का आशावाद खत्म हो रहा था। नेहरू युग का अंत हो चुका था। देश में खाद्यान्न का भारी संकट था। हरित क्रांति की बातें चल रही थीं (राजेश खन्ना की फिल्म 'रोटी' में उस समय के खाद्यान्न संकट को ही दिखाया गया है।) तरक्की करने का एक ही साधन था- प्रोफेशनल शिक्षा। डॉक्टर और इंजीनियर की समाज में काफी पूछ थी। ऐसे माहौल में सुनहले पर्दे पर राजेश खन्ना का उदय हुआ।

राजेश खन्ना की खासियत यह थी कि उन्होंने अपने समय को पहचाना और समाज में पूजे जाने वाले प्रोफेशनल्स को ही पर्दे पर जिया। याद कीजिए फिल्म 'अराधना' का एयरफोर्स का पायलट। एयरफोर्स की नौकरी को बड़ी इज्जत से देखा जाता था और उस पर भी पायलट यानी हार्डकोर प्रोफेशनल। पर्दे पर राजेश खन्ना ने ऐसे ही किरदार निभाए। कभी पायलट तो कभी आर्टिस्ट। हरेक भूमिका के जरिए वे दर्शकों की आकांक्षाओं से जुड़ जाते थे। उन्होंने कभी भी बहुत अमीर या बहुत गरीब की भूमिका नहीं निभाई। न ही किसी देहाती की भूमिका। 60 के दशक में भारत में मिडिल क्लास की उम्मीदों, सपनों और दिक्कतों को ही जिया। मेरे ख्याल से उनके सुपरस्टार बनने की यही यूएसपी रही।

अब सवाल उठता है कि राजेश खन्ना हमारे बीच से इतनी जल्दी क्यों चले गए? इसके लिए उनके स्टारडम के बाद की जिंदगी को जानना जरूरी

है। काफी कम समय में वो सफलता के उस शिखर पर पहुंच गए कि उनकी जिंदगी में धीरे-धीरे एकाकीपन आ गया। स्टेटस में अंतर की वजह से कई दोस्त पीछे छूट गए। शादी भी ज्यादा दिन नहीं चली। फिल्में भी फ्लॉप होने लगी। इस सबकी वजह से वो जिंदगी से खफा हो गए। अपने युग को रोमांस खिलाने वाले स्टार की जिंदगी से ही रोमांस गायब हो गया।

ऐसे समय में कोई अपने आपको री-इन्वेंट करता है तो सफलता के दिनों को याद करके अफसोस जताता है। राजेश खन्ना ने दूसरा रास्ता अपनाया। न्यूक्लियर फैमिली में रहने की वजह से उनका सपोर्ट सिस्टम काफी छोटा था। जब वह भी टूट गया तो उनके पास अफसोस करने लायक कुछ नहीं बचा। इस मायूसी से बाहर निकलने के लिए वो राजनीति में आए। राजनीति के शुरुआती दौर में उन्होंने सुपरस्टार वाली ऊर्जा दिखाई। इसी का नतीजा था कि लालकृष्ण आडवाणी जैसे दिग्गज नेता के खिलाफ भी वे लोकसभा चुनाव में जमकर लड़े और 2000 से कम वोटों से हारे। आडवाणी ने जब यह सीट खाली कर दी तो फिर इसी सीट पर हुए उप चुनाव में राजेश खन्ना जीतकर संसद पहुंचे।

काफी कम समय में वो सफलता के उस शिखर पर पहुंच गए कि उनकी जिंदगी में धीरे-धीरे एकाकीपन आ गया।

लेकिन राजनीति में उनकी दिलचस्पी ज्यादा दिनों तक कायम नहीं रही। फिर वही मायूसी। इसी मायूसी ने इस सुपरस्टार को हमसे इतनी जल्दी छीन लिया। उनके पास सबकुछ था- काफी कम उम्र में उम्मीदों से ज्यादा सफलता, दौलत-शोहरत और मुंबई के पॉश इलाके में आशीर्वाद जैसा आलीशान बंगला। लेकिन इन सबके रहते वो जिंदगी में चैन नहीं पा सके। शायद 69 साल की उम्र में उनके निधन की वजह उनका एकाकीपन ही रहा। और यह हम सबके लिए एक बड़ा सबक भी है।

लेकिन मैं राजेश खन्ना को ऐसे सुपरस्टार के रूप में याद रखूंगा, जिन्होंने हमें यह बताया कि सही समय पर सही काम तत्परता और तन्मयता के साथ किए जाएं तो सफलता हासिल करना मुमकिन है। हर आदमी अपने काम में सुपरस्टार बन सकता है। बशर्ते जो किया जाए, जम कर किया जाए, रम कर किया जाए।

(राष्ट्रीय सहारा, 22 जुलाई, 2012)

61

पावर सेक्टर की हो तत्काल सर्जरी

''कागज पर भले ही हम बिजली पैदा करने में दुनिया के पांचवें सबसे बड़े देश हों, लेकिन इतना पूरे देश की मांग के लिए काफी नहीं है। सरकारी आंकड़ों के मुताबिक पीक आवर में डिमांड और सप्लाई में 11 परसेंट का अंतर रहता है, जबकि नॉन पीक आवर में यह कमी 9 परसेंट रहती है। लेकिन इस सेक्टर के एक्सपर्ट्स की माने तो डिमांड-सप्लाई में यह अंतर 20 परसेंट से कम नहीं है। यह तब है जब हम सभी जानते हैं कि देश के कई गांव ऐसे हैं जहां बिजली का नामोनिशान नहीं है।''

कोयले की खदान में फंसे उन मजदूरों की मनोस्थिति के बारे में सोचिए जिन्हें बिजली फेल होने से कई घंटों तक जिंदगी की काली सच्चाई से लड़ना पड़ता होगा। वे काम में लगे हुए थे कि अचानक बिजली चली गई। इसके चलते लिफ्ट बंद हो गई। लिफ्ट बंद होना यानि बाहर जाने के सारे रास्ते बंद होना। नतीजा जमीन के करीब 100 मीटर नीचे काम और चारों ओर काला साया। कुछ मिनटों के लिए पहले भी ऐसा होता होगा। लेकिन पहले तो ऐसा लगता होगा कि बिजली तो बस आने वाली है और फिर सबकुछ नॉर्मल हो जाएगा। लेकिन 31 जुलाई को स्क्रिप्ट बदल गई और मिनटों का इंतजार घंटों में बदल गया। घंटों तक खदान के अंदर अंधेरा रहा और वहां काम करने वाले वहीं फंसे रहे। उनके फंसने की वजह कोई प्राकृतिक आपदा नहीं थी। न ही खदान में अचानक कोई गड़बड़ी आ गई थी।

इस गड़बडी के पीछे की वजह कहानी और भी डरावनी रही। ग्रिड फेल होने की वजह से पूरा उत्तरी और पूर्वी भारत अंधेरे में डूब गया। दिल्ली की वर्ल्ड क्लास मेट्रो जहां थी वहीं रुक गई। करीब 700 लंबी ट्रेनों की आवाजाही रुक गई और करोड़ों पैसेंजर सब कुछ ठीक होने का इंतजार करने लगे। अस्पताल में सर्जरी रुक गई तो एयरपोर्ट से विमानों की आवाजाही बंद हो गई। बिजली का संकट इतना बड़ा था कि इसका असर देश के करीब 20 राज्यों के 60 करोड़ लोगों पर हुआ। ध्यान रहे कि उत्तर भारत के राज्यों में एक दिन पहले भी बिजली गुल हुई थी।

घंटों तक खदान के अंदर अंधेरा रहा और वहां काम करने वाले वहीं फंसे रहे।

आखिर दो दिन बिजली गुल रहने की क्या वजह रही? एक्सपर्ट की टीम जांच कर रही है। जांच रिपोर्ट आने पर पता चलेगा कि आखिर ऐसा क्या हो गया था। लेकिन सरकारी महकमे में इस बात की चर्चा है कि कुछ राज्यों ने ग्रीड से अपने कोटे से ज्यादा बिजली ली जिससे ग्रीड पूरी तरह फेल हो गया। और चूंकि उत्तरी ग्रीड, पूर्वी और उत्तर-पूर्वी ग्रीड से जुड़ी है, इसलिए तीनों ग्रीड एक साथ बैठ गई, जिसका असर देश के 20 राज्यों के लोगों पर पड़ा। ग्रीड कैसे काम करता है यह तकनीकी मामला है, लेकिन मेरा एक सीधा

सवाल है कि किसी एक आदमी की गलती से पूरा ग्रीड कैसे बैठ सकता है? और अगर ऐसा है तो मानना होगा वाकई सबकुछ भगवान भरोसे है।

दरअसल असली मामला अपने कोटे से ज्यादा बिजली लेने का नहीं है। मामला है देश में बिजली की भारी कमी का। कागज पर भले ही हम बिजली पैदा करने में दुनिया के पांचवें सबसे बड़े देश हों, लेकिन इतना पूरे देश की मांग पूरी करने के लिए काफी नहीं है। सरकारी आंकड़ों के मुताबिक पीक आवर में डिमांड और सप्लाई में 11 परसेंट का अंतर रहता है, जबकि नॉन पीक आवर में यह अंतर 9 परसेंट का होता है। लेकिन इस सेक्टर में काम करने वाले एक्सपर्ट की माने तो डिमांड-सप्लाई में यह अंतर 20 परसेंट से कम नहीं है। यह तब है जब हम सभी जानते हैं कि देश के कई गांव ऐसे हैं जहां बिजली का नामोनिशान नहीं है।

प्लानिंग कमीशन हर पांच साल के लिए बिजली उत्पादन का लक्ष्य तय करता है।

इस सबका साफ मतलब यह है कि देश में बिजली की भारी कमी है। क्यों न हो ? 1952 से लेकर अभी तक किसी भी साल हमने निर्धारित लक्ष्य हासिल नहीं किया। क्या कभी भी जिम्मेदारी तय करने की कोशिश की गई? प्लानिंग कमीशन हर पांच साल के लिए बिजली उत्पादन का लक्ष्य तय करता है। लक्ष्य तय करने के कुछ आधार होते हैं। यूं ही हवा में लक्ष्य तय नहीं कर दिए जाते हैं। और अगर रियलिस्टिक लक्ष्य तय किए गए तो पूरे क्यों नहीं हुए?

ऐसा नहीं है कि बिजली की समस्या दूर करने की कोशिश नहीं की गई। यूपीए की पहली पारी में अल्ट्रा मेगा पावर प्रोजेक्ट शुरू करने की बात हुई। कंपनियों से बिड मांगे गए, और कुछ कंपनियों ने बिड जीती भी। लेकन पांच के बाद एक भी अल्ट्रा मेगा पावर प्रोजेक्ट शुरू नहीं हुआ है। किसी को पर्यावरण मंत्रालय की हरी झंडी नहीं मिली है, कोई कोयला नहीं मिलने से शुरू हो नहीं पा रहा है तो कोई गैस का इंतजार कर रहा है। यही कहानी देश के दूसरे प्रोजेक्ट की भी है। जो प्रोजेक्ट काम कर रहे हैं वहां भी उतनी बिजली पैदा नहीं हो रही है जितनी पैदा करने की वहां क्षमता है। अनुमान है कि देश के पावर प्रोजेक्ट अपनी क्षमता का 73.3 परसेंट ही बिजली पैदा कर पा रहे हैं। और इसके पीछे भी वजह है–

कोयले का नहीं मिलना और गैस की कमी। और जितनी बिजली पैदा होती है उसका एक तिहाई वितरण में गड़बड़ी की वजह से गायब हो जाती है। मतलब यह है कि अगर देश में 100 मेगावाट बिजली पैदा करने की क्षमता है तो महज 73 मेगावाट बिजली पैदा हो रही है। और वितरण में गड़बड़ी के बाद कंज्यूमर को पहुंचाने के लिए हमारे पास महज 60 मेगावाट बिजली बचती है।

इस सारी गड़बड़ी के पीछे है देश की वितरण प्रणाली। बिजली वितरण का काम राज्य के बिजली वितरण बोर्ड्स के पास होता है। इन बोर्ड्स का घाटा 2 लाख करोड़ तक पहुंच गया है। इस दिवालिए बोर्ड्स से हम क्या उम्मीद कर सकते हैं? इनकी हालत ऐसी है कि ये ना तो कंज्यूमर से कीमत वसूल सकते हैं, न ही वितरण लाइसेंस को दुरुस्त कर सकते हैं और न ही बिजली पैदा करने वाले की कीमत चुका सकते हैं। किसी भी सामान को प्रोड्यूस करने वाले को अगर सामान की सही कीमत नहीं मिलेगी तो उसकी दिलचस्पी प्रोड्क्शन में खत्म हो जाएगी। पावर सेक्टर में यही हो रहा है। कंज्यूमर को बिजली नहीं मिल रही है, प्रोड्यूसर को बिजली पैदा करने में हुए खर्च भी समय पर नहीं मिल रहे हैं और वितरण प्रणाली इस तरह से बीमार हैं कि उसका इलाज संभव नहीं है।

इस सारी गड़बड़ी के पीछे है देश की वितरण प्रणाली।

ऐसे में जरूरी है कि 31 जुलाई की घटना से हम सब सबक लें और पावर सेक्टर की पूरी तरह से सर्जरी करें। शुरुआत राज्यों से ही करनी होगी। सबसे पहले राज्यों के बिजली वितरण बोर्ड्स को भंग करना होगा और उसके बदले वितरण का नया रास्ता खोजना होगा। हो सकता है कि वितरण को निजी हाथों में देने से सुधार हो। प्राइवेटाइजेशन का फायदा कई जगह हुआ भी है। फिलहाल ठोस बदलाव होता दिखाई नहीं दे रहा है लेकिन फिर भी हम आस लगाए बैठे हैं।

(राष्ट्रीय सहारा, 5 अगस्त, 2012)

62

संकट में भी मौका है

''हमें यह नहीं भूलना चाहिए कि इससे भी भयावह संकट हमारी अर्थव्यवस्था के सामने 1991 में था। उस वक्त के वित्त मंत्री और मौजूदा प्रधानमंत्री मनमोहन सिंह ने उस वक्त देश को एक नई दिशा दी। उस दिशा में देश की अर्थव्यवस्था को आगे बढ़ाने का काम पी. चिदंबरम साहब ने किया था, जो एक बार फिर वित्त मंत्री के पद पर आसीन हुए हैं। इस टीम की सहायता करने के लिए रघुरामजी राजन जैसे काबिल अर्थशास्त्री को मुख्य आर्थिक सलाहकार बनाया गया है।''

साल की शुरुआत में अगर कोई पांच परसेंट विकास दर की बात करता तो उसकी खूब फजीहत होती। उस समय आठ परसेंट विकास दर की बात हो रही थी। बात हो रही थी कि आर्थिक सुधार के मोर्चे पर बड़े फैसले हुए तो विकास दर में और तेजी लाई जा सकती है। लेकिन छह महीने में ही सबकुछ बदल गया। पहले रुपये का झटका, फिर कच्चे तेल में उबाल और उसकी वजह से व्यापार घाटे में लगातार बढ़ोतरी और इनके बीच महंगाई का नीचे नहीं आना। इसी दौरान औद्योगिक उत्पादन के आंकड़े लगातार खराब आ रहे हैं। पिछला आंकड़ा तो -1.8 परसेंट का है। और इससे भी चौंकाने वाली बात यह है कि कैपिटल गुड्स के उत्पादन में 27 परसेंट से ज्यादा की कमी आई है। कैपिटल गुड्स का यह हाल है तो माना जा सकता है कि आने वाले महीनों में इंडस्ट्रीज की रफ्तार धीमी ही रहने वाली है।

इंडस्ट्री का हाल बुरा है और सर्विस सेक्टर भी कुछ अच्छा नहीं कर रहा है।

इंडस्ट्री का हाल बुरा है और सर्विस सेक्टर भी कुछ अच्छा नहीं कर रहा है। बैंकिंग सेक्टर में हाल यह है कि बैंकों का एनपीए लगातार बढ़ रहा है। टेलीकॉम सेक्टर में भारी कंफ्यूजन है और इसका नतीजा है कि इस सेक्टर की सबसे बड़ी कंपनी भारती एयरटेल का शेयर लगातार पिट रहा है। भारती एयरटेल के शेयर इसी हफ्ते करीब 15 परसेंट गिर गए। रियल एस्टेट सेक्टर के खरीददार गायब हैं। बिल्डरों को नए प्रोजेक्ट के लिए लोन नहीं मिल रहा है और ऊंची ब्याज दर की वजह से घर के खरीददार नहीं मिल रहे हैं। ऑटो सेक्टर की रफ्तार कई महीनों से धीमी है। इस सेक्टर की सबसे बड़ी कंपनी मारुति के एक नए प्लांट में कई हफ्ते से प्रोडक्शन बंद है।

ऑटो सेक्टर की रफ्तार कई महीनों से धीमी है।

2008 में कमोबेश यही हालात थे। लेकिन उस साल कुछ सरकारी स्टिमुलस से और कुछ हमारे गांवों की मदद से हमारी इकोनॉमी जल्द ही मंदी के संकट से उबर गई। लेकिन इस बार न तो सरकार से उम्मीद है और न ही खराब मॉनसून की वजह से किसानों से ज्यादा उम्मीद रखनी चाहिए। मॉनसून का हाल इतना बुरा है कि इसकी वजह से अनाज के दाम और बढ़ने की आशंका है। इसी सबका नतीजा है कि अर्थशास्त्रियों के साथ-साथ दुनिया

के सारे बड़े फर्म ने यह अनुमान लगाया है कि इस साल भारत की विकास दर 5.5 से ज्यादा नहीं रहने वाली है। एक फर्म का तो अनुमान है कि मॉनसून का इतना बुरा हाल रहा तो विकास दर पांच परसेंट से नीचे भी जा सकती है।

पांच परसेंट विकास दर का मतलब क्या हुआ? इसका सबसे घातक असर रोजगार के मौकों पर पड़ने वाला है। माना जाता है कि अगर अपने देश की विकास दर छह परसेंट रहती है तो हम इतने रोजगार पैदा कर पाएंगे जिससे हर नए रोजगार खोजने वाले को नौकरी मिल जाएगी। 1997 से अब तक देश में औसत सात परसेंट विकास दर रही है। इसी वजह से रोजगार के नए मौके बने और बेरोजगारी की दर को नीचे रखने में कामयाबी मिली। इसका असर चारों ओर दिखा भी। लोगों की सैलरी बढ़ी, घरों की कीमत बढ़ी, मोबाइल ग्राहकों की संख्या में बेतहाशा बढ़ोतरी हुई, चार पहिए के वाहनों की रिकॉर्ड बिक्री दिखी, कई शॉपिंग मॉल्स खुले और खरीददारों की कहीं कमी नहीं दिखी। इस सबके पीछे सात परसेंट की विकास दर रही। अब वह दर घटकर पांच परसेंट रहने वाली है। और इस सबका असर रोजगार के मौंकों पर पड़ने वाला है। देश के सामने सबसे बड़ी चुनौती यही होने वाली है।

इस सबके पीछे सात परसेंट की विकास दर रही।

अर्थव्यवस्था को दूसरा खतरा रेटिंग एजेंसियों से है। जून में दुनिया की प्रभावशाली रेटिंग एजेंसी स्टैंडर्ड एंड पूअर भारत की रेटिंग घटाने की धमकी दे चुकी है। मूडिज का कहना है कि मांग में कमी की वजह से भारतीय कंपनियों का भरोसा हिल गया है, ऊंची ब्याज दर और महंगाई और उस पर फैसले नहीं लेने की मजबूरी की वजह से अर्थव्यवस्था की चाल काफी धीमी हो गई है। रेटिंग एजेंसियों की चेतावनी का मतलब यह हुआ कि हमारी कंपनियों के लिए विदेशी कर्ज महंगा हो जाएगा और हमारे देश में विदेशी निवेश में कमी आएगी। नतीजन विदेशी निवेश में कमी से विकास दर और धीमी होगी। विकास दर में कमी का सीधा असर सामाजिक क्षेत्रों की योजनाओं के खर्च पर पड़ेगा। मनरेगा, सर्व शिक्षा अभियान, भारत निर्माण और किसान बीमा जैसी कई योजनाएं हैं, जिन पर हर साल हजारों करोड़ रुपये खर्च होते हैं। विकास दर में कमी आने से टैक्स से होने वाली सरकारी आय में कमी आएगी और

उसकी वजह से सामाजिक योजनाओं के खर्चों में कटौती करनी होगी। क्या इसका मतलब यह मान लिया जाए कि अगले कुछ साल अर्थव्यवस्था के लिए काफी बुरे रहने वाले हैं? मेरा मानना है कि हर संकट में अपने घर को दुरुस्त करने का एक मौका भी होता है। यह संकट भी एक मौका है। वित्तीय घाटा कम करने का, व्यापार घाटे में कमी की कोशिश करने का। संकट के समय में आम सहमति बनाना थोड़ा आसान होता है। बड़े खतरे को टालने के लिए लोगों को छोटी-मोटी तकलीफों के लिए भी तैयार करना भी आसान होता है। मेरा मानना है कि इस संकट को भी एक मौके की तरह देखना चाहिए।

हमें यह नहीं भूलना चाहिए कि इससे भी भयावह संकट हमारी अर्थव्यवस्था के सामने 1991 में था। उस वक्त के वित्त मंत्री और मौजूदा प्रधानमंत्री मनमोहन सिंह ने उस वक्त देश को एक नई दिशा दी। उस दिशा में देश की अर्थव्यवस्था को आगे बढ़ाने का काम पी चिदंबरम साहब ने किया था, जो एक बार फिर वित्त मंत्री के पद पर आसीन हुए हैं। इस टीम की सहायता करने के लिए रघुराम जी राजन जैसे काबिल अर्थशास्त्री को मुख्य आर्थिक सलाहकार बनाया गया है। मुझे इस काबिल टीम से बहुत उम्मीद है कि वह संकट को मौका बना कर दिखाएगी। इसकी शुरुआत इंफ्रास्ट्रक्चर पर खर्च को बढ़ा कर किया जा सकता है। वित्तीय घाटा कम करने की कोशिश की स्थिति में भारतीय रिजर्व बैंक ब्याज दरों में कटौती कर सकता है, जिससे अर्थव्यवस्था को और बल मिलेगा। यह समय यूपीए सरकार के घटक और सहयोगी दलों और विपक्ष में बैठे अलग विचारधारा रखने वाले दलों के लिए भी दुनिया को यह दिखाने का मौका है कि देश के सवाल पर अलग-अलग बैनर और झंडों के तले भी वह एक हैं। तिरंगे को इस समय सबसे बड़ी सलामी यही है। जय हिंद!

> *मनरेगा, सर्व शिक्षा अभियान, भारत निर्माण और किसान बीमा जैसी कई योजनाएं हैं, जिन पर हर साल हजारों करोड़ रुपये खर्च होते हैं।*

(राष्ट्रीय सहारा, 12 अगस्त, 2012)

63

इतना अविश्वास क्यों है भाई!

''अपने देश के किसी भी कोने में पूर्वोत्तर राज्य के निवासियों को कोई खतरा नहीं है। प्रधानमंत्री ने इस बात का भरोसा दिलाया है। पूरी संसद ने एक सुर में इस बात का आश्वासन दिया है। ऐसे में किसी को डरने की जरूरत नहीं है। अफवाह फैलाने वाले या धमकी देने वाले तत्व समाज में जान-बूझकर वैमनस्यता फैलाना चाहते हैं जिनसे सख्ती से निपटने की जरूरत है।''

अपने ही देश में असुरक्षा की भावना! कहीं कुछ तो गड़बड़ है। अगर ऐसा नहीं होता तो बेंगलुरु हो या हैदराबाद, मुंबई हो या पुणे, उत्तर पूर्वी राज्यों के निवासी इन शहरों को छोड़कर अपने गांवों और शहरों की तरफ जाने की होड़ नहीं लगाते। बेंगलुरु में यात्रियों की लंबी लाइन है। चेन्नई में लोग स्टेशन पर ही अगली ट्रेन का इंतजार कर रहे हैं। मुंबई से गुवाहाटी की सारी ट्रेनें खचाखच भरकर जा रही है। यह सब हो रहा है अफवाहों की फैलती आग से कि फलां जगह पर लोगों को धमकी मिली है तो फलां का मैसेज आया है, जो आने वाले खतरे से आगाह कर रहा है।

पूर्वोत्तर के निवासी सालों से देश के दूसरे इलाकों में पढ़ने जाते हैं, नौकरी करने जाते हैं, खेलों में भाग लेने जाते हैं।

मैं यहां साफ कर दूं कि अपने देश के किसी भी कोने में पूर्वोत्तर राज्य के निवासियों को कोई खतरा नहीं है। प्रधानमंत्री ने इस बात का भरोसा दिलाया है। पूरी संसद ने एक सुर में इस बात का आश्वासन दिया है। ऐसे में किसी को डरने की जरूरत नहीं है। अफवाह फैलाने वाले या धमकी देने वाले तत्व समाज में जान-बूझकर वैमनस्यता फैलाना चाहते हैं जिनसे सख्ती से निपटने की जरूरत है। ऐसे समय में प्रशासन पर भरोसा करने की जरूरत है, राज्य सरकारों को मजबूत करने की जरूरत है। अब इस समस्या के दूसरे पहलुओं को जानने-समझने की जरूरत है। पूर्वोत्तर के निवासी सालों से देश के दूसरे इलाकों में पढ़ने जाते हैं, नौकरी करने जाते हैं, खेलों में भाग लेने जाते हैं। पूर्वोत्तर इलाके से आने वाले छात्र दिल्ली विश्वविद्यालय की रौनक हैं। यहां आकर वे जमकर पढ़ाई करते हैं और कई सिविल सेवा की परीक्षाओं में उतीर्ण होकर आईएएस, आईपीएस बनते हैं। उसी तरह फुटबॉल हो या बॉक्सिंग, पूर्वोत्तर राज्यों के बच्चे इन खेलों में काफी आगे रहे हैं। वैसे तो कई नाम हैं लेकिन बाइचुंग भूटिया और मैरीकॉम देश में खेल के दो बड़े आइकॉन हैं। छोटी-मोटी दुर्घटनाओं को छोड़ दें तो इससे पहले कभी ऐसा नहीं हुआ कि पूर्वोत्तर के लोगों को देश के किसी कोने में कभी अटपटा लगा हो। कभी भी ऐसा नहीं हुआ कि उन्हें सबकुछ छोड़कर अपने राज्य लौटने की जरूरत महसूस हुई हो। तो इस बार क्या बदला है, डर का माहौल क्यों घर कर गया है?

इसके लिए यह जानना जरूरी है कि पिछले कुछ महीनों से असम में क्या चल रहा है। असम के बोडोलैंड इलाके में जुलाई के महीने में भयावह हिंसा हुई जिसमें 70 से ज्यादा लोगों की जान गई और करीब चार लाख लोग बेघर हो गए। हिंसा बोडो और मुसलमानों के बीच हुई। बोडो जनजाति के लोगों का कहना है कि उनके क्षेत्र में कई सालों से बांग्लादेश से लोग लगातार आ रहे हैं और उनकी जमीन हड़प रहे हैं। उनका तर्क है कि पिछले कुछ सालों से उनके इलाके की डेमोग्राफी तेजी से बदल रही है। वे अपने इलाके में पराए से होते जा रहे हैं।

वे अपने इलाके में पराए से होते जा रहे हैं।

दूसरी ओर उस इलाके के मुसलमानों का कहना है कि इस तरह की हिंसा उन्हें असम से खदेड़ने की साजिश है। सच्चाई जांच के बाद सामने आएगी। लेकिन एक बात तय है कि उस इलाके में कई सालों से तनाव है और बांग्लादेश से घुसपैठियों की तादाद भी लगातार बढ़ती जा रही है। तनाव का माहौल बना हुआ है और हिंसा का अंदेशा भी। प्रशासन ने इसे रोकने के ठोस प्रयास नहीं किए। घुसपैठियों को रोकने के ठोस कदम नहीं उठाए गए। इसकी वजह से दोनों तरफ के लोग बेकाबू हो गए हैं।

दरअसल, बोडो इलाके में इस तरह की हिंसा का सिलसिला 1993 में शुरू हो गया था। मामला इतना बढ़ा कि केंद्र सरकार की पहल के बाद 2003 में समझौता हुआ और उसके बाद बोडोलैंड बना। बोडोलैंड काउंसिल का गठन हुआ और वहां के लोगों को लगा कि उनके घाव पर मरहम लगाने की कोशिश हुई है। जिसे वे अपना इलाका समझते हैं उसमें अपनापन लौट आया है। लेकिन 2003 का समझौता मरहम जैसा ही था। घाव तो कभी भरे ही नहीं। इसके उलट घुसपैठिये घाव पर नमक छिड़कते रहे। यही वजह है कि हिंसा की जो आग 2003 के बाद थम सी गई थी वह फिर से भड़कने लगी है। राजनीतिक पार्टियों ने भी इस आग में घी डालने से कभी परहेज नहीं किया।

इतनी भयावह स्थिति से निपटा कैसे जा सकता है। जरूरत है एक बार फिर जाति और धर्म से ऊपर उठकर सोचने की। इसके लिए जरूरी है कि उनकी बातों को तरजीह मिले जिनका घर उजड़ रहा है, जो हिंसा के शिकार

हो रहे हैं, जिन्हें अपने ही इलाके में दहशत में जीना पड़ रहा है, जिन्हें लगता है कि उनकी जमीन छिन रही है। कोई फैसला यदि बाहर से थोपा जाता है तो वह घाव पर मरहम ही होगा, घाव का इलाज नहीं होगा। साथ ही यह भी जरूरी है कि अगर बोडोलैंड के लोगों का मानना है कि उनके इलाके में घुसपैठ जारी है तो इसे रोकने के सख्त से सख्त उपाय होने चाहिए। माना कि इस देश में वसुधैव कुटुम्बकम का फलसफा रहा है। लेकिन पहले हम अपने घर को तो दुरुस्त कर लें, फिर दूसरों की सुध लेंगे।

असम हिंसा को विभाजनकारी ताकतें भुनाना चाहती हैं। इसकी आड़ में अराजक तत्व भी रोटी सेंकना चाहते हैं। वे देश के अमन चैन को नुकसान पहुंचाना चाहते हैं। इस तरह के लोगों की कोई जाति नहीं होती है, कोई धर्म नहीं होता है, कोई पार्टी नहीं होती है और कोई कौम नहीं होती है। वे बस शैतान हैं जिनकी फितरत शैतानी है। इस तरह के लोग सक्रिय हो गए हैं। वे अफवाह फैला रहे हैं, लोगों को गुमराह कर रहे हैं। लेकिन जिस तरह से संसद में एक सुर में सबने सुरक्षा का वादा किया है, उससे भरोसा जगा है कि देश विरोधी ताकतें अपने नापाक इरादों में सफल नहीं होंगी। एक बार अमन-चैन बहाल हो जाए तो हमें मिल बैठकर बोडोलैंड के साथ-साथ असम और पूर्वोत्तर की समस्याओं का लांग टर्म समाधान खोजना होगा। और इस प्रक्रिया में जनता जनार्दन से सही फीडबैक लेना होगा।

असम हिंसा को विभाजनकारी ताकतें भुनाना चाहती हैं। इसकी आड़ में अराजक तत्व भी रोटी सेंकना चाहते हैं।

(राष्ट्रीय सहारा, 19 अगस्त, 2012)

64

मानसून सत्र में भी सूखी है संसद

''संसद देश का आईना है और अगर आईने को ढंक दिया जाए तो अपनी तस्वीर भी नहीं दिखती है। संसद पूरे देश की पहरेदार है, प्रशासन की रेगुलेटर है, देश को दिशा-निर्देश देने वाली और कानून रचने वाली आधिकारिक संस्था है। संसद का काम करना देश के बेहतर स्वास्थ्य के लिए उतना ही जरूरी है जितना हमारे-आपके शरीर के लिए किडनी, लिवर या धड़कन का चलना। लेकिन हमारे नेताओं को ये कौन समझाए।''

आजकल जब कभी संसद की कार्यवाही देखता हूं तो मन छोटा हो जाता है। एक दिन वे थे जब संसद में बहस के दौरान अटल बिहारी वाजपेयी, नरसिंह राव, इंद्रजीत गुप्त या सोमनाथ चटर्जी बोलते थे तो सांसदों के साथ-साथ पत्रकार और दर्शक दीर्घा में बैठे सारे लोग ध्यान से सुनते थे। देश की दशा-दिशा पर चर्चा होती थी, भविष्य की जरूरत के मुताबिक नीतियों पर बात होती थी, संसद की गरिमा बचाने के लिए सत्ता और विपक्ष एक साथ दिखता था। फैसले तब भी अटकते थे, सरकार-विपक्ष में तब भी तकरार होती थी, लेकिन इमरजेंसी को छोड़ दिया जाए तो कभी ऐसा नहीं हुआ कि बड़े फैसले लेने में संसद में इतनी देरी हुई हो।

पिछले दो सालों में कभी भी संसद का कोई सत्र निर्बाध रूप से नहीं चला है। कभी टू जी तो कभी कॉमनवेल्थ घोटाला। कभी अन्ना हजारे का लोकपाल आंदोलन तो कभी सीवीसी की नियुक्ति। और अब कोयला ब्लॉक आवंटन में अनियमितता पर सीएजी की रिपोर्ट, जिसे हमारी पत्रकार बिरादरी ने 'कोल-गेट' का नाम दिया है, हर छोटे-बड़े मसले पर संसद बाधित होती रही है। इसका नतीजा है कि हर बार संसद का सत्र शुरू होने से पहले जिन बिल पर चर्चा होने की बात होती है, वह धरी की धरी रह जाती है। चाहे मामला लोकपाल का हो या फिर भूमि अधिग्रहण का, व्हिसिल ब्लोअर कानून हो या चिर-परिचित पेंशन और इंश्योरेंस रिफॉर्म का- सारे के सारे फैसले लंबे समय से लंबित है। सरकार और विपक्ष की उठा-पटक की वजह से कई बड़े फैसले लंबित हैं और देश इसका खमियाजा उठा रहा है। इस हफ्ते प्रतिष्ठित अंतरराष्ट्रीय पत्रिका 'इकोनॉमिस्ट' में भारत के बैंकिंग सेक्टर पर एक लेख है। इसमें कहा गया है कि भारत में जहां प्राइवेट बैंकों का प्रदर्शन अच्छा रहा है वहीं सरकारी बैंकों का हाल बुरा है। कई सरकारी बैंकों के पास एनपीए का अंबार लग गया है जो उनकी सेहत के लिए अच्छा नहीं है। फिलहाल चिंता की कोई बात नहीं है पर हालात और भी बिगड़ते गए तो बैंकों का हाल और बुरा होगा। सरकारी बैंकों की और भी कई दिक्कतें हैं। इन सबको ठीक करने के लिए बैंकिंग सुधार विधेयक संसद से मंजूरी

> *इमरजेंसी को छोड़ दिया जाए तो कभी ऐसा नहीं हुआ कि बड़े फैसले लेने में संसद में इतनी देरी हुई हो।*

का महीनों से इंतजार कर रहा है। इसी तरह मामला जमीन अधिग्रहण का हो या फिर मनी लांडरिंग का, व्हिसिल ब्लोअर का हो या फिर उच्च शिक्षा का, इन सारे विषयों से संबंधित बिल को संसद से पास होने का इंतजार है।

इसके अलावा देश के सामने कई चुनौतियां हैं, जिस पर संसद में बहस जरूरी है। देश के कई इलाकों में सूखा है तो कई इलाके बाढ़ की चपेट में है। पावर ग्रिड बार-बार लड़खड़ा रहे हैं तो इस पर संसद को भी अपना मन बनाना होगा। कई सालों से खुदरा बाजार में विदेशी निवेश लाने की चर्चा हो रही है। संसद को इस पर बहस करके तय करना है कि क्या यह किसान के हित में है, क्या इससे कीमतें काबू में रहेंगी और क्या विदेशी निवेश आने से छोटे कारोबारियों को नुकसान होगा।

एक तरफ वित्तीय घाटा कम नहीं हो रहा है और दूसरी तरफ व्यापार घाटा बढ़ रहा है।

बड़े फैसले इसलिए भी लेने हैं क्योंकि दुनिया भर में छाए वित्तीय संकट की वजह से पूरी दुनिया की नजर भारत की ग्रोथ स्टोरी पर टिकी है। और फैसले में देरी या बड़े सुधार के अभाव में भारतीय ग्रोथ स्टोरी तेजी से फिसल रही है। एक तरफ वित्तीय घाटा कम नहीं हो रहा है और दूसरी तरफ व्यापार घाटा बढ़ रहा है। मानसून की बेरुखी की वजह से विकास दर की भी तेजी जा सकती है। देश के सामने रेटिंग एजेंसियों से डाउन-ग्रेड होने का खतरा और बढ़ गया है। रिजर्व बैंक ने इसी हफ्ते जारी अपनी वार्षिक रिपोर्ट में साफ तौर पर कहा है कि तत्काल बड़े फैसले नहीं लिए गए तो विकास दर में कमी आ सकती है। विकास दर को पटरी पर लाने के लिए वे सारे काम तत्काल करने होंगे जिसका वादा अगस्त महीने में बार-बार और जोर-शोर से किया गया है। इन वादों में रिटेल क्षेत्र में विदेशी निवेश की मंजूरी के साथ-साथ इंश्योरेंस और पेंशन सेक्टर में सुधार की बात भी कही गई है।

रिजर्व बैंक का साफ मानना है कि सब्सिडी कम करने की ठोस कोशिश नहीं की गई तो वित्तीय घाटा फिर से बेकाबू हो जाएगा। आर्थिक मोर्चे पर बड़े फैसले लेने के लिए संसद का चलना बहुत जरूरी है। लेकिन अपनी डफली-अपना राग के रास्ते पर चल रहे पक्ष और विपक्ष के नेताओं को यह कौन समझाएगा।

असम हिंसा हाल में एक बड़ी समस्या के तौर पर सामने आई है जिसके निदान के तौर-तरीकों पर आम सहमति बनाने की जरूरत है। असम हिंसा का असर देश के दूसरे इलाकों में भी दिख रहा है। एक सीमा से अधिक मोबाइल संदेश भेजने पर प्रतिबंध और वेबसाइट पर रोक जैसे कदम असम हिंसा के असर को दूसरे इलाकों में फैलने से तत्काल रोक सकते हैं। लेकिन असम में फिर से इस तरह की हिंसा न हो इसके लिए यह जरूरी है कि इस बात पर पूरे देश में सहमति बने कि विदेश से हो रही घुसपैठ को कैसे रोका जाए। इस समस्या का हल संसद में ही निकल सकता है। लेकिन क्या हमारे नेता इसके लिए तैयार हैं। संसद में चल रहे गतिरोध को देखने का एक नजरिया यह भी है पार्लियामेंट अगर एक दिन नहीं चलती है तो इसमें करीब दो करोड़ रुपये का नुकसान होता है। संसद के गतिरोध को देखने का ये सूक्ष्म नजरिया है। बड़ी बात यह है कि संसद देश का आईना है और अगर आईने को ढंक दिया जाए तो अपनी तस्वीर भी नही दिखती है। संसद पूरे देश की पहरेदार है, प्रशासन की रेगुलेटर है, देश को दिशा-निर्देश देने वाली और कानून रचने वाली आधिकारिक संस्था है। संसद का काम करना देश के बेहतर स्वास्थ्य के लिए उतना ही जरूरी है जितना हमारे-आपके शरीर के लिए किडनी, लिवर या धड़कन का चलना। इसके ठीक से काम नहीं करने की स्थिति में होने वाले नुकसान को रुपये-पैसे से तौलना नासमझी है। लेकिन हमारे नेताओं को ये कौन समझाए। उनकी नजर तो अपने निर्वाचन क्षेत्र पर है, वोट बैंक पर है। क्या किसी को बड़ी तस्वीर की चिंता है? क्या लड़खड़ाती अर्थव्यवस्था नेताओं की बेरुखी बर्दाश्त करने की हालत में है।

आर्थिक मोर्चे पर बड़े फैसले लेने के लिए संसद का चलना बहुत जरूरी है।

(राष्ट्रीय सहारा, 26 अगस्त, 2012)

65

तेहरान का गुट निरपेक्ष संदेश

''मनमोहन सिंह का गुट निरपेक्ष सम्मेलन में भाग लेने के लिए ईरान जाना एक कूटनीतिक बयान है। बयान यह है कि भले हमारे संबंध अमेरिका से बड़े अच्छे हैं, भले ही इजराइल से हमारी मित्रता लगातार प्रगाढ़ हो रही है और भले ही यूरोप हमारा बहुत बड़ा कारोबारी पार्टनर है, लेकिन इन सबके बावजूद ईरान से गहरा संबंध तोड़ा नहीं जा सकता है।''

निवेश का मूलमंत्र होता है उसमें विविधता रखना। अगर किसी के पास निवेश के लिए एक लाख रुपये हैं तो उसे कुछ सोना में लगाने, कुछ शेयर बाजार में लगाने और कुछ बैंक में रखने की सलाह दी जाती है। किसी चीज में कितना निवेश करना है यह उसकी रिस्क लेने की क्षमता को देखते हुए तय किया जाता है। सही निवेश वही माना जाता है जिसमें रिस्क का सही ढंग से बंटवारा हो ताकि खराब माहौल में भी कोई न कोई निवेश रिटर्न देता रहे।

विदेश नीति भी निवेश की तरह होती है। इसमें भी नफा और नुकसान का आकलन होता है। इसमें भी अपने हित की बात होती है। निवेश की तरह इसमें भी लंबी अवधि और अवधि के लिए अलग-अलग रणनीति अपनाई जाती है।

विदेश नीति को निवेश की तरह देखें तो प्रधानमंत्री मनमोहन सिंह की तेहरान यात्रा काफी सफल रही।

विदेश नीति को निवेश की तरह देखें तो प्रधानमंत्री मनमोहन सिंह की तेहरान यात्रा काफी सफल रही। ऐसा नहीं है कि इस दौरे में बड़े समझौते हुए या कोई बड़ी घोषणा हुई। लेकिन विदेश नीति संकेतों का खेल है और प्रधानमंत्री ने इस दौरे में सारे अच्छे संकेत दिए।

ईरान से उसके परमाणु कार्यक्रम की वजह से अमेरिका खफा है। अमेरिका के साथ-साथ यूरोप ने ईरान पर व्यापार प्रतिबंध लगा दिया है। अमेरिका, भारत समेत कई देशों पर लगातार दबाव डाल रहा है कि वे ईरान से कच्चा तेल न खरीदें। ईरान भी इजराइल को नक्शे से ही मिटा देने की धमकी दे रहा है। ऐसे माहौल में मनमोहन सिंह का गुट निरपेक्ष सम्मेलन में भाग लेने के लिए ईरान जाना एक कूटनीतिक कदम है। भले हमारे संबंध अमेरिका से बड़े अच्छे हैं, भले ही इजराइल से हमारी मित्रता लगातार प्रगाढ़ हो रही है और भले ही यूरोप हमारा बहुत बड़ा कारोबारी पार्टनर है, लेकिन इन सबके बावजूद ईरान से गहरे संबंध को तोड़ा नहीं जा सकता है। विदेश नीति को डिरिस्क करने के लिए यह काफी जरूरी भी है।

अंतर्राष्ट्रीय मंचों पर ईरान हमारा काफी पुराना मित्र रहा है।

अंतर्राष्ट्रीय मंचों पर ईरान हमारा काफी पुराना मित्र रहा है। 90 के दशक में उसने संयुक्त राष्ट्र के फोरम पर कश्मीर में कथित रूप से मानवाधिकार हनन को लेकर पाकिस्तान द्वारा लाए गए प्रस्ताव का काफी विरोध किया था।

पाकिस्तान के उस प्रस्ताव की अमेरिका भी पैरवी कर रहा था। समय बदला और 2000 के बाद से भारत और अमेरिका के संबंध भी बेहतर होने लगे। लेकिन ईरान के साथ भी हमारे मधुर संबंध कायम रहे। यह ठीक वैसा है जैसे अमेरिका के संबंध पाकिस्तान और भारत के साथ अच्छे हैं।

2003 में हमारे गणतंत्र दिवस समारोह में मुख्य अतिथि ईरान के तत्कालीन राष्ट्रपति मोहम्मद खातिमी थे। लेकिन 2005 के बाद संबंध में थोड़ी खटास आने लगी। उसी साल सितंबर में अंतर्राष्ट्रीय परमाणु ऊर्जा एजेंसी में भारत ने अमेरिका का साथ देते हुए ईरान के खिलाफ वोट दिया। तब से भारत और ईरान के बीच के संबंधों से मधुरता धीरे-धीरे कम होती गई। प्रतिक्रिया में ईरान भी कश्मीर का राग अलापने लगा। ईरान में यह सोच बढ़ती गई कि भारत अमेरिका की गोद में जा रहा है।

> *अमेरिका से हमारे संबंध अच्छे हो रहे हैं, यह अच्छी बात है।*

लेकिन प्रधानमंत्री की तेहरान यात्रा के बाद ईरान की सोच बदलेगी। मेरे ख्याल से विचार में बदलाव की प्रक्रिया शुरू भी हो चुकी है। जिस गर्मजोशी से ईरान के राष्ट्रपति और वहां के सुप्रीम धार्मिक नेता मनमोहन सिंह से मिले उससे तो यही लगता है। दोनों देशों के बीच व्यापार संबंधों को और बढ़ाने की बात हुई। यह याद रखना चाहिए कि हमारे कच्चे तेल की जरूरतों का बड़ा हिस्सा ईरान से ही पूरा होता है। अमेरिका के दबाव के बावजूद हम ईरान से कच्चा तेल खरीदते रहेंगे, यह स्टैंड विदेश मामलों में डिरिस्किंग की तरफ ही इशारा करता है।

अमेरिका से हमारे संबंध अच्छे हो रहे हैं, यह अच्छी बात है। अमेरिका दुनिया का सबसे ताकतवर देश है और सबसे संपन्न भी। ताकतवर देश की दोस्ती अंतर्राष्ट्रीय मंच पर औकात बढ़ाती है। लेकिन अमेरिका हमारी सारी जरूरतों को पूरा नहीं कर सकता। हम कच्चे तेल के बड़े खरीददार हैं और हमें इसके लिए तेल भंडार वाले देशों पर निर्भर रहना पड़ता है। और हमारे इंपोर्ट का बड़ा हिस्सा ऐसे देश से आए जिससे हमारे रिश्ते अच्छे हों तो और भी अच्छी बात है।

ईरान की खासियत सिर्फ इतनी नहीं है कि वह दुनिया के बड़े तेल उत्पादक देशों में एक है। ईरान की खाड़ी देशों में बड़ी धाक है और मुस्लिम

जगत में उसकी बड़ी हैसियत है। अरब जगत में जो हैसियत कभी सऊदी अरब की हुआ करती थी, वह अब ईरान की बन रही है। भारत की तरह ईरान भी अंतर्राष्ट्रीय मंचों पर निष्पक्ष छवि बनाए रखता है। ऐसे में हमारे लिए यह बहुत जरूरी है कि ईरान से हमारे रिश्ते फिर वैसे ही हो जाएं जैसे 90 के दशक में या उससे पहले हुआ करते थे। प्रधानमंत्री मनमोहन सिंह की तेहरान यात्रा उस रिश्ते को पटरी पर लाने की दिशा में ईमानदार पहल है जिसका स्वागत होना चाहिए।

गुट निरपेक्ष देशों के शिखर सम्मेलन में सीरिया मसले पर भी मनमोहन सिंह के बयान को व्यापक संदर्भों में देखने की जरूरत है। भारत का मानना है कि सीरिया के विवाद का शांतिपूर्वक निपटारा जरूरी है लेकिन फैसला सीरियाई लोगों के हक में होना चाहिए। यह समझना जरूरी है कि लोकतंत्र बहाली के नाम पर अमेरिका दूसरे देशों के मामलों में खुलकर दखल देता आया है। अमेरिका ने अपने चहेतों को सत्तासीन करने के लिए लोकतंत्र के नाम पर दूसरे देशों में भयंकर युद्ध भी लड़े हैं। इससे न लोकतांत्रिक ताकतों का भला होता है और न ही उस देश के लोगों का, जहां लोकतंत्र बहाल करने के बहाने अमेरिका पांव पसारता है। प्रधानमंत्री के बयान से यह साफ होता है कि भारतीय विदेश नीति किसी के इशारे पर नहीं चलती है। गुट निरपेक्ष आंदोलन के मंच पर यह संदेश देना जरूरी था।

अरब जगत में जो हैसियत कभी सऊदी अरब की हुआ करती थी, वह अब ईरान की बन रही है।

भले ही घरेलू मामलों में मनमोहन सिंह बैकफुट पर दिख रहे हों, लेकिन अंतर्राष्ट्रीय मंचों पर उनकी तूती बोलती है। यह गुट निरपेक्ष सम्मेलन में भी साफ दिख रहा था। जब वे आतंकवाद पर अंतर्राष्ट्रीय सहयोग की बात करते हैं तो दूसरे देशों के शासनाध्यक्ष ध्यान से उन्हें सुनते हैं। जब वे साइबर सिक्योरिटी की अनदेखी को बड़ा वैश्विक खतरा कहते हैं तो लोग इस पर गौर फरमाते हैं। जब वे खाद्य सुरक्षा पर मिलकर काम करने की वकालत करते हैं तो दुनिया को इसकी जरूरत का अहसास होता है। अब जरूरत है प्रधानमंत्री मनमोहन सिंह की इन बातों को अमली जामा पहनाने की। मुझे पूरा भरोसा है कि ऐसा ही होगा।

(राष्ट्रीय सहारा, 2 सितंबर, 2012)

66

ओबामा का बैलेंसशीट

''जिस तरह का अमेरिका ओबामा को मिला था, उसकी इमेज काफी खराब हो गई थी। अर्थव्यवस्था पूरी तरह चरमरा गई थी। और अमेरिका की अंतरराष्ट्रीय इमेज काफी बिगड़ी हुई थी। ओबामा के पहले चार साल उस इमेज को ठीक करने में लगे है। हो सकता है कि अगर उन्हें फिर मौका मिलता है तो वे 'येस वी कैन' को सचमुच करके दिखाएंगे।''

चार साल पहले बराक ओबामा अमेरिकन ड्रीम बेच रहे थे, अमेरिका को नए कल के सपने दिखा रहे थे। उस सपने में अमेरिका को फिर से मैन्यूफैक्चरिंग हब बनाने की बात हो रही थी, शिक्षा क्षेत्र में ऐसे बदलाव की बात हो रही थी जिससे अमेरिका में फिर से इन्नोवेटर बनने लगें। ओबामा ने साफ शब्दों में कहा था कि वे चाहते हैं कि अमेरिका के मेधावी लोग फाइनेंशियल सिस्टम में सट्टेबाजी छोड़कर साफ-सुथरी एनर्जी के विकास में काम करें। लेकिन व्हाइट हाउस में आसीन होने के चार साल के बाद ओबामा का रिपोर्ट कार्ड देखें तो उनके रिपोर्ट कार्ड में कुछ भी नया नहीं जुड़ा है।

अब नवम्बर में अमेरिका में राष्ट्रपति का चुनाव हो रहा है और बराक ओबामा फिर से वोट मांग रहे हैं। इस बार उनका सामना रिपब्लिकन उम्मीदवार मिट रॉमनी से है। वैसे ओपिनियन पोल के हिसाब से ओबामा बहुत आगे नहीं हैं। लेकिन फिर भी इस बात की ज्यादा संभावना है कि बराक ओबामा को अगले चार साल के लिए फिर से अमेरिका को नई दिशा देने का मौका मिल जाए। नवम्बर में चुनाव से पहले यह जान लें कि ओबामा के पिछले चार साल कैसे रहे।

> *शिक्षा क्षेत्र में ऐसे बदलाव की बात हो रही थी जिससे अमेरिका में फिर से इन्नोवेटर बनने लगें।*

ओबामा के राष्ट्रपति बनने से मैं बहुत खुश हुआ था। मुझे सबसे ज्यादा इस बात की खुशी हुई थी कि एक आम नागरिक दुनिया का सबसे ताकतवर आदमी बन गया। और वह भी सारे संघर्ष को झेलते हुए। यह अमेरिका के लोकतंत्र को सलाम तो था ही, साथ ही ओबामा की कभी हार नहीं मानने वाली प्रवृत्ति की भी जीत थी। साथ ही ओबामा के 'येस वी कैन' वाले नारे ने भी मुझे बहुत प्रभावित किया था। लेकिन 'येस वी कैन' का नारा देने वाले ओबामा पिछले चार सालों में अपने ही वादे पूरे नहीं कर पाए।

उनका सबसे बड़ा वादा था कि वे अमेरिकी अर्थव्यवस्था को पटरी पर लाएंगे। क्या वे ऐसा कर पाए? ओबामा के राष्ट्रपति बनने से पहले वाली तिमाही में अमेरिका की विकास दर में नौ परसेंट की कमी आई थी। उनके चुनाव से छह हफ्ते पहले लीमन ब्रदर्स दिवालिया हो गया था। उस समय दुनिया की सबसे बड़ी इंश्योरेंस कंपनी एआईजी और उस समय का सबसे

बड़ा बैंक सिटीग्रुप दिवालिया होने के कगार पर खड़े थे और उन्हें बेलआउट की जरूरत थी। जिस फाइनेंशियल सिस्टम पर अमेरिका को गुमान था वह पूरी तरह से ध्वस्त हो गया था। ऐसे माहौल में ओबामा ने कमान संभाली।

ओबामा के पक्ष में बोलने वालों का कहना है कि उनके कमान संभालने के बाद ऐसे फैसले हुए जिससे हाल और बिगड़े नहीं। वरना फाइनेंशियल सिस्टम पूरी तरह से ठप हो सकता था। उनका कहना है कि ओबामा ने सिटीग्रुप को बचाया, एआईजी को संभाला, जनरल मोटर्स और क्रिसलर जैसी बड़ी ऑटो कंपनियों में सरकारी निवेश कर उन्हें फिर से जिंदा किया। अर्थव्यवस्था को संभालने के लिए 700 अरब डॉलर का बेलआउट पैकेज दिया। इसी सबका नतीजा है कि पिछले तीन सालों में अमेरिका में औसत विकास दर करीब दो परसेंट रही है। तो क्या ओबामा ने 'येस वी कैन' का नारा देते वक्त दो परसेंट विकास दर के सपने दिखाए थे? वह विकास दर भी कैसी जिससे किसी को नौकरी नहीं मिल रही है। आंकड़ों के मुताबिक पिछले 43 महीने में अमेरिका में बेरोजगारी की दर आठ परसेंट से ज्यादा रही है, जो उस देश के इतिहास का रिकॉर्ड है। ओबामा के कार्यकाल में रिकॉर्ड बने हैं लेकिन ऐसे रिकॉर्ड जिन्हें वे खुद जल्दी से जल्दी भुलाना चाहेंगे। ओबामा ने फाइनेंशियल सेक्टर के सटोरियों पर लगाम लगाने की बात की थी, लेकिन वहां का शेयर बाजार चार साल के सबसे ऊंचे स्तर पर है। इतना ही नहीं, खराब नीतियों की वजह से पूरी दुनिया में कच्चे तेल के साथ-साथ दूसरे कमोडिटी के दाम बेतहाशा बढ़े हैं, जिसकी वजह से दूसरे देशों की मुश्किलें बढ़ी हैं।

इराक से अधिकांश अमेरिकी सेना वापस चली गई लेकिन इराक में शांति दूर-दूर तक नहीं है।

आर्थिक मोर्चे पर ओबामा की बैलेंसशीट बहुत अच्छी नहीं है, तो विदेश नीति के मामले में भी उन्होंने कोई बड़ा तीर नहीं मारा है। इराक से अधिकांश अमेरिकी सेना वापस चली गई लेकिन इराक में शांति दूर-दूर तक नहीं है। अमेरिकी सेना अफगानिस्तान से निकलने की तैयारी में है, लेकिन पता नहीं है कि अफगानिस्तान में क्या होने वाला है। यही नहीं, अफगानिस्तान से सटे पाकिस्तान में भी सरकारी मशीनरी गायब हो चुकी है। ओबामा ने मुस्लिम जगत से अमेरिका के नए रिश्ते की बात की थी। नई दोस्ती तो बनी नहीं, उल्टे ईरान से दुश्मनी लगातार बढ़ती जा रही है। हां, उनके कार्यकाल में

दुनिया को बिन लादेन से मुक्ति जरूर मिल गई। भारत के लिए अच्छी खबर यह रही कि ओबामा ने दोनों देशों के बीच सुधरते रिश्ते को बिगाड़ने की कोशिश नहीं की। वे भारत आए। यहां के सांसदों को संबोधित किया और दोनों देशों की दोस्ती के बारे में बड़ी-बड़ी बातें कीं। लेकिन पिछले चार साल में दोनों देशों के रिश्ते में ऐसा कुछ भी नहीं हुआ जिसे याद किया जा सके। हां, उन्होंने भारत की आईटी कंपनियों के लिए मुश्किलें जरूर खड़ी कीं। प्रोफेशनल्स को देने वाले वीजा की संख्या में कटौती की, वीजा फीस बढ़ाई और अमेरिका की सरकारी संस्थाओं के काम को गैर अमेरिकी कंपनी को देने से इनकार कर भारत की आईटी कंपनियों को नुकसान पहुंचाया। उन्होंने इस बात की परवाह नहीं की कि भारतीय आईटी कंपनियां अमेरिका में भी उतने ही रोजगार के मौके पैदा कर रही हैं, जितना दूसरी जगह।

अमेरिका जैसे देश में एक अश्वेत का राष्ट्रपति के पद पर आसीन होना लोकतंत्र की बहुत बड़ी जीत थी।

भारत के नजरिए से देखें तो बराक ओबामा अमेरिका के साधारण राष्ट्रपति रहे। बाकी दुनिया के नजरिए से देखें तो जिस नई आशा की उम्मीद जगाकर वे राष्ट्रपति बने उसे पूरा करने में वे सफल नहीं रहे। कुल मिलाकर उनकी चार साल की बैलेंसशीट काफी साधारण रही है।

लेकिन क्या बराक ओबामा को सिर्फ नफा-नुकसान के चश्मे से देखना चाहिए? मेरे ख्याल से बराक ओबामा का जीतना ही अपने आप में बड़ा संदेश था। अमेरिका जैसे देश में एक अश्वेत का राष्ट्रपति के पद पर आसीन होना लोकतंत्र की बहुत बड़ी जीत थी। साथ ही हमें यह भी देखना होगा कि जिस तरह का अमेरिका ओबामा को मिला था, उसकी इमेज काफी खराब हो गई थी। अर्थव्यवस्था पूरी तरह चरमरा गई थी। और अमेरिका की अंतरराष्ट्रीय इमेज काफी बिगड़ी हुई थी। ओबामा के पहले चार साल उस इमेज को ठीक करने में लगे हैं। हो सकता है कि अगर उन्हें फिर मौका मिलता है तो वे 'येस वी कैन' को सचमुच करके दिखाएंगे। जिस आशा की उन्होंने उम्मीद जगाई उसे हासिल करके दिखाएंगे।

(राष्ट्रीय सहारा, 9 सितंबर, 2012)

67

फैसले की मजबूरी देखिए

''अगर डीजल के दाम किस्तों में बढ़ाए गए होते तो संभव था कि लोग इसे पचा जाते लेकिन एक झटके में 12 परसेंट से ज्यादा का इजाफा खटकता जरूर है। सरकार को चाहिए कि वो सर्वदलीय बैठक बुलाए। फैसले की वजह और तर्क से सबको अवगत कराए। और हो सके तो कठोर फैसले किस्तों में ले। अर्थव्यवस्था की सेहत को दुरुस्त करना सबके लिए जरूरी है। लेकिन यह कैसे हो, इस पर सबकी सहमति तो जरूरी है ही।''

बृहस्पतिवार को जब डीजल की कीमत बढ़ाने का फैसला लिया गया तो सरकार को पूरी तरह इसके खिलाफ होने वाली प्रतिक्रिया का अनुमान रहा होगा। मीडिया को अगर समाज का आइना मानें तो हेडलाइन देखकर ही आम-अवाम के मन-मिजाज का पता चलता है। एक चैनल की हेडलाइन थी- 'आम आदमी पर डीजल बम', तो दूसरे चैनल ने कहा, 'मार डाला'। अखबारों में एक हेडलाइन थी, 'चूल्हा चक्का, सबको झटका' दूसरे में सुर्खी थी 'परिवार के बजट पर चोट'। सत्तारूढ़ यूपीए में शामिल कुछ पार्टियों ने भी इस फैसले का विरोध किया है। कुल मिलाकर कह सकते हैं कि डीजल की कीमत बढ़ाने से भयानक आक्रोश है। साथ ही एलपीजी सिलेंडर पर सब्सिडी में भारी कटौती की गई है। अनुमान है कि इससे एक औसत परिवार को सलाना 2,200 रुपये तक की चपत लग सकती है।

लोगों का गुस्सा जायज भी है। डीजल की जरूरत सिर्फ एसयूवी चलाने में नहीं होती है। खेत खलिहानों में भी इसका व्यापक इस्तेमाल होता है। देश की ट्रांसपोर्ट लाइफलाइन रेलवे भी डीजल का बड़ा कंज्यूमर है। सामान ढुलाई करने वाले ट्रक भी डीजल से ही चलते हैं। कीमत बढ़ने से सिंचाई महंगी होगी, ट्रांसपोर्ट महंगा होगा, रेलवे से माल ढुलाई महंगी हो सकती है। नतीजा ये होगा कि लगभग सारी चीजें महंगी हो जाएंगी। ऐसे में जब महंगाई पहले से ही ज्यादा है तब महंगाई पर सीधा असर डालने वाले डीजल की कीमत बढ़ाने से लोगों को गुस्सा आएगा ही। लेकिन गुस्से में ओपिनियन नहीं बनाना चाहिए।

अखबारों में एक हेडलाइन थी, 'चूल्हा चक्का, सबको झटका' दूसरे में सुर्खी थी 'परिवार के बजट पर चोट'।

डीजल की कीमत बढ़ाने के फैसले को सही नजरिये से देखने के लिए यह जानना जरूरी है कि अगर कीमत नहीं बढ़ती तो क्या होता? पांच रुपये प्रति लीटर बढ़ाने के बावजूद इस साल सरकारी तेल कंपनियों की डीजल मद में एक लाख करोड़ रुपये का नुकसान उठाना होगा। इतने बड़े घाटे की रिकवरी कहां से होती है? इस नुकसान की भरपाई सरकार के खजाने से होती है, जो खजाना हम और आप ही भरते हैं। सरकारी खजाने पर बोझ

बढ़ने से सरकारी घाटा बढ़ता है। सरकारी घाटा बढ़ने का दो बड़ा नुकसान है। प्रत्यक्ष नुकसान यह है कि सामाजिक कल्याण की योजनाओं के लिए जरूरी राशि में कटौती करनी होती है। विकास की गति बढ़ाने के लिए जरूरी इंफ्रास्ट्रक्चर प्रोजेक्ट पैसे के अभाव में अटक जाते हैं। नए प्रोजेक्ट के लिए पैसा जुटाना मुश्किल हो जाता है। और इस सबका नुकसान यह होता है कि विकास की गाड़ी को जिस निवेश का ईंधन चाहिए होता है, वही खत्म हो जाता है और विकास की गाड़ी रुकने लगती है। विकास दर में कमी का मतलब हम सबको आमदनी में कमी, रोजगार के मौके में कमी। और तब अगर डीजल 47 रुपये लीटर मिले या फिर 37 रुपये लीटर, जेब में पैसे ही नहीं हों तो वो फिर किस काम का?

सरकारी घाटा बढ़ने का दूसरा नुकसान है कि इससे रुपये का अवमूल्यन होता है। महंगाई बढ़ती है और रिजर्व बैंक चाहकर भी ब्याज दर में कटौती नहीं कर पाता। ऐसे में सरकारी घाटा कम करने के लिए डीजल की कीमत बढ़ाना जरूरी हो गया था। इस फैसले की एक दूसरी वजह भी है। अक्टूबर महीने में अंतरराष्ट्रीय रेटिंग एजेंसी स्टैंडर्ड एंड पुअर भारत की समीक्षा करने वाली है। ऐसे माहौल में नया निवेश तो दूर पुराने निवेशक भी देश से भागने लगते। जिसका और भी बुरा असर होता। क्या अर्थव्यवस्था उसे सह लेती?

विकास दर में कमी का मतलब हम सबको आमदनी में कमी, रोजगार के मौके में कमी।

कई फैसले ऐसे होते हैं, जो तत्काल तो अप्रिय लगते हैं लेकिन जिसके दूसरे फायदे होते हैं। अभी डीजल की कीमत बढ़ाना या फिर रिटेल सेक्टर में विदेशी निवेश की इजाजत देना- ये ऐसे फैसले हैं, जिन पर हाय-तौबा मचाई जा सकती है या फिर सही चश्मे से देखें तो इसके दूरगामी अच्छे परिणाम के लिए तत्काल पेश आने वाली परेशानियों को भुलाया भी जा सकता है।

अब देश के रिटेल कारोबार को ही ले लीजिए। अगर वर्तमान कारोबार का ढांचा बिल्कुल चुस्त-दुरुस्त होता तो फिर देश में उपजने वाले 40 से 50 प्रतिशत फल और सब्जियां क्यों बर्बाद हो जाती है? क्यों ऐसा हो रहा है कि दिल्ली के कंज्यूमर को जिस चावल के लिए 40 रुपये प्रतिकिलो कीमत चुकानी पड़ती है, उस चावल को उपजाने वाले किसानों को उसकी कीमत

10 से 12 रुपये ही मिल पाती है, मतलब यह है कि खुदरा कारोबार की मौजूदा व्यवस्था में किसानों का नुकसान भी हो रहा है और कंज्यूमर भी ठगे से महसूस कर रहे हैं। तो क्या इस सिस्टम में बदलाव की जरूरत नहीं है? बदलाव किस तरह का हो, इस पर विचार हो सकता है। इस बात पर बहस हो सकती है कि विदेशी निवेशकों के लिए कौन-कौन सी शर्तें रखी जानी चाहिए। इस पर चर्चा हो सकती है कि छोटे शहरों में विदेशी कंपनियों के स्टोर्स खुलने चाहिए या नहीं। लेकिन विरोध करने के लिए विरोध का तरीका तो ठीक नहीं होता है।

इस पर चर्चा हो सकती है कि छोटे शहरों में विदेशी कंपनियों के स्टोर्स खुलने चाहिए या नहीं।

देश के लिए अभी सबसे जरूरी यह है कि विकास दर को फिर कैसे रफ्तार पकड़ाई जाए। विकास दर में तेजी के लिए कुछ ऐसे फैसले लेने होंगे, जिनसे लोगों को थोड़ी दिक्कतें होंगी, थोड़े त्याग करने होंगे। एक बार अर्थव्यवस्था फिर से दौड़ने लगे तो सारी दिक्कतें अपने आप दूर हो जाती है। सरकार की एक बहुत बड़ी गलती यह रही है कि वो बड़े और अप्रिय फैसलों को लगातार टालती रही और अब जब पानी सिर के ऊपर बहने लगा तो लाचारी में दनादन बड़े फैसले हो रहे हैं। दिक्कतें अगर छोटी-छोटी किस्तों में आती हैं तो लोग उसे झेल लेते हैं। वहीं दिक्कतों का पहाड़ सामने आ जाए तो उससे लड़ने का साहस नहीं बन पाता है। अगर डीजल के दाम किस्तों में बढ़ाए गए होते तो संभव था कि लोग इसे पचा जाते लेकिन एक झटके में 12 परसेंट से ज्यादा का इजाफा खटकता जरूर है।

सरकार को चाहिए कि वो सर्वदलीय बैठक बुलाए। फैसले की वजह और तर्क से सबको अवगत कराए। और हो सके तो कठोर फैसले किस्तों में ले। अर्थव्यवस्था की सेहत को दुरुस्त करना सबके लिए जरूरी है। लेकिन यह कैसे हो, इस पर सबकी सहमति तो जरूरी है ही।

(राष्ट्रीय सहारा, 16 सितंबर, 2012)

68

देश पर 'ममता' करो

''मौजूदा आर्थिक हालात में दो ही तरीके अपनाए जा सकते हैं- आंख और कान बंद करके सब कुछ भगवान भरोसे छोड़ दिया जाए या फिर कुछ बड़े और कड़े फैसले लिए जाएं जो अर्थव्यवस्था को पटरी पर ला सकें। हाल के दिनों में यूपीए सरकार के फैसलों को इसी परिप्रेक्ष्य में देखना चाहिए। चूंकि हालात इतने खराब हो गए थे कि अर्थव्यवस्था आईसीयू में जा सकती थी इसलिए इसे ठीक करने के लिए काफी कड़ी और कड़वी दवाई देनी पड़ी।''

जब देश में कुछ भी ठीक नहीं चल रहा हो तो राजनीतिक अस्थिरता नीम पर करेले की तरह घातक हो जाती है। यह बताने की जरूरत नहीं है कि आर्थिक विकास की गाड़ी पटरी से उतर चुकी है। मैन्यूफैक्चरिंग सेक्टर कराह रहा है। मॉल्स से खरीदार गायब हैं। नौकरी के नए मौके तो पैदा नहीं ही हो रहे हैं, जिनके पास नौकरी है उन पर भी छंटनी की तलवार लटक रही है। और प्रधानमंत्री जब खुद यह कह रहे हैं कि हालात लगभग वैसे ही हैं जैसे 1991 में थे तो हमें मान लेना चाहिए कि अर्थव्यवस्था वाकई संक्रमण काल से गुजर रही है। यह तब हो रहा है जब दुनिया भर में आर्थिक हालात बहुत अच्छे नहीं हैं। अमेरिकी अर्थव्यवस्था कछुए के रफ्तार से चल रही है और यूरोप की अर्थव्यवस्था यूरोपियन सेंट्रल बैंक के नोट छापने की वजह से जिंदा है।

ऐसे हालात में दो ही तरीके अपनाए जा सकते हैं- आंख और कान बंद करके सब कुछ भगवान भरोसे छोड़ दिया जाए या फिर कुछ बड़े और कड़े फैसले लिए जाएं जो अर्थव्यवस्था को पटरी पर ला सकें। हाल के दिनों में यूपीए सरकार के फैसलों को इसी परिप्रेक्ष्य में देखना चाहिए। चूंकि हालात इतने खराब हो गए थे कि अर्थव्यवस्था आईसीयू में जा सकती थी इसलिए इसे ठीक करने के लिए काफी कड़ी और कड़वी दवाई देनी पड़ी। प्रधानमंत्री ने कहा कि लागत से कम कीमत पर डीजल, पेट्रोल, एलपीजी और किरोसिन तेल बेचने की वजह से इस साल सरकारी कंपनियों को 2 लाख करोड़ रुपये का घाटा हो सकता था। कीमत बढ़ाकर इस घाटे को थोड़ा कम करने की कोशिश की गई है।

नौकरी के नए मौके तो पैदा नहीं ही हो रहे हैं, जिनके पास नौकरी है उन पर भी छंटनी की तलवार लटक रही है।

अर्थव्यवस्था आईसीयू में है और इसको कड़वी मेडिसिन की जरूरत है। लेकिन ऐसे हालात बने क्यों? क्या फैसले तभी नहीं लिए जा सकते थे जब हालात इतने बुरे नहीं थे? क्या पिछले साल ही तेल कंपनियों के एक लाख चालीस हजार करोड़ रुपये के घाटे को कम करने की कोशिश नहीं की जानी चाहिए थी? मल्टी ब्रांड रिटेल में विदेशी निवेश की इतनी जरूरत थी तो क्या इस फैसले को पहले नहीं लिया जा सकता था?

हो सकता है कि सही फैसले सही समय पर लिए जाते तो अर्थव्यवस्था आईसीयू में जाती ही नहीं और न ही किसी कड़वी दवाई की जरूरत पड़ती, जिसकी वजह से आज पूरे देश को बदहजमी हो रही है।

फैसले पहले लिए जाते, किश्तों में लिए जाते तो संभव था कि आज देश को कड़वी दवाई की जरूरत ही नहीं पड़ती। मेरे खयाल से इसे फिलहाल भूल जाना चाहिए। इतिहास से सबक जरूर लेना चाहिए लेकिन इतिहास को कोसकर वर्तमान को खराब करने में भलाई नहीं है। और फिलहाल सचाई यही है कि अर्थव्यवस्था को कड़वी दवाई की जरूरत है। और कड़वी दवाई का असर हो, इसके लिए डॉक्टर पर भरोसा रखने की जरूरत है। इसी संदर्भ में ममता बनर्जी के एक्शन को देखने की जरूरत है।

इतिहास से सबक जरूर लेना चाहिए लेकिन इतिहास को कोसकर वर्तमान को खराब करने में भलाई नहीं है।

ममता बनर्जी का यह कहना सही है कि डीजल की कीमत में बढ़ोतरी से आम आदमी को नुकसान होगा। उनकी इस बात में दम है कि सस्ती एलपीजी का कोटा तय होने से लोगों को चूल्हा जलाने में दिक्कत होगी। उनका यह कहना भी सही है कि मल्टी ब्रांड रिटेल में विदेशी निवेश की इजाजत देने से किसानों और छोटे कारोबारियों पर असर पड़ेगा। असर होगा जरूर लेकिन क्या उन्हें नुकसान होगा, यह शोध का विषय है। कई उदाहरण भी हैं जिनसे यह साफ होता है कि रिटेल के कारोबार में बड़े निवेशकों के आने से किसानों को फायदा हुआ है। प्रतिस्पर्धा बढ़ने से फायदा छोटे कारोबारियों को भी हुआ है। माना कि इन मसलों पर ममता बनर्जी को आपत्ति थी। उन्हें यह बुरा लगा कि इतने सारे फैसले उनकी इजाजत के बगैर लिए गए जबकि वे यूपीए सरकार में कांग्रेस के बाद सबसे बड़ी पार्टी की मुखिया थीं। और इसके चलते उनको गुस्सा आ गया।

गुस्से में फैसले लेना समझदारी का काम नहीं है। और ममता बनर्जी जैसी बड़ी नेता से तो इसकी बिल्कुल अपेक्षा नहीं की जा सकती है। उनके जैसी जिम्मेदार नेता अगर गुस्से में फैसला लेने लगे तो यह दुख की बात है। कांग्रेस की गलती है कि उसने गठबंधन धर्म को ठीक से नहीं निभाया, अपने बहुमूल्य सहयोगी की आपत्तियों को दूर करने की कोशिश नहीं की, उनको भरोसे में नहीं लिया और उनके गुस्से को शांत करने का सार्थक प्रयास नहीं किया।

लेकिन ममता बनर्जी ने क्या किया- देश को राजनीतिक अस्थिरता में ढकेल दिया, वह भी उस समय जब एक प्रभावी सरकार की सबसे ज्यादा जरूरत थी। जनता के नाम पर इस तरह की राजनीतिक धमकी देना ममता की आदत सी बन गई है और ऐसा करते-करते 'माई वे या हाइवे' उनका स्वभाव बन गया है और अब यही उनकी यूएसपी है। उन्हें यह ध्यान रखना चाहिए कि नाटक विपक्ष का हथियार तो हो सकता है लेकिन शासक समूह में शामिल पार्टी को यह शोभा नहीं देता है।

जनता के हितों के नाम पर इसी तरह का नाटक यूपीए की पहली सरकार में वामपंथी दल खेला करते थे। इतिहास गवाह है कि लेफ्ट के नाटक को लोगों ने बिल्कुल ही नकार दिया। लेफ्ट के नाटक के पटाक्षेप से ही ममता बनर्जी का उदय हुआ। क्या ममता उससे सबक नहीं लेंगी?

मामला जनता से जुड़े मसलों का था पर मुलायम सिंह यादव ने परिपक्वता का परिचय दिया।

दूसरी ओर मुलायम सिंह यादव पर काफी दबाव था। उन पर इसका दबाव था कि वे भी ममता के पॉपुलर नाटक का हिस्सा बन जाएं। मामला जनता से जुड़े मसलों का था पर मुलायम सिंह यादव ने परिपक्वता का परिचय दिया। इसे राजनीतिक समझदारी कहिए या फिर लांग टर्म विजन, मुलायम ने लहर के साथ नहीं बहने का फैसला किया। लहर के साथ बहने का बड़ा लालच होता है, उसे एडवेंचरस भी माना जाता है, लेकिन लहर के साथ बहने में ही समझदारी हो, ऐसा हमेशा नहीं होता है। मुलायम को पता है कि देश में इस समय राजनीतिक अस्थिरता किसी के फायदे में नहीं है। देश को फिलहाल चुनाव में झोंकना ठीक नहीं है।

ममता बनर्जी की पार्टी के सरकार से निकल जाने के बाद राजनीतिक अस्थिरता थमती दिख रही है। बड़े फैसले हो रहे हैं और बाजार उनका जोरदार स्वागत भी कर रहा है। अब जरूरत यह है कि यूपीए सरकार सही समय पर सही फैसला करे। ऐसा निरंतर होता रहा तो कभी भी कड़वी दवाई के मल्टीपल डोज की जरूरत नहीं होगी और देश को बदहजमी का शिकार भी नहीं होना पड़ेगा।

(राष्ट्रीय सहारा, 23 सितंबर, 2012)

69

पावर सेक्टर को चाहिए करंट

''क्या मूलभूत समस्या को दूर किए बगैर कर्ज चुकाने में मोहलत जैसे कदम से वितरण कंपनियों की हालत सुधारी जा सकती है? मेरे खयाल से ताजा फैसला वितरण कंपनियों को आईसीयू से तो निकाल पाएगा लेकिन यह बीमारी का इलाज नहीं है। इसकी बीमारी है लागत से कम कीमत पर बिजली बेचना। इसके लिए बिजली की कीमत बढ़ानी होगी। साथ ही ट्रांसमिशन लाइनों का आधुनिकीकरण करके इनकी वजह से हो रहे नुकसान को कम करना होगा।''

31 जुलाई को पावर ग्रिड में गड़बड़ी की वजह से पूरा उत्तर और पूर्वी भारत अंधेरे में डूब गया था। पावर ग्रिड के फेल होने के बाद बिजली संकट इतना बड़ा और व्यापक था कि इसका असर देश के 20 राज्यों के करीब 60 करोड़ लोगों पर पड़ा था। इसके बाद पावर सेक्टर में बड़े रिफॉर्म की बात शुरू हो गई थी। इस बात के कयास लगाए जा रहे थे कि आकंठ कर्ज में डूबे राज्यों के बिजली बोर्डों को ऐसी संजीवनी बूटी दी जाएगी कि उनमें फिर से तेजी से करंट दौड़ने लगेगा। इसी सिलसिले में सोमवार को मनमोहन सिंह की सरकार ने एक बड़ा फैसला लिया।

बिजली खरीदने के लिए इन्हें कर्ज देने के लिए कोई बैंक तैयार नहीं है।

फैसले के मुताबिक कर्ज में डूबी राज्य की बिजली वितरण कंपनियों को कर्ज चुकाने के लिए तीन साल की मोहलत मिलेगी। गौरतलब है कि राज्य की बिजली वितरण कंपनियों का घाटा करीब दो लाख करोड़ रुपये तक पहुंच गया है। हालात ऐसे हैं कि वितरण कंपनियों के पास इतने पैसे भी नहीं हैं कि वे बिजली खरीद कर लोगों को सप्लाई कर सकें। बिजली खरीदने के लिए इन्हें कर्ज देने के लिए कोई बैंक तैयार नहीं है। जिन बैंकों ने कर्ज दे रखे हैं, उन्हें डर है कि उनके पैसे डूब न जाएं।

ऐसे हालात में केंद्रीय मंत्रिमंडल के फैसले से राज्य की बिजली वितरण कंपनियों को थोड़ी राहत मिलेगी। फैसले के मुताबिक बिजली वितरण कंपनियों को कर्ज चुकाने में तीन साल की मोहलत मिलेगी। इन कंपनियों के आधे कर्ज राज्य सरकारें ले लेंगी। साथ ही वितरण कंपनियां अपने घाटे में कटौती करने में अगर सफल होती हैं तो उन्हें केंद्र सरकार की तरफ से इंसेंटिव भी मिलेगा। बिजली वितरण कंपनियों को यह नसीहत दी गई है कि वे कंज्यूमर को दी जा रही बिजली की कीमत बढ़ाकर अपनी लागत वसूल करें और ट्रांसमिशन व डिस्ट्रीब्यूशन लॉस को कम करें।

अब सवाल उठता है कि क्या इस फैसले से पावर सेक्टर फिर से रोशन हो पाएगा? क्या राज्य सरकारें इन शर्तों को मानने के लिए तैयार होंगी क्योंकि, इस प्लान से राज्यों की फाइनेंशियल मुश्किलें बढ़ेंगी? इस सवाल का सीधा जवाब देने से पहले यह जानना जरूरी है कि इसी से मिलता-जुलता एक

प्लान 2001 में भी बना था। उस समय राज्यों की बिजली वितरण कंपनियों का घाटा कुछ हजार करोड़ रुपये था। उस समय का प्लान बिल्कुल ही कामयाब नहीं रहा, जिसका नतीजा यह है कि इन कंपनियों का घाटा अब बढ़कर दो लाख करोड़ रुपये से ज्यादा तक पहुंच गया है। तो क्या इस बार प्लान कामयाब हो पाएगा?

पावर सेक्टर की सबसे बड़ी दिक्कत बिजली की दरों को लेकर है। अनुमान है कि वितरण कंपनियों को 1998-99 में एक किलोवाट प्रति घंटा बिजली सप्लाई करने में औसतन 76 पैसे का घाटा होता था, जो 2009-10 में बढ़कर 1.45 रुपया हो गया। मतलब यह है कि वितरण कंपनियां जिस कीमत पर बिजली खरीदती हैं उससे काफी कम कीमत पर उसे बेचती हैं। किसानों को सस्ती बिजली तो दी ही जाती है, इसके अलावा कई इलाकों में धड़ल्ले से बिजली चोरी होती है। इसके साथ-साथ ट्रांसमिशन लाइनें इतनी पुरानी पड़ गई हैं कि इनकी वजह से भी वितरण कंपनियों को हजारों करोड़ रुपये का सालाना घाटा होता है। अनुमान है कि जितनी बिजली पैदा होती है उसकी एक तिहाई वितरण में गड़बड़ी की वजह से गायब हो जाती है। और इसका घाटा भी वितरण कंपनियों को उठाना पड़ता है।

वितरण कंपनियों की खराब माली हालत की वजह से देश में बिजली का उत्पादन नहीं बढ़ पा रहा है। बिजली उत्पादन करने वाली कंपनियों को इस बात का हमेशा डर रहता है कि जिन वितरण कंपनियों को वे बिजली बेचती हैं वे समय पर उन्हें पेमेंट कर पाएंगी या नहीं। पावर सेक्टर में उत्पादन नहीं बढ़ने से देश में हमेशा बिजली की कमी रहती है। सरकारी आंकड़ों के मुताबिक पीक आवर में डिमांड और सप्लाई में 11 फीसद का अंतर रहता है, जबकि नॉन पीक आवर में यह कमी 9 परसेंट रहती है। लेकिन इन सेक्टर में काम करने वाले एक्सपर्ट्स की माने तो डिमांड-सप्लाई में यह अंतर 20 परसेंट से कम नहीं है। यह तब है जब हम सभी जानते हैं कि देश के कई गांव ऐसे हैं जहां बिजली का नामोनिशान भी नहीं है।

पावर सेक्टर में उत्पादन नहीं बढ़ने से देश में हमेशा बिजली की कमी रहती है।

इस सबका साफ मतलब यह है कि देश में बिजली की भारी कमी है। क्यों न हो। 1952 से अभी तक किसी भी साल हमने लक्ष्य हासिल नहीं किया है।

अनुमान है कि देश के पावर प्रोजेक्ट्स अपनी क्षमता का महज 73.3 परसेंट बिजली ही पैदा कर पा रहे हैं। और इसके पीछे भी बड़ी वजह है- कोयला का नहीं मिलना और गैस की कमी। और जितनी बिजली पैदा होती है उसका एक तिहाई वितरण में गड़बड़ी की वजह से गायब हो जाती है। मतलब यह है कि अगर देश में 100 मेगावाट बिजली पैदा करने की क्षमता है तो महज 73 मेगावाट बिजली ही पैदा हो रही है। और वितरण में गड़बड़ी के बाद कंज्यूमर को पहुंचाने के लिए हमारे पास महज 60 मेगावाट बिजली ही बचती है।

ऐसे हालात में वितरण कंपनियों का घाटा हर साल बढ़ना लाजिमी है। तो क्या मूलभूत समस्या को दूर किए बगैर कर्ज चुकाने में मोहलत जैसे कदम से वितरण कंपनियों की हालत सुधारी जा सकती है? मेरे खयाल से ताजा फैसला वितरण कंपनियों को आईसीयू से तो निकाल पाएगा लेकिन यह बीमारी का इलाज नहीं है। इसकी बीमारी है लागत से कम कीमत पर बिजली बेचना। इसके लिए बिजली की कीमत बढ़ानी होगी। साथ ही ट्रांसमिशन लाइनों का आधुनिकीकरण करके इनकी वजह से हो रहे नुकसान को कम करना होगा।

देश में बिजली की भारी कमी है। क्यों न हो। 1952 से अभी तक किसी भी साल हमने लक्ष्य हासिल नहीं किया है।

तो क्या वितरण कंपनियों को बचाने के लिए हमें बिजली के लिए ज्यादा पैसा खर्चने के लिए तैयार रहना चाहिए? मेरे खयाल से फैसला हमें करना है- हमें कुछ घंटे के लिए ही सस्ती बिजली चाहिए या फिर चौबीस घंटे बिजली के लिए हम थोड़ी जेब ढीली करने को तैयार हैं। मेरी जरूरत 24/7 बिजली आपूर्ति की है और इसके लिए मैं ज्यादा कीमत देने के लिए भी तैयार हूं। आखिरकार 24 घंटे बिजली आधुनिक समाज की जरूरत है।

(राष्ट्रीय सहारा, 30 सितंबर, 2012)

70

श्रीलंका में फ्लॉप शो

''हर नए तरीके की एक एक्सपायरी तारीख होती है। धोनी के तरीके सफल रहे लेकिन अब उनमें बासीपन आ गया है। अब भारतीय क्रिकेट को जीत के हाइवे पर लाने के लिए या तो धोनी को खुद नए तरीके इजाद करने होंगे या फिर टीम मैनेजमेंट के बनाए रास्ते को पूरी तरह मानना होगा। और जब तक ऐसा नहीं होता है तब तक हमें दूसरी टीमों को बड़े मुकाबलों के सेमीफाइनल और फाइनल खेलते देखने का मलाल होता रहेगा।''

कुछ महीने पहले तक भारतीय क्रिकेट टीम के कप्तान महेंद्र सिंह धोनी जो कुछ भी करते थे, वो ट्रेंड बन जाता था। ट्वेंटी-20 वर्ल्ड कप फाइनल में आखिरी ओवर एक ऐसे गेंदबाज से डलवाना, जिसका कोई रेपुटेशन ना हो और ना आखिरी ओवर में गेंद डालने का कोई अनुभव। धोनी का हेलिकॉप्टर शॉट हो या फिर क्रिस गेल जैसे बेरहम बल्लेबाज के सामने रविचंद्रन अश्विन को गेंदबाजी के लिए बुलाना। धोनी जो कुछ भी करते बाकी सब उसका अनुसरण करते थे। कहा जाता था कि धोनी जादूगर हैं, उन्हें वरदान प्राप्त है और उनके जैसा लकी हो ही नहीं सकता। इस जादूगरी की बदौलत धोनी ने अपनी कप्तानी में वह सब कर दिखाया, जो और किसी ने नहीं किया।

कहा जाता था कि धोनी जादूगर हैं, उन्हें वरदान प्राप्त है और उनके जैसा लकी हो ही नहीं सकता।

टी-20 वर्ल्ड कप, ऑस्ट्रेलिया को ऑस्ट्रेलिया में टेस्ट सीरीज में हराना, दक्षिण अफ्रीका को दक्षिण अफ्रीका में टेस्ट सीरीज में हराना, आईसीसी टेस्ट रैंकिंग में देश को नम्बर वन पर ले जाना, 28 साल के बाद वर्ल्ड कप का खिताब, अपनी आईपीएल फ्रेंचाइजी को लगातार दो बार आईपीएल का खिताब और चैपियन्स लीग में जीत दिलाना-धोनी की कप्तानी में यह सब कुछ हुआ। इससे पहले भारतीय क्रिकेट टीम के किसी कप्तान के बायोडाटा में इतनी उपलब्धियां दर्ज नहीं हुई थीं। और शायद आगे भी इतना करिश्माई कप्तान मिलना मुश्किल होगा। लेकिन धोनी का जादू कुछ समय से नहीं चल रहा है। पहले इंग्लैंड में भारतीय टीम धराशायी हुई। फिर ऑस्ट्रेलिया में मुंह की खानी पड़ी। दोनों ही सीरीज में टीम का प्रदर्शन इतना खराब रहा कि क्रिकेट के दो महान खिलाड़ियों-राहुल द्रविड़ और वीवी एस लक्ष्मण को खेल को अलविदा कहना पड़ा। और अब श्रीलंका में टी-20 वर्ल्ड कप में सेमीफाइनल तक भी नहीं पहुंचना। अब तक चार टी-20 वर्ल्ड कप हो चुके हैं। भारतीय टीम ने पहला वर्ल्ड कप जीता। लेकिन उसके बाद से टीम कभी भी सेमीफाइनल तक में नहीं पहुंच पाई है। इतना ही नहीं, टी-20 वर्ल्ड कप के सुपर-आठ मुकाबले में तीन वर्ल्ड कप में हमें एक ही जीत मिली है। हर बार महेंद्र सिंह धोनी की कप्तानी में इन मुकाबलों में हमें निराशा ही मिली है।

आखिर धोनी का जादुई टच कहां गायब हो गया है? क्या कप्तानी उनके लिए बोझ बनती जा रही है? या फिर सफलता ने उन्हें घमंडी बना दिया है, जिसकी वजह से वो अच्छी और जरूरी सलाहों से दूर होते जा रहे हैं? या फिर सफलता ने उन्हें जिद्दी बना दिया है, जिसकी वजह से वो किसी की सुनते नहीं हैं और वही करते हैं, जो उन्हें सही लगता है? शायद धोनी जिद्दी भी हो गए हैं और शायद उन्होंने दूसरों की बातों पर गौर करना बंद कर दिया हो। इसलिए संभवतः भारतीय टीम गलत रणनीति की वजह से लगातार फेल हो रही है।

आखिर धोनी का जादुई टच कहां गायब हो गया है?

अब श्रीलंका में हो रहे टी-20 वर्ल्ड कप की बात करते हैं। वहां खेले गए मैच को देखकर साफ हो गया था कि इन पिचों पर स्पिनरों की तूती बोलेगी। श्रीलंका और पाकिस्तान के स्पिनरों के सामने बल्लेबाज बेबस नजर आ रहे थे। पाकिस्तान के सईद अजमल, श्रीलंका के अजंथा मेंडिस और वेस्टइंडीज के सुनील नारायण ने ऐसा समां बांधा की बल्लेबाज इनसे खौफ खाने लगे। हरभजन सिंह ने भी अपने वापसी वाले मैच में बेहतरीन गेंदबाजी की लेकिन जिन मैचों में उनकी सबसे ज्यादा दरकार थी, उन मैचों में उन्हें चुना ही नहीं गया। हमें सदियों से पता है कि दक्षिण अफ्रीका के बल्लेबाज स्पिनरों को अच्छे से नहीं खेल पाते हैं। फिर भी ऐसी पिच पर जहां स्पिनरों को मदद मिल रही थी दक्षिण अफ्रीका के खिलाफ हम सिर्फ एक स्पिनर के साथ मैदान में उतरे। सेमीफाइनल में जगह बनाने के लिए दक्षिण अफ्रीका को हमें भारी अंतर से हराना था, लेकिन रणनीति में चूक की वजह से हम ऐसा नहीं कर पाए।

पिछले कुछ महीने में रणनीति में इस तरह की कई गड़बड़ियां हुई हैं। लगातार फेल होने के बावजूद कुछ खिलाड़ियों को मौका मिलता रहा। लेकिन नए चेहरे मौका मिलने का इंतजार करते रहे। अपनी टीम लगातार फेल होती रही है लेकिन धोनी बदलाव की कोशिशों को नकारते रहे हैं। यह जिद नहीं तो और क्या है? तो क्या यह मान लिया जाए कि धोनी युग अपने अवसान पर है।

श्रीलंका और पाकिस्तान के स्पिनरों के सामने बल्लेबाज बेबस नजर आ रहे थे।

मेरे ख्याल से इतनी जल्दी अवसान की बात करना सही नहीं होगा। इस समय यह पता लगाने की जरूरत है कि एक के बाद एक लगातार गलतियां क्यों और कैसे हो रही हैं?

धोनी के स्टाइल से जो परिचित हैं, उन्हें पता है कि धोनी क्रिकेट फील्ड पर फैसला लेने के समय अपने मन की सुनते हैं। पहले टी-20 वर्ल्ड कप फाइनल में आखिरी ओवर नए गेंदबाज जोगिंदर शर्मा से करवाना या फिर पिछले वर्ल्ड कप फाइनल में श्रीलंका के खिलाफ खुद को बल्लेबाजी में दूसरे अनुभवी खिलाड़ियों को पहले उतारना, इस तरह के फैसले लेते वक्त वो अपने मन की सुनते हैं। शुरुआती दिनों में इस तरह के फैसले अटपटे भले ही लगे हों लेकिन वो कारगर साबित हुए।

धोनी ने फाइनल में अपनी आक्रामक पारी की बदौलत भारत को वर्ल्ड कप दिलाया।

जोगिंदर का वह आखिरी ओवर यादगार था तो धोनी ने फाइनल में अपनी आक्रामक पारी की बदौलत भारत को वर्ल्ड कप दिलाया। अब इस तरह के फैसले चल नहीं रहे हैं। और जब इन्सटिंक्ट काम नहीं करते हैं तो लोगों को रणनीति की जरूरत पड़ती है। और फिलहाल भारतीय टीम की दिक्कत यही है। धोनी के इन्सटिंक्ट का जादुई टच खत्म हो गया है लेकिन इसके बावजूद वो टीम मैनेजमेंट की रणनीति मानने को तैयार नहीं हैं। और दुख की बात यह है कि लगातार करारी हार के बावजूद धोनी बदलने को तैयार नहीं हैं।

हर नए तरीके की एक एक्सपायरी तारीख होती है। धोनी के तरीके सफल रहे लेकिन अब उनमें बासीपन आ गया है। अब भारतीय क्रिकेट को जीत के हाइवे पर लाने के लिए या तो धोनी को खुद नए तरीके इजाद करने होंगे या फिर टीम मैनेजमेंट के बनाए रास्ते को पूरी तरह मानना होगा। और जब तक ऐसा नहीं होता है तब तक हमें दूसरी टीमों को बड़े मुकाबलों के सेमीफाइनल और फाइनल खेलते देखने का मलाल होता रहेगा।

(राष्ट्रीय सहारा, 7 अक्टूबर, 2012)

71

कंट्रोल का सोशल करप्शन

''महिलाओं का सही मायने में सशक्तीकरण ही हमें खाप पंचायतों और इनके जैसे दूसरे संगठनों के आतंक से छुटकारा दिला सकता है। इसमें समय लग सकता है, लेकिन दकियानूसी को करारा जवाब देने का यही सही तरीका है। फिलहाल के लिए हम सबकी जिम्मेदारी यह है कि न केवल खाप पंचायतों का बल्कि उनका समर्थन करने वालों का भी बहिष्कार हो।''

हरियाणा के खाप पंचायत का बयान आया है कि बलात्कार की घटनाओं को रोकने के लिए यह जरूरी है कि लड़कियों की शादी पंद्रह साल से पहले ही करा दी जाए। इतना ही काफी नहीं था तो एक बड़े नेता का बयान आया कि लड़कियों की इज्जत बचानी है तो उनकी जल्दी शादी करानी ही होगी। और इस सबके बाद एक और बयान आया है, और इस बार भी एक जिम्मेदार नेता का, कि बलात्कार के 90 परसेंट मामले महिलाओं की सहमति से होते हैं।

हमारे पूर्वजों की परिकल्पना में कोई कमी रह गई या हम हर दिन अपने पूर्वजों के साथ दगा कर रहे हैं।

इन बयानों को सुनने के बाद मेरे मन में एक ही ख्याल आता है- क्या हम उसी सभ्य समाज में जी रहे हैं जिसकी परिकल्पना हमारे पूर्वजों ने की थी? या तो हमारे पूर्वजों की परिकल्पना में कोई कमी रह गई या हम हर दिन अपने पूर्वजों के साथ दगा कर रहे हैं। संविधान बनाने वालों ने महिलाओं को समाज में बराबरी का दर्जा दिया, उनको वोट देने का अधिकार दिया, उनको ब्याहने की न्यूनतम सीमा तय की। क्या यह सब वैसे ही हो गया? इनके पीछे कोई वजह रही होगी। इन कदमों से वे पूरे समाज को एक संदेश देना चाहते थे। जिस सभ्य समाज को बनाने की परिकल्पना हमारे महात्माओं ने की थी, संविधान ने उसे ही कोडिफाई करके मूर्त रूप देने की कोशिश की।

अफसोस की बात है कि संविधान बनने के 62 साल बाद भी समाज के तथाकथित ठेकेदार इस तरह का घिनौना फरमान जारी करते हैं। इस तरह का बिना सिर-पैर का तर्क देकर वे न केवल संविधान का अपमान करते हैं बल्कि समाज को गुमराह भी कर रहे हैं। इस तरह की बातें आखिर उठती क्यों हैं? दरअसल संविधान के निमार्ताओं ने देश में राजनेताओं को बड़ी भूमिका दी थी। उन्हें देश के तमाम संसाधनों को कस्टोडियन तो बनाया ही गया, साथ ही उनको समाज को आगे ले जाने की जिम्मेदारी भी दी गई। मकसद यह था कि हर पांच साल पर चुनाव होंगे तो नेता लोग कभी भी अपनी जिम्मेदारियों से भाग नहीं पाएंगे। समाज को आगे ले जाने का मतलब यह था कि इसकी विकृतियों को सुधारना। लेकिन राजनीति में ज्यों-ज्यों प्रतिस्पर्धा बढ़ी, त्यों-त्यों वोट हथियाने के लिए वे सारे हथकंडे अपनाए जाने लगे जो किसी भी सभ्य

समाज के साथ मजाक से कम नहीं था। राजनीतिक हथकंडे में नेताओं के साथ खड़े हैं समाज के वे तथाकथित ठेकेदार जिन्हें सामाजिक विकृतियों में अपना फायदा दिखता है। सामाजिक विकृतियों में फलने-फूलने वाले ऐसे ठेकेदारों की पूरी मंडली है खाप पंचायत। यहां दकियानूसी बिकती है, घटिया सोच को पनाह मिलती है, बुराइयों पर पर्दा डाला जाता है। इस दुराचार के मठ में अत्याचार बिकता है। और इनकी दबंगई को नेताओं का संरक्षण मिलता है, क्योंकि ये चुनाव में वोट भी लाते हैं।

हम सबकी पहली पाठशाला हमारा परिवार होता है और वहां की शिक्षक मां होती है।

अब यह सवाल उठता है कि इन मठाधीशों की तरफ से महिलाओं और लड़कियों के खिलाफ इस तरह के तुगलकी फरमान क्यों बार-बार आते रहते हैं? इसके लिए यह जानना जरूरी है कि संविधान में महिलाओं के सशक्तीकरण की बात क्यों की गई। सबसे बड़ी बात यह कि देश की आधी आबादी अगर लाचार हो तो समाज पूरी तरह से स्वस्थ नहीं हो सकता है। इतनी ही जरूरी यह बात भी है कि सशक्त महिला सभ्य समाज की नींव होती है। हम सबकी पहली पाठशाला हमारा परिवार होता है और वहां की शिक्षक मां होती है। मां के दिए हुए संस्कार हमारे साथ पूरी जिंदगी रहते हैं। और जिस समाज में मां जितना सशक्त होगी, वह समाज उतना ही स्वस्थ और प्रगतिशील होगा। लेकिन चूंकि भारतीय समाज पुरुष प्रधान समाज है इसलिए समाज की मान-मर्यादा, नियम-कायदे पुरुषों के नजरिए से रचे और गढ़े गए हैं।

प्रगतिशील समाज खाप पंचायत जैसे संगठनों के लिए कैंसर है, जो उसे धीरे-धीरे खत्म कर देगा। ऐसे में खाप पंचायत यह कैसे बर्दाश्त कर सकती है कि समाज में मां का सम्मान हो। मां को कमजोर करने के मकसद से इस तरह की संस्था महिलाओं को कंट्रोल करना चाहती है। कंट्रोल करने के कौन से तरीके हो सकते हैं, लड़कियों की जल्दी शादी करा दो, उनके कॉलेज जाने पर बैन लगा दो, उन्हें अकेले बाजार जाने से मना कर दो, उनके लिए ड्रेस कोड तय कर दो, उनके मोबाइल फोन के उपयोग पर बैन लगा दो, उनकी शादी को रेगुलेट करो, अपने मन से हुई शादी में हरसंभव अड़ंगा लगाओ। इन हथकंडों का एक ही मकसद होता है, महिलाओं को कंट्रोल किया जाए।

दूसरे शब्दों में कहें तो एक तरह से महिला देह पर पुरुषों का अधिकार है। महिला अपने फैसले खुद नहीं ले सकती। और अगर कोई महिला अपने फैसले खुद लेने लगे तो पुरुषों का आधिपत्य डगमगाने लगता है और बौखलाहट में इस तरह के वाहियात फरमान जारी होने लगते हैं।

इंडिपेंडेंट महिला दकियानूसी समाज के लिए बड़ा खतरा होती है।

इंडिपेंडेंट महिला दकियानूसी समाज के लिए बड़ा खतरा होती है। इतिहास गवाह है कि जिस समाज में इंडिपेंडेंट महिलाओं की कद्र होती है वहां भ्रष्टाचार कम होता है, अपराधों की संख्या में कमी होती है, आर्थिक तरक्की को बल मिलता है, जनसंख्या बढ़ने की रफ्तार कभी भी बेकाबू नहीं होती है, बलात्कार जैसे घिनौने मामले लुप्त हो जाते हैं और स्वस्थ मानसिकता वाला समाज बनता है। और खाप पंचायत जैसी संस्था का इस तरह के समाज में वजूद ही नहीं हो सकता है। इसीलिए हमें यह समझना होगा कि खाप पंचायतों का इस तरह का तुगलकी फरमान उनकी अस्तित्व की लड़ाई है।

अब सवाल उठता है कि इन तालिबान फरमानों से समाज को छुटकारा कैसे मिले। महिलाओं का सही मायने में सशक्तीकरण ही हमें खाप पंचायतों और इनके जैसे दूसरे संगठनों के आतंक से छुटकारा दिला सकता है। इसमें समय लग सकता है, लेकिन दकियानूसी को करारा जवाब देने का यही सही तरीका है। फिलहाल के लिए हम सबकी जिम्मेदारी यह है कि न केवल खाप पंचायतों का बल्कि उनका समर्थन करने वालों का भी बहिष्कार हो। इस तरह के लोग संविधान के मूल पर हमला कर रहे हैं और उन्हें यह कड़ा संदेश देना जरूरी है कि उनकी बेवकूफी अब देश बर्दाश्त नहीं करेगा। हम उनके अस्तित्व को नकार देंगे तो हो सकता है कि बदलते समय और समाज के हिसाब से वे खुद को भी बदलें।

इसके साथ ही हमें कानून व्यवस्था के रखवालों पर भी दबाव बनाना होगा कि संविधान की भावना की धज्जी उड़ाने वाले बचने न पाएं। हम अगर ऐसा नहीं करते हैं तो अपने समाज को असभ्य लोगों के चंगुल में ढकेलने के लिए हम भी जिम्मेदार होंगे। फैसला हम सबको करना है।

(राष्ट्रीय सहारा, 14 अक्टूबर, 2012)

72

करप्ट माहौल पर चोट करने की जरूरत

''करप्शन का बड़ा स्रोत मनमाने फैसले लेने का अधिकार ही है। लोकहित की परिभाषा अपनी सुविधा से बदल जाती है। मंत्री और नेताओं के रिश्तेदारों की भलाई को लोकहित बताकर ऐसे फैसले ले लिए जाते हैं जिनसे सरकारी खजाने को नुकसान होता है, जबकि नेताओं की झोली भरती जाती है। अगर करप्शन को खत्म करना है तो लोकहित की परिभाषा को व्यापक और बहुत स्पष्ट बनाना होगा।''

अक्टूबर का महीना भ्रष्टाचार के आरोपों और प्रत्यारोपों का रहा है। इन आरोपों में कितनी सच्चाई है, इसका पता लगाना सरकार और जांच एजेंसियों का काम है। मान लिया जाए कि निष्पक्ष जांच से सार्वजनिक जीवन जी रहे लोगों के चेहरे से नकाब उतर जाएगा, दोषियों का पता चल जाएगा और उन्हें सजा भी हो जाएगी। लेकिन क्या कुछ एक दोषियों को सजा देकर भ्रष्टाचार के दानव से पूरी तरह छुटकारा मिल सकेगा? मेरे ख्याल से कुर्सी पर बैठने वालों को बदल भर देने से करप्शन कम नहीं किया जा सकता है। इसे खत्म करने की तो बात ही दूर है।

हवा के वितरण में आपने किसी घपले के बारे में नहीं सुना होगा।

करप्शन को खत्म करने के लिए यह जानना जरूरी है कि इसकी वजह क्या है। करप्शन की जड़ में है किसी भी सामान या सेवा के डिमांड और सप्लाई में अंतर। हवा के वितरण में आपने किसी घपले के बारे में नहीं सुना होगा। इसकी वजह यह है कि हवा की हम सबको जितनी जरूरत है उससे कहीं ज्यादा हवा उपलब्ध है। पानी के बारे में कुछ यही हाल है। लेकिन दुनिया के कई ऐसे इलाके हैं जहां पानी की कमी है और इसके वितरण में भारी घपला होता है। दिल्ली के आसपास के इलाकों में ही टैंकर माफिया की बात हम-आप सुनते ही रहते हैं।

डिमांड-सप्लाई के गैप को और अच्छे से समझने के लिए रेल का उदाहरण लेते हैं। हममें से अधिकांश लोगों ने रेलवे से सफर किया होगा। यात्रा पहले प्लान कर लिया और पक्का टिकट मिल गया तो कोई बात नहीं। लेकिन अचानक सफर करना पड़ जाए तो समझिए जुगाड़ का सिलसिला शुरू हो जाता है। पहले इसका जुगाड़ लगाना कि अपने पहचान का कोई मिल जाए जिसकी पहचान किसी नेता से हो या फिर रेलवे में किसी अधिकारी से। कोई जुगाड़ नहीं लगा तो लगे टीटी से जुगाड़ करने। पैसा भी खर्च हुआ और परेशानी भी हुई। और सफर बुरे सपने की तरह गुजरा, क्योंकि कोई जुगाड़ नहीं लग पाया। ऐसे जुगाड़ लगाने में कभी टीटी को चढ़ावा मिलता है तो कभी किसी दूसरे अधिकारी की जेब भरती है। जो हम सब का अधिकार है उसके लिए चढ़ावा क्यों?

अचानक सफर करना पड़ जाए तो समझिए जुगाड़ का सिलसिला शुरू हो जाता है।

इस जुगाड़ की जड़ में है डिमांड-सप्लाई का भारी अंतर। रेलवे की जितनी क्षमता है उससे कहीं ज्यादा लोग हर दिन इससे सफर करते हैं। इसको खत्म करने का तरीका यह है कि सप्लाई बढ़ाई जाए, रेलवे का विस्तार हो जो कई सालों से नहीं हो रहा है। और यही हाल देश के दूसरे संसाधनों का है। मामला स्पेक्ट्रम का हो या फिर जमीन का। देश में जमीन की कमी है। स्पेक्ट्रम बहुत कीमती है लेकिन इसे हासिल करने वालों की लाइन लंबी है। इनमें से कई ऐसे संसाधन हैं जिनका विस्तार नहीं हो सकता है, जैसे जमीन या कोयले की खदानें। और इन सबके बंटवारे में भारी जुगाड़ चलता है। अब यहां यह जानना जरूरी है कि जुगाड़ होता कैसे है।

अब जमीन का उदाहरण लीजिए। जमीन के नियमों को सरकार जब चाहे तब बदल सकती है। जनहित के नाम पर कभी भी जमीन का अधिग्रहण हो सकता है। इसको कभी भी खेती की जमीन से कमर्शियल घोषित किया जा सकता है। कभी भी पब्लिक हित के नाम पर किसी निजी संस्था को सरकारी जमीन दी जा सकती है। चकबंदी के नाम कभी भी जमीन के स्वामित्व में फेरबदल किया जा सकता है। और यह सब लोकहित के नाम पर होता है।

> *मामला स्पेक्ट्रम का हो या फिर जमीन का। देश में जमीन की कमी है।*

लोकहित के नाम पर मंत्रियों और अफसरों को मनमाने फैसले लेने का अधिकार मिला हुआ है। और करप्शन का बड़ा स्रोत मनमाने फैसले लेने का अधिकार ही है। लोकहित की परिभाषा अपनी सुविधा से बदल जाती है। मंत्री और नेताओं के रिश्तेदारों की भलाई को लोकहित बताकर ऐसे फैसले ले लिए जाते हैं जिनसे सरकारी खजाने को नुकसान होता है, जबकि नेताओं की झोली भरती जाती है। अगर करप्शन को खत्म करना है तो लोकहित की परिभाषा को व्यापक और बहुत स्पष्ट बनाना होगा, मंत्रियों और अफसरों को मिले मनमाने फैसले (डिसक्रिशनरी पावर) लेने के अधिकार को खत्म करना होगा।

करप्शन को खत्म करने के लिए दूसरा जो जरूरी काम है वह है चुनाव सुधार। नेताओं का कहना है कि चुनाव पर होने वाले खर्च में लगातार बढ़ोतरी हो रही है। विधानसभा और लोकसभा का चुनाव लड़ने में नेताओं को अब

करोड़ों रुपये खर्च करने पड़ रहे हैं। चुनाव में जीतने के बाद कम से कम इतना तो इंतजाम करना ही होगा। प्रतिस्पर्धा में एक प्रत्याशी, दूसरे से ज्यादा खर्च करने पर आमादा रहता है।

इसलिए चुनाव के खर्च में उस रास्ते से कटौती तो हो नहीं सकती है। इसलिए अब समय आ गया है कि इस बात पर गंभीरता से विचार हो कि राजनीतिक दलों का चुनाव खर्च सरकार उठाए। जहां तक राजनीतिक पार्टियों को मिलने वाले चंदे का सवाल है, उसके लिए यह कानून बना दिया जाए कि सारे डोनेशन चेक से ही हो। अगर ऐसा होता है तो पार्टी को मिलने वाले हर पैसे का हिसाब रखा जा सकेगा। इन छोटे-छोटे पहल से राजनीति में पारदर्शिता आएगी, तो करप्शन को कम करने में मदद मिलेगी।

मामला स्पेक्ट्रम का हो या फिर जमीन का। देश में जमीन की कमी है।

करप्शन से जुड़े कानूनों में भी तत्काल बदलाव की जरूरत है। उदाहरण के तौर पर किसी हत्यारे को मौत की सजा हो सकती है या फिर उसे उम्रकैद मिल सकती है। लेकिन अगर किसी अधिकारी ने घटिया पुल बनाने की इजाजत दी और दुर्भाग्य से पुल टूट गया, जिससे कई लोगों की मौत हो गई, तो वह अधिकारी मामूली सजा पाकर छूट जाता है। ऐसे कई मामलों में तो दोष साबित ही नहीं हो पाता है। क्या इस तरह के कानून में और सख्ती की जरूरत नहीं है?

इसी तरह सरकारी महकमे में ऊंचे पद पर आसीन किसी व्यक्ति पर हजारों करोड़ रुपये के गबन का आरोप साबित हो जाने के बावजूद वह मामूली सजा काटकर छूट जाता है। ऐसे मामलों में हमें अमेरिकी विधि व्यवस्था से सीखने की जरूरत है। वहां मामूली घपलों का आरोप साबित हो जाने के बाद भी बड़ी सजा दी जाती है। मेरा मानना है कि घपले और गबन के आरोप साबित हो जाने पर दोषी को कड़ी सजा मिलनी ही चाहिए, साथ ही उसकी सारी संपत्ति भी जब्त हो जानी चाहिए। अगर ऐसा होता है तो गबन करने वाले ऐसा करने से पहले सौ बार सोचने लगेंगे। अभी उन्हें लगता है कि क्या होगा,

करप्शन से जुड़े कानूनों में भी तत्काल बदलाव की जरूरत है।

जेल-कोर्ट के चक्कर में उम्र गुजर जाएगी, लेकिन गलत रास्तों से अर्जित संपत्ति तो परिवार के पास बनी ही रहेगी। जब यह साफ हो जाएगा कि भ्रष्टाचार से अर्जित संपत्ति के मालिक की संपत्ति सरकार जब्त कर लेगी और उसे जेल भेज देगी तो स्वाभाविक रूप से लोग यह सोचने पर मजबूर होंगे कि क्या फायदा ऐसी कमाई का कि पकड़े गए तो सब साफ।

करप्शन से लड़ना है तो उस माहौल को बदलना होगा जिसमें यह फलता-फूलता है।

करप्शन से लड़ना है तो उस माहौल को बदलना होगा जिसमें यह फलता-फूलता है। कुछ लोगों पर आरोप मढ़कर, कुछ को सजा दिलाकर हम करप्शन को झटका दे सकते हैं, यह संदेश दे सकते हैं कि भ्रष्टाचारियों के बुरे दिन शुरू हो गए हैं लेकिन पूरे सिस्टम को ठीक करने के लिए माहौल बदलना होगा। गायत्री परिवार के आचार्य स्व. श्रीराम शर्मा का एक संदेश हम अपने गांव-शहरों की दीवारों पर लिखा पाते हैं- हम बदलेंगे, युग बदलेगा। बात पते की है। हमें पहले बदलना होगा, युग हमारे पीछे बदलेगा।

(राष्ट्रीय सहारा, 21 अक्टूबर, 2012)

73

यशस्वी जिंदगी के सबक

''यश जी अब हमारी जिंदगी में सशरीर नहीं हैं, लेकिन उनकी जिंदगी के पन्ने हमारे सामने उनकी फिल्मों के जरिए खुले हुए हैं। उन पन्नों में से हमें अपना पन्ना चुनना है और उनके प्यार के पैगाम को आगे बढ़ाना है। भ्रष्टाचार से जूझ रहे हमारे देश को कहीं यश जी के रोमांटिक टच की भी जरूरत है। प्यार बांटने की उनकी कला की भी जरूरत है।''

इस हफ्ते दो गुणी आत्माएं हमें छोड़कर चली गईं। एक ने हमें तकलीफों में भी हंसना सिखाया तो दूसरे ने हमें मुश्किल दौर में भी प्यार करने की प्रेरणा दी। मैं यहां जसपाल भट्टी और यश चोपड़ा की बात कर रहा हूं। जसपाल भट्टी को इस बात का श्रेय जाता है कि उन्होंने व्यंग्य की कला को हमारे घरों तक पहुंचाया। 'उल्टा-पुल्टा' और 'फ्लॉप शो' के जरिए वो हमारे दिलों में छा गए। उनका व्यंग्य हमारी आपकी जिंदगी के रोजमर्रा के मसलों से जुड़ा होता था और उनकी कॉमेडी कभी भी फूहड़ नहीं थी। उनके व्यंग्य बाण से कोई भी नहीं बच सका। जिस तरह आरके लक्ष्मण के कार्टून के केंद्र में आम आदमी हुआ करता था उसी तरह जसपाल भट्टी का व्यंग्य आम आदमी की जिंदगी के इर्द-गिर्द ही घूमा करता था। भट्टी साहब हम सबको आपकी कमी बहुत खलेगी।

> *जसपाल भट्टी से अलग यश चोपड़ा एक पूरी संस्था थे।*

जसपाल भट्टी से अलग यश चोपड़ा एक पूरी संस्था थे। कल्पना कीजिए उस अठारह साल के नौजवान की जिसपर इंजीनियर बनने का दवाब था। घरवालों का सपना पूरा करने के लिए वो इंजीनियरिंग पढ़ने इंग्लैंड जाने वाला था लेकिन उसके अपने सपने उसे चैन नहीं लेने दे रहे थे। उसकी मुसीबत थी कि वो अपने सपने अपने परिवार से भी शेयर नहीं कर सकता था। बड़े भाई बी आर चोपड़ा फिल्मी दुनिया में बड़ी हस्ती थे लेकिन उनका भी मानना था कि छोटा भाई किसी दूसरे प्रोफेशन में जाए। लेकिन यश ने इस सबके बावजूद अपने सपने को तरजीह दी। और उसके बाद जो हुआ वह इतिहास है। मेरे खयाल से भारत के फिल्मी इतिहास में बड़े नामों की चर्चा होगी तो यश चोपड़ा का नाम पहली पंक्ति में बड़े अक्षरों में लिखा जाएगा। और इसकी कई वजह है। और मैं आज उन्हीं वजहों की चर्चा करना चाहता हूं। मेरा मानना है कि उनको सही श्रद्धांजलि यही होगी कि उनकी जिंदगी से हम सब कुछ ना कुछ सीखें।

> *भारत के फिल्मी इतिहास में बड़े नामों की चर्चा होगी तो यश चोपड़ा का नाम पहली पंक्ति में बड़े अक्षरों में लिखा जाएगा।*

उनकी जिंदगी की सबसे बड़ी सीख यह है कि उन्होंने एक बार जो अपने सपनों को पूरा करने की ठान ली तो उसके आगे किसी की भी नहीं सुनी।

यही वजह है कि स्टूडियो असिस्टेंट से अपना करियर शुरू करने वाला युवक हिंदी फिल्म इंडस्ट्री का एक आइकन बन गया। अगर यश चोपड़ा ने अपने सपनों को दबा दिया होता तो हमें वक्त, कभी-कभी, दीवार या चांदनी जैसी फिल्में नहीं मिलती। बड़े-बड़े कलाकारों को 'यशराज फिल्म्स' जैसा प्लेटफॉर्म नहीं मिला होता। दुनिया को एक सृजनकार की कालजयी रचनाएं नहीं मिलती।

दीवार का डायलॉग- 'मेरे पास मां है', हिंदी फिल्म के सबसे प्रसिद्ध डायलॉगों में से एक है।

यश चोपड़ा की दूसरी खासियत थी कि वो हमेशा अपने समय से आगे की सोचते थे। जिस बॉलीवुड में कॉरपोरेटाइजेशन की बात 10 साल पुरानी है, वहां करीब चालीस साल पहले ही उन्होंने इस कल्चर की शुरुआत 'यशराज फिल्म्स' की स्थापना करके की थी। यशराज फिल्म्स पूरी तरह से कर्ज मुक्त है और फिल्म बनाने के लिए इसे कभी भी गलत स्त्रोत से पैसे उगाहने की जरूरत नहीं पड़ी। उनकी कंपनी में मैनेजमेंट इंस्टीट्यूट के ग्रैजुएट काम करते थे, फाइनेंशियल दुनिया के दिग्गजों की बात सुनी जाती थी, मार्केटिंग की एक अलग टीम बनाई गई थी और यह सब तब हो रहा था जब फिल्मी दुनिया में इस तरह के प्रोफशनल्स की कोई जगह नहीं थी। यह यश चोपड़ा की दूरदर्शिता का ही नतीजा है।

फिल्म निर्माण में भी उनकी लीक से हटकर सोच साफ झलकती है। जिस समय एक्शन फिल्मों की तूती बोलती थी उस समय उन्होंने कभी-कभी जैसी रोमांटिक फिल्म बनाई, जिसमें हिंसा का एक सीन भी नहीं है। दूसरी ओर उन्होंने दीवार जैसी एक्शन फिल्में भी बनाई जिसके जरिए मनोरंजन के साथ एक सार्थक संदेश देने की भी कोशिश की गई। दीवार का विजय वैसे तो सर्वशक्तिमान है लेकिन गलत रास्ते पर चलकर पैसा कमाने की वजह से उसे मां का प्यार नहीं मिल पाता है। दीवार का डायलॉग- 'मेरे पास मां है', हिंदी फिल्म के सबसे प्रसिद्ध डायलॉगों में से एक है। उनकी फिल्मों की खासियत थी कि वो मुख्यधारा की फिल्में थी लेकिन उन सबमें एक संदेश हुआ करता था। पॉपुलर के साथ सार्थक फिल्म बनाना एक बड़ी चुनौती का काम होता है और इस चुनौती को यश चोपड़ा ने बखूबी निभाया।

यश चोपड़ा की दूसरी खासियत थी कि उनकी फिल्मों में संस्कृति के कायदे कानून का कभी उल्लंघन नहीं हुआ। उनकी फिल्में साफ-सुथरी इंटरटेनर थी। उनके साथ काम करने वाली नायिकाओं का कहना है कि उनके फिल्मों में कैमरे कभी भी अंगों को प्रोब नहीं करते थे, कभी भी ऐसा दृश्य नहीं होता था जिसे करते समय हिरोइन असहज हुई हों। पोशाक भी खासी भरतीय होती थी।

यश चोपड़ा ने संस्था बनाई, अपने से बड़ा स्टार बनाया लेकिन अपने ऊपर स्टारडम को कभी हावी नहीं होने दिया। उनकी फिल्मों ने अमिताभ बच्चन को नया मुकाम दिया, शाहरुख खान को सुपरस्टार बनाया, कई संगीतकारों को बड़ी सफलता दिलाई। दूसरे की कामयाबी में यश चोपड़ा हमेशा अपनी कामयाबी देखते थे। इससे साफ होता है कि एक तो उन्हें अपनी काबिलियत पर भरोसा था और वो दूसरे की कामयाबी को इन्जॉय करते थे। मेरे खयाल से बड़ी संस्था के निर्माताओं की यह खासियत होती है जो यश चोपड़ा में खूब थी।

बड़ी संस्था के निर्माताओं की यह खासियत होती है जो यश चोपड़ा में खूब थी।

यश चोपड़ा की एक और खासियत यह थी कि वो अपने सहकर्मी का खूब सम्मान करते थे। उनके साथ काम करने वाला स्पॉट ब्यॉय हो या फिर कैमरा असिस्टेंट–यश चोपड़ा सबका खयाल रखते थे। उनके देहांत के एक दिन बाद 'यशराज फिल्म्स' में काम करने वाले एक कैमरा असिस्टेंट ने कहा कि यशराज बैनर उनके बाद भी सांस लेता रहेगा लेकिन यश चोपड़ा के जिंदादिली की कमी हर पल महसूस होती रहेगी। अपने सहकर्मियों के दिल जीतने की अदा यश चोपड़ा को महान बनाती है। किसी भी संस्था में काम करने वालों के लिए यश चोपड़ा की जिंदगी का यह बड़ा सबक है। जो उन्हें जानते हैं उनका कहना है कि खाने के शौकीन यश चोपड़ा फिल्म्स के सेट पर हर किसी के लिए घर से खाना बनवाकर लाते थे और पूरी यूनिट एक साथ बैठकर खाना खाती थी। अपनी जिंदगी से प्यार करने वाला और प्यार को बांटने वाला ही ऐसा कर सकता है। यही वजह है कि उनके फिल्मों में, जिंदगी में दिखने वाले प्यार के कई रंग हमें दिखे और उन्हें रोमांस का मसीहा माना जाने लगा।

यश जी अब हमारी जिंदगी में सशरीर नहीं है। लेकिन उनकी जिंदगी के पन्ने हमारे सामने उनकी फिल्मों के जरिए खुले हुए हैं। उन पन्नों में से हमें अपना पन्ना चुनना है और उनके प्यार के पैगाम को आगे बढ़ाना है। भ्रष्टाचार से जूझ रहे हमारे देश को कहीं यश जी के रोमांटिक टच की भी जरूरत है। प्यार बांटने की उनकी कला की भी जरूरत है।

(राष्ट्रीय सहारा, 28 अक्टूबर, 2012)

74

'सैंडी' के बाद नींद खुलेगी?

''न्यू जर्सी जहां सबसे ज्यादा नुकसान हुआ है, वहां के गवर्नर रिपब्लिकन हैं, लेकिन इसके बावजूद उन्होंने अपनी विरोधी पार्टी के बराक ओबामा की जमकर तारीफ की। न्यू जर्सी के गवर्नर क्रिस्टी ने कहा कि राष्ट्रपति राहत कार्य में सब जगह दिखे और सब कुछ ठीक-ठाक होता है तो इसका पूरा श्रेय ओबामा को मिलना चाहिए। क्या हम अपने देश में अपने नेताओं से इस तरह की उम्मीद कर सकते हैं?''

आरोप-प्रत्यारोप का बाजार काफी गर्म है। इस माहौल में यह पता नहीं चल रहा है कि सच कौन बोल रहा है। देश के नेताओं पर जिस तरह के आरोप लग रहे हैं, वे अगर सच हैं तो जनता किस पर भरोसा करे? और अगर आरोप गलत हैं तो अभिव्यक्ति की स्वतंत्रता के नाम पर इस तरह के सनसनीखेज आरोप बिना तथ्यों की जांच किए कैसे लगाए जा सकते हैं? यह सब सोचकर डिप्रेशन होता है। मुझे डर इस बात का है कि ऐसे मायूसी के माहौल में लोगों का सरकारी संस्थाओं पर से भरोसा न उठ जाए। मैं आशावादी हूं और मेरा मानना है कि इस आरोप-प्रत्यारोप के समुद्र मंथन (यह समुद्र मंथन से कम नहीं है) के बाद के माहौल में नियम-कायदों का पालन होगा, लोगों को अपने अधिकार के साथ-साथ कर्तव्यों का भी अहसास होगा, सरकारी अमला सावधानी से काम करेगा और नेताओं की कथनी-करनी में अंतर कम होगा। कुल मिलाकर इस मंथन के बाद हमें वाकई प्रजातंत्र मिल पाएगा।

सरकारी अमला सावधानी से काम करेगा और नेताओं की कथनी-करनी में अंतर कम होगा।

इस प्रजातंत्र को मजबूत बनाने के लिए यह जरूरी है कि हम सही सबक सीखें। और एक सबक जो हम सबको सीखना बहुत जरूरी है वह यह है कि प्राकृतिक विपदाओं से कैसे निपटें। अमेरिका में हाल में आए सुपरस्टॉर्म सैंडी के बारे में हम सबने सुना है। इसने अमेरिका को पूरी तरह से तबाह कर दिया। न्यूयॉर्क, न्यू जर्सी और कनेक्टिकट में भारी नुकसान हुआ। अनुमान है कि सैंडी की वजह से अमेरिका को करीब 50 अरब डॉलर का नुकसान हुआ। 80 लाख लोगों को बिजली के बिना जिंदगी काटनी पड़ी। सौ साल के इतिहास में पहली बार हुआ कि न्यूयॉर्क स्टॉक एक्सचेंज को लगातार दो दिन प्राकृतिक विपदा की वजह से बंद करना पड़ा। करीब 80 जानें गई। बरबादी इतनी हुई कि तूफान के जाने के चार दिन बाद भी करीब छह हजार लोग राहत कैंप में रह रहे हैं। न्यूयॉर्क के कई इलाकों में बिजली बहाल नहीं हो पाई है। टेलीफोन लाइनें ठप हैं। और न्यूयॉर्क मेट्रो की सेवा अब तक बहाल नहीं हो पाई है।

अमेरिका जैसे विकसित देश में इतनी तबाही हो सकती है, इसका अंदाजा किसी को नहीं था। लेकिन क्या इस तबाही से कुछ अच्छा हुआ? मेरे खयाल से इस तरह का तूफान कहीं और हुआ होता तो तबाही इससे कई गुना ज्यादा होती। प्रलयकारी सैंडी आने वाला है और इससे भारी तबाही होगी, इसकी सूचना अमेरिका के लोगों को पहले से थी। प्रभावित इलाकों में सभी तैयार थे। राहत पहुंचाने वाली एजेंसी मॉक ड्रिल कर चुकी थी। इसमें हमारे लिए सबक यह है कि प्रकृति पर तो हमारा कंट्रोल नहीं हो सकता है, लेकिन प्राकृतिक विपदा का अनुमान जरूर लगाया जा सकता है, अगर अनुमान लगाने वाली एजेंसी पूरी ईमानदारी से काम करे। अपने देश में यह हालत है कि मॉनसून जैसे रुटीन मसलों पर भी मौसम विभाग का अनुमान हमेशा गलत साबित होता है। क्या हम वेदर फॉरकास्टिंग को ठीक कर सकते हैं?

अमेरिका में चूंकि सैंडी की सूचना पहले से थी, इसीलिए वहां तैयारी पहले हो चुकी थी।

हम सबके लिए दूसरा सबक यह है कि प्राकृतिक विपदा से होने वाली तबाही को कैसे कम किया जाए। अमेरिका में चूंकि सैंडी की सूचना पहले से थी, इसीलिए वहां तैयारी पहले हो चुकी थी। तैयारी जिस अवधारणा से हो रही थी उसका नाम था 'फेलिंग सेफली' यानी सावधानी से फेल होना। सब-वे सिस्टम बंद कर दिए गए। तूफान के बाद आने वाली बाढ़ में लोगों को बिजली का करंट न लगे इसीलिए बिजली के ग्रिड बंद कर दिए गए। राहत कैंप तैयार हो गए। लोगों को विपदा के समय में सूचना कैसे पहुंचाई जाएगी, इसकी तैयारी कर ली गई। बेघर हुए लोगों तक शुद्ध खाना और पानी कैसे पहुंचाया जाए, इसकी तैयारी हो गई थी। और यह तय हो गया था कि बड़े-छोटे फैसले कैसे होंगे और कौन लेगा। इन सारी तैयारियों में अरब डॉलर का खर्च नहीं आता है और न ही महंगे सामान खरीदने होते हैं। जरूरत होती है प्लानिंग की और उसे लागू करने की ईमानदारी की। काश, हमारे देश में भी इस तरह की प्लानिंग और ईमानदारी दिखती।

हमारे शहरों में भी प्रकृति का कहर दिखा है। 26 जुलाई, 2005 को मुंबई में बारिश के कहर को मैंने अपनी आंखों से देखा है। इसके बाद भी मुंबई फिर से अपने पांव पर खड़ी हो सकी तो इसका श्रेय मुंबई में रहने वालों

की दिलेरी को जाता है। सरकारी एजेंसियों के भरोसे कुछ नहीं होने वाला था। दुख की बात यह है कि उस घटना के सात साल बाद भी मुंबई के कर्ताधर्ताओं ने कुछ भी नहीं सीखा है। दुर्भाग्य से अगर 26 जुलाई, 2005 का एक्शन रिप्ले होता है तो मुंबई उतनी ही विवश दिखेगी, जितनी उस दिन दिखी थी।

हमारे लिए सबसे बड़ा सबक यह है कि प्राकृतिक विपदा के समय में हमारे शासक वर्ग किस तरह का व्यवहार करें। हमें पता है कि छह नवम्बर को अमेरिका में चुनाव होने वाले हैं, जिसमें डेमोक्रेट बराक ओबामा और रिपब्लिकन मिट रोमनी के बीच कांटे की टक्कर है। लेकिन सैंडी तूफान में सारे मतभेदों को भुला दिया गया। बराक ओबामा ने घोषणा की कि राहत के काम को कोई अडंगा लगाता है तो कोई भी उन्हें सीधे फोन करके इसकी सूचना दे सकता है। वे सीधी कार्रवाई करेंगे। न्यू जर्सी जहां सबसे ज्यादा नुकसान हुआ है, वहां के गवर्नर रिपब्लिकन हैं, लेकिन इसके बावजूद उन्होंने अपनी विरोधी पार्टी के बराक ओबामा की जमकर तारीफ की। न्यू जर्सी के गवर्नर क्रिस्टी ने कहा कि राष्ट्रपति राहत कार्य में सब जगह दिखे और सब कुछ ठीक-ठाक होता है तो इसका पूरा श्रेय ओबामा को मिलना चाहिए। क्या हम अपने देश में अपने नेताओं से इस तरह की उम्मीद कर सकते हैं?

दुख की बात यह है कि उस घटना के सात साल बाद भी मुंबई के कर्ताधर्ताओं ने कुछ भी नहीं सीखा है।

क्या हमारे देश के शासक वर्ग सैंडी का सबक सीख पाएंगे? अगर ऐसा नहीं होता है तो हर छोटी-बड़ी त्रासदी के सामने हम विवश दिखेंगे। बिल्कुल सैंडी के श्राप की तरह। सैंडी नाम दरअसल ग्रीस की राजकुमारी कैसेंड्रा से लिया गया है। कहते हैं कि कैसेंड्रा को वरदान मिला था कि वे भविष्य को ठीक से देखा पाएंगी। लेकिन अपनी हरकतों से कैसेंड्रा ने देवताओं को रुष्ट कर दिया। इसकी वजह से उन्हें श्राप मिला कि वे भविष्य तो देख पाएंगी लेकिन उनकी भविष्यवाणी पर कोई भरोसा नहीं करेगा। हमने सही सबक नहीं सीखे तो न तो सही भविष्यवाणी होगी और न ही कोई उस पर भरोसा करेगा।

(राष्ट्रीय सहारा, 4 नवंबर, 2012)

75

चीन में दशकीय बदलाव

''हमें चीन को भरोसा दिलाना होगा कि दोनों देशों के संबंध बेहतर होते हैं तो इसमें दोनों को फायदा होगा। आर्थिक मोर्चे पर भारत और चीन उभरते हुए सुपर पावर हैं। दोनों की पार्टनरशिप कई नई कहानियां लिख सकती है। लेकिन इसके लिए जरूरी है कि पुराने विवादों को शांतिपूर्वक सुलझाया जाए। क्या चीन की नई लीडरशिप इसके लिए तैयार होगी?''

चीन में बदलाव की बयार बह रही है। सत्ता में बैठा एक समूह कुर्सी खाली कर रहा है और नए चेहरों को अगले दस साल का जिम्मा मिलने जा रहा है। शी जिनपिंग वहां के नए राष्ट्रपति और चीन की कम्युनिस्ट पार्टी के महासचिव होंगे, जबकि ली कीकियांग को प्रधानमंत्री बनाया जा रहा है। ये दोनों हू जिन्ताओ और वेन जियबाओ की जगह लेंगे। सबसे दिलचस्प बात यह है कि शी जिनपिंग 10 साल पहले चीन के सर्वोच्च नेता रहे जियांग जेमिन की पसंद रहे हैं, जबकि निवर्तमान राष्ट्रपति हू जिन्ताओ ली कीकियांग के पैरोकार रहे हैं।

इस बदलाव के बहुत सारे मायने हैं। इसको जानना और समझना इसलिए जरूरी है कि चीन दुनिया की दूसरी सबसे बड़ी अर्थव्यवस्था है और हमारा सबसे शक्तिशाली पड़ोसी भी। जापान के साथ हाल के दिनों में इसके बड़े मतभेद रहे हैं और अमेरिका व चीन के बीच गहरी व्यापारिक दोस्ती है और परस्पर ईर्ष्या भी। चीन के बाजार की चाल से यह तय होता है कि दुनिया के कमोडिटी बाजार का क्या हाल रहेगा और कच्चे तेल की कीमतें किस ओर बहने वाली हैं।

चीन दुनिया की दूसरी सबसे बड़ी अर्थव्यवस्था है और हमारा सबसे शक्तिशाली पड़ोसी भी।

चीन बहुत बड़ा एक्सपोर्टर है। पूरी दुनिया का मैन्यूफैक्चरिंग हब इसे ही माना जाता है। कहने का मतलब यह है कि हमारे घर में चलने वाला टीवी, हमारे ऑफिस में लगा कम्प्यूटर और हमारे उपयोग का मोबाइल फोन, ऐसे बहुत सारे सामान चीन में बड़े पैमाने पर बनते हैं और पूरी दुनिया में खपते हैं। ऐसे में यह जानना जरूरी है कि नई टीम के आने के बाद चीन की किस तरह की पॉलिसी रहेगी।

लेकिन सबसे पहले यह जानना चाहिए कि शी जिनपिंग और ली कीकियांग का बैकग्राउंड कैसा रहा है। शी के पिता चीन की कम्युनिस्ट पार्टी के संस्थापकों में रहे हैं। इसलिए यह माना जा सकता है कि उनको यह कुर्सी विरासत में मिली है। दूसरी ओर ली के पिता मिडिल लेवल के सरकारी अधिकारी थे। दोनों ही 60 साल से कम उम्र के हैं। दोनों को ही पांच साल पहले कम्युनिस्ट पार्टी के पोलित ब्यूरो में जगह दी गई थी। यानी कि उन्हें पिछले पांच साल से बड़े पदों के लिए तैयार किया जा रहा था।

चीन के हर नेता की तरह इन दोनों के विचारों के बारे में दुनिया को कुछ खास पता नहीं है। यह भी स्पष्ट नहीं कि ये दोनों माओ के कल्चरल रिवोल्यूशन के समर्थक हैं या फिर देंग झियाओ पेंग की उदारवादी अर्थव्यवस्था के पैरोकार हैं। हां, इतना जरूर पता है कि दोनों के स्कूल-कॉलेज के दिन ऐसे समय में बीते जब चीन की अर्थव्यवस्था खुलने लगी थी, बाहरी दुनिया से चीन का संपर्क बढ़ने लगा था, चीन में लोगों का जीवनस्तर उठने लगा था और विकास की रफ्तार चौथे गियर में पहुंच चुकी थी। लेकिन नई लीडरशिप चीन को किस दिशा में ले जाएगी, इसका जवाब किसी के पास नहीं है।

चेतावनी से साफ लगता है कि चीन में करप्शन भयावह रूप ले चुका है।

एक बड़े न्यूज चैनल में अमेरिका की एक यूनिवर्सिटी के प्रोफेसर के एक बयान का जिक्र करना यहां प्रासंगिक होगा। प्रोफेसर का कहना है कि चीन के नेताओं को बड़ा ओहदा इस बात पर नहीं मिलता है कि वे देश को किस दिशा में ले जाएंगे। उन्हें सत्ता, सत्तासीन बड़े लोगों की निष्ठा की बदौलत मिलती है। और जैसा कि मैं पहले ही लिख चुका हूं कि चीन के भावी राष्ट्रपति और प्रधानमंत्री के बड़े-बड़े आका रहे हैं। ऐसे में यह अनुमान लगाया जा सकता है कि वे अपने आकाओं के बताए और बनाए रास्ते में बहुत बदलाव नहीं करेंगे।

रास्ते भले ही नहीं बदलें लेकिन समय बदल गया है तो नए नेतृत्व को उसी हिसाब से फैसले लेने होंगे। अस्सी के दशक में भारत और चीन की अर्थव्यवस्था लगभग एक जैसी थी। विकास दर भी दो से तीन परसेंट थी। फिर देंग झियाओ पेंग के आने के बाद चीन की अर्थव्यवस्था को पंख लगे। और पिछले 10-15 साल से इसकी विकास दर 10 परसेंट और इससे ज्यादा की रही है।

इस तरक्की की वजह से लाखों अरबपति बने लेकिन अभी भी करोड़ों ऐसे लोग हैं जिनकी रोजाना आमदनी एक डॉलर से ज्यादा नहीं है। तरक्की के टापू बन गए लेकिन उनके अगल-बगल अभी भी अंधेरा है। और इस असमानता की वजह से चीन में भ्रष्टाचार का बोलबाला है। निवर्तमान राष्ट्रपति हू जिन्ताओ ने पार्टी कांग्रेस को बताया है कि अगर करप्शन पर रोक नहीं लगाई गई तो पार्टी और देश को खतरा है। इतनी बड़ी चेतावनी से साफ लगता है कि चीन में करप्शन भयावह रूप ले चुका है।

नए नेतृत्व के सामने दूसरी चुनौती है वहां की अर्थव्यवस्था को फिर से पटरी पर लाना। चीन पिछले कई सालों से 10 परसेंट की रफ्तार से बढ़ रहा है लेकिन अब सात परसेंट की विकास दर हासिल करना भी मुश्किल होता जा रहा है। अनुमान है कि अगले साल चीन की विकास दर और कम होने वाली है। 10 परसेंट की रफ्तार से बढ़ने की आदत हो जाने के बाद छह परसेंट पर एडजस्ट करना काफी मुश्किल होता है और हम तो इसे महसूस कर ही सकते हैं। दरअसल, चीन में तेजी से विकास की बड़ी वजह रही है सरकारी निवेश और वहां से होने वाला एक्सपोर्ट। सरकारी निवेश बढ़ाने की सीमा होती है और अर्थव्यवस्था में एक्सपोर्ट का हिस्सा 2005 से लगातार कम हो रहा है। नई लीडरशिप के सामने चुनौती है कि दौड़ती अर्थव्यवस्था के ठहर जाने से होने वाली दिक्कतों से लोगों को बचाया जाए।

चीन में अस्सी के दशक में औसत उम्र 22 साल थी। अब वह बढ़कर 35 हो गई है और अनुमान है कि 2050 में यह बढ़कर 50 होने वाली है।

नई लीडरशिप को यह भी तय करना है कि चीनी जनसंख्या को बढ़ रही बुढ़ापे की दर से कैसे निकाला जाए। चीन में अस्सी के दशक में औसत उम्र 22 साल थी। अब वह बढ़कर 35 हो गई है और अनुमान है कि 2050 में यह बढ़कर 50 होने वाली है।

जवान लोगों की जनसंख्या को ज्यादा प्रोडक्टिव माना जाता है जिससे अर्थव्यवस्था में रफ्तार आती है। जनसंख्या की संरचना में एक और पहलू काफी चौंकाने वाला है। वहां 15 से कम उम्र के बच्चों में 100 लड़कियों की तुलना में 117 लड़के हैं। जेंडर गैप इतना बढ़ जाता है तो इससे पैदा होने वाले दुष्परिणाम से हम सभी वाकिफ हैं।

चीन के नए नेतृत्व को विदेश नीति में भारी बदलाव करने होंगे। आर्थिक क्षेत्र में धाक के बावजूद विदेश नीति में चीन अब तक फिसड्डी रहा है।

अमेरिका से इसकी तू-तू, मैं-मैं चलती रहती है तो भारत के खिलाफ साजिश के किसी मौके को यह छोड़ता नहीं है। जापान से इसके रिश्ते काफी खराब हो चुके हैं। नई लीडरशिप को इसे बदलना ही होगा। हमारे देश के लिए भी यह बड़ा मौका हो सकता है। हमें चीन को भरोसा दिलाना होगा कि

दोनों देशों के संबंध बेहतर होते हैं तो इसमें दोनों को फायदा होगा। आर्थिक मोर्चे पर भारत और चीन उभरते हुए सुपर पावर हैं। दोनों की पार्टनरशिप कई नई कहानियां लिख सकती है। लेकिन इसके लिए जरूरी है कि पुराने विवादों को शांतिपूर्वक सुलझाया जाए। क्या चीन की नई लीडरशिप इसके लिए तैयार होगी? नेतृत्व बदलने के बाद इस दिशा में चीन की तरफ से ठोस पहल की तो हम उम्मीद कर ही सकते हैं।

(राष्ट्रीय सहारा, 11 नवंबर, 2012)

76

नहीं रहे मुंबई के गॉडफादर

''मुंबई के गॉडफादर बीमार पड़े तो पूरा शहर बेचैन हो गया। और बीमार गॉडफादर का हालचाल जानने वालों की लिस्ट से ही आपको पता चल जाएगा कि बाला साहेब की मुंबई में क्या हैसियत थी। क्या नेता, क्या शासक वर्ग, क्या बॉलीवुड के ड्रीम मर्चेंट, हर कोई उनकी सलामती की दुआ मांग रहा था। लकिन मुंबई के बादशाह शायद किसी का अहसान नहीं लेना चाहते थे। इसीलिए जब सबको लगने लगा कि उनकी हालत सुधरने लगी है, वे हमारे बीच से सदा के लिए चले गए। बाला साहेब, हम सब आपको हमेशा मिस करेंगे।''

मुंबई के बाला साहेब और देश के बाकी हिस्सों के लिए बाल ठाकरे अब इस दुनिया में नहीं रहे। मैंने जान-बूझकर यहां दो पहचानों की चर्चा की है। मुंबई में रहने वाले हर किसी के लिए-उत्तर भारतीय भी इसमें शामिल हैं–वे बाला साहेब थे। मैं कई ऐसे पत्रकार बंधुओं को जानता हूं जिन्हें बाला साहेब कहने में हिचक होती थी। मुंबई के बाहर पले-बढ़े उनके मन में बाल ठाकरे की अलग छवि जो हुआ करती थी। लेकिन मुंबई पहुंचे और सहयोगियों से बात की तो पता चला कि मुंबई में मंत्रालय का मुखिया भले ही कोई और हो, पुलिस मुख्यालय का चीफ बेशक कोई और हो, वहां के अंडरवर्ल्ड पर भले ही किसी का कब्जा हो, लेकिन मुंबई के गॉडफादर तो बस एक ही थे- बाला साहेब ठाकरे। यही वजह है कि जब संजय दत्त मुश्किल में होते, अमिताभ बच्चन को कोई खतरा महसूस होता, जब किसी नेता को कोई तकलीफ होती, तो सबकी मंजिल एक ही होती थी-मातोश्री, मुंबई के बांद्रा इलाके में स्थित बाला साहेब का निवास स्थान। आखिर क्या खास था बाला साहेब में?

मुंबई के गॉडफादर तो बस एक ही थे- बाला साहेब ठाकरे।

इसे जानने से पहले थोड़ा मुंबई को जानना जरूरी है। मैं मानता हूं कि मेरे अंदर भी मुंबई बसता है। भले ही फिलहाल मुंबई मेरी कर्मभूमि नहीं है, लेकिन वह हमेशा मेरे दिल के करीब रही है। मेरे छोटे-बड़े कई सपने मुंबई में ही पूरे हुए और अब भी मैं कामकाज के सिलसिले में मुंबई के चक्कर लगाता रहता हूं। और मैं अकेला ऐसा नहीं हूं कि जिसके सपने मुंबई में पूरे हुए। मुंबई में हर किसी के लिए कुछ न कुछ है। और इसे मायानगरी वैसे ही नहीं कहा जाता है। लेकिन इस मायानगरी की एक दूसरी कहानी भी है। मुंबई में संघर्ष भी है- सड़क पर निकल गए तो भारी ट्रैफिक में रेंगकर आगे बढ़ने का संघर्ष। करीब 600 वर्ग किलोमीटर में फैली इस मायानगरी में सड़कें तो मानों हैं ही नहीं (अगर कहीं दिल्ली में रहकर मुंबई जाएंगे तो ऐसा ही लगेगा) और हर साल 500 करोड़ रुपये मरम्मत पर खर्च होने के बावजूद वहां की सड़कें गाड़ी चलाने लायक कम ही मिलती हैं। सड़क पर मन नहीं भाया चले लोकल ट्रेन की तरफ और वहां दूसरा संघर्ष इंतजार करता होता है। जिस कंपार्टमेंट में 800 लोग बैठ सकते हैं,

उसमें औसतन 4000 लोग यात्रा करते हैं। और पीक आवर में लोकल ट्रेन में बैठना तो दूर, प्लेटफॉर्म तक पहुंचना भी बुरे सपने से कम नहीं होता है। सड़क पर संघर्ष, लोकल ट्रेन में संघर्ष, तो फिर घर आसानी से मिलता होगा। लेकिन वह तो और भी बड़ा संघर्ष है। यही वजह है कि मुंबई की आधी से अधिक आबादी झुग्गियों में ही रहती है, जहां संघर्ष ही संघर्ष है।

ऐसा नहीं है कि ये सारे संघर्ष नए हैं। इतिहास पढ़ने पर पता चलता है कि उन्नीसवीं शताब्दी के मुंबई में भी हालात बहुत बेहतर नहीं थे। वहां का ड्रेनेज सिस्टम करीब 100 साल पुराना है। वहां का लोकल रेलवे सिस्टम भी सालों पुराना है। कई रिहायशी कॉलोनियां ऐसी हैं, जहां कई इमारतें डेढ़ सौ साल पुरानी हैं और जर्जर हालत में हैं। कुल मिलाकर यह माना जा सकता है कि मुंबई सपनों और संघर्षों का शहर है। और संघर्ष जब सपनों पर भारी पड़ने लगे तो लोगों को गॉडफादर की जरूरत महसूस होने लगती है। नब्बे के दशक के बाद कुछ ऐसा ही हुआ है। दुनिया ने भले ही आतंकवाद को 9/11 के बाद जाना हो, लेकिन मुंबई को इसका अनुभव 1991-92 में ही हो गया था। सीरियल ब्लास्ट ने मुंबई वासियों के अंदर गॉडफादर की अहमियत और भी बढ़ा दी। और वह गॉडफादर बाला साहेब ही हो सकते थे।

कुल मिलाकर यह माना जा सकता है कि मुंबई सपनों और संघर्षों का शहर है।

इस गॉडफादर की सबसे बड़ी खासियत थी उनकी इमेज- उनकी इमेज एक ऐसे दबंग महानायक की थी जो किसी से नहीं डरता, जिस पर किसी की बात का कोई असर नहीं होता था। इसके साथ-साथ उनकी छवि ऐसे तारणहार की भी थी जिसके दरबार में सबके लिए जगह थी। जिसका साथ मिल जाए तो मुंबई में सारी दिक्कतें छूमंतर हो जाती थीं। उनकी इमेज की एक दूसरी खासियत यह थी कि वे वही करते थे, जो कहते थे। उनके विचारों से भले ही आप सहमत न हों, उनके बयान भले ही आपको भड़काने वाले लगते हों, उनके तीखे व्यंग्य से तिलमिलाहट होती हो, लेकिन यह तो मानना ही पड़ेगा कि उनकी कथनी और करनी में सामंजस्य रहता था।

इस छवि को उन्होंने पहले अपने कार्टूनों से, फिर अपने आलेखों तथा भाषणों से और साथ-साथ शिव सेना जैसे संगठन के जरिए बनाया।

मेरे खयाल से शिव सेना एक ऐसी क्षेत्रीय राजनीतिक पार्टी है, जिसका मुंबई पर पूरी तरह से कंट्रोल है। साथ ही इसका बड़ा काम बाला साहेब के हुक्म की तामील कराना था। और इस सबसे बाला साहेब की दबंग महानायक वाली छवि को बल मिलता रहा। हम सब जानते हैं कि बाला साहेब को मुंबई से प्यार था और शिव सेना मुंबई में राज करती है। क्या इसी वजह से शिव सेना मुंबई और महाराष्ट्र के कुछ दूसरे शहर को छोड़कर देश के दूसरे महत्त्वपूर्ण मसलों में कम दिलचस्पी लेती है? देश के दूसरे इलाकों में शिव सेना अपनी पैठ क्यों नहीं जमा पाई? इस पर शोध करने वालों की अपनी थ्योरी होगी। शोधकर्ता अपने निष्कर्ष निकालते रहेंगे। लेकिन इस सचाई से मुंह नहीं मोड़ा जा सकता है कि देश की फाइनेंशियल कैपिटल का दिल अगर किसी के लिए सबसे ज्यादा धड़कता था तो वो थे बाला साहेब।

देश की फाइनेंशियल कैपिटल का दिल अगर किसी के लिए सबसे ज्यादा धड़कता था तो वो थे बाला साहेब।

मुंबई के गॉडफादर बीमार पड़े तो पूरा शहर बेचैन हो गया। और बीमार गॉडफादर का हालचाल जानने वालों की लिस्ट से ही आपको पता चल जाएगा कि बाला साहेब की मुंबई में क्या हैसियत थी। क्या नेता, क्या शासक वर्ग, क्या बॉलीवुड के ड्रीम मर्चेंट, हर कोई उनकी सलामती की दुआ मांग रहा था। लकिन मुंबई के बादशाह शायद किसी का अहसान नहीं लेना चाहते थे। इसीलिए जब सबको लगने लगा कि उनकी हालत सुधरने लगी है, वे हमारे बीच से सदा के लिए चले गए। बाला साहेब, हम सब आपको हमेशा मिस करेंगे।

(राष्ट्रीय सहारा, 18 नवंबर, 2012)

77

यह तो बस शुरुआत है

''रिसर्च के क्षेत्र में अगर सरकार और इंडस्ट्री का सहयोग बढ़ेगा तो देश में होने वाली रिसर्च और सार्थक होगी। देश में क्वालिटी मैनपावर की कमी में गिरावट आएगी और शिक्षा पद्धति में जरूरी बदलाव ज्यादा तेजी से होंगे। शिक्षा कोई भी हो, कभी भी निरर्थक नहीं होती। लेकिन शिक्षा अगर देश की जरूरत के लिहाज से किसी खास लक्ष्य को साध रही हो तो उससे सबका भला होगा। लक्ष्य वाली पढ़ाई से विकास दर में तेजी आएगी, रोजगार के ज्यादा मौके पैदा होंगे और रिसर्च के क्षेत्र में जरूरी छलांग भी हम जल्दी से लगा पाएंगे।''

हमारी इंडस्ट्री ने 1991 के बाद पहली बार यह जाना कि वैश्विक प्रतिस्पर्धा क्या है, सीमित संसाधनों में उत्पादकता बढ़ाई जाए, कम लागत में कार्यकुशलता कैसे बेहतर की जाए। पहली बार स्कूटर बनाने वालों को लगा कि कुछ भी बनाने से काम नहीं चलेगा। कार बनाने वालों को लगा कि प्रीमियर या एंबेसडर का जमाना गया। टूथपेस्ट बनाने वालों को इनोवेशन की जरूरत महसूस होने लगी। टीवी बनाने वाली कंपनियों को लगा कि बाजार में जिंदा रहना है तो किसी सोनी से और किसी सैमसंग से मुकाबला करना ही होगा। कार्यकुशलता की बात शुरू हुई। कंपीटिशन का जमाना आया तो इंडस्ट्री को लगने लगा कि कंपनियां चलाने वाले ऐसे लोग हों जिनमें इनोवेशन की दूरदर्शिता हो और जो अपनी टीम को इसके लिए प्रेरित कर सकें। उसी समय इंडस्ट्री को क्वालिटी मानव संसाधन यानी मैनपावर की जरूरत महसूस होने लगी। 1991 से लेकर 2003 तक भारत की विकास दर कम रही इसीलिए कभी भी क्वालिटी मैनपावर की कमी महसूस नहीं हुई। वैसे संख्या के हिसाब से कोई कमी है भी नहीं। हर साल हम अंग्रेजी बोलने वाले करीब 20 लाख ग्रैजुएट, 15 हजार लॉ ग्रैजुएट और करीब 9 हजार पीएचडी स्कॉलर तैयार करते हैं। हमारे देश में करीब 21 लाख इंजीनियरिंग ग्रैजुएट हैं जिनकी संख्या में हर साल 3 लाख का इजाफा हो रहा है। किसी देश में इतना ट्रेंड मैनपावर हो तो वहां इंडस्ट्री को क्वालिटी मैनपावर की कमी तो कभी नहीं हो सकती है। लेकिन क्या ऐसा है?

1991 से लेकर 2003 तक भारत की विकास दर कम रही इसीलिए कभी भी क्वालिटी मैनपावर की कमी महसूस नहीं हुई।

संख्या की कमी भले ही न हो लेकिन क्वालिटी की भारी कमी है। अलग-अलग सर्वेक्षणों में यह पता चला कि हम हर साल जितने इंजीनियरिंग ग्रैजुएट बना रहे हैं उनमें से एक चौथाई ही ऐसे हैं जिन पर इंडस्ट्री भरोसा कर सकती है। मतलब यह कि हमारे 75 परसेंट से ज्यादा इंजीनियरिंग ग्रैजुएट ऐसे हैं जिनमें काबिलियत की भले कोई कमी न हो, लेकिन इनकी ट्रेनिंग ऐसी है कि वे न तो इंडस्ट्री की जरूरत पूरी कर सकते हैं और न ही कंपीटिशन के जमाने में इंडस्ट्री को नई ऊंचाई पर ले जाने में मदद कर सकते हैं। ऐसा क्यों हो रहा है? कमी शिक्षण संस्थानों में है, ट्रेनिंग देने वाले शिक्षकों में है।

मेरे विचार से देश की शिक्षा प्रणाली में एक खामी है कि यहां सारा जोर पास होने पर है, इस पर नहीं कि ग्रेजुएशन करने वाले ने जरूरी स्किल हासिल किए या नहीं।

इसका पता लगाने की कोशिश ही नहीं हुई कि इंडस्ट्री को किस तरह के ट्रेंड मैनपावर की जरूरत है। इसकी कभी पड़ताल नहीं हुई कि शिक्षण संस्थानों में जो पढ़ाया जाता है वह आज की जरूरत के हिसाब से मौंजू है भी या नहीं। और इस सब की जड़ में है हमारी शिक्षा पद्धति, जिसमें रिसर्च पर ध्यान नहीं दिया जा रहा है।

भारत और चीन तेजी से विकास करने वाले देश हैं। लेकिन रिसर्च की बात करें तो चीन भारत से काफी आगे है।

भारत और चीन तेजी से विकास करने वाले देश हैं। लेकिन रिसर्च की बात करें तो चीन भारत से काफी आगे है। 2010 में चीन में 9.70 लाख रिसर्च पेपर प्रकाशित हुए, जो भारत के 2.33 लाख रिसर्च पेपर की तुलना में काफी ज्यादा हैं। चीन हर साल विज्ञान के क्षेत्र में रिसर्च और डेवेलपमेंट पर 174 अरब डॉलर खर्च करता है, जबकि अपने देश में हर साल इस मद में महज 17 अरब डॉलर खर्च होते हैं। भारत में इस मद में खर्च में कमी रही है, जबकि चीन में 2003 के बाद से करीब 100 अंतरराष्ट्रीय स्तर के नए रिसर्च इंस्टीच्यूट बने हैं।

रिसर्च पर कम खर्च, शिक्षा पद्धति में जरूरी बदलाव की कमी, इस सबका नतीजा हुआ कि देश में क्वालिटी मैनपावर की कमी महसूस होने लगी है। सवा अरब की आबादी वाले देश में यह अजीब समस्या है। जिस देश में मैनपावर की कोई कमी न हो वहां क्वालिटी मैनपावर की कमी कैसे हो सकती है। इसी सबका नतीजा यह हुआ कि 2003 के बाद कंपनियों के मैनपावर कॉस्ट में काफी तेजी से बढ़ोतरी हुई है। कंपीटिशन के माहौल में यह एक बहुत अच्छी खबर नहीं है। अब एक ऐसी पहल हुई है जिससे लगता है कि आगे इस तरह की मुश्किलों से मुक्ति पाई जा सकती है। इस हफ्ते अखबारों में बड़े विज्ञापन आए हैं। इसमें बताया गया है कि इस साल से रिसर्च के लिए 100 लोगों को प्रधानमंत्री फेलोशिप के लिए चुना जाएगा। यह फेलोशिप चार साल के लिए होगी और इसके तहत चयनित शोधार्थियों

को हर साल 6 लाख रुपये स्कॉलरशिप मिलेगी। शोधार्थियों का चयन केंद्र सरकार का साइंस एंड टेक्नोलॉजी मंत्रालय, इंडस्ट्री संगठन 'कंफेडरेशन ऑफ इंडियन इंडस्ट्री' यानी सीआईआई के साथ मिलकर करेगा। और चयन उन शोधार्थियों का होगा जिनके शोध की सार्थकता होगी और जो इंडस्ट्री की जरूरतों के हिसाब से फिट बैठे। चयनित शोधार्थियों को इंडस्ट्री की जरूरत वाले प्रोजेक्ट्स पर काम करना होगा।

सवा अरब की आबादी वाले देश में 100 स्कॉलरशिप समुद्र के पानी में एक बूंद की तरह है। लेकिन मेरा मानना है कि यह एक अच्छी शुरुआत है। पहली बार ऐसा हो रहा है कि सरकार और इंडस्ट्री मिलकर इतनी बड़ी स्कॉलरशिप स्कीम शुरू कर रहे हैं। पहली बार ऐसा हो रहा है कि शोधार्थियों का चयन सरकार और इंडस्ट्री मिलकर कर रहे हैं। पहली बार ऐसा हो रहा है कि इंडस्ट्री की जरूरतों को ध्यान में रखने वाले प्रोजेक्ट्स को रिसर्च में तरजीह दी जाएगी।

पहली बार ऐसा हो रहा है कि शोधार्थियों का चयन सरकार और इंडस्ट्री मिलकर कर रहे हैं।

मेरे ख्याल से यह अच्छी शुरुआत है। रिसर्च के क्षेत्र में अगर सरकार और इंडस्ट्री का सहयोग बढ़ेगा तो देश में होने वाली रिसर्च और सार्थक होगी। देश में क्वालिटी मैनपावर की कमी में गिरावट आएगी और शिक्षा पद्धति में जरूरी बदलाव ज्यादा तेजी से होंगे। शिक्षा कोई भी हो, कभी भी निरर्थक नहीं होती। लेकिन शिक्षा अगर देश की जरूरत के लिहाज से किसी खास लक्ष्य को साध रही हो तो उससे सबका भला होगा। लक्ष्य वाली पढ़ाई से विकास दर में तेजी आएगी, रोजगार के ज्यादा मौके पैदा होंगे और रिसर्च के क्षेत्र में जरूरी छलांग भी हम जल्दी से लगा पाएंगे। यह तो अच्छी शुरुआत है। इस योजना की सफलता से नए क्षेत्रों में रिसर्च का दौर शुरू होगा, जो भविष्य में इस छात्रवृत्ति योजना के दायरे में विस्तार और व्यापकता का रास्ता खोलेगा।

(राष्ट्रीय सहारा, 25 नवंबर, 2012)

78

अभी मीलों सफर तय करना है

''सवाल यह उठता है कि क्या यूपीए की ताजा घोषणा आगामी चुनाव में वोट बटोरने की नीयत से की गई है? मेरा मानना है कि राजनेता हर काम वोट के लिए ही करते हैं। लेकिन लोकतंत्र की खासियत यही है कि वोट पाने के जुगाड़ में भी नेताओं को ऐसे फैसले करने होते हैं जिनका दूरगामी परिणाम अच्छा होता है। सीधे कैश ट्रांसफर का फैसला भले ही वोट पाने की नीयत से किया गया हो, लेकिन इससे देश का भला होना है। हमें बस सरकार पर इस बात का दबाव डालना है कि सारी सब्सिडी योजनाओं को कैश ट्रांसफर स्कीम में जल्दी से शामिल किया जाए।''

इसे गेम चेंजर कहा गया। दावे किए गए कि इस स्कीम के आने के बाद जरूरतमंदों को समय पर सीधे सहायता मिल पाएगी। बिचौलिए खत्म हो जाएंगे, करप्शन में कमी आएगी और पूरी प्रक्रिया के लागू होने के बाद सरकारी खजाने को बचत भी होगी। मैं यहां बात कर रहा हूं कैश ट्रांसफर स्कीम की, जिसको एक जनवरी, 2013 से लागू कर दिया जाएगा। योजना के तहत सरकार की करीब 29 कल्याणकारी योजनाओं का फायदा देश के 51 जिलों में सीधे जरूरतमंदों के बैंक अकाउंट में पैसा ट्रांसफर करके पहुंचाया जाएगा।

क्या जरूरतमंदों तक सीधे फायदा पहुंच पाएगा?

इन जिलों को इस आधार पर चुना गया है कि वहां रहने वाले लोगों में से 80 फीसदी आबादी को आधार कार्ड बांट दिए गए हैं या फिर एक जनवरी तक 80 परसेंट लोगों के पास आधार कार्ड होंगे। योजना के तहत 2013 के आखिर तक इस स्कीम को पूरे देश में लागू कर दिया जाएगा और इसमें सरकार की दूसरी कल्याणकारी योजनाओं को भी शामिल किया जाएगा। अब सवाल उठता है कि क्या यह स्कीम वाकई में गेंम चेंजर साबित होने वाली है? क्या इसके लागू होने से वाकई सरकारी खजाने पर बोझ कम होगा? क्या जरूरतमंदों तक सीधे फायदा पहुंच पाएगा? क्या बिचौलियों के खत्म होने से करप्शन में कमी आएगी?

हर साल हमारी सरकार करीब चार लाख करोड़ रुपये की सब्सिडी देती है। इसमें से पेट्रोलियम पदार्थों पर करीब दो लाख करोड़ रुपये की सब्सिडी दी जाती है। केरोसिन पर हर साल करीब 30 हजार करोड़ रुपये की सब्सिडी दी जाती है। और हमें पता है कि इसका बड़ा हिस्सा कालाबाजारी में चला जाता है। केरोसिन की स्मगलिंग होती है, इसको डीजल और पेट्रोल को साथ मिलाकर बेचा जाता है। अनुमान है कि केरोसिन की कालाबाजारी का बाजार करीब 20 हजार करोड़ रुपये का है। जिस किसी ने इसे रोकने की कोशिश की है, उसे मार दिया गया। 2010 में तो नासिक के एडिशनल कलेक्टर यशवंत सोनावने को इसकी कालाबाजारी रोकने की कोशिश करने पर जिंदा जला दिया गया। इसी तरह की घटना हाल में उत्तर प्रदेश में हुई। केरोसिन पर सब्सिडी इसलिए दी जाती है ताकि इसका फायदा गरीबों को मिले, उनके घरों में स्टोव जले, अंधेरे में लालटेन जले। लेकिन इसका फायदा गुंडे उठा रहे हैं। क्या इस तरह से दी जाने वाली सब्सिडी को खत्म करने की जरूरत नहीं है?

उसी तरह डीजल पर दी जाने वाली सब्सिडी की बात करते हैं। यह सब्सिडी किसानों को फायदा पहुंचाने के नाम पर दी जाती रही है। लेकिन देश में खपत होने वाले डीजल का 10 परसेंट से कम ही किसानों के काम आता है। इसके बड़े कंज्यूमर ट्रक, रेलवे, फैक्ट्रियां, हाउसिंग सोसायटी में चलने वाले जनरेटर और देश की महंगी गाड़ियां यानी एसयूवी हैं। कोई मर्सिडीज से चलता है या फिर पजेरो में, लेकिन सस्ते डीजल का फायदा उसे भी मिल रहा है। डीजल के नाम पर हर साल करीब 1.5 लाख करोड़ की सब्सिडी दी जाती है, लेकिन इसका फायदा उन्हें मिलता है जिनको सब्सिडी की कोई जरूरत नहीं है। क्या इस तरह की सब्सिडी की प्रक्रिया जारी रहनी चाहिए?

यह सब्सिडी किसानों को फायदा पहुंचाने के नाम पर दी जाती रही है।

हर साल किसानों को फायदा पहुंचाने के नाम पर फर्टिलाइजर पर हजारों करोड़ रुपये की सब्सिडी दी जाती है। स्वाभाविक है कि यह उन किसानों के लिए होती है जिनके लिए बाजार भाव पर फर्टिलाइजर खरीदना मुश्किल होता है। इस सब्सिडी का फायदा भी बड़े और अमीर किसान ही उठाते हैं और गरीब किसानों को कुछ भी नहीं मिलता है। और यह प्रक्रिया इतनी जटिल है कि इसको लागू करने वाले बाबू इस सब्सिडी का बड़ा हिस्सा उड़ा ले जाते हैं।

कुल मिलाकर यह माना जा सकता है कि जिनको फायदा पहुंचाने के नाम पर हर साल चार लाख करोड़ रुपये की सब्सिडी दी जाती है, उसकी हालत जस की तस बनी हुई है, लेकिन सब्सिडी के बाजार में नौकरशाहों और दलालों को हर साल हजारों करोड़ रुपये की मोटी और काली कमाई होती रहती है। क्या इसे खत्म करने की जरूरत नहीं है?

सीधे कैश ट्रांसफर के जरिए इन्हीं गलतियों को सुधारने की कोशिश हो रही है। चूंकि सब्सिडी जरूरतमंदों के बैंक खाते में सीधे ट्रांसफर होगी, जिससे बिचौलिए अपने आप खत्म हो जाएंगे। चूंकि इन स्कीम में होने वाले लीकेज बंद हो जाएंगे तो इस बात का सही आकलन हो जाएगा कि जरूरतमंदों को वाकई कितनी सब्सिडी देने की जरूरत है। अनुमान है कि जरूरतमंदों को राहत पहुंचाने के लिए हर साल चार लाख करोड़ रुपये से कम पैसों की जरूरत होगी। अगर ऐसा होता है तो सरकारी खजाने पर सब्सिडी का बोझ कम पड़ेगा और बचे पैसे विकास के कामों में खर्च होंगे।

लेकिन इस स्कीम को लागू करना आसान नहीं होगा। देश की आबादी का महज तीस फीसदी हिस्सा ही बैंकिंग सिस्टम से जुड़ा हुआ है। मतलब यह है कि देश के करीब 70 फीसद से ज्यादा परिवार ऐसे हैं जिनके पास बैंक अकाउंट है ही नहीं। ऐसे में उन तक सीधे कैश कैसे पहुंचाया जाएगा? और ऐसा करने के लिए फिर से अगर बिचौलिए की जरूरत होगी तो क्या गारंटी है कि नए बिचौलिए पैसा नहीं उड़ाएंगे?

देश के करीब 70 फीसद से ज्यादा परिवार ऐसे हैं जिनके पास बैंक अकाउंट है ही नहीं।

दूसरी दिक्कत यह है कि फिलहाल जिन 29 स्कीमों को एक जनवरी से कैश सब्सिडी लागू करने के लिए चयनित किया गया है वे स्कॉलरशिप व ओल्ड एज पेंशन जैसी छोटी स्कीमें हैं। बड़ी सब्सिडी योजनाओं का फायदा कैसे सीधे पहुंचाया जाएगा। इस पर विचार ही नहीं हुआ है। फर्टिलाइजर सब्सिडी का फायदा सीधे छोटे किसानों तक कैसे पहुंचाया जाए इस पर फॉमूर्ला बनाना काफी मुश्किल होगा। यह कैसे तय होगा कि किस किसान को हर साल कितनी खाद की जरूरत है? उसी तरह यह कैसे तय होगा कि किस किसान को हर साल कितने लीटर डीजल की जरूरत है? यह सब ऐसे सवाल हैं जिन पर व्यापक चर्चा करने की जरूरत है। और जब तक इनका समाधान नहीं निकलता है, सब्सिडी के दुरुपयोग को रोकना संभव नहीं होगा।

अब सवाल यह उठता है कि क्या यूपीए की ताजा घोषणा आगामी चुनाव में वोट बटोरने की नीयत से की गई है? मेरा मानना है कि राजनेता हर काम वोट के लिए ही करते हैं। लेकिन लोकतंत्र की खासियत यही है कि वोट पाने के जुगाड़ में भी नेताओं को ऐसे फैसले करने होते हैं जिनका दूरगामी परिणाम अच्छा होता है। सीधे कैश ट्रांसफर का फैसला भले ही वोट पाने की नीयत से किया गया हो, लेकिन इससे देश का भला होना है। हमें बस सरकार पर इस बात का दबाव डालना है कि सारी सब्सिडी योजनाओं को कैश ट्रांसफर स्कीम में जल्दी से शामिल किया जाए। जब तक ऐसा नहीं होता है तब तक यह स्कीम कागजी ही रहेगी।

(राष्ट्रीय सहारा, 2 दिसंबर, 2012)

79

पूंजी के कलर पर हंगामा क्यों?

"फिलहाल देश में बिग बाजार, मोर, रिलायंस, इजीडे और स्पेंसर जैसे बड़े रिटेलर्स के सैकड़ों स्टोर्स खुल चुके हैं। लेकिन क्या हमने कभी सुना या पढ़ा है कि वहां की दुकान बंद हो गई या उसके सेल में कमी आई है? इसके ठीक उलट सुभीक्षा और विशाल मार्ट जैसे बड़े रिटेलर्स को अपना धंधा बंद करना पड़ा। जब बड़े देसी रिटेलर्स के आने से छोटे किराना स्टोर्स पर कोई फर्क नहीं पड़ा। तो यह कैसे मान लिया जाए कि वॉलमार्ट या किसी कारफूल के आने से उनका धंधा बंद हो जाएगा। उनका मॉडल भी तो वही होगा जो बिग बाजार या रिलायंस का है।"

खुदरा व्यापार में विदेशी निवेश को इजाजत मिले या नहीं, इस पर संसद में जमकर बहस हुई। बहस चार दिनों तक चली- दो दिन लोकसभा में और दो दिन राज्यसभा में। कई तर्क दिए गए। दुनिया की सबसे बड़ी रिटेल कंपनी वॉलमार्ट का इतिहास बताया गया। खुदरा व्यापार को विदेशी पूंजी के लिए खोलने से दूसरे देशों में क्या असर हुआ, इसके उदाहरण दिए गए। विपक्ष की तरफ से हाय-तौबा मची कि खुदरा व्यापार में बड़े खिलाड़ी आएंगे तो छोटे दुकानदारों का क्या होगा। किसानों के हित की बात हुई। कहा गया कि बड़े रिटेलर्स अपने मुनाफे पर ज्यादा ध्यान देंगे। और इस चक्कर में किसानों को उनके ऊपज की सही कीमत नहीं मिलेगी। ये बात भी हुई कि बड़े रिटेलर्स के आने से छोटे दुकानदार बेरोजगार हो जाएंगे और रोजगार के नए मौके धीरे-धीरे कम होते जाएंगे। बीजेपी नेता अरुण जेटली ने तो यहां तक कह दिया कि बड़े रिटेलर्स के आने के बाद बड़ी अमेरिकी दुकानों में चीन के सामान बिकेंगे और देश के नौजवान सेल्स ब्वॉय और सेल्स गर्ल का काम करेंगे।

इसके उलट सरकार की तरफ से तर्क आया कि बड़े रिटेलर्स को इजाजत देने से बिजनेस सेंटीमेंट्स सुधरेगा, विदेशी निवेश में बढ़ोतरी होगी, कोल्ड स्टोरेज चेन्स बनेंगे जिसका फायदा किसानों को होगा। सरकार की तरफ से बताया गया कि फिलहाल देश में उपजने वाले अनाज, फल और सब्जी का खास हिस्सा बर्बाद हो जाता है। कोल्ड स्टोरेज बनने से बरबादी में कमी आएगी, जिसका फायदा देश और उत्पादकों को मिलेगा। किसानों को उपज की सही कीमत मिलेगी, रोजगार के नए मौके पैदा होंगे और कंज्यूमर को सस्ते सामान मिलेंगे। सरकार का तर्क यह था कि विदेशी किराना कंपनियों को स्टोर खोलने की इजाजत दी जाएगी या नहीं, इसका फैसला राज्यों की चुनी हुई सरकार को करना है। मतलब यह कि इस फैसले में देश के फेडरल स्ट्रक्चर का ख्याल भी रखा गया है। व्यापक बहस के बाद दोनों सदनों में सरकारी फैसले को मंजूरी मिल गई। इसका मतलब यह हुआ कि देश के 18 शहरों में, जिनकी आबादी 10 लाख से ज्यादा है, वहां विदेशी किराना स्टोर्स खुलने का रास्ता साफ हो गया है। मैंने संसद की बहस को ध्यान से देखा। पक्ष और विपक्ष के तर्क को गौर से सुना।

दुनिया की सबसे बड़ी रिटेल कंपनी वॉलमार्ट का इतिहास बताया गया।

मुझे लगा कि संसद में अहं की लड़ाई हो रही है। दोनों पक्षों के तर्क और वितर्क में कई जरूरी मुद्दे उठे ही नहीं। सिर्फ हाय-तौबा मची। न तो सरकार ने यह जानने की कोशिश की कि इस फैसले का जमीन पर क्या असर पड़ेगा और न ही विपक्ष ने ऐसे तर्क दिए जिससे लगे कि इस फैसले से अनर्थ होने वाला है?

अब थोड़ा तर्कों पर विचार करें। सबसे बड़ा सवाल कि बड़े स्टोर्स आ गए तो छोटे दुकानदारों का क्या होगा? देश में बिग बाजार के पहले स्टोर को खुले हुए 10 साल से ज्यादा हो गए। फिलहाल देश में बिग बाजार, मोर, रिलायंस, इजीडे और स्पेंसर जैसे बड़े रिटेलर्स के सैकड़ों स्टोर्स खुल चुके हैं। लेकिन क्या हमने कभी सुना या पढ़ा है कि वहां की दुकान बंद हो गई या उसके सेल में कमी आई है? इसके ठीक उलट सुभीक्षा और विशाल मार्ट जैसे बड़े रिटेलर्स को अपना धंधा बंद करना पड़ा। बिग बाजार को अपने विस्तार के प्लान को रोकना पड़ा। फ्यूचर ग्रुप, जो बिग बाजार चलाती है, उसका घाटा इतना बढ़ गया कि उसे अपने फ्लैगशिप रिटेल चेन पेंटालुन की बड़ी हिस्सेदारी बेचनी पड़ी। इतना ही नहीं, आदित्य बिड़ला ग्रुप के मोर के कई स्टोर मुंबई में इसे महीने में बंद हो रहे हैं। कहने का मतलब है कि बड़े देसी रिटेलर्स के आने से छोटे किराना स्टोर्स पर कोई फर्क नहीं पड़ा। तो यह कैसे मान लिया जाए कि वॉलमार्ट या किसी कारफूल के आने से उनका धंधा बंद हो जाएगा। उनका मॉडल भी तो वही होगा जो बिग बाजार या रिलायंस का है।

> *कोल्ड स्टोरेज बनने से बरबादी में कमी आएगी, जिसका फायदा देश और उत्पादकों को मिलेगा।*

अब दूसरे तर्क पर विचार करते हैं बड़े विदेशी रिटेलर्स के आने के बाद किसानों को फायदा या नुकसान होगा। किसी एक सरकारी फैसले से किसानों की जिंदगी बदलनी होती तो यह कब का हो गया होता। कर्ज में डूबे किसान आत्महत्या कर रहे हैं। उनको समय पर खाद और बीज नहीं मिल पा रहा है। मॉनसून की मेहरबानी न हो तो सिंचाई की कोई दूसरी व्यवस्था नहीं है। पूंजी के अभाव में समय पर बुआई नहीं होती है। किसानों को कर्ज देने के लिए बैंक बहुत उत्सुक नहीं होते हैं। किसी भी तरह उपज हुई तो बेचने के लिए बाजार नहीं हैं। 65 साल पहले भी इस तरह की दिक्कतें थी और हालात

कमोबेश अब भी वही है। ऐसे में यह सोचना कि खुदरा व्यापार में विदेशी निवेश को इजाजत देने से किसानों की दिक्कत खत्म हो जाएगी, दिवास्वप्न से कम नहीं है। उसी तरह यह सोचना कि किसानों की हालत बदतर हो जाएगी, यह भी बेमानी है।

हमें ये नहीं भूलना चाहिए वॉलमार्ट, कारफूल या टेस्को को भारत के बाजार में काम करना होगा। यहां के बाजार में वही टिकता है जो इस देश का कायदा कानून मानता है, इसकी संस्कृति को पहचानता है और यहां के कंज्यूमर को खुश रखने की क्षमता रखता है। ऐसा नहीं होता तो एक समय में दुनिया का सबसे बड़ा बैंक 'सिटी बैंक' कई सालों के ऑपरेशन के बाद भी भारत के बैंकिंग सेक्टर का एक छोटा खिलाड़ी ही नहीं रहता। या फिर दुनियाभर में धाक रखने वाले बैंक ऑफ अमेरिका को भारत के बाजार से अपना धंधा समेटना नहीं पड़ता। दुनिया की दिग्गज टेलीकॉम कंपनी एटीएंडटी भारत में तब आई जब यहां का टेलीकॉम सेक्टर काफी तेजी से बढ़ रहा था, लेकिन इतना बड़ा नाम भारत के बाजार में अपनी जगह भी नहीं बना पाया।

यहां के बाजार में वही टिकता है जो इस देश का कायदा कानून मानता है।

संसद में इस बात पर बहस होनी चाहिए थी कि वॉलमार्ट को हम इजाजत दे रहे हैं तो इस बात को कैसे सुनिश्चित किया जाए कि वह यहां के कानून का उल्लंघन करता है तो उसे सख्त से सख्त सजा दी जाए। या फिर इस बात पर चर्चा होनी चाहिए थी कि हमारे देश में रेगुलेटरी फ्रेमवर्क को कैसे सरल बनाया जाए। खुदरा व्यापार में विदेशी निवेश से लोगों के पास ऑप्शन बढ़ेगा और देसी रिटेलर्स को विस्तार के लिए पूंजी मिलेगी। बाकी किसी की सेहत पर ज्यादा फर्क नहीं पड़ने वाला है। देश में निवेश के लिए पूंजी चाहिए और इस फैसले से पूंजी निवेश बढ़ेगा। फिर इतनी राजनीति क्यों?

(राष्ट्रीय सहारा, 9 दिसंबर, 2012)

80

खेलों में कब तक चलेगा खेल

''क्रिकेट और दूसरे खेलों को बचाने के लिए कुछ फैसले तत्काल लेने होंगे। खेल और खेल से जुड़ी संस्थाओं को खिलाड़ियों पर छोड़ दिया जाए। जरूरत पड़े तो कार्यकुशलता बढ़ाने के लिए प्रोफेशनल्स की सहायता ली जा सकती है। लेकिन खिलाड़ियों का चुनाव, उनका प्रशिक्षण, मैदानों का रखरखाव, कोच की नियुक्ति या विदाई- इस तरह के फैसले खिलाड़ी ही लें तो बेहतर होगा।''

खिलाड़ियों के दिन आजकल अच्छे नहीं चल रहे हैं। सबसे पहले इंटरनेशनल ओलंपिक कमेटी ने इंडियन ओलंपिक एसोसिएशन को निलंबित कर दिया है। इसका मतलब यह है कि जब तक यह निलंबन खत्म नहीं होता है अपने देश के खिलाड़ी तिरंगे के साथ ओलंपिक और पैरा-ओलंपिक में भाग नहीं ले पाएंगे।

आशंका जताई जा रही है कि ओलंपिक काउंसिल ऑफ एशिया और कॉमनवेल्थ गेम्स फेडरेशन भी इसी ढर्रे पर एशियन गेम्स और कॉमनवेल्थ गेम्स से भारतीय प्रतिनिधित्व को निलंबित कर सकते हैं। भारतीय खिलाड़ी अगर निलंबन खत्म होने से पहले ओलंपिक में हिस्सा लेना चाहें तो उन्हें सीधे अंतरराष्ट्रीय ओलंपिक समिति के झंडे तले खेलना होगा। यह दुर्भाग्यपूर्ण घटना ऐसे साल में हुई है जब भारत के खिलाड़ियों ने लंदन ओलंपिक में रिकॉर्ड छह मेडल जीते, जिनमें दो सिल्वर मेडल भी थे।

पीटी उषा और मिल्खा सिंह को छोड़ दिया जाए तो किसी और ने बड़े स्तर पर कुछ खास नहीं किया है।

इसके बाद भारतीय एथलेटिक्स, तीरंदाजी और बॉक्सिंग एसोसिएशन पर भी सवाल उठाए गए। कुल मिलाकर हालत ऐसी बन गई है कि देश के मुक्केबाजों, तीरंदाजों और एथलीटों के लिए रियो ओलंपिक में जाना सपना साबित हो सकता है। कहां इस बात पर चर्चा होती कि अगले ओलंपिक में छह मेडल को 12 कैसे किया जाए, इसके उलट सारा ध्यान अब इस बात पर लगा है कि इन संस्थाओं का निलंबन कैसे खत्म किया जाए। इसके अलावा जगहँसाई तो हो ही रही है। और इस सबमें हमारे खिलाड़ियों की कोई गलती नहीं है।

एथलेटिक्स में हम हमेशा फिसड्डी रहे हैं। पीटी उषा और मिल्खा सिंह को छोड़ दिया जाए तो किसी और ने बड़े स्तर पर कुछ खास नहीं किया है। तीरंदाजी और मुक्केबाजी में देश में उभरते हुए कई सितारे हैं जिन्हें तराशने की जरूरत है। लेकिन क्रिकेट में तो धुरंधर भरे पड़े हैं। जिस टीम में सचिन तेंदुलकर, वीरेंदर सहवाग, गौतम गंभीर, विराट कोहली और महेंद्र सिंह धोनी हों, वह किसी से कैसे हार सकती है।

सचिन तेंदुलकर का शुमार दुनिया के महानतम खिलाड़ियों में होता है। वीरेंदर सहवाग से दुनिया के हर गेंदबाज खौफ खाते हैं। गौतम गंभीर और विराट कोहली ऐसे खिलाड़ी हैं जिनको दुनिया की किसी भी टीम में जगह मिल सकती है। और धोनी के बारे में क्या कहा जाए, उनकी कप्तानी में हमारी टीम ने सब कुछ हासिल किया। हम उनकी कप्तानी में वर्ल्ड कप जीते, टी-20 वर्ल्ड कप अपनी टीम के नाम कराया और उन्हीं की कप्तानी में हमारी टेस्ट रैंकिंग नंबर वन थी।

> *गौतम गंभीर और विराट कोहली ऐसे खिलाड़ी हैं जिनको दुनिया की किसी भी टीम में जगह मिल सकती है।*

इतने धुरंधर खिलाड़ी तो टीम में हैं ही, साथ ही हमारे देश में क्रिकेट के लिए सर्वोत्तम इंफ्रास्ट्रक्चर भी है। हमारे देश में क्रिकेट की दुनिया का एक बेहतरीन प्रोडक्ट आईपीएल है, जिससे दुनिया का हर खिलाड़ी जुड़ना चाहता है। देश में क्रिकेट को धर्म और क्रिकेटरों को भगवान माना जाता है। इतना सब कुछ होने के बावजूद लगातार फ्लॉप शो क्यों? पहले इंग्लैंड में हम 4-0 से सीरीज हारे। फिर ऑस्ट्रेलिया में हमारी टीम पूरी तरह से धराशायी हुई।

इस सबके बाद यह कहा गया कि विदेशी पिचों पर हमारी टीम बहुत करामात पहले भी नहीं कर पाती थी और इस बार भी यही हुआ। लेकिन अब तो अपने मैदान पर भी हमारे कदम लड़खड़ाने लगे हैं। जिन पिचों पर हमारे खिलाड़ी हमेशा अच्छा खेलते थे वहां हम हारने लगे हैं। फिर क्या बदल गया है? क्या हमारे खिलाड़ियों में क्षमता और दक्षता की कमी है जैसा कि महान बल्लेबाज राहुल द्रविड का इशारा है? या फिर जीतने की ललक खत्म हो गई है? या फिर कप्तान या कोच की स्ट्रेटजी में कोई कमी रह गई है?

> *जिन पिचों पर हमारे खिलाड़ी हमेशा अच्छा खेलते थे वहां हम हारने लगे हैं।*

मेरे ख्याल में सभी तर्कों में थोड़ी-थोड़ी सच्चाई है। हमारे खिलाड़ियों में टेस्ट क्रिकेट की काबिलियत वाकई कम है। उनके पास जो बहुत सारे ऑप्शन हैं उसमें टेस्ट क्रिकेट उनकी प्राथमिकता में काफी नीचे चला गया है। इसकी वजह से जीतने की ललक भी गायब हो गई है। और कप्तान व टीम के कोच

इस ललक को फिर से जगाने में असफल रहे हैं। लेकिन इस सबके अलावा कुछ और भी है जो हमें बार-बार असफल बना रहा है।

हीरो को पूजना हमारी संस्कृति है। इसमें रेपुटेशन को प्रदर्शन पर तरजीह दी जाती है। रेपुटेशन वाले खिलाड़ी जब चल जाते हैं तो मैच का नक्शा ही बदल देते हैं। लेकिन ऐसा कभी-कभी होता है। लेकिन टीम में अगर ऐसे खिलाड़ियों का बोलबाला हो जो प्रदर्शन के बल पर टीम में जगह बनाते हैं तो ऐसी टीम के प्रदर्शन में निरंतरता बनी रहती है। टीम में जीतने की आदत कायम रहती है। लेकिन हीरो को पूजने वाले देश में हीरो को कौन बताए कि हर चीज की एक सेल्फ लाइफ होती है।

कहने का मतलब यह है कि खेल की दुनिया में क्षमता और दक्षता का पैमाना तेजी से बदलता रहता है। टेनिस की दुनिया में रोजर फेडरर शायद अब तक के सबसे बड़े नामों में से एक हैं। लेकिन उम्र के साथ उनकी जीतने की क्षमता काफी तेजी से घट रही है। फॉर्मूला वन रेसिंग में माइकल शूमाकर से बड़ा कोई नाम नहीं है। लेकिन अपनी आखिरी रेस वे पूरी भी नहीं कर पाए। इससे न तो शूमाकर की महानता कम होती है और न ही फेडरर की। अगर दुनिया के अब तक के 50 महानतम खिलाड़ियों की लिस्ट बनेगी तो शायद उसमें दोनों का नाम होगा। शायद सचिन तेंदुलकर भी उसमें शामिल होंगे। लेकिन सबका अपना युग होता है और मेरे ख्याल से सचिन को भी इसे जल्दी ही पहचानना होगा।

हीरो को पूजना हमारी संस्कृति है। इसमें रेपुटेशन को प्रदर्शन पर तरजीह दी जाती है।

सचिन की कहानी के जरिए मैं यह बताने की कोशिश कर रहा हूं कि हमारे क्रिकेट बोर्ड को रेपुटेशन से आगे बढ़कर सोचना होगा। और अगर इसके लिए पूरी टीम को बदलने की जरूरत है तो वैसा ही हो। क्रिकेट हमारे लिए सिर्फ एक खेल ही नहीं है। यह हमारी भावना से जुड़ा है। यह देश को जोड़ता है। क्रिकेट ने हम सबमें विजेता बनने की तमन्ना जगाई। क्रिकेट ने हमें आत्मसम्मान दिया। इस खेल में भी अगर हम अपने ही मैदानों पर हारने लगे तो समझिए कि यह हमारे आत्मसम्मान को धक्का है।

क्रिकेट और दूसरे खेलों को बचाने के लिए कुछ फैसले तत्काल लेने होंगे। खेल और खेल से जुड़ी संस्थाओं को खिलाड़ियों पर छोड़ दिया जाए।

जरूरत पड़े तो कार्यकुशलता बढ़ाने के लिए प्रोफेशनल्स की सहायता ली जा सकती है। लेकिन खिलाड़ियों का चुनाव, उनका प्रशिक्षण, मैदानों का रखरखाव, कोच की नियुक्ति या विदाई- इस तरह के फैसले खिलाड़ी ही लें तो बेहतर होगा। ऐसा कैसे चलेगा कि चयन समिति, जिसमें अक्सर खिलाड़ी होते हैं, एक टीम का चुनाव करे और बोर्ड उसके खिलाफ वीटो कर दे। इस तरह का आरोप पूर्व सेलेक्टर और महान खिलाड़ी मोहिंदर अमरनाथ ने लगाया है। टीम के चयन में इस तरह का दखल होने लगे तो समझिए टीम का पतन बहुत दूर नहीं है। इससे पहले कि खिलाड़ी निरुत्साहित हो जाएं, दर्शकों की रुचि खत्म होने लगे, स्पांसर भागने लगें, रैंकिंग तेजी से गिरने लगे- खेल को निजी स्वार्थ से बचाना होगा।

क्रिकेट ने हम सबमें विजेता बनने की तमन्ना जगाई। क्रिकेट ने हमें आत्मसम्मान दिया।

(राष्ट्रीय सहारा, 16 दिसंबर, 2012)

81

अब हिसाब मांग रहे हैं लोग

''अभी हालत है यह है कि बलात्कारी पकड़े नहीं जाते हैं। पकड़े भी गए तो सबूत के अभाव में ज्यादातर आरोपी छूट जाते हैं। इसमें अगर सुधार नहीं किया गया तो इस तरह के घिनौने मामले होते रहेंगे। कानून का डर पैदा करने के लिए जरूरी है कि कानून के रखवाले अगर पूरी तरह से कार्यकुशल नहीं हो सकते हैं तो कम से कम संवेदनशील हों। दिल्ली के इंडिया गेट पर जुटी लड़कियों की ओर से बार-बार यह बयान आ रहा कि उन्हें जितना डर बलात्कारियों से लगता है, उतना ही डर पुलिस से भी लगता है। जिस देश में पुलिस की छवि ऐसी हो तो फिर वहां कानून व्यवस्था कैसे कायम हो सकती है?''

दिल्ली गुस्से में है। गुस्सा अब सड़कों पर दिख रहा है। न्यूज चैनल्स और अखबारों के जरिए यह गुस्सा देश के दूसरे हिस्सों तक पहुंच रहा है। 16 दिसंबर की रात को दिल्ली की सड़कों पर एक 23 साल की लड़की के साथ जो हुआ, उसकी निंदा के लिए शब्द कम पड़ जाएंगे। इस जघन्य घटना के बाद लोगों का गुस्सा जायज है। और सब जगह एक ही प्रतिक्रिया है- महिलाओं के प्रति हो रही अमानवीय घटनाएं जल्दी से बंद हो। गुस्सा सरकार के प्रति है, पुलिस-प्रशासन के प्रति है और उस मानसिकता के प्रति है जिसमें महिलाओं को सामान समझा जाता है। लोगों का गुस्सा देखकर नेताओं के सुर बदले हुए हैं। संसद में बहस हुई और कई सांसदों ने यह मांग भी की कि बलात्कारियों को फांसी की सजा होनी चाहिए। कुछ सांसद भावुक हो गए। सरकार की ओर से भरोसा भी मिला कि दोषियों को बख्शा नहीं जाएगा। यह भी भरोसा दिलाया गया कि पीड़िता के इलाज में कोई कोताही नहीं बरती जाएगी।

> *16 दिसंबर की रात को दिल्ली की सड़कों पर एक 23 साल की लड़की के साथ जो हुआ, उसकी निंदा के लिए शब्द कम पड़ जाएंगे।*

लेकिन लोगों का गुस्सा न थम रहा है और न घट रहा है। सड़कों पर हजारों लोग आकर प्रदर्शन कर रहे हैं और यह आक्रोश फैलता ही जा रहा है। तो क्या सरकार के वादों पर लोगों को भरोसा नहीं है? क्या इस तरह की घटना फिर से न हो जाए, इसका डर लोगों को सता रहा है? वादों पर से भरोसा तो उठा ही है, ऊपर से लोगों को डर भी सता रहा है। नेता संसद में कुछ कहते हैं और चुनाव के समय कुछ और करते हैं। एक अंग्रेजी अखबार में दो रिपोर्ट छपी है जिनसे साफ होता है कि नेताओं के वादों पर लोगों को भरोसा क्यों नहीं हो रहा है? रिपोर्ट के मुताबिक संसद में नेता बलात्कारियों को फांसी की सजा देने की मांग करते हैं, लेकिन चुनाव में बलात्कार के आरोपियों को टिकट देने से परहेज नहीं करते हैं। दूसरी रिपोर्ट के मुताबिक हाल के दिनों में चार बलात्कारियों की फांसी की सजा कम कर दी गई। आंकड़े बताते हैं कि आपराधिक मामलों को सुलझाने को लेकर पूरे देश में पुलिस का रिकॉर्ड बहुत अच्छा नहीं है। आरोपी पकड़े जाते हैं लेकिन पुलिस की जांच में इतनी धार नहीं है कि उनको सजा मिल जाए। लोगों का भरोसा इसकी वजह से भी टूट रहा है।

दूसरा मामला लोगों के डर का है। यह डर उन छिछोरों और उन गुंडों से है जिनके लिए नारी एक शिकार है। पुलिस का खौफ कहीं है ही नहीं। आवारा लोगों की जमात पर यह खौफ होना चाहिए कि उनकी छोटी सी हरकत भी उन्हें जेल पहुंचाएगी, तब सुरक्षा का यह घेरा कायम होगा। मेरा मानना है कि अपराधियों को पकड़ा जाएगा, कुछ को सजा भी हो जाएगी, लोगों के गुस्से को देखते हुए पुलिस व्यवस्था भी थोड़ी चुस्त हो जाएगी। लेकिन क्या इतने भर से बलात्कार जैसे जघन्य अपराधों में कमी आ पाएगी? इसके लिए बहुत कुछ बदलना होगा। बदलाव की शुरुआत हमें अपने घर से करनी होगी। हिंसा, मानसिक कीड़ा है, जिसे न तो समाज देखता है और न ही पुलिस मॉनिटर कर सकती है। जो हिंसक हो गए हैं, जो अपना आपा खो चुके हैं, उनको तो कानून का डंडा ही सीधा कर सकता है। लेकिन आने वाली पीढ़ी को तो हम सुधार सकते हैं। इसके लिए हमें किसी से कुछ सीखना नहीं है। हमारी सांस्कृतिक धरोहर इतनी समृद्ध है कि आने वाली पीढ़ी को उसका दर्शन भर करा देने से मानसिक हिंसा को कम किया जा सकता है।

हम अपने बच्चों में अपनी ही संस्कृति के अच्छे मूल्यों को भरना होगा। हमारी संस्कृति में मां को देवी माना जाता है, जननी कहा जाता है। जितने देवताओं को पूजा जाता है उतनी ही देवियों को। मां को शक्ति स्वरूपा माना जाता है। यही वजह है कि जिन इलाकों में संस्कृति की धरोहर को अब भी समेट कर रखा गया है वहां बलात्कार या घरेलू हिंसा की घटनाएं कम होती है। महिलाओं के खिलाफ सभी तरह के अत्याचार के खिलाफ घर से ही माहौल बदलेगा। घर बदलेगा तो समाज बदलेगा और तभी मोहल्ला और शहर या देश बदलेगा। हमारे अपने घर में महिलाएं घरेलू हिंसा की शिकार हों, जिल्लत की जिंदगी जी रही हों तो हम अपने समाज के बेहतर होने की कल्पना कैसे कर सकते हैं?

हमारी सांस्कृतिक धरोहर इतनी समृद्ध है कि आने वाली पीढ़ी को उसका दर्शन भर करा देने से मानसिक हिंसा को कम किया जा सकता है।

इसके अलावा सरकार को और समाज के दूसरे घटकों को इस बात का जोर-शोर से प्रचार करना होगा कि बलात्कार करने वालों को किस तरह

की सजा मिलती है। अभी हालत यह है कि बलात्कारी पकड़े नहीं जाते हैं। पकड़े भी गए तो सबूत के अभाव में ज्यादातर आरोपी छूट जाते हैं। इसमें अगर सुधार नहीं किया गया तो इस तरह के घिनौने मामले होते रहेंगे। कानून का डर पैदा करने के लिए जरूरी है कि कानून के रखवाले अगर पूरी तरह से कार्यकुशल नहीं हो सकते हैं तो कम से कम संवेदनशील हों। दिल्ली के इंडिया गेट पर जुटी लड़कियों की ओर से बार-बार यह बयान आ रहा कि उन्हें जितना डर बलात्कारियों से लगता है, उतना ही डर पुलिस से भी लगता है। जिस देश में पुलिस की छवि ऐसी हो तो फिर वहां कानून व्यवस्था कैसे कायम हो सकती है? पुलिस से देश के कानून मानने वाले नागरिक डरते हैं, लेकिन कानून तोड़ने वालों को इसका खौफ नहीं हैं। यह कानून व्यवस्था की समस्या नहीं है। यह शासन की समस्या है, जिसे अगर ठीक नहीं किया गया तो लोगों का गुस्सा अब इसी तरह से सामने आता रहेगा।

पुलिस व्यवस्था के तौर-तरीके वही हैं जो 100 साल पहले अंग्रेजों के जमाने में होते थे। अपराध की घटना घटी, किसी को पकड़ लो, उसे डंडे मारकर अपराध कबूल करवा लो। कोर्ट में आरोप साबित होगा या नहीं, इसकी कोई परवाह नहीं। इस व्यवस्था में निर्दोष खौफजदा रहते हैं, जबकि अपराधी बेखौफ घूमते हैं। जब तक यह ढर्रा नहीं बदलता, तब तक निर्दोष लोगों को गुस्सा आता रहेगा, कानून मानने वाले नागरिक डरते रहेंगे और घिनौने अपराध भी रुकने से रहे।

महिलाओं के खिलाफ सभी तरह के अत्याचार के खिलाफ घर से ही माहौल बदलेगा।

पुलिस रिफॉर्म की जब भी बात होती है तो रिफॉर्म के नाम पर पुलिस को और पावर दे दिया जाता है। पुलिस को ज्यादा पावर देना रिफॉर्म नहीं है। उसके पावर को जिम्मेदारी और जवाबदेही से जोड़ना रिफॉर्म है। लेकिन इसकी कोई चर्चा ही नहीं होती है। क्या इस तरह के रिफॉर्म से कुछ सुधरेगा? मेरे ख्याल से जनता जनार्दन के गुस्से के आगे अब किसी की नहीं चलने वाली है। लोग हिसाब मांग रहे हैं। खुद से जुट रहे हैं और खुद ही आंदोलन की दिशा तय कर रहे हैं। लोकतंत्र की आड़ में आंदोलन का ठेका लिए बैठे सारे राजनीतिक दल हतप्रभ हैं, लेकिन अपनी प्रासंगिकता साबित नहीं कर पा रहे हैं। ऐसा अन्ना हजारे के आंदोलन के दौरान भी दिखा और अब भी

दिख रहा है जो बताता है कि हमारे राजनीतिक दल और उनका नेतृत्व देश को अपनी जागीर मानता है। वे मानते हैं कि सरकार और विपक्ष ही देश को चला रहे हैं और दोनों अपनी कुर्सी एक अंतराल पर बदलते रहें लेकिन तीसरा उसमें न घुसे। जनता क्या चाहती है, यह तय करने का ठेका सरकार और विपक्ष ने ले रखा है। दोनों एक-दूसरे की तरह बर्ताव करते हैं। यह गुस्सा पार्टियों की विफलता है, जो जनभावना के अनुरूप व्यवहार नहीं कर रही है।

जनता जनार्दन के गुस्से के आगे अब किसी की नहीं चलने वाली है।

दोषियों को सजा दिलाने भर से पीड़ितों का घाव भर जाएगा? हमें उनके लिए भी सोचना होगा और रास्ता निकालना होगा, जिससे उनकी मर्यादा पर कोई आंच न आए और वे अपनी जिंदगी के सफर पर ऊंचे मनोबल के साथ बढ़ सकें। उनकी सम्मानजनक जिंदगी की गारंटी समाज के ही हाथ में है। हम इतना तो कर ही सकते हैं।

(राष्ट्रीय सहारा, 23 दिसंबर, 2012)

82

चलता है का फॉर्मूला अब और नहीं

''अब लोगों ने 'चलता है' वाले फॉर्मूले को छोड़ना शुरू कर दिया है। जनता जागरूक और मुखर हो गई है और वह शॉर्ट-कट को मानने के लिए अब तैयार नहीं है। लोकतंत्र में जागरूक जनता शासक से हिसाब मांगती है और कम नंबरों को फेल कर देती है। अब शासनतंत्र को समय पर सही फैसले लेने होंगे। फैसलों में जनता का इनपुट होगा और शासनतंत्र में लोगों की भागीदारी बढ़ेगी। इस प्रक्रिया को हम 2013 में फलते-फूलते देखेंगे। 23 साल की लड़की का बलिदान व्यर्थ नहीं जाएगा।''

2012 की घटनाओं पर नजर डालने से परेशानी ही होती है। अच्छी बात यह रही कि कयामत की भविष्यवाणी गलत साबित हुई और ऐसा ही सबको भरोसा भी था। आर्थिक विकास दर 10 साल के सबसे निचले स्तर पर पहुंच गई। घोटालों का ऐसा दौर चला कि राजनेताओं पर से भरोसा उठने लगा। सरकार की साख गिरी, संसद महीनों तक ठप रही और बड़े फैसले लेने में काफी देरी हुई। सरकार पर पॉलिसी पेरालिसिस के आरोप भी लगे और जब सरकार ने फैसले लेने शुरू किए तो ममता दीदी ने यूपीए से समर्थन वापस लेकर राजनीतिक संकट पैदा कर दिया। लंदन ओलंपिक में हमारे खिलाड़ियों का प्रदर्शन अच्छा रहा। पहली बार हमारी झोली में छह मेडल आए जो पिछले ओलंपिक से तीन ज्यादा है। व्यक्तिगत स्पर्धा में सुशील कुमार ने लगातार दो ओलंपिक में मेडल हासिल कर रिकॉर्ड बनाया जबकि सायना नेहवाल और मैरीकॉम ने अपनी-अपनी स्पर्धा में कीर्तिमान स्थापित कर देश का नाम रोशन किया। लेकिन क्रिकेटरों ने पूरे साल निराश किया। कई सालों बाद हम अपने ही घर में टेस्ट सीरीज हारे। टी-20 वर्ल्ड कप में हमारी टीम एक बार फिर सेमीफाइनल में जगह बनाने में नाकाम रही। देश के दो महान खिलाड़ियों - वीवीएस लक्ष्मण और राहुल द्रविड़ ने क्रिकेट को अलविदा कह दिया और महानतम खिलाड़ी सचिन तेंदुलकर के वनडे क्रिकेट को बाय-बाय करने से यह मायूसी और बढ़ी।

सरकार की साख गिरी, संसद महीनों तक ठप रही और बड़े फैसले लेने में काफी देरी हुई।

इस साल कई ऐसे लोग हमें छोड़कर चले गए, जिनका भारतीय जीवन पर गहरा प्रभाव है। पूर्व प्रधानमंत्री इंद्र कुमार गुजराल की कमी हमें हमेशा खलेगी। उन्होंने साबित किया था कि राजनीति में भी भले मानुष की जगह है। जोड़-तोड़ की राजनीति के दिनों में भी उन्होंने कभी अपनी अच्छाई नहीं छोड़ी और अपनी इस खासियत की वजह से वह प्रधानमंत्री की कुर्सी हासिल करने में सफल हुए। यश चोपड़ा भी हमें बहुत याद आएंगे। प्यार बांटने की उनकी बेमिसाल कला की कमी हमेशा खलेगी। हिंदी फिल्मों के पहले सुपर स्टार राजेश खन्ना भी इसी साल हमें छोड़कर चले गए। और साल के आखिरी दिनों में रविशंकर जैसा रत्न भी हमनें खोया। रविशंकर पिछले चार दशक से

हमारे देश के सबसे बड़े सांस्कृतिक एम्बेसडर थे और उनकी कमी संभवतः कभी पूरी नहीं हो सकेगी। साल के आखिरी महीने में दिल्ली में 23 साल की लड़की के साथ गैंगरेप और तेरह दिन के बाद उसकी मौत ने पूरे देश को झकझोर दिया। दुर्भाग्य से बलात्कार की वीभत्स घटनाएं पहले भी हुई है लेकिन इसकी वीभत्सता से पूरा देश सहम गया और लोगों का गुस्सा अभी शांत नहीं हो रहा है।

कुल मिलाकर कहा जा सकता है कि 2012 ने हमें दुख दिया, निराशा दी, महंगाई दी, घोटाले दिए और न जाने क्या-क्या दिए। इसका मतलब यह नहीं है कि इस साल सब बुरा ही हुआ। मेरा बस यही कहना है कि इस साल हमें खुशी की तुलना में ज्यादा गम मिले। अब सवाल है कि 2013 कैसा होगा? मैं कोई ज्योतिषी नहीं हूं और न ही भविष्यवाणी करने में कोई रुचि है। पर मैं जो ट्रेंड देख रहा हूं, उससे अनुमान लगाया जा सकता है कि अगले साल खुशी-गम का समीकरण 2012 का ठीक उल्टा होगा।

यश चोपड़ा भी हमें बहुत याद आएंगे। प्यार बांटने की उनकी बेमिसाल कला की कमी हमेशा खलेगी।

पश्चिम के देशों में 13 नवंबर को अशुभ माना जाता है। लेकिन हमारे देश के प्रथम नागरिक के लिए यह नंबर शुभ रहा है। इसी से भरोसा जगता है कि पूरे देश के लिए 2013 के उम्मीदों से बेहतर साल रहेगा। इसकी वजह 2012 के घटनाक्रम में ही छुपी है। इस साल सितंबर के बाद आर्थिक मोर्चे पर कई बड़े फैसले लिए गए। डीजल की कीमत बढ़ाई गई, एलपीजी सिलेंडर का कोटा तय कर दिया गया, मल्टीब्रांड रिटेल में विदेशी निवेश को मंजूरी दी गई और बैंकिंग विधेयक को संसद में मंजूरी मिली। यह सब ऐसे माहौल में हुआ जब फैसला लेना मुश्किल हो रहा था और सरकार और विपक्ष के बीच दूरियां काफी बढ़ गई थी। इन फैसलों का काफी विरोध भी हुआ। लेकिन न तो फैसले वापस लिए गए और न सरकार को कोई खतरा हुआ। इससे यह संकेत मिलता है कि मतभेदों के बावजूद आर्थिक मुद्दों पर आम सहमति है और राजनीतिक उथल-पुथल के बीच भी बड़े फैसले भी हो सकते हैं। इससे भरोसा जगता है कि 2013 में विकास की दर काफी तेज होने वाली है। साथ ही रिजर्व बैंक जनवरी से ब्याज दरों में कटौती के संकेत दे ही चुका है। ब्याज दरों में कटौती से इंडस्ट्री को निवेश के लिए आसान शर्तों पर पैसे मिलेंगे

और लोगों को सपने का घर या पसंदीदा कार खरीदने के लिए लोन सस्ता हो जाएगा। और इस सब का फायदा विकास दर में बढ़ोतरी के रूप में दिखेगा।

मेरे भरोसे की दूसरी वजह है, देश के लोगों की बढ़ती जागरूकता। अब लोगों ने 'चलता है' वाले फॉर्मूले को छोड़ना शुरू कर दिया है। जनता मुखर हो गई है और वह शॉर्ट-कट को मानने के लिए अब तैयार नहीं है। इसकी शुरुआत अन्ना हजारे के आंदोलन से हुई और हाल के दिनों में दिल्ली और देश के दूसरे इलाकों में लोगों ने अपनी बात जोर-शोर से कही है। नेताओं के लिए भले ही यह बुरी खबर हो सकती है लेकिन लोकतंत्र के लिए ये बड़ी अच्छी खबर है। लोकतंत्र सही ढंग से चले इसके लिए जनता का जागरूक होना बहुत जरूरी होता है। जागरूक जनता शासक से हिसाब मांगती है और कम नंबरों को फेल कर देती है। अब शासनतंत्र को समय पर सही फैसले लेने होंगे। फैसलों में जनता का इनपुट होगा और शासनतंत्र में लोगों की भागीदारी बढ़ेगी। इस प्रक्रिया को हम 2013 में फलते-फूलते देखेंगे। 23 साल की लड़की का बलिदान व्यर्थ नहीं जाएगा।

सिंगापुर के अस्पताल में गैंगरेप की शिकार लड़की ने इस दुनिया को अलविदा कह दिया।

2013 में वैश्विक माहौल भी बेहतर होगा। अमेरिका की अर्थव्यवस्था पटरी पर आ रही है। यूरोप के ऊपर से संकट के बादल छंटते नजर आ रहे हैं। चीन में तेजी की शुरुआत फिर से हो गई है। जापान में हाल ही में नए प्रधानमंत्री पद पर आसीन हुए हैं और उनका दावा है कि वह हर हाल में वहां की अर्थव्यवस्था को पटरी पर लाएंगे। बेहतर वैश्विक माहौल का हमारी अर्थव्यवस्था को भी फायदा होगा। शेयर बाजार इसके संकेत लगातार दे ही रहा है। 2012 में सेंसेक्स ने अब तक 22 परसेंट का रिटर्न दिया है और विदेशी संस्थागत निवेशकों ने रिकॉर्ड खरीददारी की है।

मैं जब यह लेख लिख रहा था, उसी समय खबर आई कि वह जिसने हमें जगाया, वह खुद चिर निद्रा में चली गई। सिंगापुर के अस्पताल में गैंगरेप की शिकार लड़की ने इस दुनिया को अलविदा कह दिया। उसे सही श्रद्धांजलि यह होगी कि हम सभी बेहतर 2013 बनाने की कोशिश करें। एक बेहतर समाज और देश के निर्माण में हम सबको अपनी-अपनी भूमिका निभानी होगी।

(राष्ट्रीय सहारा, 30 दिसंबर, 2012)

83

और एक सशक्त कदम

''हाल के दिनों में जितने फैसले लिए गए हैं, उनमें सबसे अहम फैसला यही है- दिल्ली के हरेक थानों में नौ महिला पुलिसकर्मियों की नियुक्ति। और इस फैसले पर अगर पूरे देश में अमल किया जाता है तो पुलिस का मानवीय चेहरा लोगों के सामने आ सकता है। लेकिन एक और पहलू है, जिस पर हमें गौर करना है। यौन शोषण का दुर्भाग्य से कोई महिला शिकार हो जाती है तो उसके रिलीफ और रिहेबिलिटेशन के लिए हमें सोचना होगा। ऐसा हुआ तो पीड़िता को सामान्य होने में सकारात्मक माहौल मिलेगा।''

नए साल में नई शुरुआत हुई है। केंद्रीय गृह मंत्रालय ने तय किया है दिल्ली के तमाम थानों में कम से कम नौ महिला पुलिसकर्मी होगी। इनमें से कम से कम दो सब इंस्पेक्टर रैंक की और सात कांस्टेबल होगी। दिल्ली में 166 थाने हैं और हर थाने में नौ महिला पुलिसकर्मी की नियुक्ति का मतलब हुआ कुल 1,494 महिला पुलिसकर्मी। वैसे तो दिल्ली पुलिस में 4,500 महिला पुलिसकर्मी कार्यरत है। लेकिन इनमें से दो से ढाई हजार महिला डेस्क जॉब में है। ज्यादातर कॉल अटेंड का काम करती है। कई ऐसे थाने हैं, जहां कोई भी महिला पुलिसकर्मी नहीं है। दिल्ली पुलिस चाहे तो तत्काल इस फैसले को अमल में लाया जा सकता है। वैसे केंद्रीय गृह मंत्रालय का आदेश है कि इस फैसले पर अमल के लिए महिलाओं को भर्ती करने की जरूरत पड़ती है तो वो भी किया जाए।

क्या इस फैसले से दिल्ली की सड़कों पर महिलाएं सुरक्षित होंगी? मेरे ख्याल से हाल के दिनों में जितने फैसले लिए गए हैं, उनमें सबसे अहम फैसला यही है। और इस फैसले पर अगर पूरे देश में अमल किया जाता है तो पुलिस का मानवीय चेहरा लोगों के सामने आ सकता है। दरअसल, हमारे देश में पुलिसिंग को पुरुषत्व से जोड़कर देखा जाता रहा है, जो जितना दबंग है, उसे उतना ही सफल पुलिस अफसर माना जाता है। फिल्म 'दबंग' की सफलता के पीछे शायद इसी दबंग इमेज का हाथ रहा है।

केंद्रीय गृह मंत्रालय का आदेश है कि इस फैसले पर अमल के लिए महिलाओं को भर्ती करने की जरूरत पड़ती है तो वो भी किया जाए।

लेकिन आधुनिक युग में पुलिसिंग दूसरी सर्विस की जैसी ही एक सर्विस है। दूसरी तरह की सेवा देने वालों में 'कस्टमर कम्स फर्स्ट' का एप्रोच रखा जाता है। इस बात का खास ख्याल रखा जाता है कि ग्राहक की भावना को किसी हालत में ठेस नहीं पहुंचे। अगर कोई टेलीफोन कंपनी से आपको फोन आए और वह आपसे बदतमीजी से बात करे तो आप तत्काल उस कंपनी से नाता तोड़ लेंगे। उसी तरह, कोई कैटरर आपकी पार्टी में अच्छी सेवा नहीं देता है तो आगे से उसे आप हायर नहीं करते हैं। इन उदाहरणों के जरिए मेरे कहने का कतई मतलब नहीं है कि पुलिसिंग दूसरी सेवाओं जैसी ही है।

लेकिन यह हमें मानना ही पड़ेगा कि पुलिसिंग में भी सेवा भाव की जरूरत है। पुलिस बल को भी जनता से दोस्ताना रवैया रखने की जरूरत है। पुलिस से डर उसे होना चाहिए जो कानून तोड़ता है। कानून का पालन करने वालों को पुलिसकर्मी से डर क्यों लगे? पुलिस बल का समाज से दोस्ताना रिश्ता हो, इसके लिए जरूरी है कि पूरे बल की छवि बदली जाए, पुलिसवालों को मानवीय संवेदना के साथ सहानुभूति रखने की ट्रेनिंग दी जाए। और यह ट्रेनिंग पुलिस स्टेशन पर मिले तो सोने पर सुहागा। मेरा मानना है कि मानवीय संवेदना के विकास में पुरुष और नारी का इनपुट जरूरी है। पूर्ण संवेदना में समाज के दोनों अंगों का इनपुट जरूरी है। दोनों धाराओं के मिलने से जो विचार बनता है, वही पूर्ण होता है। इसलिए देखा गया है कि जो बच्चे को-एड स्कूल में नहीं पढ़े होते हैं, उनका नजरिया अधूरा रह जाता है। उनकी संवेदना में कहीं कोई कमी रह जाती है। कुछ बच्चे अपने परिवार में या फिर अपने दोस्तों के बीच इस कमी को पूरा कर लेते हैं लेकिन कुछ एक की जिंदगी में यह अधूरापन हमेशा के लिए रह जाता है। इसलिए ऐसे स्कूलों को बनाया गया, जहां लड़के और लड़कियों को दाखिला मिले। कंपनियों को इमोशनल कोशिएंट बढ़ाने के लिए और इसे ज्यादा कार्य कुशल बनाने के लिए इस बात का खास ख्याल रखा जाता है कि वहां काम करने वालों में जेंडर बैलेंस सही रहे। विधानसभाओं और संसद में भी बैलेंस ठीक करने के लिए महिलाओं को रिजर्वेशन देने की बात हो रही है। इन सबके पीछे एक ही लॉजिक है- हर छोटी-बड़ी संस्था को स्वस्थ बनाने के लिए पूरे समाज का आईना बनाया जाए।

फिल्म 'दबंग' की सफलता के पीछे शायद इसी दबंग इमेज का हाथ रहा है।

पुलिस फोर्स में महिलाओं का प्रतिनिधित्व बढ़ाने के लिए कई फायदे होंगे। अभी थानों में एक खास तरह की भाषा का प्रयोग होता है, जिसमें गालियों का इनपुट काफी होता है। माहौल को डरावना बनाकर रखा जाता है। उससे आसपास का माहौल भी सहमा रहता है। सामाजिक रूप से भद्र व्यवहार पर बैन होता है। हंसी-मजाक को बुरा माना जाता है। थानों में महिलाओं के रहने से गालियां कम होंगी, नॉर्मल व्यवहार की वापसी होगी, पुरुष पुलिसकर्मियों को सामाजिक मयार्दाओं का ख्याल रखना होगा। इससे थानों पर से 'डर लगता है'

का टैग हटेगा और लोग अपनी शिकायत लेकर वहां जाने से घबराएंगे नहीं। इससे पुलिस की छवि सुधरेगी और पुलिसिंग बेहतर होगी।

इससे पुलिस की छवि सुधरेगी और पुलिसिंग बेहतर होगी।

लेकिन क्या पुलिस फोर्स में महिलाओं का प्रतिनिधित्व बढ़ाने भर से महिलाओं की सुरक्षा बढ़ जाएगी? सिर्फ इतना भर से काम नहीं चलेगा लेकिन यह अच्छी शुरुआत है। इसके साथ-साथ और भी कई कदम उठाने होंगे। हाल के दिनों में कानून में बदलाव की खूब बातें हुई हैं। बलात्कारियों के लिए फांसी की सजा की मांग हो रही है। फास्ट ट्रैक कोर्ट की बात हो रही है। बलात्कारियों के लिए केमिकल कास्ट्रेशन की भी बात हो रही है। कानून में बदलाव के लिए सुप्रीम कोर्ट के पूर्व चीफ जस्टिस जेएस वर्मा के नेतृत्व में एक कमेटी बनी है, जिसका सुझाव इसी महीने आने वाला है। कमेटी के सुझाव के बाद कानूनी पहलुओं में तो बदलाव हो ही जाएंगे। लेकिन एक और पहलू है, जिस पर हमें गौर करना है। यौन शोषण का दुर्भाग्य से कोई महिला शिकार हो जाती है तो उसके रिलीफ और रिहेबिलिटेशन के लिए हमें सोचना होगा। उसके लिए सरकार की ओर से कुछ होता नहीं है और समाज उससे अछूत की तरह पेश आने लगता है। इस मानसिकता को तत्काल बदलना होगा। अगर समाज का नजरिया बदलता है तो पीड़िता का जख्म भरने में समाज अपनी सही भूमिका निभा रहा होगा और पीड़िता को वापस सामान्य होने का सकारात्मक माहौल मिलेगा। महिलाओं की सुरक्षा के लिए मोरल पुलिस की फौज को भी तत्काल खत्म करना होगा। महिलाएं क्या पहनती हैं, क्या पढ़ती हैं, किस कॉलेज में जाती है या किस समय में कहां घूमने जाती है- इन मामलों पर प्रवचन तत्काल बंद हो जाना चाहिए। इस तरह के प्रवचन महिलाओं को डराते हैं, उन्हें कमजोर करते हैं। समय की मांग है कि नैतिकता की शिक्षा देने वालों का मुंह बंद करके ऐसा काम किया जाए जिससे महिलाओं का सशक्तीकरण हो।

(राष्ट्रीय सहारा, 6 जनवरी, 2013)

84

पाक से मायूस है अमन का कारवां

''पाकिस्तान में इसी साल चुनाव होने वाले हैं। ऐसे में वहां के सारे ग्रुपों में भारत विरोधी नारे लगाने की होड़ लगी है। इन हालात में हमारी सेना और हमारी सरकार को संयम से काम लेना होगा। जल्दबाजी में हम किसी ऐसे ऑप्शन का चुनाव न करें जिससे माहौल और बिगड़ जाए। पाकिस्तान ऐसा नासूर है जिसका इलाज ऑपरेशन नहीं है। उसे मरहम-पट्टी के साथ एंटीबायोटिक के बूस्टर डोज की जरूरत है। हमें इन दोनों का इस्तेमाल करना चाहिए और सर्जरी से बचना चाहिए।''

पिछले महीने भारत और पाकिस्तान के बीच 'अमन की आशा' प्रबल होने लगी थी। कई सालों बाद पाकिस्तान की क्रिकेट टीम का भारत दौरा हुआ। दो टी-20 और तीन वनडे मैच खेले गए। कई पाकिस्तानी क्रिकेटर भारत आए। माहौल बदलने लगा था। लगा कि 26/11 के बाद भारत और पाकिस्तान के बीच बढ़ी कड़वाहट कम होने लगी है। इसी दौरान दोनों देशों के बीच वीजा नियमों को सरल बनाने पर सहमति बनी। उम्मीद जगी कि लोगों का आना-जाना बढ़ेगा तो रिश्तों में आई दूरियां कम होंगी। लेकिन 'अमन की आशा' को फिर से नजर लग गई है। इस हफ्ते खबर आई कि अपने देश के दो सैनिकों को पाकिस्तानियों ने बेरहमी से मार दिया। पाकिस्तानियों ने न केवल युद्धविराम का उल्लंघन किया बल्कि भारत के दो जवानों को बेरहमी से मारा, उनके शरीर के साथ पाशविक सलूक किया और एक जवान का सिर भी कथित तौर पर अपने साथ ले गए। पाकिस्तानियों की निर्ममता ने पूरे देश को झकझोरा है। सरकार के कड़े तेवर दिखे। विपक्षी पार्टियों ने भी इस नृशंस हत्या की निंदा की है। भाजपा तो राजनयिक रिश्तों के मौजूदा दौर पर सवाल उठा रही है। अन्ना हजारे ने तो यहां तक कह दिया कि पाकिस्तान के होश ठिकाने लगाने के लिए 'आर या पार' करने की जरूरत है। कुल मिलाकर अमन की बात तो दूर, अब बात हो रही है कि पाकिस्तान के साथ दूरियां फिर से कैसे बढ़ाई जाएं।

> *अन्ना हजारे ने तो यहां तक कह दिया कि पाकिस्तान के होश ठिकाने लगाने के लिए 'आर या पार' करने की जरूरत है।*

दूसरी तरफ पूरी घटना पर पाकिस्तान का वही रवैया कायम है कि वहां की सरकार या वहां की सेना का इस निंदनीय घटना से कोई लेना-देना नहीं है। पाकिस्तान का कहना है कि उसकी सेना ने एलओसी पर युद्धविराम का उल्लंघन नहीं किया है। उलटे पाकिस्तान ने कह दिया कि भारतीय सेना ने उसके जवान को छह जनवरी को मार गिराया। बयानबाजी के साथ-साथ, पाकिस्तान ने फल और सब्जी ले जा रहे भारतीय ट्रकों को सीमा पर रोक दिया। और पाकिस्तान अधिकृत कश्मीर व जम्मू कश्मीर के बीच चलने वाली कारवां-ए-अमन बस सेवा को भी स्थगित कर दिया है। पाकिस्तान के इस रवैए से पूरा देश गुस्से में है। सारे सबूतों के बावजूद पाकिस्तान अब

तक मना करता आ रहा है कि 26/11 को मुंबई में हुए आतंकी हमले में पाकिस्तानियों का कोई हाथ था। पाकिस्तान यह मानने के लिए तैयार नहीं है कि आतंकवादियों के सरगना हाफिज सईद का मुंबई हमले में कोई हाथ है। पाकिस्तान यह भी मानने के लिए तैयार नहीं है कि मुंबई हमले में शामिल आतंकवादियों को ट्रेनिंग पाकिस्तान में दी गई और पूरे हमले को उसी की जमीन पर स्थित कंट्रोल रूम से नियंत्रित किया गया। पाकिस्तान के इसी रवैए से पूरा देश खफा है। वायुसेना चीफ ने तो इतना तक कह दिया है कि पाकिस्तान इसी तरह से सारे नियमों की धज्जियां उड़ाता रहा तो हमें सारे 'ऑप्शन' पर विचार करना होगा।

पाकिस्तान यह मानने के लिए तैयार नहीं है कि आतंकवादियों के सरगना हाफिज सईद का मुंबई हमले में कोई हाथ है।

सवाल है कि किस-किस 'ऑप्शन' पर विचार हो सकता है? क्या करगिल जैसे हालात फिर से पैदा हो सकते हैं? क्या भारत-पाकिस्तान के बीच बातचीत के सारे रास्ते फिर से बंद हो रहे हैं? विपक्षी नेताओं की मांग है कि हमें इस्लामाबाद से राजनयिक को वापस बुला लेना चाहिए और पाकिस्तान के साथ सारे विश्वास बहाली के कदम (सीबीएम) उठाने बंद कर देने चाहिए।

कोई फैसला लेने से पहले हमें यह खयाल रखना चाहिए कि पाकिस्तान के शासन तंत्र की कई परतें है। बाहरी दुनिया के लिए शासन तंत्र के मुखिया वहां के राष्ट्रपति आसिफ अली जरदारी हैं। लेकिन पाकिस्तान में इस सिविलियन सरकार का शासन तंत्र पर पूरा कंट्रोल नहीं है। दूसरी परत के मुखिया पाकिस्तान के आर्मी चीफ जनरल अशफाक परवेज कयानी हैं। कयानी ने आज तक सिविलियन सरकार के कामकाज में दखल नहीं दिया है। लेकिन कयानी इसी साल सेवानिवृत्त होने वाले हैं। इतिहास गवाह है कि पाकिस्तान का कोई भी आर्मी चीफ आसानी से कुर्सी नहीं छोड़ता है। संभव है कि अपनी कुर्सी बचाने के लिए कयानी ऐसे हालात पैदा करने की कोशिश करें जिससे आर्मी की भूमिका बढ़ जाए। हो सकता है कि भारत के साथ ताजा विवाद एक सैन्य साजिश हो, जिसे कयानी की ओर से शह मिल रही हो और जिसका पता वहां की सिविलियन सरकार को भी न हो।

पाकिस्तान के शासन तंत्र में आर्मी और सिविलियन सरकार के अलावा एक ग्रुप की भी बड़ी भूमिका है, जिसे नॉन स्टेट एक्टर्स कहा जाता है। इस ग्रुप को चलाने और फैलाने का काम हाफिज सईद जैसे लोग करते हैं। इस ग्रुप की बेचैनी तब काफी बढ़ जाती है जब भारत-पाकिस्तान के बीच अमन-चैन का माहौल बनने लगता है। हाल में पाकिस्तान की क्रिकेट टीम के भारत दौरे के बाद इसी तरह का माहौल बनने लगा था, जो इस ग्रुप को नागवार गुजरा। हो सकता है कि माहौल को विषाक्त करने के पीछे इस ग्रुप का हाथ हो। खबर भी आई थी कि जिस इलाके में भारत के दो जवानों को बेरहमी से मारा गया वहां कुछ दिन पहले हाफिज सईद का दौरा हुआ था। इन्हीं इलाकों में हाफिज सईद के ट्रेनिंग कैंप भी चलते हैं।

पाकिस्तान के शासन तंत्र की ये तीनों परतें करीब-करीब स्वायत्त हैं। कई मामलों में ये तीनों तंत्र साथ-साथ काम करते हैं, लेकिन कई ऐसे मामले भी हैं जहां इन तीनों में मतभेद हो जाता है। हमारे लिए फिलहाल यह जानना सबसे जरूरी है कि ताजा विवाद के पीछे किस तंत्र का हाथ है। और हमारी प्रतिक्रिया भी उसी हिसाब से होनी चाहिए।

इसमें कोई दो राय नहीं है कि पाकिस्तान भरोसेमंद पड़ोसी नहीं है।

इसमें कोई दो राय नहीं है कि पाकिस्तान भरोसेमंद पड़ोसी नहीं है। वहां की सरकार पर अगर भरोसा कर भी लिया जाए तो वहां की आर्मी और नॉन स्टेट एक्टर्स की हरकतें हमेशा संदेहास्पद रहती हैं। सरकार के वादों को वहां की आर्मी और नान स्टेट एक्टर्स मान लें, ऐसा होता नहीं है। पाकिस्तान में इसी साल चुनाव होने वाले हैं। ऐसे में वहां के सारे ग्रुपों में भारत विरोधी नारे लगाने की होड़ लगी है। इन हालात में हमारी सेना और हमारी सरकार को संयम से काम लेना होगा। जल्दबाजी में हम किसी ऐसे ऑप्शन का चुनाव न करें जिससे माहौल और बिगड़ जाए। पाकिस्तान ऐसा नासूर है जिसका इलाज ऑपरेशन नहीं है। उसे मरहम-पट्टी के साथ एंटीबायोटिक के बूस्टर डोज की जरूरत है। हमें इन दोनों का इस्तेमाल करना चाहिए और सर्जरी से बचना चाहिए।

(राष्ट्रीय सहारा, 13 जनवरी, 2013)

85

अब टैक्स में कटौती की बारी

''डीजल और पेट्रोल की कीमत को बाजार भाव से एलाइन करने की बात हो रही है। अच्छी बात है। लेकिन क्या अब समय नहीं आ गया है कि इस पर लगने वाले भारी-भरकम टैक्स में कटौती हो? डीजल और पेट्रोल पर फिलहाल 30 से 50 परसेंट तक टैक्स लगते हैं। क्या इसे तत्काल कम करने की जरूरत नहीं है? आने वाले समय में बात इस पर भी होगी। तेल कंपनियों का घाटा खत्म करने के बाद अपने हिस्से के टैक्स में कमी के लिए सरकार को तैयार रहना चाहिए।''

पिछले छह महीने में आर्थिक मोर्चे पर कई बड़े फैसले लिए गए हैं। खुदरा कारोबार में विदेशी निवेश को इजाजत मिली तो काफी हंगामा हुआ, संसद में वोटिंग भी हुई। इस मसले पर सरकार गिरने तक की आशंका जताई जाने लगी थी। सरकार बची और उसी सरकार ने उससे भी बड़ा फैसला लिया है। ताजा फैसला है- डीजल की कीमत को बाजार पर छोड़ने का फैसला। प्लान के मुताबिक सरकारी तेल कंपनियां अगले 18 महीने तक प्रतिमाह डीजल की कीमत 50 पैसे प्रति लीटर की दर से बढ़ाएंगी। 18 महीने के बाद सरकारी तेल कंपनियों को डीजल बेचने पर कोई घाटा नहीं हो रहा होगा। इस फॉर्मूले की पहली किस्त हमें मिल चुकी है। सरकारी तेल कंपनियों ने डीजल के दाम बृहस्पतिवार को बढ़ा दिए। साथ ही यह भी फैसला हुआ है कि बड़ी मात्रा में जो डीजल खरीदते हैं, उन्हें इसके लिए बाजार भाव से कीमत चुकानी होगी। मतलब यह कि रेलवे को या फिर हाउसिंग सोसायटी में चलने वाले जेनरेटर्स में लगने वाले डीजल के लिए अब करीब 10 रुपये ज्यादा लेने होंगे।

इस फॉर्मूले की पहली किस्त हमें मिल चुकी है।

इतने बड़े फैसले का विरोध होना ही था और वह हो रहा है। यूपीए की सहयोगी डीएमके और सरकार को बाहर से समर्थन दे रही बहुजन समाज पार्टी ने इस फैसले को जनविरोधी बताया और सरकार को इसे वापस लेने को कहा है। बीजेपी और सीपीएम की तरफ से भी इसी तरह के बयान आए। मेरे ख्याल से न सरकार इस फैसले को वापस लेगी और न ही पार्टी बयानबाजी के आगे कुछ करेगी। हां, एक खतरा मुझे दिख रहा है- जिस तरह रियायती एलपीजी सिलेंडर के कोटे को छह से बढ़ाकर नौ कर दिया गया है, उसी तरह आम चुनाव से कुछ पहले सरकारी तेल कंपनियों को चुपके से यह निर्देश दे दिया जाएगा कि डीजल की कीमत बढ़ाने का सिलसिला कुछ महीनों के लिए होल्ड पर डाल दिया जाए।

पेट्रोल और डीजल की कीमत को बाजार पर छोड़ने का फैसला 2010 में ही लिया गया। पेट्रोल के मामले में कुछ हद तक इसे अमल में भी लाया गया।

पेट्रोल और डीजल की कीमत को बाजार पर छोड़ने का फैसला 2010 में ही लिया गया। पेट्रोल के मामले में कुछ हद तक इसे अमल में भी लाया गया।

लेकिन डीजल के बारे में फैसले को ठंडे बस्ते में डाल दिया गया। तर्क दिया गया कि डीजल की कीमत बढ़ाने से महंगाई बढ़ती है और किसानों को नुकसान होता है।

इस तरह के खतरे तो अब भी हैं। फिर अभी यह फैसला क्यों लिया गया? मेरे ख्याल से इसकी बड़ी वजह यह है कि कांग्रेस के बड़े नेताओं को अब लगने लगा है कि अच्छे अर्थशास्त्र को अच्छी राजनीति का जरिया बनाया जा सकता है।

इस तरह के खतरे तो अब भी हैं। फिर अभी यह फैसला क्यों लिया गया?

कांग्रेस के नेताओं का यह अनुमान है कि अच्छे आर्थिक फैसलों को लागू करने से विकास की दर बढ़ेगी, लोगों की आमदनी बढ़ेगी और फिर लोग फिलहाल होने वाली दिक्कतों को भूल जाएंगे।

अब सवाल उठता है कि क्या डीजल की कीमत बढ़ाना अच्छा अर्थशास्त्र है? इसे समझने से पहले बाजार की प्रतिक्रिया देख लेते हैं। जिस दिन यह फैसला लिया गया, उसके दूसरे दिन यानी शुक्रवार को डॉलर के मुकाबले रुपया करीब सवा परसेंट मजबूत हुआ। इसका मतलब यह हुआ कि इस फैसले के बाद बाजार को लगा कि देश के व्यापार घाटे को, जो करीब-करीब खतरे की सीमा पार कर चुका था, वाकई काबू में लाया जा सकता है। रुपये की मजबूती से हमारी ढेर सारी दिक्कतें तो वैसे ही कम हो जाएंगी। अब जरा डीजल के अर्थशास्त्र को जान लेते हैं।

अभी तक डीजल पर भारी-भरकम सब्सिडी दी जाती रही है। सरकारी तेल कंपनियों की मानें तो हर लीटर डीजल बेचने से उन्हें करीब 10 रुपये का घाटा होता है। इस सब्सिडी के पीछे दलील यह है कि यह किसानों के काम आता है। लेकिन आंकड़े कुछ और कहते हैं। देश में डीजल की सबसे ज्यादा खपत ट्रक परिवहन में होती है। कुल डीजल खपत का 37 परसेंट ट्रकों में जलता है। इंडस्ट्री 10 परसेंट डीजल उपयोग करती है। पैसेंजर कार चलाने में 15 परसेंट डीजल की खपत होती है, जबकि खेती में महज 12 परसेंट की खपत होती है। ऐसे में किसानों के नाम पर महंगी गाड़ी रखने वालों को सब्सिडी देना कितना जायज है?

सरकारी तेल कंपनियों की मानें तो हर लीटर डीजल बेचने से उन्हें करीब 10 रुपये का घाटा होता है।

वैसे भी सब्सिडी का खर्च भी तो हमारी-आपकी जेब से ही जाता है। सब्सिडी बढ़ने से सरकार बाजार से कर्ज लेती है, जिसके ब्याज का बोझ हम पर पड़ता है। सरकार ज्यादा कर्ज लेती है तो ब्याज दर बढ़ती है, विकास की रफ्तार धीमी होती है; जिसका नुकसान भी हमें ही उठाना पड़ता है। यह भी देखा गया है कि किसी भी चीज की कीमत बढ़ती है तो उसकी मांग घटती है। अगर डीजल की कीमत बढ़ने से इसकी मांग में कमी आती है तो हमारा इंपोर्ट बिल कम होगा, व्यापार घाटा कम होगा और रुपये पर दबाव कम होगा। इसका फायदा भी हमें ही होगा। इसलिए विचार इस बात पर नहीं होना चाहिए कि बढ़ती कीमत को वापस कैसे किया जाए, बल्कि इस बात पर विचार हो कि डीजल की कीमत बढ़ने से किसान पर जो बोझ पड़ेगा, उसे कैसे कम किया जाए। मेरे खयाल से तुरंत कोई फॉर्मूला निकाल कर किसान को इस नुकसान की भरपाई के बराबर कैश ट्रांसफर कर दिया जाता है तो उसका फायदा होगा।

इस पूरे फैसले में मुझे एक ही चीज खटकती है। एलपीजी सिलेंडर की दो कीमतें करने से सरकार को कितना फायदा हो रहा है इसका पता नहीं, लेकिन कालाबाजारी करने वालों की चांदी हो गई है। ब्लैक मार्केट में ऐसे ही सिलेंडर धड़ल्ले से मिल रहे हैं। क्या सरकार इस पर रोक लगा पाएगी और क्या इससे सरकार को नुकसान नहीं हो रहा है? उसी तरह डीजल के लिए दो कीमत लागू करने की बात हो रही है। खुदरा ग्राहक को सब्सिडी वाला डीजल खरीदना होगा। क्या इससे कालाबाजारी नहीं बढ़ेगी? उससे होने वाले नुकसान की भरपाई कैसे होगी?

मेरे खयाल से तुरंत कोई फॉर्मूला निकाल कर किसान को इस नुकसान की भरपाई के बराबर कैश ट्रांसफर कर दिया जाता है तो उसका फायदा होगा।

डीजल और पेट्रोल की कीमत को बाजार भाव से एलाइन करने की बात हो रही है। अच्छी बात है। लेकिन क्या अब समय नहीं आ गया है कि इस पर लगने वाले भारी-भरकम टैक्स में कटौती हो? डीजल और पेट्रोल पर फिलहाल 30 से 50 परसेंट तक टैक्स लगते हैं। क्या इसे तत्काल कम करने की जरूरत नहीं है? पेट्रोलियम कीमतों की सुधार प्रक्रिया में यह भी जरूरी है।

हर कमाने वाला आयकर देता है, बाजार से टूथपेस्ट से लेकर दवा तक जो कुछ भी सामान खरीदता है, उस पर तमाम तरह के टैक्स और सर्विस टैक्स भी देता है। सरकार तेल कंपनियों की जान बचाना चाहती है, ठीक बात है। लेकिन इन्हें उसे भरपूर मुनाफे का जरिया नहीं बनाना चाहिए। पहले ही तरह-तरह के प्रत्यक्ष-अप्रत्यक्ष टैक्स दे रहे लोगों की जान की सांसत नहीं बनना चाहिए। आने वाले समय में बात इस पर भी होगी। तेल कंपनियों का घाटा खत्म करने के बाद अपने हिस्से के टैक्स में कमी के लिए सरकार को तैयार रहना चाहिए।

(राष्ट्रीय सहारा, 20 जनवरी, 2013)

86

उम्मीदों का ओलंपिक

''मैं फिलहाल लंदन में हूं और यहां पहुंचे देशवासियों में आशावाद साफतौर पर देख सकता हूं। यह उम्मीद ओलंपिक में भारतीय खिलाड़ियों को पदक जीतने को लेकर है। भारतीय खिलाड़ियों को इस बार इतनी उम्मीद है कि बीजिंग ओलंपिक के तीन मेडल के अपने रिकॉर्ड को वे इस बार आसानी से तोड़ सकेंगे। अगर ऐसा होता है तो देश में खेलों के विकास को काफी बल मिलेगा।''

सबसे पहले मैं प्रणब दा को राष्ट्रपति भवन पहुंचने पर बधाई देना चाहता हूं। उनकी सादगी की चर्चा हो चुकी है। उनकी याददाश्त के बारे में लिखा जा चुका है। कांग्रेस के संकटमोचक के रूप में उनकी भूमिका जगजाहिर रही है। इन सबसे अलग उनकी एक खासियत जो मुझे बहुत पसंद है वो यह है कि उनके चाहने वाले हर पार्टी में हैं। यही वजह है कि उनके चुनाव में कई पुराने रिश्ते टूटे, कई नए समीकरण बने और कहीं-कहीं क्रॉस वोटिंग भी हुई। अगर यह माना जाए कि राष्ट्रपति को राजनीति से ऊपर रहना चाहिए तो मेरे खयाल से इस कसौटी पर प्रणब दा से अच्छा उम्मीदवार हमें नहीं मिल सकता था। चूंकि उनके प्रशंसक हर पार्टी में हैं इसलिए उन पर कभी भी पक्षपात का आरोप नहीं लग सकता है। और देश के प्रथम नागरिक से हम सबको यही उम्मीद है। प्रणब दा के राष्ट्रपति भवन पहुंचने से पूरा देश खुश है।

कांग्रेस के संकटमोचक के रूप में उनकी भूमिका जगजाहिर रही है।

एक दूसरी खुशी लंदन में हमारा इंतजार कर रही है। मैं फिलहाल लंदन में हूं और यहां पहुंचे देशवासियों में आशावाद को मैं साफ तौर पर देख सकता हूं। यह उम्मीद ओलंपिक में भारतीय खिलाड़ियों के पदक जीतने को लेकर है। 2008 से पहले ओलंपिक खेलों में पूरे देश की एक ही दिलचस्पी हुआ करती थी- क्या भारतीय हॉकी टीम इस बार पदक जीत पाएगी। भारतीय हॉकी टीम का ओलंपिक मेडल जीतने का इतिहास रहा है। हॉकी में हमारी टीम 1928 से 1956 तक अजेय रही और लगातार 6 गोल्ड मेडल जीते। इसमें से एक गोल्ड मेडल जर्मनी के तानाशाह शासक एडोल्फ हिटलर के सामने जर्मनी को बर्लिन में ही हराकर टीम ने जीती थी। वो मेजर ध्यानचंद का दौर था और हॉकी के जादूगर के स्वर्णिम काल ने दुनिया भर में अपने राष्ट्रीय खेल के क्षेत्र में हमारी पताका लहराया। आखिरी बार भारतीय हॉकी टीम ने मॉस्को ओलंपिक में 1980 में गोल्ड मेडल जीता था।

हॉकी को अगर छोड़ दिया जाए तो हर बार हमारे खिलाड़ी ओलंपिक में सिर्फ भाग लेने जाते थे। कभी कोई मिल्खा सिंह या कोई पी.टी. उषा अपने चमत्कारी प्रदर्शन के जरिए मेडल पाने के करीब पहुंचते तो थे लेकिन मेडल फिर भी हासिल नहीं होता था। ओलंपिक इतिहास में भारत की ओर से यही

दो ऐसे नाम हैं जो एक सेकेंड के सौवें भाग से मेडल चूक गए। इस दौरान हर बार ओलंपिक शुरू होने से पहले और उसके बाद एक ही बात पर सामूहिक दुख जाहिर किया जाता रहा कि सौ करोड़ से ज्यादा की आबादी वाले देश में क्या कोई ऐसा खिलाड़ी नहीं है जो देश के लिए कम से कम एक मेडल हासिल करे। हॉकी के अलावा कई सालों बाद हमें कांसे का मेडल लिएंडर पेस ने 1996 में अटलांटा ओलंपिक में टेनिस के लिए दिलाया।

अटलांटा गेम्स से पहले किसी को यह उम्मीद नहीं थी कि टेनिस की सिंगल्स स्पर्धा में किसी भारतीय खिलाड़ी को मेडल मिल सकता है। उस समय सिंगल्स में पेस को दुनिया में 126वीं वरीयता प्राप्त था। किसने सोचा होगा कि 126वीं वरीयता प्राप्त खिलाड़ी टॉप चार में अपनी जगह बनाकर देश को 44 साल के बाद किसी व्यक्तिगत स्पर्धा में मेडल दिलाएगा। ध्यान रहे कि आजाद भारत में व्यक्तिगत प्रतिस्पर्धा में पेस मेडल जीतने वाले दूसरे खिलाड़ी बने। इससे पहले 1952 में हेलसिंकी ओलंपिक में खाशाबा जाधव ने फ्रीस्टाइल कुश्ती में कांस्य पदक हासिल किया था।

आजाद भारत में व्यक्तिगत प्रतिस्पर्धा में पेस मेडल जीतने वाले दूसरे खिलाड़ी बने।

1952 से 1996 तक 10 ओलंपिक हुए लेकिन हमारे खिलाड़ियों की झोली खाली रही। 1996 के बाद 2000 के सिडनी ओलंपिक में भी हमें एक कांस्य पदक मिला। लेकिन 2004 के एथेंस ओलंपिक में हमारे खिलाड़ी एक सीढ़ी और चढ़े। वहां कर्नल राज्यवर्धन सिंह राठौर ने शूटिंग में पहली बार सिल्वर मेडल हासिल किया। 1996 से हर ओलंपिक में एक मेडल जीतने का सिलसिला शुरू हुआ। लेकिन 2008 के बीजिंग ओलंपिक में अभिनव बिंद्रा ने चमत्कार ही कर दिया। उन्होंने शूटिंग में गोल्ड मेडल हासिल कर 100 करोड़ से ज्यादा आबादी वाले हमारे देश को भरोसा दिलाया कि यहां के खिलाड़ी भी विश्व विजेता बन सकते हैं। बीजिंग में सुशील कुमार और बिजेंदर कुमार ने भी मेडल दिलाया। पहली बार मेडल तालिका में भारत के नाम तीन मेडल रहा।

पहली बार मेडल तालिका में भारत के नाम तीन मेडल रहा।

लेकिन बीजिंग के बाद हमारी महत्त्वाकांक्षा बढ़ी है। अंतरराष्ट्रीय मंच पर खिलाड़ियों का प्रदर्शन भी बेहतर हुआ है। बैंडमिंटन चैंपियन सायना नेहवाल

अगर अपनी पूरी क्षमता से खेलती हैं तो वो दुनिया के किसी भी खिलाड़ी को हरा सकतीं हैं। मुक्केबाज बिजेंदर कुमार बींजिग में जीते कांस्य पदक से संतुष्ट नहीं हुए और अब उनकी नजर गोल्ड पर है। उनमें क्षमता है और अंतरराष्ट्रीय मंचों पर उन्होंने बड़े-बड़े मुक्केबाजों को धूल चटाई है। उसी तरह सुशील कुमार की नजर भी गोल्ड मेडल हासिल करने पर है।

अभिनव बिंद्रा तो इतिहास दोहराने की कोशिश करेंगे ही। उनके साथ शूटिंग प्रतियोगिता में गगन नारंग और रंजन सोंढी जैसे धुरंधर खिलाड़ी भी होंगे। उम्मीद लगाई जा रही है कि अगर सब कुछ उम्मीद के मुताबिक हुआ तो अचरज ना हो कि शूटिंग में भारत को एक से ज्यादा गोल्ड मेडल मिल सकते हैं।

अभिनव बिंद्रा तो इतिहास दोहराने की कोशिश करेंगे ही। उनके साथ शूटिंग प्रतियोगिता में गगन नारंग और रंजन सोंढी जैसे धुरंधर खिलाड़ी भी होंगे।

लंदन में सबकी नजर दीपिका कुमारी पर भी होगी। 18 साल की यह रांची की तीरंदाज अपने खेल में पूरी दुनिया में नंबर वन हैं। उन्होंने अपने फॉर्म के अनुरूप निशाने लगाए तो तीरंदाजी में हमें वो गोल्ड मेडल दिला सकती हैं। साथ ही लिएंडर पेस फिर से कोई बड़ा उलटफेर कर सकते हैं। हालांकि अब वो सिंगल्स स्पर्धा में भाग नहीं लेते हैं लेकिन सानिया मिर्जा के साथ उनकी मिक्स्ड डबल्स की जोड़ी कोई भी चमत्कार करने का माद्दा रखती है।

तो क्या यह उम्मीद लगाई जाए कि लंदन ओलंपिक की मेडल तालिका में हमारे देश के नाम के सामने तीन से ज्यादा मेडल दर्ज होंगे? हमारी झोली में एक से ज्यादा गोल्ड मेडल भी होंगे? खेल के मैदानों की अपनी अनिश्चितता होती है। लेकिन फॉर्म की बात हो या फिर तैयारी की तो भारतीय खिलाड़ियों से इस बार इतनी उम्मीद है ही कि बीजिंग ओलंपिक के तीन मेडल के अपने रिकॉर्ड को वो इस बार आसानी से तोड़ सकेंगे। अगर ऐसा होता है तो देश में खेल के विकास को काफी बल मिलेगा। अपने देश में क्रिकेट और क्रिकेटरों को तो काफी सम्मान मिलता रहा है लेकिन दूसरे खेलों के अव्वल खिलाड़ी भी गुमनामी की जिंदगी ही जीते हैं। उम्मीद है कि लंदन ओलंपिक के बाद देश के लोगों का नजरिया दूसरे खेलों के प्रति बदलेगा।

(राष्ट्रीय सहारा, 29 जुलाई, 2012)

87

साइंस ने माना कण-कण में भगवान

''हमारी आध्यात्मिक परंपरा का केंद्रीय विचार ही है कि कण-कण में ईश्वर का निवास है। इसीलिए हम सबमें असीम संभावनाओं का वास है। हम सबमें असीम ऊर्जा का संचालन है। हम सभी एक ग्रैंड डिजाइन का हिस्सा हैं और हम सबमें दुनिया की सारी विविधता और सारी समानता एक साथ बसती है। यह आध्यात्म विज्ञान से इतर नहीं है बल्कि उसका एक्सटेंशन है। यही वजह है कि जहां विज्ञान की सीमा खत्म होती है आध्यात्म की बाउंड्री वहीं से शुरू होती है। हर महान आत्मा, कालजयी काम के पीछे एक चमत्कार होता है जिसकी परिकल्पना साइंस में नहीं है लेकिन आध्यात्म में उसे आत्मसात करने की क्षमता है।''

10 अरब डॉलर खर्च करके 6,000 वैज्ञानिकों ने दिन-रात की मेहनत के बाद यह दावा किया है कि सृष्टि की रचना में जिस जादुई कण ने बीज का काम किया उस तत्व हिग्स बोसोन यानी गॉड पार्टिकल के बहुत पास तक मानव सभ्यता पहुंच गई है। हिग्स बोसोन फील्ड का वर्णन करते हुए वाशिंगटन पोस्ट ने लिखा है कि यह ऐसा पानी है जिसमें पूरी सृष्टि तैरती है। यह सृष्टि के केंद्र में है और इसी की बदौलत दुनिया है।

आखिर हिग्स बोसोन है क्या। यह वही कण है जो प्रोटोन, इलेक्ट्रॉन और न्यूट्रॉन को दुनिया बनाने की ताकत देता है। माना जाता है कि इस कण के बिना इस सृष्टि में किसी चीज का वजूद ही नहीं हो सकता है। यह वह कण है जो हर चीज में भार प्रदान करता है और खुद लुप्त हो जाता है इसीलिए इसे ईश्वर कण कहा गया है। भार वो चीज है जो किसी चीज को अपने अंदर रख सकती है। अगर कुछ नहीं होगा तो फिर किसी चीज का अस्तित्व नहीं होगा, क्योंकि परमाणु उसके भीतर घूमते रहेंगे लेकिन भार के बिना जुड़ेंगे ही नहीं। हिग्स बोसोन उस अदृश्य शक्ति का मूर्त रूप है जो स्पेस में हर वस्तु को भार देता है। इसके बगैर हर चीज भागती रहेगी और कहीं टिकेगी ही नहीं। इसके बगैर ना तो किसी परमाणु का अस्तित्व है और ना ही जिंदगी के बारे में सोचा जा सकता है।

> *वाशिंगटन पोस्ट ने लिखा है कि यह ऐसा पानी है जिसमें पूरी सृष्टि तैरती है। यह सृष्टि के केंद्र में है और इसी की बदौलत दुनिया है।*

साइंस की दुनिया में गॉड पार्टिकल की परिकल्पना सबसे पहले 1964 में ब्रिटिश वैज्ञानिक पीटर हिग्स ने की थी। हिग्स बोसोन कण के नाम में हिग्स पीटर हिग्स के नाम से लिया गया है जबकि बोसोन भारतीय वैज्ञानिक सत्येंद्र नाथ बोस के नाम से रखा गया है। सत्येंद्र नाथ बोस ने बीसवीं शताब्दी के तीसरे दशक में महान वैज्ञानिक अल्बर्ट आइंस्टीन के साथ मिलकर बोस-आइंस्टीन स्टेटिस्टिक्स और बोस-आइंन्स्टीन कंडेन्सेट की थ्योरी दी थी। क्वांटम फिजिक्स के क्षेत्र में बोस के उम्दा काम के सम्मान में ईश्वर कण का नाम हिग्स बोसोन रखा गया है।

इस बड़ी खोज के बाद एक नई बहस छिड़ गई है। एक प्रतिष्ठित अखबार के एक ब्लॉग का शीर्षक है क्या हिग्स बोसोन की खोज नए धर्म को जन्म देगा? तर्क दिया गया है कि महान आत्माओं ने कई धर्म की शुरुआत की है। अब संभव है कि इस विचार (हिग्स बोसोन की उत्पत्ति का विचार) के इर्द-गिर्द एक धर्म खड़ा हो जाए। वैसे भी इस कण को ईश्वर कण का नाम दे ही दिया गया है। लेकिन मेरे खयाल से ईश्वर कण को समझने के लिए किसी नए धर्म की जरूरत नहीं है। हमारे अध्यात्म में इतनी गहराई है जिसमें हमें इस नई खोज के अनसुलझे पहलुओं का जवाब मिल सकता है।

हमारी आध्यात्मिक परंपरा का केंद्रीय विचार ही है कि कण-कण में ईश्वर का निवास है। इसीलिए हम सबमें असीम संभावनाओं का वास है। हम सबमें असीम ऊर्जा का संचालन है। हम सभी एक ग्रैंड डिजाइन का हिस्सा हैं और हम सबमें दुनिया की सारी विविधता और सारी समानता एक साथ बसती है। यह आध्यात्म विज्ञान से इतर नहीं है बल्कि उसका एक्सटेंशन है। यही वजह है कि जहां विज्ञान की सीमा खत्म होती है आध्यात्म की बाउंड्री वहीं से शुरू होती है। हर महान आत्मा, कालजयी काम के पीछे एक चमत्कार होता है जिसकी परिकल्पना साइंस में नहीं है लेकिन आध्यात्म में उसे आत्मसात करने की क्षमता है। अल्बर्ट आइंस्टीन और मैडम क्यूरी जैसी महान वैज्ञानिकों को भी आध्यात्म का ज्ञान था उसकी अनुभूति थी।

साइंस ने एक नई विधा की खोज की है जहां उसे आध्यात्मिक संवेदनाओं को समझने में मदद मिलेगी।

हिग्स बोसोन की खोज ने हमें बताया है कि आध्यात्म का मूल विचार कि कण, कण में भगवान (अलग-अलग धर्म के मानने वाले गुरु कहें, अल्ला कहें या ईशु) है का वैज्ञानिक आधार है। गॉड पार्टिकल वही कण है जो सृष्टि के मूल में है। मैं तो कहूंगा कि इस खोज के बाद साइंस ने एक नई विधा की खोज की है जहां उसे आध्यात्मिक संवेदनाओं को समझने में मदद मिलेगी। इस खोज के बाद साइंस को चमत्कार को समझने की संवेदना मिलेगी, सुपर नेचुरल पावर की सच्चाई में भरोसा जगेगा।

दरअसल साइंस और आध्यात्म में विरोधाभास नहीं है। ये दोनों एक सिक्के के दो पहलू हैं। साइंस से हमें रेशनल्टी मिलती है तो आध्यात्म मानवीय

भावनाओं से साक्षात्कार कराता है। साइंस हमें मशीन बनाना सिखाता है तो आध्यात्म हमें उस मशीन का सबकी भलाई के लिए इस्तेमाल करना सिखाता है। साइंस हमें मैं बनाता है तो आध्यात्म इस मैं को हम का हिस्सा बनाना सिखाता है। साइंस स्वार्थ है तो आध्यात्म परमार्थ है। इसीलिए हमें ऐसा साइंस चाहिए जिस पर आध्यात्म की चासनी चढ़ी हो।

अब पर्यावरण को ही ले लीजिए। हमें बिजली चाहिए, हमें सुंदर मकान चाहिए, बड़ी-बड़ी गाड़ियां चाहिए, विलासिता के सारे सामान चाहिए। साइंस ने हमारे लिए यह सब संभव बनाया है। हर बड़ी खोज एक महान प्रोडक्ट को जन्म देती है जो हमारी जिंदगी पर असर डालती है। यह सब विज्ञान की ही देन है। लेकिन इन सबके लिए हमें एक कीमत चुकानी पड़ती है। किसी बड़ी फैक्ट्री का परिणाम भोपाल हादसे के रूप में होता है तो किसी के कालजयी परमाणु शक्ति बनने की तमन्ना के बायप्रोडक्ट में चेर्नोबिल हादसा से रुबरू होना पड़ता है।

अध्यात्म हमारी लालच को अंकुश में रखने की प्रेरणा देता है, प्रकृति से प्यार करना सिखाता है, हमें मानवीय संवेदना देता है, हमें सभ्य बनाता है।

साइंस की अपनी सीमा है। इसका बस चले तो धरती का प्राइवेटाइजेशन हो जाए। साइंस अगर हमारी जिंदगी पर हावी हो जाए तो प्रकृति का कमोडिटीफिकेशन हो जाए। लेकिन इस सबको अध्यात्म बैलेंस करता है। अध्यात्म हमारी लालच को अंकुश में रखने की प्रेरणा देता है, प्रकृति से प्यार करना सिखाता है, हमें मानवीय संवेदना देता है, हमें सभ्य बनाता है।

प्रकृति से हमें प्यार तभी होगा, पर्यावरण बचाने की सुध हममें तभी आएगी जब हम यह मानने लगेंगे कि वाकई कण-कण में भगवान का वास होता है। पर्यावरण बचाना साइंस की मजबूरी है और सभ्यता की जरूरत। हिग्स बोसोन की खोज से हमें इसमें सहायता मिलेगी। आखिरकार साइंस ने भी यह मान लिया है कि हमारी जिंदगी में आध्यात्म की क्या महत्ता है।

(राष्ट्रीय सहारा, 8 जुलाई, 2012)

88

निज भाषा उन्नति अहै...

''हिन्दी, हिन्दू, हिन्दुस्तान का नारा बहुत पुराना है, इसका मूल मंतव्य यह था कि हिन्दी देश की भाषा है, या बने और हिन्दू का मतलब सात्विक जीवन पद्धति से और हिन्दुस्तान के सभी लोगों को समान अधिकार प्राप्त करने से था। लेकिन आजादी के बाद भाषायी तुष्टीकरण की नीति को हमारे ही जनप्रतिनिधियों ने हवा दी। सरदार वल्लभ भाई पटेल ने भौगोलिक रूप से तो भारत को एक सूत्र में बांध दिया लेकिन भाषायी एकता की आज भी दरकार है। व्यक्तिगत रूप से जब भी हिन्दी की महत्ता बढ़ती दिखती है, तो मुझे बेहद खुशी होती है।''

पिछले सप्ताह जब मैंने यह खबर पढ़ी कि भारत के आम लोग हिन्दी में भी पासपोर्ट के लिए आवेदन कर सकते हैं, और उन्हें प्राथमिकता दी जाएगी तो मुझे बहुत ही सुखद अनुभूति हुई। कहने के लिए हिन्दी हमारी राजभाषा है, लेकिन एक बात जो मुझे आज तक समझ नहीं आई कि लगभग सभी सरकारी दफ्तरों में एक राजभाषा अधिकारी नियुक्त करने का क्या औचित्य है? जबकि होना इसके उल्टा चाहिए। हरेक दफ्तर में एक अंग्रेजी अधिकारी नियुक्त होना चाहिए जिससे किसी विशेष सामग्री का अनुवाद करने में उसकी सहायता ली जा सके। लेकिन इस पद के सृजन की गहरी पड़ताल करने पर पता लगता है कि जब अंग्रेजों का शासन था, तब हिन्दी मात्र कोरम पूरा करने की भाषा बनकर रह गई थी। हिन्दी, हिन्दू, हिन्दुस्तान का नारा बहुत पुराना है, इसका मूल मंतव्य यह था कि हिन्दी देश की भाषा है, या बने और हिन्दू का मतलब सात्विक जीवन पद्धति से था, और हिन्दुस्तान से सभी लोगों को समान अधिकार प्राप्त करने से, लेकिन आजादी के बाद भाषायी तुष्टीकरण की नीति को हमारे ही जनप्रतिनिधियों ने हवा दी। सरदार वल्लभ भाई पटेल ने भौगोलिक रूप से तो भारत को एक सूत्र में बांध दिया लेकिन भाषायी एकता की आज भी दरकार है। व्यक्तिगत रूप से जब भी हिन्दी की महत्ता बढ़ती दिखती है, तो मुझे बेहद खुशी होती है। शायद भारतेन्दु हरिश्चन्द्र ने हिन्दी की इसी दुर्दशा को महसूस करते हुए कहा था – ''निज भाषा उन्नति अहै, सब उन्नति को मूल। बिन निज भाषा-ज्ञान के, मिटत न हिय को सूल।।'' मैं या मेरे जैसे करोड़ों लोग जो ग्रामीण परिवेश से आते हैं, जब भी कोई प्रसंग उनके सामने अंग्रेजी में आता है, तो सबसे पहले उसे हिन्दी या अपनी मातृभाषा में समझने का प्रयास करते हैं, क्योंकि हमारे सोचने की जो क्षमता है, वो हमारी अपनी मातृभाषा में ही होती है। प्रसिद्ध पत्रकार मार्क टुली ने अपने एक लेख में हिन्दी को लेकर भारत की विडम्बना का उल्लेख किया है, जिसमें वो लिखते हैं कि एक देश के लिए इससे बड़ी त्रासदी और क्या हो सकती है कि उसकी जड़ों को गहराई से

> *हिन्दी हमारी राजभाषा है, सरकारी दफ्तरों में एक राजभाषा अधिकारी नियुक्त करने का क्या औचित्य है?*

समझने वाले लोग उसकी अभिव्यक्ति को अंग्रेजी में नहीं रख पाते और जो लोग हिन्दुस्तान को नहीं समझते वो उसकी बात बाहर के मंचों पर अंग्रेजी में पूरी दुनिया में रखते हैं। शायद इसीलिए महात्मा गांधी ने किसी भी देश के विकास में उसकी मातृभाषा की भूमिका को बेहद अहम माना था। उन्होंने किसी भाषा को राष्ट्रभाषा बनाने के लिए पांच बिंदुओं को रेखांकित किया था। पहला, सरकारी अधिकारी उसे आसानी से सीख सकें; दूसरा, समस्त भारत में धार्मिक और राजनीतिक प्रयोग के लिए पूरी तरह सक्षम हो; तीसरा, अधिकांश भारतवासियों द्वारा बोली जाती हो; चौथा, सारे देश को इसे सीखने में आसानी हो; तथा पांचवां, राष्ट्र भाषा के चुनाव के समय किसी वर्ग विशेष के क्षणिक हितों पर ध्यान न दिया जाए। उपरोक्त सभी बिंदुओं पर वह हिन्दी को खरा मानते थे। गांधी और उनसे सहमत राजनेताओं के प्रयासों का ही प्रतिफल था कि संविधान सभा ने हिन्दी को 24 सितम्बर, 1949 को राजभाषा का दर्जा दिया और 26 जनवरी, 1950 को जब संविधान लागू हुआ तब से देवनागरी लिखित हिन्दी देश की राजभाषा बनी। किसी देश के राष्ट्रीय प्रतीकों मसलन राष्ट्रीय ध्वज, राष्ट्रीय गान आदि की जो महत्ता होती है, उतनी ही महत्ता उसकी राजभाषा की भी होती है। किसी भी लोकतांत्रिक देश में भाषा जनता और उसके शासक के बीच में अवरोध के रूप में नहीं होनी चाहिए। अंग्रेजी शासन के दौर में यह भाषायी खाई स्पष्ट थी। जहां शासन की भाषा अंग्रेजी थी, वहीं जनता की भाषा हिन्दी या क्षेत्रीय भाषाएं थीं। लेकिन उच्च पदों पर बैठे व्यक्ति जब अंग्रेजी में बोलते हैं, तो समाज भी उनका अनुकरण करने लगता है। लेकिन वर्तमान प्रधानमंत्री नरेन्द्र मोदी हिन्दी में बोलते हैं, वो चाहे देश में हों या विदेश के किसी मंच पर। इसका हमारे जनमानस पर बहुत गहरा प्रभाव पड़ा है। राष्ट्रभाषा को और प्रभावशाली बनाने के लिए जरूरी है कि हमारे जनप्रतिनिधि, जो देश की 125 करोड़ जनता का प्रतिनिधित्व करते हैं, हिन्दी को अपनी बोलचाल और कामकाज में प्रमुखता दें।

किसी देश के राष्ट्रीय प्रतीकों मसलन राष्ट्रीय ध्वज, राष्ट्रीय गान आदि की जो महत्ता होती है, उतनी ही महत्ता उसकी राजभाषा की भी होती है।

अगर उनके द्वारा यह प्रयास शुरू किया गया, जैसा कि प्रधानमंत्री ने किया है, तो निश्चित रूप से हिन्दी मजबूती से उभरेगी। हमारे देश में कहीं न कहीं गुलामी से गुजरे हुए वक्त का प्रभाव बहुत गहरे में दिखता है। अगर शहर का आदमी गांव जाकर चार लाइन अंग्रेजी बोलता है, तो उसे सहज ही पढ़ा-लिखा आदमी मान लिया जाता है।

आजादी के सत्तर साल बाद भी अपनी राष्ट्र भाषा को हम वो मजबूती नहीं दे पाए हैं, जो देनी चाहिए थी।

बड़े बुजुर्ग कहते हैं कि आजादी के पहले जब अंग्रेज गांवों में आते थे तो उन्हें देखने के लिए लोगों की भीड़ लग जाती थी, और लोगों की इच्छा होती थी कि वो कुछ अंग्रेजी में बोलें और वे सुनें। कहीं न कहीं इसके पीछे गुलामी की हमारी लंबी मानसिकता का बड़ा योगदान है। आजादी के सत्तर साल बाद भी अपनी राष्ट्र भाषा को हम वो मजबूती नहीं दे पाए हैं, जो देनी चाहिए थी। अब यह जरूरी है कि हम हिन्दी का इस्तेमाल उसी तरीके से करें जैसे एक फ्रेंच अपनी भाषा का करता है। वो अंग्रेजी जानने के बावजूद तभी उसका इस्तेमाल करता है, जब उसे लगता है कि इसके इस्तेमाल के बिना उसका काम नहीं चलेगा। इसके बावजूद फ्रांस और इंग्लैंड की दूरी हमारे दो बड़े शहरों से ज्यादा नहीं है। और यह बात मैं अपने निजी अनुभव के बतौर बता रहा हूं। मैं जब भी फ्रांस गया और वहां लोगों से कुछ पूछने की जरूरत पड़ी तो उन्हें फ्रेंच भाषा में ही बोलते देखा। और मुझे संवाद में बेहद असुविधा का सामना करना पड़ा। ठीक इसी तरह जब जापान, फ्रांस या रूस के राष्ट्राध्यक्ष भारत आते हैं, तो सबके सब अपनी-अपनी राष्ट्र भाषा में बात करते हैं। सिर्फ हमारा ही देश ऐसा है, जहां के राष्ट्रपति और प्रधानमंत्री जब दूसरे देशों में जाते हैं, तो अपना वक्तव्य अंग्रेजी भाषा में रखते हैं। मुझे लगता है कि हिन्दुस्तान के जनप्रतिनिधियों को अपने अंदर यह साहस पैदा करना चाहिए कि जब वो दूसरे देशों की यात्रा पर जाएं तो अपने संवाद की भाषा हिन्दी रखें और हिन्दी में ही बात करें।

(राष्ट्रीय सहारा, 30 अप्रैल, 2017)

89

फैसले से मानवीय गरिमा बहाल

''दीपक मिश्रा की अगुवाई वाली बेंच ने कहा, ''इस हिंसक दुर्घटना ने सामूहिक चेतना को झकझोरा है।' उनका पूरा वाक्य यह दिखाता है कि कैसे चार लोगों ने दरिंदगी की सारी सीमाओं को तोड़ डाला। न्यायमूर्ति का कहना था,'' जिस तरह की दरिंदगी वाली मानसिकता दोषियों ने दिखाई है, वह स्तब्धकारी, चौंकाने वाली और सदमे की सुनामी की तरह है, जिसने संभ्रांत समाज की चेतना को ऊपर से नीचे तक झकझोर दिया। पीठ ने कहा,''हाईकोर्ट के फैसले में दखल देने की जरूरत नहीं है। इन चारों दोषियों को फांसी ही होनी चाहिए।''

16 दिसम्बर 2012 को दिल्ली के वसंत विहार इलाके में मानवता को झकझोर देने वाली घटना ने पूरे देश के हर एक इंसान के मन में यह सवाल खड़ा कर दिया कि कोई व्यक्ति इतना क्रूर, नरभक्षी और पैशाचिक वृत्ति का कैसे हो सकता है? मानवता को झकझोर देने वाली इस घटना ने सभी के मन में सवाल पैदा किया कि कोई भी व्यक्ति या कोई भी समाज अपनी सभ्यता की सीढ़ियों से गिरते हुए इतने रसातल तक कैसे पहुंच सकता है? लिहाजा, देखते ही देखते निर्भया एक आंदोलन बन गई। पूरी दिल्ली में जिस तरह लोग सड़कों पर उतरे वैसा आंदोलन शायद इससे पहले कभी नहीं हुआ था। इस पर बहुत कुछ लिखा गया, बहुत कुछ बोला भी गया। लेकिन सबके मन में एक ही बात थी कि निर्भया को न्याय मिलना चाहिए। उसके गुनहगारों को फांसी की सजा मिलनी चाहिए।

इस तरह के मसले हल करने के लिए कानून पहले से हैं। तमाम अदालतों के फैसलों की एक लम्बी फेहरिस्त है। और जब यह मामला पुलिस की कार्रवाई से होता हुआ अदालत पहुंचा तो इस पर बहस हुई और सुनवाई भी। इन चारों अपराधियों के लिए शायद ही ऐसा कोई व्यक्ति हो जिसके मन में ख्याल न आया हो कि इन सबको मृत्युदंड दिया जाना चाहिए। इन दोषियों को दिल्ली हाईकोर्ट ने 13 मार्च, 2015 को फांसी की सजा सुनाई। इस फैसले को चुनौती देते हुए अभियुक्तों ने 2 जून, 2016 को सुप्रीम कोर्ट में याचिका दाखिल की थी। लेकिन सुप्रीम कोर्ट ने चारों अभियुक्तों को हाईकोर्ट की तरफ से दी गई फांसी की सजा बहाल रखी। सुप्रीम कोर्ट का इस मामले में दिया गया फैसला मानवता की गरिमा बढ़ाने वाला है। मैं अपने हृदय की गहराइयों से जस्टिस दीपक मिश्रा, जस्टिस अशोक भूषण और जस्टिस आर भानुमति को धन्यवाद देता हूं। जिस तरह जस्टिस दीपक मिश्रा की अगुवाई वाली बेंच ने कहा, ''इस हिंसक दुर्घटना ने सामूहिक चेतना को झकझोरा है।'' उनका पूरा वाक्य यह दिखाता है कि कैसे इन चार लोगों ने दरिंदगी की सारी सीमाओं को तोड़ डाला। न्यायमूर्ति का कहना था,'' जिस तरह की दरिंदगी वाली मानसिकता इन दोषियों ने दिखाई है,

कोई भी व्यक्ति या कोई भी समाज अपनी सभ्यता की सीढ़ियों से गिरते हुए इतने रसातल तक कैसे पहुंच सकता है?

वह स्तब्धकारी, चौंकाने वाली और सदमे की सुनामी की तरह है, जिसने संभ्रांत समाज की चेतना को ऊपर से नीचे तक झकझोर दिया।'' पीठ ने कहा, ''हाईकोर्ट के फैसले में दखल देने की जरूरत नहीं है। इन चारों दोषियों को फांसी ही होनी चाहिए।'' और फिर न्यायालय ने इन चारों दोषियों की अपील खारिज कर दी।

वहीं जस्टिस आर भानुमति ने अपने फैसले में लिखा है कि इस घटना के बाद दिल्ली समेत देश के समस्त शहरों और स्थानों पर एक अलग तरह की चेतना पैदा हुई, और इस घटना से देश से लेकर विदेश तक लोगों के मन में एक नई चेतना पैदा हुई। दिल्ली में जिस तरीके से लोग सड़कों पर उतर आए, वह बंद आंखों को खोलने वाली घटना थी। महिलाओं के खिलाफ अपराध बंद हो और उनका आदर किया जाए, इसके लिए आम लोगों को संवेदनशील बनाने की जरूरत है। और जेंडर जस्टिस की लड़ाई तभी जीती जा सकती है, जब आम लोगों को संवेदनशील बनाया जाएगा। उम्मीद की जाती है कि यह घटना लोगों को रास्ता दिखाएगी। और इस तरह की मानसिकता रखने वाले लोगों को एक तगड़ा संदेश जाएगा। आखिर में सुप्रीम कोर्ट के इस निर्णय के बाद इस बात की भी पड़ताल होनी चाहिए कि इस तरह की मानसिकता वाले लोग हमारे ही समाज में रहते हैं, हमारे बीच ही रहते हैं, उनको हम क्यों पहचान नहीं पाते? इस तरह की बीमारी या इस तरह की मानसिकता कैंसर से भी ज्यादा खतरनाक है। आचार्य रजनीश ने कामवासना पर एक प्रवचन में बोलते हुए कहा था कि ''मैं एक गांव से गुजर रहा था, वहां कुछ विचारक साधु-संत मिलकर अश्लील पोस्टर विरोधी एक सम्मेलन कर रहे थे। उनका ख्याल था कि जो अश्लील पोस्टर दीवार पर लगते हैं, इस वजह से लोग कामवासना से परेशान रहते हैं।'' इस पर आचार्य रजनीश ने कहा था कि ''मेरा सोचना तो बिल्कुल उलट है। लोग कामवासना से पीड़ित हैं, इसलिए इस तरह के पोस्टरों में मजे लेते हैं। अगर उनके अंदर कामवासना दबी नहीं होगी तो इन पोस्टरों में किसको मजा आएगा। पोस्टर देखने वही जा रहा है जो स्त्री और पुरुष

दिल्ली में जिस तरीके से लोग सड़कों पर उतर आए, वह बंद आंखों को खोलने वाली घटना थी।

के शरीर को अभी तक देख नहीं पाया है। शरीर की सहजता का अनुभव नहीं कर पाया है। पोस्टर इन्हीं गुरुओं की कृपा से लग रहे हैं, क्योंकि ये स्त्री-पुरुष को मिलने जुलने नहीं देते। इसी का विकृत रूप है कि कोई गंदी किताबें पढ़ रहा है, कोई गंदी तस्वीरें देख-दिखा रहा है, कोई गंदी फिल्में बना रहा है।'' और जिस तरीके से पूरी दुनिया में पोर्नोग्राफी का व्यवसाय ट्रिलियन डॉलर का बन चुका है, वह सिर्फ इसलिए है कि हिंदुस्तान हो या अमेरिका या यूरोप, कामवासना आम आदमी के जीवन में सबसे बड़ा फैक्टर है, जिसको सहजता से देखना, सहजता से स्वीकार करना कम से कम हमारे देश में संभव नहीं हो पाया है।

अगर उनके अंदर कामवासना दबी नहीं होगी तो इन पोस्टरों में किसको मजा आएगा।

पिछले दिनों मैंने अखबार में पढ़ा था कि जितने लोग अपने देश में आतंकवादी घटनाओं में नहीं मरते, उससे ज्यादा प्रेम प्रसंगों के कारण चलने वाले विवादों में अपनी जान गंवा बैठते हैं। समाज में इस तरह की गहरे में दबी विकृत कामवासना से मुक्ति तभी पाई जा सकती है, जब स्त्री और पुरुष के बीच हमने जो एक बड़ी दीवार खड़ी कर रखी है, उसे गिराया जाए। हमारे मन में कहीं न कहीं यह संदेह चौबीसों घंटे रहता है कि स्त्री-पुरुष के मिलन की घटना पाप को जन्म देगी। सही अर्थों में पाप वहीं से शुरू होता है, जब हम यह दीवार बनाते हैं। जिस क्षण हम सब यह दीवार गिराने के लिए सहमत हो जाएंगे, उसी क्षण स्वतः एक सहज स्फूर्त समाज का जन्म होगा जहां सहज भाव से स्त्री-पुरुष अपने बीच के फासले मिटाएंगे, और तब इसके गहरे परिणाम होंगे। समाज की अश्लीलता, गंदा साहित्य, गंदी फिल्में, बेहूदी वृत्तियां अपने आप गिर जाएंगी। शायद तब एक स्वस्थ मनुष्य का जन्म हो सकेगा।

(राष्ट्रीय सहारा, 7 मई, 2017)

90

अभी तो 'कारनामा' ही बोल रहा है

''जिस समाजवादी पार्टी की सरकार के बारे में खुद प्रधानमंत्री नरेन्द्र मोदी कहा करते थे कि समाजवादी गुंडे थाने चला रहे हैं, आज बीजेपी सरकार में तस्वीर अलग नहीं है। ये उदाहरण उसी सवाल को खुद प्रधानमंत्री मोदी और मुख्यमंत्री योगी से पलट कर पूछ रहे हैं कि आज थाने को किनके गुंडे हांक रहे हैं? अगर स्थिति नहीं बदली है, तो दोष किनका है? अगर योगी दोषी नहीं हैं, तो अखिलेश कैसे दोषी थे? राजनीति की भाषा भी अलग होती है। हो सकता है सुनने को मिले कि दोष न अखिलेश का था, न योगी का है। दोष तो जनता का है जो लड़ती-भिड़ती रहती है।''

आचार्य चाणक्य ने कहा था कि जब राजा न्याय प्रिय हो और राज्य में अराजक तत्वों के मन में दंड का भय हो तो वह राज्य दिन ब दिन उन्नति के मार्ग पर जाता है। लेकिन अगर राज्य में अराजकता का बोलबाला हो तो वह निकट भविष्य में ही अपने अंत को प्राप्त कर लेता है। प्रधानमंत्री नरेन्द्र मोदी ने योगी आदित्यनाथ को उत्तर प्रदेश का मुख्यमंत्री नियुक्त करते वक्त ये जरूर उम्मीद लगाई होगी कि गेरुआ वस्त्र धारण करने वाले, ईमानदारी से जीवन व्यतीत करने वाले, बेहतर जीवन पद्धति को अपनाकर अपना जीवन जीने वाले योगी उत्तर प्रदेश में भाजपा के सुशासन के नारे को पूर्ण रूप से स्थापित करेंगे। लेकिन जिस तरीके से पिछले दो महीनों में अपराध की सारी घटनाओं ने लोगों के मन में भय का माहौल पैदा किया है, इससे पूरे प्रदेश की पूरी जनता मायूस और दुखी है।

प्रधानमंत्री मोदी की वह बात आज भी लोगों के कानों में गूंजती रहती है, जिसमें वे यूपी में विधान सभा चुनाव के दौरान दोहराया करते थे कि अखिलेश सरकार में ''काम नहीं, कारनामे बोलते'' हैं। वह उदाहरण भी सबके जेहन में जिंदा है, जिनमें मोदी जी ने कहा था, ''यहां अंधेरा होते ही लोग-बाग अपनी मां-बेटियों को सड़क पर निकलने देने से डरते हैं'', तो सभा में ही उन्हें टोक कर एक बुजुर्ग ने कहा था कि ''नहीं, यह सच नहीं है। सच तो यह है कि दिन के उजाले में भी डर लगता है।'' जिस कानून व्यवस्था को मुद्दा बना कर भारतीय जनता पार्टी प्रदेश में सत्ता में आई थी, अब उसी कानून व्यवस्था को लेकर बुरी तरह घिर गई है। योगी सरकार के शपथ ग्रहण के फौरन बाद एंटी रोमियो अभियान लेकर जो प्रदेश पुलिस सत्ता की मंशा को सफल बनाने के लिए सड़कों पर उतर आई थी, वह अपराधों पर नियंत्रण रखने में असफल साबित हो गई।

राज्य में अराजक तत्वों के मन में दंड का भय हो तो वह राज्य दिन ब दिन उन्नति के मार्ग पर जाता है।

कानून व्यवस्था को लेकर सरकार किरकिरी झेल रही है। सहारनपुर में जातीय हिंसा का तांडव रुका भी नहीं था कि मथुरा में सर्राफा व्यापारियों की हत्या और लूट ने सरकार को हिला कर रख दिया। सरकार इन मामलों पर कार्रवाई कर मरहम रखने की कोशिशों में जुटी ही थी कि दिल्ली से सटे प्रदेश के जेवर हाइवे कांड ने रही-सही कसर पूरी कर दी। सहारनपुर में 5 मई

को जातीय दंगे भड़के थे। तब से अब तक इस हिंसा में कई लोगों की मौत हो चुकी है। विपक्ष के हमलों और छवि सुधारने के दबाव में आखिरकार, हिंसा के करीब बीस दिन बाद सरकार ने यहां के डीएम और एसएसपी को निलंबित कर दिया। कमिश्नर और डीआईजी भी हटा दिए गए।

इससे पहले मथुरा में दो सर्राफा व्यापारियों की सनसनीखेज हत्या और लूट मामले में भी सरकार ने कुछ पुलिसकर्मियों को निलंबित कर अपराधों पर जीरो टॉलरेंस का संदेश देने की कोशिश की थी। लेकिन यह इतना आसान नहीं है। सहारनपुर अब भी सुलग रहा है। राजनीतिक रोटियां सेंकी जा रही हैं। मायावती सहारनपुर के शब्बीरपुर गांव का दौरा कर चुकी हैं, जहां दंगे की शुरुआत हुई थी। उनके लौटने के बाद दंगे फिर भड़क उठे। कांग्रेस के कई नेता यहां जाकर अपनी राजनीतिक औपचारिकता पूरी करने की कोशिश में हैं। इनमें राहुल गांधी भी शामिल हैं। लेकिन मायावती के दौरे से परेशानी में पड़ी सरकार के बाद अब यहां नेताओं के प्रवेश पर प्रशासनिक रोक लग गई है। कांग्रेस का दावा है कि योगी सरकार बनने के बाद से अब तक प्रदेश में 75 से ज्यादा हत्याएं और 100 से ज्यादा लूट की वारदात हो चुकी हैं। मायावती और अखिलेश यादव इन घटनाओं को राज्य में कानून व्यवस्था के मद्देनजर सरकार पर धब्बा बता रहे हैं।

मायावती और अखिलेश यादव इन घटनाओं को राज्य में कानून व्यवस्था के मद्देनजर सरकार पर धब्बा बता रहे हैं।

दिल्ली से सटे उत्तर प्रदेश के जेवर की घटना से पूरे प्रदेश में सनसनी फैल गई। इस घटना ने सपा सरकार के दौरान बुलंदशहर हाइवे पर हुई लूट और बलात्कार की उस घटना को ताजा कर दिया, जिस पर भाजपा ने काफी हंगामा किया था और चुनाव में मुद्दा बनाया था। मुख्यमंत्री योगी ने कहा है कि उन्हें जंगल राज विरासत में मिला था, इसे दुरुस्त होने में थोड़ा समय लगेगा। लेकिन उपमुख्यमंत्री दिनेश शर्मा ने प्रदेश में ध्वस्त कानून व्यवस्था का ठीकरा विपक्ष के सिर ही फोड़ा है। उन्होंने कहा, ''यह पराजित और हताश विपक्ष के साथ असामाजिक तत्वों की साजिश है, जिन्हें अपने अस्तित्व पर खतरा नजर आ रहा है। सरकार इन्हें चिह्नित कर रही है, और कुछ दिन में सारे आंकड़े सामने आने वाले हैं।'' लेकिन सवाल सिर्फ अपराधियों का नहीं है। कानून व्यवस्था के सवाल पर खुद भाजपा और उसके सहयोगी संगठन

विवादों और आरोपों के घेरे में हैं। मुख्यमंत्री योगी के क्षेत्र गोरखपुर में भाजपा विधायक द्वारा महिला आईपीएस को सरेआम फटकारने और आईपीएस के आंसू पोंछने से लेकर उनकी फेसबुक की टिप्पणियां कई दिनों तक सुर्खियों में रहीं। फतेहपुर सीकरी थाने पर विश्व हिंदू परिषद और बजरंग दल कार्यकर्ताओं के हमले और पथराव ने भी सरकार को कटघरे में खड़ा किया। यहां आरोप है कि विहिप कार्यकर्ताओं ने सीओ को थप्पड़ जड़ दिया और एक दारोगा की बाइक में आग लगा दी। हालांकि, सरकार ने पुलिस को कार्रवाई की छूट दी और कई लोगों पर मुकदमे दर्ज कर उन्हें जेल भेजा गया। इटावा की एक भाजपा विधायक के पुत्र सरकार बनते ही थानों का निरीक्षण करने और थानेदारों को हड़काते मिले। हाल में फतेहपुर में हिंदू युवा वाहिनी के सदस्य सिंचाई विभाग में जांच के नाम पर घुस गए और फाइलें लेकर हंगामा करने लगे। यहां कर्मचारियों ने वाहिनी वालों को बंधक बना लिया। बाद में पुलिस कार्रवाई हुई। मुरादाबाद में कार्यकर्ताओं के साथ कोतवाली पहुंचे भाजपा नगर अध्यक्ष ने न सिर्फ हंगामा किया बल्कि आरोप है कि थानेदार पर धारदार हथियार से हमला कर दिया। महोबा में एक महिला ग्राम विकास अधिकारी ने एक भाजपा कार्यकर्ता पर अपने बेडरूम में घुसने और धमकाने की शिकायत मंत्री तक से की। लेकिन मंत्री ने इसे कार्यकर्ताओं का अति उत्साह बता कर टाल दिया। इन हालात में अगर पुलिस का मनोबल गिरा हो, तो अचरज की बात नहीं है।

आरोप है कि विहिप कार्यकर्ताओं ने सीओ को थप्पड़ जड़ दिया।

जिस समाजवादी पार्टी की सरकार के बारे में खुद प्रधानमंत्री नरेन्द्र मोदी कहा करते थे कि समाजवादी गुंडे थाने चला रहे हैं, आज बीजेपी सरकार में तस्वीर अलग नहीं है। ये उदाहरण उसी सवाल को खुद प्रधानमंत्री मोदी और मुख्यमंत्री योगी से पलट कर पूछ रहे हैं कि आज थाने को किनके गुंडे हांक रहे हैं? अगर स्थिति नहीं बदली है, तो दोष किनका है? अगर योगी दोषी नहीं हैं, तो अखिलेश कैसे दोषी थे? राजनीति की भाषा भी अलग होती है। हो सकता है सुनने को मिले कि दोष न अखिलेश का था, न योगी का है। दोष तो जनता का है जो लड़ती-भिड़ती रहती है।

(राष्ट्रीय सहारा, 28 मई, 2017)

91

अमेरिका की चूक, हमारे लिए मौका

''पेरिस की भूमिका अचानक महत्त्वपूर्ण हो गयी। फ्रांस के युवा राष्ट्रपति इमैनुएल मैक्रों ने भारतीय प्रधानमंत्री नरेन्द्र मोदी का जिस गर्मजोशी से स्वागत किया, उस पर दुनिया की नजरें टिकी हैं। दरअसल, अमेरिका-इंग्लैंड से दूर होते यूरोपीय यूनियन को मजबूत नेतृत्व की तलाश है। अगर नेतृत्व शब्द को हटा भी लिया जाए, क्योंकि नस्लवाद आज भी जिन्दा है और गोरे देश किसी काले देश का नेतृत्व शायद ही स्वीकार करें - तो उभरते भारत के रूप में मजबूत साथी की यूरोपीय यूनियन को जरूरत है। यह बात प्रधानमंत्री नरेन्द्र मोदी भी बखूबी समझते हैं।''

जलवायु समझौते से हटना अमेरिका की भूल है या यह दुनिया के साथ किया जा रहा अमेरिका का अपराध? यह प्रश्न है उन सबके लिए जिन्हें इस फैसले के परिणाम की प्रतीक्षा है। लेकिन, फ्रांस के राष्ट्रपति इमैनुएल मैक्रों दूरदर्शी हैं और इसलिए उन्होंने इन दोनों प्रश्नों को प्रश्न के रूप में नहीं, बल्कि उत्तर के रूप में बताया है। इमैनुएल ने ट्रंप के फैसले को ''अमेरिका की भूल, दुनिया के लिए अपराध'' बताया है। जलवायु समझौते से डोनाल्ड ट्रंप के नेतृत्व में अमेरिका के जुदा होने का ऐलान दरअसल राष्ट्रवाद के नाम पर अंतरराष्ट्रीय प्रतिबद्धता से पीछे हटने का ऐलान है। यह ब्रिटेन की उस राष्ट्रवादी बेचैनी से आगे की कड़ी है, जिसकी जद में आकर ब्रिटेन ने यूरोपीय यूनियन को छोड़ने की घोषणा की थी और ऐसा करते हुए अपने प्रधानमंत्री कैमरन का इस्तीफा कबूल किया था जबकि डोनाल्ड ट्रंप 'अमेरिका के दुश्मन' मुसलमानों के खिलाफ विषवमन और ऐसे ही नारों से लेडी क्लिंटन पर बढ़त लेकर सबसे ताकतवर राष्ट्रपति बने।

राष्ट्रवाद अंतरराष्ट्रीय प्रतिबद्धता का दुश्मन हो, इस पर विश्वास करना आसान नहीं।

राष्ट्रवाद अंतरराष्ट्रीय प्रतिबद्धता का दुश्मन हो, इस पर विश्वास करना आसान नहीं। आसान इसलिए भी नहीं है, क्योंकि यह मान लेना कि अमेरिका के पूर्व राष्ट्रपति बराक ओबामा का राष्ट्रवाद अंतरराष्ट्रीय प्रतिबद्धता से कमतर था, इसे भी स्वीकार नहीं किया जा सकता। बहरहाल, दोनों में कोई एक सही और एक गलत या समय के हिसाब से दोनों सही या दोनों गलत हो सकते हैं। इतना तय है कि ओबामा के फैसले को अमेरिका और अमेरिकियों के विरोध में बताते हुए ही डोनाल्ड ट्रंप ने पेरिस जलवायु समझौते से हटने का ट्रंप कार्ड खेला है।

पेरिस की भूमिका अचानक महत्त्वपूर्ण हो गयी। फ्रांस के युवा राष्ट्रपति इमैनुएल मैक्रों ने भारतीय प्रधानमंत्री नरेन्द्र मोदी का जिस गर्मजोशी से स्वागत किया, उस पर दुनिया की नजरें टिकी हैं। दरअसल, अमेरिका-इंग्लैंड से दूर होते यूरोपीय यूनियन को मजबूत नेतृत्व की तलाश है। अगर नेतृत्व शब्द को हटा भी लिया जाए, क्योंकि नस्लवाद आज भी जिन्दा है और गोरे देश किसी काले देश का नेतृत्व शायद ही स्वीकार करें-तो उभरते भारत के रूप

में मजबूत साथी की यूरोपीय यूनियन को जरूरत है। यह बात प्रधानमंत्री नरेन्द्र मोदी भी बखूबी समझते हैं। इसलिए उन्होंने जर्मनी की चांसलर एंजेला मर्केल से यह बात साफ करने में देरी नहीं लगायी कि जर्मनी के नेतृत्व में ही यूरोपीय यूनियन मजबूत होकर उभर सकता है। पीएम मोदी ने मजबूत यूरोपीय यूनियन को दुनिया और भारत के लिए आवश्यक बताया। फ्रांस और जर्मनी अलग-अलग देश के रूप में भी भारत के लिए कारोबारी नजरिये से महत्त्वपूर्ण हैं। दोनों देश भारत का स्वागत कर रहे हैं तो यह अनुकूल स्थिति है और यूरोपीय यूनियन के अहम देश के तौर पर भारत का स्वागत कर रहे हैं तो यह और भी महत्त्वपूर्ण हो जाता है। महत्त्वपूर्ण इसलिए भी कि यूरोपीय यूनियन ने साम्यवादी चीन और भारत को ही पसंद किया है।

पीएम मोदी ने मजबूत यूरोपीय यूनियन को दुनिया और भारत के लिए आवश्यक बताया।

भारत का राष्ट्रवाद अमेरिका और इंग्लैंड के रुख से अलग अंतरराष्ट्रीय प्रतिबद्धता से ओत-प्रोत है। यही वजह है कि भारत ने हर हाल में पेरिस जलवायु समझौते की हिफाजत का वचन दोहराया है। धरती के तापमान को दो डिग्री से कम कर डेढ़ डिग्री तक लाना, कार्बन उत्सर्जन के स्तर को कम करना और इन सबके लिए आर्थिक जरूरतों को पूरा करने की जो योजना 23 साल की मेहनत के बाद परवान चढ़ने को थी, उसे जोरदार झटका लगा है। लेकिन यह दुनिया के लिए एक अवसर लेकर भी आया है कि नेतृत्व का जो मौका अमेरिका ने गंवाया है, उसे उसका अहसास कराया जाए।

शायद ट्रंप इस बात को भूल रहे हैं कि जो देश सोच में पिछड़ जाता है वास्तव में पिछड़ता वही है। ट्रंप ने अंतरराष्ट्रीय प्रतिबद्धता से पीछे हटते हुए हासिल तो कुछ भी नहीं किया है। जिस नुकसान की आशंका उन्होंने देखी है, वह अभी हुई नहीं है। पर, जो नुकसान अमेरिका को हो चुका है, वह है विश्व क्षितिज पर अमेरिकी नेतृत्व पर कमजोर होता विश्वास। दुनिया के इतिहास में कभी कोई ऐसा मौका नहीं आया, जब किसी अमेरिकी फैसले का इतना व्यापक विरोध हुआ हो। सच यह है कि कोई एक देश भी, यहां तक कि इंग्लैंड भी अमेरिका के फैसले का स्वागत करता नहीं दिखा।

पेरिस जलवायु समझौते से हटने की वजह के तौर पर अमेरिकी राष्ट्रपति डोनाल्ड ट्रंप ने भारत का जिस तरीके से नाम लिया, उस पर भारत ने तथ्यात्मक

दावों को गलत बताते हुए नाराजगी का इजहार करने में देर नहीं की। हालांकि औपचारिक भाषा नाराजगी की नहीं रही। पर, फ्रांस की सरजमीं से नरेन्द्र मोदी ने पेरिस जलवायु समझौते में बने रहने और नियंत्रण जिम्मेदारी को पूरा करने का संकल्प जताकर अमेरिका से बिल्कुल अलग रुख दिखाने से परहेज नहीं किया। भारत को मिली शंघाई कॉर्पोरेशन की सदस्यता का जिक्र इस मौके पर इसलिए जरूरी है, क्योंकि यह विश्व के हर कोने में भारत की स्वीकार्यता को दर्शाता है। चीन के प्रभुत्व वाली इस संस्था में भारत की सदस्यता नरेन्द्र मोदी के नेतृत्व में भारत की बड़ी सफलता है और पिछले कुछ अरसे से भारत की जो अहमियत बढ़ी है, उसी का नतीजा है कि यूरोपीय यूनियन भी भारत का पलक पावड़े बिछा कर स्वागत करने को तैयार दिख रहा है।

भारतीय पीएम नरेन्द्र मोदी और अमेरिकी राष्ट्रपति इसी महीने मिल सकते हैं, जिसकी आधिकारिक घोषणा अभी नहीं हुई है। यह मुलाकात कोई उम्मीद तो नहीं जगाती, लेकिन इसमें कौतूहल का तत्व बहुत ज्यादा है। चमत्कार की भी उम्मीद की जा सकती है। इसलिए उम्मीद की जा रही है कि शायद मोदी-ट्रंप मुलाकात ही कोई गुल खिला दे। अमेरिका को एशिया में जापान के अलावा कोई देश विश्वस्त दिखता रहा है तो वह भारत है। पाकिस्तान अमेरिका से दूर छिटक रहा है और चीन के करीब जा रहा है। फिर दुनिया में उभरती ताकत है भारत, जिसकी स्वीकार्यता दुनिया में है और इसलिए अमेरिका न तो भारत को नाराज करना चाहेगा और न ही रिश्ते को खराब। परस्पर कारोबारी संबंध के ख्याल से भी भारत-अमेरिका के बीच रिश्ते का भविष्य उज्ज्वल है। फिर भी, दो राष्ट्रवादी नेता परस्पर सहयोग का कोई फॉर्मूला निकाल पाते हैं या नहीं, इस लिहाज से इस मुलाकात को सीढ़ी के तौर पर देखा जा रहा है। पेरिस जलवायु समझौते से हटकर अमेरिका ने दुनिया की राजनीतिक लामबंदी को नये सिरे से एकजुट होने का अवसर दिया है। जाहिर है कि कूटनीतिक हलचल शबाब पर है।

चीन के प्रभुत्व वाली इस संस्था में भारत की सदस्यता नरेन्द्र मोदी के नेतृत्व में भारत की बड़ी सफलता है।

(राष्ट्रीय सहारा, 11 जून, 2017)

92

अन्नदाता की उपेक्षा ठीक नहीं

''किसानों की समस्या का क्या है समाधान? एक बाजार, एक भाव-यह एकमात्र समाधान है। कोई मुआवजा, कोई कर्जमाफी किसानों की समस्या का हल नहीं है। मगर, एक बाजार, एक भाव के लिए संघर्ष लम्बा है। सीमाएं टूटनी चाहिए। जब तक देश के स्तर पर किसान एकजुट नहीं होंगे, अपनी खुशहाली के लिए देश को एक फॉर्मूले पर नहीं लाएंगे, तब तक देश की राजनीति उन्हें भटकाती रहेगी। कर्ज माफी जैसी फौरी रिश्वत से किसानों का मुंह बंद किया जाता रहेगा और किसान ऐसी व्यवस्था के पोषक बने रहेंगे, जिनसे मुनाफाखोर, कालाबाजारी करने वाले, सूदखोर और फैक्ट्री मालिक एवं बिचौलिए जिन्दा हैं।''

भारत का किसान आंदोलित है, क्योंकि वह गुस्से में है। गुस्से में है, क्योंकि ठगा हुआ महसूस कर रहा है। ठगे जाने की पीड़ा, आत्मग्लानि इस हद तक है कि वह आत्महत्या की अनगिनत घटनाएं बन चुका है। ये पीड़ा वैयक्तिक भी है और सामूहिक भी। लेकिन सामूहिक पीड़ा व्यक्त करने के लिए किसानों में राजनीतिक एकजुटता का अभाव रहा है। इसलिए किसान अकेले रहे हैं, परिस्थिति से मजबूर बताकर मारे जाते रहे हैं, ठगे जाते रहे हैं और अपनी गति प्राप्त करने के लिए मजबूर किए जाते रहे हैं। महाराष्ट्र और मध्य प्रदेश में किसानों का जो दर्द उभरा है, वह आधुनिक मीडिया के चश्मे से फोकस होकर देशभर के किसानों तक पहुंच गया है और अब पूरा उत्तर भारत किसान आंदोलन की चपेट में है।

सामूहिक पीड़ा व्यक्त करने के लिए किसानों में राजनीतिक एकजुटता का अभाव रहा है।

आंदोलित किसान सड़क पर हैं, लेकिन अपने मकसद को हासिल करने तक सड़क पर रह पाएंगे, इस पर संदेह के पर्याप्त कारण अतीत के गर्भ से निकलते हैं। किसानों के एकजुट होने की वजह है, उनका एक जैसा संकट और एक जैसे संकट का हल, जो राजनीतिक सत्ता के पास है। यानी किसानों को लोहा उनसे लेना है, जिनके पास राजनीतिक सत्ता है। लेकिन इस राह में बाधा है, किसानों का किसान होने के अतिरिक्त उनकी अलग-अलग पहचान। किसान अलग-अलग प्रांतों से हैं, अलग-अलग भाषा-भाषी हैं, विपरीत राजनीतिक प्रतिबद्धता लिए है। इसके अलावा, कोई गन्ना किसान है, कोई धान उपजाता है तो कोई कुछ और। हित एक होकर भी उनकी प्रकृति भिन्न-भिन्न है, उन्हें प्रभावित करने वाले कारक अलग-अलग हैं।

मध्य प्रदेश के किसानों को शिवराज सिंह की बीजेपी सरकार से अपना हक लेना है, तो महाराष्ट्र में यही हक देवेंद्र फडणवीस की बीजेपी सरकार से। पंजाब के किसानों को कांग्रेस सरकार से यही हक पाना है तो हरियाणा, राजस्थान, यूपी और छत्तीसगढ़ के किसानों को बीजेपी की स्थानीय सरकारों से। किसान इतने संगठित नहीं हैं कि राष्ट्रीय आंदोलन खड़ा कर सकें और केंद्र सरकार को मजबूर कर सकें कि वे राज्य सरकारों के साथ मिलकर या उन पर दबाव डालकर किसानों को उनका हक दिलाने का सामर्थ्य दिखाते हुए अपनी भूमिका का निर्वाह करे।

किसानों पर जुल्मों-सितम की कहानी ही दरअसल भारत का इतिहास और वर्तमान दोनों है। अतीत में भी किसानों को राजनीति की मुख्यधारा से दूर रखा गया, आज भी यह सिलसिला जारी है। आजादी की लड़ाई में किसान नेता के तौर पर चंपारण सत्याग्रह के जरिए खुद महात्मा गांधी, बारदोली सत्याग्रह से सरदार वल्लभ भाई पटेल और बिहार, बंगाल, ओडिशा (तब उड़ीसा) और उत्तर प्रदेश में किसान आंदोलन का अलख जगाने वाले स्वामी सहजानन्द सरस्वती के नाम मुख्य तौर पर लिए जाते हैं। गांधीजी और वल्लभ भाई पटेल ने खुद को आगे चलकर किसान आंदोलनों से दूर कर लिया, तो किसानों के वास्तविक नेता सहजानन्द सरस्वती को मुख्यधारा की राजनीति में कभी आने नहीं दिया गया।

किसानों पर जुल्मों-सितम की कहानी ही दरअसल भारत का इतिहास और वर्तमान दोनों है।

जिस सहजानन्द सरस्वती ने देश में पहली बार किसानों को संगठित करने का काम किया और जिनके सहयोगी रहे नेताओं में जेपी, लोहिया, राहुल सांस्कृत्यायन, रामवृक्ष बेनीपुरी, बसावन सिंह, नरेन्द्र देव, अशोक मेहता, अच्युत पटवर्धन, कार्यानन्द शर्मा, किशोरी प्रसन्न सिंह, गंगा शरण सिंह, पंडित रामनन्दन मिश्रा जैसे नेता थे, उन्हें भी मुख्यधारा की राजनीति में टिकने नहीं दिया गया। आप समझ सकते हैं कि किसानों को कितने मुश्किल हालात का सामना करना पड़ा है। सुभाष चंद्र बोस जैसे नेता भी सहजानन्द सरस्वती के किसान आंदोलन के प्रति इतनी इज्जत रखते थे कि अलग से उनके संघर्ष को समर्पित रेडियो संदेश निकाला, संपादकीय लिखे। किसान आंदोलन से राजनीति की दूरी को अगर समझना है तो एक पंक्ति में आजादी से पहले यह जमींदार और किसानों में किसी एक को चुनने का सवाल था। गांधी के प्रभाव में नेहरू और पटेल ने जमींदार का समर्थन जरूरी समझा और किसान भी नाराज न हो, इसलिए उनका विरोध न करते हुए पर्याप्त दूरी रखने को रणनीति बनाए रखा।

आजादी के बाद भी किसान आंदोलन फूटते रहे हैं, मगर किसान नेतृत्व कभी उभरकर नहीं आया। चौधरी चरण सिंह और चौधरी देवीलाल के रूप में क्षणिक आरोहण दिखा भी तो उसका कारण भी किसानों के संघर्ष से ज्यादा परिस्थितिगत राजनीति रही। आजाद हिन्दुस्तान में शरद जोशी और शरद पवार का भी किसान नेता के तौर पर संदर्भवश जिक्र करना जरूरी हो जाता है,

मगर जोशी अपनी सीमा में रहे और शरद पवार उसी सीमा तक किसान नेता रहे, जहां तक वे फैक्ट्री मालिकों को साध सकते थे। मुख्यधारा की राजनीति में किसानों को साथ लेकर कभी शरद पवार भी चलते नहीं दिखे, बस उनका इस्तेमाल किया। महेंद्र सिंह टिकैत जैसे किसान नेता दिल्ली से सटे होने और बड़े किसानों के साथ-साथ जातिगत प्रभाव रखने की वजह से प्रभावशाली जरूर रहे लेकिन देश के किसानों का नेतृत्व वे भी नहीं कर पाए।

वर्तमान पर लौटें तो चाहे डेढ़ दिन का उपवास करने वाले शिवराज सिंह हों या 72 घंटे का सत्याग्रह करने वाले ज्योतिरादित्य सिंधिया, ये किसानों के स्वाभाविक नेता नहीं हैं। सवाल यह है कि कौन है किसानों का नेता? स्वतःस्फूर्त आंदोलन उन परिस्थितियों का पैरामीटर तो हो सकता है जिससे आंदोलन की तीव्रता को मापा जा सके, लेकिन ये आंदोलन की सफलता की गारंटी कतई नहीं होता। आंदोलन को समर्पित नेता चाहिए। ऐसा नेता, जो जमींदार, फैक्ट्री मालिक और राजनीतिक नेताओं से किसानों के लिए संघर्ष करने का दम रखे। ऐसा नेता, जिसका कद राज्यों की सीमाओं से अलग किसानों की ताकत से ऊंचा हुआ हो। जाहिर है नेता से मतलब कोई एक नेता नहीं नेतृत्व है। आज इस नेतृत्व का सर्वथा अभाव है। ऐसे में इस किसान आंदोलन का हश्र भी हर आंदोलन की तरह उसमें शहीद हुए लोगों के लिए मुआवजे, फिर सहानुभूति और उसके बाद राजनीतिक आरोप-प्रत्यारोप के रूप में खत्म हो जाएगा, ऐसा निश्चित जान पड़ता है।

सवाल यह है कि कौन है किसानों का नेता?

किसानों की समस्या का क्या है समाधान? एक बाजार, एक भाव-यह एकमात्र समाधान है। कोई मुआवजा, कोई कर्जमाफी किसानों की समस्या का हल नहीं है। मगर, एक बाजार, एक भाव के लिए संघर्ष लम्बा है। सीमाएं टूटनी चाहिए। जब तक देश के स्तर पर किसान एकजुट नहीं होंगे, अपनी खुशहाली के लिए देश को एक फार्मूले पर नहीं लाएंगे, तब तक देश की राजनीति उन्हें भटकाती रहेगी। कर्ज माफी जैसी फौरी रिश्वत से किसानों का मुंह बंद किया जाता रहेगा और किसान ऐसी व्यवस्था के पोषक बने रहेंगे, जिनसे मुनाफाखोर, कालाबाजारी करने वाले, सूदखोर और फैक्ट्री मालिक एवं बिचौलिए जिन्दा हैं।

(राष्ट्रीय सहारा, 18 जून, 2017)

93

चौंकाएगी ट्रंप-मोदी की मुलाकात

''मोदी-ट्रंप की मुलाकात पर वही लोग संशय देख रहे हैं, जिन्हें इन दोनों नेताओं को समझने की राजनीतिक तमीज नहीं है। यह मुलाकात किसी मजबूरी में नहीं हो रही है। इसे टाला भी जा सकता था। फिर टला क्यों नहीं, मुलाकात क्यों हो रही है? इसका जवाब ही उम्मीद है। ट्रंप भारत का जब जिक्र करते हैं, तो उनके जेहन में हिंदुओं के प्रभुत्व वाला भारत और उनके नेतृत्वकर्ता के रूप में मोदी होते हैं। उनकी सोच संकीर्ण बोलकर आप निंदा कर सकते हैं, लेकिन नीति स्पष्ट है। वर्ल्ड ट्रेड टॉवर की घटना के बाद से लेकर ओसामा बिन लादेन के अंत तक लड़ते हुए अमेरिका के लिए आतंकवाद का जो खतरा पैदा हुआ है, उससे अमेरिकी राष्ट्रवाद लोहा लेने के लिए कमर कस रहा है। एच1 वीजा की सख्ती इस नजरिये की पुष्टि के साथ-साथ रोजगार के लिए राष्ट्रवादी चिंता को जाहिर करता है।''

मोदी-ट्रंप पहली बार मुलाकात करने वाले हैं, लेकिन पृष्ठभूमि ऐसी है जैसे वे मुद्दतों बाद मिलने वाले हों और दोनों नेताओं को इस मुलाकात का इंतजार हो। न व्हाइट हाउस पीएम नरेन्द्र मोदी के लिए नया है और न ट्रंप के लिए भारतीय समुदाय। राष्ट्रपति चुनाव के दौरान ट्रंप ने कहा था कि भारत और हिंदू समुदाय अमेरिका के सच्चे दोस्त हैं। लेकिन राष्ट्रपति बनने के बाद एच1 वीजा पर सख्ती और पेरिस जलवायु समझौते से हटते हुए भारत-चीन पर अप्रिय टिप्पणी ने द्विपक्षीय सहयोग के भविष्य को लेकर शंकाओं को जन्म दिया है। भारत और अमेरिका ही नहीं, दुनिया की नजर इस बात पर है कि मोदी-ट्रंप इस मुलाकात मंथन से क्या कुछ निकाल पाते हैं। शंकाएं दूर होती हैं, या मजबूत।

न व्हाइट हाउस पीएम नरेन्द्र मोदी के लिए नया है और न ट्रंप के लिए भारतीय समुदाय।

भारतीय प्रधानमंत्री नरेन्द्र मोदी और अमेरिकी राष्ट्रपति डोनाल्ड ट्रंप की ताकत है-राष्ट्रवाद। एक इंडिया फर्स्ट के नारे लगाते हैं, दूसरे अमेरिका फर्स्ट के। एक का राष्ट्रवाद देश को इजराइल के करीब ले जाता है, और पाकिस्तान से दूर, तो दूसरे का राष्ट्रवाद ईरान और पाकिस्तान से दूरी बनाता है। वहीं दोनों का साझा हित चीन की प्रभुत्ववादी नीतियों के समानांतर एकजुट होने की जरूरत भी पैदा करता है। आतंकवाद से सैद्धांतिक लड़ाई के लिए तैयार होकर दोनों राष्ट्रवादी नेताओं के पास एक दूसरे से हाथ मिलाने और मुस्कुराने की वजह है, वहीं ओबामा-मोदी ने जिस द्विपक्षीय संबंध को गहराई दी, उसे आगे बढ़ाने के लिए भी मोदी-ट्रंप पर आंतरिक दबाव इस मुलाकात में नई उम्मीद जगाता है।

मोदी-ट्रंप की मुलाकात पर वही लोग संशय देख रहे हैं, जिन्हें इन दोनों नेताओं को समझने की राजनीतिक तमीज नहीं है। यह मुलाकात किसी मजबूरी में नहीं हो रही है। इसे टाला भी जा सकता था। फिर टला क्यों नहीं, मुलाकात क्यों हो रही है? इसका जवाब ही उम्मीद है। ट्रंप भारत का जब जिक्र करते हैं, तो उनके जेहन में हिंदुओं के प्रभुत्व वाला भारत और उनके नेतृत्वकर्ता के रूप में मोदी होते हैं। उनकी सोच संकीर्ण बोलकर आप निंदा कर सकते हैं, लेकिन नीति स्पष्ट है। वर्ल्ड ट्रेड टॉवर की घटना के बाद से लेकर

ओसामा बिन लादेन के अंत तक लड़ते हुए अमेरिका के लिए आतंकवाद का जो खतरा पैदा हुआ है, उससे अमेरिकी राष्ट्रवाद लोहा लेने के लिए कमर कस रहा है। एच1 वीजा की सख्ती इस नजरिये की पुष्टि के साथ-साथ रोजगार के लिए राष्ट्रवादी चिंता को जाहिर करता है।

पेरिस जलवायु समझौते से हटना ट्रंप प्रशासन का अति राष्ट्रवादी चरित्र है, जो अपने स्वार्थ के लिए नियंत्रण जिम्मेदारी की कुबार्नी देने से भी नहीं झिझकता। दुनिया भर में निंदा के बावजूद ट्रंप प्रशासन अपनी नीति पर अड़ा हुआ है। स्वार्थपरक अमेरिकी राष्ट्रवाद का हित ही वह वजह है, जो भारत और चीन की ओर उंगली उठाने से भी संकोच नहीं करता। इसलिए इस स्थिति को भी 'ट्रंप प्रशासन का भारत विरोधी रवैया' नहीं माना जाना चाहिए। भारत का नाम विरोध के नैतिक आधार को तैयार करने की जद्दोजहद में आया मानकर हम उम्मीद भरे भावी संबंध की अपेक्षा रख सकते हैं।

दुनिया भर में निंदा के बावजूद ट्रंप प्रशासन अपनी नीति पर अड़ा हुआ है।

अमेरिका, भारत और इंग्लैंड में नेतृत्व परिवर्तन ने दुनिया के समीकरणों को नए सिरे से बुनना शुरू किया है। जहां पाकिस्तान अमेरिका से दूर हुआ है, वहीं चीन ने पाकिस्तान को शरण दी है। भारत-अमेरिका संबंध का नया अध्याय अभी लिखा जाना बाकी है, लेकिन तय है कि चीन-पाकिस्तान की धुरी के विपरीत यह नियंत्रण स्तर पर विभिन्न देशों के बीच अंतर्सम्बंध का कवर पेज बनेगा। इंग्लैंड यूरोपीय यूनियन से अलग हो रहा है, तो जर्मनी के नेतृत्व में यूरोपीय यूनियन अपनी आर्थिक दशा को दुर्दशा की ओर जाने से रोकने के लिए भारत के सहयोग को आतुर है। चीन भी भारत की इस बढ़ती अहमियत को देखते हुए एक दूरी बनाए हुए है, और भारत की घेराबंदी करते हुए दुश्मनी को टालने की नीति पर चल रहा है। जाहिर है नए बन रहे समीकरण में अमेरिका और भारत एक पाले में हो जाते हैं, और उन्हें परस्पर सहयोग करना ही होगा। यही वजह है कि मोदी-ट्रंप की मुलाकात हो रही है। चीन जो रवैया भारत के साथ रखे हुए है, अमेरिका का रवैया चीन

चीन जो रवैया भारत के साथ रखे हुए है, अमेरिका का रवैया चीन के साथ भी बहुत कुछ वैसा ही है।

के साथ भी बहुत कुछ वैसा ही है। एक अमेरिका थिंक टैंक ने कहा है कि ट्रंप प्रशासन चीनियों के साथ घनिष्ठ संबंध भी चाहता है, और उसके बढ़ते प्रभाव पर अंकुश भी। इसलिए उसे भारत की मदद की हर हाल में जरूरत होगी। लेकिन नजरअंदाज नहीं करने योग्य सच्चाई यह भी है कि नरेन्द्र मोदी की प्रधानमंत्री के तौर पर यह सबसे संक्षिप्त और सीमित यात्रा है।

अमेरिकी की ईरान और अफगान नीति में दिख रहे बदलाव भी भारत के अनुकूल नहीं हैं। भारत जहां ईरान और अफगानिस्तान से द्विपक्षीय संबंध मजबूत बना रहा है, वहीं अमेरिका सऊदी अरब के जरिए कतर के खिलाफ मोर्चाबंदी और ईरान से संबंध को तनातनी के स्तर पर ले जाता दिख रहा है जबकि अफगानिस्तान में तालिबान से बातचीत को प्राथमिकता देता हुआ अमेरिका एक बार फिर खतरनाक रास्ते पर चलने की कोशिश करता नजर आ रहा है। भारत के लिए अमेरिका की यह नीति हजम करने वाली नहीं है, क्योंकि पाकिस्तान और चीन की गुटबंदी के रहते भारत इस रास्ते पर अमेरिका के साथ चलने की गलती नहीं कर सकता। उधर, भारत ईरान और अफगानिस्तान में आर्थिक संबंध का नए सिरे से तानाबाना बुनने में जुटा है।

अफगानिस्तान में तालिबान से बातचीत को प्राथमिकता देता हुआ अमेरिका एक बार फिर खतरनाक रास्ते पर चलने की कोशिश करता नजर आ रहा है।

ट्रंप-मोदी मुलाकात पर चीन की कितनी करीबी नजर है, वह इस बात से समझा जा सकता है कि चीन ने दोनों देशों को आगाह करने वाला एक संदेश जारी कर दिया है। चीन ने कहा है कि दक्षिण चीन सागर की शांति में कोई गैर-क्षेत्रीय देश खलल न डाले और यहां के विवादों में सकारात्मक भूमिका निभाए। चीन दरअसल दक्षिण चीन सागर में अपने संपूर्ण प्रभुत्व की गारंटी चाहता है, लेकिन अमेरिका की वियतनाम और ताईवान से और भारत की मलयेशिया से बढ़ती नजदीकी के साथ-साथ अमेरिका से संभावित दोस्ती को वह शक की नजरों से देख रहा है। खुद ट्रंप प्रशासन ने भी मोदी से मुलाकात को लेकर अच्छे नतीजे की उम्मीद जताई है। आतंकवाद का खासकर जिक्र किया गया है, और द्विपक्षीय संबंध को मजबूती देने की बात अमेरिका ने की है। इसलिए ऐसा नहीं है कि भारत और अमेरिका के शीर्ष नेता पहली बार

मिलते हुए ब्लैंक हैं। उनके दिमाग में भावी संबंधों का खाका है, विश्व स्तर की कूटनीति है, राष्ट्रवाद की रक्षा और आतंकवाद के खिलाफ रणनीति भी है। आर्थिक संबंध को नई ऊंचाई तक ले जाने और विश्व की कारोबारी दुनिया में अपनी भूमिका बढ़ाने के लिए सहयोग की संभावना देखने का मौका है यह शिखर बैठक। इसलिए निश्चित है कि बातचीत के नतीजों को लेकर तमाम शंकाओं के उलट यह संक्षिप्त मुलाकात भारत-अमेरिका संबंधों को नए सिरे से परिभाषित करने वाली साबित हो सकती है।

(राष्ट्रीय सहारा, 25 जून, 2017)

94

भंग न हो, भारत–चीन सीमा पर शांति

''हालांकि प्रधानमंत्री नरेन्द्र मोदी का चीन दौरा अभी सितम्बर में होना बाकी है, जब वहां ब्रिक्स सम्मेलन होगा। चुनौती यह है कि इस दौरे से पहले तनाव को किस तरह सुलझा लिया जाए या कम किया जाए। चीन हमारी सीमा का अतिक्रमण न करे और हम भी उनके लिए खतरा न बनें, यह विश्वास ही दोनों देशों को युद्ध से परे रख सकता है। हमें नहीं भूलना चाहिए कि अमेरिका सिर्फ और सिर्फ चीन को काबू में करने के लिए ही भारत का साथ चाहता है। अमेरिका कभी भारत के लिए विश्वस्त सहयोगी साबित नहीं हुआ है। फिर भी कूटनीतिक तकाजा है कि हम अमेरिका के साथ चलें। इस क्रम में भारत को रूस के साथ भी नजदीकी संबंध बना कर रखना होगा, क्योंकि चीन को नरम रखने में रूस की महत्त्वपूर्ण भूमिका स्वयं सिद्ध रही है।''

वैसे तो भारत और चीन के बीच रिश्ते कभी सामान्य नहीं रहे। पर ताजा विवाद की पृष्ठभूमि में भारत और चीन नहीं, भारत और अमेरिका के प्रमुखों की मुलाकात है। हालांकि यह प्रत्यक्षतः प्राचीन सीमा विवाद की आड़ लिए हुए है, लेकिन इसके मूल में भारत की अंतरराष्ट्रीय परिस्थितियों को अपने पक्ष में साधने की कोशिश और उसमें मिल रही सफलता है। इसलिए कि चीन के साथ सीमा विवाद प्रारम्भ से ही रहा है। पंडित जवाहरलाल नेहरू और चाऊ एन लाई ने एक समय मैकमोहन लाइन को सीमा रेखा मान लिया था। लेकिन जल्द ही चीन ने आधिकारिक स्तर पर ये साफ कर दिया कि अंग्रेजों द्वारा तय की गई सीमा रेखा को वे नहीं मानेंगे। कभी भारत ने चीन के नक्शे को देखकर आपत्ति जताई कि उसने नेफा यानी आज के अरुणाचल प्रदेश गलत तरीके से दिखाया है, तो कभी चीन ने सिक्किम और अरुणाचल को भारतीय नक्शे पर दिखाने को लेकर एतराज जताया। एलओसी पर दोनों देशों की सेनाएं कई जगहों पर तो महज 5 मीटर की दूरी पर ही होती हैं।

> *पंडित जवाहरलाल नेहरू और चाऊ एन लाई ने एक समय मैकमोहन लाइन को सीमा रेखा मान लिया था।*

चीन से तनातनी के अन्य कारणों को देखें तो नेपाल, म्यांमार, भूटान, बांग्लादेश, पाकिस्तान, श्रीलंका हर देश के साथ भारत के संबंध को चीन बिगाड़ने और उसे अपने अनुकूल करने की कोशिशों में जुटा रहा है। चीन पाकिस्तान को भारत के खिलाफ मदद देता रहा है। भारत को सुरक्षा परिषद में स्थायी सदस्यता का भी चीन विरोधी रहा है। इसी तरह, उसने भारत को न्यूक्लियर सप्लायर ग्रुप में शामिल करने का भी विरोध किया है। जापान के साथ भारत की दोस्ती चीन को नापसंद है। वहीं भारत की ओर से सार्क देशों के लिए छोड़े गए उपग्रह योजना में खुद को शामिल करने की भी इच्छा रख चुका है चीन। यूरोपीय देशों और खाड़ी देशों के साथ भारत के अच्छे संबंध हों या अमेरिका से बढ़ती निकटता-चीन ने भारत के प्रति ईर्ष्या का भाव रखा है।

चीन की ओर से भारत पर युद्ध का खतरा लगातार रहा है, फिर भी सीमा पर अगर गोली नहीं चलती है, महज हाथापाई होती है या जबरदस्ती बंकर तोड़ने तक बात सिमट कर रह जाती है तो इसे देखने का नजरिया भी हमें सुधारना होगा। हर बात को पब्लिक डोमेन में ले जाकर संबंध को तनातनी के स्तर पर लाना दोनों में से किसी के हित में नहीं है। हमें यह भी नहीं भूलना

चाहिए कि 1962 के एकतरफा युद्ध में जीत के बावजूद चीन और भारत के बीच सीमा पर कोई बड़ा फर्क नहीं आया। विवादास्पद स्थितियां भी नहीं सुधरीं, लेकिन 55 साल से शांति भी बनी हुई है। तो हमें मानना चाहिए कि चीन कई मायनों में पाकिस्तान से बेहतर साबित हुआ है। ऐसा कहने का मतलब यह कतई नहीं है कि आसन्न खतरे से मुंह मोड़ा जाए।

यह मानना पड़ेगा कि भारत-चीन सीमा पर हालात गंभीर हो गए हैं। अब सबसे बड़ा खतरा यह है कि अकेले चीन या पाकिस्तान नहीं, दोनों के खिलाफ एक साथ युद्ध की स्थिति होगी। इस स्थिति को टालना ही बुद्धिमानी है। इस सोच के पीछे तीन बड़े तर्क हैं। एक यह कि फिलहाल हम चीन का मुकाबला नहीं कर सकते। दूसरा, जिस रफ्तार से हम विकास की गति हासिल कर रहे हैं, हमें विकास में चीन को पछाड़ना होगा। और, तीसरी सबसे अहम बात यह है कि कूटनीतिक स्तर पर चीन की घेराबंदी करनी होगी। उसे अहसास दिलाना होगा कि भारत अकेला नहीं है। अगर भारत से युद्ध लड़ा गया, तो चीन को भी अंतरराष्ट्रीय स्तर पर नुकसान उठाना होगा। इसके अलावा, भारत परमाणु संपन्न देश है, जो आत्माभिमान के लिए थोपे गए युद्ध से पीछे भी नहीं हटेगा। इसी लिहाज से चीन के पीपुल्स लिबरेशन आर्मी (पीएलए) के प्रवक्ता की ओर से 1962 के युद्ध की याद दिलाए जाने पर रक्षा मंत्री अरुण जेटली के बयान को भी देखने की जरूरत है, जिसमें उन्होंने कहा है कि 1962 और 2017 के भारत में बहुत फर्क है।

अगर भारत से युद्ध लड़ा गया, तो चीन को भी अंतरराष्ट्रीय स्तर पर नुकसान उठाना होगा।

भारत-चीन विवाद की असली वजह है चुंबी घाटी। भारत, भूटान और तिब्बत को जोड़ने वाला यह इलाका है। यहीं भारत और चीन के बीच दो अहम दर्रे हैं-नाथू ला दर्रा और जेलेप-ला दर्रा। यह घाटी संकरी है। यहां सैन्य गतिविधियां मुश्किल हैं। इसे चिकन्स नेक नाम से भी जाना जाता है। चुंबी घाटी के ठीक नीचे पड़ता है सिलीगुड़ी गलियारा जो भारत को उत्तर-पूर्वी राज्यों से जोड़ता है। इसलिए भारत को यहां चीन की ओर से तेजी से किए जा रहे सड़क निर्माण पर गंभीर आपत्ति है। भारत ने यह साफ कर दिया है कि सड़क निर्माण से भारत की सुरक्षा खतरे में पड़ जाती है। वहीं, चीन ने साफ किया है कि किसी भी किस्म की बातचीत तभी हो सकती है, जब तिब्बत से

सटी सीमा के पास से भारत अपनी सेना हटाए। इस स्थिति के जिक्र मात्र से सीमा पर तनाव की स्थिति का पता चल जाता है।

> *भारत ने यह साफ कर दिया है कि सड़क निर्माण से भारत की सुरक्षा खतरे में पड़ जाती है।*

तनाव की इस स्थिति के कारण में अगर अमेरिका और भारत की निकटता है तो इस तनाव के निवारण में भी इसी निकटता की भूमिका रहेगी। दक्षिण चीन सागर में अमेरिका-भारत-जापान के साझा अभ्यास का प्रस्ताव है, जो चीन को नामंजूर होगा। वह इसे नहीं होने देने के लिए किसी भी हद तक जाएगा। भारत के लिए भी यह जरूरी नहीं है कि यह साझा अभ्यास हो ही, लेकिन कूटनीतिक तौर पर इसका डर बनाए रखना भी उतना ही जरूरी है। 'वन बेल्ट वन रोड' से दूर रहकर भारत ने चीन की दादागीरी को नकारा है, लेकिन अमेरिका से दोस्ती बढ़ाकर भारत ने चीन को ललकारा है।

चीन की यात्रा से पहले पीएम मोदी जुलाई के पहले हफ्ते में तीन दिन इजराइल में रहने वाले हैं। यहां नया संबंध, नया समीकरण आकार ले रहा है। इजराइल से संबंध मजबूत कर भारत दरअसल मध्य एशिया में भी शक्ति संतुलन को बनाए रखना चाहता है। अमेरिका-इजराइल की दोस्ती जगजाहिर है। भारत यह संकेत दे रहा है कि अमेरिका-इजराइल-भारत-जापान के रूप में एक नया समीकरण उभर रहा है। इसलिए भारत से युद्ध करने का मतलब सिर्फ भारत से युद्ध नहीं होगा।

हालांकि प्रधानमंत्री नरेन्द्र मोदी का चीन दौरा अभी सितम्बर में होना बाकी है, जब वहां ब्रिक्स सम्मेलन होगा। चुनौती यह है कि इस दौरे से पहले तनाव को किस तरह सुलझा लिया जाए या कम किया जाए। चीन हमारी सीमा का अतिक्रमण न करे और हम भी उनके लिए खतरा न बनें, यह विश्वास ही दोनों देशों को युद्ध से परे रख सकता है। हमें नहीं भूलना चाहिए कि अमेरिका सिर्फ और सिर्फ चीन को काबू में करने के लिए ही भारत का साथ चाहता है। अमेरिका कभी भारत के लिए विश्वस्त सहयोगी साबित नहीं हुआ है। फिर भी कूटनीतिक तकाजा है कि हम अमेरिका के साथ चलें। इस क्रम में भारत को रूस के साथ भी नजदीकी संबंध बना कर रखना होगा क्योंकि चीन को नरम रखने में रूस की महत्त्वपूर्ण भूमिका स्वयं सिद्ध रही है।

(राष्ट्रीय सहारा, 2 जुलाई, 2017)

95

इजराइल से दोस्ती का राष्ट्रधर्म

''भारत का नाटो देशों के करीब जाना परंपरागत विदेश नीति को उल्टा लटकाने जैसा है। लेकिन आज के नजरिए से देखें तो हमारी विदेश नीति कभी सीधे पैरों पर चली ही नहीं थी। भारत के सहयोगी देशों में था सोवियत संघ, लेकिन 1962 में वह भारत को चीन के हमले से बचा नहीं सका जबकि सोवियत संघ और चीन, दोनों कम्युनिस्ट देश थे। कल्पना कीजिए कि अगर भारत उस वक्त नाटो देशों के साथ होता, अमेरिका, इजराइल जैसे देश समर्थन कर रहे होते तो क्या चीन के खिलाफ भारत अकेला पड़ता?''

सबका साथ-सबका विकास, न्यू इंडिया और आतंकवाद का नाश- इन तीन नारों के इर्द-गिर्द मोदी सरकार की आंतरिक और विदेश नीति रही है। मगर ये तीन नारे पूरी धरती पर अपना प्रभाव डालते दिख रहे हैं। जैसे-जैसे इन नारों की आभा फैल रही है, दुनिया के सबसे बड़े लोकतंत्र के नेता नरेन्द्र मोदी ग्लोबल लीडर के रूप में स्थापित होते चले जा रहे हैं। भारतीय प्रधानमंत्री की पहली इजराइल यात्रा विदेश नीति के मोर्चे पर बदलाव के लिहाज से मील का पत्थर मानी जाएगी।

विदेश नीति, उसमें बदलाव और उसकी स्थिति को बयां करता है, किसी देश की आर्थिक नीति और उसमें परिवर्तन। जब भारत ने उदारीकरण अपनाया तो इजराइल को मान्यता दी और अब उस घटना के 25 साल बाद प्रधानमंत्री मोदी वहां जाकर समझौतों पर हस्ताक्षर कर रहे हैं, तो उसकी वजह आर्थिक शक्ति के रूप में भारत का उदय है। आर्थिक स्वावलंबन, आर्थिक आजादी और आर्थिक आत्मनिर्भरता-ये तीन ऐसी चीजें हैं, जो संबंध के बाकी आधारों को भी तय करती हैं। व्यक्तिगत जीवन से लेकर सार्वजनिक जीवन तक, संस्था से लेकर देश तक और देश से लेकर दुनिया तक ये तीनों आधार बदलाव के वाहक रहे हैं। भारत में आर्थिक उदारीकरण को नरसिंह राव सरकार ने लागू तो कर दिया लेकिन इन नीतियों के निर्माता माने जाते रहे मनमोहन सिंह को जब प्रधानमंत्री के तौर पर दो टर्म मिले, तब भी वे उदारीकरण की प्रक्रिया को बाजार की जरूरतों के मुताबिक तेज नहीं कर पाए। मोदी सरकार को जब जनता ने निर्णायक बहुमत दिया तो लोगों की उम्मीदों पर खरा उतरने के इरादे से मोदी सरकार देश के लिए जरूरी उदारीकरण को अमली जामा पहनाने में जुट गई।

भारतीय प्रधानमंत्री की पहली इजराइल यात्रा विदेश नीति के मोर्चे पर बदलाव के लिहाज से मील का पत्थर मानी जाएगी।

मोदी सरकार ने न सिर्फ देश की आर्थिक संरचना और विकास के नए मॉडल को गढ़ने की कोशिश की, बल्कि हर क्षेत्र में स्पर्धा का नया युग बना डाला। बैंकिंग और बीमा को जनता से जोड़ना, श्रमिकों को कुशल बनाने की पहल, हर गांव में बिजली, वैकल्पिक सौर ऊर्जा का विकास, श्रम सुधार,

सब्सिडी रहित अर्थव्यवस्था की ओर कदम बढ़ाना, काला धन और भ्रष्टाचार के खिलाफ एक से बढ़कर एक कानून जैसी पहल ने देश की आर्थिक सोच ही बदल दी है। इस सोच के साथ वैदेशिक नीति में परिवर्तन अवश्यम्भावी हो गया। आप आर्थिक रूप से आत्मनिर्भर होते हैं, तो दूसरों की मदद करने के काबिल भी होते हैं। लेकिन यह काबिलियत दिखनी चाहिए। भारत ने भूटान, नेपाल, म्यांमार, बांग्लादेश, श्रीलंका समेत दक्षिण एशियाई देशों के साथ बड़े भाई की उदारता वाली आर्थिक नीतियों को मंजूर किया। इतना ही नहीं, दुनिया के स्तर पर भी भारत ने सोलर अलायंस का विचार दिया, जो विश्व स्तर पर सराहा गया है। भारत ने आतंकवाद की वह पीड़ा झेली है कि हमारे विमान को कंधार ले जाया गया, यात्रियों को बंधक बनाकर कुख्यात आतंकियों को जेल से छोड़ने पर मजबूर किया गया। मगर तालिबानी सरकार से भारत का बचाव करने की हिम्मत किसी देश ने नहीं दिखलाई थी। अरब देशों के साथ हमारा भावनात्मक संबंध काम नहीं आया। सवाल उठा कि क्या अरब देशों के साथ हमारा केवल ऊर्जा-व्यापार का संबंध है?

भावनात्मक तौर पर आतंकवाद के हमलों के वक्त भारत ने खुद को अकेला पाया। ऐसे में आतंकवाद से लड़ने वाले देशों की ओर भारत का झुकाव होना स्वाभाविक था। अमेरिका से दोस्ती की यह बहुत बड़ी वजह है। मनमोहन सरकार ने तो अपनी सरकार को दांव पर लगाकर भी अमेरिका के साथ 123 एग्रीमेंट के लिए भूमिका तैयार की थी। फिर भी, मनमोहन सरकार ने कभी इजराइल के साथ दोस्ती बढ़ाने का जोखिम नहीं उठाया। इसके पीछे कांग्रेस की परंपरागत नीति, अरब देशों से दोस्ती की फिक्र और भारत में रहने वाले मुसलमानों की भावना को बचाए रखना प्रमुख वजह रहीं। लेकिन अब वक्त बदल चुका है। मोदी के इजराइल दौरे के बीच दोनों देशों की ओर से जारी साझा बयान से यह संदेश भी साफ है कि आतंकवाद और कट्टरपंथ के खिलाफ ऐलान-ए-जंग हो चुका है। मगर मोदी सरकार के लिए कांग्रेस सरकार की मजबूरियों को ढोने की कोई मजबूरी नहीं थी। मुस्लिम वोट की परवाह बीजेपी ने नहीं की,

> *अरब देशों के साथ हमारा भावनात्मक संबंध काम नहीं आया।*

अरब देशों के लिए उनकी फिक्रमंदी भी पिछली सरकार जैसी नहीं रही। ऐसे में रक्षा, तकनीक समेत 7 क्षेत्रों में सहयोग के लिए इजराइल से हाथ मिलाना भारत के लिए वक्त का तकाजा है। मोदी सरकार की पहल ने सवाल खड़ा कर दिया है कि आखिर, किसी को खुश करने के लिए किसी को नाराज रखने की नीति पर चलना कौन-सी विदेश नीति है?

इजराइल में नरेन्द्र मोदी का जो स्वागत हुआ है, वह अभूतपूर्व है, कल्पनातीत है, और वाकई भारतीय पीएम की भाषा में सवा सौ करोड़ की जनता का सम्मान है। आखिर, इस जनता ने मोदी सरकार को इस लायक बनाया कि वह इजराइल के साथ करार कर सके, उससे दोस्ती कर सके और उसे भविष्य का हमसफर बना सके। भारत का नाटो देशों के करीब जाना परंपरागत विदेश नीति को उल्टा लटकाने जैसा है। लेकिन आज के नजरिए से देखें तो हमारी विदेश नीति कभी सीधे पैरों पर चली ही नहीं थी। भारत के सहयोगी देशों में था सोवियत संघ, लेकिन 1962 में वह भारत को चीन के हमले से बचा नहीं सका जबकि सोवियत संघ और चीन, दोनों कम्युनिस्ट देश थे। कल्पना कीजिए कि अगर भारत उस वक्त नाटो देशों के साथ होता, अमेरिका, इजराइल जैसे देश समर्थन कर रहे होते तो क्या चीन के खिलाफ भारत अकेला पड़ता?

मोदी सरकार अब सही मायने में राष्ट्रधर्म का पालन करती दिख रही है।

चीन का खतरा भारत पर मंडरा रहा है, लेकिन अमेरिका-इजराइल जैसे मित्र देश भी भारत के साथ सुरक्षा बनकर खड़े हैं। अमेरिका-जापान-भारत का संयुक्त युद्धाभ्यास महज युद्धाभ्यास नहीं है, एक सैन्य गठबंधन का सूक्ष्म रूप है। चीन ने जितनी तेजी से आर्थिक विकास किया है, वह बेजोड़ है। अब चीन का आर्थिक विकास उसे विस्तारवाद की ओर ले जा रहा है। चीन एशिया, अफ्रीका और यूरोप तक अपने बाजार का विस्तार कर रहा है, और वह भी अमेरिका का बाजार उससे छीनते हुए। अमेरिका इससे चिंतित है, और भारत के सहयोग से ही वह आर्थिक मोर्चे पर भी चीन से मुकाबला कर सकता है। भारत ने न सिर्फ उभरती आर्थिक शक्ति के तौर पर दुनिया में अपनी

छवि बनाई है, बल्कि विज्ञान और तकनीक के क्षेत्र में भी सम्मानजनक जगह हासिल की है। अब वह विदेश नीति को वक्त के मुताबिक सीधे पैर चलाने की कोशिश में जुटा है। मोदी सरकार अब सही मायने में राष्ट्रधर्म का पालन करती दिख रही है। यही वक्त की मांग है, और वक्त को पहचानने की क्षमता ने पीएम मोदी को एक नेता के रूप में ग्लोबल बना दिया है।

(राष्ट्रीय सहारा, 9 जुलाई, 2017)

96

कौन बचेगा, कौन फंसेगा?

''नीतीश ने कभी भ्रष्टाचार के खिलाफ कोई लड़ाई लड़ी हो, ऐसा उदाहरण नहीं मिलता। अब यही भ्रष्टाचार का मुद्दा उनके राजनीतिक सफर का ईंधन बनकर पेश है। यह तय है कि महागठबंधन टूटेगा, लेकिन दोष लेने की गलती नीतीश नहीं करना चाहते। वे लालू प्रसाद से गलती कराना चाहते हैं। नीतीश ने जो पटकथा लिखी थी, कहानी उसी तरह से बढ़ने लगी। पर्दे के पीछे लालू की असफल सियासी कोशिशों ने नीतीश को उनकी ही पटकथा के अनुसार खुलकर खेलने का सुनहरा मौका दे दिया।''

बिहार के महागठबंधन में पिछले कई दिनों से चल रही राजनीतिक हलचलों को देखकर यह सहज अनुमान लगाया जा सकता है कि नीतीश कुमार भाजपा के करीब आ रहे हैं और लालू प्रसाद से दूर जा रहे हैं। इसका मतलब नीतीश कुमार लालू प्रसाद से छुटकारा चाहते हैं। सवाल इतना भर बाकी है कि यह छुटकारा कैसे मिलेगा, कब मिलेगा और किस कीमत पर मिलेगा? नीतीश कुमार ने मोदी सरकार की नोटबंदी का समर्थन करते हुए इस पहल को भ्रष्टाचार से लड़ाई बताया था। उसी समय उन्होंने यह भी जोड़ा था कि भ्रष्टाचार और काले धन से लड़ाई के लिए बेनामी संपत्ति कानून को भी तुरंत अमल में लाया जाना चाहिए। भ्रष्टाचार से लड़ाई का बैनर तैयार कर नीतीश उसी समय लालू के खिलाफ भावी राजनीतिक लड़ाई की राह पर निकल चुके थे। पटकथा तैयार हो चुकी थी, अभिनय, रिहर्सल और आगे एक्शन का समय नजदीक आता जा रहा है।

नीतीश कुमार ने मोदी सरकार की नोटबंदी का समर्थन करते हुए इस पहल को भ्रष्टाचार से लड़ाई बताया था।

लालू और नीतीश एक-दूसरे की कमजोरियों और खूबियों से अच्छी तरह वाकिफ हैं। यह कहते रहने के बावजूद ''ऐसा कोई सगा नहीं, नीतीश ने जिसको ठगा नहीं'' लालू ने नीतीश का बांहें फैलाकर स्वागत किया। सच तो यह है कि इस साझेदारी की बदौलत नीतीश ने तो बस अपनी गद्दी बचाई थी, लेकिन लालू ने तो राजनीतिक जीवनदान पा लिया। नीतीश की चाणक्य नीति भी इस स्थिति का अनुमान नहीं लगा पाई थी कि महागठबंधन में उनकी पार्टी जेडीयू लालू की पार्टी आरजेडी से छोटी हो जाएगी। इस परिस्थिति ने ही उन पर लालू को हावी होने दिया और बिहार को तेजस्वी के रूप में डिप्टी सीएम मिला। तो क्या लालू इस बात को नहीं जानते कि नीतीश कुमार उनके दबाव से मुक्त होने को बेकरार हैं, और इसलिए ये सारे दांव चल रहे हैं?

सच यह है कि लालू प्रसाद बहुत अच्छी तरह से नीतीश की बेचैनी और सियासी चाल को समझ रहे हैं। उन्होंने रास्ता निकालने की कोशिश भी की थी पर लालू प्रसाद का भी अपना स्वभाव है। वे झुक सकते हैं पर बिछ नहीं सकते। लालू के सिपहसालारों ने उनका संवाद बीजेपी अध्यक्ष अमित शाह से दिल्ली में कराया था। दावा तो यहां तक किया गया कि प्रेमचंद गुप्ता

सरीखे लोगों ने मुलाकात भी की थी। लालू प्रसाद की टीम नीतीश सरकार को गिराने में कथित तौर पर बीजेपी का सहयोग मांग रही थी पर कहा यह गया कि बीजेपी उल्टे बिहार में अपनी सरकार बनाने के लिए सहयोग मांग बैठी। बीजेपी उस इतिहास को रिपीट करने के लिए तैयार नहीं थी, जब कम एमएलए रखने वाले नीतीश को पार्टी ने मुख्यमंत्री कबूल कर लिया था। इस बार बीजेपी ने अपनी सरकार बनाने के लिए लालू से मोल-तोल करने की कोशिश की। कहते हैं कि लालू अपना राजनीतिक आधार 'बेचने' को तैयार नहीं हुए और बाद की घटनाएं सबको पता हैं कि किस तरह लालू परिवार पर सीबीआई का कहर बरपा।

नीतीश ने जो पटकथा लिखी थी, कहानी उसी तरह से बढ़ने लगी। पर्दे के पीछे लालू की असफल सियासी कोशिशों ने नीतीश को उनकी ही पटकथा के अनुसार खुलकर खेलने का सुनहरा मौका दे दिया। नीतीश ने कभी भ्रष्टाचार के खिलाफ कोई लड़ाई लड़ी हो, ऐसा उदाहरण नहीं मिलता। अब यही भ्रष्टाचार का मुद्दा उनके राजनीतिक सफर का ईंधन बनकर पेश है। यह तय है कि महागठबंधन टूटेगा, लेकिन दोष लेने की गलती नीतीश नहीं करना चाहते। वे लालू प्रसाद से गलती कराना चाहते हैं। ऐसा करके ही भ्रष्टाचार को एक मुद्दे के रूप में नीतीश सियासत के तवे पर भुना सकते हैं और उसका स्वाद ले सकते हैं।

> *लालू ने हर मुसीबत की घड़ी में कांग्रेस का साथ दिया है, और एक बार फिर सोनिया की छवि को बचा रहे हैं।*

मोहरा बने डिप्टी सीएम तेजस्वी पर इस्तीफे का दबाव और बढ़ेगा। इस बीच, सोनिया की मध्यस्थता की खबर भी बिहार की सियासत में अहम रही। सोनिया की मध्यस्थता तेजस्वी से इस्तीफा दिलाने के लिए होगी, ऐसा हो नहीं सकता और मध्यस्थता में सोनिया गांधी विफल रहीं, यह संदेश लालू देना नहीं चाहते। लालू ने हर मुसीबत की घड़ी में कांग्रेस का साथ दिया है, और एक बार फिर सोनिया की छवि को बचा रहे हैं। यही वजह है कि उन्होंने कह दिया है कि उनकी सोनिया से बातचीत की खबर झूठी है। उन्होंने तेजस्वी के इस्तीफे से भी मनाकर दरअसल, नीतीश कुमार पर ही दबाव बढ़ाया है कि उनमें हिम्मत है, तो तेजस्वी को बर्खास्त करके देखें।

राष्ट्रपति चुनाव भी पास है। कांग्रेस और आरजेडी मीरा कुमार के साथ हैं। नीतीश ने इसे 'हारने के लिए उम्मीदवारी' बताया था। यूपीए के लिए यह मौका राजनीतिक संदेश देने का है, और इसलिए अपने आपको एकजुट रखने का दबाव यूपीए पर है। वहीं नीतीश कुमार यूपीए की एकजुटता को तोड़ने की कोशिशों के रूप में बीजेपी को 'रिटर्न' देना चाहते हैं जिसके बदले नीतीश कुमार सीएम के रूप में अपनी पारी को और लंबी कर सकें। ऐसे में डिप्टी सीएम को बर्खास्त करने का फैसला अकेले नीतीश कुमार का नहीं होगा। यह फैसला बीजेपी दफ्तर से ही आने वाला है। इसका नफा-नुकसान समझने-बूझने के बाद ही कोई फैसला होगा।

राष्ट्रपति चुनाव तक अगर तेजस्वी डिप्टी सीएम रह जाते हैं, तो 'ग्रहण' टल सकता है। 'और उचित मौका' के लिए नीतीश इंतजार कर सकते हैं। यह मौका 27 अगस्त से पहले आएगा, यह भी तय लगता है क्योंकि उसी दिन 2019 के लिए राष्ट्रीय स्तर पर महागठबंधन की नींव रखी जाने वाली है। पटना में अखिलेश-माया हाथ मिलाने वाले हैं। एनडीए के साथ भावी राजनीतिक सफर देख रहे नीतीश कुमार हर वो कोशिश करेंगे जिससे इस महागठबंधन की नींव ही कमजोर हो। आरजेडी और कांग्रेस में सेंधमारी से लेकर सारे विकल्प खुले हुए हैं, जिसके बारे में अभी सिर्फ नीतीश ही जानते हैं कि अपनी पटकथा में और क्या कुछ वे जोड़ने वाले हैं। लेकिन, एक बात तय है कि नीतीश ने जो पटकथा तैयार की है, उसका भाव संक्षेप में यही है कि वे बिहार के मुख्यमंत्री के तौर पर फ्रीहैंड चाहते हैं और इसलिए उन्हें कोई फर्क नहीं पड़ता कि उन्हें समर्थन करने वाला आरजेडी-कांग्रेस है या कि बीजेपी।

> *नीतीश के लोगों की धारणा बनी है कि एनडीए के दौरान भाजपा के साथ काम करने में ज्यादा सहूलियत थी।*

महागठबंधन में जारी शह-मात के खेल में नीतीश की भ्रष्टाचारमुक्त नेता की छवि दांव पर लगी है। तो दूसरी ओर लालू के लिए राजनीतिक प्रतिष्ठा और राजनीतिक अस्तित्व का सवाल है। बात सिर्फ तेजस्वी के इस्तीफे तक सीमित नहीं है, उनके परिवार से जुड़े नये मामले भी सामने आ सकते हैं। इसलिए लालू ने साफ कर दिया है कि तेजस्वी इस्तीफा नहीं देंगे।

नीतीश के पास एनडीए और महागठबंधन, दोनों का अनुभव है। उन्होंने इन दो सालों में खुद भी दोनों महागठबंधनों के अनुभवों का तुलनात्मक अध्ययन किया होगा। नीतीश के लोगों की धारणा बनी है कि एनडीए के दौरान भाजपा के साथ काम करने में ज्यादा सहूलियत थी। महागठबंधन के साथ रहकर नीतीश को समझौते करने पड़ रहे हैं, जिसके चलते उनकी साफ-सुथरी छवि प्रभावित हो रही है। वह अपनी छवि बचाना चाहते हैं। और लालू अपनी राजनीतिक हैसियत और परिवार को भी बचाना चाहते हैं। इस खेल में महागठबंधन के टूटने का ठीकरा दोनों एक दूसरे पर फोड़ना चाहते हैं। देखते हैं कि शह-मात के इस खेल में कौन विजयी रहता है।

राष्ट्रीय सहारा, 16 जुलाई, 2017)

97

यह खुलासा किसके लिए

''सीएजी की रिपोर्ट से अगर कोयला घोटाला सामने आता है, रेल में यात्रियों को परोसे जा रहे जानवरों जैसे भोजन की बात सामने आती है या विभिन्न सरकारों की लोक कल्याणकारी योजनाओं में भ्रष्टाचार सामने आते हैं तो यह चिंताजनक होकर भी देश के हित में है। देश के लोकतांत्रिक ढांचे को मजबूत करने वाली रिपोर्ट है यह। मगर हमारी सैन्य क्षमता कमजोर है, इसकी वास्तविक रिपोर्ट सामने आ जाए - यह तो अपना माथा खुद ईंट से फोड़ने जैसा है। इस पर गोपनीयता की बंदिश तो होनी ही चाहिए।''

ऐसे समय जबकि डोकलाम में युद्ध का खतरा मंडरा रहा है, पाकिस्तान और चीन ने हाथ मिला लिये हों, सीएजी की इस रिपोर्ट ने देश को बेचैन कर दिया है कि हमारे पास 10 दिन लड़ने के लिए भी गोला-बारूद नहीं हैं। यह स्थिति संतोषजनक नहीं है। देश कितना असुरक्षित है, यह सोच कर ही आम आदमी में घबराहट हो रही है। निश्चित तौर पर सीएजी के खुलासे से दुश्मन खेमे में खुशी होगी और उसका मनोबल ऊंचा हुआ होगा। वहीं भारतीय खेमा निराश और हताश होगा। ऐसे में सवाल लाजिमी है कि क्या इतने संवेदनशील मुद्दे को सार्वजनिक डोमेन में लाया जाना चाहिए था? बहुत सम्भव है कि यह सवाल बीजेपी को सूट कर रहा हो और वह इसके जरिये विपक्षी कांग्रेस के आक्रमण को भोथरा बना रही हो। जो भी हो, लेकिन इस सवाल से बचना राष्ट्रहित नहीं हो सकता।

सीएजी के खुलासे से दुश्मन खेमे में खुशी होगी और उसका मनोबल ऊंचा हुआ होगा।

कितना अच्छा होता, अगर देश में सबसे अधिक समय तक हुकूमत करने वाली कांग्रेस खुद यह सवाल उठा रही होती कि सीएजी की संवेदनशील रिपोर्ट को भी सार्वजनिक करने की परंपरा को क्यों जारी रखा जाए? वैसे देश अकेले सत्ताधारी दल का ही नहीं है। लोकतांत्रिक व्यवस्था वाले देश में विपक्ष की भूमिका कहीं से कमतर नहीं होती। लेकिन अफसोस कि ऐसे समय जबकि देश का हर नागरिक सीमा की सुरक्षा को लेकर चिंतित है, राजनीतिक नेता ऐसा बर्ताव कर रहे हैं, मानो उनके हाथ एक रिपोर्ट नहीं, कोई खजाना लग गया हो।

इसी सीएजी की रिपोर्ट कहती है कि 2013 में गोला-बारूद की स्थिति तो और भी नाजुक थी। 2014 में मौजूदा एनडीए सरकार ने स्थिति को संभाला, गोला-बारूद व हथियारों की खरीद के निर्देश दिए। इसके बावजूद भंडार असलहे से खाली है। गन में इस्तेमाल होने वाले फ्यूज महज 17 फीसद ही मौजूद हैं, यानी 83 फीसद बेकार हैं। एनडीए सरकार ऐसे तथ्यों से विरोधी दलों और खासकर कांग्रेस का मुंह तो चुप करा सकती है, लेकिन देश की सरहद सुरक्षित है- इसका भरोसा आम लोगों को नहीं दिला सकती। यानी देश की सवा सौ करोड़ आबादी की सुरक्षा भगवान भरोसे है।

इतिहास भी बताता है कि जब-जब रक्षा बजट से खिलवाड़ किया गया, राज्य की सीमाएं मिट गई हैं। चक्रवर्ती राजा वही हुआ, जिसने रक्षा बजट की चिंता की। उपलब्ध लिखित इतिहास में मौर्यकाल का उदय रक्षा बजट को अहमियत देने का प्रतीक है, तो सम्राट अशोक के बाद रक्षा बजट से मुंह मोड़ने का खमियाजा राज्यों के विघटन का प्रमाण। मुगलों ने इस देश पर शासन किया, क्योंकि उन्होंने रक्षा बजट को स्थानीय राजाओं की तुलना में अधिक अहमियत दी। अंग्रेज भी इसलिए यहां अपने साम्राज्य को लम्बे समय तक रख पाए, क्योंकि उनके हथियारों के सामने स्थानीय राजा टिक नहीं सके।

शांति की अहमियत है, लेकिन इसे वही समझता है जो शांति बनाने की क्षमता रखता है। युद्धपसंद, साम्राज्यवादी, विस्तारवादी देश क्या जानें, शांति की अहमियत क्या होती है! उनके लिए दुश्मन का समर्पण ही शांति का एकमात्र प्रमाण होता है। तात्पर्य यह है कि शांति तभी रह सकती है, जब शांति के रक्षकों के पास दुश्मन से बचने का सामर्थ्य हो, उन्हें ललकारने की ताकत हो। ऐसा रक्षा बजट की उपेक्षा करके कतई नहीं हो सकता। सीएजी 160 साल पुरानी संस्था है, जिसे अंग्रेजों ने भारत पर नियंत्रण रखने के लिए बनाया था। ईस्ट इंडिया कंपनी के कामकाज पर पकड़ रखने के लिए यह ब्रिटिश संसद का तरीका था। उन दिनों ईस्ट इंडिया कंपनी की महत्वाकांक्षा को ब्रिटिश सरकार नियंत्रित करने में जुटी थी। आप सीएजी की संरचना, कार्य और अधिकारों पर नजर डालें, तो वह बस प्रस्तुति देने का काम करता है। यह प्रस्तुति ईस्ट इंडिया कंपनी के कामकाज के खिलाफ बेशक होती थी, लेकिन क्या मजाल कि ईस्ट इंडिया कंपनी उसके कामकाज में दखल दे दे। ऐसा इसलिए, क्योंकि ब्रिटिश संसद को वास्तविक रिपोर्ट चाहिए होती थी। भले ही उस सीएजी की रिपोर्ट का फायदा भारतीय जनता को होता हो या नहीं होता हो, लेकिन ब्रिटिश सरकार द्वारा ईस्ट इंडिया कंपनी पर नकेल जरूर कसी जाती रही थी।

चक्रवर्ती राजा वही हुआ, जिसने रक्षा बजट की चिंता की।

दुश्मन का समर्पण ही शांति का एकमात्र प्रमाण होता है।

आजाद हिन्दुस्तान में वह परिप्रेक्ष्य बदल गया है। ईस्ट इंडिया कंपनी की तर्ज पर रिपोर्ट भारतीय संसद में रखी जाती है, ठीक वैसे ही जैसे यह कभी ब्रिटिश संसद में पेश की जाती थी। पर इस रिपोर्ट से ऊंगली अब ईस्ट इंडिया कंपनी पर नहीं, खुद संसद में बहुमत वाली लोकतांत्रिक सरकार पर उठती है। यह महज तथ्यों के आईने में एक-दूसरे को राजनीतिक रूप से घेरने का अवसर देने का साधन मात्र बनकर रह गई है। मगर अब तो अतिसंवेदनशील मसलों पर इसके खुलासे से इसका खतरनाक और देशविरोधी चरित्र भी सामने आ गया है। इससे देश की सुरक्षा खतरे में पड़ गई है। तथ्यों के आईने में राजनीति कतई गलत नहीं है। सीएजी की रिपोर्ट से वे बातें सार्वजनिक डोमेन में आती हैं, जिन्हें अक्सर सरकारें छिपाती हैं। यह लोकतंत्र के हित में है। मगर, यही सीएजी की रिपोर्ट अगर लोकतांत्रिक सरकार और देश पर खतरा बनकर दरपेश है तो इस पर दलगत राजनीति से ऊपर उठकर विचारने की जरूरत है।

सीएजी की रिपोर्ट से अगर कोयला घोटाला सामने आता है, रेल में यात्रियों को परोसे जा रहे जानवरों जैसे भोजन की बात सामने आती है या विभिन्न सरकारों की लोक कल्याणकारी योजनाओं में भ्रष्टाचार सामने आते हैं तो यह चिंताजनक होकर भी देश के हित में है। देश के लोकतांत्रिक ढांचे को मजबूत करने वाली रिपोर्ट है यह। मगर हमारी सैन्य क्षमता कमजोर है, इसकी वास्तविक रिपोर्ट सामने आ जाए- यह तो अपना माथा खुद ईंट से फोड़ने जैसा है। इस पर गोपनीयता की बंदिश तो होनी ही चाहिए। देश के लिए सोचने का समय है। किस तरह हम 40 दिन तक युद्ध में टिके रहने की क्षमता जल्द से जल्द पा सकते हैं? इस पर कितना खर्च आएगा? खर्च किस तरह जुटाया जाएगा? कहां से खरीदारी करनी है, कब करनी है, कितनी जल्दी करनी है? इन सवालों पर जल्द और त्वरित फैसला लेने की जरूरत है। कहीं ऐसा न हो कि दुश्मन हमारी स्थिति का फायदा उठा ले और हम लोकतंत्र बचाने की कोशिश में दूसरे देशों के हाथों अपने लोकतंत्र की हत्या करवा लें, खुद को गुलाम बना लें।

सीएजी की रिपोर्ट पर राजनीतिक हमले करने से ज्यादा जरूरी देश हित की चिंता करना है।

सीएजी की रिपोर्ट पर राजनीतिक हमले करने से ज्यादा जरूरी देश हित की चिंता करना है। यह बात विरोधी दलों ने अगर आगे आकर महसूस कर ली, महसूस करा दी तो यकीन मानिए कि राजनीतिक फायदा भी उन्हें अधिक होने वाला है। वहीं सत्ताधारी दल भी विरोधी दलों के विरोध पर उनके साथ देशद्रोही जैसा व्यवहार करने से बचने की सलाहियत रखें। उनका पूरा ध्यान देश की कमजोरी दूर करने पर होना चाहिए। सीएजी की रिपोर्ट की गोपनीयता की जरूरत पर मौका देखते ही देशव्यापी और उच्चस्तरीय मंत्रणा कर उचित निष्कर्ष पर यथाशीघ्र पहुंचने की जरूरत है।

(राष्ट्रीय सहारा, 23 जुलाई, 2017)

98

जीतने का यह भी तरीका

''यह शाह-मोदी की युगलबंदी की सफलता है कि नीतीश कुमार जैसा धुर विरोधी भी आज उनके पीछे लामबंद है। चुनौती देना तो दूर लंबे समय तक अपनी कुर्सी से आगे की सोच भी नहीं सकेंगे नीतीश। 27 मई को संपादकों के साथ बैठक में अमित शाह ने इसका संकेत दिया था। इसमें मैं भी मौजूद था, जहां चर्चा के दौरान अमित शाह ने कहा था कि नीतीश कुमार ने यह मान लिया है कि भले ही वह पीएम बन नहीं सकें, लेकिन सीएम तो बने रहें।''

नीतीश कुमार को एनडीए की झोली में लाकर किंगमेकर अमित शाह ने खुद को किंगमेकर कहते रहे लालू प्रसाद को न सिर्फ कड़ी पटखनी दी है, बल्कि अपने किंग नरेन्द्र मोदी के लिए एक हार को भी जीत में बदल दिया है। इसके साथ ही मोदी-शाह की जोड़ी ने पूरे हिंदुस्तान में भगवा परचम लहरा दिया। बस, बिहार और दिल्ली में मिली मात इस जोड़ी के यश को कम कर रही थी।

राजनीति में कहते हैं कि टाइमिंग जबरदस्त होनी चाहिए। जब यह सही होती है, तो गेंद आसमान में निश्चित छक्के बनकर उड़ती है, और जब गलत होती है, तो गेंद विकेट उड़ा ले जाती है। महागठबंधन बनकर लालू-नीतीश की गेंद तब अमित शाह-मोदी का विकेट बिहार में उड़ा ले गई थी। शाह-मोदी की जोड़ी ने वक्त बदलने का इंतजार किया। एक समय आया, जब अंपायर बने लालू अपने डिप्टी सीएम बेटे के लिए सीएम नीतीश को रनआउट कराने की चाल चल रहे थे। नीतीश कुमार ने वक्त का रुख भांपा, अंपायर के मंसूबे को पढ़ा, सामने डिप्टी सीएम का चेहरा भी उन्हें बहुत कुछ बता रहा था, और सट्टेबाजों की गलियां भी उन्हें संकेत कर चुकी थीं कि विरोधी दलों से मिलकर लालू नाम का यह अंपायर किसी क्षण अपनी उंगली उठा सकता है, और उन्हें रनआउट करा सकता है। बस, नीतीश ने राजनीति के उन्हीं 'सट्टेबाजों' से संपर्क साधा, शाह से संवाद बनाया और ऐसे समय पर हिट विकेट हो गए, जिसके बाद मैच टाई था। थर्ड अंपायर यानी राज्यपाल अपना था। स्कोरर के रूप में स्पीकर अपने थे। लिहाजा, जीत नीतीश कुमार की तय थी, तय हो गई, लेकिन यह जीत वह शाह-मोदी को सुपुर्द कर चुके थे, जिन्होंने उनको अभयदान दे दिया था यानी मुख्यमंत्री नीतीश कुमार ही रहेंगे यह तय हो चुका था।

> *राजनीति में कहते हैं कि टाइमिंग जबरदस्त होनी चाहिए।*

राजनीति में कामयाबी की लंबी होती फेहरिस्त से आज मोदी-शाह की जोड़ी नाबाद और अजेय जोड़ी बन चुकी है। लोक सभा चुनाव में उत्तर प्रदेश के 'मैन ऑफ द मैच' रहे शाह को ईनाम के तौर पर पीएम बनने के बाद मोदी ने उन्हें बीजेपी का सिरमौर बनवा दिया। उसके बाद से शाह ने हरियाणा, महाराष्ट्र, जम्मू-कश्मीर, झारखंड और असम में बीजेपी का परचम लहराया।

नोटबंदी के बावजूद चंडीगढ़ नगर निगम, बीएमसी चुनाव और ओडिशा समेत कई जगहों पर कमल खिलाए। यह शाह-मोदी की जोड़ी का ही कमाल है कि14 साल बाद यूपी में बीजेपी की वापसी हुई। उत्तराखंड, गोवा और मणिपुर में भी उसकी सरकारें बनीं। यहां तक कि दिल्ली एमसीडी चुनाव में भी बीजेपी ने आम आदमी पार्टी (आप) और कांग्रेस की बोलती बंद कर दी।

हार को जीत में कैसे बदला जाता है, इसे देखना हो तो कोई शाह-मोदी की जोड़ी और बिहार की राजनीति को देख ले। नीतीश कुमार कभी बिहार के मुख्यमंत्री के तौर पर गुजरात के मुख्यमंत्री नरेन्द्र मोदी के साथ पीएम मैटीरियल माने जाते थे। विकास के गुजरात मॉडल के साथ-साथ बिहार मॉडल की भी चर्चा होती थी। बीजेपी में भी एक धड़ा था, जो पीएम के उम्मीदवार के तौर पर नीतीश को पसंद करता था। लेकिन इस तबके को तब नीतीश ने नाराज कर दिया था, जब महज मोदी-नीतीश की साझा तस्वीर का विज्ञापनों में इस्तेमाल होने पर नीतीश ने गहरी नाराजगी जताई थी और अपने घर पर दावत देकर भी बीजेपी नेताओं को लौटा दिया था। तब खुद मोदी और आडवाणी जैसे नेता भी पटना में ही मौजूद थे। गठबंधन सरकार में होकर भी बीजेपी खून का घूंट पीकर रह गई थी। हद तो तब हो गई जब नीतीश ने नरेन्द्र मोदी को बीजेपी का पीएम उम्मीदवार घोषित करने पर बीजेपी से रिश्ते तोड़ते हुए उसे सरकार से बाहर कर दिया था। तब नीतीश ने गुजरात दंगे की घटना और नरेन्द्र मोदी का जिक्र अल्पसंख्यक विरोधी के तौर पर करते हुए इसे अपने फैसले की वजह बताई थी।

> *नीतीश कुमार कभी बिहार के मुख्यमंत्री के तौर पर गुजरात के मुख्यमंत्री नरेन्द्र मोदी के साथ पीएम मैटीरियल माने जाते थे।*

लोक सभा चुनाव में शाह-मोदी की जोड़ी जीत गई और नरेन्द्र मोदी पीएम बन गए तो नीतीश कुमार ने नैतिकता के आधार पर मुख्यमंत्री पद से इस्तीफा दे दिया। जीतन राम मांझी सरकार को वे पर्दे के पीछे से चलाने लगे। मतभेदों के बीच बीजेपी ने जीतन राम मांझी की नीतीश के खिलाफ मदद की, उनकी सरकार को गिराने की कोशिश की। मगर महागठबंधन बनाकर नीतीश कुमार ने एनडीए का विकेट गिराया और अपनी जीत सुनिश्चित की। लालू के बेटों के साथ बिहार में सरकार बनाई। लेकिन बीते तीन साल के दौरान महागठबंधन

के अंदरूनी दबावों ने नीतीश को झुकाया। बीजेपी नेता अमित शाह भी अड़े नहीं, झुके हुए नीतीश कुमार की भावना सहलाने लगे, उन्हें दुलारने लगे। नतीजा यह हुआ कि नीतीश कुमार के मन से अल्पसंख्यकों के लिए जो मोदी के नाम पर भय था, उससे उनका ध्यान हट गया। नोटबंदी की तारीफ से लेकर बेनामी संपत्ति कानून बनाने की वकालत तक नीतीश ने अपनी राजनीति का ध्यान बीजेपी के बजाय लालू और उनके परिवार के खिलाफ सियासत की ओर कर लिया। बीजेपी ने भी उनका साथ दिया। और इस तरह सियासत की बदली बयार के बीच दोनों एक-दूसरे के करीब आते गए।

यह शाह-मोदी की युगलबंदी की सफलता है कि नीतीश कुमार जैसा धुर विरोधी भी आज उनके पीछे लामबंद है। चुनौती देना तो दूर लंबे समय तक अपनी कुर्सी से आगे की सोच भी नहीं सकेंगे नीतीश। 27 मई को संपादकों के साथ बैठक में अमित शाह ने इसका संकेत दिया था। इसमें मैं भी मौजूद था, जहां चर्चा के दौरान अमित शाह ने कहा था कि नीतीश कुमार ने यह मान लिया है कि भले ही वह पीएम नहीं बन सकें, लेकिन सीएम तो बने रहें। इसलिए उनकी सियासत इसी रूप में विकसित हो रही है। यह संकेत राजनीतिक गलियारे में समझने के लिए काफी था कि बीजेपी और जेडीयू के बीच कुछ पक रहा है। जिन्हें शुब्हा था, उन्होंने वक्त के साथ या फिर वक्त बीतने के बाद इसे माना।

मतभेदों के बीच बीजेपी ने जीतन राम मांझी की नीतीश के खिलाफ मदद की, उनकी सरकार को गिराने की कोशिश की।

यह सच है कि नीतीश ने शाह-मोदी की जोड़ी को मुस्कुराने का मौका दिया, लेकिन यह भी सच है कि बार-बार कुछ खोने के लिए ही नीतीश कुर्बानी क्यों देते रहते? डिप्टी सीएम तेजस्वी यादव को मुख्यमंत्री बनाने के लिए जो साजिशें रची जा रही थीं, जेडीयू को तोड़ने की और यहां तक कि बीजेपी से समर्थन लेने की भी जो कोशिशें पर्दे के पीछे से हुईं, उन्हें देखते हुए नीतीश को यह सोचने के लिए मजबूर होना पड़ा कि पीएम की कुर्सी से क्यों न समझौता कर लिया जाए ताकि सीएम की कुर्सी हमेशा के लिए बनी रहे। नीतीश की विवशता को समझकर शाह-मोदी की जोड़ी ने जो उन्हें थामने का काम किया है, वही उनकी जीत की वजह है। वजह चाहे जो हो,

अमित शाह ने बीजेपी को देश की सबसे बड़ी पार्टी, देश के सबसे अधिक राज्यों में शासन करने वाली पार्टी और देश के सबसे बड़ी जनसंख्या और क्षेत्रफल वाले राज्यों में सत्ता दिलाई है। ऐसे में बीजेपी अध्यक्ष अगर राज्य सभा में पहुंचकर दिल्ली की गद्दी पर नम्बर दो बनने की तमन्ना रखते हैं, तो न यह गलत है, और न ही यह कहना गलत होगा कि इसमें नीतीश कुमार की भूमिका भी कम नहीं है।

> *नीतीश की विवशता को समझकर शाह-मोदी की जोड़ी ने जो उन्हें थामने का काम किया है, वही उनकी जीत की वजह है।*

(राष्ट्रीय सहारा, 30 जुलाई, 2017)

99

आजादी अभी बाकी है

''लोक कल्याणकारी योजनाओं को किस तरह जनता के लिए फायदेमंद बनाया जाए, व्यापार का माहौल कैसे तैयार हो, निवेश का आकर्षण नजर आए और खेती से लेकर उद्योग-धंधों तक का विकास हो, रोजगार बढ़े, लोगों की आमदनी बढ़े, पड़ोसी देशों के साथ संबंध घनिष्ठ हों, इन सभी दिशा में आगे बढ़ने और मार्ग की बाधाओं को दूर करने की चुनौती आजादी की 71वीं वर्षगांठ पर साफ-साफ महसूस हो रही है। देश की बहुसंख्यक आबादी के लिए अब भी यह बात कही जा सकती है कि आजादी अभी बाकी है।''

आजाद हिन्दुस्तान की उम्र अपने 71वें जन्मदिवस पर भी देश के दिग्गज राजनीतिज्ञों लालकृष्ण आडवाणी, मुरली मनोहर जोशी, प्रणब मुखर्जी, मनमोहन सिंह, सोनिया गांधी, मुलायम सिंह और शरद पवार से छोटी है। प्रधानमंत्री नरेन्द्र मोदी आजादी के तीन साल बाद पैदा हुए, जिनके हाथों में देश की बागडोर है। अपने तीन साल के शासन में ही मोदी सरकार ने दुनिया का परिचय एक ऐसे भारत से कराया है, जो संभावनाओं से भरपूर है और जहां निवेश की असीमित संभावनाएं हैं। बावजूद इसके भारत की अधिसंख्य आबादी अब भी रोजगार और रोटी के लिए तरस रही है। सही मायने में सरकार के लिए 71वीं वर्षगांठ पर यही चुनौती है। इसके अलावा, देश सीमा पर भी चुनौतियों का सामना कर रहा है।

भारत की अधिसंख्य आबादी अब भी रोजगार और रोटी के लिए तरस रही है। सही मायने में सरकार के लिए 71वीं वर्षगांठ पर यही चुनौती है।

कहा जाता है कि किसी देश की विदेश नीति और उसमें बदलाव विभिन्न देशों के आर्थिक हालात से तय होते हैं। दुनिया में हो रहे आर्थिक उथल-पुथल के बीच इसमें संदेह नहीं कि प्रधानमंत्री नरेन्द्र मोदी की यह घोषणा सच होने वाली है कि 21वीं सदी एशिया की सदी होगी। भारत और चीन इस विकास के खेवनहार होंगे। आजादी के 70 साल बाद आज विचारणीय मसला यह है कि दोनों देश आर्थिक विकास में मिलकर एशिया का नेतृत्व करने जा रहे हैं या विकास के रास्ते में एक-दूसरे से लड़ते हुए वे ऐसा करने वाले हैं।

'वन बेल्ट वन रोड' की पहल कर चीन ने प्राचीन सिल्क मार्ग पर कब्जा करने की शुरुआत कर दी है। पाकिस्तान अधिकृत कश्मीर से होकर इसका रास्ता ग्वादर बंदरगाह तक बनाया है, जो चीन को व्यापारिक नजरिए से मध्य-पूर्व एशिया, अफ्रीका और यूरोप तक से जोड़ देगा। ऐसा करते हुए चीन ने पाकिस्तान में निवेश की इतनी जबरदस्त योजना बनाई है कि जो 2002 के बाद पाकिस्तान को कुल अमेरिकी मदद के दोगुने के बराबर होगा। पाकिस्तान अगर अमेरिका से छिटककर चीन की गोद में गया है तो यह इसकी सबसे बड़ी वजह है। 'वन बेल्ट वन रोड' से नेपाल समेत दसियों देशों को जोड़कर चीन ने अपने इरादे साफ कर दिए हैं।

अमेरिका की दुनिया में धौंस पहले जैसी नहीं रही, यूरोपीय यूनियन से अलग होकर इंग्लैंड स्वतंत्र आर्थिक विकास के रास्ते पर चलने को उतारू है। इन परिस्थितियों में यह संतोष की बात है कि चीन के मुकाबले इन देशों में भारत का स्वागत हो रहा है। पीएम मोदी ने आक्रामक तरीके से विदेश दौरे कर भारत के संभावित नियंत्रण नेतृत्व की तस्वीर बनाने में कामयाबी हासिल की है। लेकिन विदेश दौरे की इन सफलताओं के बीच मोदी सरकार डोकलाम मामले में चीनी चुनौतियों का सामना करती दिख रही है।

दुनिया ने जितना विकास किया है, उतना ही अधिक युद्ध का खतरा भी बढ़ा है। भारत-चीन, भारत-पाकिस्तान सीमा पर तनाव युद्ध का रूप न ले ले, यह आशंका बनी हुई है। इसी तरह यह आशंका भी बनी हुई है कि उत्तर कोरिया कहीं चीन और रूस की शह पाकर अमेरिका से न उलझ जाए। मध्य एशिया तो पहले से ही हिंसा की चपेट में है। वैसे, भारतीय विदेश मंत्री सुषमा स्वराज ने यह साफ तौर पर कहा है कि युद्ध कोई नहीं चाहता और न यह किसी समस्या का समाधान है। अपनी ओर से उन्होंने पूरा धीरज बनाए रखने का विश्व को भरोसा दिलाया है।

भारतीय विदेश मंत्री सुषमा स्वराज ने यह साफ तौर पर कहा है कि युद्ध कोई नहीं चाहता और न यह किसी समस्या का समाधान है।

नोटबंदी से पहले आर्थिक विकास में सबसे तेज रहने वाला भारत एक बार फिर 2017 में चीन से इस मामले में पिछड़ चुका है। चुनौती आर्थिक विकास को पटरी पर लाने की है। जनधन योजना, कौशल विकास, उज्ज्वला योजना, फसल बीमा योजना, कैशलेस इंडिया जैसी पहल का मकसद निस्संदेह व्यापक है और अगर ये योजनाएं सफल रहीं, तो भारत की महत्त्वाकांक्षाएं भी पूरी हो सकती हैं। मगर हालात ये हैं कि 'ईज ऑफ बिजनेस डुइंग' यानी व्यापार करने में सहूलियत के मामले में भारत 189 देशों में 130वें नंबर पर है। यह इस तथ्य के बावजूद है कि मोदी सरकार ने लगातार प्रक्रियाओं की जटिलता खत्म करने की पहल और इसमें सफलता के दावे किए हैं।

औद्योगिक विकास के लिए सड़क, बिजली की व्यवस्था पर सरकार काम करने का दावा तो कर रही है, लेकिन अब तक उसके ठोस नतीजे देखने को नहीं मिले हैं। 2017 में जनवरी से जून के बीच औद्योगिक विकास दर

में कमी आई है। बेरोजगारी बढ़ी है और रोजगार के मौके कम हुए हैं। इसी तरह, कृषि उत्पादन में बड़े-बड़े दावों के बीच किसान आत्महत्या कर रहे हैं। उनके लिए खेती जिन्दगी पर बोझ बनी दिख रही है। उद्योग और कृषि में सुधार की संभावनाओं को खोज निकालना और उस पर अमल करना मोदी सरकार के लिए आने वाले समय में बड़ी चुनौती रहेगी।

राजनीतिक क्षेत्र में सत्ताधारी बीजेपी जरूर नरेन्द्र मोदी के नेतृत्व में सफलता के झंडे गाड़ रही है। लोक सभा के बाद अब राज्य सभा में भी एनडीए के बहुमत के रास्ते साफ होने लगे हैं। देश के दो तिहाई राज्यों में बीजेपी या उसके सहयोगी दलों की सरकार चल रही है। विभिन्न राज्यों में सरकार के लिहाज से कांग्रेस लगातार साफ हो रही है, जबकि बीजेपी मजबूत होती चली जा रही है, कहा जा सकता है कि चुनाव में जीत अब बीजेपी की आदत बन चुकी है।

मोदी सरकार की जिन विफलताओं का जिक्र होता है उनमें कश्मीर में अशांति प्रमुख है।

मोदी सरकार की जिन विफलताओं का जिक्र होता है उनमें कश्मीर में अशांति प्रमुख है। बुरहान बानी के मारे जाने के बाद हालात खराब हुए हैं। घरेलू मोर्चे पर घर वापसी, बीफ, दलितों की पिटाई, लिंचिंग जैसे मसलों पर कानून-व्यवस्था को हाथ में लेने की घटनाएं बढ़ी हैं। नक्सली हमले भी चुनौती बने हुए हैं। इतना ही नहीं, काला धन और भ्रष्टाचार खत्म करने की तमाम कोशिशों के बावजूद यह रुका नहीं है। नए नोटों के साथ भी काला धन छापेमारी में मिल रहे हैं। विदेश से काला धन लाने का मसला भी फंसा हुआ है। विजय माल्या हों या ललित मोदी - सरकार को अंगूठा दिखाते हुए विदेश में सैर कर रहे हैं।

महंगाई नियंत्रण में होने के दावे की भी नोटबंदी के बाद पोल खुलने लगी है। सब्सिडी खत्म करने की नीति और जीएसटी का बोझ गरीबों पर पड़ा है। व्यापारी निरंकुश तरीके से आम उपभोक्ताओं के साथ छल कर रहे हैं। उनसे 18 फीसद जीएसटी वसूल रहे हैं। इस तरह जीएसटी का उद्देश्य भले ही व्यापक और पवित्र हो, लेकिन यह आम लोगों पर बोझ को बढ़ाता दिख रहा है। लोक कल्याणकारी योजनाओं को किस तरह जनता के लिए फायदेमंद

बनाया जाए, व्यापार का माहौल कैसे तैयार हो, निवेश का आकर्षण नजर आए और खेती से लेकर उद्योग-धंधों तक का विकास हो, रोजगार बढ़े, लोगों की आमदनी बढ़े, पड़ोसी देशों के साथ संबंध घनिष्ठ हों, इन सभी दिशा में आगे बढ़ने और मार्ग की बाधाओं को दूर करने की चुनौती आजादी की 71वीं वर्षगांठ पर साफ-साफ महसूस हो रही है। देश की बहुसंख्यक आबादी के लिए अब भी यह बात कही जा सकती है कि आजादी अभी बाकी है।

(राष्ट्रीय सहारा, 6 अगस्त, 2017)

100

बच्चे किसकी जिम्मेदारी ?

''इस घटना की जिम्मेदारी जब तक तय नहीं की जाती या फिर आगे बढ़कर जब तक कोई जिम्मेदारी नहीं लेता है, तब तक विपक्ष की शून्य राजनीति के बीच मीडिया को ही कमान संभाले रखना चाहिए। यूपी सरकार ने जो ऑक्सीजन की कमी नहीं होने के ट्वीट्स जारी किए हैं, उसके लिए भी सरकार को माफ नहीं किया जा सकता। केंद्र में मोदी सरकार से सबक लेगी योगी सरकार? योगी सरकार को कम से कम केंद्र में अपनी ही मोदी सरकार से सीख लेनी चाहिए जिसका लोक स्वास्थ्य के मामले में रिकॉर्ड शानदार रहा है।''

गोरखपुर का बाबा राघव दास मेडिकल कॉलेज एंड हॉस्पिटल 30 बच्चों के लिए श्मशान बन गया। अस्पताल प्रशासन और व्यवस्थापक यमराज बन गए। अस्पताल में मौजूद डॉक्टर, नर्स और दूसरे स्टाफ को शर्म से डूबने के लिए चुल्लू भर पानी भी नहीं मिल रहा जिनकी वजह से एक के बाद एक कई बच्चे असमय ही दुनिया छोड़ गए। इसी कड़ी में सीएम योगी आदित्यनाथ का नाम भी आता है, जो 9 अगस्त को वहां की व्यवस्था की निगरानी करके लौटे थे। ऑक्सीजन की सप्लाई खत्म थी, वैकल्पिक व्यवस्था भी फेल हो गई और 10 अगस्त की रात से ही मौत का तांडव शुरू हो गया। 11 अगस्त की सुबह होते-होते मृतक बच्चों की संख्या 30 हो चुकी थी।

> *अस्पताल प्रशासन और व्यवस्थापक यमराज बन गए। अस्पताल में मौजूद डॉक्टर, नर्स और दूसरे स्टाफ को शर्म से डूबने के लिए चुल्लू भर पानी भी नहीं मिल रहा जिनकी वजह से एक के बाद एक कई बच्चे असमय ही दुनिया छोड़ गए।*

योगी सरकार की उद्दंडता तो देखिए ट्वीट जारी कर सफाई दी जा रही है कि मीडिया की खबर गलत है। किसी बच्चे की मौत ऑक्सीजन की कमी की वजह से नहीं हुई है। मौत के कारणों की जांच कराने की भी बात कही गई है। एक ही सांस में कारण को नकार भी रहे हैं, और मीडिया को गलत भी बता रहे हैं, और उसी सांस में कारणों की जांच की भी बात की जा रही है। सही मायने में कहा जाए तो यह योगी सरकार की संवेदनहीनता की पराकाष्ठा है। बकाया मिल गया, आगे मिल भी जाएगा, पर जिंदगी नहीं मिलेगी दोबारा।

खुद मेडिकल कॉलेज की रिपोर्ट कहती है कि 10 अगस्त की शाम 7.30 बजे लिक्विड ऑक्सीजन सप्लाई में प्रेशर कम हुआ, तो रिजर्व में रखे 52 सिलिंडर लगाए गए। बावजूद इसके ऑक्सीजन कम पड़ गई और 30 जिंदगियां असमय ही काल के गाल में समा गई। मीडिया में यह रिपोर्ट भी सामने आ चुकी है कि ऑक्सीजन सप्लाई कंपनी पुष्पा सेल्स ने बकाया पेमेंट नहीं मिलने की वजह से ऑक्सीजन की सप्लाई रोकने की धमकी दे रखी थी।

बकाया पेमेंट के लिए बच्चों की जान लेने की हद तक जाने वाले पुष्पा सेल्स ने 6 महीने से पेमेंट बकाया होने की बात कहते हुए अस्पताल प्रशासन

को इस घटना के लिए जिम्मेदार ठहराया है। उसके मुताबिक शुक्रवार को कुछ पेमेंट मिला है, कुछ शनिवार को भी मिलेगा। बकाया में से कुछ भुगतान होने के बाद ऑक्सीजन की गाड़ी चल पड़ी जिसे दर्दनाक घटना के गवाह बन चुके गोरखपुर में शुक्रवार की रात पहुंचना था। कहने का अर्थ यह है कि ऑक्सीजन की कमी की पुष्टि अस्पताल की मेडिकल रिपोर्ट कर रही है, और मौत के तांडव के बाद ही ऑक्सीजन पहुंचेगा, यह बात खुद सप्लायर कह रहा है। इसके बावजूद योगी आदित्यनाथ की सरकार ने लगातार ट्वीट कर ऑक्सीजन की कमी से हुई मौत को सिरे से नकारा और मीडिया रिपोर्ट को गलत ठहराया।

योगी सरकार के रुख का असर मीडिया पर पड़ने भी लगा है। कोई इसे दो दिन में 30 बच्चों की मौत बता रहा है, तो कोई 36 घंटे में। कोई यह साबित करने में लगा है कि पिछले एक हफ्ते में 60 बच्चे अस्पताल में मरे हैं यानी एक दिन संख्या थोड़ी बढ़ भी गई, तो उसकी वजह कुछ और हो सकती है। ऑक्सीजन की कमी वाली बात पक्की नहीं है। काश! योगी आदित्यनाथ का यह खौफ मीडिया से ज्यादा अस्पताल के प्रशासन पर होता। काश! यह खौफ उस सप्लायर पर होता जिसने चंद लाख रुपये के लिए घृणित दबाव का खेल खेला।

योगी आदित्यनाथ की सरकार ने लगातार ट्वीट कर ऑक्सीजन की कमी से हुई मौत को सिरे से नकारा और मीडिया रिपोर्ट को गलत ठहराया।

ताज्जुब की बात यह है कि गोरखपुर के डीएम को भी गुरुवार की रात में ऑक्सीजन में कमी आने की बात पता थी, और उन्हें भी अस्पताल प्रशासन ने वैकल्पिक व्यवस्था होने की बात कहकर धीरज बंधाया था। लेकिन हालात की गंभीरता का अंदाजा लगाने में सभी फेल हो गए। कौन है इन बच्चों की मौत का जिम्मेदार? क्या डीएम जिम्मेदारी लेंगे, जिन्होंने अस्पताल प्रशासन पर भरोसा किया? क्या अस्पताल प्रशासन जिम्मेदारी लेगा जिसने सप्लायर की धमकी को नजरअंदाज किया? क्या सप्लायर जिम्मेदारी लेगा जिसने यह जानते हुए भी कि मरीजों की जान जा सकती है, ऑक्सीजन की सप्लाई रोक दी? क्या मुख्यमंत्री अपने अस्पताल के दौरे का औचित्य बताएंगे कि उनके

जाने के एक दिन बाद ही अस्पताल में ऑक्सीजन की कमी की वजह से 30 बच्चों की मौत हो गई?

क्या सीएम योगी आदित्यनाथ अपने गोरखपुर दौरे का औचित्य बताएंगे, जिनके आने पर शहीद के घर में कालीनें बिछा दी जाती हैं, एसी लगा दिए जाते हैं, सोफे सेट कर दिए जातें हैं, और दौरा खत्म होते ही सब कुछ हटा लिया जाता है। ऐसे सीएम को अस्पताल पहुंच कर भी मरीजों का दर्द पता नहीं चला, तो कोई आश्चर्य नहीं होना चाहिए। खास बात यह भी है कि घटना से दो दिन पहले सीएम के इस दौरे में उनके साथ स्वास्थ्य मंत्री भी थे। कम से कम उन्हें तो अपने मुख्यमंत्री के बचाव में ही सही, आगे आकर घटना की जिम्मेदारी लेनी चाहिए थी? लेकिन नहीं, कुर्सी छोड़ने के लिए थोड़े ही मिलती है। भले ही नन्हीं जिंदगियां धरती छोड़कर चली जाएं।

आपको यह जानकर ताज्जुब होगा कि 1977 में इन्सेफलाइटिस का पहला केस सामने आया था, और तब से लेकर अब तक गोरखपुर और आसपास के इलाकों में इस बीमारी से एक लाख से ज्यादा लोगों की जानें जा चुकी हैं। जापानी इन्सेफलाइटिस का इलाज तो मिल चुका है, लेकिन दूसरी तरह की एन्सेफलाइटिस से बच्चों का मरना जारी है। संभव है कि इस बीमारी का टीका न बना हो, लेकिन क्या इस बीमारी को दूर भगाने का संकल्प लेते हुए इलाके में सफाई करने और मच्छर भगाने का अभियान भी नहीं चलाया जा सकता? अगर सीएम के गृह क्षेत्र में देश भर में जोर-शोर से चलाया गया स्वच्छता अभियान कमजोर है, और इन्सेफलाइटिस का जोर है, तो ऐसे स्वच्छता अभियान का क्या फायदा? गोरखपुर में अक्षम्य लापरवाही हुई है।

खास बात यह भी है कि घटना से दो दिन पहले सीएम के इस दौरे में उनके साथ स्वास्थ्य मंत्री भी थे।

इस घटना की जिम्मेदारी जब तक तय नहीं की जाती या फिर आगे बढ़कर जब तक कोई जिम्मेदारी नहीं लेता है, तब तक विपक्ष की शून्य राजनीति के बीच मीडिया को ही कमान संभाले रखना चाहिए। यूपी सरकार ने जो ऑक्सीजन की कमी नहीं होने के ट्वीट्स जारी किए हैं, उसके लिए भी सरकार को माफ नहीं किया जा सकता। केंद्र में मोदी सरकार से सबक लेगी योगी सरकार?

योगी सरकार को कम से कम केंद्र में अपनी ही मोदी सरकार से सीख लेनी चाहिए जिसका लोक स्वास्थ्य के मामले में रिकॉर्ड शानदार रहा है। छोटे बच्चों का टीकाकरण हो, या जच्चा-बच्चा की देखरेख, प्रसूता का ख्याल रखने की बात हो या दवाई की उपलब्धता-मोदी सरकार गांव-गांव में लोक कल्याणकारी अभियान चलाती दिखी है। मगर ताजा घटना से प्रतीत होता है कि यूपी की योगी सरकार ने तो मानो जनता की उम्मीदें तोड़ने की कसम ही खा रखी है। चाहे वह स्वास्थ्य हो या कानून-व्यवस्था का मामला, किसी भी क्षेत्र में जनता की उम्मीद पूरी कर पाने में अब तक यह सरकार सफल होती नहीं दिख रही है।

(राष्ट्रीय सहारा, 13 अगस्त, 2017)

101

मौसमी नहीं स्थायी हल निकालें

''तमाम दावों के उलट कहा जा सकता है कि बाढ़ और उससे निपटने के लिए बनी योजनाओं में वर्षों से चली आ रही लूट-खसोट का सिलसिला आज भी जारी है। हरेक साल इस मद में नये बजटीय प्रावधान होते हैं, जितनी राशि इसके लिए रखी जाती है उसका बहुलांश समर्थवानों की जेबों में चला जाता है। इसलिए बाढ़-सूखा राजनीतिक वर्ग के एक हिस्से के लिए मानों बहार आने के मौसम हैं।''

बिहार के पश्चिम चम्पारण में बाढ़ की स्थिति बदतर है। हमारा गांव बुरी तरह से प्रभावित है। लोगों के लिए खाने-पीने की चीजें कम पड़ती जा रही हैं-अभिनेता मनोज वाजपेयी का यह ट्वीट है जिन्होंने बिहार के मुख्यमंत्री नीतीश कुमार से अपने गांव के लोगों के लिए मदद भेजने की अपील की है। इस इकलौते ट्वीट से बिहार में बाढ़ के हालात को समझा जा सकता है। नीतीश कुमार लगातार बाढ़ पीड़ित इलाकों का हवाई सर्वेक्षण कर रहे हैं। खाद्य सामग्री के पैकेट गिराए जा रहे हैं। लेकिन कहने की जरूरत नहीं कि ये नाकाफी है। अब तक बिहार में बाढ़ के कारण मरने वालों का आंकड़ा 150 से अधिक हो गया है।

इसी तरह, उत्तर प्रदेश में भी बाढ़ ने कहर बरपाया है। यहां बाढ़ से मरने वालों की संख्या 40 का आंकड़ा पार गई है। बाढ़ से राज्य में 14 लाख से ज्यादा लोग पीड़ित हुए हैं। बहराइच, गोंडा, बस्ती, महाराजगंज, बलरामपुर, बिजनौर, बाराबंकी समेत राज्य के 22 जिले बुरी तरह तबाह हैं। घाघरा ने यहां सबसे ज्यादा तबाही मचाई है। गंभीर हालात के बीच सीएम योगी आदित्यनाथ ने बाढ़ग्रस्त जिलों का दौरा कर अधिकारियों को राहत कार्य तेज करने के निर्देश दिए हैं। इसी तरह, असम में भी बाढ़ की विभीषिका जारी है। यहां मृतकों की संख्या 133 तक पहुंच गई है।

अब तक बिहार में बाढ़ के कारण मरने वालों का आंकड़ा 150 से अधिक हो गया है।

लेकिन बाढ़ केवल भारत में ही नहीं है। बाढ़ का संकट पूरे दक्षिण एशिया को अपनी चपेट में ले चुका है। रेडक्रॉस सोसाइटी ने 18 अगस्त को जो रिपोर्ट जारी की है, उसमें कहा गया है कि भारत, नेपाल और बांग्लादेश में 1.60 करोड़ से अधिक लोग बाढ़ से पीड़ित हुए हैं। सिर्फ भारत में 1.10 करोड़ से ज्यादा लोग बाढ़ से पीड़ित हैं। रिपोर्ट के मुताबिक तीनों देशों में बाढ़ से अब तक 400 लोगों की मौत हो चुकी है। नेपाल और बांग्लादेश का एक तिहाई हिस्सा पानी में डूबा हुआ है, जबकि बिहार के 38 जिलों में 18 जिले पानी में डूबे हुए हैं।

पुराने दिनों की बाढ़ और अब की बाढ़ में बड़ा विनाशकारी फर्क जो आया है, वह यह है कि पहले बाढ़ का पानी जमीन को उर्वर बनाकर जाया

करता था, बाढ़ उपज के लिए लाभकारी थी, लोगों का पेट भरती थी, लोग इस बाढ़ का इंतजार करते थे। जबकि, आज बाढ़ के बाद मिट्टी खो जाती है, बालू ही बालू दिखता है। जीने का सहारा यानी खेती चौपट हो जाती है। बाढ़ के बाद जिन्दा बचे फटेहाल लोग अपनी इस स्थिति पर माथा पीट रहे होते हैं। बाढ़ का यह विनाशकारी स्वभाव कैसे बना? दरअसल, इसके लिए हम ही जिम्मेदार हैं। सिंचाई और पनबिजली के नाम पर तटबंधों की हमने श्रृंखला खड़ी कर दी है। यह भी लाभकारी रहता, लेकिन नदियों को गंदा करने की हमारी प्रवृत्ति ने इसे छिछला बना दिया है। नतीजा यह है कि जैसे ही तटबंध टूटते हैं तो पानी का वेग इतना ज्यादा होता है कि यह ऊर्जा जिसका हम रचनात्मक इस्तेमाल करने वाले थे, विनाशात्मक रूप ले लेती है। इस जलावेग से उर्वरा मिट्टी की जगह बालू का निर्माण होता है, जो बहते पानी के साथ विनाश लेकर आगे बढ़ता जाता है।

यह आपदा अगर है भी, तो मानवनिर्मित है। बाढ़ का यह स्वरूप मानवीय लापरवाही के कारण है।

एक अध्ययन के मुताबिक पूर्वी नेपाल की सप्तकोशी बहुद्देश्यीय परियोजना से बिहार में बाढ़ की समस्या को सुलझाया जा सकता है। लेकिन राजनीतिक कारणों से इस पर काम रुका हुआ है। बिहार के भीतर जो तटबंध बने हैं, उनमें व्यापक भ्रष्टाचार भी विनाश लेकर आया है। बाढ़ पीड़ित कोई जिला ऐसा नहीं है, जहां तटबंध न टूटे हों, पुल-पुलिया न टूटे हों। दरअसल, तटबंध टूटने से उन इलाकों में बाढ़ आ जाती है जहां के लोग तटबंध के कारण खुद को सुरक्षित महसूस कर रहे होते हैं। इससे नुकसान ज्यादा हुआ है। तमाम दावों के उलट कहा जा सकता है कि बाढ़ और उससे निपटने के लिए बनी योजनाओं में वर्षों से चली आ रही लूट-खसोट का सिलसिला आज भी जारी है। हरेक साल इस मद में नये बजटीय प्रावधान होते हैं, जितनी राशि इसके लिए रखी जाती है उसका बहुलांश समर्थवानों की जेबों में चली जाती है। इसलिए बाढ़-सूखा राजनीतिक वर्ग के एक हिस्से के लिए मानों बहार आने के मौसम हैं। दूसरी बात यह है कि बाढ़ ने अपना स्वरूप विनाशकारी बनाया है। लेकिन उस हिसाब से हमने बचाव की नई रणनीति नहीं तैयार की है। सरकारी सोच आज

भी बाढ़ को आपदा मानकर चल रही है। इस सोच को तत्काल बदलने की जरूरत है। यह आपदा अगर है भी, तो मानवनिर्मित है। बाढ़ का यह स्वरूप मानवीय लापरवाही के कारण है। अगर हमारी लापरवाही ने इस समस्या को जन्म दिया है, तो हमारी होशियारी ही इस समस्या से हमें उबारेगी। मगर, सबसे पहले हमें इसे स्वीकार करना होगा।

एक बाढ़ जो हर साल आती है, जिसका स्वरूप हर साल विनाशकारी होता चला जा रहा है, लेकिन हम बस बाढ़ के प्रकोप से बचने के लिए राहत उपायों तक सिमट गए हैं। बाढ़ को रोकने का इंतजाम नहीं कर रहे हैं। इसे तीन महीने का संकट या अभिशाप मानते हुए जनता को सांत्वना देने में लगे हैं। यह प्रवृत्ति बाढ़ से अधिक विनाशकारी है। बाढ़ के दौरान लोग पानी में फंसे होते हैं, लेकिन फिर भी पीने के पानी के लिए तरस रहे होते हैं। नतीजा यह होता है कि आखिरकार वही गंदला पानी पीते हैं और बाढ़ का पानी घटते-घटते पूरी आबादी संक्रामक बीमारी की चपेट में आ जाती है, इस बीमारी के कारणों में पेयजल के अलावा भी बहुतेरे कारण हैं। लेकिन एक बार जब संक्रामक रोग फैल जाता है, तो इस संकट से निबटने के लिए भी हमारे पास चिकित्सा सुविधा कम पड़ जाती है। कम पड़ना तो दूर, लोगों तक चिकित्सा पहुंच भी नहीं पाती है। ऐसे में बाढ़ के कारण प्रत्यक्ष तौर पर हुई मौत या लापता लोगों की संख्या ही अंतिम नहीं होती। आप धन की हानि का अंदाजा तो लगा लेते हैं। लेकिन बाढ़ के बाद बीमारियों के कारण, असुविधाओं और मजबूरी की वजह से जो मौतें होती हैं, उनको हम बाढ़ की विभीषिका में शामिल नहीं करते। बाढ़ के विनाश से बहुसंख्यक आबादी को बचाने के लिए दीर्घकालिक और अल्पकालिक दोनों तरह के उपायों की जरूरत है। दीर्घकालिक उपाय में बाढ़ को रोकने के इंतजाम करने के साथ-साथ बाढ़ के विनाशकारी स्वभाव को नियंत्रित करने के तरीके पर काम करने की जरूरत है। इसके लिए बाढ़ पीड़ित पड़ोसी देशों के साथ मिलकर साझा नीति तैयार की जानी चाहिए। अंतरराष्ट्रीय स्तर पर मदद की जरूरत हो, तो उसकी भी कोशिश होनी चाहिए। यह काम अकेले राज्य सरकार के वश का नहीं है। यह भूमिका केंद्र को निभानी होगी।

बाढ़ के कारण प्रत्यक्ष तौर पर हुई मौत या लापता लोगों की संख्या ही अंतिम नहीं होती।

अल्पकालिक उपायों में बाढ़ के दौरान और बाढ़ के बाद दोनों स्तरों पर काम किया जाना चाहिए। बाढ़ के दौरान राहत कार्य को मजबूत करना, राहत शिविरों को सुविधायुक्त बनाना, लोगों की जान बचाना शामिल है जबकि बाढ़ के बाद चिकित्सा और पुनर्वास के स्तर पर व्यापक तौर पर काम किए जाने की जरूरत है ताकि लोग जल्द से जल्द जीवन की मुख्य धारा में आ पाएं। होता यह है कि इस साल की बाढ़ की परेशानी से लोग उबर भी नहीं पाते हैं कि अगले साल की बाढ़ आ जाती है। इस तरह से बाढ़ ने लोगों का जीना मुहाल कर दिया है। सवाल यह है कि हर साल की तरह बाढ़ पर तमाम चिंतन कहीं मौसमी बनकर न रह जाएं।

(राष्ट्रीय सहारा, 20 अगस्त, 2017)

102

स्वच्छता को मोदी ने बनाया जनान्दोलन : गांधी का सपना साकार

''2 अक्टूबर, 2019 को 150वीं गांधी जयंती पर हिंदुस्तान को खुले में शौच से मुक्त राष्ट्र यानी ओडीएफ-ओपन डेफिकेशन फ्री-घोषित कर दिया गया। गांधी जी ने जिस स्वच्छाग्रह का मंत्र स्वतंत्रता संग्राम के दौरान दिया था, उसे सौ फीसद जमीन पर उतारना ऐसा भगीरथ प्रयास था, जिसे सिर्फ मोदी ही मुमकिन कर सकते थे और इसे उन्होंने कर भी दिखाया। कुछ साल पहले तक देश में महात्मा गांधी को बस कुछ अवसरों पर याद किया जाता था, लेकिन सत्ता में आने के साथ ही प्रधानमंत्री मोदी ने बापू के स्वच्छता अभियान को मिशन बना दिया। हिंदुस्तान ने आज जो बड़ी उपलब्धि हासिल की है, वह व्यापक जनभागीदारी मोदी सरकार के मिशन का ही नतीजा है। इसके अलावा, अब सिंगल यूज्ड प्लास्टिक के इस्तेमाल को रोकने की आधिकारिक शुरुआत की गई है। 2 अक्टूबर, 2019 को शुरू हुई इस मुहिम में भी ऐसी जनभागीदारी की जरूरत है।''

बापू ने दुनिया को रोशनी दिखाई, भारत का सिर पूरी दुनिया में ऊंचा किया। लेकिन उनके कुछ सपने अधूरे रह गए थे जिन्हें प्रधानमंत्री नरेन्द्र मोदी के नेतृत्व में भारत ने आजादी के 72 साल बाद पूरा कर दिया। 2 अक्टूबर, 2019 को 150वीं गांधी जयंती पर हिंदुस्तान को खुले में शौच से मुक्त राष्ट्र यानी ओडीएफ-ओपन डेफिकेशन फ्री-घोषित कर दिया गया। गांधी जी ने जिस स्वच्छाग्रह का मंत्र स्वतंत्रता संग्राम के दौरान दिया था, उसे सौ फीसद जमीन पर उतारना ऐसा भगीरथ प्रयास था, जिसे सिर्फ मोदी ही मुमकिन कर सकते थे और इसे उन्होंने कर भी दिखाया। कुछ साल पहले तक देश में महात्मा गांधी को बस कुछ अवसरों पर याद किया जाता था, लेकिन सत्ता में आने के साथ ही प्रधानमंत्री मोदी ने बापू के स्वच्छता अभियान को मिशन बना दिया। हिंदुस्तान ने आज जो बड़ी उपलब्धि हासिल की है, वह व्यापक जनभागीदारी मोदी सरकार के मिशन का ही नतीजा है। इसके अलावा, अब सिंगल यूज्ड प्लास्टिक के इस्तेमाल को रोकने की आधिकारिक शुरुआत की गई है। 2 अक्टूबर, 2019 को शुरू हुई इस मुहिम में भी ऐसी जनभागीदारी की जरूरत है।

खुले में शौच से आजादी

2016 में 39 फीसद लोग खुले में शौच कर रहे थे, लेकिन जनवरी, 2019 तक महज 1.4 फीसद ही ऐसे लोग रह गए। अक्टूबर आते-आते देश खुले में शौच से मुक्त हो गया। यह उपलब्धि यूनीसेफ के लिए भी बड़ी है, जिसके सहयोग से दुनिया भर में ओडीएफ के लिए प्रयास चल रहा है। शौचालय निर्माण की संख्या के नजरिए से भारत का इस क्षेत्र में इतने कम वक्त में इस हद तक सफल होना न सिर्फ देश, बल्कि नियंत्रण उद्देश्य की सफलता है। खासकर दक्षिण एशिया में यूनीसेफ के लिए अब लक्ष्य बहुत आसान हो गया है। बांग्लादेश, इंडोनेशिया जैसे देशों में 2016 तक 12 फीसद लोग ही खुले में शौच कर रहे थे। अब इन देशों में भी स्थिति बदल गई है। प्रधानमंत्री मोदी के प्रयास

शौचालय निर्माण की संख्या के नज़रिए से भारत का इस क्षेत्र में इतने कम वक्त में इस हद तक सफल होना न सिर्फ देश, बल्कि नियंत्रण उद्देश्य की सफलता है।

को दुनिया ने पहचाना है। 'ग्लोबल गोलकीपर्स अवार्ड' इसका सबूत है। स्वच्छता अभियान, जिसका महत्त्वपूर्ण हिस्सा खुले में 'शौचालय से मुक्ति' है, सफल इसलिए हो पाया है, क्योंकि केंद्र सरकार ने आम लोगों को नैतिक और आर्थिक, दोनों तरीकों से मजबूत किया है। एक लाख करोड़ रुपये शौचालय बनाने में मदद के तौर पर रखे गए।

शहरों की तुलना में इस मुहिम की सफलता गांवों पर ज्यादा निर्भर करती थी, ऐसे में पंचायत स्तर पर लोगों को इस अभियान से जोड़ा गया। शौचालयों में शौच की सोच को प्रोत्साहित किया गया और शौचालय बनाने के लिए लाभान्वित बनाया गया। 5 साल में 10 करोड़ शौचालय बना लेने की उपलब्धि और हिंदुस्तान जैसे विशाल देश को 'खुले में शौच से मुक्ति' का असंभव लक्ष्य भी इसीलिए संभव हो पाया।

जागरूकता से आसान हुआ लक्ष्य

किसी भी अभियान की आधी सफलता उसे लेकर जनजागरूकता की सफलता से ही निश्चित हो जाती है, जागरूकता आ जाती है तो लक्ष्य आसान हो जाता है। स्वच्छता अभियान में इस सोच को मोदी सरकार ने अपने लक्ष्य से जोड़ दिया। खुद झाड़ू हाथ में थाम कर प्रधानमंत्री मोदी ने देश के ब्रांड अम्बेस्डर मानी जाने वाली जमात को एक ऐसी कड़ी बनाने के लिए प्रेरित किया जो परस्पर और स्वच्छता के मकसद से जुड़ी-गुंथी हो। अमिताभ बच्चन, शाहरूख खान, आमिर खान, सलमान खान, अक्षय कुमार, विद्या बालन, तारक मेहता का उल्टा चश्मा की टीम वगैरह-वगैरह सबको उन्होंने जिम्मेदारी से जोड़ा, जनता को स्वच्छता के मायने से अवगत कराया। सिर्फ शौचालयों के निर्माण को ही नहीं, कूड़ा-कचरा प्रबंधन को लेकर भी क्रांतिकारी बदलाव आया है। दिल्ली-मेरठ रोड में दो किलोमीटर सड़क बनाने में कूड़े का इस्तेमाल अभिनव प्रयोग है। अब यह प्रवृत्ति बढ़ेगी। मैक्डोनाल्ड, कोकाकोला, डायजियो, बिसलरी, पेप्सीको जैसी कंपनियों ने सिंगल यूज्ड प्लास्टिक का उपयोग रोकने और वेस्ट मैनेजमेंट के लिए आगे आने की प्रतिबद्धता दिखलाई है। मतलब यह कि एक बार फिर

स्वच्छता अभियान में इस सोच को मोदी सरकार ने अपने लक्ष्य से जोड़ दिया।

सरकार सिंगल यूज्ड प्लास्टिक के इस्तेमाल को रोकने के लिए आम लोग और कॉरपोरेट जगत से सहयोग लेने और जागरुकता के साथ-साथ सक्रियता का उपयोग कर रही है। हालांकि सरकार ने अभी तक अलग से इसके लिए बजट आवंटित करने की घोषणा नहीं की है, लेकिन आने वाले समय में यह भी होने के संकेत हैं। स्वच्छता अभियान का हिस्सा होने की वजह से बजट को लेकर कोई समस्या भी आने वाली नहीं है।

क्यों जरूरी है जनसंख्या का नियंत्रित होना

स्वच्छता की तरह ही जनसंख्या नियंत्रण की भी जरूरत देश को है। जनता की भागीदारी और सरकार की सक्रियता से यह मकसद हासिल करना आसान हो सकता है। मोदी सरकार ने देश को खुले में शौच से मुक्त करते हुए यह साबित कर दिखाया है। जब प्रधानमंत्री मोदी ने अपने दूसरे कार्यकाल में जनसंख्या नियंत्रण की की जरूरत बताई, तो यह चौंकाने वाली बात लगी, क्योंकि पहले कार्यकाल में वह देश की सवा सौ करोड़ जनसंख्या को बदलावकारी ताकत बता रहे थे। दुनिया में सबसे बड़े और युवा श्रम बल का दावा करते हुए इस आबादी की बदौलत देश बदलने पर जोर दे रहे थे। सच है कि भारत में जनसंख्या वृद्धि की दर पहले जैसी तेज नहीं है, मगर यह भी सच है कि इसे और नियंत्रित करने की संभावना बची हुई है। यही वजह है कि प्रधानमंत्री ने जनसंख्या नियंत्रण पर देश को मानसिक रूप से तैयार करना शुरू कर दिया है। हालांकि अभी आधिकारिक कार्यक्रम लेकर वे सामने नहीं आए हैं।

प्रधानमंत्री की चिंता देश के उन राज्यों को लेकर है, जहां जनसंख्या में नियंत्रण की दर उम्मीद के अनुरूप नहीं है।

जनसंख्या नियंत्रण की जरूरत पर गौर करते समय यह उपलब्धि काबिलेगौर है कि 1975 में भारत में एक महिला अपने जीवन में जहां 5.19 बच्चों को जन्म दे रही थी, वहीं 2018 आते-आते महिला की प्रजनन दर 2.28 के स्तर पर आ गई है। मगर प्रधानमंत्री की चिंता देश के उन राज्यों को लेकर है, जहां जनसंख्या में नियंत्रण की दर उम्मीद के अनुरूप नहीं है। बिहार, पश्चिम बंगाल, उत्तर प्रदेश जैसे राज्यों में जनसंख्या नियंत्रण की

आवश्यकता बनी हुई है। दरअसल, देश की बढ़ती जनसंख्या के अनुरूप श्रम अवसरों की उपलब्धता के बीच तारतम्यता जरूरी है। मोदी सरकार में 'स्किल इंडिया' नाम से जो योजना शुरू की गई, उसका मकसद भारत की युवा वर्कफोर्स को पेशेवर नजरिए से तैयार करना और उपयोगी बनाना था। इस क्षेत्र में सफलता मिली है, मगर अब भी शिक्षित और प्रशिक्षित युवा वर्कफोर्स की जरूरत बनी हुई है, जो न सिर्फ अपने देश में बदलाव के लिए काम करे, बल्कि दुनिया में भी बदलाव के लिहाज से उपयोगी साबित हो। दूसरी ओर, इसी दरम्यान अनस्किल्ड वर्कफोर्स की भी बड़ी तादाद में तैयार हो चुकी है, जिसे रोजगार की तलाश है। रोजगार कम हैं, और बेरोजगार ज्यादा, जिसकी बड़ी वजह बड़ी जनसंख्या भी है। जनसंख्या नियंत्रण को लेकर भी प्रधानमंत्री को युवाओं से ही ज्यादा उम्मीद है, क्योंकि भारतीय युवाओं ने कई ऐसे कामों को सफल कर दिखाया है, जो उनके सक्रिय सहयोग के बगैर नहीं हो सकता था। स्वच्छता अभियान उनमें से ही एक है, और जनसंख्या इस सूची में शामिल हो सकता है।

स्वच्छता अभियान उनमें से ही एक है, और जनसंख्या इस सूची में शामिल हो सकता है।

(राष्ट्रीय सहारा, 5 अक्टूबर, 2019)

103

द रियल ग्लोबल लीडर : नरेन्द्र मोदी

''एक आलोचना है कि हाउडी मोदी कार्यक्रम अमेरिकी राष्ट्रपति डोनाल्ड ट्रम्प के लिए चुनाव अभियान था, इसमें भी यह तथ्य अपना दबदबा दिखाता दिख रहा है कि भारत और भारतीयों की ताकत अमेरिकी चुनाव प्रचार को प्रभावित करने के स्तर तक पहुंच चुकी है। इसका फायदा अमेरिका में रह रहे भारतीयों को भी मिलेगा और द्विपक्षीय संबंध भी अनुकूल होंगे। वास्तव में हाउडी मोदी कार्यक्रम से भारत की दुनिया के स्तर पर ऐसी ब्रांडिंग हुई है जिससे भारत के बारे में वैश्विक नजरिया बदलेगा।''

28 सितंबर 2019 की शाम जब प्रधानमंत्री नरेन्द्र मोदी अमेरिका के सात दिन के दौरे के बाद दिल्ली के पालम टेक्निकल एरिया में विमान से उतरे तो समर्थकों के विशालकाय हुजूम ने ऐसा अहसास कराया मानो वो दुनिया जीतकर वतन लौटे हों। 2014 का चुनाव जीतने के बाद भी नरेंद्र मोदी अमेरिका गए थे, वहां संयुक्त राष्ट्र सम्मेलन में भाग लिया था, लेकिन तब और अब यानी पांच साल के भीतर दुनिया की नजरों में भारत का कद और मान-सम्मान कितना बढ़ चुका है, इस फर्क को न सिर्फ मोदी महसूस करके लौटे थे, बल्कि आज हर हिंदुस्तानी महसूस कर रहा है।

प्रधानमंत्री मोदी के नेतृत्व में भारत ने दुनिया के नजरिये को 5 साल में कितना बदल दिया है और कैसे भारत का कद विश्व में बढ़ा है, इसकी बेहतरीन मिसाल है 22 सितंबर को अमेरिका के टेक्सास के ह्यूस्टन में आयोजित हाउडी मोदी कार्यक्रम। नरेंद्र मोदी इस आयोजन से ऐसे इकलौते विदेशी नेता बनकर सामने आए, जिनके लिए अमेरिका में 50 हजार लोगों की भीड़ जुटी। ऐसी एतिहासिक भीड़ की खुद अमेरिकी राष्ट्रपति डोनाल्ड ट्रंप भी इसका राजनीतिक लाभ उठाने के आकर्षण से खुद को रोक नहीं पाए। भारतीय प्रधानमंत्री ने भी हाउडी मोदी कार्यक्रम में एक अमेरिकी राष्ट्राध्यक्ष की मेजबानी खुद उन्हीं के देश में करके दुनिया को ये जता दिया कि वक्त कितना बदल चुका है।

भारत का कद विश्व में बढ़ा है, इसकी बेहतरीन मिसाल है 22 सितंबर को अमेरिका के टेक्सास के ह्यूस्टन में आयोजित हाउडी मोदी कार्यक्रम।

संयुक्त राष्ट्र में जिस तरह से भारतीय प्रधानमंत्री ने अपने ओजस्वी भाषण से दुनिया भर के देशों को संदेश दिया और दुनिया ने जिस गंभीरता के साथ उनकी बातों को समझा, वो अद्भुत है। कश्मीर में अनुच्छेद 370 हटाए जाने के बाद पाकिस्तान अपनी ओर से लगातार कूटनीतिक घेराबंदी में जुटा था। उसे उम्मीद थी कि कोई तो उसके सुर में सुर मिलाएगा, लेकिन प्रधानमंत्री मोदी ने उसके मंसूबों पर पानी फेर दिया, समूची दुनिया को भारत के पक्ष में लामबंद कर दिया। अमेरिका में 7 दिवसीय दौरे पर हुआ हर संवाद और हर आयोजन ने भारत का मस्तक गर्व से ऊंचा किया है।

जनधन खाते, स्वास्थ्य बीमा, शौचालय जैसे लोककल्याणकारी पहल की सफलता को दुनिया के सामने रखते हुए भारतीय प्रधानमंत्री ने यूएन में भारत की अनहोनी को होनी में बदल देने की उस क्षमता का इजहार किया जो देश ने हाल के वर्षों में और प्रधानमंत्री मोदी के नेतृत्व में अर्जित की है। आतंकवाद के प्रति दुनिया के भेदभावपूर्ण नजरिये पर उंगली उठाते हुए प्रधानमंत्री नरेंद्र मोदी ने साफ कर दिया कि आतंकवाद के खिलाफ लड़ाई लड़ने में भारत खुद सक्षम है, जिसमें दुनिया को उसका साथ देना मजबूरी नहीं, बल्कि जरूरी है।

भारत अब जो कहता है, उसे दुनिया किस गंभीरता से लेती है, इसकी पुष्टि ताजा घटना से भी होती है जब फ्रांस ने भारत के आग्रह पर पाकिस्तान अधिकृत कश्मीर के प्रमुख को अपनी संसद में बोलने से रोक दिया। भारत को इसके लिए कोई अतिरिक्त तर्क भी देना नहीं पड़ा, बल्कि प्रधानमंत्री मोदी के सात दिन की अमेरिकी यात्रा के दौरान संचालित अभियान ही काफी और कारगर साबित हुआ।

भारत अब जो कहता है, उसे दुनिया किस गंभीरता से लेती है, इसकी पुष्टि ताजा घटना से भी होती है।

सिर्फ आतंकवाद ही नहीं, पर्यावरण को लेकर भी भारत ने यह जताया कि दुनिया के विकसित देश क्लाइमेट चेंज के लिए जिम्मेदार हैं मगर भारत पर्यावरण के प्रति अपनी जिम्मेदारी से पीछे नहीं हटेगा। सिंगल यूज प्लास्टिक के बैन का जिक्र करते हुए उन्होंने अपनी प्रतिबद्धता दोहरायी।

व्यापारिक संबंध में भी भारत अपने अधिकारों की रक्षा को लेकर अधिक सजग दिख रहा है। अब एकतरफा व्यापार भारत को कबूल नहीं है। अमेरिका मेडिकल डिवाइस जैसी चीजों के लिए अधिक छूट की मांग कर रहा है मगर भारत इसके लिए तैयार नहीं, क्योंकि उसे अपने देश के गरीबों के लिए सस्ती स्वास्थ्य सुविधाओं की चिंता है। भारत चाहता है कि निर्यात में अमेरिका उसे तरजीह दे।

गुजरात के वडनगर के एक गरीब परिवार से ताल्लुक रखने वाले नरेन्द्र भाई दामोदर दास मोदी के लिए यह दौर उनका स्वर्ण काल माना जा सकता है। हिंदुस्तान की राजनीति के शिखर पर विराजमान नरेन्द्र मोदी के पहले कार्यकाल यानी पार्ट वन की सफलता के बाद मोदी पार्ट टू की शुरुआत हुई है।

जिस अमेरिका में अभी मोदी एक नया इतिहास रचकर लौटे हैं, उसी महाशक्ति ने एक दौर में गुजरात दंगे की आड़ लेकर उन्हें प्रवेश पर पाबंदी लगा रखी थी। मोदी के प्रधानमंत्री बनने के बाद अमेरिका को अपनी ये पाबंदी हटानी पड़ी, जिसने ये साबित कर दिया कि झुकती है दुनिया, झुकाने वाला चाहिए। अब तो बाजी किस कदर पलट चुकी है, ये ह्यूस्टन के हाउडी मोदी कार्यक्रम की कामयाबी ने बता ही दिया है।

भारत चाहता है कि निर्यात में अमेरिका उसे तरजीह दे।

यहां एक बात और गौर करने वाली है कि कश्मीर मुद्दे पर मध्यस्थता को लेकर अमेरिकी राष्ट्रपति डोनाल्ड ट्रम्प डबल गेम खेल रहे थे। मध्यस्थता के लिए नरेंद्र मोदी की ओर से आग्रह का झूठा दावा और फिर व्हाइट हाऊस से उसका खंडन कराने के बाद एक बार फिर उन्होंने पाकिस्तानी प्रधानमंत्री इमरान खान के साथ प्रेस कॉन्फ्रेंस में मध्यस्थता का राग अलापा था, मगर भारतीय प्रधानमंत्री ने अमेरिकी राष्ट्रपति के साथ साझा प्रेस कॉन्फ्रेंस में द्विपक्षीय मुद्दे को द्विपक्षीय तरीके से सुलझाने और किसी राष्ट्र को मध्यस्थता का कष्ट नहीं देने की दो टूक बात कहकर उनके सामने ही ये साबित कर दिया कि मोदी के नेतृत्व वाला भारत अब अपनी शर्तों पर अपनी कूटनीतिक प्राथमिकताएं तय करता है, किसी दूसरे के दबाव में आकर नहीं। इसी के साथ नए हिंदुस्तान की इस क्षमता का पता दुनिया को भी चल गया।

डोनाल्ड ट्रम्प और नरेन्द्र मोदी बीते दिनों में व्यापार को लेकर पैदा हुई तल्खी को भी कम करने में जुटे हैं। भारत का चीन के साथ कारोबार 737 अरब डॉलर का है जबकि अमेरिका के साथ महज 142 अरब डॉलर का ही कारोबार है। मोदी-ट्रम्प इस स्थिति में सुधार चाहते हैं। निश्चित रूप से आने वाले समय में भारत और अमेरिका के बीच कारोबार में बढ़ोतरी होगी।

प्रधानमंत्री नरेन्द्र मोदी के अमेरिका दौरे के बाद सबसे महत्त्वपूर्ण जो बात हुई है वो यह है कि दुनिया का कोई भी देश अब भारत को नजरअंदाज नहीं कर सकता। संयुक्त राष्ट्र में भी भारत महत्त्वपूर्ण होकर उभरा है। आतंकवाद पर दुनिया भर के देशों से मिला समर्थन इसका सबूत है। अब भारत के लिए सुरक्षा परिषद में स्थायी सदस्यता की मुहिम भी तेज होगी। फ्रांस जैसे देश खुलकर इस मामले में भारत की वकालत करने लगे हैं।

एक बात और महत्त्वपूर्ण है कि रूस के साथ एस-400 के सौदे पर अमेरिकी आपत्ति को भी भारत ने खारिज कर यह जता दिया है कि भारत अब किसी के दबाव में आने वाला नहीं है। वह फ्रांस से राफेल तो रूस से एस-400 डील और अमेरिका से 10 साल के सुरक्षा समझौते से जुड़ सकता है और इस पर किसी तीसरे देश की इच्छा को भारत स्वीकार नहीं करेगा।

एक आलोचना है कि हाउडी मोदी कार्यक्रम अमेरिकी राष्ट्रपति डोनाल्ड ट्रम्प के लिए चुनाव अभियान था, इसमें भी यह तथ्य अपना दबदबा दिखाता दिख रहा है कि भारत और भारतीयों की ताकत अमेरिकी चुनाव प्रचार को प्रभावित करने के स्तर तक पहुंच चुकी है। इसका फायदा अमेरिका में रह रहे भारतीयों को भी मिलेगा और द्विपक्षीय संबंध भी अनुकूल होंगे। वास्तव में हाउडी मोदी कार्यक्रम से भारत की दुनिया के स्तर पर ऐसी ब्रांडिंग हुई है जिससे भारत के बारे में वैश्विक नजरिया बदलेगा। सात दिन के अमेरिकी प्रवास के दौरान भारतीय प्रधानमंत्री का 25 से ज्यादा देशों के प्रमुखों के साथ मुलाकात इसकी पुष्टि करता है।

भारत बारम्बार दुनिया को बताता रहा है कि वह निवेश के लिए दुनिया में सबसे बेहतरीन बाजार है। इस दावे को पीएम मोदी के अमेरिकी दौरे से मजबूती मिली है। आने वाले दिनों में वास्तविक निवेश से इसकी पुष्टि होगी। फिलहाल हम इस बात पर संतोष कर सकते हैं कि दुनिया के ज्यादातर देश भारत को उभरते हुए बाजार के रूप में देख रहे हैं और उससे जुड़ने को तत्पर भी हैं। संक्षेप में भारत ने यह ओहदा और प्रतिष्ठा प्रधानमंत्री नरेंद्र मोदी के नेतृत्व में अर्जित की है।

(राष्ट्रीय सहारा, 6 अक्टूबर, 2019)

104

संकट है तो उम्मीद भी

''एक आलोचना है कि हाउडी मोदी कार्यक्रम अमेरिकी राष्ट्रपति डोनाल्ड ट्रम्प के लिए चुनाव अभियान था, इसमें भी यह तथ्य अपना दबदबा दिखाता दिख रहा है कि भारत और भारतीयों की ताकत अमेरिकी चुनाव प्रचार को प्रभावित करने के स्तर तक पहुंच चुकी है। इसका फायदा अमेरिका में रह रहे भारतीयों को भी मिलेगा और द्विपक्षीय संबंध भी अनुकूल होंगे। वास्तव में हाउडी मोदी कार्यक्रम से भारत की दुनिया के स्तर पर ऐसी ब्रांडिंग हुई है जिससे भारत के बारे में वैश्विक नजरिया बदलेगा।''

नरेन्द्र मोदी पार्ट-2 की शुरुआत मंदी की आहट से हुई है। 2019 की दूसरी तिमाही में विकास दर गिरती हुई 5 फीसद के स्तर पर आ गई। 11 साल के भीतर यह तीसरी मंदी है। एक बहस छिड़ गई है कि क्या भारत ताजा मंदी से उबर पाएगा? अंतरराष्ट्रीय मुद्रा कोष (आईएमएफ) की प्रबंध निदेशक क्रिस्टलीना जॉर्जिएवा ने 9 अक्टूबर को यह कहकर दुनिया को चौंका दिया कि पूरी दुनिया मंदी की गिरफ्त में है। उनकी मानें तो भारत और ब्राजील जैसे उभरते बाजार की हालत और भी खस्ता रहने वाली है। मतलब यह कि आईएमएफ के मुताबिक आर्थिक मोर्चे पर दुनिया समेत भारत के बुरे दिन आने वाले हैं।

मूडीज इंवेस्टर्स सर्विस ने 10 अक्टूबर को 2019-20 में भारत की जीडीपी की वृद्धि दर का अनुमान 6.2 से घटाकर 5.8 फीसद कर दिया है। मूडीज का कहना है कि भारतीय अर्थव्यवस्था सुस्ती के असर में है। लेकिन भारतीय अर्थव्यवस्था के लिए यह इसी दिन घोषित इंडिया रेटिंग्स एंड रिसर्च की अनुमानित विकास दर 6.1 फीसद से भी कम है जबकि आरबीआई का अनुमान 6.3 फीसद है। मूडी का अनुमान एशियन डवलपमेंट बैंक (एडीबी) और ऑर्गनाइजेशन फॉर इकॉनोमिक कोऑपरेशन डेवलपमेंट (ओईसीडी) के अनुमान के करीब है। इसने 2019-20 के लिए भारत की आर्थिक विकास दर का अनुमान 5.9 फीसद लगाया है। हालांकि मूडीज का कहना है कि वृद्धि दर 2020-21 में तेज होकर 6.6 और मध्यम अवधि में करीब 7 फीसद हो जाएगी।

हालांकि मूडीज का कहना है कि वृद्धि दर 2020-21 में तेज होकर 6.6 और मध्यम अवधि में करीब 7 फीसद हो जाएगी।

आर्थिक चुनौतियों से जूझ रहे देश के लिए मूडीज के अनुमानों का दूसरा भाग यकीनी तौर पर राहत पहुंचाता है, क्योंकि पिछले कुछ हफ्तों से आर्थिक मोर्चे से आ रही खबरें देश की उम्मीदों के खिलाफ गई हैं। फिर वह चाहे 2019-20 की पहली तिमाही के लिए आर्थिक विकास दर का पांच फीसद रह जाना हो या फिर रिजर्व बैंक का जीडीपी वृद्धि दर के अनुमान को घटाकर 6.10 फीसद करना हो। आर्थिक विकास दर का पांच फीसद पर पहुंचना पिछले 6 साल का सबसे निचला स्तर है। दूसरे शब्दों में कहा जाए

तो ये मोदी सरकार के दौर में अब तक की सबसे कम वृद्धि और आर्थिक तंत्र की सबसे बड़ी चुनौती है। वैसे इस बात से इनकार नहीं किया जा सकता कि मोदी सरकार ने इस चुनौती को पूरी गंभीरता से लिया है। जो हालात हैं, उनका डटकर सामना करने के लिए आर्थिक विकास सरकार की प्राथमिकता और कारोबारी तबका उसका अहम किरदार बना है।

भारत में मंदी

2008 में वैश्विक मंदी के बाद 2011 में भारत दूसरी बार मंदी का शिकार हुआ। तब लगातार पांच तिमाही में भारत की आर्थिक विकास दर लुढ़कती चली गई थी। यह वह दौर था जब मनमोहन सरकार चुनाव से पहले भ्रष्टाचार के मामलों के बीच अन्ना आंदोलन जैसी स्थितियां झेल रही थी। सरकार की साख कम हो रही थी और अर्थव्यवस्था को पटरी पर लाने के तमाम प्रयास फेल हो रहे थे। हालांकि इस दौरान बाकी देशों की तुलना में हमारी अर्थव्यवस्था को कम नुकसान पहुंचा था।

> *2008 में वैश्विक मंदी के बाद 2011 में भारत दूसरी बार मंदी का शिकार हुआ।*

2014 के आम चुनाव में नरेन्द्र मोदी की सरकार एक उम्मीद बनकर आई और आर्थिक स्थिति में भी सुधार हुआ। अंतरराष्ट्रीय बाजार में तेल की कीमतों के गिरावट के दौर में बकौल मोदी वे देश के लिए अच्छी किस्मत लेकर आए। मोदी पार्ट-1 में नोटबंदी और जीएसटी की पृष्ठभूमि में मोदी पार्ट-2 की शुरुआत मंदी की आहट से हुई है। 2019 की दूसरी तिमाही में विकास दर गिरती हुई 5 फीसद के स्तर पर आ गई। 11 साल के भीतर यह तीसरी मंदी है। एक बहस छिड़ गई है कि क्या भारत ताजा मंदी से उबर पाएगा? अंतरराष्ट्रीय मुद्रा कोष (आईएमएफ) की प्रबंध निदेशक क्रिस्टलीना जॉर्जिएवा ने 9 अक्टूबर को यह कहकर दुनिया को चौंका दिया कि पूरी दुनिया मंदी की गिरफ्त में है। उनकी मानें तो भारत और ब्राजील जैसे उभरते बाजार की हालत और भी खस्ता रहने वाली है। मतलब यह कि आईएमएफ के मुताबिक आर्थिक मोर्चे पर दुनिया समेत भारत के बुरे दिन आने वाले हैं। वैश्विक विकास दर 2019 में 3.2 फीसद और 2020 में 3.5 फीसद रहने के आसार हैं।

मोदी का सपना बनाम 'पाइप ड्रीम'

प्रधानमंत्री नरेन्द्र मोदी का सपना अब पूर्व प्रधानमंत्री और अर्थशास्त्री डॉ. मनमोहन सिंह के हिसाब से 'पाइप ड्रीम' हो चुका है।

2014 में भारत की जीडीपी का आकार 2.039 ट्रिलियन डॉलर था। 2018 में यह बढ़कर महज 2.726 ट्रिलियन डॉलर ही हो सका। इस तरह मोदी पार्ट वन में महज 0.7 ट्रिलियन डॉलर ही भारतीय इकॉनोमी में जुड़ सके। इस पृष्ठभूमि में भारत को 2024 तक 5 ट्रिलियन डॉलर की इकॉनोमी बनाने का प्रधानमंत्री नरेन्द्र मोदी का सपना अब पूर्व प्रधानमंत्री और अर्थशास्त्री डॉ. मनमोहन सिंह के हिसाब से 'पाइप ड्रीम' हो चुका है। वहीं, प्रधानमंत्री मोदी को अब भी विश्वास है कि भारत की सवा अरब की आबादी इस सपने को सच कर दिखाएगी। भारतीय बाजार में खपत का कम होना चिंता का सबब है। रिजर्व बैंक के मुताबिक कन्ज्यूमर कॉन्फिडेन्स इंडेक्स सितम्बर, 2019 में गिरकर 89.4 फीसद हो चुका है। जुलाई में यह 95.7 फीसद था। पहली तिमाही में क्षमता का उपयोग 73.6 फीसद रह गया है। इंडिया रेटिंग्स एंड रिसर्च का अनुमान है कि 2019-20 के दौरान राजस्व कर में 1500 अरब रुपये की कमी आएगी। इतना ही नहीं, राजस्व घाटा भी बढ़ेगा। 3.3 के बजाय इसके बढ़कर 3.6 फीसद तक जा पहुंचने के आसार हैं। ऐसा तब है जब भारत सरकार ने रिजर्व बैंक से 1.76 लाख करोड़ रुपये का लाभांश बाजार में झोंक दिया है।

आशंकाएं हैं तो खुशखबरी भी

मंदी की खबरों के बीच खुशखबरी भी है। मर्सिडीज बेंज कार की बिक्री भारत में 2019 के 9 महीनों में सबसे ज्यादा रही। 9,915 कारें बिकीं। 10वें महीने यानी अक्टूबर के फेस्टिवल सीजन में सिर्फ एक दिन में 200 मर्सिडीज कारों की डिलीवरी हुई। 500 सीसी क्षमता से ज्यादा वाली सुपर बाइक की बिक्री अप्रैल से अगस्त के दौरान चार गुणा बढ़ गई। इसी तरह रॉयल एन्फील्ड की बिक्री 2018 के अप्रैल-सितम्बर में 5058 थी, तो 2019 में यह इसी दौरान 23,577 हो गई। इस तरह लगभग पौने पांच गुणा बिक्री बढ़ी। ऑटो सेक्टर में मंदी की खबरों के बीच यह खबर भारतीय अर्थव्यवस्था के लिए पुरसुकून है।

इससे यह तथ्य भी विवादास्पद हो जाता है कि आम भारतीयों की क्रयशक्ति घट गई है। मैन्यूफैक्चरिंग सेक्टर से भारत को बहुत उम्मीद रही है। 2022 तक देश की जीडीपी में मैन्यूफैक्चरिंग का योगदान 25 फीसद हो, यह लक्ष्य रखा गया था। इससे एक करोड़ रोजगार पैदा होने की भी उम्मीद जताई जा रही थी। यह उम्मीद अभी टूटी नहीं है। मैन्यूफैक्चरिंग में लगातार एफडीआई का आगमन हो रहा है। अप्रैल, 2000 से जून, 2018 के बीच 76.82 बिलियन डॉलर का निवेश मैन्यूफैक्चरिंग में आया। फिर भी एफडीआई की रफ्तार कम हुई है।

प्रधानमंत्री आवास योजना में मंजूर 79 लाख घरों में से महज 39 फीसद घरों का ही निर्माण पूरा हुआ।

देश की अर्थव्यवस्था में कृषि का योगदान 14 फीसद है, और उपलब्ध रोजगार का 42 फीसद यही मुहैया कराता है। कृषि का जीडीपी में योगदान 4335.47 अरब रुपये है, जो 2019 की दूसरी तिमाही में 4860.94 अरब रुपये था। मतलब यह कि कृषि का योगदान कम हुआ है। मगर यह वैश्विक मंदी को देखते हुए संतोषजनक है। उम्मीद की जा सकती है कि अच्छी मॉनसून के बीच कृषि क्षेत्र पटरी पर आ जाए। बुरे दौर से गुजरते रियल एस्टेट सेक्टर में भी उम्मीद पैदा हुई है। नेशनल बिल्डिंग कंस्ट्रक्शन कॉरपोरेशन अधूरे पड़े मकानों को पूरा कराने के लिए आगे आया है। आधे मकान भी बन गए तो रोजगार के अवसर भी बनेंगे और नये सिरे से रियल एस्टेट को बूम मिलेगा। फिलहाल देश में 5.6 लाख रिहायशी मकान अधर में हैं। बीते 5 साल में चिंताजनक स्थिति यह बनी कि मकानों की बिक्री 28 फीसद गिर गई। 2014 में अगर 3.43 लाख मकान बिके थे, तो 2018 में महज 2.48 लाख मकान बिके। घरों के दाम तो 7 फीसद बढ़े, मगर मांग 28 फीसद गिर गई। प्रधानमंत्री आवास योजना में मंजूर 79 लाख घरों में से महज 39 फीसद घरों का ही निर्माण पूरा हुआ। इसके बावजूद वर्तमान केंद्र सरकार ने हार नहीं मानी। सुप्रीम कोर्ट की भूमिका भी महत्त्वपूर्ण रही है।

मोदी सरकार का साहस इस मायने में महत्त्वपूर्ण है कि विश्व और भारत में मंदी की आहट के बीच भी इसने आर्थिक सुधार को रोका नहीं है। विरोध के बावजूद रेलवे का निजीकरण जारी है। श्रम सुधारों पर श्रम

संगठनों से बातचीत का सिलसिला चल रहा है। स्वास्थ्य बीमा, फसल बीमा, उज्ज्वला योजना, प्रधानमंत्री आवास योजना जैसे लोक कल्याणकारी कामों को आगे बढ़ाने की कोशिश भी जारी है। भारतीय बाजार को और अधिक उदार बनाने की कोशिश भी थमी नहीं है। मेक इन इंडिया को बढ़ावा देने के लिए प्रधानमंत्री देश-विदेश में निवेशकों का स्वागत कर रहे हैं, उन्हें रिझा रहे हैं।

समग्रता में देखें तो दुनिया की इकॉनोमी में मच रही उथल-पुथल के बीच भारतीय इकॉनोमी कठिन परिस्थितियों का मजबूती से सामना कर रही है। कारण भी ठोस हैं।

वर्ल्ड इकॉनोमिक फोरम के वैश्विक स्पर्धा सूचकांक 2019 में भारत 10 स्थान फिसल कर 68वें पायदान पर जरूर पहुंच गया है, लेकिन मैक्रो इकॉनोमिक स्थिरता और बाजार के आकार के मामले में भारत की स्थिति मजबूत है। कॉरपोरेट गवर्नेंस में भारत दुनिया में 15वें नम्बर पर है, वहीं शेयर होल्डर गवर्नेंस में भारत का स्थान दूसरा और मार्केट साइज में तीसरा है। समग्रता में देखें तो दुनिया की इकॉनोमी में मच रही उथल-पुथल के बीच भारतीय इकॉनोमी कठिन परिस्थितियों का मजबूती से सामना कर रही है। कारण भी ठोस हैं, क्योंकि साल की शुरुआत में यूएन की वर्ल्ड इकोनॉमिक सिचुएशन एंड प्रोस्पैक्टस रिपोर्ट में दुनिया भर की खुशहाली की चाबी भारत के हाथों में ही बताई गई थी। उस वक्त आईएमएफ की प्रबंध निदेशक ने कहा था कि भारत को और ज्यादा विकास दर की जरूरत है, क्योंकि बाकी देशों की स्थितियां काफी कुछ उस पर ही निर्भर करती हैं। शायद यही वजह है कि घोर निराशाओं के बीच भारत दुनिया भर की उम्मीदों का केंद्र बना हुआ है।

(राष्ट्रीय सहारा, 12 अक्टूबर, 2019)

105

चीन पर 'आउट ऑफ बॉक्स' मोदी

''चीनी राष्ट्रपति शी जिनपिंग के अनौपचारिक यात्रा पर भारत आने को दुनिया में भारत और प्रधानमंत्री मोदी के बढ़ते दबदबे के नजरिए से ही देखा जा रहा है। जो चीन दुनिया की किसी भी शक्ति को अपने से आगे रखने से गुरेज करता रहा है, वही चीन आज ये कहने के लिए मजबूर है कि भारत के बिना एशिया की 21वीं सदी असंभव है। ये तस्वीर रातों-रात नहीं बदली है, लेकिन ये भी हकीकत है कि इसमें बड़ी कामयाबी पिछले पांच सालों में ही हासिल हुई है।''

इतिहास आसानी से मिटता नहीं, बदल जरूर जाता है। चीन-भारत की दोस्ती के अफसाने को चीन भले ही भूल गया, लेकिन महाबलीपुरम में प्रधानमंत्री नरेन्द्र मोदी की प्रयोगशाला में चीन के राष्ट्रपति शी जिनपिंग को दोस्ती के सदियों पुराने सच्चे प्रमाण मिले। जिस दोस्ती की चमक वक्त ने धुंधली कर दी उसे पूरी दुनिया ने एक बार फिर करीब से देखा।

दुनिया में बेहद कम समय में अपनी धाक जमाने और विश्व राजनीति में नया रुतबा बनाने में प्रधानमंत्री नरेंद्र मोदी ने जो मिसाल हासिल की है, उसकी तुलना किसी और से नहीं की जा सकती। पहले कार्यकाल में विकास पुरुष से लेकर विश्व पुरुष की अपनी छवि को और पुख्ता बनाने के बाद मोदी दूसरे कार्यकाल की शुरुआत में ही बड़ी तेजी से विश्वविजेता की पहचान बनाते जा रहे हैं।

दुनिया में बेहद कम समय में प्रधानमंत्री नरेंद्र मोदी ने जो मिसाल हासिल की है, उसकी तुलना किसी और से नहीं की जा सकती।

चीनी राष्ट्रपति शी जिनपिंग के अनौपचारिक यात्रा पर भारत आने को दुनिया में भारत और प्रधानमंत्री मोदी के बढ़ते दबदबे के नजरिए से ही देखा जा रहा है। जो चीन दुनिया की किसी भी शक्ति को अपने से आगे रखने से गुरेज करता रहा है, वही चीन आज ये कहने के लिए मजबूर है कि भारत के बिना एशिया की 21वीं सदी असंभव है।

बेशक ये तस्वीर रातों-रात नहीं बदली है, लेकिन ये भी हकीकत है कि इसमें बड़ी कामयाबी पिछले पांच सालों में ही हासिल हुई है। इस दौरान भारत को लेकर चीन भी मानने लगा है कि अगर दोनों देशों के संबंध अच्छे नहीं रहते हैं तो एशिया का उदय असंभव है। यकीनी तौर पर ये बदलाव पांच साल में दुनिया की नजरों में भारत के कद और मान-सम्मान में हुए इजाफे का ही नतीजा है। जो चीन अपनी जिद से अमेरिका जैसे देश को भी झुकने के लिए मजबूर कर देता है, वो खुद अब ये सोचने के लिए मजबूर हुआ है कि अगर भारत से सीमा विवाद को शांतिपूर्ण ढंग से निपटा लिया जाए तो यह दुनिया के सामने एक मिसाल बन जाएगा। इससे दुनिया को संदेश मिलेगा कि कैसे दो ताकतें एक-साथ आ सकती हैं।

दोनों देशों के बीच संबंधों में भारत के बढ़ते दबदबे का असर कश्मीर मसले पर चीन के यू-टर्न से भी दिखाई दे जाता है। चीन ने पहले भारत और पाकिस्तान को कश्मीर विवाद को यूएन चार्टर के मुताबिक सुलझा लेने की सलाह दी। लेकिन जैसे ही भारत का दबाव पड़ा कश्मीर पर चीन का रुख बदल गया। भारत के आपत्ति जताते ही चीन के विदेश मंत्रालय ने कश्मीर को भारत-पाकिस्तान का आपसी मसला बता दिया। वैसे भी महत्त्वपूर्ण ये नहीं है कि कश्मीर मसले पर चीन ने क्या बोला। महत्त्वपूर्ण ये है कि कश्मीर मुद्दे के बावजूद चीन भारत के साथ नजदीकी संबंध की हिमायत करता दिख रहा है। भारत और चीन के बीच विवाद के मुद्दे पहले से रहे हैं फिर भी द्विपक्षीय संबंध के आड़े वे मुद्दे कभी नहीं आए।

दुनिया में बेहद कम समय में प्रधानमंत्री नरेंद्र मोदी ने जो मिसाल हासिल की है, उसकी तुलना किसी और से नहीं की जा सकती।

हाल के वर्षों में चीन ही नहीं, अमेरिका भी कई बार भारत के हित के खिलाफ दिए बयानों पर सफाई देने के लिए मजबूर हुआ है। प्रधानमंत्री मोदी की विदेश नीति इस मामले में बेहद सफल रही है कि भारत ने किसी को नाराज किए बिना सबको साधने में सफलता पाई है। फिलहाल अमेरिका और चीन दो धुरी दिख रहे हैं और भारत इन से समान नजदीकी रखते हुए तीसरा केन्द्र बन रहा है। बिम्सटेक के पड़ोसी देश हों या यूएई और बहरीन जैसे मुस्लिम देश, या फिर अमेरिका-चीन हो, प्रधानमंत्री मोदी की व्यक्तिगत राजनयिक पहुंच की वजह से भारत के इन देशों से संबंध पहले से बेहतर हुए हैं।

जम्मू-कश्मीर में अनुच्छेद 370 और 35 ए हटाने के विरोध को लेकर दुनिया भर में हुई पाकिस्तान की किरकिरी मोदी की विदेश नीति की सफलता है। इसे मोदी की विदेश नीति का ही करिश्मा कहा जाएगा कि एक ही वक्त में पाकिस्तान और अब तक उसे सरपरस्ती देता आया अमेरिका दोनों उनके सामने मजबूर दिखाई देते हैं। 22 सितंबर को ह्यूस्टन में हाउडी मोदी कार्यक्रम में जो कुछ हुआ, वैसा अमेरिका में पहले कभी नहीं हुआ। अमेरिका के इतिहास में मोदी ऐसे पहले विदेशी नेता बनकर सामने आए, जिनके लिए 50 हजार लोगों की भीड़ उमड़ी। प्रधानमंत्री मोदी के इस वैश्विक आकर्षण से

कार्यक्रम में उनके साथ शामिल अमेरिकी राष्ट्रपति डोनल्ड ट्रंप को भी शायद दोबारा सत्ता में वापसी का सपना सच होता दिखा होगा।

आज दुनिया की ये सोच बन गई है मोदी जिस तरह का जोखिम भरा फैसला ले सकते हैं, वैसी इच्छाशक्ति भारत में पहले कभी दिखाई नहीं दी। एलओसी और पाकिस्तानी सीमा में आतंकवादी शिविरों पर हमले और जम्मू-कश्मीर में अनुच्छेद 370 में संशोधन के बड़े फैसलों के बाद मोदी की साहसिक निर्णय लेने वाली इस छवि में और इजाफा हुआ है।

अमेरिका के इतिहास में मोदी ऐसे पहले विदेशी नेता बनकर सामने आए, जिनके लिए 50 हजार लोगों की भीड़ उमड़ी।

संयोग से विश्व राजनीति में चीन भी जिनपिंग के लिए इसी ओहदे की हसरत रखता है। हालांकि इसमें कोई दो-राय नहीं कि जिनपिंग चीन के अब तक के सबसे ताकतवर राष्ट्रप्रमुख हैं और वे आजीवन इस स्थिति में रहेंगे, ये भी तय है। प्रधानमंत्री नरेंद्र मोदी जैसी न सही, लेकिन अंतरराष्ट्रीय बिरादरी में जिनपिंग की भी अलग पहचान और पकड़ है।

इसे प्रधानमंत्री मोदी की दूरदर्शिता ही कहा जा सकता है कि अपनी आक्रामक विदेश नीति के बीच भारत के व्यापक हितों को देखते हुए उन्हें चीन की जरूरत का भी ख्याल है। चीन दुनिया की दूसरी सबसे बड़ी अर्थव्यवस्था है और भारत का सबसे शक्तिशाली पड़ोसी। दोनों देशों के बीच व्यापारिक संबंध भी अहम हैं। भारत चीनी सामान का सातवां सबसे बड़ा बाजार है, जबकि भारत की बनी वस्तुओं की चीन के कारोबार में हिस्सेदारी 27वें नंबर पर है। मोदी पार्ट-1 में साल दर साल चीन का भारत में निवेश बढ़ा है। चीन के सरकारी अखबार ग्लोबल टाइम्स के मुताबिक 2014 में चीन ने भारत में 145 मिलियन डॉलर का निवेश किया जो एक साल बाद करीब 6 गुणा बढ़कर 870 मिलियन डॉलर के करीब जा पहुंचा। डोकलाम विवाद के बावजूद भारत-चीन के बीच कारोबारी रिश्ते में मजबूती आई। तनाव के दौरान 2017 में दोनों देशों के बीच 84.44 बिलियन डॉलर का कारोबार हुआ। ये बातें इसलिए अहम हैं, क्योंकि ग्लोबल मंदी के बीच अमेरिका से छिड़े ट्रेड वॉर में चीन को अरबों का घाटा हो रहा है।

साथ ही शी की महत्त्वाकांक्षी सीपेक और वन रोड वन बेल्ट योजना में बड़ी पूंजी फंस गई है। इन हालात में चीन को अपने कारोबार का विस्तार भारतीय बाजार में दिख रहा है। शायद यही वजह है कि चीन के लिए भारत आज मजबूरी ही नहीं, जरूरी भी बन गया है।

नेतृत्व की व्यक्तिगत साख के बीच आज दोनों देशों के पास एक-दूसरे को घेरने के पर्याप्त मुद्दे भी हैं। चीन के पास अगर कश्मीर का मुद्दा है तो भारत के पास हांगकांग और शिनजियांग है। चीन अगर पाकिस्तान की पीठ सहलाता है तो भारत के पास भी अमेरिका और रूस से गले मिलने का विकल्प है। इसके बावजूद अगर दोनों देश विवादों को सौहार्दपूर्ण तरीके से सुलझाने की सोच रहे हैं तो इसे दूरदर्शी रणनीति ही कही जाएगी।

इसका बड़ा श्रेय भी प्रधानमंत्री नरेंद्र मोदी के खाते में ही जाता है।

इसका बड़ा श्रेय भी प्रधानमंत्री नरेंद्र मोदी के खाते में ही जाता है। पिछले पांच साल में मोदी-जिनपिंग छह बार द्विपक्षीय मुलाकात कर चुके हैं। इनमें पहली चार मुलाकातें औपचारिक थी। लेकिन पिछले साल वुहान जाकर मोदी ने अनौपचारिक मुलाकातों का जो अनूठा सिलसिला शुरू किया, उसे विश्व राजनीति का 'आउट ऑफ द बॉक्स' आइडिया कहा जा रहा है। जिनपिंग की महाबलीपुरम यात्रा उसी मुलाकात का रिटर्न गिफ्ट है।

इसलिए कोई आश्चर्य नहीं कि मोदी है तो मुमकिन है की तर्ज पर अब ये कयास लगने भी शुरू हो गए हैं कि जिस तरह डोकलाम विवाद के बाद पैदा हुए तनाव को वुहान की मुलाकात ने दूर किया, उसी तरह कश्मीर की बयानबाजी के बाद महाबलीपुरम में तनाव की जड़ मिटाने का रास्ता ही निकल आए।

(राष्ट्रीय सहारा, 13 अक्टूबर, 2019)

106

प्लास्टिक से जंग बेहतर उम्मीदों के संग

''चीनी राष्ट्रपति शी जिनपिंग के अनौपचारिक यात्रा पर भारत आने को दुनिया में भारत और प्रधानमंत्री मोदी के बढ़ते दबदबे के नजरिए से ही देखा जा रहा है। जो चीन दुनिया की किसी भी शक्ति को अपने से आगे रखने से गुरेज करता रहा है, वही चीन आज ये कहने के लिए मजबूर है कि भारत के बिना एशिया की 21वीं सदी असंभव है। ये तस्वीर रातों-रात नहीं बदली है, लेकिन ये भी हकीकत है कि इसमें बड़ी कामयाबी पिछले पांच सालों में ही हासिल हुई है।''

प्रधानमंत्री मोदी ने प्लास्टिक के खिलाफ जो जंग छेड़ी है, उसमें सिक्किम का मॉडल पूरे देश के लिए मिसाल साबित हो सकता है। ठीक उसी तरह जैसे योग जैसे विषय पर उनकी सोच कई देशों के लिए प्रेरणा साबित हुई है। प्लास्टिक के खिलाफ जंग का ऐलान और पर्यावरण की सुरक्षा के लिए ऐतिहासिक कदम उठाने पर संयुक्त राष्ट्र भी प्रधानमंत्री नरेन्द्र मोदी को 'चैंपियन ऑफ द अर्थ' सम्मान से नवाज चुका है।

महाबलीपुरम के समुद्र तट पर प्रधानमंत्री नरेन्द्र मोदी का प्लॉगिंग करना केवल देश को स्वच्छता का संदेश देना भर नहीं था, बल्कि यह एक संवेदनशील राष्ट्र प्रमुख की ओर से दुनिया को चेतावनी भी थी कि अब नहीं जागे तो फिर बहुत देर हो जाएगी। 'प्लॉगिंग' का मतलब जॉगिंग करते या दौड़ते वक्त प्लास्टिक की उपयोग की हुई बोतल जैसे कूड़ा-कचरा उठाना/हटाना होता है। महाबलीपुरम की यह मिसाल पूर्व नियोजित नहीं थी, लेकिन इसके पीछे की सोच और मकसद पूरी तरह सुविचारित है। इसका इशारा प्रधानमंत्री अपने 15 अगस्त के भाषण में कर चुके थे जब उन्होंने ऐतिहासिक रूप से देश के सुप्रसिद्ध स्मारक से प्लास्टिक-मुक्त भारत का आह्वान किया था।

प्लास्टिक के खिलाफ जंग का ऐलान और पर्यावरण की सुरक्षा के लिए ऐतिहासिक कदम उठाने पर संयुक्त राष्ट्र भी प्रधानमंत्री नरेन्द्र मोदी को 'चैंपियन ऑफ द अर्थ' सम्मान से नवाज चुका है।

अपने पहले कार्यकाल में साल 2014 में प्रधानमंत्री ने लाल किले की प्राचीर से स्वच्छता और योग को जन आंदोलन बनाने का संकल्प लिया था। पांच साल में इस क्रांतिकारी संकल्प की सफलता आज पूरी दुनिया में गूंज रही है। अपने दूसरे कार्यकाल में प्रधानमंत्री मोदी ने सिंगल-यूज प्लास्टिक के खात्मे का बीड़ा उठाया है। प्रधानमंत्री का कहना है कि स्वच्छता, पर्यावरण संरक्षण और पशु महात्मा गांधी जी को बहुत प्रिय थे। प्लास्टिक इन सभी के लिए बड़ा खतरा है, इसलिए साल 2022 तक इसे समाप्त करने के लक्ष्य को हर कीमत पर हासिल करना होगा। सिंगल-यूज प्लास्टिक का मतलब प्लास्टिक से बनी उन चीजों से होता है, जिनका केवल एक बार ही इस्तेमाल होता है, और उसके बाद इन्हें फेंक दिया जाता है। तकनीकी रूप से चालीस

माइक्रोमीटर या उससे कम स्तर के प्लास्टिक को सिंगल-यूज प्लास्टिक कहा जाता है।

बाजार से सब्जी या फल लाने वाली पॉलीथीन से लेकर चाय की दुकान पर मिलने वाला प्लास्टिक कप तक सिंगल-यूज प्लास्टिक की श्रेणी में ही आता है। जिस पानी की बोतल से आप अपनी प्यास बुझाते हैं, या बच्चे के जन्मदिन पर प्लास्टिक के चाकू से बर्थडे केक काटते हुए उसकी लंबी उम्र की कामना करते हैं, वो सब उसी सिंगल-यूज प्लास्टिक के अलग-अलग रूप हैं, जिसके बेपरवाह इस्तेमाल ने अब हमारी जिंदगी को ही खतरे में डाल दिया है।

प्रधानमंत्री का कहना है कि स्वच्छता, पर्यावरण संरक्षण और पशु महात्मा गांधी जी को बहुत प्रिय थे।

प्रधानमंत्री मोदी की चिंता वाजिब भी है। हैरानी की बात है कि उनसे पहले किसी भी नेता ने इसे अपनी प्राथमिकता बनाने के बारे में नहीं सोचा। प्लास्टिक आज हमारे देश के लिए ही नहीं, बल्कि पूरी दुनिया के लिए चुनौती बन गया है। यह चुनौती कितनी बड़ी हो चुकी है, इसका अंदाजा प्लास्टिक से जुड़े कुछ आंकड़ों से लगाया जा सकता है:

कचरा जमा हो रहा है। यह भार पृथ्वी पर मनुष्यों के कुल भार के बराबर है यानी हर साल पृथ्वी पर मनुष्य की कुल आबादी के भार के बराबर प्लास्टिक कचरा बढ़ रहा है।

- प्लास्टिक का सबसे ज्यादा इस्तेमाल पैकेजिंग के लिए होता है। पैकेजिंग उद्योग करीब दो सौ अरब डॉलर तक पहुंच गया है। इसके तहत करीब आठ करोड़ टन प्लास्टिक सालाना तैयार होता है, लेकिन बहुत ही मामूली हिस्सा रिसाइकिल होता है। बचा हुआ प्लास्टिक जमीन से लेकर महासागरों तक फैलता रहता है।
- यूरोप में जो खाना बिकता है, उसका एक-तिहाई प्लास्टिक में पैक किया जाता है। यूरोप में रहने वाला हर शख्स हर साल 31 किलो प्लास्टिक का कचरा निकालता है।
- पूरी दुनिया में हर मिनट पानी की 10 लाख प्लास्टिक बोतलें और हर साल पांच ट्रिलियन प्लास्टिक बैग खरीदे जाते हैं, जो एक बार के इस्तेमाल के बाद फेंक दिए जाते हैं।

- प्लास्टिक कचरे का 70 फीसदी हिस्सा महासागरों में फैला हुआ है। इसमें केवल एक फीसदी कचरा समुद्र तट पर दिखाई देता है, जबकि 99 फीसदी या तो समुद्र तल में जा चुका है, या फिर समुद्री जीवों के पेट में।
- प्लास्टिक कचरे के असर से हर साल 11 लाख से ज्यादा समुद्री जीव दम तोड़ रहे हैं, जबकि 700 से ज्यादा प्रजातियां लुप्त होने के कगार पर पहुंच गई हैं।
- अंदेशा है कि साल 2050 तक समुद्र में मछलियों से ज्यादा प्लास्टिक होगा।
- केवल जानवर ही नहीं, हम-आप जिस समुद्री नमक का बेधड़क इस्तेमाल करते हैं, अब तो प्लास्टिक उसमें भी घुल कर मानव शरीर में भी अपनी जगह बना रहा है।

कोई कम तो कोई ज्यादा जिम्मेदार

इस हालत तक पहुंचने के लिए कुछ देश नहीं, बल्कि पूरी दुनिया कम-ज्यादा अनुपात में जिम्मेदार है। इसलिए यह भी जरूरी है कि इसका सामना कुछ देश ही नहीं, बल्कि सभी देश मिलकर करें। यही वजह है कि बीते 28-29 जून को जापान के ओसाका जी-20 सम्मेलन में दुनिया के दिग्गज राष्ट्राध्यक्षों ने इस दिशा में मिलकर काम करने का संकल्प लिया। इस चुनौती के बीच प्रधानमंत्री नरेन्द्र मोदी की सोच दुनिया के लिए प्रेरणा बन गई है। प्रधानमंत्री जता चुके हैं कि लोग प्लास्टिक की पन्नी और बोतलों का इस्तेमाल न करें और अगर करते भी हैं, तो उन्हें कूड़े में न फेंकें और अगर किसी ने फेंक भी दी है, तो उसे उठाकर रिसाइकलिंग के लिए दे दें। लेकिन क्या प्लास्टिक को बैन करना या उसकी रिसाइकलिंग से समस्या का 100 फीसदी निदान हो पाएगा। जो प्लास्टिक आज इंसानियत ही नहीं, हर तरह के जीव का दुश्मन बन चुका है, क्या उससे पीछा छुड़ाना संभव हो पाएगा? दरअसल, दुनिया-भर के विशेषज्ञों का मानना है कि :

इस हालत तक पहुंचने के लिए कुछ देश नहीं, बल्कि पूरी दुनिया कम-ज्यादा अनुपात में जिम्मेदार है।

- प्लास्टिक को प्रतिबंधित कर एक बार में पूरी तरह खत्म नहीं किया जा सकता। ऐसा करने के लिए चरणबद्ध तैयारी करनी होगी। रिसाइकलिंग के बाद भी इसका कुछ हिस्सा पर्यावरण में शेष रह जाता है।
- प्लास्टिक कचरे के निस्तारण के सबसे प्रभावी विकल्पों में से एक विकल्प उससे ईंधन बनाना है।
- अमेरिका और कनाडा में दस साल के अनुभव के आधार पर रिन्यूएबल कंपनी की सीईओ और एमआईटी एल्युमिनी प्रियंका बकाया के मुताबिक 10 टन प्लास्टिक से औसतन 60 बैरल डीजल जैसे पाररोलिसिस तेल का उत्पादन किया जा सकता है। इस प्रक्रिया में पारंपरिक तरीके से तेल बनाने की तुलना में 75 फीसदी कम कार्बन उत्सर्जित होता है, और 75 फीसदी तक प्लास्टिक रिसाइकल हो जाता है।

इस चुनौती के बीच प्रधानमंत्री नरेन्द्र मोदी की सोच दुनिया के लिए प्रेरणा बन गई है।

- लेकिन विशेषज्ञ इस प्रक्रिया को पर्यावरण के सामने दूसरी चुनौती की तरह देखते हैं। उनके मुताबिक इस प्रक्रिया से निकले तेल का सल्फर कंटेंट और उत्सर्जन मानक पर्यावरण के अनुकूल नहीं हैं। कुछ विशेषज्ञ इस प्रक्रिया में बहुत अधिक ऊर्जा खर्च होने और बड़ी मात्रा में ग्रीन हाउस गैसें निकलने पर भी सवाल उठाते हैं।
- सिंगल-यूज प्लास्टिक के इस्तेमाल का एक विकल्प सड़क और टाइल्स बनाना भी हो सकता है। कई देशों में इस पर सफलतापूर्वक काम भी हो रहा है।
- प्लास्टिक के इस्तेमाल से जुड़ा एक विरोधाभास यह भी है कि पर्यावरण पर इसका नकारात्मक असर कागज या कपड़े या फिर ऑर्गेनिक सूती जैसे इसके विकल्पों की तुलना में कम है।
- ऐसे विकल्पों की पूर्ति के लिए कटने वाले पेड़ों और निर्माण प्रक्रिया में इस्तेमाल पानी-बिजली की काफी बड़ी मात्रा में खपत होती है।
- डेनमार्क में पिछले साल हुई एक स्टडी बताती है कि पर्यावरण पर प्लास्टिक की एक थैली के बराबर प्रभाव हासिल करने के लिए पेपर बैग का 43 बार इस्तेमाल करना होगा। कपड़े की थैली और ऑर्गेनिक सूती के बैग

के मामले में तो यह आंकड़ा क्रमशः 7,100 और 20 हजार तक पहुंच जाता है।

- प्लास्टिक के विकल्प तलाशने में एक चुनौती उपकरणों में लगने वाली जंग भी है। लगभग सभी विकल्प इस मामले में प्लास्टिक के सामने बौने साबित होते हैं।

बेशक, इस तस्वीर का एक सुखद पहलू भी है। अमेरिका, ब्रिटेन, न्यूजीलैंड, कनाडा, फ्रांस, ताइवान, बांग्लादेश, केन्या और जिम्बाब्वे में या तो पूरे तौर पर या देश के बड़े हिस्सों में सिंगल-यूज प्लास्टिक पर प्रतिबंध प्रभावी तरीके से काम कर रहा है। हमारे अपने देश में सिक्किम में भी यह प्रयोग सफल साबित हुआ है, जहां इसे एक के बाद एक विभिन्न चरणों में लागू किया गया। प्रधानमंत्री मोदी ने प्लास्टिक के खिलाफ जो जंग छेड़ी है, उसमें सिक्किम का मॉडल पूरे देश के लिए मिसाल साबित हो सकता है। ठीक उसी तरह जैसे योग जैसे विषय पर उनकी सोच कई देशों के लिए प्रेरणा साबित हुई है।

प्रधानमंत्री मोदी ने प्लास्टिक के खिलाफ जो जंग छेड़ी है, उसमें सिक्किम का मॉडल पूरे देश के लिए मिसाल साबित हो सकता है।

प्लास्टिक के खिलाफ जंग का ऐलान और पर्यावरण की सुरक्षा के लिए ऐतिहासिक कदम उठाने पर संयुक्त राष्ट्र भी प्रधानमंत्री नरेन्द्र मोदी को 'चैंपियन ऑफ द अर्थ' सम्मान से नवाज चुका है। वाकई में आज प्रधानमंत्री इस दिशा में दुनिया के चैंपियन की तरह ही कदम बढ़ा रहे हैं। शायद यह उनकी प्रेरणा का ही असर है कि सिंगल-यूज प्लास्टिक को खत्म करने का उनका लक्ष्य अब आंदोलन का रूप ले चुका है।

(राष्ट्रीय सहारा, 19 अक्टूबर, 2019)

107

कश्मीर का मारा परमाणु का सहारा

''खाड़ी देशों को लेकर पाकिस्तान की विदेश नीति में सेंधमारी की शुरुआत साल 2016 में ही हो गई थी जब प्रधानमंत्री मोदी पहली बार सऊदी दौरे पर गए थे। अगर पाकिस्तान सऊदी को सैन्य बल से सुरक्षा देता है तो भारत ने उसे आर्थिक सुरक्षा मुहैया कराकर इसकी बिल्कुल सटीक काट ढूंढ ली। पिछले पांच साल में प्रधानमंत्री मोदी की मजबूत और स्पष्ट राजनीतिक सोच से कई खाड़ी देश उनके मुरीद हो गए हैं। मोदी सरकार ने इन देशों के हितों के साथ भारत के हितों को जोड़कर उनका राजनीतिक भविष्य मजबूत किया है। खाड़ी देशों में भारत के बढ़ते दबदबे और मुस्लिम देशों से नजदीकियां पाकिस्तान की आंखों में खटक रही हैं। ऐसे में सऊदी से पाकिस्तान की कथित डील पर भारत को सतर्क रहने की जरूरत है।''

कभी-कभी खतरे का अंदेशा खुद खतरे से भी बड़ा दिखाई देने लगता है। ये खतरा जुड़ा है पाकिस्तान के प्रधानमंत्री इमरान खान और सऊदी अरब के क्राउन प्रिंस मोहम्मद बिन सलमान के बीच रियाद में हालिया मुलाकात से। कहा जा रहा है कि इमरान यहां अमेरिका की अपील पर ईरान और सऊदी के बीच जारी तनाव में मध्यस्थता करने पहुंचे थे। लेकिन असलियत में इस मुलाकात में दोनों के बीच कुछ और ही खिचड़ी पकी है। खबर है कि ईरान से बढ़ते तनाव के बीच दोनों नेताओं में परमाणु हथियारों को लेकर सीक्रेट डील हुई है। डील के मुताबिक अगर सऊदी को ईरान के खिलाफ लड़ाई में परमाणु बम की जरूरत महसूस होती है, तो पाकिस्तान उसे अपने परमाणु हथियार मुहैया करवाएगा। हालांकि दोनों तरफ से इस खबर की न तो कोई औपचारिक पुष्टि हुई है, न खंडन। इसके बावजूद खबर को खारिज करना आसान भी नहीं है।

'इस्लामिक बम' का विचार सऊदी-पाकिस्तान की दोस्ती का ही नतीजा है।

भारत ने 18 मई, 1974 में पहला परमाणु परीक्षण किया था। उस वक्त यही माना गया था कि सोवियत संघ की मदद के बगैर भारत ऐसा नहीं कर सकता। पाकिस्तान में भी परमाणु कार्यक्रम की शुरुआत 1974 में हुई और सऊदी उसका वित्तीय मददगार बना। खाड़ी में ईरान और इजरायल से स्पर्धा करने के लिए सऊदी को भी परमाणु शक्ति संपन्न होने की हसरत रही है। 'इस्लामिक बम' का विचार सऊदी-पाकिस्तान की दोस्ती का ही नतीजा है। मध्य-पूर्व के मौजूदा हालात इस मान्यता को और मजबूती दे रहे हैं। ईरान और सऊदी के बीच शिया-सुन्नी विवाद को लेकर लंबे समय से अघोषित युद्ध छिड़ा हुआ है। परमाणु हथियारों को लेकर सऊदी की ख्वाहिश इन्हीं हालात का परिणाम है। इसे ईरान के परमाणु कार्यक्रम के काट के संदर्भ में लिया जाता है। परमाणु शक्ति बनने के लिए बेकरार नये देशों में ईरान भी अहम है। मगर अमेरिका ने पहले से ही ईरान की घेराबंदी कर दी है। उसके लिए आसान नहीं है कि वो खुद को परमाणु शक्ति संपन्न देश साबित कर सके। सीरिया में वर्चस्व को लेकर सऊदी अरब और ईरान के बीच संघर्ष है तो इन्हीं देशों के कंधे पर बंदूक रखकर अमेरिका और रूस भी आमने-सामने हैं।

रूस का समर्थन अगर ईरान को जारी रहता है तो ईरान भी अमेरिका समेत अपने दुश्मन देशों को चौंका सकता है। ठीक उसी तरह जैसे सोवियत संघ के विघटन के करीब डेढ़ दशक बाद 2006 में उत्तर कोरिया ने किया था।

ऐसे में कोई आश्चर्य की बात नहीं कि पाकिस्तान की आर्थिक मदद करते रहे सऊदी अरब को परमाणु बम हाथ लग जाए। माना जा रहा है कि 1980 के दशक में पाकिस्तान के तत्कालीन तानाशाह जनरल जिया उल हक ने सऊदी के राजा के समक्ष अनधिकारिक रूप से कह दिया था, 'हमारी उपलब्धि आपकी है'। यही सहयोग बेनजीर भुट्टो से लेकर नवाज शरीफ तक ने आगे बढ़ाया। छगाई परमाणु परीक्षण के वक्त भी पाकिस्तान ने सऊदी अरब को भरोसे में लिया था। परमाणु परीक्षण के बाद तत्कालीन पाकिस्तानी प्रधानमंत्री नवाज शरीफ ने सऊदी अरब को सहयोग के लिए धन्यवाद भी दिया था।

धन से मालामाल होने के बावजूद सऊदी की सैन्य ताकत काफी बदहाल है।

डील को लेकर ऐसी अटकलें भी हैं कि सऊदी ने अपने तेल के कुओं पर हुए हालिया हमलों के जवाब में पाकिस्तान के साथ मिलकर जान-बूझकर ऐसी खबरें फैलाई हों। दरअसल, धन से मालामाल होने के बावजूद सऊदी की सैन्य ताकत काफी बदहाल है। यहां के शाही परिवार की सुरक्षा दशकों से पाकिस्तानी सेना के हवाले है। इसके बदले में पाकिस्तान को सऊदी अरब से समय-समय पर भारी-भरकम आर्थिक मदद की गारंटी मिली हुई है जो उसकी कंगाल हो रही अर्थव्यवस्था के लिए संजीवनी का काम करती है। इस साल की शुरुआत में सऊदी अरब ने पाकिस्तान में 20 अरब डॉलर का जो निवेश किया है वो वेंटिलेटर पर पहुंच चुकी पाकिस्तानी अर्थव्यवस्था के लिए नई जिंदगी से कम नहीं है।

डील की आशंकाओं ने दुनिया के साथ-साथ भारत को भी सतर्क किया है। माना जा रहा है कि मध्यस्थता की नकाब के पीछे पाकिस्तान ने दो नावों पर सवारी की है। कश्मीर पर अमेरिकी राष्ट्रपति डोनाल्ड ट्रंप और सऊदी अरब न केवल भारत के साथ खड़े दिखे हैं, बल्कि पाकिस्तान के रवैये पर दोनों ने उसे फटकार भी लगाई है। इस मुद्दे पर मलयेशिया और तुर्की को छोड़कर बाकी इस्लामी देशों ने भी पाकिस्तान से मुंह मोड़ लिया। ऐसे में ईरान और सऊदी

के बीच मध्यस्थता की अमेरिका की अपील पाकिस्तान के लिए अपनी खोई साख दोबारा हासिल करने का बेहतरीन मौका था जिसे उसने दोनों हाथों से लपका है। मध्यस्थता के लिए मध्य-पूर्व पहुंचकर इमरान ने दुनिया के चौधरी अमेरिका को और परमाणु कार्यक्रम साझा कर मुस्लिम देशों के खलीफा सऊदी अरब को एक साथ साधने का दांव खेला है। लेकिन पाकिस्तान का दांव काम करेगा इस पर बड़ा संदेह है। दुनिया में प्रधानमंत्री नरेन्द्र मोदी के बढ़ते कद के बीच अमेरिका से भारत की नजदीकी और सऊदी अरब के भारत में बड़े आर्थिक हित इमरान के अरमान पूरे नहीं होने देंगे। द्विपक्षीय राजनीतिक संबंधों में प्रधानमंत्री मोदी की पर्सनल टच वाली रणनीति के कारण सामरिक मजबूरियों के बावजूद अमेरिका आज पाकिस्तान के बजाय भारत के ज्यादा नजदीक है और जिस सऊदी अरब के लिए पाकिस्तान सच्ची दोस्ती का दम भरता है, उससे तो भारत ने तेल भी ले लिया और विश्व मंच पर पाकिस्तान को झटका भी दिलवा दिया।

माना जा रहा है कि मध्यस्थता की नकाब के पीछे पाकिस्तान ने दो नावों पर सवारी की है।

खाड़ी देशों को लेकर पाकिस्तान की विदेश नीति में सेंधमारी की शुरुआत साल 2016 में ही हो गई थी जब प्रधानमंत्री मोदी पहली बार सऊदी दौरे पर गए थे। इस दौरे में सऊदी ने न केवल प्रधानमंत्री को अपने सर्वोच्च नागरिक सम्मान से नवाजा, बल्कि दोनों देशों के बीच के रिश्ते सामरिक भागीदारी के अलग ही स्तर पर पहुंच गए। अगर पाकिस्तान सऊदी को सैन्य बल से सुरक्षा देता है तो भारत ने उसे आर्थिक सुरक्षा मुहैया कराकर इसकी बिल्कुल सटीक काट ढूंढ़ ली। पिछले पांच साल में प्रधानमंत्री मोदी की मजबूत और स्पष्ट राजनीतिक सोच से कई खाड़ी देश उनके मुरीद हो गए हैं। मोदी सरकार ने इन देशों के हितों के साथ भारत के हितों को जोड़कर उनका राजनीतिक भविष्य मजबूत किया है। खाड़ी देशों में भारत के बढ़ते दबदबे और मुस्लिम देशों से नजदीकियां पाकिस्तान की आंखों में खटक रही हैं। ऐसे में सऊदी से पाकिस्तान की कथित डील पर भारत को सतर्क रहने की जरूरत है। पाकिस्तान का परमाणु कार्यक्रम हमेशा से सवालों के घेरे में रहा है।

गौर करने वाली बात है कि जिन देशों को परमाणु तकनीक लीक होने का अंदेशा है, वहां सत्ता एक ही व्यक्ति में केंद्रित है और इन राष्ट्र प्रमुखों के पास असीमित अधिकार हैं जो जरूरत पड़ने पर इस तकनीक का दुरुपयोग भी कर सकते हैं। उत्तरी कोरिया का शासक किम जोंग उन परमाणु ताकत हासिल करने के बाद किस तरह बेलगाम हुआ है, ये किसी से छिपा नहीं है। दिसम्बर में उत्तरी कोरिया के परमाणु कार्यक्रम पर उसकी अमेरिका से मुलाकात होनी है। उससे पहले उत्तरी कोरिया के माउंट पाएक्टू पर सफेद घोड़े पर सवार उसकी तस्वीर पूरी दुनिया को किसी अनहोनी की आशंका से डरा रही है, क्योंकि उत्तरी कोरिया में वहां के शासकों के बड़े फैसले लेने से पहले माउंट पाएक्टू जाने की पुरानी परंपरा रही है। सऊदी से पाकिस्तान की कथित डील को भी इसी नजरिये से देखना होगा, क्योंकि अपने राजनीतिक हित साधने के लिए उसने एक बार फिर गैर-जिम्मेदारी दिखाते हुए पूरी दुनिया के अस्तित्व को खतरे में डालने की हिमाकत की है।

सऊदी से पाकिस्तान की कथित डील को अपने राजनीतिक हित साधने के लिए उसने पूरी दुनिया के अस्तित्व को खतरे में डालने की हिमाकत की है।

(राष्ट्रीय सहारा, 20 अक्टूबर, 2019)

108

जन आंदोलन से ही प्रदूषण पर लगाम

''अब यह कोई राज नहीं रहा कि प्रदूषण जिस तेजी से दुनिया भर में लोगों की जान लील रहा है, उससे वह भूख-आतंक और युद्ध से भी बड़ा हत्यारा बन गया है। इतना ही नहीं, प्रदूषण दुनिया को हर साल 293 लाख करोड़ रुपये का आर्थिक नुकसान भी पहुंचा रहा है, जो कुल वैश्विक अर्थव्यवस्था का 6.2 फीसद है। प्रदूषण से इतने बड़े पैमाने पर हो रहे नकारात्मक असर ने साफ कर दिया है कि इस खतरे से निपटना किसी एक देश के लिए संभव नहीं रह गया। एकजुट होना अब दुनिया के लिए जरूरी भी है, और मजबूरी भी। हालांकि वैश्विक होड़ और कुछ नेताओं की हठधर्मिता अभी भी इसके आड़े आ रही है।''

देश में सर्दियों की आमद दर्ज होने जा रही है, और उससे पहले ही राजधानी दिल्ली समेत उत्तर भारत के कई राज्य एक बड़े खतरे की आहट से ठिठुरने लगे हैं। दिल्ली से सटे हरियाणा, पंजाब और उत्तर प्रदेश के किसान हर साल इस समय पराली जलाते हैं, जिससे पूरे उत्तर भारत की हवा इस स्तर तक जहरीली हो जाती है कि लोगों का दम घुटने लगता है। प्रदूषण फैलाने के लिए न तो अकेले पराली जिम्मेदार है, न ही यह चुनौती देश के किसी खास हिस्से में सिमटी हुई है। पर्यावरण से छेड़छाड़ और हमारी लापरवाहियों से प्रदूषण आज कई रूप में पूरे देश के लिए ही नहीं, बल्कि समूचे विश्व के लिए खतरा बन गया है।

बोस्टन के हेल्थ इफेक्ट इंस्टीट्यूट की स्टेट ऑफ ग्लोबल एयर रिपोर्ट 2019 बताती है कि जहरीली हवा भारत में होने वाली कुल मौत की तीसरी सबसे बड़ी वजह है। इस रिपोर्ट के मुताबिक साल 2017 में हवा में घुले जहर ने 12 लाख लोगों की जान ले ली। दुर्भाग्य से दुनिया में प्रदूषण से होने वाली मौत के मामले में भारत पहले नम्बर पर है। प्रदूषण पर सेंटर फॉर साइंस एंड एनवायरमेंट का सर्वे भी हमारे देश में प्रदूषण के इस भयावह आंकड़े की तस्दीक करता है। सर्वे बताता है कि अकेले वायु प्रदूषण ही भारत में 12.5 फीसद मौतों के लिए जिम्मेदार है। इसके असर से हर साल दस हजार में से औसतन 8.5 लड़के और 9.6 लड़कियां पांच साल का होने से पहले ही जान गंवा देते हैं। चीन, अमेरिका और यूरोपीय संघ के बाद भारत सबसे ज्यादा कार्बन डायऑक्साइड उत्सर्जित करने वाला दुनिया का चौथा देश बन चुका है। केवल हवा ही नहीं, जलस्रोत भी प्रदूषण से अछूते नहीं बचे हैं। केंद्रीय प्रदूषण नियंत्रण बोर्ड की रिपोर्ट बताती है कि देश के 85 फीसद जल निकाय गंभीर से अति गंभीर तरीके से प्रदूषित हो चुके हैं। उत्तर से लेकर दक्षिण तक 323 नदियों में औद्योगिक जल प्रदूषण के हाल बदतर हो चुके हैं।

> *पर्यावरण से छेड़छाड़ और हमारी लापरवाहियों से प्रदूषण आज समूचे विश्व के लिए खतरा बन गया है।*

आस्था पर अस्तित्व का संकट

हमारी आस्था की बड़ी केंद्र और करोड़ों भारतीयों की जीवनदायिनी गंगा नदी आज खुद अपना अस्तित्व बचाने के लिए जूझ रही है। उत्तराखंड से चल

कर यूपी, बिहार, झारखंड और पश्चिम बंगाल का सफर तय कर बंगाल की खाड़ी तक जाने वाली गंगा जगह-जगह राष्ट्रीय भ्रष्टाचार से उपजे औद्योगिक और घरेलू प्रदूषण की शिकार है। सख्त कानूनों के बावजूद उद्योगों और टेनिरयों से निकलने वाले रासायनिक कचरे ने देश की कई नदियों को बड़े सीवेज नाले में तब्दील कर दिया है। औद्योगिक प्रदूषण के कारण ज्यादातर जल स्त्रोतों के घूंट-घूंट में जहर घुल चुका है।

पर्यावरण के मामले में भी दुनिया प्रधानमंत्री मोदी को वर्ल्ड लीडर के तौर पर देखती है।

अब यह कोई राज नहीं रहा कि प्रदूषण जिस तेजी से दुनिया भर में लोगों की जान लील रहा है, उससे वह भूख-आतंक और युद्ध से भी बड़ा हत्यारा बन गया है। इतना ही नहीं, प्रदूषण दुनिया को हर साल 293 लाख करोड़ रुपये का आर्थिक नुकसान भी पहुंचा रहा है, जो कुल वैश्विक अर्थव्यवस्था का 6.2 फीसद है। प्रदूषण से इतने बड़े पैमाने पर हो रहे नकारात्मक असर ने साफ कर दिया है कि इस खतरे से निपटना किसी एक देश के लिए संभव नहीं रह गया। एकजुट होना अब दुनिया के लिए जरूरी भी है, और मजबूरी भी। हालांकि वैश्विक होड़ और कुछ नेताओं की हठधर्मिता अभी भी इसके आड़े आ रही है।

इस मामले में पेरिस समझौता वैश्विक दूरदृष्टि और जनकल्याण की सोच में फर्क की मिसाल बनकर सामने आया है। अमेरिका को इस समझौते में भारत और चीन को ज्यादा फायदा होते दिखा तो राष्ट्रपति डोनाल्ड ट्रंप ने अपने देश को इस समझौते से अलग कर लिया। दूसरी तरफ, प्रधानमंत्री नरेन्द्र मोदी की सोच है, जो इस समझौते को दुनिया के लिए एक विरासत मानते हैं। कहते हैं कि यह एक उपहार है जिसे यह पीढ़ी आने वाली पीढ़ियों को दे सकती है। पिछले महीने ही संयुक्त राष्ट्र जलवायु सम्मेलन में प्रधानमंत्री मोदी ने वैश्विक नेताओं को आगाह किया था कि जलवायु परिवर्तन जैसी गंभीर चुनौती से पार पाने के लिए दुनिया में चल रही कोशिशें पर्याप्त नहीं हैं।

इस बारे में कोई दो राय नहीं कि पर्यावरण के मामले में भी दुनिया प्रधानमंत्री मोदी को वर्ल्ड लीडर के तौर पर देखती है। साल 2014 में प्रधानमंत्री बनने के बाद नरेन्द्र मोदी ने इस ओर कई महत्त्वाकांक्षी कदम उठाए हैं।

पर्यावरण संरक्षण के लिए उन्होंने ऐसे लक्ष्य तय किए हैं, जो कई देशों के लिए मिसाल का काम कर रहे हैं, जैसे–

- उज्ज्वला योजना के तहत 15 करोड़ परिवारों को स्वच्छ कुकिंग गैस का उपहार
- महत्त्वाकांक्षी जल जीवन मिशन पर अगले कुछ साल में 50 अरब डॉलर के खर्च की योजना
- योजना सिंगल-यूज प्लास्टिक के इस्तेमाल पर पूरी तरह से रोक की अपील
- पेट्रोल-डीजल में मिलाने के लिए जैव ईंधन का अनुपात बढ़ाने पर काम
- 65 शहरों में इलेक्ट्रिक बसें चलाकर परिवहन क्षेत्र को हरित बनाने की योजना
- दो साल में देश के सबसे प्रदूषित 102 शहरों को रहने योग्य बनाने की 450 करोड़ रुपए की योजना
- इन शहरों में पीएम-2.5 और पीएम-10 का स्तर 20 फीसद से कम करने का लक्ष्य
- उद्योगों से निकलने वाले कार्बन को कम करने के लिए स्वीडन के साथ साझा कार्यक्रम
- साल 2022 तक अक्षय ऊर्जा उत्पादन को 450 गीगावाट तक पहुंचाने का लक्ष्य

पर्यावरण को लेकर प्रधानमंत्री की चिंता उनके कार्यक्रम 'मन की बात' तक में दिखाई देती है।

पर्यावरण को लेकर प्रधानमंत्री की चिंता केवल अंतरराष्ट्रीय मंचों पर ही नहीं, स्वतंत्रता दिवस के भाषण से लेकर रेडियो पर प्रसारित होने वाले उनके कार्यक्रम 'मन की बात' तक में दिखाई देती है। इन अवसरों पर प्रधानमंत्री की यह सोच भी सामने आई है कि धरती माता के लिए सभी का कुछ न कुछ योगदान जरूरी है। व्यावहारिकता की कसौटी पर प्रधानमंत्री की यह बात ठीक भी लगती है। प्रदूषण किसी भी तरह का हो, जनस्वास्थ्य, अर्थव्यवस्था और पर्यावरण, तीनों के लिहाज से गंभीर समस्या है, और इससे अकेले सरकार नहीं निपट सकती। सरकार केवल उत्प्रेरक हो सकती है, लेकिन अच्छी नीयत को बेहतर नतीजों तक ले जाने के लिए जन

भागीदारी भी जरूरी है। देश के नागरिक के तौर पर हमें मान लेना चाहिए कि प्रदूषण से निपटने के लिए हमारी चिंता नीतियों पर ज्यादा और नीयत को लेकर कम रही है। सरकार के बनाए कानून तंत्रगत भ्रष्टाचार के कारण लागू ही नहीं हो पाते हैं।

आदतों में लाने होंगे बुनियादी बदलाव

प्रदूषण रोकने और पर्यावरण को सहेजने के लिए कानून के नाम पर हम जितना श्रम, साधन, धन और समय खर्च करते हैं, वे प्रयास हमारे व्यक्तिगत या सामूहिक व्यवहार में नहीं दिखाई देते। सरकार को जिन लक्ष्यों को हासिल करने के लिए बड़े पैमाने पर काम करना होगा, वे नतीजे हम अपनी आदतों में कुछ बुनियादों बदलाव लाकर भी हासिल कर सकते हैं, जैसे–

प्रदूषण के खिलाफ जंग को जन आंदोलन बनाने का प्रधानमंत्री नरेन्द्र मोदी का सपना नये दौर में इसी परंपरा को नया रंग देने का प्रयास है।

- देश का हर नागरिक पौधरोपण को व्यक्तिगत जिम्मेदारी समझें
- सिंगल-यूज प्लास्टिक से दूरी बनाएं
- सोलर कूकर का इस्तेमाल बढ़ाएं
- भू-जल की संतुलित खपत करें
- किसान फसलों में जैविक खाद अपनाएं
- उद्योगों की चिमनियां ऊंची रखें
- पुराने वाहनों का ठीक से रख-रखाव करें

ये ऐसे बदलाव हैं, जिन्हें अपनी आदतों में शामिल कर लेना कोई मुश्किल काम नहीं है। वैसे भी इतिहास की ओर देखें तो भविष्य की राह दिखाई पड़ सकती है। पर्यावरण को बचाने और प्रदूषण से लड़ने के लिए हमारे देश में उत्तराखंड के चिपको आंदोलन से लेकर दक्षिण के अप्पिको आंदोलन की एक समृद्ध परंपरा रही है। प्रदूषण के खिलाफ जंग को जन आंदोलन बनाने का प्रधानमंत्री नरेन्द्र मोदी का सपना नये दौर में इसी परंपरा को नया रंग देने का प्रयास है।

(राष्ट्रीय सहारा, 26 अक्टूबर, 2019)

109

जीत की 'शान', कितनी आसान?

''नतीजे दिखाते हैं कि बेशक मतदाताओं ने धारा 370, 35ए और पाकिस्तान पर आक्रामक रुख को पूरी तरह खारिज नहीं किया, लेकिन स्थानीय समस्याओं से जुड़े सवालों का जवाब नहीं मिलने से मतदान को प्रभावित जरूर किया। महाराष्ट्र के ग्रामीण इलाकों और शहरी गरीबों के बीच गठबंधन के वोट शेयर में गिरावट इस बात की पुष्टि करते हैं। जमीनी हकीकत को पहचानने में स्थानीय स्तर पर बीजेपी से चूक हुई है। नतीजे बता रहे हैं कि प्रधानमंत्री मोदी के लिए सकारात्मक रवैया रखने वाले मतदाता को अगर बीजेपी की राज्य सरकारों से कोई शिकायत है तो वो उसे जाहिर करने में पीछे नहीं रहने वाले।''

देश की राजनीति में ऐसे मौका कम ही देखने को मिलते हैं, जब कोई राजनीतिक दल सत्ता में वापसी कर रहा हो और जीत के जश्न के बजाय प्रश्न उसकी जीत के घटे अंतर पर ज्यादा उठ रहे हो। महाराष्ट्र और हरियाणा में विधानसभा चुनाव के नतीजे आने के बाद देश में ठीक ऐसा ही हो रहा है।

दोनों राज्यों में बीजेपी सरकारें वापसी करने में कामयाब हुई हैं। महाराष्ट्र में शिवसेना के साथ गठबंधन में चुनाव लड़ी बीजेपी ने 288 में से 161 सीटें जीतकर स्पष्ट बहुमत हासिल किया है, जबकि हरियाणा में 40 सीटें जीतकर बीजेपी जेजेपी के साथ मिलकर सरकार बनाने की तैयारी में है। इसके बावजूद चर्चा पक्ष और विपक्ष के बीच जीत का अंतर कम होने पर ज्यादा हो रही है।

लोकसभा चुनाव में उसने हरियाणा की सभी 10 और महाराष्ट्र की 48 में से 41 सीटें जीती थीं।

दरअसल इसकी वजह है देश की सियासत के बदले हुए हालात। चुनावी जंग में प्रधानमंत्री नरेन्द्र मोदी की अगुवाई में बीजेपी से देश के मतदाताओं की उम्मीदें नई ऊंचाइयों तक पहुंच चुकी हैं। पांच साल पहले दोनों राज्यों के पिछले विधानसभा चुनाव हों या पांच महीने पहले के लोकसभा चुनाव, बीजेपी का प्रदर्शन जबर्दस्त रहा था। विधानसभा चुनावों में बीजेपी को दोनों राज्यों में अपने दम पर बहुमत मिला था, जबकि लोकसभा चुनाव में उसने हरियाणा की सभी 10 और महाराष्ट्र की 48 में से 41 सीटें जीती थीं। इसलिए इस बार जब बीजेपी के कदम उस ऊंचाई तक पहुंचने से पहले ठिठक गए, तो आलोचक हो या समर्थक, मीडिया हो या मतदाता, पूरा का पूरा देश इसकी वजह जानने के लिए उत्सुक हो उठा।

वैसे देश में बड़े पैमाने पर ऐसी मान्यता है कि दोनों राज्यों में प्रधानमंत्री मोदी का ही जादू चला जिसकी वजह से ही बीजेपी सरकार बनाने की हालत में पहुंच पाई। लोकसभा की तरह ही विधानसभा चुनाव में भी ये संदेश गया कि प्रधानमंत्री मोदी को मजबूत करना है और उन्हें वोट दिया जाना चाहिए। चुनावी नतीजों का विश्लेषण बताता है कि जमीनी हकीकत को पहचानने में स्थानीय स्तर पर बीजेपी से चूक हुई है। नतीजे बता रहे हैं कि प्रधानमंत्री मोदी के लिए सकारात्मक रवैया रखने वाले मतदाता को अगर

बीजेपी की राज्य सरकारों से कोई शिकायत है तो वो उसे जाहिर करने में पीछे नहीं रहने वाले।

नतीजे आने के बाद बीजेपी मुख्यालय पर कार्यकर्ताओं को संबोधित करते हुए प्रधानमंत्री नरेन्द्र मोदी के संबोधन में इस बात का इशारा भी दिखा। खासकर हरियाणा के संदर्भ में उन्होंने कहा कि पांच साल में थोड़ी सत्ता विरोधी लहर होती है, फिर भी पिछली बार की तुलना में तीन फीसदी वोट शेयर बढ़ना बड़ी बात है। उन्होंने महाराष्ट्र के मुख्यमंत्री देवेंद्र फडणवीस की भी तारीफ की और भरोसा दिलाया कि दोनों राज्यों में बनने वाली पार्टी की सरकारें पहले से भी बेहतर काम करेंगी।

दरअसल प्रधानमंत्री की ये बात ही बीजेपी के लिए सबक भी है और आने वाले चुनावों की चुनौतियों से निपटने की कुंजी भी है।

दरअसल प्रधानमंत्री की ये बात ही बीजेपी के लिए सबक भी है और आने वाले चुनावों की चुनौतियों से निपटने की कुंजी भी है। बीजेपी को ये समझना होगा कि भारत जैसे विशाल देश में हर मर्ज की एक दवा नहीं हो सकती। कोई पार्टी सिर्फ राष्ट्रवाद की बात करके लोगों का दिल नहीं जीत सकती, बल्कि उसे क्षेत्रीय विकास और स्थानीय स्तर के मुद्दों पर भी बात करनी होगी।

नतीजे दिखाते हैं कि बेशक मतदाताओं ने धारा 370, 35ए और पाकिस्तान पर आक्रामक रुख को पूरी तरह खारिज नहीं किया, लेकिन स्थानीय समस्याओं से जुड़े सवालों का जवाब नहीं मिलने से मतदान को प्रभावित जरूर कर किया।

महाराष्ट्र के ग्रामीण इलाकों और शहरी गरीबों के बीच गठबंधन के वोट शेयर में गिरावट इस बात की पुष्टि करते हैं। पिछली बार उज्ज्वला योजना, प्रधानमंत्री आवास और शौचालय जैसी जनकल्याण से जुड़ी योजनाएं और रोजमर्रा की जिंदगी से जुड़ी समस्याओं के निदान से मतदाताओं ने बीजेपी को जोरदार समर्थन दिया था। लेकिन इस बार प्रचार में राष्ट्रीय मुद्दों को ज्यादा तरजीह मिलने से वही मतदाता खुद को पार्टी से कनेक्ट नहीं कर पाया। इसका असर चुनाव नतीजों पर साफ तौर पर दिखा।

महाराष्ट्र में तो खासतौर पर किसानों की आत्महत्या, बंद होते उद्योग, बेरोजगारी और आर्थिक सुस्ती जैसे मुद्दों का असर भी देखने को मिला। बीजेपी की रणनीति यह रही कि केवल मुख्यमंत्री देवेन्द्र फडणवीस राज्य के विकास के मुद्दे की बात करेंगे, जबकि राष्ट्रीय नेता राष्ट्रीय मुद्दों की बात करेंगे। लेकिन ये रणनीति भी स्थानीय स्तर के गुस्से को थाम नहीं सकी और फडणवीस सरकार के आठ मंत्रियों को इसकी कीमत हार से चुकानी पड़ी।

हरियाणा में भी देश के औसत से ज्यादा बेरोजगारी, महंगाई, जनता के छोटे-छोटे कामों में बेवजह देरी और कर्मचारी वर्ग की नाराजगी को खट्टर सरकार समय रहते दूर नहीं कर पाई। राज्य सरकार के खिलाफ एंटी इनकमबेंसी का पता इस बात से भी चलता है कि खट्टर सरकार के सात मंत्रियों को हार झेलनी पड़ी और केवल दो मंत्री ही जीत की दहलीज पार कर पाए। यहां तक कि बीजेपी के प्रदेश अध्यक्ष सुभाष बराला भी अपना किला बचा नहीं पाए।

महाराष्ट्र में तो खासतौर पर किसानों की आत्महत्या, बंद होते उद्योग, बेरोजगारी और आर्थिक सुस्ती जैसे मुद्दों का असर भी देखने को मिला।

इस चुनाव में बागियों को मनाना भी बीजेपी के लिए टेढ़ी खीर साबित हुआ। बीजेपी के चुनावी इतिहास में संभवतः ये पहला मौका होगा जब उसके अपने नेता इतने बड़े पैमाने पर पार्टी के आधिकारिक उम्मीदवारों के सामने डटे रहे। हरियाणा में बीजेपी के पांच बागी चुनाव जीतकर खट्टर सरकार और बहुमत के बीच आ गए। महाराष्ट्र में बीजेपी-शिवसेना के केवल चार बागी चुनाव जीत पाए, लेकिन बागियों की वजह से गठबंधन को 25 सीटों पर हार झेलनी पड़ी। अकेले बीजेपी के 83 और शिवसेना के 86 बागियों ने जीत के समीकरण को प्रभावित किया।

ये नतीजे इसलिए भी चौंकाते हैं कि इस बार मैदान में प्रमुख विपक्षी दल नतीजे आने से पहले हार स्वीकार करने की मनोदशा में जा चुका था। दोनों राज्यों में मुख्य विपक्षी पार्टी कांग्रेस थी जिसके पास चुनाव जीतने की न तो कोई नीति थी, न ही कोई ठोस चुनावी रणनीति। इसके बावजूद वो दोनों राज्यों में फायदे में रही। जाहिर है इन नतीजों से दिशाहीन हो चुके कांग्रेस कार्यकर्ताओं

को लड़ने का नया उत्साह मिलेगा जिससे निबटने के लिए बीजेपी नेतृत्व को दोबारा नए सिरे से जमावट करनी होगी।

इन चुनावों से ये बात भी दोबारा स्थापित हुई है कि राज्यों के चुनाव में क्षेत्रीय दलों को भी हल्के में नहीं लिया जा सकता। महाराष्ट्र में एनसीपी जैसे क्षेत्रीय दल की साख बढ़ना और हरियाणा में जेजेपी का किंगमेकर की दौड़ में आना इस बात का उदाहरण है।

> *लोकसभा की प्रचंड विजय के बाद राज्यों में अपने विस्तार में जुटी बीजेपी के लिए इस चुनौती को नजरअंदाज करना आसान नहीं होगा।*

लोकसभा की प्रचंड विजय के बाद राज्यों में अपने विस्तार में जुटी बीजेपी के लिए इस चुनौती को नजरअंदाज करना आसान नहीं होगा, क्योंकि आने वाले साल में जिन 8 बड़े राज्यों में चुनाव होने हैं, वहां दबदबा क्षेत्रीय पार्टियों का ही है। दिल्ली, पश्चिम बंगाल, बिहार, झारखंड और तमिलनाडु ऐसे ही राज्य हैं, जहां इस चुनौती से पार पाने के लिए बीजेपी को अभी से कमर कसनी होगी।

(राष्ट्रीय सहारा, 27 अक्टूबर, 2019)

110

वर्तमान तय करेगा बीजेपी का भविष्य

''सवाल उठ रहे हैं कि साल 2014 और 2019 के लोकसभा चुनावों में सोशल इंजीनियरिंग के फॉर्मूले को भावनात्मक अंक गणित से फेल करने वाली बीजेपी के ग्रेड कार्ड में गिरावट क्यों आई? क्या हरियाणा और महाराष्ट्र में सक्सेस का फॉर्मूला नाकाम हो गया? और अगर ऐसा हुआ है तो क्या सत्ता का भविष्य बीजेपी के लिए ऑरेंज अलर्ट जारी कर रहा है?''

वैसे तो सियासत में अश्वमेध जैसा कोई यज्ञ नहीं होता, लेकिन इस बात से भी इनकार नहीं किया जा सकता कि बीजेपी पिछले करीब छह साल से चुनावी जीत के जिस अश्व पर सवार है, वो एक-दो अपवादों को छोड़कर किसी के रोके नहीं रुका है।

साल 2014 के आम चुनाव से शुरू इस सिलसिले में बीजेपी प्रधानमंत्री नरेन्द्र मोदी की अगुवाई में चुनावी राजनीति की बड़ी बाजीगर साबित हुई है। ब्रांड मोदी की राजनीति के आगे विपक्ष पूरी तरह नतमस्तक दिखाई दिया है। ऐसी मान्यता है कि विपक्ष जब तक बीजेपी की पिछली जीत को डिकोड कर पाता है, तब तक प्रधानमंत्री नरेन्द्र मोदी भविष्य की जीत का ताना-बाना बुन चुके होते हैं।

ऐसी मान्यता है कि विपक्ष जब तक बीजेपी की पिछली जीत को डिकोड कर पाता है, तब तक प्रधानमंत्री नरेन्द्र मोदी भविष्य की जीत का ताना-बाना बुन चुके होते हैं।

इस ताने-बाने में बेशक कई ऐसे सवाल भी उलझे जिनका जवाब तलाशना न तो देश ने जरूरी समझा, न बीजेपी ने। लेकिन बीते सप्ताह आए महाराष्ट्र और हरियाणा के नतीजों ने कुछ ऐसे सवाल खड़े कर दिए हैं, जिन्हें खारिज करना बीजेपी के लिए उतना ही मुश्किल हो रहा है, जितना उन सवालों का सामना करना।

सवाल उठ रहे हैं कि साल 2014 और 2019 के लोकसभा चुनावों में सोशल इंजीनियरिंग के फॉर्मूले को भावनात्मक अंक गणित से फेल करने वाली बीजेपी के ग्रेड कार्ड में गिरावट क्यों आई? क्या हरियाणा और महाराष्ट्र में सक्सेस का फॉर्मूला नाकाम हो गया? और अगर ऐसा हुआ है तो क्या सत्ता का भविष्य बीजेपी के लिए ऑरेंज अलर्ट जारी कर रहा है?

यह सभी प्रश्न हरियाणा और महाराष्ट्र के हाल ही के चुनावी नतीजों पर मुंह बाये खड़े हैं। इन नतीजों के बावजूद बीजेपी दोनों राज्यों में सरकार बनाने में कामयाब जरूर होती है लेकिन सवालों की गंभीरता भविष्य के खतरे को और ज्यादा बढ़ाती है। अब प्रश्न यह भी है कि क्या आने वाले विधानसभा चुनावों में बीजेपी अपने गढ़ कायम रख सकेगी? क्या नई कामयाबी के लिए नई रणनीति पार्टी को विस्तार देगी? इन सवालों की अहमियत इसलिए भी है,

क्योंकि इसी साल बीजेपी को झारखंड के चुनावी मैदान में उतरना है, फिर अगले साल का आरंभ दिल्ली से करना है और अंत बिहार की वैचारिक भूमि पर। हालात बीजेपी के कितने अनुकूल होंगे यह भविष्य के गर्भ में है लेकिन विश्लेषण वर्तमान की जमीन से ही होगा।

हरियाणा और महाराष्ट्र के चुनाव में पार्टी का नेतृत्व दो ऐसे चेहरे कर रहे थे, जिन पर भ्रष्टाचार के कोई आरोप नहीं हैं बावजूद इसके बीजेपी पिछली बार की अपेक्षा इस बार कम सीट ही जीत सकी। सहयोगी दल भी उतना बेहतर प्रदर्शन नहीं कर सके। इसके कुछ मुख्य कारण हैं- जिनमें पहला है जमीनी स्तर पर ओवर कॉन्फिडेंस। बीजेपी ने पस्त विपक्ष को देखकर अपनी जीत तय मान ली थी लेकिन मतदाताओं ने अति आत्मविश्वास को आईना दिखा दिया। इसके अलावा क्षेत्रीय मुद्दों पर मोदी ब्रांड का असर भी उतना वजनदार नहीं रहा, क्योंकि दोनों राज्यों के मुख्य चेहरे देवेन्द्र फडणवीस और मनोहर लाल खट्टर थे और यह ऐसे चेहरे हैं जिन्हें 2014 के चुनाव के बाद मुख्यमंत्री के तौर पर पहचान मिली, मतदाताओं के वोट 2014 में बीजेपी को मोदी के चेहरे पर मिले थे। इसके अलावा राज्य सरकारों के खिलाफ लोगों की नाराजगी मुद्दे में तब्दील हुई, जबकि राष्ट्रवाद, अनुच्छेद 370, एनआरसी, चंद्रयान-2 और पाकिस्तान के मुद्दे राज्य और स्थानीय मुद्दों के सामने बेहद बौने साबित हुए। दोनों राज्यों में एक और अहम मुद्दा था जो तकरीबन 2004 के शाइनिंग इंडिया की याद ताजा कर रहा था। हरियाणा में करीब दर्जन भर आईएनएलडी के विधायक बीजेपी में शामिल हो गए थे, बीएसपी, अकाली दल और निर्दलीय विधायकों को भी बीजेपी ने पार्टी में शामिल कर टिकट दिया था लेकिन इनमें से ज्यादातर नेता चुनाव हार गए। ऐसे ही महाराष्ट्र में करीब 35 नेताओं ने कांग्रेस-एनसीपी छोड़कर बीजेपी का दामन थाम लिया था लेकिन जनता ने इनमें से 19 को सिरे से नकार दिया। नतीजा ये हुआ कि महाराष्ट्र में जिस बीजेपी के 122 विधायक थे वो 105 पर सिमट गई और हरियाणा में जो 47 का आंकड़ा था वो 40 में बदल गया। हालांकि ये फॉर्मूला यूपी और उत्तराखंड के चुनाव में बेहद कामयाब था।

यह सभी प्रश्न हरियाणा और महाराष्ट्र के हाल ही के चुनावी नतीजों पर मुंह बाये खड़े हैं।

अब बीजेपी के सामने अतीत से सबक लेकर भविष्य की तरफ बढ़ने की चुनौती है। इसी साल के आखिर में झारखंड में चुनाव होने हैं। लेकिन एक बड़ा फैक्टर यहां भी राज्य में पार्टी का चेहरा हो सकता है। महाराष्ट्र और हरियाणा की ही तरह झारखंड के सीएम रघुवर दास पर करप्शन का कोई आरोप नहीं है लेकिन यह चेहरा भी चुनाव के बाद लाइम लाइट में आया था, 2014 में झारखंड में मोदी ब्रांड का प्रभाव ज्यादा था। अब मुमकिन है कि बीजेपी दो राज्यों में झटका खाने के बाद ब्रांड फेस वैल्यू का नया तोड़ ढूंढेगी। हालांकि बीजेपी झारखंड में 65 प्लस का लक्ष्य लेकर चल रही है लेकिन झारखंड और महाराष्ट्र के नतीजों से इस लक्ष्य की तस्वीर थोड़ी धुंधली पड़ती नजर आती है।

अब बीजेपी के सामने अतीत से सबक लेकर भविष्य की तरफ बढ़ने की चुनौती है।

झारखंड के बाद बीजेपी को नए साल की शुरुआत दिल्ली के चुनावी मैदान में उतरकर करनी है। जाहिर तौर पर दिल्ली में हरियाणा के नतीजों का थोड़ा प्रभाव जरूर पड़ेगा। हालांकि दिल्ली में राष्ट्रवाद, अनुच्छेद 370, एनआरसी और पाकिस्तान जैसे मुद्दों से बीजेपी की स्थिति में सुधार हो सकता है लेकिन आम आदमी पार्टी की पानी, बिजली की फ्री सप्लाई पॉलिटिक्स और मोहल्ला क्लीनिक जैसे मुद्दे चुनावी तापमान को बढ़ा सकते हैं। लिहाजा बेरोजगारी और महंगाई जैसे मुद्दे का तोड़ केंद्र सरकार का अवैध कॉलोनियों को वैध करने का दांव हो सकता है। मुमकिन ये भी है कि दिल्ली के चुनाव में बीजेपी किसी भी चेहरे को क्षेत्रीय आधार पर तवज्जो न दे, इस स्थिति में पीएम मोदी की ब्रांड फेस वैल्यू को भुनाया जा सकता है।

बीजेपी और तमाम दलों के लिए साल 2020 का अंत बिहार चुनाव से होगा लेकिन यह भी तय है कि वहां का समीकरण बीजेपी के लिए ज्यादा पेचीदा होगा। 2016 के चुनाव में बीजेपी को हालांकि बिहार की जनता ने नकारा नहीं था लेकिन पूरा विश्वास भी नहीं जताया था। जेडीयू और आरजेडी ने मिलकर चुनावी मैदान में दम दिखाया था, नीतीश का सुशासन वाला चेहरा और लालू प्रसाद यादव की मास लीडर वाली छवि का गहरा प्रभाव था लेकिन बीच में ही गठबंधन टूटा और नीतीश को बीजेपी का सहारा मिल गया।

नीतीश कुमार के उस कदम को अब तक बिहार के मतदाता नहीं भूल सके हैं जिसने जनता की नजरों से उन्हें उतार दिया था। इसलिए मुमकिन है कि बिहार की चुनावी राजनीति में भले ही हरियाणा और महाराष्ट्र के नतीजों का असर न दिखे लेकिन नीतीश के अवसरवादी फैक्टर का प्रभाव जरूर पड़ सकता है। अगर बीजेपी गठबंधन के साथ चुनाव मैदान में उतरती है तो हालात महाराष्ट्र की तरह हो सकते हैं, और अगर गठबंधन के बावजूद सीएम फेस वैल्यू में शामिल न हो, तो राष्ट्रीय मुद्दों का प्रभाव पीएम मोदी के चेहरे के साथ बीजेपी को फायदा पहुंचा सकता है। हालांकि इन परिस्थितियों में भी विपक्ष मजबूत हो सकता है, खास तौर पर गठबंधन के रूप कामयाबी का फॉमूर्ला विपक्षी दलों के लिए बेहतर संकेत होंगे।

प्रधानमंत्री नरेन्द्र मोदी भविष्य के चुनाव में ब्रांड के तौर पर दिखते हैं।

दो राज्यों के विधानसभा चुनाव के नतीजों ने बीजेपी को आत्ममंथन पर जरूर मजबूर किया है लेकिन इन हालातों के बावजूद मौजूदा समय से भविष्य तक बीजेपी के हालात में ज्यादा परिवर्तन नजर नहीं आता है। प्रधानमंत्री नरेन्द्र मोदी भविष्य के चुनाव में ब्रांड के तौर पर दिखते हैं, रणनीति में बदलाव के साथ बीजेपी भी बेहतर स्थिति में नजर आती है, राष्ट्रीय मुद्दों को क्षेत्रीय स्तर पर भी तवज्जो मिलती है लेकिन इनमें सरकारी हितकारी योजनाओं का समावेश जरूरी है। विपक्ष के मुद्दों के जवाब तलाशना वक्त की मांग है। हालांकि ये दीगर बात है कि परिस्थिति और समय के अनुसार मतदाता के मन में किस मुद्दे का बीज पनपेगा इसकी पहचान इतनी आसानी से नहीं होगी।

(राष्ट्रीय सहारा, 2 नवम्बर, 2019)

11

दृढ़ इच्छाशक्ति से बदल गई 'जन्नत' की फिजा

''जम्मू-कश्मीर में अब वक्त बदल चुका है। प्रधानमंत्री नरेन्द्र मोदी की अगुवाई में देश ने दुनिया के नक्शे पर नई इबारत लिख दी है, अब बारी कश्मीर में विकास की नई इमारत खड़ी करने की है। इसके लिए सरकार ने बड़े पैमाने पर निवेश की तैयारी भी शुरू कर दी है। यह निवेश कश्मीर में विकास और यहां की जनता में विश्वास बहाल करेगा। साथ ही हथियार उठाने के लिए उकसाए गए कश्मीर के युवाओं को रोजगार से जोड़ने का भी काम करेगा, जो कश्मीर को सच्चे अथरे में देश से जोड़ने के सरदार पटेल के सपने और उसे दुनिया की जन्नत बनाने की प्रधानमंत्री नरेन्द्र मोदी की मंशा को साकार करेगा। प्रधानमंत्री नरेन्द्र मोदी अनुच्छेद 370 को भारतीयों के बीच अस्थायी दीवार और कश्मीर में अलगाववाद और आतंकवाद की जड़ बताते रहे हैं।''

आजाद भारत के पहले गृह मंत्री लौहपुरुष सरदार वल्लभ भाई पटेल की जयंती 31 अक्टूबर पर जम्मू-कश्मीर और लद्दाख का नये केंद्र शासित प्रदेश के रूप में अस्तित्व में आना केवल संयोग मात्र नहीं है। देश के मौजूदा नेतृत्व की अटूट देशभक्ति और फौलादी इच्छाशक्ति भी इस ऐतिहासिक कामयाबी की पात्र है। आजादी के बाद सरदार पटेल ने देश की रियासतों का विलय कर पूरी दुनिया में भारत की एकता का डंका बजाया था। लेकिन कश्मीर का भी देश में विलय करने का सरदार पटेल का सपना तत्कालीन हुक्मरानों की अवसरवादिता के कारण पूरा नहीं हो पाया था। सात दशक बाद प्रधानमंत्री नरेन्द्र मोदी ने सरदार के उन्हीं अटल इरादों पर कदम बढ़ाते हुए जम्मू-कश्मीर को अनुच्छेद 370 और 35ए की बेड़ियों से आजाद करने का काम किया है।

देश की कई पीढ़ियां 'कश्मीर से कन्याकुमारी तक भारत एक है' का नारा लगाते हुए खाक हो गयीं। अंतरराष्ट्रीय मंचों पर भारत की सरकारें 70 साल तक यह साबित करने के लिए एड़ियां घिसती रहीं कि कश्मीर भी बाकी राज्यों की तरह भारत का आंतरिक मसला है। इसके बावजूद दुनिया का संशय दूर नहीं हुआ। लेकिन इस क्रांतिकारी फैसले के बाद अब दुनिया खुद मंजूर कर रही है कि कश्मीर किसी और का नहीं, भारत का ही सिरमौर है। देश की आने वाली पीढ़ियां इस बात की कल्पना भी नहीं कर पाएंगी कि जिस देश की गौरवगाथा दसों-दिशाओं में गूंजती थी, उसी देश में एक राज्य ऐसा भी रहा जो देश का अपना होकर भी पराया ही रहा, जिसका अपना अलग प्रधान था, देश से अलग संविधान था, जहां तिरंगे का खुलेआम अपमान था, और जहां की जमीन को अपना कहना बाकी देशवासियों के लिए गुनाह था। यह धारा 370 का 'प्रताप' था जिसकी ताप में हमारा देश सात दशक तक सुलगता रहा।

आजादी के बाद सरदार पटेल ने देश की रियासतों का विलय कर पूरी दुनिया में भारत की एकता का डंका बजाया था।

एक देश में दो प्रधान, दो विधान और दो निशान वाले इस प्रावधान से लड़ते हुए जनसंघ के संस्थापक डॉ. श्यामा प्रसाद मुखर्जी ने अपने जीवन तक का बलिदान कर दिया। इस धारा की आड़ में आतंकी घटनाओं ने

घाटी में विकास को ही नहीं रोका, हमारी सेना के हजारों जवानों और आम कश्मीरियों की जिंदगियों पर भी ग्रहण लगा दिया। घाटी से हजारों की तादाद में हिंदू पंडितों को निर्वासन तक झेलना पड़ा। लेकिन प्रखर राष्ट्रवाद की मिसाल पेश करते हुए प्रधानमंत्री नरेन्द्र मोदी ने नासूर बन चुके अनुच्छेद 370 और 35ए को हटाकर न केवल सरदार पटेल के सपने को सच किया और श्यामा प्रसाद मुखर्जी के बलिदान को अंतिम मुकाम तक पहुंचाया, बल्कि घाटी के लोगों और सैन्य बलों की शहादत का भी सम्मान किया है।

साल 2019 के आम चुनाव के लिए बीजेपी ने जो घोषणा पत्र जारी किया था, उसमें छह बार धारा 370 का उल्लेख था।

अनुच्छेद 370 हटाने की रूपरेखा मोदी सरकार के दूसरे कार्यकाल के शपथ ग्रहण के बाद से ही तैयार होने लगी थी। साल 2019 के आम चुनाव के लिए बीजेपी ने जो घोषणा पत्र जारी किया था, उसमें छह बार धारा 370 का उल्लेख था। चुनाव राष्ट्रवाद के मुद्दे पर लड़ा और जीता गया और क्योंकि जम्मू-कश्मीर इसके केंद्र में रहा, इसलिए वादा निभाने का आगाज वहीं से होना तर्कसंगत भी था। दिलचस्प यह रहा कि अनुच्छेद 370 हटाने के लिए केंद्र सरकार ने इसी धारा के प्रावधानों का सहारा लिया। मतलब कि सरकार ने जहर से ही जहर की काट तैयार कर दी। अनुच्छेद 370 का सेक्शन 3 राष्ट्रपति को जम्मू-कश्मीर को दिया गया विशेष दर्जा किसी भी वक्त निष्क्रिय करने या किसी अपवाद और संशोधन के साथ सक्रिय करने का अधिकार देता है। राष्ट्रवाद के जोश के साथ-साथ कानूनी बारीकियों का होश से इस्तेमाल कर सरकार ने इस कदम को अदालत में चुनौती देने की मंशा रखने वालों के इरादे भी पहले ही पस्त कर दिए। सत्तर साल पुरानी बीमारी का एक झटके में इलाज आसान नहीं था। एक तरफ विपक्षियों का विलाप, दूसरी ओर आतंकियों का संताप। लेकिन घाटी में सरकार की रणनीतिक सूझबूझ और दिल्ली में मजबूत राजनीतिक जमावट ने विरोध की हर आवाज को नेस्तनाबूद कर दिया। सरकार ने कर्फ्यू लगाकर जम्मू-कश्मीर की आम जनता को आतंकियों का निशाना बनने से बचाया और राज्य के नेताओं को नजरबंद कर भड़काऊ बयानों से माहौल खराब करने की साजिश को नाकाम कर दिया। सरकार की एक देश,

एक संविधान की सोच ने पूरे देश को एकता के सूत्र में भी बांध दिया। जब कश्मीर की आजादी के इस आंदोलन में देश की जनता एक साथ खड़ी दिखी, तो सरकार की नीयत पर सवाल उठा रहे दिल्ली में बैठे विपक्षी दल भी कश्मीर की नियति का रोना रोने से ज्यादा कुछ नहीं कर सके।

यही हाल पाकिस्तान का भी हुआ। अनुच्छेद 370 हटाने के फैसले को संयुक्त राष्ट्र ले जाकर उसने इस मुद्दे का अंतरराष्ट्रीयकरण करने की कोशिश की लेकिन उसे मुंह की खानी पड़ी। बरसों से पाकिस्तान के आका बने अमेरिका ने इसे भारत का आंतरिक मसला बताकर उसे फटकारा, तो अपने फायदे के लिए उसके दोस्त बने चीन ने भी पल्ला झाड़ लिया। यहां तक की मलयेशिया और तुर्की को छोड़कर मुस्लिम देश भी भारत के खेमे में खड़े दिखे।

एक तरफ विपक्षियों का विलाप, दूसरी ओर आतंकियों का संताप।

इसी सप्ताह ग्राउंड जीरो का दौरा करके लौटे यूरोपीय सांसदों के दल ने भी कश्मीर में शांति बहाल करने और आतंक के खिलाफ भारत सरकार की दृढ़ कोशिशों के साथ एकजुटता दिखाई है। बेशक, भारत को देश की सीमा के भीतर उठाए किसी कदम के लिए किसी अंतरराष्ट्रीय संस्था के सर्टिफिकेट की जरूरत नहीं है, लेकिन यूरोपीय डेलिगेशन के बेबाक समर्थन से घरेलू और अंतरराष्ट्रीय स्तर पर विरोध के जो भी मद्धम स्वर उठ रहे हैं, उन्हें भी पूरी तरह से खत्म हो जाना चाहिए।

जाहिर है कि जम्मू-कश्मीर में अब वक्त बदल चुका है। प्रधानमंत्री नरेन्द्र मोदी की अगुवाई में देश ने दुनिया के नक्शे पर नई इबारत लिख दी है, अब बारी कश्मीर में विकास की नई इमारत खड़ी करने की है। इसके लिए सरकार ने बड़े पैमाने पर निवेश की तैयारी भी शुरू कर दी है। यह निवेश कश्मीर में विकास और यहां की जनता में विश्वास बहाल करेगा। साथ ही हथियार उठाने के लिए उकसाए गए कश्मीर के युवाओं को रोजगार से जोड़ने का भी काम करेगा, जो कश्मीर को सच्चे अर्थों में देश से जोड़ने के सरदार पटेल के सपने और उसे दुनिया की जन्नत बनाने की प्रधानमंत्री नरेन्द्र मोदी की मंशा को साकार करेगा।

प्रधानमंत्री नरेन्द्र मोदी अनुच्छेद 370 को भारतीयों के बीच अस्थायी दीवार और कश्मीर में अलगाववाद और आतंकवाद की जड़ बताते रहे हैं। स्टेच्यू ऑफ यूनिटी से उन्होंने देश को भरोसा दिलाया कि 70 साल पुरानी धारा 370 की दीवार गिराए जाने के बाद कश्मीर की धरा पर अब एकता और विकास की नई धारा शुरू होगी। दूसरे अर्थों में उनका संबोधन अंग्रेजों की गुलामी से देश की आजादी के वक्त सरदार पटेल के देखे गए सपने और अनुच्छेद 370 की बेड़ियों से कश्मीर की आजादी के दौर में आज के 'सरदार' के संकल्प का इशारा है।

(राष्ट्रीय सहारा, 3 नवम्बर, 2019)

112

प्रदूषण से निपटने के लिए इच्छाशक्ति चाहिए, फॉर्मूले नहीं

''सवाल यह है कि प्रदूषण के खतरनाक स्तर पर खड़ी दिल्ली-एनसीआर को सरकार या सरकारी मशीनरी के प्रयासों से कोई उम्मीद दिखती है? जवाब दुखदायी है, क्योंकि न तो दिल्ली सरकार का ऑड-ईवन फॉर्मूला इस जवाब की चौखट में समाता है, न ही नए निर्माण कार्यों पर रोक की सख्ती इस जवाब के आसपास फटकती है। आमजन की परेशानियों को लेकर देश की सबसे बड़ी अदालत पहले भी कई बार सख्ती दिखा चुकी है, लेकिन राजधानी दिल्ली का दम घोंट रही पराली पर उसका हालिया रुख ऐतिहासिक है। सुप्रीम कोर्ट ने इसके लिए केवल किसानों को ही नहीं, बल्कि हरियाणा और पंजाब के अफसरों को भी उनकी लापरवाही पर फटकार लगाते हुए जिम्मेदार ठहराया है।''

देश की राजधानी में पहुंचकर या दिल्ली से गुजरते हुए गांवों का अक्खड़पन यादों में सिमटकर रह जाता है। न सर्द दिनों की अलसायी सुबह नजर आती है, न ही सूरज की रोशनी में नहाते बदन को हरारत नसीब होती है। अगर दिल्ली में कुछ मिलता है तो वह है खुली हवा में घुटन भरी सांसें, धुंध के तेजाब से जलती हुईं आंखें और एक ऐसा डर, जो मन में खतरनाक बीमारियों की चिता सजाता है। यह कोई लच्छेदार शब्दों की चाशनी में डूबी कहानी नहीं है, बल्कि दिल्ली की हकीकत है।

अगर दिल्ली में कुछ मिलता है तो वह है खुली हवा में घुटन भरी सांसें, धुंध के तेजाब से जलती हुईं आंखें और एक ऐसा डर, जो मन में खतरनाक बीमारियों की चिता सजाता है।

दिल्ली में न तो पराली जलाई जाती है, न ही ईंट भट्ठे चलते हैं। इसके बावजूद पिछले 5 सालों में ठंड के मौसम में जिस तरह प्रदूषण बढ़ा है उसका कारण है दिल्ली और आसपास की राज्य सरकारों का वह रवैया, जिसने जीवन देने वाले पर्यावरण को वरीयता के अंतिम पायदान पर रखा दिया है। 2014 तक दिल्ली में ठंड कुहासे में लिपटकर आती थी। प्रदूषण उस समय भी था, लेकिन एयर क्वालिटी इनडेक्स मास्क लपेटकर इतने बड़े खतरे का अलार्म नहीं बजाता था। 2015 में प्रदूषण का खतरा ऑरेंज अलर्ट तक पहुंच गया और फिर हालात बद से बदतर होते गए।

सवाल यह है कि प्रदूषण के खतरनाक स्तर पर खड़ी दिल्ली-एनसीआर को सरकार या सरकारी मशीनरी के प्रयासों से कोई उम्मीद दिखती है? जवाब दुखदायी है, क्योंकि न तो दिल्ली सरकार का ऑड-ईवन फॉर्मूला इस जवाब की चौखट में समाता है, न ही नए निर्माण कार्यों पर रोक की सख्ती इस जवाब के आसपास फटकती है। आमजन की परेशानियों को लेकर देश की सबसे बड़ी अदालत पहले भी कई बार सख्ती दिखा चुकी है, लेकिन राजधानी दिल्ली का दम घोंट रही पराली पर उसका हालिया रुख ऐतिहासिक है। सुप्रीम कोर्ट ने इसके लिए केवल किसानों को ही नहीं, बल्कि हरियाणा और पंजाब के अफसरों को भी उनकी लापरवाही पर फटकार लगाते हुए जिम्मेदार ठहराया है।

जब नौबत हेल्थ इमरजेंसी की आ जाए तो ये सख्ती जायज ही नहीं, जरूरी भी हो जाती है। पिछले कुछ साल से सर्दियों के आगाज के साथ दिल्ली पर पराली की गाज गिरना नियमित प्रक्रिया बन चुका है, इसके बावजूद इसकी रोकथाम के लिए जमीन पर कोई तैयारी नहीं दिखती है। वायु प्रदूषण पर नजर रखने वाले एयर क्वालिटी लाइफ इंडेक्स (AQLI) और शिकागो यूनिवर्सिटी के एनर्जी पॉलिसी इंस्टीट्यूट की ताजा स्टडी में कहा गया है कि उत्तर भारत में खराब हवा के कारण सामान्य इंसान की ज़िंदगी करीब 7.5 साल कम हो रही है। साल 1998 में ये आंकड़ा 3.7 साल था।

एनसीआर में बढ़ता गया पराली का दायरा

उत्तर भारत में खराब हवा के कारण सामान्य इंसान की ज़िंदगी करीब 7.5 साल कम हो रही है। साल 1998 में ये आंकड़ा 3.7 साल था।

इसमें कोई संदेह नहीं है कि साल-दर-साल दिल्ली समेत पूरे एनसीआर में पराली ने अपना दायरा बढ़ाया है। ये भी सच है कि समूचे देश में प्रदूषण का भी विस्तार हुआ है। ग्रीन पीस की रिपोर्ट बताती है कि वायु प्रदूषण की सबसे ज्यादा मार झेल रहे दुनिया के 30 शहरों में 22 अकेले भारत से है और दिल्ली दुनिया की सबसे प्रदूषित राजधानी बन चुकी है। बेशक आंकड़ों की बिसात पर देश की ये हालात रातों-रात नहीं बनी है। नदियों से लेकर पहाड़ों तक और महानगरों से छोटी बसाहटों तक प्रदूषण कम-ज्यादा रफ्तार से लगातार अपने पैर पसारता जा रहा है। चिंता की बात ये है कि जिस सवाल से हमारा देश दो-चार हो रहा है, वो पूरी दुनिया के लिए भी पहेली बन चुका है।

- स्टेट ऑफ ग्लोबल एयर 2019 के अनुसार वायु प्रदूषण दुनियाभर में हो रही मौतों की पांचवीं सबसे बड़ी वजह बन चुका है। दुनिया में हो रही हर दसवीं मौत में से एक के लिए अकेले वायु प्रदूषण जिम्मेदार है।
- विश्व स्वास्थ्य संगठन का अनुमान है कि वायु प्रदूषण हर साल 70 लाख जिंदगियां लील जाता है यानी हर घंटे 800 और हर मिनट 13 मौत।
- दुनिया के 3 हजार शहरों में शोध के बाद ग्रीन पीस और एयर विजुअल एनालिसिस का दावा है कि इनमें से 64 फीसदी शहरों में प्रदूषण WHO

के मानकों को पीछे छोड़ चुका है। तस्वीर और भी डराने वाली हो सकती है, क्योंकि अफ्रीका के कई शहरों में प्रदूषण से लड़ना तो दूर, उसे नापने के माकूल इंतजाम तक नहीं है।

- वर्ल्ड बैंक का अनुमान है कि प्रदूषण से हो रही मानव क्षति से दुनिया की अर्थव्यवस्था को सालाना 225 बिलियन डॉलर का नुकसान हो रहा है। कहा जाता है कि कई बार समस्या का हल समस्या में ही मौजूद होता है। प्रदूषण से निपटने में ये बात बेशक सौ-फीसदी खरी न उतरती हो, लेकिन लड़ाई का हौसला जरूर देती है। अमेरिका, यूरोप और एशिया में लोगों ने प्रदूषण के खिलाफ छोटे स्तर पर ही सही, लेकिन वो कामयाबियां हासिल की हैं जो पूरी दुनिया के लिए मिसाल बन सकती हैं।

बेशक आंकड़ों की बिसात पर देश की ये हालात रातों-रात नहीं बनी है।

इंग्लैंड में साल 1952 के ग्रेट स्मॉग ऑफ लंदन के दौरान चार दिन में चार हजार लोग मारे गए थे। इसके बाद वहां कोयले से चलने वाले कारखाने और रेल के इंजन तक बंद कर दिए गए। गाड़ियों से निकलने वाले धुएं के बदले पैसे वसूले गए 1956 में बना स्वच्छ हवा कानून दूरगामी नतीजे लेकर आया जो अब लंदन की पहचान बन चुका है। आज लंदन के बड़े से बड़े आदमी के लिए ट्यूब ट्रेन की सवारी राष्ट्रीय शर्म नहीं, नेशनल प्राइड का सिंबल माना जाता है। इसी तरह टेम्स नदी एक जमाने में लंदन में बीमारियों की जड़ मानी जाती थी। इस पहचान से पीछा छुड़ाने के लिए टेम्स पर 1958 में जमीन के अंदर 134 किलोमीटर का सीवेज सिस्टम बनाया गया। नदी के समानांतर सड़क और ट्रीटमेंट प्लांट बनाए गए। आज छह दशक बाद भी यह सीवेज सिस्टम कारगर है।

हडसन नदी के लिए लड़ी गई लड़ाई

करीब-करीब इसी कालखंड में टेम्स से 5,500 किलोमीटर से भी ज्यादा दूर एक और लड़ाई लड़ी गई। ये लड़ाई थी अमेरिका में न्यूयॉर्क के पूर्वी हिस्से में बहने वाली हडसन नदी के लिए। साल 1947-1977 के बीच कारखानों से निकले औद्योगिक कचरे से हडसन नदी सीवर का गंदा नाला बन गई थी।

प्रदूषण और बदबू से लोग नदी से दूर रहने लगे। लेकिन नदी का यह दर्द हडसन के मछुआरों से नहीं देखा गया। मछुआरों ने वकीलों के साथ मिलकर रिवरकीपर टीम बनाई जिसने अमेरिका की अदालत में पहली बार पर्यावरण का कानूनी मुकदमा दायर किया।

हडसन नदी भारत की गंगा या नर्मदा जैसी बड़ी नदी नहीं है। इसकी लंबाई भी केवल 507 किलोमीटर है। फिर भी पूरा अमेरिका इसे बचाने के लिए अदालत से लेकर सड़कों पर उतर आया। इसी संघर्ष के दौरान 'वी शैल ओवरकम' (हम होंगे कामयाब) जैसे कालजयी गीत की रचना हुई, जो आज दुनिया भर में उम्मीद का एंथम बन चुका है। आज हडसन का पानी इतना साफ है कि बिना फिल्टर किए सीधे न्यूयार्कवासियों के घरों में सप्लाई होता है। लेकिन मिसाल सिर्फ इतनी भर नहीं है। इस उपलब्धि को हासिल करने के बाद न्यूयॉर्क हाथ-पर-हाथ रख कर नहीं बैठ गया। हडसन की लगातार चौकसी के लिए हडसन सोसाइटी बनाई गई, जो हर साल क्लीयर वाटर फेस्टीवल का आयोजन करती है जिसमें लोगों को हडसन नदी की सफाई के अभियान से जोड़ा जाता है।

हडसन नदी भारत की गंगा या नर्मदा जैसी बड़ी नदी नहीं है।

साल 2013 तक प्रदूषण के मामले में चीन की हालत भी बेहद बुरी थी। उसके शहर दुनिया के सबसे प्रदूषित इलाकों में शामिल थे और पूरा देश धुंध की चादर से ढंका रहता था। लेकिन केवल 6 साल में चीन ने तस्वीर को बदल डाला है। अक्षय ऊर्जा पर निर्भरता बढ़ा कर चीन आज इस हालत में पहुंच चुका है कि साल 2020 तक वायु प्रदूषण के स्तर को 60 फीसदी कम करने के उसके दावे को दुनिया गंभीरता से ले रही है।

हाल के वर्षों में प्रदूषण को लेकर प्रधानमंत्री नरेन्द्र मोदी वर्ल्ड लीडर बनकर सामने आए हैं।

हाल के वर्षों में प्रदूषण को लेकर हमारे देश में भी कई नई और सार्थक पहलें हुई हैं। इस दिशा में प्रधानमंत्री नरेन्द्र मोदी वर्ल्ड लीडर बनकर सामने आए हैं। संयुक्त राष्ट्र का उन्हें अपना सबसे बड़ा पर्यावरण पुरस्कार 'चैम्पियन ऑफ द अर्थ' देना इसका प्रमाण है। प्रधानमंत्री मोदी ने स्वच्छता अभियान को जिस तरह जन आंदोलन में बदला है, वो आज दुनिया के कई देशों के

लिए प्रेरणा का काम कर रहा है। देश में आज LED बल्ब से लेकर रेन वाटर हारवेस्टिंग तक पर्यावरण को हर स्तर पर सुरक्षित करने की मुहिम चलाई जा रही है। देश के नेशनल हाई-वे और एक्सप्रेस-वे को ग्रीन कोरिडर की तर्ज पर विकसित कर उन्हें इको फ्रेंडली बनाया जा रहा है। शहरों के पब्लिक ट्रांसपोर्ट नेटवर्क को सोलर एनर्जी से जोड़ा जा रहा है। सबसे बड़ा परिवर्तन तो पर्यावरण को लेकर लोगों की संवेदना में आया बदलाव है। इस सबके बावजूद पराली की मार ये अहसास भी दिलाती है कि इन कोशिशों को अभी और धार की जरूरत है। खासकर तब जब इस मार से खतरा जीने के अधिकार की हार का हो।

(राष्ट्रीय सहारा, 9 नवम्बर, 2019)

113

कॉरिडोर : रिश्तों की कितनी मजबूत डोर?

''पीठ में खंजर घोंपना पाकिस्तान की पुरानी फितरत रही है। इसका इतिहास जितना पुराना है, फेहरिस्त उतनी ही लंबी। आमने-सामने की तीन लड़ाइयों के साथ ही इस बात को भी कैसे भुलाया जा सकता है कि जब सद्भावना दिखाते हुए हम ढोल-बाजे के साथ बस में लाहौर तक गए, तो बदले में पाकिस्तान दबे-पांव करगिल में घुस आया। जब हम उन्हें ईद की बधाई दे रहे थे, तो बदले में हमें पठानकोट और उरी का हमला मिला। ये भी याद रखना होगा कि जो पाकिस्तान एक तरफ चेहरे पर मजबूरी लिए बातचीत की गुहार लगाता है, वहीं आतंक की नकाब ओढ़कर पुलवामा पर प्रहार भी करता है। करतारपुर में भी भारत को यही सिला मिलेगा ये कहना फिलहाल जल्दबाजी हो सकती है, लेकिन पाकिस्तान के काले अतीत को देखते हुए इसे सिरे से नकारा भी नहीं जा सकता।''

जज्बातों के अलाव की हल्की सी गरमाहट, भावनाओं के समुद्र की लहरों से किनारे पर आया खारापन, सद्भावना की खीर की फीकी मिठास और एक आत्मा के दो भौतिक अस्तित्व में सुलगी शंका की आग से निकली तेज आंच...इनसे न तो कभी कोई संतुष्ट हुआ है और न ही होगा। हिंदुस्तान और पाकिस्तान के रिश्तों में भी व्यक्तिगत हित, दूसरे का अहित और दुश्मनी की ऐसी ही प्रतिकूलता है। रिश्तों पर जमी बर्फ को गरमाहट का इंतजार था, लेकिन श्रद्धा की अंगीठी से जिस बर्फ को पिघलाने की कोशिश हुई, उसका प्रभाव भी पारस्परिक संबंधों में प्रतिकूल ही नजर आ रहा है। गुरु नानकदेव जी के 550वें प्रकाश पर्व पर उमड़ी श्रद्धा ने एक ऐसा रास्ता बनाया है, जो हिंदुस्तान के पंजाब और पाकिस्तान के पंजाब को सीधे जोड़ता है। लेकिन यह करतारपुर साहिब कॉरिडोर भी आशंकाओं में घिर गया।

करतारपुर कॉरिडोर की शुरुआत धार्मिक और सामाजिक नजरिए से यकीनन बड़ी राहत की बात है। करतारपुर साहिब में ही सिखों के पहले गुरु नानक देव अंतर्धान हुए थे और इसी वजह से सिखों में इस स्थान को लेकर गहरी आस्था है। बंटवारे के बाद करतारपुर साहिब पाकिस्तान के हिस्से में चला गया था, जिससे भारतीय सिखों के यहां बेरोकटोक आने-जाने पर पाबंदी लग गई थी। आजादी के बाद से ही भारत का सिख समुदाय यहां वीजा-फ्री एंट्री की मांग कर रहा था और अब कॉरिडोर खुल जाने से उसकी 70 साल से भी ज्यादा पुरानी चिंता खत्म हो गई है। लेकिन इस कॉरिडोर के खुलने से भारत सरकार के सामने एक नई चिंता खड़ी हो गई है। इस नई शुरुआत के जश्न के नाम पर पाकिस्तान की ओर से एक वीडियो जारी किया गया है। चार मिनट लंबे इस वीडियो में कुछ सिख श्रद्धालु एक गुरुद्वारे की ओर जाते दिख रहे हैं और उनके पीछे एक पोस्टर है जिस पर खालिस्तान 2020 लिखा है। वीडियो में खालिस्तानी अलगाववादी जरनैल सिंह भिंडरावाले, मेजर जनरल (निष्कासित) शाबेग सिंह और अमरीक सिंह खालसा को भी दिखाया गया है।

करतारपुर कॉरिडोर की शुरुआत धार्मिक और सामाजिक नजरिए से यकीनन बड़ी राहत की बात है।

ये सभी जानते हैं कि भिंडरावाले दमदमी टकसाल संगठन का मुखिया था। इस संगठन ने सिखों के लिए एक अलग देश की मांग को लेकर हिंसक आंदोलन चलाया था। अमरीक सिंह खालसा भी इसी आंदोलन से जुड़ा था, जबकि शाबेग सिंह भी बाद में भिंडरावाले से जुड़ गया था। ये तीनों ऑपरेशन ब्लू स्टार में मारे गए थे, लेकिन पंजाब में आज भी वे अलगाववाद और आतंक के पोस्टर ब्वॉय के रूप में जाने जाते हैं। ऐसे मुबारक मौके पर इस वीडियो के सामने आने से कॉरिडोर खोले जाने के लिए पाकिस्तान की 'आगे बढ़कर दी गई रजामंदी' शक के घेरे में आ गई है। आशंका है कि कॉरिडोर खोलने की आड़ में पाकिस्तान उस खालिस्तान आंदोलन को फिर खड़ा करने की साजिश रच रहा है, जिसकी वजह से पंजाब 70 और 80 के दशक में आतंकवाद की आग में झुलसा था और पूर्व प्रधानमंत्री इंदिरा गांधी समेत हजारों लोगों को अपनी जान गंवानी पड़ी थी।

कॉरिडोर खोले जाने के लिए पाकिस्तान की 'आगे बढ़कर दी गई रजामंदी' शक के घेरे में आ गई है।

पाकिस्तान पिछले तीन दशकों से अमेरिका, ब्रिटेन, कनाडा और जर्मनी जैसे देशों में खालिस्तानी ताकतों को बढ़ावा देने में जुटा है। समझा जा रहा है कि ऑपरेशन इंडिया इसी कोशिश का एक्सटेंशन हो सकता है। पाकिस्तान के इस खतरनाक मंसूबे की वजह भी है। प्रधानमंत्री नरेन्द्र मोदी की सरकार के सत्ता में आने के बाद पाकिस्तान के लिए कश्मीर में आतंकवाद को बढ़ावा देना टेढ़ी खीर साबित हो रहा है। एक-के-बाद-एक सर्जिकल स्ट्राइक ने पीओके में आतंकी ठिकानों को रौंदने और आतंकियों के दुस्साहस को धूल में मिलाने का काम किया है। रही-सही कसर जम्मू-कश्मीर में अनुच्छेद 370 हटा देने से पूरी हो गई है।

नरेन्द्र मोदी सरकार के इन कदमों से बौखलाया पाकिस्तान परमाणु हमले की बात भी करने लगा था। कश्मीर पर दुनिया-भर से मिली लताड़ ने उसकी इस बौखलाहट को और बढ़ा दिया है। इसलिए माना जा रहा है कि भारत में दहशतगर्दी फैलाने का जो मंसूबा पाकिस्तान को अब कश्मीर में पूरा होता नहीं दिख रहा है, उसे वह खालिस्तान आंदोलन को हवा देकर पंजाब के जरिए पूरा करना चाहता है। कॉरिडोर खोले जाने की प्रक्रिया की शुरुआत से ही

पंजाब के मुख्यमंत्री कैप्टन अमरिंदर सिंह इस अंदेशे का इशारा करते रहे हैं। सुरक्षा एजेंसियों का भी मानना है कि आज नहीं तो कल, पाकिस्तान अपना असली चेहरा जरूर दिखाएगा। आशंका है कि कॉरिडोर के रास्ते पाकिस्तान श्रद्धालुओं के वेश में दहशतगर्दों की भारत में घुसपैठ करवा सकता है। पिछले दिनों पाकिस्तानी सेना के एक पूर्व अधिकारी असलम बेग का कॉरिडोर के जरिए भारत में जेहादी भेजने की बात कहना भी पाकिस्तान की नापाक मंशा पर मुहर लगाता है।

सुरक्षा एजेंसियों का दावा है कि पाकिस्तान के पंजाब प्रांत में नरोवाल जिले में आतंकियों को ट्रेनिंग देने का काम शुरू हो गया है। करतारपुर साहिब नरोवाल जिले में ही आता है। पिछले दिनों पंजाब में पाकिस्तानी ड्रोन से हथियारों की तस्करी के तार भी इस साजिश से जुड़ते दिख रहे हैं। करतारपुर की आड़ में नफरत फैलाने का पाकिस्तानी एजेंडा एक और सबूत से पुख्ता होता है। वीडियो के बाद पाकिस्तान में एक पोस्टर भी सामने आया है जिसके जरिए भारत में सिखों को भड़काने की कोशिश की गई है। पोस्टर की इबारत गुरु मुखी, उर्दू और अंग्रेजी में है, जिसका मजमून ये है कि1971 में भारतीय एयरफोर्स ने गुरुद्वारे को तबाह करने के मंसूबे से यहां बम बरसाए थे। खुशकिस्मती से ये बम श्री क्रू साहिब यानी पवित्र कुएं में गिरे, जिससे दरबार साहिब को कोई नुकसान नहीं पहुंचा।

करतारपुर साहिब नरोवाल जिले में ही आता है।

कोई शको-शुबहा बचा भी था, तो उसे पाकिस्तान के रेल मंत्री शेख रशीद के हालिया खुलासे ने पूरा कर दिया। रशीद का कहना है कि ये कॉरिडोर कश्मीर की आजादी के पाकिस्तान के सपने का जरिया बनेगा और इसका खोला जाना पाकिस्तान के सेना प्रमुख जनरल बाजवा के कश्मीर प्लान की बड़ी कामयाबी है। बेशक शेख रशीद अपने बयानों को लेकर पाकिस्तान की इंटरनेशनल फजीहत की वजह बनते रहे हैं, लेकिन उनके इस खुलासे को आसानी से खारिज नहीं किया जा सकता। यह बात जोर-शोर से कही जा रही है कि मुफिलसी और बेईमान सियासत वाले पाक के लिए कॉरिडोर खोलना कोई नेकनीयत नहीं, बल्कि उसकी आर्थिक कंगाली को दूर करने वाला बिजनेस है। भारत से करतारपुर आने वाले श्रद्धालुओं के जरिए मोटी

कमाई पर उसकी नजर है। इसके साथ ही पाकिस्तान उस इज्जत को भी दोबारा हासिल करना चाहता है, जो अंतर्राष्ट्रीय मंचों पर वह कब का गंवा चुका है। भारत से संबंध सुधारने का ये दिखावा विश्व समुदाय को गुमराह करने की कोशिश भी हो सकती है, जिससे उसे दोबारा मुख्यधारा में आने का मौका मिल सके।

वैसे भी पीठ में खंजर घोंपना पाकिस्तान की पुरानी फितरत रही है। इसका इतिहास जितना पुराना है, फेहरिस्त उतनी ही लंबी। आमने-सामने की तीन लड़ाइयों के साथ ही इस बात को भी कैसे भुलाया जा सकता है कि जब सद्भावना दिखाते हुए हम ढोल-बाजे के साथ बस में लाहौर तक गए, तो बदले में पाकिस्तान दबे-पांव करगिल में घुस आया। जब हम उन्हें ईद की बधाई दे रहे थे, तो बदले में हमें पठानकोट और उरी का हमला मिला। ये भी याद रखना होगा कि जो पाकिस्तान एक तरफ चेहरे पर मजबूरी लिए बातचीत की गुहार लगाता है, वहीं आतंक की नकाब ओढ़कर पुलवामा पर प्रहार भी करता है। करतारपुर में भी भारत को यही सिला मिलेगा ये कहना फिलहाल जल्दबाजी हो सकती है, लेकिन पाकिस्तान के काले अतीत को देखते हुए इसे सिरे से नकारा भी नहीं जा सकता। अफसोस यह कि जो गलियारा संबंध सुधार का हाई-वे बन सकता था, उसे भी धर्म की पाकीजगी पर दांव खेलकर पाक ने अपने नापाक खेल का मैदान बना दिया है।

कोई शको-शुबहा बचा भी था, तो उसे पाकिस्तान के रेल मंत्री शेख रशीद के हालिया खुलासे ने पूरा कर दिया।

(राष्ट्रीय सहारा, 10 नवम्बर, 2019)

114

सामाजिक समरसता की तरफ बढ़ा कदम

''बदले हुए सहिष्णु समाज ने जिस तरीके से इस निर्णय को स्वीकार किया, उस स्वरूप ने दिखा दिया कि हिंदुस्तान की मिट्टी में संस्कृति की सौंधी खुशबू अभी बाकी है। परोपकार की भावना, दूसरों के प्रति सम्मान और स्नेह, आध्यात्म का सुकून जैसे तत्वों का संतुलन अभी बरकरार है। भारतीय समाज ने यह भी बताया कि मंदिर और मस्जिद की इमारत उनकी मान्यता की धुरी हो सकती है, लेकिन निखरी हुई मानवता उनके अपने बनाए धर्म की धुरी है। न तो सर्वोच्च न्यायालय के फैसले पर किसी ने आपत्ति जताई, न ही कोई उन्माद फैला। न किसी ने इस निर्णय को जीत के तराजू में तौला, न हार से मुरझाए मुखमंडल की रौनक उड़ी। अयोध्या विवाद पर फैसला भारतीय संस्कृति में धर्म और मानवता की विजय बनकर आया, जिसे हिंदू और मुस्लिम धर्मावलम्बियों ने सहर्ष स्वीकार कर लिया।''

परोपकार, दूसरों के प्रति सम्मान और स्नेह, सांसारिक तनाव से मुक्ति, आध्यात्म का सुकून और व्यक्तिगत मोह, भारतीय संस्कृति के वह पांच तत्व हैं, जिनसे सामाजिक समरसता के शरीर की रचना होती है। ठीक भारतीय आध्यात्मिक दर्शन के भूमि, गगन, वायु, अग्नि और जल जैसे पांच तत्वों की ही तरह जिनके बिना न तो मानव शरीर का निर्माण संभव है, न ही पृथ्वी पर जीवन। लेकिन संस्कृति के इन भावनात्मक पांच तत्वों और जीवन दर्शन के भौतिक पांच तत्वों में एक बड़ा अंतर है। संस्कृति के 5 तत्व हर समाज में निहित होते हुए भी काल के अनुसार कम या ज्यादा हो सकते हैं, लेकिन मानवीय विकास से जुड़े शरीर में कभी भी कुछ कम या ज्यादा नहीं हो सकता। इसलिए शरीर की नश्वरता विज्ञान और धार्मिक आधार पर सबसे बड़ा सत्य है। जबकि भारतीय संस्कृति के समाज में होने वाली हर छोटी-बड़ी घटनाएं इन तत्वों की सकारात्मक या नकारात्मक ऊर्जा पर निर्भर है। इसका सबसे बड़ा उदाहरण सदियों से बेड़ियों में जकड़ी हुई आस्था पर इतिहास की पृष्ठभूमि से निकला अयोध्या विवाद का हल है।

1992 में विवादित ढांचे के गिराए जाने से पहले की तस्वीर जिनके जहन में होगी, उसकी बनावट ठीक धार्मिक लबादे में लिपटे हुए शरीर की होगी। उस तस्वीर के रंग सात्विक से ज्यादा धार्मिक उन्माद की हरारत से भरे बदन वाले होंगे, उस तस्वीर का आकार जय-जय श्रीराम के गगनभेदी नारों की तीव्र ध्वनि जैसा होगा। उस समय के हालात धार्मिक सहिष्णुता का परिचय नहीं दे रहे थे, बल्कि व्यक्तिगत मोह धर्म के नाम पर सजाई गई बलिवेदी पर सामाजिकता के भाव का बलिदान मांग रहा था। यह सब उस वक्त इसलिए हो रहा था, क्योंकि भारतीय संस्कृति में समाहित परोपकार, दूसरों के प्रति सम्मान और स्नेह का भाव समाज से कम हो चुका था। जिस आध्यात्म के दर्शन से भगवान राम को देखा जा रहा था, उसमें संस्कृति का एक भी तत्व नहीं था, बल्कि वह उन्माद और व्यक्तिगत मोह था। विवादित ढांचा गिरने के बाद से लगातार समाज पर उंगलियां उठनी शुरू हुई, भौतिकवादी बुद्धिजीवी वर्ग परंपरागत सामाजिक संरचना को रूढ़िवाद से जोड़कर कोसता रहा और परंपरागत सामाजिक संरचना में भारतीय संस्कृति के

भारतीय संस्कृति के वह पांच तत्व हैं, जिनसे सामाजिक समरसता के शरीर की रचना होती है।

जानकार भौतिकवादी समाज पर फब्तियां कसते रहे। लेकिन 1992 से लेकर अब तक 27 वर्षों में समाज ने भारतीय संस्कृति के पांच तत्वों का कितना पोषण किया, इसके दर्शन अयोध्या विवाद पर देश की सर्वोच्च अदालत के फैसले की मुहर ने कराए हैं।

बदले समाज की पहली विशेषता यह है कि अयोध्या विवाद में जो पक्षकार थे, सभी ने इस फैसले को हृदय की गहराई से स्वीकार किया।

सुप्रीम कोर्ट ने करीब 400 वर्ष पुराने विवाद का फैसला 40 दिन की सुनवाई के बाद कर दिया। घोषणा कर दी कि विवादित स्थान रामलला का है, लेकिन बदले हुए सहिष्णु समाज ने जिस तरीके से इस निर्णय को स्वीकार किया, उस स्वरूप ने दिखा दिया कि हिंदुस्तान की मिट्टी में संस्कृति की सौंधी खुशबू अभी बाकी है। परोपकार की भावना, दूसरों के प्रति सम्मान और स्नेह, आध्यात्म का सुकून जैसे तत्वों का संतुलन अभी बरकरार है। भारतीय समाज ने यह भी बताया कि मंदिर और मस्जिद की इमारत उनकी मान्यता की धुरी हो सकती है, लेकिन निखरी हुई मानवता उनके अपने बनाए धर्म की धुरी है। न तो सर्वोच्च न्यायालय के फैसले पर किसी ने आपत्ति जताई, न ही कोई उन्माद फैला। न किसी ने इस निर्णय को जीत के तराजू में तौला, न हार से मुरझाए मुखमंडल की रौनक उड़ी। अयोध्या विवाद पर फैसला भारतीय संस्कृति में धर्म और मानवता की विजय बनकर आया, जिसे हिंदू और मुस्लिम धर्मावलम्बियों ने सहर्ष स्वीकार कर लिया।

अयोध्या विवाद पर सर्वोच्च न्यायालय के फैसले ने समाज की कई विशेषताओं का भौतिक चित्रण किया है। बदले समाज की पहली विशेषता यह है कि अयोध्या विवाद में जो पक्षकार थे, सभी ने इस फैसले को हृदय की गहराई से स्वीकार किया। बाबरी मस्जिद के पक्षकार इकबाल अंसारी हों, या फिर जमीन के मालिकाना हक की लड़ाई लड़ रहा सुन्नी वक्फ बोर्ड, दोनों पक्षकारों ने सुप्रीम कोर्ट में पुनर्विचार याचिका दायर न करने का फैसला कर एक विवाद का हमेशा-हमेशा के लिए अंत कर दिया, जो सामाजिक एकता और समरसता बनाए रखने के नजरिये से अब तक का सबसे बड़ा कदम है। ठीक ऐसे ही सुप्रीम कोर्ट ने मस्जिद निर्माण के लिए जिस 5 एकड़ जमीन को अलग से देने का फैसला सुनाया, उस पर किसी भी पक्ष ने आपत्ति न जताकर सामाजिक एकता की भावनात्मक डोर को और मजबूती दी।

अयोध्या मसले पर सांस्कृतिक विजय और भावनात्मक विश्लेषण से अलग एक और विश्लेषण आधुनिक समाज का भी है। अयोध्या विवाद का जो विश्लेषण 1992 से हो रहा है, वह मौजूदा वक्त में बेमानी भी लगता है। क्योंकि, समय, काल और परिस्थिति हर समाज में बदलाव लेकर आती है, ठीक ऐसा ही अयोध्या में विवादित ढांचा ढहाने से लेकर सुप्रीम कोर्ट के फैसले तक के काल में हुआ। 1992 के दौर में विवादित ढांचा गिराने में उस वक्त के युवा सबसे ज्यादा सक्रिय थे। ये वो युवा वर्ग था जिसने देश के अलग-अलग हिस्सों से अयोध्या तक कूच किया था, कारसेवा के लिए समय निकाला था, धर्म के नाम पर अपने कर्म को छोड़कर अयोध्या पहुंचा था। ये वही दौर था जब भारत में आर्थिक उदारवाद की शुरुआत होने जा रही थी, उस दौर में प्रति व्यक्ति आय बहुत कम थी, वस्तुओं का मूल्य भी आय के अनुसार ही तय था, भौतिक सुख-सुविधाओं की न तो उस समय इतनी अधिक लालसा थी, न ही युवाओं के मन में वर्तमान युवा जितने बड़े सपने और चुनौतियां थीं। इसलिए युवाओं का भटकना और उन्माद की तरफ आकर्षित होना ठीक उतना ही आसान था, जितना काल्पनिक रजतपट की दुनिया में आज है। लेकिन मौजूदा दौर आर्थिक उदारवादी व्यवस्था का काल है, जहां युवा वर्ग को रोजगार, परिवार और आय स्त्रोत बढ़ाने की चिंता है, भौतिक विलासिता की वस्तुएं आज जरूरत बन गई है, उनकी रुचि बेहतर जीवन शैली की दासता से घिरी है, इसलिए आज के युवा की दिलचस्पी अयोध्या विवाद में कम ही रही।

1992 के दौर में विवादित ढांचा गिराने में उस वक्त के युवा सबसे ज्यादा सक्रिय थे।

मौजूदा दौर के युवाओं के मन में अयोध्या विवाद और उससे जुड़े फैसले का असर सिर्फ खबरों तक ही सीमित रहा। इतिहास जानने की लालसा रखने वाले युवा आपस में वाद-विवाद तक सीमित रहे। सर्वोच्च अदालत के निर्णय का इंतजार भी मौजूदा दौर के युवाओं के लिए विषयविहीन ही रहा। इसके पीछे की वजह इस्लाम के अनुयायियों की दिलचस्पी का कम होना भी रहा। सियासत से जुड़े कुछ लोगों के लिए भले ही यह एक बड़ा मुद्दा था, लेकिन सच यही है कि न तो मुस्लिम युवा की इस विषय में कोई दिलचस्पी थी,

न ही हिंदू युवा वर्ग पर किसी भी फैसले से कोई असर होने वाला था। इसलिए हर धर्म के युवा वर्ग ने फैसले को स्वीकार किया। अदालत के फैसले में रोजगार के साधन तलाशने वाले युवाओं को अवसर की संभावना मिल गई। यह अवसर फूलों की दुकान से लेकर, हस्तशिल्प, कारीगरी, होटल व्यवसाय, कुटीर एवं गृह उद्योग और स्मॉल स्केल इंडस्ट्रीज तक है।

अयोध्या विवाद पर फैसले का सबसे ज्यादा असर जिस बिरादरी पर पड़ना था, वहां भी ज्यादा हलचल नहीं दिखी। इस विवाद में राजनीतिक दलों की सबसे बड़ी भूमिका थी, लेकिन बदले माहौल में राजनीतिक दलों के एजेंडे से यह मुद्दा भी हमेशा के लिए खत्म हो गया। राम मंदिर के मुद्दे पर बीजेपी नेताओं का सबसे ज्यादा हस्तक्षेप माना जाता रहा है, लेकिन बदले परिवेश में समाज की भावना को परखते हुए बीजेपी की सक्रियता उतनी नहीं दिखाई दी, जिसके कयास लगाए जा रहे थे। मामले में बीजेपी के विश्वास की सराहना जरूर की जा सकती है, क्योंकि कुछ राजनीतिक दलों ने प्रधानमंत्री नरेन्द्र मोदी ने पर अध्यादेश लाकर मंदिर बनाने का भरपूर दबाव बनाने की कोशिश की थी, लेकिन उन्होंने सुप्रीम कोर्ट के निर्णय पर भरोसा जताकर देश के संविधान का मान बढ़ाया। बीजेपी के अलावा दूसरे राजनीतिक दलों ने भी फैसले पर चुप्पी बनाए रखी, जिससे उन्हें कोई फायदा तो नहीं हुआ, लेकिन वे भावनात्मक नुकसान से भी बच गए। सिर्फ एआईएमआईएम ने ही सुप्रीम कोर्ट के निर्णय की रचनात्मक आलोचना की, जिसे पूरे देश ने सिरे से खारिज कर दिया।

इतिहास जानने की लालसा रखने वाले युवा आपस में वाद-विवाद तक सीमित रहे।

अयोध्या मामले में भारतीय समाज ने जिस हिंदुस्तान का दर्शन पूरी दुनिया को सिखाया है, उस दर्शन को हिंदुस्तान में एक छत के नीचे रहने वाले हर धर्म ने मान्यता दी है। सिख धर्म की सबसे अनमोल गुरुवाणी की दो पंक्तियां 'अव्वल अल्लाह नूर उपाया, कुदरत के सब बंदे। एक नूर ते सब जग उपज्या, कौन भले कौ...

(राष्ट्रीय सहारा, 16 नवम्बर, 2019)

115

छोटे की 'सरदारी', बड़ों की लाचारी

''सत्ता में छोटे दलों की हिस्सेदारी से किसी को आपत्ति नहीं होनी चाहिए। लेकिन इसकी आड़ में देश और प्रदेश की जिम्मेदारी भुलाकर व्यक्तिगत और क्षेत्रीय लक्ष्य साधने की प्रवृत्ति खतरनाक है। अब तो यह परंपरा बनती जा रही है कि छोटे दल चुनाव से पहले अपने-अपने कद के हिसाब से टिकट की फरमाइश करते हैं, और फिर जीत के बाद सत्ता के मद में बढ़ी हुई महत्त्वाकांक्षा की खुलेआम नुमाइश करते हैं। क्षेत्रीय दलों के नेता रेल, कोयला जैसे अहम मंत्रालयों पर काबिज रह चुके हैं, लेकिन जब-जब ऐसा हुआ है, तब-तब इन मंत्रालयों से जुड़ी योजनाओं को जमीन पर उतारने में क्षेत्रीय फायदे को राष्ट्रीय हितों पर तरजीह दी गई है। इसका असर यह रहा कि जब भी क्षेत्रीय दल हावी हुए हैं, देश में विकास का ग्राफ असंतुलित हुआ है।''

वक्त का पहिया जब घूमता है, तो अजब-गजब संयोग-वियोग रचता है। देश के पूर्व मुख्य चुनाव आयुक्त टीएन शेषन ऐसे समय में दुनिया से रुखसत हुए हैं, जब उनके लागू किए गए चुनाव सुधार को नई धार के साथ इंट्रोड्यूज किए जाने की देश को सबसे ज्यादा जरूरत है। खासकर महाराष्ट्र के ताजा सूरतेहाल में तो यह और भी जरूरी हो गया है, जहां सियासी फायदा गठबंधन की मर्यादा पर भारी पड़ा है, जहां व्यक्तिगत मान से जनादेश का अपमान हुआ है, और जहां प्रदेश की भलाई सत्ता की मलाई के सामने बौनी हो गई है। चुनाव में महाराष्ट्र की जनता ने बीजेपी-शिवसेना गठबंधन को पांच साल सरकार चलाने का मौका दिया, लेकिन यह जनादेश सियासी अवसरवादिता की भेंट चढ़ गया। पचास-पचास के फॉर्मूले को राज्य की जनता का टेस्ट बताकर शिवसेना ने कांग्रेस-एनसीपी के साथ सियासी जीत के लिए बीस स्टाइल में सत्ता की टीम ही बदल दी। हालांकि राज्य में राष्ट्रपति शासन लग जाने से इन दलों का सत्ता हासिल करने का प्लान फिलहाल कुछ समय के लिए टल गया है।

खुद को सियासत का शेर बताने वाली शिवसेना, बीजेपी से तीस साल पुराना साथ भूलकर सत्ता के लिए उसी कांग्रेस-एनसीपी का हाथ थामे दिखी जिससे अब तक उसका बैर था। नतीजा यह हुआ कि 105 सीट जीत कर सबसे बड़ा दल होने के बावजूद बीजेपी पिछड़ गई, जबकि सीटें घटकर 56 पर गिरने के बावजूद शिवसेना सत्ता की रेस में बरकरार है। यह अब तक साफ नहीं हो पाया है कि बीजेपी-शिवसेना के बीच कोई पचास-पचास का फॉर्मूला था भी या नहीं। देवेंद्र फडणवीस ने इसे सिरे से नकारा है, तो शिवसेना ने इसी सिरे को पकड़ कर बीजेपी से किनारा किया है। ऐसे में सवाल उठता है कि अगर यही फॉर्मूला था, तो फिर शिवसेना कम सीटों पर लड़ने के लिए क्यों तैयार हो गई? क्या 288 सीटों वाली विधानसभा में केवल 56 सीट जीत कर शिवसेना का सीएम की मांग करना जायज है? बीजेपी पर अहंकार का ठीकरा फोड़कर शिवसेना फिलहाल ऐसे तमाम सवालों को प्रदेश के सरोकार और खुद को जिम्मेदार दल बताकर दरकिनार कर रही है।

प्रदेश की भलाई सत्ता की मलाई के सामने बौनी हो गई है।

वैसे महाराष्ट्र में जो हुआ, वह देश की सियासत में पहली बार नहीं हुआ है, और ऐसा भी नहीं है कि आगे नहीं होगा। गठबंधन सरकार में छोटे दलों का इस तरह 'सरदार' बनना बड़े दलों को पहले भी लाचार करता रहा है। सत्ता में छोटे दलों की हिस्सेदारी से किसी को आपत्ति नहीं होनी चाहिए। लेकिन इसकी आड़ में देश और प्रदेश की जिम्मेदारी भुलाकर व्यक्तिगत और क्षेत्रीय लक्ष्य साधने की प्रवृत्ति खतरनाक है। अब तो यह परंपरा बनती जा रही है कि छोटे दल चुनाव से पहले अपने-अपने कद के हिसाब से टिकट की फरमाइश करते हैं, और फिर जीत के बाद सत्ता के मद में बढ़ी हुई महत्त्वाकांक्षा की खुलेआम नुमाइश करते हैं।

क्षेत्रीय दलों के नेता रेल, कोयला जैसे अहम मंत्रालयों पर काबिज रह चुके हैं, लेकिन जब-जब ऐसा हुआ है, तब-तब इन मंत्रालयों से जुड़ी योजनाओं को जमीन पर उतारने में क्षेत्रीय फायदे को राष्ट्रीय हितों पर तरजीह दी गई है। इसका असर यह रहा कि जब भी क्षेत्रीय दल हावी हुए हैं, देश में विकास का ग्राफ असंतुलित हुआ है। क्षेत्रीय दलों के दबदबे वाले राज्यों की स्टोरी लाइन भी इन्हीं पैरामीटर पर आगे बढ़ी है। बिहार इसका सटीक उदाहरण है, जहां लालू प्रसाद यादव की राष्ट्रीय जनता दल और नीतीश कुमार की जनता दल यूनाइटेड ने जातीय गोलबंदी को एक बार फिर सत्ता का विनिंग फॉर्मूला बनाने में कामयाबी हासिल की थी। लेकिन सत्ता में आते ही राजद ने जिस तरह भ्रष्टाचार और ताकत के दम पर क्षेत्रीय महत्त्वाकांक्षाओं को पूरा करना शुरू किया, उसने सरकारी तंत्र में जंग लगाना शुरू कर दिया। इसका साइड इफेक्ट सुशासन का वादा करने वाले नीतीश कुमार पर दिखा। नीतीश कुमार की खुशकिस्मती रही कि उन्हें केंद्र में प्रधानमंत्री नरेन्द्र मोदी जैसे ईमानदार छवि वाले नेता का समर्थन मिल गया, जिन्होंने आड़े वक्त में नीतीश कुमार का साथ देने के लिए अपनी राज्य इकाई को तैयार किया। बीजेपी के इस कदम के पीछे बेशक राज्य में अपनी सियासी पैठ बढ़ाने की भी मंशा रही, लेकिन प्रधानमंत्री नरेन्द्र मोदी के मार्गदर्शन में इस सहयोग से नीतीश कुमार न केवल लालू प्रसाद यादव से पीछा छुड़ा पाए, बल्कि बिहार को भी बाकी देश की तरह विकास की राह पर बढ़ाने में कामयाब हो पाए।

> *गठबंधन सरकार में छोटे दलों का इस तरह 'सरदार' बनना बड़े दलों को पहले भी लाचार करता रहा है।*

कमोबेश यही हालात उत्तर प्रदेश के भी रहे हैं। बेशक, बीजेपी की प्रचंड विजय ने राज्य में फिलहाल छोटे दलों पर अंकुश लगाया हुआ है, लेकिन यह भी हकीकत है कि समाजवादी पार्टी और बहुजन समाज पार्टी की सरकारों के दौरान प्रदेश के लोगों का जो हाल रहा वह किसी से छिपा नहीं है। लेकिन सपा और बसपा, इन दोनों पार्टियों ने जिस तरह जातीय गोलबंदी और क्षेत्रवाद को हवा दी, उससे उत्तर प्रदेश की उत्तम प्रदेश वाली छवि को बड़ा धक्का लगा। आज हालत यह है कि जो उत्तर प्रदेश कभी राष्ट्रीय राजनीति का केंद्र होता था, वहीं सियासत की आड़ में अपने हित साधने वाले क्षेत्रीय दलों का केंद्र बनकर रह गया है। प्रदेश के सियासी दलदल में पीस पार्टी, ऑल इंडिया उलेमा काउंसिल, कौमी एकता दल, रालोद, अपना दल, भासपा, निषाद दल जैसे कई दल अपनी ताल ठोक रहे हैं। इनमें समाजवादी पार्टी से अलग होकर लड़ रहे शिवपाल यादव और दलित नेता के रूप में उभरे चंद्रशेखर आजाद के नाम भी जोड़े जा सकते हैं।

बहुजन समाज पार्टी की सरकारों के दौरान प्रदेश के लोगों का जो हाल रहा वह किसी से छिपा नहीं है।

दक्षिण और उत्तर-पूर्व के राज्यों में तो सत्ता की चाभी पूरी तरह से क्षेत्रीय दलों के हाथों में है। इन राज्यों में राष्ट्रीय दल तमाम कोशिशों के बावजूद सियासी तालों की तोड़ नहीं ढूंढ़ पाए हैं। छोटे दलों के अस्तित्व में आने की एक वजह कांग्रेस को माना जाता है। देश के ज्यादातर क्षेत्रीय दल कांग्रेस के कमजोर पड़ने पर बने। उस दौर में कांग्रेस कमजोर पड़ी तो चुनाव में राष्ट्रीय मुद्दे भी कमजोर पड़ने लगे। उनकी जगह ले ली स्थानीय मुद्दों ने जिन्हें क्षेत्रीय दलों ने खुद के फायदे के लिए जमकर इस्तेमाल किया। आगे चलकर इन क्षेत्रीय दलों ने कांग्रेस से उसकी ही सियासी जमीन हथिया ली।

हालत यह है कि देश की सियासत में हाशिए पर पहुंच चुकी कांग्रेस की हैसियत आज खुद एक बड़े क्षेत्रीय दल वाली हो गई है। जिन राज्यों में उसकी बीजेपी से सीधी टक्कर नहीं है, और जहां-जहां बीजेपी की जमीन कमजोर हुई है, वहां कांग्रेस नहीं, बल्कि क्षेत्रीय पार्टियां ही उसे चुनौती पेश कर रही हैं। दिल्ली में आम आदमी पार्टी का उदय इसी का नतीजा है।

हरियाणा और महाराष्ट्र में हाल में हुए विधानसभा चुनाव में कांग्रेस का प्रदर्शन बेशक उम्मीदों से बेहतर रहा हो, लेकिन इस बात से भी इनकार नहीं किया जा सकता है कि दोनों राज्यों में कांग्रेस को अपना वजूद बचाने के लिए एनसीपी और जेजेपी जैसे क्षेत्रीय दलों का सहारा लेना पड़ा। हालांकि जब सरकार बनाने का मौका आया, तो जेजेपी ने प्रधानमंत्री नरेन्द्र मोदी के विकास और स्थिर सरकार देने के रिकॉर्ड को देखते हुए कांग्रेस के बजाय बीजेपी का हाथ थामा। लोक सभा में प्रधानमंत्री नरेन्द्र मोदी की प्रचंड जीत के बाद कयास लग रहे थे कि अब देश को क्षेत्रीय दलों की 'सौदेबाजी' से मुक्ति मिल जाएगी। प्रधानमंत्री मोदी की देशव्यापी लोकप्रियता और उनके नेतृत्व में देश में विकास की बढ़ी रफ्तार से ये कयास काफी हद तक सही भी साबित हुए, लेकिन महाराष्ट्र का ताजा घटनाक्रम बताता है कि छोटे दलों का सिरदर्द दूर करने के लिए अभी देश की सियासत को और इलाज की जरूरत है।

लोक सभा में प्रधानमंत्री नरेन्द्र मोदी की प्रचंड जीत के बाद कयास लग रहे थे कि अब देश को क्षेत्रीय दलों की 'सौदेबाजी' से मुक्ति मिल जाएगी।

(राष्ट्रीय सहारा, 17 नवम्बर, 2019)

❐❐

हस्तक्षेप

हस्तक्षेप

उपेन्द्र राय

वाणी प्रकाशन

वाणी प्रकाशन

4695, 21-ए, दरियागंज, नयी दिल्ली 110 002

फ़ोन : +91 11 23273167 फ़ैक्स : +91 11 23275710

शाखाएँ

अशोक राजपथ, पटना 800 004, बिहार

कॉफ़ी हाउस कैम्पस, महात्मा गांधी मार्ग, इलाहाबाद 211 001, उत्तर प्रदेश

महात्मा गांधी अन्तरराष्ट्रीय हिन्दी विश्वविद्यालय, वर्धा 442 001, महाराष्ट्र

सुल्तानिया रोड, मोतिया पार्क, भोपाल 462 001, मध्य प्रदेश

www.vaniprakashan.com
marketing@vaniprakashan.in
sales@vaniprakashan.in

Hastakshep
by Upendra Rai

ISBN : 978-93-5518-167-1
Journalism

प्रथम संस्करण 2022

मूल्य : ₹ 950

थॉमसन प्रेस (इंडिया) लि. में मुद्रित

वाणी प्रकाशन का लोगो मक़बूल फ़िदा हुसेन की कूची से

माननीय सहाराश्री जी को सादर समर्पित

जिन्होंने मुझ पर अटूट विश्वास रखते हुए

देश के विशालतम न्यूज़ नेटवर्क के

संपादकीय एवं प्रबंधन की महत्त्वपूर्ण भूमिका का

दायित्व सौंपा, जिनका अविरल स्नेह

और आशीर्वाद मुझे सदैव प्राप्त होता रहा है।

मेरी मां की पुण्य स्मृति को सादर समर्पित
जिन्होंने मुझे आत्मकेंद्रित चिंतन की बजाय
सदैव लोककल्याण के मार्ग का
अनुसरण करने की प्रेरणा दी।

विशेष आभार

सर्वप्रथम मैं सहारा इंडिया परिवार के मुख्य अभिभावक परम् आदरणीय श्री सहाराश्री जी का दिल की गहराइयों से आभार मानता हूं कि उन्होंने 30 सालों के इतिहास में पहली बार मुझे 'हस्तक्षेप' शीर्षक से किताब लिखने की अनुमति प्रदान की। हस्तक्षेप हिंदी पत्रकारिता का एक सबसे मजबूत स्तम्भ रहा है और अभी भी है। 30 वर्षों के इस सफर में हस्तक्षेप ने अपने तेवर, अपनी प्रस्तुति, अपनी निष्पक्षता और ज्वलंत मुद्दों पर प्रहार करने की अपनी क्षमता से जो ख्याति अर्जित की है वो राष्ट्रीय सहारा अखबार को पत्रकारिता के उच्चतम पायदान तक ले गयी। 'हस्तक्षेप' शीर्षक इस्तेमाल करने के लिए परम आदरणीय सहाराश्री जी के साथ-साथ पहले दिन से 'हस्तक्षेप' प्रकाशित करने वाली टीम के विभांशु दिव्याल, स्व. अरुण पांडेय, मेरे दिल के बेहद करीब दिलीप चौबे, डॉली वाधवा एवं विमल झा समेत अन्य साथियों एवं राष्ट्रीय सहारा की पूरी टीम, देश भर में फैले अपने सभी सहयोगियों एवं विगत 30 वर्षों में जिन भी लेखकों ने इस परिशिष्ट में सहयोग किया उन सभी का आभार। 'हस्तक्षेप' में अपने 500 लेख पूरे होने तक कोई भी आपत्तिजनक टिप्पणी नहीं प्राप्त हुई, जिसकी वजह से मैं अपने सभी पाठकों का भी आभार प्रकट करता हूं।

प्रस्तावना

‘हस्तक्षेप’ से मेरे लगाव का सफर तीन दशक पुराना है। सन् 1991 में जब राष्ट्रीय सहारा के ‘हस्तक्षेप’ परिशिष्ट का प्रकाशन शुरू हुआ उस वक्त मैं स्कूली छात्र था। ग्रामीण क्षेत्रों में आवागमन के बेहद कम संसाधनों के चलते राष्ट्रीय सहारा अखबार मेरे गांव में एक दिन बाद पहुंचता था। बावजूद इसके इस बासी अखबार को पढ़ने का मेरे अंदर गजब का उत्साह रहता था। इस अखबार का साप्ताहिक परिशिष्ट ‘हस्तक्षेप’ तो मेरे लिए जैसे ज्ञान के किसी अक्षय पात्र की तरह था। इसे पढ़ने के साथ-साथ इसे संभालकर रखने का सिलसिला गांव से शहर आने तक अनवरत बना रहा। ‘हस्तक्षेप’ में प्रकाशित लेखों ने निःसंदेह मेरे लिए दुनिया जहान की जानकारियों का पिटारा खोल दिया। इन लेखों का गंभीर पाठक होने का ही नतीजा था कि इलाहाबाद और लखनऊ विश्वविद्यालयों में सिविल सेवा परीक्षा की तैयारी करने वाले मेरे गांव के छात्र जब छुट्टियों में घर आते तो समसामयिक विषयों पर एक जूनियर छात्र के तर्कों से निरुत्तर रह जाते।

उस वक्त मुझे इस बात का तनिक भी भान नहीं था कि आगे चलकर मुझे 'राष्ट्रीय सहारा' के 'हस्तक्षेप' परिशिष्ट में लिखने और 'हस्तक्षेप' को 'सहारा समय' के माध्यम से टेलीविजन और डिजिटल मीडिया पर प्रस्तुत करने का सौभाग्य प्राप्त होगा। लेकिन सन् 2010 से 'हस्तक्षेप' में अनवरत लेखकीय योगदान देने का मेरा क्रम आज तक बना हुआ है। इन 11 सालों के दौरान देश ने राजनीतिक, सामाजिक और आर्थिक क्षेत्र में कई बदलाव देखे हैं। यूपीए 2 देश की सत्ता पर काबिज हुई। इस सरकार ने वैसे तो अपने राजनीतिक एजेंडे को ही आगे बढ़ाया, मगर कुछ ऐसे काम भी हुए जिसने भारत के प्रति दुनिया का नजरिया बदला। दुनिया में मंदी के बावजूद भारत अपनी मजबूत अर्थव्यवस्था के दम पर सरपट दौड़ता रहा। हालांकि इसी दौर में देश में कई ऐसे घोटाले सामने आए, जिसने देश को झकझोर दिया। कोल-ब्लॉक आवंटन, टूजी स्पेक्ट्रम, कॉमनवेल्थ गेम्स समेत कई ऐसे घोटाले सामने आए, जिसने न सिर्फ तत्कालीन यूपीए सरकार की पोल खोलकर रख दी, बल्कि पूर्व पीएम डॉ. मनमोहन सिंह की ईमानदार छवि को भी धक्का लगा।

इन घोटालों के बाद भ्रष्टाचार और विदेशों में छुपाए गए कालेधन के खिलाफ जो आंदोलन हुए उसने देश की राजनीतिक दिशा और दशा को बदलकर रख दिया। देश में एक नई पार्टी का जन्म हुआ, जिसने बेहद कम समयावधि में फर्श से अर्श तक की यात्रा कर डाली, तो वहीं देश की सबसे पुरानी पार्टी अर्श से फर्श तक पहुंच गई। 2014 के लोकसभा चुनाव में कांग्रेस को करारी हार का सामना करना पड़ा। इसी चुनाव में गुजरात के तत्कालीन मुख्यमंत्री नरेन्द्र मोदी का देश के सियासी फलक पर उदय हुआ और वो जनता की उम्मीद बनकर सामने आए। नरेन्द्र मोदी के नेतृत्व में बीजेपी ने प्रचंड जीत हासिल की। प्रधानमंत्री का पद संभालने के बाद अपने शुरुआती फैसलों से ही नरेन्द्र मोदी ने ये जता दिया कि वो समस्याओं से नजरें चुराने में नहीं, बल्कि इनसे सीधा टकराने का हौसला रखते हैं।

2019 के लोकसभा चुनाव में नरेन्द्र मोदी के नेतृत्व में बीजेपी दोबारा सत्ता में लौटी। इस बार की जीत 2014 की जीत से भी बड़ी थी।

इन सात सालों के दौरानन सिर्फ देश में राजनीतिक, सामाजिक और आर्थिक कई आमूलचूल बदलाव देखने को मिले, बल्कि दुनिया ने भी भारत का लोहा माना। दूसरे शब्दों में कहें तो आज दुनिया की नजरें किसी एक देश पर टिकी हैं, तो वह भारत है।

एक पत्रकार के रूप में मैंने इन सात सालों के दौरान देश से जुड़े तमाम मुद्दों का आकलन किया, जो 'हस्तक्षेप' परिशिष्ट में प्रकाशित होते रहे हैं। बहुत मुमकिन है कि आप में से बहुतों ने इन आलेखों को जीवन की आपाधापी में समयाभाव के चलते न देखा और पढ़ा हो। ऐसे में ये पुस्तक आप सब उन्हीं पाठकों को समर्पित है।

सादर,

09 मार्च 2021

–उपेन्द्र राय

सी-24, ग्रेटर कैलाश-1

नई दिल्ली-110048

अनुक्रम

1

फीस बढ़ोतरी पर 'उन्माद' की टीस

जेएनयू के छात्रों की स्थिति हालांकि देश में चल रही छात्र राजनीति के हिस्सेदार की ही है, फिर भी इनमें एक अलगाव है। साम्यवादी विचारधारा का अलगाव, जो विचारधारा के तौर पर प्रासंगिक तो है, लेकिन इसका क्रियात्मक धरातल शंकाओं से घिरा है। इसलिए इसका नामकरण 'शहरी नक्सलवाद' के रूप में हुआ है। यह शब्द वैचारिक कट्टरता का चोला ओढ़ता है, ठीक उस नक्सलवाद की तरह जो बंदूक और गोला-बारूद के दम पर अशिक्षित लोगों को बरगलाने का काम करता है।

वेग में बहती पानी की धारा में यदि कोई रंग घोला जाए, तो एक क्षेत्र तक वह धारा रंगीन नजर आती है, लेकिन धारा का वेग जैसे-जैसे आगे बढ़ता है और पीछे का वेग सामने के पानी को धक्का देता है, तो रंग किनारे की तरफ सरक कर धारा के तीर से लगी हुई मिट्टी पर मजबूत पकड़ बनाता है और धारा फिर से रंगहीन, पारदर्शी बन जाती है। छात्र राजनीति की धारा भी ठीक ऐसी ही है, इस धारा में वेग है। लेकिन विचारधाराओं के रंग इसमें मिलते ही ये कभी उन्मादी हो जाती है, कभी शांत, तो कभी वैचारिक भावना बढ़ाती है। कुछ समय तक यह रंग साथ चलता है, फिर किनारे पर मजबूत पकड़ बनाता है और बीच की धारा का वेग रंगहीन हो जाता है। इस उदाहरण में बीच धारा के रूप में उन छात्रों को माना जा सकता है, जिनके जीवन में राजनीति का रंग छात्र जीवन के बाद तकरीबन खत्म हो जाता है। लेकिन किनारे की मजबूत पकड़ वे लोग हैं, जिनका भविष्य राजनीति के अस्तित्व पर निर्भर हो जाता है। वर्तमान समय में छात्र राजनीति की यही धारा है। दिल्ली के जवाहरलाल नेहरू विश्वविद्यालय में जारी विरोध-प्रदर्शन इसका जीता-जागता उदाहरण है।

विचारधाराओं के रंग इसमें मिलते ही ये कभी उन्मादी हो जाती है, कभी शांत, तो कभी वैचारिक भावना बढ़ाती है।

जवाहरलाल नेहरू विश्वविद्यालय में प्रदर्शन का दौर सिर्फ मुफ्त शिक्षा या बढ़ाई गई फीस का नहीं है, बल्कि यह प्रदर्शन का दौर छात्र राजनीति के अतीत से उपजी उस सफलता को हासिल करने का है, जिसमें बड़े-बड़े राजनीतिक दल और सरकारें हिलाने का माद्दा था। संदर्भ के तौर पर अब तक के बड़े-बड़े छात्र आंदोलनों का जिक्र किया जा सकता है। वह आंदोलन जिसमें राजनीतिक बदलाव की आशा थी, स्वतंत्रता की ललक थी, भविष्य निर्माण का संकल्प था। जैसे 1905 का स्वदेशी आंदोलन जिसमें पहली बार छात्रों ने बड़े पैमाने पर हिस्सा लिया था, इसका प्रभाव भी काफी व्यापक था। 1930-31 के सविनय

1905 का स्वदेशी आंदोलन जिसमें पहली बार छात्रों ने बड़े पैमाने पर हिस्सा लिया था।

अवज्ञा आंदोलन में भी महत्त्वपूर्ण भूमिका छात्रों की थी, जिसमें कनिंघम सर्कुलर के विरोध में हुए शक्तिशाली आंदोलन का नेतृत्व छात्रों के किया। आजादी के बाद 1950 के दशक का असमिया छात्र आंदोलन भी बदलाव लेकर आया था, जिसमें राज्य सरकार की नौकरियों में असमी भाषी लोगों को प्राथमिकता देने और असमी को राज्य की सरकारी भाषा बनाने के साथ स्कूल-कॉलेज में पढ़ाई का माध्यम बनाने की मांग रखी गई थी। इसके अलावा गैरकानूनी प्रवासियों के खिलाफ भी छात्रों ने इसी दशक में आंदोलन छेड़ा था। दक्षिण भारत के तमिलनाडु में हिंदी और हिंदी भाषियों के खिलाफ 1965 का वह छात्र आंदोलन ही था, जिसने हिंदी और गैर हिंदी का फर्क आज तक बनाए रखा है। 1974 के जेपी आंदोलन की शुरुआत जरूर अनाज, रसोई तेल और जरूरी वस्तुओं की कीमत के खिलाफ हुई थी, लेकिन इसकी नींव में गुजरात का छात्र आंदोलन ही था, जो बाद में जेपी आंदोलन के साथ महानगरों में विस्तृत छात्र आंदोलन के रूप में उभरा। बिहार और यूपी में इस आंदोलन ने भविष्य के बड़े नेता भी तैयार किए। इसके बाद भी कई बड़े छात्र आंदोलन हुए, लेकिन परिस्थिति की भूमि कमजोर थी, दायरा भी बेहद सीमित रहा, परिवर्तन का आकार भी छोटा और आंशिक नजर आया। जेएनयू का इतिहास भी इसी आंशिक दायरे में घिरा रहा। फीस बढ़ोतरी के खिलाफ शुरू हुआ जेएनयू के छात्र-छात्राओं के आंदोलन का दायरा भी सीमित और आंशिक है। सीमित इसलिए है, क्योंकि इस विश्वविद्यालय में पढ़ने वाले छात्र-छात्राएं पिछड़े इलाके के गरीब परिवारों से संबंधित हैं। करीब 60 फीसदी ऐसे विद्यार्थी हैं, जिनकी पारिवारिक आय का स्त्रोत बेहद सीमित और अति गरीब की श्रेणी का है। इसलिए सतही तौर पर इस आंदोलन का मकसद सिर्फ जेएनयू में किफायती हॉस्टल फीस, मेस का खर्च और दूसरे खर्च को यथावत रखना है। वर्तमान छात्र राजनीति की धारा भी इतनी ही सिमटी हुई है, यही कारण है कि देश में मुफ्त शिक्षा व्यवस्था को लेकर छात्र कभी संगठित ही नहीं हुए,

दक्षिण भारत के तमिलनाडु में हिंदी और हिंदी भाषियों के खिलाफ 1965 का वह छात्र आंदोलन ही था, जिसने हिंदी और गैर हिंदी का फर्क आज तक बनाए रखा है।

न ही शिक्षा व्यवस्था को लेकर आंदोलन खड़ा हो सका। छात्र राजनीति चुनाव कराने, दक्षिण या वाम पंथ के बड़े दलों की ताकत बनने, विरोध-प्रदर्शन के दौर में जोश दिखाने तक सीमित हो गई।

जेएनयू के छात्रों की स्थिति हालांकि देश में चल रही छात्र राजनीति के हिस्सेदार की ही है, फिर भी इनमें एक अलगाव है। साम्यवादी विचारधारा का अलगाव, जो विचारधारा के तौर पर प्रासंगिक तो है, लेकिन इसका क्रियात्मक धरातल शंकाओं से घिरा है। इसलिए इसका नामकरण 'शहरी नक्सलवाद' के रूप में हुआ है। यह शब्द वैचारिक कट्टरता का चोला ओढ़ता है, ठीक उस नक्सलवाद की तरह जो बंदूक और गोला-बारूद के दम पर अशिक्षित लोगों को बरगलाने का काम करता है। लेकिन 'शहरी नक्सलवाद' में अंतर सिर्फ इतना है कि जिसके जहन में इसका बीज पनपता है, उसे भौतिक जगत का सबसे बड़ा विद्वान होने का भ्रम हो जाता है, वह खुद हाथों में बंदूक नहीं पकड़ता, न ही जंगलों की खाक छानता है, बल्कि अपने वैचारिक कट्टरपन से समाज में द्वेष फैलाता है। बंदूक-गोलियों की भाषा नहीं बोलता, बल्कि अपनी जुबान से उस रिसर्च का प्रसार करता है, जो वह बिना सैंपल-सर्वे या किसी वैज्ञानिक पद्धति के सिर्फ भावनात्मक अध्ययन से तैयार करता है। यही भावना इस वक्त जेएनयू के विरोध प्रदर्शन की आग में घी का काम कर रही है। इसलिए वैचारिक कट्टरता विरोध प्रदर्शन में लिपटकर बह रही है और शहरी नक्सलवाद का उन्माद कानून की परवाह किए बिना सबको छोटा और शक्तिहीन बताने की कोशिश कर रहा है।

'शहरी नक्सलवाद' में अंतर सिर्फ इतना है कि जिसके जहन में इसका बीज पनपता है, उसे भौतिक जगत का सबसे बड़ा विद्वान होने का भ्रम हो जाता है।

सवाल यह भी है कि क्या जवाहरलाल नेहरू विश्वविद्यालय के विद्यार्थियों का प्रदर्शन गलत है? इसका जवाब लोकतांत्रिक भावना में है, क्योंकि भारत का लोकतंत्र इतना ज्यादा लचीला है कि वह विभिन्न विचारधाराओं को अपनी बात रखने का मंच देता है। इसलिए विरोध-प्रदर्शन गलत नहीं है, लेकिन विरोध का तरीका गलत है। विश्वविद्यालय परिसर में तोड़फोड़, दीवारों पर

विरोध-प्रदर्शन गलत नहीं है, लेकिन विरोध का तरीका गलत है।

स्लोगन, कुलपति को हटाने की मांग नेतृत्व विहीन आंदोलन की पृष्ठभूमि से ही उठ सकती है। ठीक 'शहरी नक्सलवाद' की उस हठ की तरह जो बातों पर हामी भरवाने के लिए कट्टर विचारधारा का पोषण करती है।

देश के छात्र की युवा शक्ति प्रणाली किसी तंत्र को बदलने का माद्दा रखती है, लेकिन कट्टरता से नहीं, बल्कि लोकतांत्रिक और शांतिपूर्ण तरीके से। ठीक वह तरीका जिसे महात्मा गांधी ने अपनाया था। विरोध प्रदर्शन के जरिए उन्होंने अन्याय के खिलाफ आवाज उठाई, लेकिन उसमें भी संयम था, अधिकार का बोध था। उनकी ताकत भी उस वक्त के छात्रों की युवा शक्ति थी, जिसने संयम का परिचय दिया था। लेकिन बदलते परिवेश में 1800 ईस्वी की परिभाषाओं से गढ़ी साम्यवादी विचारधारा में खुद को रंगकर मौजूदा छात्र राजनीति संयम नहीं सीख पाई। इसलिए जिस प्रदर्शन के लिए विरोध के दूसरे तरीके अपनाए जाने थे, उस पर विचार ही नहीं हुआ। छात्र हॉस्टल से निकलकर कैम्पस में खुले आसमान के नीचे सोते, उसी आसमान के नीचे खुद अपना खाना बनाते, वहीं अपनी पढ़ाई करते, जूनियर्स की मदद करते, सीनियर्स से मदद लेते, तो शायद हंगामे के बिना भी वह अपनी बात महात्मा गांधी की तरह सरकारी तंत्र तक पहुंचा सकते थे।

देश के छात्र की युवा शक्ति प्रणाली किसी तंत्र को बदलने का माद्दा रखती है, लेकिन कट्टरता से नहीं, बल्कि लोकतांत्रिक और शांतिपूर्ण तरीके से।

जेएनयू के संदर्भ में छात्र राजनीति का प्रभाव सकारात्मक और नकारात्मक भाव की युवा शक्ति में सिमट गया है। सकारात्मक संघर्ष निष्कर्ष तक पहुंचने में सक्षम होता, लेकिन ऐसा नहीं हुआ। विरोध-प्रदर्शन का नकारात्मक प्रभाव गुस्से और उन्माद में लिपट गया, ठीक वामपंथ के कट्टर विचारों से जन्मे 'शहरी नक्सलवाद' की तरह। सच तो यही है कि अगर सही मायने में तंत्र में बदलाव चाहिए तो उसके लिए पहले खुद को बदलना होगा। अगर आप चाहते हैं कि आपकी बातें सुनी जाएं, तो सुनने की उतनी ही क्षमता को अपने अंदर विकसित करना होगा। अगर विरोध-प्रदर्शन का असर व्यापक चाहते हैं, तो विचारों में व्यापकता भी लानी होगी।

(राष्ट्रीय सहारा, 23 नवंबर, 2019)

2

विरोध से क्यों भर गया यह 'रजिस्टर'?

सवाल है कि एनआरसी का विरोध क्यों हो रहा है? इसका जवाब पश्चिम बंगाल की भूमि से आता है। दरअसल असम में लागू हुए राष्ट्रीय नागरिकता रजिस्टर के दूसरे और अंतिम मसौदे ने सियासी संकट का खाका खींचा था। एनआरसी में आवेदन देने वाले 3.29 करोड़ लोगों में से 2.89 करोड़ लोग ही शामिल थे। 40-41 लाख लोगों के नाम गायब थे जिन्हें ट्रिब्यूनल में जाने के लिए समय भी मिला, लेकिन पश्चिम बंगाल की सियासत में इन्हीं नदारद नामों से हंगामा मच गया। इसका कारण यह है कि पश्चिम बंगाल और बांग्लादेश की 2 हजार किलोमीटर लम्बी सीमा से हिंदुस्तान को बांग्लादेश से जोड़ने वाले 2 हजार से ज्यादा रास्ते हैं जहां से भाषा और जीवन शैली की समानता का फायदा उठाकर हिंदुस्तान में दाखिला आसान है।

हिंदुस्तान ऐसा देश है, जहां शहरी जीवन अलग है, ग्रामीण परिवेश अलग है, कस्बाई इलाकों की मिश्रित जीवन शैली अलग है। इस भिन्नता में एक बड़ा संघर्ष है, ठीक गांवों में घुल-मिलकर रहने वाली तस्वीर के उलट। गांव में हर व्यक्ति दूसरे को नाम से जानता है, पारिवारिक इतिहास भी पता होता है, लेकिन यहां संघर्ष जीविकोपार्जन करने वाली जमीन से शुरू होता है। ताकतवर वही कहलाता है जो जमीन हासिल करता है, चाहे वह खरीदे, ऋण के एवज में हासिल करे, पूर्वजों के लिए कर्ज की आड़ में हड़पे या दबंगई दिखाए। ठीक ऐसे ही कस्बाई इलाकों में ग्रामीण परिवेश की मिलनसार भावना पलती है, लेकिन पहनावा अर्धशहरी होता है और संघर्ष क्षेत्रों में बंट जाता है। यह क्षेत्र मोहल्ले या फिर इलाके होते हैं, जिन्हें लोग अपनी जागीर समझते हैं। इनसे अलग शहरी संघर्ष छोटे और बड़े अंतर का होता है। छोटे शहरों में संघर्ष जीविकोपार्जन का है और ताकतवर वही कहलाता है, जिसके पास धन है। वहीं बड़े शहरों में जिंदगी जीना ही एक संघर्ष है और सारी ताकत धन उपार्जन में ही लगती है। इसलिए न तो लोग अपनी कॉलोनी के लोगों को जान पाते हैं, न ही पड़ोसियों से परिचय तक कर पाते हैं।

गांव में हर व्यक्ति दूसरे को नाम से जानता है, पारिवारिक इतिहास भी पता होता है, लेकिन यहां संघर्ष जीविकोपार्जन करने वाली जमीन से शुरू होता है।

अब जरा सोचिए कि जब एक बड़े शहर में हम अपनी कॉलोनी या मोहल्ले के लोगों को ही पूरी तरह से नहीं जानते हैं, तो राज्य और देश जैसे विशाल भू-भाग में परिचय के मानचित्र का आकार कितना बड़ा होगा? यह सवाल इसलिए गंभीर है, क्योंकि मानसिकता और प्रवृत्ति के खतरे के साथ अवसरों का नाश भी इसमें जुड़ा है। किसी को देखकर उसके अतीत का आकलन नहीं किया जा सकता। लेकिन आकलन और व्यक्तिगत अतीत की जानकारी के साथ अवसरों का भविष्य देने का एक जरिया राष्ट्रीय नागरिकता रजिस्टर यानी 'एनआरसी' बन गया है।

बड़े शहरों में ज़िंदगी जीना ही एक संघर्ष है और सारी ताकत धन उपार्जन में ही लगती है।

एनआरसी हमारी उन आशंकाओं को दूर करेगा जिससे हमें खतरा महसूस होता है। यहां खतरे का तात्पर्य सिर्फ अपराध से नहीं है, बल्कि अवसर और विकास के साथ राजनीतिक फायदा उठाने के दुस्साहस से है। देश के गृह मंत्री अमित शाह ने राज्यसभा में एनआरसी के मुद्दे पर किए गए प्रश्न पर अपने उत्तर से जो वैचारिक रास्ता दिखाया है, वह यकीनन स्वागत योग्य है, क्योंकि यह न तो किसी धर्म पर केंद्रित होगा, न ही भेदभाव को जन्म देगा, सिर्फ नागरिकता सिद्ध करेगा। गैर-कानूनी रूप से हिंदुस्तान में दाखिल हुए लोगों को चिह्नित करेगा। लेकिन सवाल यह है कि एनआरसी का विरोध क्यों हो रहा है? इसका जवाब पश्चिम बंगाल की भूमि से आता है। दरअसल असम में लागू हुए राष्ट्रीय नागरिकता रजिस्टर के दूसरे और अंतिम मसौदे ने सियासी संकट का खाका खींचा था। एनआरसी में आवेदन देने वाले 3.29 करोड़ लोगों में से 2.89 करोड़ लोग ही शामिल थे। 40-41 लाख लोगों के नाम गायब थे जिन्हें ट्रिब्यूनल में जाने के लिए समय भी मिला, लेकिन पश्चिम बंगाल की सियासत में इन्हीं नदारद नामों से हंगामा मच गया। इसका कारण यह है कि पश्चिम बंगाल और बांग्लादेश की 2 हजार किलोमीटर लम्बी सीमा से हिंदुस्तान को बांग्लादेश से जोड़ने वाले 2 हजार से ज्यादा रास्ते हैं जहां से भाषा और जीवन शैली की समानता का फायदा उठाकर हिंदुस्तान में दाखिला आसान है। ऐसी स्थिति में प्रवासी पश्चिम बंगाल में अपनी हिंदुस्तानी पहचान बनाते हैं, खास तौर पर सियासी दलों को फायदा पहुंचाने वाले राशन कार्ड या वोटर आईकार्ड आसानी से बन जाते हैं और प्रवासी दोहरी नागरिकता जीते हैं। इससे देश के नागरिकों को कई नुकसान हैं, लेकिन राजनीतिक लाभ कमाने वाले अपने पक्ष में गैर-कानूनी प्रवासियों को भी स्वीकार करते हैं, इसलिए ऐसे लोगों की पहचान से घबराते हैं और विरोध के स्वर बुलंद करते हैं।

एनआरसी हमारी उन आशंकाओं को दूर करेगा जिससे हमें खतरा महसूस होता है।

देश की संप्रभुता के लिए गैर-कानूनी प्रवासी हमेशा से बड़ा खतरा है, क्योंकि इनका कोई भी ट्रैक रिकॉर्ड हिंदुस्तान में नहीं होता।

देश की संप्रभुता के लिए गैर-कानूनी प्रवासी हमेशा से बड़ा खतरा है, क्योंकि इनका कोई भी ट्रैक रिकॉर्ड हिंदुस्तान में नहीं होता, इसलिए देश के खिलाफ साज़िश या आपराधिक गतिविधि को पूरा करके यह आसानी से हिंदुस्तान छोड़कर वापस लौट सकते हैं। इसके अलावा असली नागरिकों के अवसरों को भी गैर-कानूनी प्रवासियों से खतरा है। क्योंकि इन्हें नागरिकता की अभिलाषा नहीं होती, बल्कि अवसर की लालसा होती है। इन्हें जो भी अवसर मिलता है, उस पर पूरा हक देश के नागरिक का है, इसलिए यह क्षेत्रीय पृष्ठभूमि पर संघर्ष का अलग कारण बनते हैं। फिर भी एनआरसी का विरोध होता है। संघर्ष नागरिक होने की प्रमाणिकता सिद्ध करने से उपजता है, लेकिन इसके पीछे की हकीकत में राजनीतिक लाभ का तमाशायी मंसूबा पलता है। कई राजनीतिक दल इस पर खुलकर नहीं बोलते, बल्कि इस मुद्दे को धर्म के आधार पर बांटने की कोशिश जरूर करते हैं, जिससे एक नया संघर्ष शुरू होता है। लेकिन सच्चाई यही है कि नागरिकता संशोधन विधेयक और राष्ट्रीय नागरिकता रजिस्टर दोनों अलग-अलग विषय हैं।

1951 में पहली बार असम में ही एनआरसी बना। 50 के दशक में बाहरी लोगों का असम आना सियासी मुद्दा बनने लगा था।

एनआरसी की जरूरत को लेकर एक प्रश्न देश की संप्रभुता के खतरे पर अपनी पकड़ मजबूत बनाता है। लेकिन इसके जवाब के लिए इतिहास के पन्ने पलटने पड़ते हैं। भारत के परिदृश्य में असम इकलौता ऐसा राज्य है जहां एनआरसी बनाया जा रहा है और पहले भी बना है। 1905 में बंगाल के विभाजन में पूर्वी बंगाल और असम नए प्रांत बने थे। लेकिन जब देश का बंटवारा हुआ, तब असम के भारत से अलग होने का डर सताने लगा। असम में विद्रोह हुआ, सिलहट पूर्वी पाकिस्तान में चला गया और असम 1950 में भारत का राज्य बन गया। 1951 में पहली बार असम में ही एनआरसी बना। 50 के दशक में बाहरी लोगों का असम आना सियासी मुद्दा बनने लगा था। तत्कालीन पूर्वी पाकिस्तान और बाद के बांग्लादेश से लोगों का अवैध तरीके से असम में आने का सिलसिला जारी रहा। थोड़ी बहुत आवाजें उठीं लेकिन मुद्दा कोई खास तूल नहीं पकड़ सका। भाषा विवाद से शुरू हुए संघर्ष में हालात और ज्यादा खराब हो गए। पूर्वी पाकिस्तान में हिंसक हालातों

की वजह से हिंदू और मुस्लिम तबके की बड़ी आबादी भारत पहुंची थी। इसके बाद 1971 में पूर्वी पाकिस्तान में पाक सेना की कार्रवाई की वजह से बांग्लादेश की सीमा पार कर करीब 10 लाख लोग असम पहुंचे थे। उस वक्त भी शरणार्थियों को वापस भेजने की योजना थी, लेकिन इसी बीच बांग्लादेश आजाद हो गया। ऐसे में कई प्रवासी खुद वापस लौट गए, लेकिन एक बड़ी आबादी असम में ही रुक गई। इसके बाद भी बड़े पैमाने पर बांग्लादेशियों का असम में आना जारी रहा जो वक्त के साथ पूरे हिंदुस्तान में बस गए। तत्कालीन सरकार की कमजोर राजनीतिक इच्छाशक्ति के कारण भारतीय नागरिकों के अवसर छिनते चले गए और कोई भी गंभीरता से इस काम को पूर्णता की ओर नहीं ले जा सका। लेकिन अब यह राजनीतिक इच्छाशक्ति लौटती दिख रही है, जिससे देश की संप्रभुता पर खड़ा खतरा भी खत्म होगा और लोगों को अवसर भी वापस मिलेंगे।

भारत में एनआरसी अब तक असम में लागू है, जो पूरे देश में लागू किया जाएगा।

भारत में एनआरसी अब तक असम में लागू है, जो पूरे देश में लागू किया जाएगा। यह इसलिए भी जरूरी है, क्योंकि विश्व में ऐसे कई देश हैं जिनके टूटने या विभाजन के बाद इसी तरह की व्यवस्था तुरंत की गई थी। इससे एक फायदा ये हुआ कि देश की संप्रभुता के लिए खड़ा हुआ खतरा खत्म हो गया, वहीं अवसर भी मिलने लगे। उदाहरण के तौर पर 1876 में अफ्रीका का विभाजन हुआ था, लेकिन उस समय हर उपनिवेशों ने अपनी सीमा के अंदर सिटीजन सूची तैयार करवाई थी। अमेरिका में भी ऐसी व्यवस्था बनाई जा चुकी है, अमेरिका 1776 में आजाद हुआ था, लेकिन नेशनल सिटीजन रजिस्टर बनाने की घोषणा 20वीं सदी की शुरुआत में राष्ट्रपति थियोडोर रूजवेल्ट के शासनकाल में हुई। उन्होंने अमेरिका के हालात सुधारने के लिए प्रवासियों को अपने देश लौट जाने को कहा था, ऐसा न करने वालों को बंदी भी बनाया था, ताकि अवसर अमेरिकी नागरिकों को ही मिल सके। मौजूदा दौर में भी कई देश इस व्यवस्था पर काम कर रहे हैं, भारत भी उनमें से एक है, लेकिन यहां विरोध की धारा अलग है, व्यवस्था बनाने के नजरिये को देखने का पैमाना अलग है।

(राष्ट्रीय सहारा, 24 नवंबर, 2019)

3

नए बदलाव से लौटेगा पुराना भरोसा

विनिवेश के अलावा सरकार क्या कर रही है। विदेशी निवेश और निर्यात के साथ-साथ घरेलू बाजार में उपभोग और मांग बढ़ाने की सरकार की कोशिशें जारी हैं। आर्थिक नीतियों की भी समीक्षा हो रही है। हालांकि कोशिशों को और धार देने की जरूरत है। सरकार औद्योगिक विकास के लिए मौजूदा कानूनों को सख्त कर सकती है। साथ ही मैन्यूफैक्चरिंग सेक्टर को मजबूती देने के लिए भूमि अधिग्रहण कानून को आसान बनाया जा सकता है। इससे नए अवसर भी पैदा होंगे। लेकिन चुनौती से निपटने की सबसे बुनियादी जरूरत का अवसर तो सरकार के सामने ही है कि वो कम-से-कम इस बात को तो स्वीकार करे कि देश में मंदी है ।

देश की अर्थव्यवस्था से वास्ता सबका पड़ता है, लेकिन इससे जुड़े सवाल आमतौर पर चुनिंदा आबादी की ही प्राथमिकता बन पाते हैं। हालांकि हाल के दिनों में अर्थव्यवस्था को लेकर इस तरह की पारंपरिक सोच बड़ी तेजी से बदली है। अर्थव्यवस्था देश की बड़ी आबादी के बीच न केवल सार्वजनिक चर्चा का बल्कि परस्पर चिंता का विषय भी बन गई है।

अर्थव्यवस्था देश की बड़ी आबादी के बीच न केवल सार्वजनिक चर्चा का बल्कि परस्पर चिंता का विषय भी बन गई है।

ये चिंता अब इतनी व्यापक हो चुकी है कि इसके 'शोर' में अर्थ जगत में हाल में हासिल राष्ट्रीय और व्यक्तिगत उपलब्धियों की चर्चा नक्कारखाने में तूती की तरह सुनाई दी है। पिछले दिनों ईज ऑफ डूइंग बिजनेस में 190 देशों के बीच भारत 14 पायदान की छलांग लगाकर 63वें नंबर पर पहुंचा, तमाम चुनौतियों के बीच हम प्रवासियों से सबसे ज्यादा हिस्सेदारी पाने की अपनी अव्वल पोजीशन को कायम रखने में कामयाब रहे, रिलायंस इंडस्ट्रीज शेयर बाजार में 10 लाख करोड़ रुपये के मार्केट कैप वाली देश की पहली कंपनी बन गई। परिस्थितियां सामान्य होती तो इन सफलताओं पर आर्थिक जगत ही नहीं, समूचा देश झूमता दिखाई पड़ता, लेकिन अर्थव्यवस्था जिस तरह चुनौतियों की 'गर्म हवा' का सामना कर रही है, उसमें सुकून देने वाली ये खबरें भी ठंडक नहीं पहुंचा पाई हैं। जीडीपी की ग्रोथ रेट आगे बढ़ने के बजाय लगातार पीछे की ओर खिसक रही है—न औद्योगिक उत्पादन बढ़ रहा है, न मांग में इजाफा हो रहा है। जाहिर है निवेशकों का जोश भी पहले जैसा हाई नहीं रह गया है।

दरअसल देश की नब्ज को भांपने वाले तरक्की में लगे इस 'रिवर्स गियर' की आहट को काफी पहले से सुन भी रहे थे और सरकार को इसका इशारा भी दे रहे थे। साल 2016 में तत्कालीन कोयला सचिव अनिल स्वरूप ने प्रगति में बाधा का 5C वाला फॉर्मूला देकर देश को चौंका दिया था। उनके इस फॉर्मूले को आकार देने वाले 5C में देश के शीर्षस्थ संस्थान CBI, CVC, CAG, CIC और Court शामिल थे

साल 2016 में तत्कालीन कोयला सचिव अनिल स्वरूप ने प्रगति में बाधा का 5C वाला फॉर्मूला देकर देश को चौंका दिया था।

जो आर्थिक मामलों में जल्द और प्रभावी निर्णय लेने में बाधक बनते हैं। ये बयान उस दौर का है जब देश इंस्पेक्टर राज के खात्मे के लिए मिशन मोड में था और प्रधानमंत्री नरेन्द्र मोदी तमाम मंचों से नियमों को कम करने की वकालत करते हुए देखे-सुने जा रहे थे।

अनिल स्वरूप ने अपनी सोच के मुताबिक बाधाओं को चिह्नित किया था और भले ही उसके बाद के दौर में भी भारत तरक्की की राह पर आगे बढ़ा हो, लेकिन हकीकत यही है कि पूंजीपति अभी भी डरे हुए हैं और उनमें विश्वास की कमी दिख रही है। इसके नतीजे भयावह शक्ल लेकर हमारे सामने आए हैं।

जुलाई 2019 में CCD के नाम से पहचाने जाने वाले कैफे कॉफी-डे के संस्थापक ने नदी में कूद कर जान दे दी क्योंकि उन्हें लगा कि वो मुनाफे वाला बिजनेस मॉडल नहीं दे पाए।

कर ली क्योंकि स्थानीय प्रशासन उनके ऑडिटोरियम को कथित तौर पर लाइसेंस देने में आनाकानी कर रहा था।

जून 2019 में कारोबारी साजन पारायली ने केरल के कन्नूर में इसलिए खुदकुशी कर ली क्योंकि स्थानीय प्रशासन उनके ऑडिटोरियम को कथित तौर पर लाइसेंस देने में आनाकानी कर रहा था। साजन विदेश में सफल कारोबारी थे, लेकिन अपने देश की संस्थागत बाधाओं से जान देकर भी पार नहीं पा सके।

इनसाइक्लोपीडिया ब्रिटानिका के CEO विनीत विग उम्मीदों के आसमान में मनचाही उड़ान नहीं लगा पाए तो साल 2016 में उन्होंने गुरुग्राम में अपने अपार्टमेंट से कूदकर जान दे दी।

2016 में स्टार्ट अप की सफलता की 'रफ्तार' से निराश कारोबारी लकी गुप्ता ने नाइट्रोजन गैस से खुदकुशी कर ली।

ये घटनाएं महज किस्सागोई नहीं है बल्कि हमारे आसपास की हकीकत हैं और आर्थिक विकास में बाधा के तौर पर अनिल स्वरूप के 5C वाले फॉर्मूले की तस्दीक भी करती हैं।

एजेंसियों की सख्ती का आलम यह है कि 2014 से 2019 के बीच करोड़ों-अरबों का व्यवसाय करने वाले करीब 50 हजार से ज्यादा उद्यमी

देश छोड़कर विदेशों का रुख कर चुके हैं। अपने पत्रकारिता करियर में इससे पहले मैंने इतनी बड़ी तादाद में उद्यमियों को देश छोड़कर विदेश जाते कभी नहीं देखा। निश्चित रूप से ये बड़ी चिंता पैदा करता है। एक पत्रकार के तौर पर ऐसे कई लोगों से मेरी बात हुई जिनका कहना था कि पिछले 5 सालों में देश की जांच एजेंसियां पहले से कई गुना बेलगाम हो गई हैं। उद्यमियों को कभी झूठे केस में फंसाकर तंग किया जा रहा है तो कभी मामूली त्रुटियों को लेकर उन्हें कुछ इस कदर परेशान किया जा रहा है कि ताजा हालात में उनके लिए काम करना मुश्किल ही नहीं नामुमकिन हो गया है। ऐसा इसलिए भी क्योंकि अगर किसी केस में फंस गए तो ऐसे कारोबारियों को सब कुछ छोड़कर महीनों या फिर सालों तक एजेंसी कार्यालयों के चक्कर लगाने पड़ते हैं जहां उनकी व्यथा को सुनने वाला कोई नहीं होता।

50 हजार से ज्यादा उद्यमी देश छोड़कर विदेशों का रुख कर चुके हैं।

एजेंसियों की बढ़ती सख्ती के बीच दूसरा दबाव टैक्स बेस बढ़ाने में मिली 'नाकामी' को लेकर भी दिख रहा है। एक लाख करोड़ मासिक तक पहुंचा जीएसटी कलेक्शन लगातार गिर रहा है। अक्टूबर में पिछले साल की तुलना में कलेक्शन 5.29 फीसदी तक गिर गया। इसके दबाव में इस साल अब तक 22 अफसर नौकरी से किनारा कर चुके हैं। पिछले साल भी 34 अफसरों ने नौकरी छोड़ी थी।

सवाल उठता है कि हालात सुधारने के लिए क्या किया जा रहा है? फौरी तौर पर तो सरकार ने सार्वजनिक कंपनियों के विनिवेश का सबसे आसान विकल्प चुना है। बीपीसीएल, एससीएल, टीएचडीसी इंडिया और नीपको में सरकारी हिस्सेदारी को बेचकर 51 फीसदी से कम किया जा रहा है। इसका तत्काल प्रभाव तो दिख रहा है, लेकिन ये असर कितने दूर तक जाएगा ये सरकार नहीं, केवल वक्त बताएगा।

असली सवाल फिर भी बना हुआ है। भारत इस आर्थिक मंदी से कैसे निकलेगा? इसकी बुनियादी जरूरत तो यही है कि पहले इस मंदी को स्वीकार किया जाए। पांच ट्रिलियन डॉलर की इकोनॉमी भले ही नामुमकिन न हो, लेकिन विकास दर की गिरावट के दौर में तो इसे हासिल करने का सपना भी

पांच ट्रिलियन डॉलर के मूल्य का खतरा बन गया है। शायद इसीलिए सरकार ने भी इसकी डेडलाइन बढ़ाकर 2025 तक कर दी है लेकिन अर्थशास्त्री अब भी इसे दूर की कौड़ी ही बता रहे हैं। अभी हमारे देश में प्रति व्यक्ति सालाना आय करीब 2000 डॉलर है - इकोनॉमी जब 5 ट्रिलियन डॉलर होगी तो प्रति व्यक्ति सालाना आय 3,600 डॉलर तक पहुंचेगी। सालाना 3,600 डॉलर की 'तरक्की' के बावजूद भारत विकसित देशों में शुमार नहीं हो पाएगा। यानी ये सपना सच भी हो जाए तो हमारा स्टेटस नहीं बदलने जा रहा। विकसित देश होने के 'सम्मान' की न्यूनतम शर्त सालाना 12 हजार डॉलर की आय है यानी मौजूदा आय का 6 गुणा, जिसे हासिल करना तो फिलहाल मृग मरीचिका ही लगता है।

हालांकि इसके लिए सरकार आने वाले कल पर नजर रखते हुए गुजरे कल से प्रेरणा भी ले सकती है। उदारीकरण 1992 में शुरू हुआ था और पिछले 27 साल की उपलब्धि यह है कि हमारी प्रति व्यक्ति आय चार गुणा हुई है। लेकिन मुश्किल ये है कि हम इस बढ़त को बरकरार रखने में लगातार विफल हो रहे हैं। दावा तो आर्थिक विकास दर को डबल डिजिट में ले जाने का था, लेकिन सरकार अब इसकी गिरावट को रोकने का वादा करने की हिम्मत भी नहीं जुटा पा रही है।

उदारीकरण 1992 में शुरू हुआ था और पिछले 27 साल की उपलब्धि यह है कि हमारी प्रति व्यक्ति आय चार गुणा हुई है।

एक समय मौजूदा सरकार बताती थी कि कैसे देश को एक ट्रिलियन की इकोनॉमी बनने में 55 साल लग गए जबकि उसने पांच साल में ही ये 'कमाल' कर दिखाया। इस दावे में कुछ गलत नहीं है लेकिन ये बात भी उतनी ही सही है कि भारतीय इकोनॉमी 2.7 ट्रिलियन डॉलर से आगे नहीं बढ़ पाई है।

तो फिर वही सवाल–पांच ट्रिलियन डॉलर का सपना सच कैसे होगा? जवाब सरकार से नहीं, रघुराम राजन जैसे अर्थशास्त्रियों से मिलता है जो कहते हैं फिलहाल तो ये सपना ही रहने वाला है। सरकार की तय की गई डेडलाइन 2025 तक इसे हासिल करने के लिए कम-से-कम 7.5 फीसदी की विकास दर चाहिए होगी जो 5 ट्रिलियन डॉलर की ही तरह सपना दिख रही है। ऐसा इसलिए भी है क्योंकि–

निवेश लगातार कम हो रहे हैं। 2008-2009 में निवेश और जीडीपी का अनुपात 40 फीसदी था जो अब 29 फीसदी तक गिर गया है।

निवेश कम होने से मैन्यूफैक्चरिंग सेक्टर पिछड़ रहा है। उपभोग में कमी से इस सेक्टर पर दोहरी मार पड़ी है। मांग सिकुड़ने से ऑटोमोबाइल से लेकर दूसरे सेक्टरों में भी उत्पादन का दायरा सिकुड़ गया है। इससे औद्योगिक विकास न्यूनतम स्तर तक पहुंच गया है।

2008-2009 में निवेश और जीडीपी का अनुपात 40 फीसदी था जो अब 29 फीसदी तक गिर गया है।

निवेश में कमी बचत में कमी का नतीजा भी है। 2008 में 37.8 फीसदी बचत दर 2018 में 30.5 फीसदी रह गई है। बचत में कमी ने वेतन बढ़ोतरी को प्रभावित किया है। 2010-11 में शहरी क्षेत्रों में वेतन में 20.5 फीसदी की सालाना बढ़ोतरी दहाई से भी कम हो गई है। ग्रामीण क्षेत्रों में तो केवल पांच साल में ये दर 27.2 फीसदी से गिरकर पांच फीसदी तक रह गई है।

संकेत साफ है। निवेश, बचत और आमदनी तीनों में गिरावट है। ये आर्थिक मंदी नहीं तो फिर क्या है?

कुछ दूसरे जरूरी पैरामीटर भी इस आशंका को मजबूत कर रहे हैं।

अर्थव्यवस्था के लिए चिंता जीडीपी में निर्यात की हिस्सेदारी को लेकर भी है। पिछले 15 साल में इसमें मामूली बढ़त ही हुई है—11.78 फीसदी से 12.09 फीसदी।

बैंकिंग सेक्टर दबाव में है। साल 2017-18 में सार्वजनिक बैंकों का सम्मिलित घाटा 85,400 करोड़ रहा था। नॉन परफॉर्मिंग एसेट के दबाव अब से वे मुक्त नहीं हो पाए हैं। बैंकों का विलय सकारात्मक विकल्प साबित नहीं हो पाया है। ऐसे में कर्मचारियों की छंटनी तय दिख रही है।

साल 2017-18 में सार्वजनिक बैंकों का सम्मिलित घाटा 85,400 करोड़ रहा था।

सार्वजनिक क्षेत्र की औद्योगिक इकाइयों की भी यही दशा है। टॉप-10 कंपनियों का घाटा 26,480 करोड़ हो चुका है।

तो ऐसे में विनिवेश के अलावा सरकार क्या कर रही है। विदेशी निवेश और निर्यात के साथ-साथ घरेलू बाजार में उपभोग और मांग बढ़ाने की सरकार

की कोशिशें जारी हैं। आर्थिक नीतियों की भी समीक्षा हो रही है। हालांकि कोशिशों को और धार देने की जरूरत है। सरकार औद्योगिक विकास के लिए मौजूदा कानूनों को सख्त कर सकती है। साथ ही मैन्यूफैक्चरिंग सेक्टर को मजबूती देने के लिए भूमि अधिग्रहण कानून को आसान बनाया जा सकता है। इससे नए अवसर भी पैदा होंगे। लेकिन चुनौती से निपटने की सबसे बुनियादी जरूरत का अवसर तो सरकार के सामने ही है कि वो कम-से-कम इस बात को तो स्वीकार करे कि देश में मंदी है ।

> *सार्वजनिक क्षेत्र की औद्योगिक इकाइयों की भी यही दशा है। टॉप-10 कंपनियों का घाटा 26,480 करोड़ हो चुका है।*

(राष्ट्रीय सहारा, 30 नवंबर, 2019)

4

दिल्ली में किसका सजेगा दरबार?

बीजेपी के लिए गनीमत यह है कि कांग्रेस इस वक्त रेस से पूरी तरह बाहर है। पांच साल पहले कांग्रेस भ्रष्टाचार के आरोपों से सत्ता से बेदखल हुई, फिर राष्ट्रीय स्तर पर नेतृत्व के संकट ने उसे उबरने से रोका और अब शीला दीक्षित के असमय निधन ने उसे और पीछे धकेल दिया है। मौजूदा हालत में तो कांग्रेस के लिए लोकसभा चुनाव में मिली नंबर टू की पोजीशन बचाना भी मुश्किल दिख रहा है। ऐसे में दिल्ली विधानसभा में सत्ता के राजपथ की लड़ाई आम आदमी पार्टी और बीजेपी के बीच ही होगी। चुनाव में आम आदमी पार्टी का चेहरा तो तय है लेकिन बीजेपी का सेनापति कौन होगा इस पर अभी भी संशय है। मुमकिन है कि बीजेपी एक बार फिर किसी भी क्षेत्रीय नेता को तवज्जो न देकर पीएम मोदी की ब्रांड फेस वैल्यू को ही भुनाने की कोशिश करे।

किसी भी देश में चुनाव अगर लोकतंत्र की आत्मा है, तो मतदाता उसके भाग्यविधाता। चुनाव के 'जनपथ' पर चलकर मतदाता ही सत्ता के 'राजपथ' का फैसला करते हैं। आने वाले वक्त में दिल्ली के मतदाताओं को भी इस अग्निपथ से गुजरना है।

वैसे दिल्ली के मतदाता कमाल के हैं। 2015 में विधानसभा चुनाव हुए तो 70 में से 67 सीटें देकर आम आदमी पार्टी की मुराद पूरी कर दी और जब 2019 में लोकसभा चुनाव आया तो सभी 7 सीटें देकर बीजेपी की झोली भर दी। विधानसभा चुनाव में जिस कांग्रेस का सफाया किया, उसे लोकसभा चुनाव में आम आदमी पार्टी से आगे लाकर दूसरे नंबर की पार्टी बना दिया।

चुनाव के 'जनपथ' पर चलकर मतदाता ही सत्ता के 'राजपथ' का फैसला करते हैं।

सत्ता का चक्र तो पांच साल का अपना चक्कर पूरा कर एक बार फिर विधानसभा चुनाव की दहलीज पर खड़ा है। लेकिन लगता है कि दिल्ली के मतदाताओं के लिए वक्त वहीं ठहरा खड़ा है। सियासी धूप-छांव के बीच पांच साल बाद भी आम आदमी पार्टी का जलवा बरकरार है और अरविन्द केजरीवाल के दावों में 2015 का करिश्मा दोहराने की ललकार है।

विधानसभा चुनाव के पिछले इम्तिहान में केजरीवाल के सामने किरण बेदी को चेहरा बनाने का बीजेपी का दांव उल्टा पड़ गया था। कैडर से लेकर वोटर तक संकेत यही गया कि बीजेपी के पास दिल्ली के लिए न नेता है, न नीति। इसका असर देखिए कि पूरे देश में प्रचंड मोदी लहर के शोर के बीच अरविंद केजरीवाल दिल्ली के सिरमौर बन कर सामने आए।

विधानसभा चुनाव के पिछले इम्तिहान में केजरीवाल के सामने किरण बेदी को चेहरा बनाने का बीजेपी का दांव उल्टा पड़ गया था।

हालांकि केजरीवाल का ये करिश्मा दिल्ली की 'सल्तनत' में ही कैद होकर रह गया। दिल्ली की सीमा से सटे पंजाब, हरियाणा और राजस्थान जैसे दूसरे राज्यों में उसे 'सूखा' ही झेलना पड़ा। लेकिन सियासी रेगिस्तान में दिल्ली आज भी आम आदमी पार्टी के लिए किसी नखलिस्तान से कम नहीं है।

पांच साल बाद भी बीजेपी अरविंद केजरीवाल को चुनौती देने वाला स्थानीय नेतृत्व ढूंढ़ नहीं पाई है। साफ-सुथरी छवि वाले डॉ हर्षवर्धन के नाम पर गुटबाजी का खतरा दिख रहा है, तो मनोज तिवारी का चेहरा सामने रखने से खुद बीजेपी को परहेज है। ऐसे में लोक-लुभावन बड़े मुद्दे ही बीजेपी की नैया पार लगा सकते हैं। बीजेपी 1,797 कॉलोनियों को नियमित करने के केंद्र सरकार के फैसले को चुनावी बिसात पर बड़ा पासा मान रही है। 'मुंह दिखाई' की रस्म के लिए चुनाव से पहले 100 लोगों को रजिस्ट्री देने की भी योजना है। लेकिन ये 'सौगात' दिल्ली के मतदाताओं की सोच बदलने में कितनी कामयाब होगी इसका फिलहाल दावा नहीं किया जा सकता।

पांच साल बाद भी बीजेपी अरविंद केजरीवाल को चुनौती देने वाला स्थानीय नेतृत्व ढूंढ नहीं पाई है।

वजह ये है कि अरविन्द केजरीवाल पहले से ही इसकी काट तैयार कर चुके हैं। जिन कॉलोनियों को केंद्र सरकार अब चुनाव से पहले नियमित करने जा रही है, वहां केजरीवाल सरकार ने पिछले पांच साल में पेयजल के लिए पाइपलाइन, साफ-सफाई के लिए सीवर लाइन और आवागमन के लिए सड़कें बिछाने जैसे काम जोर-शोर से किए हैं। केजरीवाल 90 फीसदी काम पूरा होने का दावा कर रहे हैं और इसे लेकर केंद्र सरकार पर आक्रमण भी कर रहे हैं। उनका कहना है कि अगर सरकार की नीयत साफ है तो वो चुनाव से पहले ऐसी कॉलोनियों के 100 लोगों को नहीं, बल्कि 100 फीसदी लोगों को रजिस्ट्री के कागज सौंपे।

विरोधियों को चुप करवाने के लिए केजरीवाल के तरकश में तीरों की कमी नहीं है। मोहल्ला क्लीनिक अरविन्द केजरीवाल सरकार की दिल्ली को ऐसी देन है जिसे कोई भुला नहीं सकता। 302 मोहल्ला क्लीनिक दिल्ली की करीब पौने दो करोड़ लोगों के लिए 'हेल्थ गारंटी कार्ड' साबित हुए हैं। मोहल्ला क्लीनिक की आलोचनाएं भी हुई हैं, लेकिन ये आलोचनाएं कभी भी उपलब्धियों पर भारी नहीं पड़ सकीं। अब तो इन क्लीनिक की मांग मोहल्लों से निकलकर संभ्रांत कॉलोनियों से भी उठ रही है।

302 मोहल्ला क्लीनिक दिल्ली की करीब पौने दो करोड़ लोगों के लिए 'हेल्थ गारंटी कार्ड' साबित हुए हैं।

दिल्ली के सियासी सिलेबस में केजरीवाल की कामयाबी का एक और पन्ना शिक्षा से जुड़ा है। देश का ध्यान तो इस ओर तब गया जब दिल्ली के सरकारी स्कूलों का रिजल्ट 94.4 फीसदी आया, लेकिन केजरीवाल इसकी बुनियाद सरकार के गठन के साथ ही रख चुके थे। क्लासरूम टीचिंग में सुधार, ट्रेनिंग के लिए प्रिंसिपलों को विदेश भेजने से मिले नतीजों से दिल्ली के सरकारी स्कूलों को लेकर लोगों का नजरिया बदल गया है।

दिल्ली के लोगों को सस्ती बिजली और सस्ता पानी देकर अरविंद केजरीवाल ने जो साख बनाई है उसने विरोधियों की उम्मीदें धूमिल करने का काम किया है । आमतौर पर बिजली-पानी से जुड़े वादे केवल चुनावी छलावे माने जाते हैं लेकिन केजरीवाल सरकार ने इसे सच कर दिखाया है। हाल में पानी को लेकर केंद्र सरकार के आंकड़े और दिल्ली के पानी को सबसे प्रदूषित बताने के दावे को सैंपलिंग की गड़बड़ी साबित कर केजरीवाल इस मोर्चे पर भी भारी पड़े हैं।

> *मेट्रो और सड़क यातायात में महिलाओं के लिए मुफ्त यात्रा के मामले ने भी अरविन्द केजरीवाल सरकार को जनता से कनेक्ट किया है।*

मेट्रो और सड़क यातायात में महिलाओं के लिए मुफ्त यात्रा के मामले ने भी अरविन्द केजरीवाल सरकार को जनता से कनेक्ट किया है। यह पहल कुछ वैसी ही है जैसे बिहार में नीतीश कुमार की पहल छात्राओं को साइकिल देने जैसी थी। तब नीतीश को इसका भरपूर चुनावी लाभ मिला था।

प्रदूषण से दिल्ली सरकार की किरकिरी के बावजूद अरविंद केजरीवाल इसे पड़ोसी राज्यों से आयातित समस्या बताने में कामयाब रहे हैं। ऑड-ईवन का प्रयोग भले ही इसके निपटारे के लिए नाकाफी हो, लेकिन इसके जरिए केजरीवाल सरकार ये दिखाने में सफल रही है कि वो दिल्ली के लोगों को प्रदूषण से बचाने की लड़ाई लड़ रही है।

दिल्ली को 'क्लीन' रखने की ऐसी ही मुहिम आम आदमी पार्टी के अंदर भी चल रही है। एक समय था दिल्ली सरकार के मंत्रियों-विधायकों पर फर्जी डिग्री, यौन-शोषण जैसे आरोप लग रहे थे। दिल्ली पर डेंगू के हमले के बीच मंत्रियों का लंदन टूर काफी चचाओं में रहा। खुद अरविन्द केजरीवाल अपने

बयानों को लेकर अलोकप्रिय हो गये थे। लेकिन जल्द ही नयी रणनीति बनाकर अरविन्द केजरीवाल ने डैमेज कंट्रोल कर लिया।

रणनीति इस लिहाज से भी कामयाब हुई कि जिस मर्ज से अरविन्द केजरीवाल ने तौबा की, वो रोग मनोज तिवारी को लग गया।

यही स्ट्रेटेजी विवादित मुद्दों को दफन करने में काम आई। एक तरफ अदालतों में लिखित माफीनामे भेजकर उन्होंने विवादों से पीछा छुड़ाया तो दूसरी तरफ प्रधानमंत्री नरेन्द्र मोदी पर बयानबाजी रोक कर साफ कर दिया कि दिल्ली से बाहर के नहीं, बल्कि स्थानीय मुद्दों पर ही उनका फोकस है। ये रणनीति इस लिहाज से भी कामयाब हुई कि जिस मर्ज से अरविन्द केजरीवाल ने तौबा की, वो रोग मनोज तिवारी को लग गया। आए-दिन केजरीवाल पर हमला, वाद-विवाद, गैर-जरूरी हंगामे और बयानबाजी की सियासत से मनोज तिवारी भले चर्चा में रहे, लेकिन बीजेपी की छवि को नुकसान पहुंचा।

बीजेपी के लिए गनीमत ये है कि कांग्रेस इस वक्त रेस से पूरी तरह बाहर है। पांच साल पहले कांग्रेस भ्रष्टाचार के आरोपों से सत्ता से बेदखल हुई, फिर राष्ट्रीय स्तर पर नेतृत्व के संकट ने उसे उबरने से रोका और अब शीला दीक्षित के असमय निधन ने उसे और पीछे धकेल दिया है। मौजूदा हालत में तो कांग्रेस के लिए लोकसभा चुनाव में मिली नंबर टू की पोजीशन बचाना भी मुश्किल दिख रहा है।

ऐसे में दिल्ली विधानसभा में सत्ता के राजपथ की लड़ाई आम आदमी पार्टी और बीजेपी के बीच ही होगी। चुनाव में आम आदमी पार्टी का चेहरा तो तय है लेकिन बीजेपी का सेनापति कौन होगा इस पर अभी भी संशय है। मुमकिन है कि बीजेपी एक बार फिर किसी भी क्षेत्रीय नेता को तवज्जो न देकर पीएम मोदी की ब्रांड फेस वैल्यू को ही भुनाने की कोशिश करे। और बदले माहौल में ये कोशिश क्या रंग लाएगी इसके लिए चुनाव तक का इंतजार करना पड़ेगा।

(राष्ट्रीय सहारा, 1 दिसंबर, 2019)

5

समस्या न बन जाए सवाल का समाधान

सबसे बड़ा सवाल तो समाधान को लेकर ही है। एनआरसी की पूरी प्रक्रिया के बाद जो घुसपैठिये चिह्नित होकर सामने आएंगे उनका क्या होगा? उनके साथ क्या सलूक किया जाएगा? अगर वे घुसपैठिये बांग्लादेशी हैं तो क्या बांग्लादेश उसे स्वीकार करेगा? 1971 से अब तक 48 साल बीत चुके हैं। 48 साल देश से बाहर रह चुके व्यक्ति को बांग्लादेश अपना क्यों मानेगा?

नागरिक होने के नाते कोई शख्स अगर देश को आगे बढ़ाने में सुई की नोक जितना भी काम करता है, तो वो अपनी नागरिकता की सबसे बड़ी जरूरत को पूरा करता है। नागरिकता की पहचान न तो केवल कर्तव्यों और अधिकारों का ज्ञान है और न ही उपलब्ध संसाधनों और अवसरों पर अधिकार है, बल्कि वह तो देश की तरक्की में दिया हुआ योगदान है। भले ही इसके रास्ते अलग-अलग हो सकते हैं, लेकिन सच तो यह है कि यही एक नागरिक का मूल कर्तव्य है और उसे नागरिकता का अधिकार देने वाले देश की बुनियादी अपेक्षा भी।

नेशनल रजिस्टर ऑफ सिटिजन और नागरिकता संशोधन बिल पर देश में छिड़ी बहस इसी पहचान को लेकर अलग-अलग सोच का नतीजा है।

नेशनल रजिस्टर ऑफ सिटिजन और नागरिकता संशोधन बिल पर देश में छिड़ी बहस इसी पहचान को लेकर अलग-अलग सोच का नतीजा है। संयोग से दोनों मुद्दों का संबंध देश के नागरिकों और नागरिकता से है। बुनियादी फर्क ये है कि एक का मकसद देश के संसाधनों पर बेजा अधिकार जमाए बैठे विदेशी लोगों या घुसपैठिये को पहचान कर उन्हें गृहमंत्री अमित शाह के शब्दों में 'चुन-चुन कर बाहर भेजना' है, जबकि दूसरे का लक्ष्य पाकिस्तान, बांग्लादेश और अफगानिस्तान में इस्लाम को छोड़कर बाकी धर्म के प्रताड़ित लोगों को भारत की नागरिकता का अवसर देना है।

समस्या ये है कि जिन तर्कों से एक मसले पर उठे सवालों को ठंडा किया जाता है, दूसरे मसले के लिए उन्हीं तर्कों से नए सवालों को गरमी मिलती है। एनआरसी के लिए देश के सीमित संसाधन और उन पर बढ़ती जनसंख्या का दबाव दलील का काम करते हैं। घुसपैठियों को देशवासियों का हक छीनने वाला बताया जाता है, लेकिन नागरिकता संशोधन बिल की तकरीर में इस तर्क को 'सुविधा' के लिए भुला दिया जाता है। क्या केवल इसलिए कि जिन्हें निकाला जाना है वे मुस्लिम हैं और जिन्हें बुलाया जाना है वे गैर-मुस्लिम हैं? सवालों के बाण यहीं से निकल रहे हैं।

धार्मिक विभेद की संदिग्ध धुरी पर टिके इस सवाल का विस्तार हमारे संविधान को ही चुनौती देता दिखता है। धर्मनिरपेक्ष गणतंत्र की स्थापना हमारे

संविधान की आत्मा है। इसके मायने यह हैं कि देश के एक-एक नागरिक को किसी भी धर्म या आस्था का स्वतंत्र रूप से पालन और प्रचार करने का अधिकार है। यह आग्रह इतना व्यापक है कि इससे धार्मिक स्वतंत्रता के अधिकार को एक मौलिक अधिकार तक का दर्जा दिया गया है। इसी तरह संविधान में इस खतरे का इशारा भी मिलता है कि धार्मिक संघर्षों का कारण विचारों में मतभेद से कहीं अधिक राजनैतिक होता है।

धार्मिक विभेद की संदिग्ध धुरी पर टिके इस सवाल का विस्तार हमारे संविधान को ही चुनौती देता दिखता है।

वैसे किसी आलोचना से पहले उन तर्कों पर भी गौर करना जरूरी है जो एनआरसी और नागरिकता संशोधन बिल को लेकर दिए जा रहे हैं। गृहमंत्री अमित शाह कई अवसरों पर स्पष्ट कर चुके हैं कि सरकार न तो किसी के खिलाफ है, न ही नागरिकों का रजिस्टर तैयार करने की नीति में नीयत का कोई खोट है। उनकी मंशा तो केवल विदेशियों की पहचान करना है।

लेकिन सवाल तब उठता है जब एनआरसी के तहत जो लक्ष्य घुसपैठिया को 'चुन-चुन' कर देश से बाहर भेजने वाला होता है, वही नागरिकता संशोधन के मसले पर 'ढूंढ़-ढूंढ़' कर देश का नागरिक बनाने की ओर अग्रसर हो जाता है। तर्क ये कि जिन गैर-मुस्लिमों को पाकिस्तान, अफगानिस्तान और बांग्लादेश में जुल्म सहना पड़ रहा है, उन्हें भारत पनाह नहीं देगा तो कौन देगा? और दलील ये कि जिस तरह बांग्लादेश ने रोहिंग्या शरणार्थियों की चिंता की, उसी तरह मुसलमानों के लिए और भी कई देश शुभचिंतक बन सकते हैं।

गृहमंत्री अमित शाह कई अवसरों पर स्पष्ट कर चुके हैं कि सरकार की मंशा तो केवल विदेशियों की पहचान करना है।

आने वाले कल का ये 'दर्शन' गुजरे वक्त से मिले 'आश्वासन' की कसौटी पर खरा नहीं उतरता। जब सीमाओं का बंटवारा हुआ, तब देश के हर नागरिक के पास इधर या उधर जाने या फिर अपनी जगह पर ही बने रहने का विकल्प था। पाकिस्तान ने धर्म को लक्ष्य बना कर इस्लामिक राष्ट्र बनना पसंद किया, जबकि हमने संविधान को आधार बनाकर अपने नागरिकों को धर्म, जाति, लिंग, भाषा पर समान अधिकार का वादा किया।

नागरिकता संशोधन बिल का मौजूदा स्वरूप इस मूल आधार पर चोट की तरह दिखता है। इस्लाम को मानने वाले इसे 'भेदभाव' कह रहे हैं, तो विपक्षी दल इसे भारत के 'नए बंटवारे' की साजिश बता रहे हैं।

इस मसले से जुड़े और भी कई सवाल हैं जिनका समस्या बन जाने का खतरा है। बंटवारे के समय पाकिस्तान में हर पांचवां शख्स हिन्दू था, 72 साल बाद आज वहां हर 52वां व्यक्ति हिन्दू है। पाकिस्तान में जिस तेजी से हिन्दू आबादी कम हुई है, उसी अनुपात में उन पर जोर-जुल्म बढ़े हैं। ऐसे में नागरिकता संशोधन बिल का विकल्प मिलने के बाद शायद ही कोई हिन्दू या सिख पाकिस्तान में रहना चाहेगा। अगर कोई रहना भी चाहेगा तो कट्टरपंथी ताकतें उसे वहां से भागने को विवश कर देंगी। सवाल ये है कि क्या नया कानून पाकिस्तान को हिन्दू मुक्त नहीं कर देगा?

वर्तमान में बांग्लादेश में हिन्दू महज 8.6 फीसदी रह गए हैं।

बांग्लादेश और अफगानिस्तान के भी इसी राह पर बढ़ने की आशंका है। वर्तमान में बांग्लादेश में हिन्दू महज 8.6 फीसदी रह गए हैं। पहली जनगणना के समय ये आंकड़ा 22.3 फीसदी था। अफगानिस्तान में 80 के दशक में हिन्दुओं और सिखों की आबादी 2.20 लाख थी, जो तालिबानों के जुल्मो-सितम के कारण हुए पलायन के बाद आज महज 1,320 रह गई है।

पलायन का ये सिलसिला विश्व राजनीति में हमारी हैसियत पर भी सवाल खड़े करता है। प्रताड़ित हिन्दुओं और सिखों को पाकिस्तान, अफगानिस्तान और बांग्लादेश में ही सुरक्षा मिल पाती, इसके लिए दबाव नहीं डाला जा सका। इसे भारत सरकार की कमजोरी क्यों न माना जाए? क्या किसी अमेरिकी नागरिक को दुनिया में कहीं इस तरह प्रताड़ित किया जा सकता है? आखिर क्यों भारत भी अमेरिका जैसी हैसियत हासिल नहीं कर सकता?

किसी विदेशी को 11 साल के बजाए केवल 6 साल ही इंतजार करना होगा।

आयातित आबादी को नागरिकता का उपहार देने की जल्दबाजी भी सवालों में घिर रही है। नया बिल पारित हो जाने के बाद भारत की नागरिकता के लिए किसी विदेशी को 11 साल के बजाए केवल 6 साल ही इंतजार

करना होगा। अनुमान है कि इस समय देश में पाकिस्तान, बांग्लादेश और अफगानिस्तान से आए हुए करीब एक करोड़ ऐसे लोग रहे हैं जिन्हें भारत की नागरिकता नहीं मिली है। इन्हें नागरिकता मिलने का सबसे ज्यादा असर कश्मीर, पश्चिम बंगाल, असम और पूर्वोत्तर के राज्यों में दिखेगा।

असम में पहले से ही एनआरसी को लेकर शंका का माहौल बना हुआ है। साल 1985 में जो असम समझौता हुआ था, उसमें सिटिजन रजिस्टर में संशोधन का मकसद गैर-असमियों की पहचान करना था। इसमें बांग्लादेशी मुसलमान यानी घुसपैठिये भी होते और पश्चिम बंगाल के बंगाली भी। सरकारी पड़ताल में असम में करीब 19 लाख एनआरसी से बाहर हुए हैं—उनमें देशी भी हैं, विदेशी भी। सवाल उठता है कि देशी बंगाली को घुसपैठिया कैसे कहा जा सकता है? एक राज्य का व्यक्ति भले ही दूसरे राज्य का मूल निवासी न हो, लेकिन उस पर विदेशी होने की पहचान कैसे चस्पा की जा सकती है? क्योंकि यह प्रक्रिया अभी चल ही रही है इसलिए उम्मीद की जानी चाहिए कि इस आपत्ति को जरूर दूर कर लिया जाएगा। यह भी कम आश्चर्य का विषय नहीं है कि एनआरसी से बाहर हुए 19 लाख लोगों में हिन्दू और मुसलमानों की आबादी में बड़ा फर्क नहीं है।

साल 1985 में जो असम समझौता हुआ था, उसमें सिटिजन रजिस्टर में संशोधन का मकसद गैर-असमियों की पहचान करना था।

सबसे बड़ा सवाल तो समाधान को लेकर ही है। एनआरसी की पूरी प्रक्रिया के बाद जो घुसपैठिये चिन्हित होकर सामने आएंगे उनका क्या होगा? उनके साथ क्या सलूक किया जाएगा? अगर वे घुसपैठिये बांग्लादेशी हैं तो क्या बांग्लादेश उसे स्वीकार करेगा? 1971 से अब तक 48 साल बीत चुके हैं। 48 साल देश से बाहर रह चुके व्यक्ति को बांग्लादेश अपना क्यों मानेगा?

पश्चिम बंगाल में एनआरसी को लागू नहीं होने देने की ममता बनर्जी की घोषणा और पूरे देश में एनआरसी को लागू करने संबंधी अमित शाह के एलान में जो राजनीति है वह घुसपैठिये को लेकर ही है। ममता बनर्जी असम में बंगालियों को घुसपैठिया बताने को बंगाली अस्मिता का मुद्दा बनाने की कोशिश में हैं, जबकि केंद्र सरकार का लक्ष्य इस मुद्दे को देशव्यापी बनाना दिख रहा है।

मोटे तौर पर देखें तो दोनों मसलों में केंद्र सरकार की नीयत ही असल मुद्दा है। हिन्दुओं की रक्षा अगर मकसद है तो ऐसा कदम हिन्दुओं के हित में कैसे माना जाए जिसमें पड़ोसी देशों से हिन्दुओं का ही सफाया हो जाने का खतरा है? प्रताड़ित लोगों को शरण देने का आधार अगर मानवीयता है तो इस्लाम मानने वाले इससे महरूम क्यों रहे? बड़ी चिंता यही है कि इस पूरी कवायद से देश को क्या हासिल होगा?

हिन्दुओं की रक्षा अगर मकसद है तो ऐसा कदम हिन्दुओं के हित में कैसे माना जाए।

(राष्ट्रीय सहारा, 7 दिसंबर, 2019)

6

सोच बदलने से बदलेगी सूरत

एक स्त्री का सम्मान नहीं कर पाना यह बताता है कि समाज में परवरिश की समस्या है। बच्चे की पहली पाठशाला उसका घर है और माता-पिता उसके पहले शिक्षक। बच्चा जब घर में ही अपने पिता के हाथों मां का अपमान होते देखता है तो यही सोचता है कि जब इनका मान नहीं तो फिर किसका सम्मान होना चाहिए। समस्या वहीं से शुरू हो जाती है जहां लड़के-लड़कियों में भेदभाव होता है जो आगे चलकर स्त्रियों के दोयम दर्जे में बदल जाता है। आचार्य रजनीश के मुताबिक औरत को परतंत्र बनाने में सामाजिक व्यवस्था का बड़ा हाथ है जबकि मानसिक रूप से कोई भी महिला परतंत्र नहीं होती।

भारत के प्राचीन ग्रंथों से लेकर आधुनिक विमर्श तक जहां भी देवी का वर्णन है, वहां शक्ति उसके पर्याय स्वरूप उपस्थित है। जब कभी राक्षसों से देवता परेशान हुए, तो उन्होंने अपनी-अपनी शक्तियों से एक बलवान देवी को जन्म दिया। आशय यह है कि शक्ति का यह रूप बड़ी से बड़ी समस्या का समाधान बना जो कालांतर में औरतों को देवी का दर्जा देने का आधार बना। लेकिन फिर काल के चक्र में शक्ति की ये भक्ति छलावा साबित हुई। जिस औरत को भगवान कहा गया उसका इंसान बने रहना भी मुश्किल हो गया। अन्याय के इस अंतहीन सिलसिले के बीच ऐसी अनगिनत दास्तान हैं, जिन्होंने आधी आबादी का चैन ही नहीं छीना, समाज की हर संवेदनशील सोच को भी बेचेन किया है।

> *जब कभी राक्षसों से देवता परेशान हुए, तो उन्होंने अपनी-अपनी शक्तियों से एक बलवान देवी को जन्म दिया।*

हैदराबाद में लेडी वेटेनरी डॉक्टर के साथ गैंगरेप और फिर उसे जिंदा जलाकर मार देने के वहशी कृत्य से देश एक बार फिर बेचैन हुआ है। जगह-जगह गुस्सा प्रदर्शन बनकर सामने आया। सड़क से संसद तक देश एक साथ खड़ा दिखा। उन्नाव में हुई वारदात भी रौंगटे खड़े कर देने वाली है। खुद पर हुए जुल्म के खिलाफ पीड़िता का अदालती लड़ाई के लिए घर से निकलना बलात्कारियों को इतना नागवार गुजरा कि उन्होंने उसे जिंदा जलाने की हिमाकत कर डाली। 95 फीसदी तक जली पीड़िता ने दिल्ली के सफदरजंग अस्पताल में इलाज के दौरान दम तोड़ दिया।

> *हैदराबाद में लेडी वेटेनरी डॉक्टर के साथ गैंगरेप और फिर उसे जिंदा जलाकर मार देने के वहशी कृत्य से देश एक बार फिर बेचैन हुआ है।*

हैदराबाद और उन्नाव की इन वारदातों में समानता यह है कि दोनों घटनाओं को दिन-दहाड़े अंजाम दिया गया। एक में बलात्कार के सबूत मिटाने के मकसद से पीड़िता को ज़िन्दा जलाया गया, जबकि दूसरे मामले में ऐसा पीड़िता को 'सबक' सिखाने की नीयत से किया गया।

दोनों घटनाएं क्रूर हैं, अपराधियों के बेखौफ होने का सबूत हैं। उन्नाव की घटना इस मायने में अधिक गम्भीर है क्योंकि इसमें अपने हक के लिए न्याय की लड़ाई के रास्ते को भी बंद कर देने का दुस्साहस दिखता है।

हैदराबाद केस में तो राज्य के मुख्यमंत्री एन चंद्रशेखर राव घटना के दूसरे दिन ही शादी की दावत उड़ाने हैदराबाद से सैकड़ों किलोमीटर दूर दिल्ली पहुंच गए, लेकिन उन्हें उससे कई गुना कम फासला तय कर पीड़िता के घर जाकर मातमपुर्सी की जरूरत महसूस नहीं हुई।

गुस्से में उबल रहे देश ने इसके बाद जो देखा वो भी कम हैरान करने वाला नहीं है। एक संगीन घटनाक्रम में चारों आरोपी ठीक उसी जगह एनकाउंटर का शिकार हुए, जहां उन्होंने वारदात को अंजाम दिया था। हैदराबाद पुलिस की थ्योरी पर भले ही प्रश्न उठें, लेकिन पुलिस के इस एक्शन पर पूरे देश में जश्न मना। एनकाउंटर में शामिल पुलिसवालों पर भीड़ ने फूल बरसाए, तो महिलाओं ने उन्हें रक्षा सूत्र बांधे। हैदराबाद के जिस पुलिस कमिशनर को दिन-दहाड़े हुई जघन्य वारदात के बाद जीरो बताया जा रहा था, वही इस कार्रवाई के बाद रातों-रात हीरो बन गए। फैसला ऑन द स्पॉट वाली ये कार्रवाई भले ही गैर-कानूनी लगे लेकिन देश की जनता को यह रास आई है। हमारे लीगल सिस्टम के लिए इसका संदेश बेहद खतरनाक है। जनता अब फैसले के लिए लंबा इंतजार और तारीख पर तारीख की मार झेलने को तैयार नहीं है।

> *जब कभी राक्षसों से देवता परेशान हुए, तो उन्होंने अपनी-अपनी शक्तियों से एक बलवान देवी को जन्म दिया।*

बलात्कार जैसी घटना से पहले और बाद में अपराधियों के लिए समाज का बर्ताव महत्त्वपूर्ण हो जाता है। इसी पर अपराधियों का व्यवहार भी निर्भर करता है। उन्नाव के मामले में बलात्कार पीड़िता लगातार आरोपियों से धमकी मिलने की शिकायत करती रही, मगर पुलिस लापरवाह बनी रही। हैदराबाद की घटना के बाद भी राज्य के गृह और शिक्षा मंत्री के ऐसे बयान सामने आए जिसका मतलब यह निकाला जा सकता है कि महिला डॉक्टर के साथ घटी घटना के लिए खुद वही जिम्मेदार थी।

इन घटनाओं पर लगाम के लिए कानून को सख्त बनाने के हिमायती सुर फिर सुनाई देने लगे हैं। लेकिन ये काम तो हम सात साल पहले ही कर चुके हैं। निर्भया को इंसाफ दिलाने के लिए कानून सख्त तो किए गए थे, नतीजा क्या निकला? दुष्कर्म कम तो नहीं हुए, उल्टे गैंगरेप की तादाद बढ़ गई।

2004 में धनंजय चटर्जी को बलात्कार और हत्या के मामले में फांसी दी गई थी। उसके बाद से बीते 15 साल में किसी बलात्कारी को फांसी नहीं दी गई। साल 2016 में प्रकाशित एनसीआरबी की रिपोर्ट के अनुसार 10 साल में 2 लाख 78 हजार 886 महिलाओं के साथ बलात्कार हुए जबकि सजा की दर केवल 25 फीसदी के करीब रही। अकेले साल 2016 में 38,947 महिलाओं के साथ बलात्कार हुए जिनमें 2167 महिलाओं के साथ सामूहिक बलात्कार की घटना सामने आई।

आखिर महिलाओं से अन्याय और हिंसा के पीछे कौन सा मनोविज्ञान काम करता है? कुछ साल पहले संयुक्त राष्ट्र का एक सर्वेक्षण सामने आया था जिसमें एशिया प्रशांत क्षेत्र के देशों में हर चौथे पुरूष ने कम से कम एक महिला से दुष्कर्म की बात मानी थी।

लैंसेट ग्लोबल हेल्थ में छपी इस स्टडी का सार यह निकला कि 70 फीसदी दुष्कर्मी बलात्कार को अपना अधिकार मानते हैं। 60 फीसदी ने तो केवल अपनी ऊब मिटाने के लिए इस 'अधिकार' का इस्तेमाल किया। सर्वेक्षण में शामिल केवल 23 फीसदी लोगों को अपने किए की सजा मिली।

लैंसेट ग्लोबल हेल्थ में छपी इस स्टडी का सार यह निकला कि 70 फीसदी दुष्कर्मी बलात्कार को अपना अधिकार मानते हैं।

मोबाइल और इंटरनेट के दौर में इस मानसिकता के तार पोर्न फिल्में, एमएमएस जैसी बुरी आदतों से भी जुड़ते हैं। बलात्कार और उसका वीडियो बनाना अब अपराधियों का शगल बन चुका है। समाज में जो 'अपराधी' शराफत का लबादा ओढ़े बैठे हैं, वो ऐसे वीडियो के तलबगार होते हैं। यू-ट्यूब के सर्च रिजल्ट में हैदराबाद केस का ट्रेंड करना हमारे आस-पास के समाज की ही तो मानसिकता है। इससे पहले कठुआ में बच्ची से बलात्कार के केस में भी बलात्कार का वीडियो ढूंढ़ने की इस विद्रूप सोच ने हमें शर्मसार किया था।

तो फिर रास्ता क्या होना चाहिए? एक स्त्री का सम्मान नहीं कर पाना यह बताता है कि समाज में परवरिश की समस्या है। बच्चे की पहली पाठशाला उसका घर है और माता-पिता उसके पहले शिक्षक। बच्चा जब घर में ही

अपने पिता के हाथों मां का अपमान होते देखता है तो यही सोचता है कि जब इनका मान नहीं तो फिर किसका सम्मान होना चाहिए। औरत की यह दशा चाक पर गीली मिट्टी की तरह बाल मन पर ताउम्र अपनी छवि बना लेती है।

समस्या वहीं से शुरू हो जाती है जहां लड़के-लड़कियों में भेदभाव होता है जो आगे चलकर स्त्रियों के दोयम दर्जे की स्थिति में बदल जाता है। समय से आगे की सोच को लेकर विवादास्पद रहे आचार्य रजनीश के दर्शन से भी समाज की इस रूढ़िवादी मानसिकता का पता चलता है। रजनीश के मुताबिक औरत को परतंत्र बनाने में सामाजिक व्यवस्था का बड़ा हाथ है जबकि मानसिक रूप से कोई भी महिला परतंत्र नहीं होती। अगर महिला की जिंदगी के एक हिस्से को मुक्त कर उसे निर्णय लेने की आजादी दी जाए, तो न केवल महिलाओं की दशा बल्कि समाज की दशा भी सुधारी जा सकती है।

रजनीश के मुताबिक औरत को परतंत्र बनाने में सामाजिक व्यवस्था का बड़ा हाथ है जबकि मानसिक रूप से कोई भी महिला परतंत्र नहीं होती।

रजनीश के दर्शन की भले ही व्यापक स्वीकृति न हो, मगर महिलाओं की दशा सुधारने वाली इस सोच से भला कौन इनकार करेगा। जब तक माता-पिता, परिवार, धर्मगुरु, शिक्षक और तमाम सामाजिक संगठन नई क्रांति लाने के भाव से काम नहीं करते, यह मर्ज फैलता ही जाएगा।

इसके लिए प्रशासन को चुस्त-दुरुस्त रखना भी बहुत जरूरी है। पुलिस के भ्रष्ट होने का असर अपराध पर ही पड़ता है। इसलिए समय-समय पर लापरवाह पुलिसकर्मियों को सजा भी देते रहना होगा। न्याय की प्रक्रिया को तेज बनाए बगैर उम्मीद पैदा नहीं की जा सकेगी क्योंकि न्याय में देरी न्याय नकारने से कम नहीं। इस दिशा में राष्ट्रपति रामनाथ कोविंद का पॉक्सो एक्ट में दया याचिका के प्रावधान को खत्म करने का सुझाव काफी महत्त्वपूर्ण है। इससे यौन अपराध के शिकार नाबालिग बच्चों को तेजी से इंसाफ मिल सकेगा।

राष्ट्रपति रामनाथ कोविंद का पॉक्सो एक्ट में दया याचिका के प्रावधान को खत्म करने का सुझाव काफी महत्त्वपूर्ण है।

इसी तरह राजनीतिक नेतृत्व को भी यह इच्छाशक्ति दिखानी होगी कि बलात्कार जैसे अपराध से किसी भी तरह से जुड़े व्यक्ति की उनकी पार्टी में कोई जगह नहीं है। ऐसी शिकायत मात्र आते ही राजनीतिक दलों को उन्हें निकाल बाहर करना होगा।

एहतियात और कार्रवाई दोनों जरूरी हैं। इनके जरिए ही अपराधियों में खौफ और सभ्य समाज में न्यायिक प्रक्रिया में भरोसा जगाया जा सकता है।

एहतियात और कार्रवाई दोनों जरूरी हैं। इनके जरिए ही अपराधियों में खौफ और सभ्य समाज में न्यायिक प्रक्रिया में भरोसा जगाया जा सकता है। हैदराबाद एनकाउंटर के बाद तो ये और भी जरूरी हो गया है क्योंकि फिलहाल तो जनसमर्थन आरोपियों के ऐसे ही अंजाम को देश का विधान बनाए जाने के पक्ष में खड़ा दिख रहा है।

(राष्ट्रीय सहारा, 8 दिसंबर, 2019)

7

सबके साथ से लौटेगा अर्थव्यवस्था में विश्वास

जीडीपी ग्रोथ रेट 15 साल के न्यूनतम स्तर पर है तो बेरोजगारी 45 साल के उच्चतम स्तर पर। पिछले 40 साल में पहली बार उपभोक्ता खर्च कम हुआ है। इसके बावजूद सरकार मंदी को नकार रही है। लेकिन जब आम आदमी की थाली से खाना ही गायब होने लगे, तो सरकार की इस जिद के कोई मायने नहीं रह जाते। देश की अर्थव्यवस्था ने बीते 5 सालों में जिस तरह गोते लगाए हैं उससे एक बात फिर साबित हो गई है कि अर्थव्यवस्था राजनीति की चेरी है। आर्थिक मंच पर दिखने वाला हर परिणाम सत्ता ही तय करेगी। लेकिन मजबूत अर्थव्यवस्था के लिए किए जाने वाले ठोस उपाय फिलहाल नदारद दिख रहे हैं। ऐसे में सवाल यह है कि सरकार अर्थव्यवस्था को दोबारा पटरी पर लाने में अब और कितना वक्त लगाएगी? जो हालात आज बने हैं, क्या उन्हें टाला नहीं जा सकता था?

बचपन से हमें यह पाठ पढ़ाया जाता है कि भगवान के सामने सब बराबर हैं—न कोई छोटा, न कोई बड़ा। पिछले कुछ महीनों से देश पर छाई मंदी को लेकर भी अब यही बात कही जा सकती है। कम-ज्यादा अनुपात में ही सही, अमीर हो या गरीब, देश का हर तबका मंदी का झटका झेल रहा है।

बिजनेस स्टैंडर्ड में छपी एक रिपोर्ट बता रही है कि किस तरह मंदी से मची आर्थिक उथल-पुथल ने देश के दौलतपतियों की हैसियत को भी उलट-पलट कर रख दिया है। रिपोर्ट के मुताबिक मार्च 2018 में उच्च स्तर पर पहुंचने के बाद से अरबपतियों की संख्या घटी है और अमीरों और कम अमीरों के बीच का अंतर बढ़ा है।

> *पिछले कुछ महीनों से देश कम-ज्यादा अनुपात में ही सही, अमीर हो या गरीब, देश का हर तबका मंदी का झटका झेल रहा है।*

सैंपल में देश के 574 दौलतमंद लोगों को शामिल किया गया। इनमें से 6 दिसंबर को बाजार बंद होने तक केवल 142 की हैसियत 100 करोड़ रुपये या उससे ज्यादा थी, बचे 432 लोगों की नेटवर्थ पहले से घट गई है।

वैसे मंदी के बचाव में यह तर्क दिया जा सकता है कि पिछले एक साल में दौलतमंदों की कुल हैसियत 3.2 फीसदी सुधरी है, लेकिन इसका फायदा भी इनमें से चुनिंदा अरबपतियों की बड़ी कंपनियों तक ही सीमित है। आंकड़ों में आया सालाना बदलाव खुद इस सुधार की कहानी भी बयां कर देता है—30.2 लाख करोड़ रुपये से बढ़कर 31 लाख करोड़ रुपये।

बात केवल इतनी भर नहीं है। आर्थिक मोर्चे पर बुरी खबरों का सिलसिला थम नहीं रहा है और सरकार की समस्या ये है कि हालात संभालने के लिए वो देश की जनता को उम्मीदों का जो आसमान दिखा रही है, उसे जमीन पर उतारने में नाकाम साबित हो रही है। पिछले महीने ही सरकार ने रिएलिटी सेक्टर को 25 हजार करोड़ रुपये का स्पेशल फंड दिया और कहा कि इससे फंसे हुए हाउसिंग प्रोजेक्ट्स को इंसेन्टिव मिलेगा। अब खबर है कि हाउसिंग सेक्टर की देश की सबसे बड़ी कंपनी DHFL ही डूबने वाली है। तय समय में दिवालिया प्रक्रिया पूरी करने के लिए आरबीआई ने तीन सदस्यीय सलाहकार बोर्ड भी बना दिया है।

> *सरकार ने रिएलिटी सेक्टर को 25 हजार करोड़ रुपये का स्पेशल फंड दिया।*

अब देखिए एक समस्या कितने क्षेत्रों में अपना विस्तार करती है। DHFL पर बैंकों का 38 हजार करोड़ रुपये का बकाया है। अगर इसकी वसूली का रास्ता नहीं निकलता है तो बैंकों पर NPA का बोझ और बढ़ जाएगा। सबसे ज्यादा पैसा एसबीआई और बैंक ऑफ बड़ौदा का फंसा है।

दो महीने पहले ही सरकार ने 10 बड़े बैंकों का मर्जर कर चार बड़े बैंक बनाने का एलान किया था, दलील ये दी थी कि इन बैंकों पर एनपीए काफी बढ़ चुका है और मर्जर ही अकेला रास्ता है। जिन चार बैंकों को एंकर बैंक बनाया गया उनमें एसबीआई और बैंक ऑफ बड़ौदा शामिल हैं। DHFL मामले में ये दोनों भारी NPA के फेर में फंसते दिख रहे हैं। यानी सरकार जिस मर्जर को संजीवनी बता रही थी, वो खुद ही बड़ा मर्ज साबित हो रहा है। इसका इलाज नहीं हुआ तो मंदी से लड़ाई में सरकार का एक और दांव कुंद पड़ जाएगा।

आरबीआई के रडार पर अभी ऐसी 70 कंपनियां और हैं जिनमें बैंकों का 4 लाख करोड़ रुपया फंसा हुआ है।

समस्या यह है कि आरबीआई के रडार पर अभी ऐसी 70 कंपनियां और हैं जिनमें बैंकों का 4 लाख करोड़ रुपया फंसा हुआ है। इन्हें दिवालिया होने से बचाने की डेडलाइन भी अगस्त में पूरी हो चुकी है। यानी बैंकिग सेक्टर में 'अमावस की रात' काफी लंबी हो सकती है।

इस सबका नतीजा यह हुआ है कि बैंकों ने कर्ज देने में उदारता दिखानी बंद कर दी है। हालांकि औद्योगिक माहौल इतना बुरा है कि कर्ज लेने की कोई उत्सुकता भी नहीं दिख रही। हाल ये है कि कर्ज की डिमांड उन डूबे हुए कारोबारियों की ओर से आ रही है, जिन्हें इसकी जरूरत सूद देने के लिए या फिर खुद को बनाए या बचाए रखने के लिए है। वास्तव में कर्ज की जरूरत देश को सबसे ज्यादा रोजगार देने वाले करीब 6.5 करोड़ एमएसएमई को है जिन्हें वो मिल नहीं रहा है।

नाकामी की ये कहानी अब सरकार पर संदेह के दौर में प्रवेश कर चुकी है। बेशक नीयत को लेकर अभी जवाब तलब करने की नौबत न आई हो, लेकिन जिस तरह एक-के-बाद-एक मोर्चे पर सरकार की कोशिशों को धक्का लग रहा है, उससे उसकी आर्थिक नीति तो सवाल में घिर ही गई है।

न 20 लाख करोड़ के बेल आउट पैकेज से बैंकों के दिन फिरे हैं, न कॉरपोरेट टैक्स को 30 से घटाकर 22 फीसद करने से कारोबारी सेंटीमेंट में कोई सुधार आया है।

उल्टे मशहूर उद्योगपति राहुल बजाज ने तो केंद्रीय गृहमंत्री अमित शाह के सामने ही ये कह दिया कि आज लोगों को सरकार की आलोचना में डर लग रहा है, जबकि यूपीए-2 में किसी की भी आलोचना की जा सकती थी। देश की एक और नामी उद्योगपति किरण मजूमदार शॉ ने भी राहुल बजाज के डर का समर्थन कर मोदी सरकार को कठघरे में खड़ा कर दिया। आमतौर पर देश का कॉरपोरेट सेक्टर सरकार के लिए इतनी सख्त सोच बयान नहीं करता, लेकिन राहुल बजाज ने जो नई लकीर खींची है, उसने विपक्ष के हमले से सरकार को बचाने वाली 'लक्ष्मण रेखा' को जरूर धुंधला कर दिया है।

> *उद्योगपति किरण मजूमदार शॉ ने भी राहुल बजाज के डर का समर्थन कर मोदी सरकार को कठघरे में खड़ा कर दिया।*

राहुल बजाज जिस डर का जिक्र कर रहे थे, वो दरअसल इनकम टैक्स, सीबीआई, ईडी जैसी जांच एजेसियों की 'सुविधानुसार सक्रियता' से जुड़ा है। सरकार पर विपक्ष का अक्सर आरोप लगता है कि वो अपने खिलाफ मुंह खोलने वालों को परेशान करने के लिए इन जांच एजेंसियों का 'मनमाना' इस्तेमाल कर रही है। यह विडंबना ही है कि राहुल बजाज का 'डर' सामने आने के तुरंत बाद से उनकी चीनी मिलों पर किसानों का 10 हजार करोड़ बकाया होने की चर्चा भी शुरू हो गई।

इस विषय पर राजनीति को एक तरफ रहने दें तो भी आंकड़े बताते हैं कि 2014 के बाद से भारत में 23 हजार अरबपतियों ने देश छोड़ा है। नोटबंदी के बाद अकेले साल 2017 में ही 7,000 से ज्यादा अरबपति देश छोड़ गए। ये तो आंकड़े हैं जबकि हकीकत यह है कि एजेंसियों की सख्ती के चलते 2014 से 2019 तक करोड़ों-अरबों का व्यवसाय करने वाले 50 हजार से ज्यादा उद्यमी देश छोड़कर विदेश चले गए। अर्थव्यवस्था पर अपने पिछले

> *नोटबंदी के बाद अकेले साल 2017 में ही 7,000 से ज्यादा अरबपति देश छोड़ गए।*

अंक में मैंने इस बात का जिक्र भी किया था। विदेशों का रुख करने वाले ऐसे कई लोगों ने बातचीत में यह बात स्पष्ट तौर पर कही थी कि एजेंसियों की मनमानी के चलते देश में कारोबार के हालात अब सामान्य नहीं रह गए हैं। यह स्थिति देश में कारोबारी माहौल मुफीद नहीं होने की गवाही देती है।

इसकी वजह है देश में घटता कारोबार और पिछले 18 महीनों से लगातार घटती जीडीपी। इस साल की तीसरी तिमाही आते-आते जीडीपी 4.5 फीसदी रह गई है। कृषि, वन और मत्स्य को छोड़ दें, तो बाकी तमाम कोर सेक्टर में एकतरफा गिरावट जारी है।

कृषि, वन और मत्स्य को छोड़ दें, तो बाकी तमाम कोर सेक्टर में एकतरफा गिरावट जारी है।

जीडीपी ग्रोथ रेट 15 साल के न्यूनतम स्तर पर है तो बेरोजगारी 45 साल के उच्चतम स्तर पर। पिछले 40 साल में पहली बार उपभोक्ता खर्च कम हुआ है। इसके बावजूद सरकार मंदी को नकार रही है। लेकिन जब आम आदमी की थाली से खाना ही गायब होने लगे, तो सरकार की इस जिद के कोई मायने नहीं रह जाते।

देश की अर्थव्यवस्था ने बीते 5 सालों में जिस तरह गोते लगाए हैं उससे एक बात फिर साबित हो गई है कि अर्थव्यवस्था राजनीति की चेरी है। आर्थिक मंच पर दिखने वाला हर परिणाम सत्ता ही तय करेगी। लेकिन मजबूत अर्थव्यवस्था के लिए किए जाने वाले ठोस उपाय फिलहाल नदारद दिख रहे हैं।

ऐसे में सवाल यह है कि सरकार अर्थव्यवस्था को दोबारा पटरी पर लाने में अब और कितना वक्त लगाएगी? जो हालात आज बने हैं, क्या उन्हें टाला नहीं जा सकता था? क्या पूर्व वित्तमंत्री पी चिदम्बरम की ये आशंका सही है कि सरकार के पास अर्थव्यवस्था का कोई रोड मैप नहीं है? भारतीय अर्थव्यवस्था के मौजूदा 'अनर्थकाल' को दूर करने के लिए सरकार को ऐसे तमाम सवालों का जवाब लेकर सामने आना होगा।

(राष्ट्रीय सहारा, 14 दिसंबर, 2019)

8

भारतवंशियों के अच्छे दिन!

ब्रिटेन की संसद हाउस ऑफ कॉमन्स में कुल सदस्य 650 हैं। इस लिहाज से 15 की संख्या छोटी दिखाई देती है लेकिन वहां के चुनावी इतिहास में 127 साल में ऐसा पहली बार हो रहा है जब भारतवंशी इतनी बड़ी तादाद में वहां की संसद का हिस्सा बनने जा रहे हैं। 1892 में भारत के ग्रैंड ओल्ड मैन कहे जाने वाले दादाभाई नौरोजी ब्रिटेन में भारतीय मूल के पहले सांसद बने थे तब किसने सोचा था कि जिस देश के हुक्मरानों ने भारतीयों को सदियों अपने अधिकारों से वंचित रखा, उसी देश की जनता एक दिन उन्हीं भारतीयों के वंशजों को इस तरह अपना भविष्य चुनने का अधिकार सौंपेगी। भारतीय मूल के लोगों के लिए नजरिये में आया ये बदलाव केवल ब्रिटेन तक ही सीमित नहीं है, बल्कि पिछले कुछ वर्षों में तो इसका विस्तार दुनिया भर में हुआ है।

भारत में लोग भले ही अच्छे दिन का इंतजार कर रहे हों, लेकिन दुनिया के बाकी हिस्सों में पिछले कुछ वर्षों से भारतवंशियों के दिन जरूर अच्छे चल रहे हैं। ताजातरीन खुशखबरी ब्रिटेन से आई है जहां के आम चुनाव में भारतीय मूल के 15 सांसद चुनाव जीतने में कामयाब हुए हैं। पिछली संसद के सदस्य रहे भारतीय मूल के सभी 12 उम्मीदवार दोबारा जीते हैं, जबकि तीन भारतवंशियों ने पहली बार जीत हासिल की है।

ब्रिटेन की संसद हाउस ऑफ कॉमन्स में कुल सदस्य 650 हैं। इस लिहाज से 15 की संख्या छोटी दिखाई देती है लेकिन वहां के चुनावी इतिहास में 127 साल में ऐसा पहली बार हो रहा है जब भारतवंशी इतनी बड़ी तादाद में वहां की संसद का हिस्सा बनने जा रहे हैं। 1892 में भारत के ग्रैंड ओल्ड मैन कहे जाने वाले दादाभाई नौरोजी ब्रिटेन में भारतीय मूल के पहले सांसद बने थे तब किसने सोचा था कि जिस देश के हुक्मरानों ने भारतीयों को सदियों अपने अधिकारों से वंचित रखा, उसी देश की जनता एक दिन उन्हीं भारतीयों के वंशजों को इस तरह अपना भविष्य चुनने का अधिकार सौंपेगी।

ताजातरीन खुशखबरी ब्रिटेन से आई है जहां के आम चुनाव में भारतीय मूल के 15 सांसद चुनाव जीतने में कामयाब हुए हैं।

भारतीय मूल के लोगों के लिए नजरिये में आया ये बदलाव केवल ब्रिटेन तक ही सीमित नहीं है, बल्कि पिछले कुछ वर्षों में तो इसका विस्तार दुनिया भर में हुआ है। 2014 में लोकसभा चुनाव जीतने के बाद प्रधानमंत्री नरेन्द्र मोदी पहली बार संयुक्त राष्ट्र सम्मेलन को संबोधित करने अमेरिका गए थे। तब से लेकर पिछले पांच साल में दुनिया की नजरों में भारत का कद और मानसम्मान कितना बढ़ चुका है, इस फर्क को केवल हिंदुस्तानी ही नहीं बल्कि दुनिया भर में बसे भारतवंशी भी महसूस कर रहे हैं।

ब्रिटेन में भारतवंशियों की तादाद करीब 40 लाख है, लेकिन पहले कभी उन्हें चुनाव में इतना महत्त्व नहीं मिला था। आपको ऐसे कई भारतवंशी मिलेंगे जो इसका पूरा श्रेय प्रधानमंत्री नरेन्द्र मोदी को देते हैं। इनका मानना है कि नरेन्द्र मोदी के दौरों ने इन्हें एकजुट करने का काम किया है,

जिससे इनकी ताकत को सभी पार्टियों ने महसूस किया और उन्हें अपने साथ लाने का प्रयास किया।

ब्रिटेन में लगातार दूसरी बार जीत का झंडा गाड़ने वाली कंजरवेटिव पार्टी ने तो अपने घोषणापत्र से लेकर पूरे चुनावी अभियान में भारत और भारतवंशियों को खासी अहमियत दी थी। पार्टी के नेता और दोबारा ब्रिटेन के प्रधानमंत्री बनने जा रहे बोरिस जॉनसन ने भारत के लिए खुलकर अपना लगाव दिखाया। लेबर पार्टी से उलट उन्होंने चुनाव के दौरान कश्मीर में अनुच्छेद 370 हटाने को भारत का अंदरूनी मामला बताया था। इसके अलावा जॉनसन ने नरेन्द्र मोदी की समय-समय पर न सिर्फ तारीफ की, बल्कि अपने चुनाव में हिन्दी सामग्री का भी इस्तेमाल किया। वायरल हुए एक वीडियो में बोरिस जॉनसन की तस्वीर नरेन्द्र मोदी के साथ दिखी। वे हिन्दी बोलते दिखे, हिन्दी भाषा में वोट के लिए अपील की गई। हिन्दी गानों पर वोट मांगे गए। इतना ही नहीं, हिन्दू-सिख मतदाताओं को रिझाने के लिए बोरिस जॉनसन मंदिरों और गुरुद्वारे का चक्कर लगाते दिखे। ऐसे ही एक मंदिर के दौरे में उनकी गर्लफ्रेंड कैरी सिमॉन्ड्स साड़ी पहनी नजर आई। इसकी इंगलैंड में ही नहीं, पूरी दुनिया में चर्चा रही। भारत विरोधी माहौल की कोई गुंजाइश नहीं जैसे उनके बयान और भारत के लिए वीजा नियमों में बदलाव के ऐलान ने भी अपना रंग दिखाया।

ब्रिटेन में लगातार दूसरी बार जीत का झंडा गाड़ने वाली कंजरवेटिव पार्टी ने तो अपने घोषणापत्र से लेकर पूरे चुनावी अभियान में भारत और भारतवंशियों को खासी अहमियत दी थी।

विपक्षी लेबर पार्टी को कश्मीर पर भारत विरोधी स्टैंड लेना भारी पड़ गया। जिस देश की कुल 6.5 फीसदी जीडीपी में भारतीय समुदाय की दो फीसदी भागीदारी हो, वहां भारतीयों को नाराज कर लेबर पार्टी ने खुद अपने पैरों पर कुल्हाड़ी मारने का काम किया। भारतीय मूल के समूह ने भारत के साथ खड़े 40 उम्मीदवारों के पक्ष में जोरदार प्रचार कर कंजरवेटिव पार्टी के पक्ष में हवा बना दी। चुनाव जीते कंजरवेटिव पार्टी के एक सांसद ने तो दावा भी किया है कि कश्मीर मुद्दे ने कम-से-कम 10 सीटों पर उनकी जीत तय करने का काम किया है।

जॉनसन ने तो अपना चुनावी अभियान ही पीएम मोदी की तर्ज पर लड़ा। नतीजे बता रहे हैं कि नया भारत बनाने के लिए जॉनसन ने जिस तरह पीएम की खुलकर तारीफ की, वो उन लाखों भारतवंशियों को खूब रास आई, जो मोदी को अपना रोल मॉडल मानते हैं। जॉनसन के पहले ब्रिटेन के दो प्रधानमंत्री - डेविड कैमरन और थेरेसा मे भी मोदी मैजिक के लाभार्थी रह चुके हैं।

उधर कनाडा में भी प्रधानमंत्री जस्टिन ट्रूडो की सत्ता में वापसी तो हो गई है, लेकिन बहुमत नहीं मिलने से उनकी कुर्सी भी भारतीय मूल के जगमीत सिंह के आसरे है। ट्रूडो की लिबरल पार्टी को 338 सदस्यों वाले सदन में 157 सीटें मिल पाई हैं, जबकि 24 सीटें लेकर जगमीत सिंह की पार्टी न्यू डेमोक्रेटिक किंगमेकर की भूमिका में है। ट्रूडो के नए कैबिनेट में चार भारतवंशियों की मौजूदगी कनाडा में इंडियन डायस्पोरा की ताकत बताती है।

राष्ट्रपति डोनाल्ड ट्रंप पूरी दुनिया में अपनी दादागीरी के लिए चर्चित रहे हैं, वो भी मोदी मैजिक की चमक और भारतवंशियों की बढ़ती धमक के सामने नतमस्तक होते हैं।

बाजी किस कदर पलट चुकी है, इसकी सबसे बड़ी मिसाल तो अमेरिका में मिलती है। जो राष्ट्रपति डोनाल्ड ट्रंप पूरी दुनिया में अपनी दादागीरी के लिए चर्चित रहे हैं, वो भी मोदी मैजिक की चमक और भारतवंशियों की बढ़ती धमक के सामने नतमस्तक होते हैं। सितंबर में ह्यूस्टन के हाउडी मोदी कार्यक्रम को ट्रंप ने जिस तरह अपना चुनावी अभियान बनाने की कोशिश की, वो दिखाता है कि भारत और भारतीयों की ताकत अब अमेरिकी चुनाव तक को प्रभावित करने की क्षमता रखती है।

व्हाइट हाउस में भारतवंशियों की मौजूदगी में दिवाली का जश्न अब नियमित आयोजन बन चुका है। इसी व्हाइट हाउस में दुनिया ने ट्रंप से पहले बराक ओबामा को भी नरेन्द्र मोदी का स्वागत गुजराती में 'मजामा छो' बोलकर करते देखा है। दुनिया के दूसरे नेताओं के साथ भी नरेन्द्र मोदी ने जो अनौपचारिक तालमेल बनाया है, उससे हुई ब्रांडिंग ने भारत के बारे में वैश्विक नजरिया बदल दिया है।

प्रधानमंत्री बनने के बाद नरेन्द्र मोदी ने जितने देशों के दौरे किए हैं, वहां उनके कार्यक्रमों में भारतीय मूल के लोगों की सभाएं या मुलाकात अहम

हिस्सा रही हैं। इस पहल से न केवल आपस में बंटे भारतवंशी एकजुट हुए हैं, बल्कि उनकी नई पीढ़ी भी भावनात्मक रूप से भारत के करीब आई है। साल 2014 में नरेन्द्र मोदी के अमेरिकी दौरे में जब न्यूयॉर्क के टाइम्स स्क्वायर और मेडिसन स्क्वायर गार्डन में भारत की जयकार के नारे लगे तो इसकी गूंज व्हाइट हाउस तक सुनाई दी थी। इसलिए कोई दो-राय नहीं कि इस बदलाव ने दुनिया को भारत की बढ़ती ताकत का अहसास करवाया है।

आज अलग-अलग देशों में बसे भारतवंशियों की तादाद 1.75 करोड़ है जो दुनिया में सबसे ज्यादा है। केवल अमेरिका, कनाडा और ब्रिटेन ही नहीं, मिड्ल ईस्ट, ऑस्ट्रेलिया और अफ्रीका में भी भारतीय मूल के लोग बड़ी संख्या में मिलते हैं जहां इनका खासा दबदबा है। सिंगापुर के राष्ट्रपति, न्यूजीलैंड के गवर्नर जनरल और मॉरीशस, ट्रिनिडाड टोबैगो के तो कई प्रधानमंत्री भारतीय मूल के रहे हैं। अमेरिका, ब्रिटेन और कनाडा जैसे देशों का बदला माहौल इसी सिलसिले की नई कड़ी है।

आज अलग-अलग देशों में बसे भारतवंशियों की तादाद 1.75 करोड़ है जो दुनिया में सबसे ज्यादा है।

(राष्ट्रीय सहारा, 15 दिसंबर, 2019)

9

‘अपनों’ से कैसा बैर?

कथित धार्मिक भेदभाव नागरिकता संशोधन विधेयक पर मचे बवाल की सबसे बड़ी वजह बन गया है। देश के मुसलमानों में यही डर भरा जा रहा है कि यह कानून उनसे ‘नागरिकता छीनने’ के लिए लाया गया है। ये प्रचार किया जा रहा है कि सरकार एनआरसी से बाहर हुए हिंदुओं और दूसरे धर्मों के लोगों को तो इस कानून के तहत नागरिकता दे देगी, लेकिन मुस्लिमों को देश से बाहर निकाल देगी। नागरिकता कानून से किसी भी नागरिक को न डरने की सरकार की बार-बार सफाई के बावजूद सोचा-समझा कुप्रचार जारी है।

भ्रम का जाल जब अपना विस्तार करता है तो अटूट भरोसा भी उसकी मार से बच नहीं पाता। नागरिकता संशोधन कानून पर देश में मचा बवाल इसी बात की बानगी है। समाज के एक तबके को 'देश निकाले' का डर दिखाकर अराजक तत्व देश के नए 'बंटवारे' की साजिश रच रहे हैं। साजिश की ये आग असम और बंगाल से होते हुए दिल्ली के रास्ते अलीगढ़, अहमदाबाद और लखनऊ तक पहुंच गई है।

किसी धर्म को राजकीय धर्म घोषित न करने की वजह कोई दुविधा नहीं, बल्कि किसी भी पंथ से कराव नहीं रखने की हिंदू मान्यताओं का पालन था।

खास बात ये है कि इन सभी जगहों पर विरोध के लिए लोग अलग-अलग सोच के साथ सड़कों पर उतरे हैं। पूर्वोत्तर में लोगों को डर है कि शरणार्थी उनका हक छीन लेंगे तो दिल्ली की जामिया, अलीगढ़ की एएमयू और लखनऊ के नदवा कॉलेज के प्रदर्शनों में मुस्लिमों की नागरिकता खतरे में होने का डर बयां हो रहा है। गुरुवार को लखनऊ का प्रदर्शन जिस तरह बेकाबू और हिंसक हुआ उससे साफ हो गया कि नागरिकता कानून के विरोध में अब देश विरोधी तत्वों की घुसपैठ हो चुकी है।

सारा बवाल नागरिकता कानून में उस बदलाव को लेकर है जिसके तहत पाकिस्तान, बांग्लादेश और अफगानिस्तान से प्रताड़ित होकर 31 दिसंबर 2014 से पहले भारत आए हिंदू, सिख, ईसाई, बौद्ध, जैन और पारसी लोगों को बिना दस्तावेज दिखाए नागरिकता दी जा सकेगी। संशोधित कानून के तहत इन देशों के मुसलमानों को ये सहूलियत नहीं दी जाएगी क्योंकि ये तीनों देश घोषित रूप से इस्लामिक देश हैं जहां मुस्लिम आबादी के प्रताड़ित होने की संभावना नहीं हो सकती।

संशोधित विधेयक को लेकर नजरिए का फर्क देखा जा रहा है। आलोचक इसे मुसलमानों के लिए आफत कह रहे हैं, जबकि समर्थक इसे देश के बंटवारे के बाद दर-बदर भटक रहे 'पड़ोसियों' के लिए बड़ी राहत बता रहे हैं यानी विधेयक के मूल में बंटवारे का सवाल है और भ्रम के शूल से पूरे देश में बवाल है।

पृष्ठभूमि यह है कि 1947 में धार्मिक आधार पर जब देश के दो टुकड़े हुए तो भारत से अलग होकर पाकिस्तान ऐलानिया तौर पर इस्लामिक देश बना। इस तथ्य के बावजूद कि तब वहां गैर-मुस्लिम धर्म को मानने वाले की भी खासी आबादी थी। इससे उलट भारत ने धर्मनिरपेक्ष रहने का फैसला किया। किसी धर्म को राजकीय धर्म घोषित न करने की वजह कोई दुविधा नहीं, बल्कि किसी भी पंथ से टकराव नहीं रखने की हिंदू मान्यताओं का पालन था। इस्लामिक देश होने के बावजूद धार्मिक अल्पसंख्यक इस भरोसे से पाकिस्तान में रुके रहे कि वहां उन्हें धार्मिक आजादी मिलती रहेगी। लेकिन ये भरोसा छलावा ही साबित हुआ।

देश के मुसलमानों में यही डर भरा जा रहा है कि यह कानून उनसे 'नागरिकता छीनने' के लिए लाया गया है।

जब बांग्लादेश बना तो यही कहानी पुराने अंदाज में एक बार फिर दोहराई गई। दोनों देशों में जबरन धर्म परिवर्तन और प्रताड़ना के कारण गैर-मुस्लिमों की संख्या सिकुड़ती गई। तीसरा देश अफगानिस्तान है जो लंबे समय तक जंग की भट्ठी में सुलगा है। वहां तालिबानियों के उत्पीड़न ने हिंदुओं और सिखों का सफाया कर दिया। इसके उलट बराबरी के माहौल में भारत में रह रहे मुसलमानों की तादाद में इजाफा होता चला गया।

इस बीच बेहतर अवसरों की उम्मीद में बांग्लादेश के लोग भी सरहद पार कर भारत में आते रहे। इससे सीमा से लगे राज्यों में आबादी, संसाधन और रोजगार का संतुलन बिगड़ गया। इसमें जितनी गलती सरहद पार से आने वालों की थी, उतनी ही जिम्मेदारी सरहद के इस ओर राजनीतिक महत्त्वाकांक्षाएं पूरी करने के लिए घुसपैठ को बढ़ावा देने वाले स्वार्थी नेताओं की रही। बेलगाम घुसपैठ की वजह से असम और पश्चिम बंगाल जैसे राज्यों की सुरक्षा दांव पर लग गई। खुफिया एजेंसियों को आशंका है कि हूजी जैसे आतंकी संगठन न केवल घुसपैठ को बढ़ावा दे रहे हैं, बल्कि घुसपैठियों में पैठ भी बना रहे हैं। असम की अशांति पर अपुष्ट खबर है कि वहां मौका देखकर उल्फा फिर सक्रिय हो गया है।

वैसे तो एक आदर्श दुनिया को किसी हद में नहीं बांधा जा सकता लेकिन जब सरहद पार ऐसे हालात हों तो न सिर्फ सुरक्षा बल्कि अर्थव्यवस्था के लिहाज से भी इसे नजरंदाज नहीं किया जा सकता। वैसे भी विशाल आबादी की अपनी चुनौतियां हैं और इसलिए इस तरीके से शरणार्थियों को सीमित करने की सरकार की सोच में खोट ढूंढ़ना राष्ट्रीय हितों से खिलवाड़ हो सकता है। दुनिया के कई विकसित देशों में भी नागरिकता को लेकर ऐसी एहतियात दिखाई देती है।

गृह मंत्री अमित शाह ने अपने भाषण में भी यह साफ कर दिया है कि यह कानून नागरिकता लेने वाला नहीं, बल्कि नागरिकता देने वाला है।

- अमेरिकी राष्ट्रपति डोनाल्ड ट्रंप अपने देश में मुस्लिमों के प्रवेश को लेकर हमेशा शंका से भरे दिखे हैं। आज अमेरिका में ईरान, लीबिया, सीरिया और यमन जैसे इस्लामिक देशों समेत आठ राष्ट्र के नागरिकों का प्रवेश प्रतिबंधित है। इन देशों के सुरक्षा जांच में सहयोग नहीं करने पर अमेरिका ने ये फैसला किया है।
- ब्रिटेन में इस बात पर बहस छिड़ी है कि खुली सीमा उनके हित में नहीं है। ब्रेक्जिट इसी की देन है और इस वजह से देश के दो प्रधानमंत्रियों को इस्तीफा तक देना पड़ा है।
- ऑस्ट्रेलिया में नागरिकता हासिल करने के लिए 'ऑस्ट्रेलियाई मूल्यों' के प्रति वफादारी साबित करनी होती है।

कथित धार्मिक भेदभाव नागरिकता संशोधन विधेयक पर मचे बवाल की सबसे बड़ी वजह बन गया है। देश के मुसलमानों में यही डर भरा जा रहा है कि यह कानून उनसे 'नागरिकता छीनने' के लिए लाया गया है। यह प्रचार किया जा रहा है कि सरकार एनआरसी से बाहर हुए हिंदुओं और दूसरे धर्मों के लोगों को तो इस कानून के तहत नागरिकता दे देगी, लेकिन मुस्लिमों को देश से बाहर निकाल देगी। नागरिकता कानून से किसी भी नागरिक को न डरने की सरकार की बार-बार सफाई के बावजूद सोचा-समझा कुप्रचार जारी है। गुरुवार को इसका तात्कालिक असर लखनऊ की सड़कों पर दिखा जहां दंगाइयों ने प्रदर्शन कर रहे लोगों को ढाल बनाकर तहजीब के शहर की पहचान को तार-तार कर दिया। मुस्लिम समाज के लिए यह बड़ा सबक है

कि अगर वो अराजक ताकतों की ओर से फैलाई जा रही नकारात्मकता से पीछा नहीं छुड़ाता है तो असुरक्षा की 'नादानी' से बाहर निकलना मुश्किल होगा। उसे समझना होगा कि नागरिकता संशोधन कानून देश पर उसके मौजूदा अधिकार में किसी तरह का बदलाव नहीं करने जा रहा है। यह देश उनके लिए जैसा पहले था, इस कानून के आ जाने के बाद भी वैसा ही बना रहेगा। गृह मंत्री अमित शाह ने अपने भाषण में भी यह साफ कर दिया है कि यह कानून नागरिकता लेने वाला नहीं, बल्कि नागरिकता देने वाला है।

सीएए को लेकर विपक्षी दलों का सरकार पर जनता के समानता के अधिकार से खिलवाड़ का आरोप भी छलावा दिखता है।

मुस्लिम समाज को सरकार पर भरोसा रखते हुए उन पुराने वाकयों को भी याद करना होगा जब उन्हें विनाश का डर दिखाया गया था, लेकिन उनका बाल भी बांका नहीं हुआ।

- पी चिदंबरम के गृहमंत्री रहने के दौरान राजस्थान के तत्कालीन मुख्यमंत्री अशोक गहलोत की मांग पर 13,000 सिखों और हिंदुओं को नागरिकता दी गई थी। राज्यसभा में नागरिकता संशोधन बिल पर चर्चा के दौरान गृहमंत्री अमित शाह ने इस बात का उल्लेख किया था।
- साल 2003 में तत्कालीन सांसद मनमोहन सिंह ने बांग्लादेश से भारत आए प्रताड़ित हिंदू शरणार्थियों को नागरिकता देने का संसद में समर्थन किया था।
- स्वामी विवेकानंद ने शिकागो के अपने ऐतिहासिक भाषण में यहूदियों और पारसियों को दूसरे देशों में शरण देने का जिक्र किया था।

यानी केंद्र की मोदी सरकार पुरानी लकीर पर ही आगे बढ़ रही है। पड़ोसी देशों में अल्पसंख्यकों के उत्पीड़न की जानकारी मिलने के बाद तो इस कदम से पीछे हटना मानवता से मुंह मोड़ने वाली बात होती। इसकी जरूरत बताने के लिए केवल एक आंकड़ा ही पर्याप्त होगा। आजादी के समय पाकिस्तान में अल्पसंख्यकों की संख्या 23 फीसद थी, लेकिन इसके बाद वहां हिंदुओं, सिखों, बौद्धों, जैनियों, पारसियों और ईसाइयों की हालत इतनी बिगड़ती चली गई कि आज इनकी आबादी महज ढाई फीसद रह गई है।

सीएए को लेकर विपक्षी दलों का सरकार पर जनता के समानता के अधिकार से खिलवाड़ का आरोप भी छलावा दिखता है। दलील ये दी जा

रही है कि बीजेपी ने चुनावी राजनीति को ध्यान में रखकर इस बिल की आड़ में संविधान के अनुच्छेद 14 को नजरअंदाज किया है। यह आरोप कुछ उसी तरह के हैं जो कश्मीर में धारा 370 और तीन तलाक खत्म करने के दौरान सामने आए थे। लेकिन इस देश की कानून प्रणाली में ही ऐसी कई नजीर हैं जो सरकार को इस अनुच्छेद के तहत युक्तियुक्त वर्गीकरण की सहूलियत देती हैं। इतिहास के पन्ने भी सरकार को आगे बढ़ने का हौसला देते हैं। 12वीं सदी में पारसियों का आगमन या फिर 1960 के दशक में चीनी हमले के बाद हजारों तिब्बतियों का भारत में शरण लेना इस ऐतिहासिक तथ्य की पुष्टि करता है कि हमारा देश लंबे समय से प्रताड़ित लोगों की शरणगाह रहा है। यानी नागरिकता संशोधन कानून लाकर मोदी सरकार जिम्मेदारी की उसी पुरानी परंपरा का नए संदर्भों में निर्वाह कर रही है। धार्मिक आधार पर हुए बंटवारे के वक्त जो काम अधूरा रह गया था, उसे ये सरकार पूरा करने जा रही है। उम्मीद है कि बाद के वर्षों में जो लोग धार्मिक प्रताड़ना से परेशान होकर भारत आने को मजबूर हुए थे, उन्हें ये कानून शरणार्थी कहे जाने के अपमान से मुक्त करके बाकी जीवन बराबरी के सम्मान से गुजारने का अधिकार देगा।

(राष्ट्रीय सहारा, 21 दिसंबर, 2019)

10

राष्ट्रवाद का 'ट्रंप' कार्ड!

खुद ट्रम्प अपने खिलाफ मुहिम से विचलित नहीं हैं। ट्विटर पर उन्होंने अपने पक्ष में 'स्वच्छता अभियान' छेड़ रखा है जिसमें वो दावा कर रहे हैं कि उनके खिलाफ महाभियोग अनुचित है क्योंकि उन्होंने कुछ भी गलत नहीं किया। एक तर्क ये भी है कि उनके नेतृत्व में देश आगे बढ़ा है और आर्थिक रूप से मजबूत हुआ है, इसलिए भी महाभियोग चलाना गलत है। निश्चित रूप से डोनाल्ड ट्रम्प के नेतृत्व में अमेरिका फर्स्ट की नीति आर्थिक मोर्चे पर सफल रही है। ट्रेड वार में चीन को विवश करना उनकी उपलब्धियों में एक है। अमेरिका में रोजगार पैदा हुए हैं और पिछले 50 साल में रोजगार की दर इतनी पहले कभी नहीं थी। यह स्थिति भारत से उलट है जहां पिछले 45 साल में बेरोजगारी की दर ऐसी पहले कभी नहीं थी। सवाल ये है कि क्या इन कामयाबियों की पनाह में ट्रंप को उनके 'गुनाह' से मुक्ति दी जा सकती है?

लोकतंत्र की ताकत अवाम को मिली अभिव्यक्ति की आजादी और शासन से सवाल पूछने के अधिकार की व्यवस्था में निहित होती है। अवाम की देश के प्रति जिम्मेदारी और शासन की अवाम के लिए जवाबदेही इस व्यवस्था में अंकुश का काम करती है। लेकिन 'आपसी संतुलन' की इस व्यवस्था के खतरे भी हैं। लोकतंत्र में बहुमत की ढाल शासक को निरंकुशता की ताल ठोंकने का मौका देती है। अमेरिकी राष्ट्रपति डोनाल्ड ट्रंप इसकी सबसे ताजा मिसाल हैं।

ट्रंप के खिलाफ महाभियोग प्रस्ताव में अब तक जो हुआ है और आगे जो होने वाला है वो बहुमत के इसी अपेक्षित खतरे की अभिव्यक्ति लगता है। ट्रंप के खिलाफ हाउस ऑफ रिप्रेजेन्टेटिव्स में महाभियोग पारित हो गया क्योंकि वहां विरोधी डेमोक्रेट के पास बहुमत था। महाभियोग के समर्थन में 230 वोट पड़े, जबकि खिलाफ में 197 वोट। लेकिन ये मंजिल का आधा सफर ही है। अभी इस प्रस्ताव को सीनेट की भी मंजूरी मिलनी है जहां ट्रंप की रिपब्लिकन पार्टी बहुमत में है। सीनेट में रिपब्लिकन के 53 सांसद हैं। महाभियोग पास होने के लिए दो-तिहाई बहुमत चाहिए। ऐसा तभी हो सकता है जब कम से कम 20 रिपब्लिकन सांसद पार्टी लाइन से हटकर डेमोक्रेट का साथ दें। इसके आसार बहुत कम हैं यानी बहुमत की लाठी लहरा रहे ट्रंप का कुछ बिगड़ने वाला नहीं है।

लोकतंत्र में बहुमत की ढाल शासक को निरंकुशता की ताल ठोंकने का मौका देती है। अमेरिकी राष्ट्रपति डोनाल्ड ट्रंप इसकी सबसे ताजा मिसाल हैं।

यह तब है जब ट्रम्प पर लगे इल्जाम बेहद गंभीर हैं। अपने विरोधी डेमोक्रेट सांसदों के खिलाफ जांच के लिए देश के सर्वोच्च पद का दुरुपयोग करना, यूक्रेन सरकार पर अपने प्रतिद्वंद्वी जो बिडेन के खिलाफ जांच के लिए दबाव डालना कोई छोटी घटना नहीं है। बिडेन राष्ट्रपति चुनाव में ट्रम्प के खिलाफ उम्मीदवार होने वाले हैं।

वैसे न तो अपने राष्ट्रपतियों के खिलाफ महाभियोग लाना अमेरिका के लिए कोई नई पहल है और न ही राष्ट्रपतियों का उससे बच निकलना कोई नई परंपरा है। अमेरिका के 243 साल के इतिहास में ट्रंप तीसरे ऐसे राष्ट्रपति हैं

जिनके खिलाफ हाउस ऑफ रिप्रेजेंटेटिव्स में महाभियोग प्रस्ताव पारित हुआ है। इससे पहले 1868 में एंड्रयू जॉन्सन और 1998 में बिल क्लिन्टन के खिलाफ ऐसा ही हुआ था। मगर, सीनेट में अब तक कोई महाभियोग पारित नहीं हो पाया है। 1974 में राष्ट्रपति रिचर्ड निक्सन ने महाभियोग प्रस्ताव पेश होने से पहले ही इस्तीफा दे दिया था। इन सूचनाओं का मकसद ये है कि ट्रंप के खिलाफ विपक्ष की ये कामयाबी अधूरी ही रहने वाली है।

1974 में राष्ट्रपति रिचर्ड निक्सन ने महाभियोग प्रस्ताव पेश होने से पहले ही इस्तीफा दे दिया था।

खुद ट्रम्प अपने खिलाफ मुहिम से विचलित नहीं हैं। ट्विटर पर उन्होंने अपने पक्ष में 'स्वच्छता अभियान' छेड़ रखा है जिसमें वो दावा कर रहे हैं कि उनके खिलाफ महाभियोग अनुचित है क्योंकि उन्होंने कुछ भी गलत नहीं किया। एक तर्क ये भी है कि उनके नेतृत्व में देश आगे बढ़ा है और आर्थिक रूप से मजबूत हुआ है, इसलिए भी महाभियोग चलाना गलत है। निश्चित रूप से डोनाल्ड ट्रम्प के नेतृत्व में अमेरिका फर्स्ट की नीति आर्थिक मोर्चे पर सफल रही है। ट्रेड वार में चीन को विवश करना उनकी उपलब्धियों में एक है। अमेरिका में रोजगार पैदा हुए हैं और पिछले 50 साल में रोजगार की दर इतनी पहले कभी नहीं थी। यह स्थिति भारत से उलट है जहां पिछले 45 साल में बेरोजगारी की दर ऐसी पहले कभी नहीं थी। सवाल ये है कि क्या इन कामयाबियों की पनाह में ट्रंप को उनके 'गुनाह' से मुक्ति दी जा सकती है?

यह कमोबेश वैसा ही है जैसा पाकिस्तान में हो रहा है जहां के हुक्मरान रह चुके जनरल परवेज मुशर्रफ को फांसी की सजा सुनाई गई है। हालांकि मामला देशद्रोह का है लेकिन सेना इसी बिनाह पर फैसले का विरोध कर रही है कि मुशर्रफ ताउम्र 'पाकिस्तान फर्स्ट' के हिमायती रहे। ट्रंप और मुशर्रफ के मामले में ये समानता दिखती है कि राजनेता पद पर रहकर देश के लिए कई काम करते हैं, लेकिन उनका हर काम देश हित में हो ये जरूरी नहीं होता। ऐसे में उनकी पुरानी ख्याति के आभामंडल में उनके कारनामे को माफीनामे का जामा पहनाना कितना जायज है?

अंग्रेजी का एक लोकप्रिय जुमला है—अटैक इज द बेस्ट डिफेंस। जब मुश्किल सिर पर हो तो आक्रमण करो। ट्रंप इस वक्त ठीक ऐसा ही कर रहे हैं और लग रहा है कि इसका उन्हें फायदा भी मिल रहा है। एक सर्वे में शामिल 52 फीसदी लोग उन पर महाभियोग चलाने के पक्ष में थे, लेकिन महाभियोग की घड़ी करीब आते-आते ये आंकड़ा 6 फीसद फिसलकर 46 तक गिर गया। ये महाभियोग से भागने नहीं, बल्कि उसका सामना करने की ट्रंप की आक्रामक नीति का चमत्कार नहीं तो और क्या है?

ट्रंप यह संदेश देने में कामयाब रहे हैं कि हाउस ऑफ रिप्रेजेंटेटिव्स में उनके विरोधियों में अश्वेत हैं, मुसलमान हैं और दूसरे देश से आकर नागरिक बने राजनीतिज्ञ।

ट्रंप यह संदेश देने में कामयाब रहे हैं कि हाउस ऑफ रिप्रेजेंटेटिव्स में उनके विरोधियों में अश्वेत हैं, मुसलमान हैं और दूसरे देश से आकर नागरिक बने राजनीतिज्ञ। वे खुलकर ऐसी टिप्पणियां करते रहे हैं जो विदेश नीति के मामले में उन्हें बड़बोला, लेकिन घरेलू मोर्चे पर अमेरिका का हिमायती दिखाती हैं।

- घरेलू मोर्चे पर इमीग्रेंट यानी कि अप्रवासी नागरिक और विपक्ष ट्रंप के निशाने पर रहा है।
- ट्रंप के नस्लवादी प्रचार अभियान से लैस सियासी हमलों में राष्ट्रवाद का नया पैराडाइम दिखा है।
- माइग्रेशन की राजनीति को केन्द्र में लाकर ट्रंप ने 'नेशन स्टेट' को अपना प्रमुख एजेंडा बनाया है।
- देश में वैध नागरिक रहें, अमेरिकी सीमाएं सुरक्षित हों, अमेरिकी कानूनों में राष्ट्रहित सबसे आगे दिखे, नौकरियों में अमेरिकी नागरिकों को प्राथमिकता की वकालत ने ट्रंप के लिए बड़ा समर्थक वर्ग तैयार किया है।

इस वर्ग के साथ-साथ ट्रंप अमेरिका में बसे बड़े भारतीय समुदाय को साधने में भी शामिल रहे हैं। इसमें भारतीयों के लिए एच-वन वीजा को लेकर उनका नरम रुख भी मददगार रहा है। भारतीय प्रधानमंत्री नरेन्द्र मोदी के साथ उनकी नजदीकी ने भी भारतीयों के प्रति ट्रम्प के रवैये को बदला है। नतीजा यह है कि भारतीय समुदाय के लोगों को ट्रम्प पर महाभियोग का कोई असर नहीं पड़ा है। हालांकि कश्मीर मुद्दे पर पीएम मोदी पर मध्यस्थता की पेशकश

की तोहमत लगाकर ट्रंप ने भारतीय समुदाय को नाराज कर दिया था, लेकिन इस मामले पर पीएम की दो-टूक के बाद नरेन्द्र मोदी को 'फादर ऑफ इंडिया' कहकर वो पुरानी गलती की भरपाई करने की कोशिश भी कर चुके है। कश्मीर के अलावा भी ऐसे कई मौके आए हैं जब पीएम की ओर से ट्रंप को इस बात का अहसास करवाया गया है कि भारत अब अपने हितों के लिए किसी देश से समझौता नहीं करेगा। पेरिस में जलवायु परिवर्तन सम्मेलन हो या आयात शुल्क का मसला, भारत ने अमेरिका को आइना दिखाने में देरी नहीं की है। इसके बावजूद वैश्विक मंच पर भारत का बढ़ा हुआ कद ट्रंप को भारत से प्रगाढ़ रिश्ते बनाए रखने और हाउडी मोदी जैसे अवसरों का फायदा उठाने के लिए मजबूर करता रहा है। अमेरिका आज भी भारत का वैसा ही रणनीतिक साझेदार बना हुआ है, जैसा मोदी-ओबामा काल में हुआ करता था। पीएम मोदी के सत्ता संभालने के बाद बराक ओबामा दो साल अमेरिका के राष्ट्रपति रहे और इस दौरान दोनों नेता के बीच 9 बार मुलाकात हुई। पद छोड़ने से 48 घंटे पहले बराक ओबामा ने पीएम नरेन्द्र मोदी को फोन किया था और दोनों देशों के राजनीतिक-सामरिक रिश्तों को नया आयाम देने के लिए पीएम को धन्यवाद दिया था।

अमेरिका आज भी भारत का वैसा ही रणनीतिक साझेदार बना हुआ है, जैसा मोदी-ओबामा काल में हुआ करता था।

बहरहाल अब यह दोस्ती उस दौर में है जहां दोनों ही देश 'नेशन फर्स्ट' की नीति पर आगे बढ़ रहे हैं। जिस तरह भारतीयों को हर हाल में भारतीय हित को आगे रखने की मोदी-नीति पसंद है, उसी तर्ज पर ट्रंप ने भी अमेरिकियों से करीबी बढ़ाई है। इसी रणनीति को हथियार बनाकर ट्रंप महाभियोग का भी सामना कर रहे हैं। ट्रंप सही थे या गलत, यह बहस का विषय हो सकता है लेकिन जनसमर्थन और सीनेट का बहुमत जिस तरह उनके साथ है वो कम-से-कम इस बात का इशारा है कि महाभियोग में ट्रंप नहीं फंसने जा रहे हैं, कोई फंसेगा तो वह हैं उनके विरोधी।

(राष्ट्रीय सहारा, 22 दिसंबर, 2019)

11

टूट रहा है बीजेपी का तिलिस्म?

बीजेपी की खुशकिस्मती है कि तमाम झंझावातों के बावजूद पीएम मोदी को लेकर लोगों का भरोसा अभी टूटा नहीं है। इसका असर चुनाव में वोटिंग के ट्रेंड से साफ दिखाई देता है। साल 2014 के लोकसभा चुनाव के बाद हुए विधानसभा चुनाव में बीजेपी के वोट घटे थे, लेकिन मोदी के जादू की बदौलत पार्टी साल 2018 तक 19 राज्यों पर कब्जा जमाने में कामयाब हुई थी। राज्यों में मतदाताओं का एक ऐसा वर्ग है जो लोकसभा चुनाव में तो खुलकर मोदी के नाम पर वोट देता है, लेकिन विधानसभा में यही वर्ग पार्टी के कामकाज और उसकी छवि को महत्त्व देता है।

सियासत में जिस तरह दोस्ती-दुश्मनी का स्थायी दौर नहीं होता, उसी तरह सियासत में बुलंदी का भी कोई ठौर नहीं होता। सफलता के तेज में चढ़ता दिन देखते-देखते नाकामी की शाम में बदल जाता है और नाउम्मीदी की रात नई सुबह के बहाने नई उम्मीदें भी लेकर आती हैं। देश की सियासत भी इसी राह पर बढ़ती दिखाई दे रही है। सियासी युद्ध में अश्वमेध पर निकला बीजेपी का घोड़ा लगातार हार की चोट से अब लड़खड़ाता दिख रहा है।

सियासी युद्ध में अश्वमेध पर निकला बीजेपी का घोड़ा लगातार हार की चोट से अब लड़खड़ाता दिख रहा है।

पिछले एक साल में जिन 6 राज्यों में चुनाव हुए हैं, उनमें से 5 अब बीजेपी के हाथ से निकल चुके हैं और हरियाणा में भी जो सत्ता हाथ लगी है वो बैसाखी पर टिकी है। केवल दो साल में बीजेपी के लिए देश काफी बदल गया है। दिसंबर 2017 में देश का जो 75 फीसद हिस्सा भगवा रंग में डूबा था, अब वो आधे से कम होकर 35 फीसद पर आ गया है। दो साल पहले बीजेपी या एनडीए देश की 72 फीसदी आबादी पर शासन कर रही थी, अब वो सिमटकर 42 फीसद हो गया है। 19 राज्यों में सत्ता पर काबिज बीजेपी 16 राज्यों तक सिमट गई है।

यहां ये उल्लेख भी जरूरी है कि प्रमुख राज्यों में हार के बीच बीजेपी ने कर्नाटक, मिजोरम, त्रिपुरा और मेघालय में सरकारें बनाई हैं। मगर, बीजेपी ने वह रुतबा खो दिया है जब एक समय पंजाब को छोड़कर पूरे उत्तर भारत पर उसका शासन था। अब हिन्दी हार्टलैंड में बीजेपी सिर्फ उत्तर प्रदेश, उत्तराखण्ड, हिमाचल प्रदेश, बिहार और हरियाणा में रह गई है। सिक्किम, अरुणाचल, मणिपुर, नगालैंड, मेघालय, मिजोरम, असम, त्रिपुरा- ये वो 8 राज्य हैं जो बीजेपी शासित राज्यों की गिनती को 16 बनाती हैं।

लेकिन आंकड़ों के इस तिलिस्म का असली खेल से मेल नहीं होता। जमीनी हालत इससे भी ज्यादा चिंताजनक है। नतीजे बताते हैं कि देश की जनता में पार्टी को लेकर भरोसे का क्षरण बड़ी तेजी से हुआ है। झारखंड की हार इसकी ताजा मिसाल है जहां बीजेपी को गहरा आघात लगा है। बीजेपी की इस हार को महाराष्ट्र से भी बड़ा धक्का इसलिए माना जा रहा है क्योंकि वहां गठबंधन के सहयोगी दल को सत्ता से बाहर होने का जिम्मेदार ठहराया जा सकता है लेकिन झारखण्ड में ये कारण भी नदारद है।

2018 से लेकर 2019 के बीच झारखण्ड छठा ऐसा राज्य है जहां बीजेपी सत्ता से बेदखल हुई है। सबसे पहले 2018 में जम्मू-कश्मीर बीजेपी के हाथ से निकला, फिर मध्य प्रदेश, छत्तीसगढ़ और राजस्थान की बारी आई। लेकिन, ये लोकसभा चुनाव 2019 से पहले की बात है। सारा गम 2019 के आम चुनाव के नतीजों ने धो दिया जब अपने दम पर बीजेपी ने 303 सीटें जीतकर इतिहास रच दिया।

2018 से लेकर 2019 के बीच झारखण्ड छठा ऐसा राज्य है जहां बीजेपी सत्ता से बेदखल हुई है।

आम चुनाव के बाद अब तक तीन राज्यों महाराष्ट्र, हरियाणा और झारखण्ड में चुनाव हुए हैं जहां नतीजों को लेकर मंथन का दौर जारी है। महाराष्ट्र की सत्ता हाथ से निकलने का मतलब ये नहीं है कि मतदाताओं में बीजेपी अलोकप्रिय हो गई है। मगर, इसका अर्थ यह जरूर है कि कहीं न कहीं बीजेपी के स्वभाव में ऐसा बदलाव आया है कि सहयोगी भी साथ रहने को तैयार नहीं हैं। जो लोग इसे सिर्फ शिवसेना की महत्त्वाकांक्षा और उद्धव ठाकरे के लिए सीएम पद के मोह के तौर पर देख रहे हैं वो वास्तव में बीजेपी के हितैषी नहीं हैं। सत्ता की साझेदारी की कीमत पर भी अगर एनडीए सरकार महाराष्ट्र में होती तो वह बेहतर विकल्प होता। ढाई साल का फॉर्मूला भी स्वीकार किया जा सकता था, लेकिन बीजेपी ने इसके लिए तैयार होने के बजाए विपक्ष में बैठना उचित समझा।

नतीजों का भूकंप तो हरियाणा में भी आया था मगर वहां इमारत नहीं गिरी। हरियाणा में मुख्यमंत्री मनोहर लाल खट्टर के ज्यादातर सहयोगी चुनाव हार गए। पार्टी बहुमत से दूर रह गई। मगर इसे उपलब्धि ही कही जाएगी कि जेजेपी के सहयोग से हरियाणा में बीजेपी की सरकार बची रह गई।

इस परिप्रेक्ष्य में झारखण्ड का अनुभव बीजेपी के लिए दो कारणों से बहुत बुरा है। एक तो जनता ने बीजेपी को बुरी तरह से ठुकरा दिया। दूसरा वह सहयोगी दलों से भी हाथ धो बैठी। वोटों के प्रतिशत की गणना करने वाले कह सकते हैं कि बीजेपी के जनाधार पर आंच नहीं आई है। मगर, उन्हें ये बात भी जहन में रखनी होगी कि जनाधार तो आजसू का भी बढ़ा। जब अधिक सीटों पर चुनाव लड़ा जाता है तो वोट प्रतिशत का बढ़ना स्वाभाविक होता है।

इसलिए यह जनाधार को मापने का सही पैमाना नहीं दिखता। फिर भी बीजेपी और आजसू को मिलाकर अगर 41 प्रतिशत वोट मिल रहे हैं तो यह मानना पड़ेगा कि बीजेपी ने अपनी रणनीति की असफलता के कारण झारखण्ड को खोया है।

नतीजों का भूकंप तो हरियाणा में भी आया था मगर वहां इमारत नहीं गिरी।

बीजेपी की खुशकिस्मती है कि तमाम झंझावातों के बावजूद पीएम मोदी को लेकर लोगों का भरोसा अभी टूटा नहीं है। इसका असर चुनाव में वोटिंग के ट्रेंड से साफ दिखाई देता है। साल 2014 के लोकसभा चुनाव के बाद हुए विधानसभा चुनाव में बीजेपी के वोट घटे थे, लेकिन मोदी के जादू की बदौलत पार्टी साल 2018 तक 19 राज्यों पर कब्जा जमाने में कामयाब हुई थी। राज्यों में मतदाताओं का एक ऐसा वर्ग है जो लोकसभा चुनाव में तो खुलकर मोदी के नाम पर वोट देता है, लेकिन विधानसभा में यही वर्ग पार्टी के कामकाज और उसकी छवि को महत्त्व देता है। बीजेपी के हिस्से में आए वोट प्रतिशत इसी ओर इशारा करते हैं। क्योंकि अगर जनता विरोध में होती तो बीजेपी को इतने वोट कैसे आते? दूसरी ओर अगर जनता साथ में है तो एक के बाद एक उसके हाथ से राज्य क्यों निकलते जा रहे हैं?

जमीनी हालत देखकर तो यही लगता है कि लगातार हार के बावजूद बीजेपी ने इन नतीजों से कोई सबक नहीं सीखा है। विधानसभा चुनाव के लिए बीजेपी के प्रचार में स्थानीय मुद्दों को दरकिनार कर राष्ट्रीय मुद्दों की भरमार दिखी है। महाराष्ट्र और हरियाणा के चुनाव ऐसे समय हुए थे, जब मोदी सरकार ने अनुच्छेद 370 को हटाने का ऐतिहासिक फैसला लिया था। झारखण्ड के चुनाव से पहले सुप्रीम कोर्ट ने राम मंदिर के पक्ष में निर्णय सुनाया तो चुनाव के ठीक बीच में सरकार ने विपक्ष के तीखे विरोध के बावजूद सीएए को अमली जामा पहनाया। बीजेपी के प्रचार में बड़े फैसलों की चमक में स्थानीय मुद्दे गुम हुए तो राज्य के मतदाता भी उससे दूर हो गए।

राष्ट्रीय मुद्दों को लेकर बीजेपी की मुश्किलें यहीं खत्म नहीं हो रही। एनआरसी और सीएए को लेकर जेडीयू, एलजेपी, एसएडी और असम गण परिषद जैसे एनडीए के सहयोगियों ने जिस तरह विरोध शुरू किया है उससे

ये सवाल खड़ा हो गया है कि बीजेपी इन मोर्चों पर अब किसके दम पर आगे बढ़ेगी।

एनआरसी और सीएए को अगले साल पश्चिम बंगाल में होने वाले चुनाव के लिए बीजेपी की तैयारी के रूप में देखा जा रहा है। मोदी सरकार के पहले कार्यकाल से ही ममता बनर्जी बीजेपी के लिए लास्ट फ्रंटियर साबित होती रही हैं। लोकसभा चुनाव में पश्चिम बंगाल के नतीजों से भले बीजेपी के मन में लड्डू फूटा हो लेकिन विधानसभा में तमाम कोशिशों के बावजूद ममता को पटखनी देना अब भी सपना बना हुआ है।

लेकिन ममता के खिलाफ सियासी युद्ध में उतरने से पहले बीजेपी को बिहार और दिल्ली की लड़ाई भी लड़नी है, जहां हवा इशारा कर रही है कि दोनों राज्यों का घमासान उसे परेशान करने जा रहा है। झारखण्ड के नतीजे के बाद बिहार में एनडीए परिवार में कोई भी आसानी से छोटा भाई बनने को तैयार नहीं होगा। झारखण्ड के चुनाव में बीजेपी से अलग चुनाव लड़कर नीतीश कुमार और रामविलास पासवान इसकी बानगी दिखा चुके हैं।

झारखण्ड के नतीजे के बाद बिहार में एनडीए परिवार में कोई भी आसानी से छोटा भाई बनने को तैयार नहीं होगा।

रही बात दिल्ली की, तो बीते दो सालों में बीजेपी जिस तेजी से राज्यों की सत्ता से दूर हुई है, उसी रफ्तार में मुख्यमंत्री अरविंद केजरीवाल ने दिल्लीवालों की रोजमर्रा की जिंदगी पर सकारात्मक असर डालने वाले फैसलों की झड़ी लगाकर जिस तरह अपनी बुनियाद मजबूत की है, उसे देखते हुए बीजेपी के लिए दिल्ली में दोबारा अपनी जड़ें जमाना आसान नहीं दिख रहा।

दिल्ली की लड़ाई का बिगुल फूंकने के लिए रामलीला मैदान में बीजेपी ने पीएम मोदी की जिस रैली का आयोजन किया, उसने भी इस सवाल का जवाब देने के बजाय नए सवाल खड़े कर दिए। एनआरसी पर पीएम मोदी और गृहमंत्री अमित शाह के विरोधाभासी बयानों से लेकर डिटेंशन सेंटर पर सही जानकारी नहीं देने पर बीजेपी के लिए अपने सबसे बड़े चेहरे का बचाव करना ही मुश्किल हो रहा है।

बीजेपी के लिए यह हालत परेशानी भरी इसलिए भी है क्योंकि पीएम नरेन्द्र मोदी का यही चेहरा अब तक उसकी जीत की इकलौती गारंटी रहा है। राष्ट्रीय स्तर पर तो यह पहचान अभी भी अक्षुण्ण दिखाई देती है, लेकिन राज्यों में जहां-जहां क्षेत्रीय क्षत्रपों के विकल्प मौजूद हैं, वहां बीजेपी विपक्ष के चक्रव्यूह में फंस रही है। बिहार हो या बंगाल, दिल्ली हो या दक्षिण के राज्य, आने वाले दिनों में बीजेपी को बार-बार ऐसे चक्रव्यूह से दो-चार होना पड़ेगा।

(राष्ट्रीय सहारा, 28 दिसंबर, 2019)

12

लगाइए नहीं, आग बुझाइए

हिंसा के इस दौर में महाराष्ट्र ने देश को 'नागरिकता' का पाठ पढ़ाया है। मुम्बई में अगस्त क्रांति मैदान का विरोध प्रदर्शन जिस तरह से नियंत्रित रहा, वह देशभर में उदाहरण है। आगे भी प्रदर्शनकारियों को नियंत्रित रखा जाए, इसके लिए पुलिस कमिश्नर संजय बर्वे ने स्थानीय मौलानाओं और मुस्लिम धर्म-गुरुओं से बातचीत के रास्ते खोले। उन्हें समझाया कि नागरिकता कानून में यह पहला नहीं बल्कि छठा संशोधन है और असम में जो एनआरसी लागू हुई है वह पूरे देश में लागू नहीं होने जा रही है। ऐसे में मुस्लिम समाज अगर अपना भ्रम दूर करेगा तो डर अपने आप दूर हो जाएगा।

नागरिकता संशोधन कानून (सीएए), नेशनल रजिस्टर ऑफ सिटिजन (एनआरसी) और नेशनल पॉपुलेशन रजिस्टर (एनपीआर) पर भ्रम, राजनीति और विवाद बढ़ता ही जा रहा है। देशभर में अशांति जैसी स्थिति खत्म हो, इसकी कोशिश भी अपने-अपने तरीके से की जा रही है। मगर ये कोशिशें अब तक परवान नहीं चढ़ सकी हैं।

सियासत की बेशक अपनी मजबूरियां हों, लेकिन इससे भी इनकार नहीं किया जा सकता कि समाज के अंदर से निकले सुलह के सुर से सद्भाव के गीत गुनगुनाने का माहौल जरूर बना है। ऐसी बीसियों कोशिशों में से जिनकी सबसे ज्यादा चर्चा है उनमें से एक मुम्बई के पुलिस आयुक्त संजय बर्वे की है और दूसरी सेनाध्यक्ष बिपिन रावत की। संजय बर्वे ने जो किया उसकी चारों ओर तारीफ हो रही है, जबकि सेनाध्यक्ष ने जो कहा उस पर सियासत हो रही है।

एनआरसी पर असम के रास्ते दिल्ली पहुंचकर पूरे देश में फैला विवाद रुकता नहीं दिख रहा है।

कहने का मतलब यह है कि एनआरसी पर असम के रास्ते दिल्ली पहुंचकर पूरे देश में फैला विवाद रुकता नहीं दिख रहा है। एक तरफ दिल्ली की सड़कों पर आगजनी और पथराव की घटना ने देश को झकझोरा है, तो जामिया मिल्लिया इस्लामिया के कैम्पस में पुलिस का एक्शन भी विवादों में है। यूपी में मेरठ, बिजनौर, अलीगढ़, रामपुर, मुजफ्फरनगर समेत कई ज़िलों में हिंसक प्रदर्शनों में गोलियां चलने से 18 लोग मारे जा चुके हैं। अब विवाद इस बात पर है कि ये जानलेवा गोलियां पुलिस की बंदूक से चली या प्रदर्शनकारियों के तमंचे से। हिंसा बिहार में भी हुई और कर्नाटक में भी। बंगाल, मध्य प्रदेश, राजस्थान जैसे राज्यों में प्रदर्शन बेलगाम होने का डर दिखाने के बाद नियंत्रित हो गया।

यूपी में मेरठ, बिजनौर, अलीगढ़, रामपुर, मुजफ्फरनगर समेत कई ज़िलों में हिंसक प्रदर्शनों में गोलियां चलने से 18 लोग मारे जा चुके हैं।

विवाद के अंदर का विवाद, विरोध के अंदाज पर भी है। इसे इस नजरिये से भी देखा जा रहा है कि विपक्ष शासित राज्यों में तो हिंसा नहीं के बराबर हुई, जबकि सत्ताधारी दल के राज्यों में प्रदर्शनकारियों से टकराकर सरकार

लाचार हो गई। सत्ता पक्ष इस नजरिये को इस आधार पर चुनौती दे रहा है कि हिंसा विपक्ष की ओर से प्रायोजित है, इसलिए ऐसी तस्वीर देखने को मिल रही है। इसके बरक्स विपक्ष की दलील है कि सरकार ने खुद हिंसा के माहौल को हवा दी और अब हालात उसके संभाले नहीं संभल रहे हैं।

विवाद का एक पहलू यह भी है कि हिंसक प्रदर्शन में मारे गए लोगों को प्रियंका गांधी ने शहीद कहा है, जबकि सत्ताधारी दल उन्हें दंगाई बता रहे हैं। इससे 'शहीदों' के लिए मुआवजे की रस्म और दंगाइयों पर किसी भी तरह का 'रहम' नहीं करने को लेकर विवाद है। कर्नाटक में घोषणा के बावजूद मुआवजा बांटने पर रोक लगी तो मदद पश्चिम बंगाल से आ गई। विरोध का चेहरा बनीं ममता बनर्जी ने अपनी पार्टी की ओर से गोलीकांड में शिकार शख्स के परिजन को 5 लाख रुपये मुआवजे में देने की घोषणा की। यूपी में भी सार्वजनिक संपत्ति को हुए नुकसान की वसूली प्रदर्शनकारियों से करने की कोशिशों पर विपक्ष का विरोध सामने आया है।

विवाद का एक पहलू यह भी है कि हिंसक प्रदर्शन में मारे गए लोगों को प्रियंका गांधी ने शहीद कहा है, जबकि सत्ताधारी दल उन्हें दंगाई बता रहे हैं।

गौर करने वाली बात यह है कि हिंसा के इस दौर में महाराष्ट्र ने देश को 'नागरिकता' का पाठ पढ़ाया है। मुम्बई में अगस्त क्रांति मैदान का विरोध प्रदर्शन जिस तरह से नियंत्रित रहा, वह देशभर में उदाहरण है। आगे भी प्रदर्शनकारियों को नियंत्रित रखा जाए, इसके लिए पुलिस कमिश्नर संजय बर्वे ने स्थानीय मौलानाओं और मुस्लिम धर्म-गुरुओं से बातचीत के रास्ते खोले। उन्हें समझाया कि नागरिकता कानून में यह पहला नहीं बल्कि छठा संशोधन है और असम में जो एनआरसी लागू हुई है वह पूरे देश में लागू नहीं होने जा रही है। ऐसे में मुस्लिम समाज अगर अपना भ्रम दूर करेगा तो डर अपने आप दूर हो जाएगा।

यह कमोबेश वैसा ही संदेश है जिसे देशभर में प्रधानमंत्री नरेंद्र मोदी और महाराष्ट्र के मुख्यमंत्री उद्धव ठाकरे ने अपने संबोधन में स्पष्ट किया है। इसलिए जब मुम्बई के पुलिस कमिश्नर जमीन पर इस संदेश के सेतु बने तो वहां शांति बनाए रखने का सरकार का हेतु भी सफल रहा। मुम्बई पुलिस

की भी तारीफ हो रही है जिन्हें प्रदर्शनकारियों ने चाय पिलाई और उनके नाम के जयकारे लगाए।

लेकिन शांति स्थापना की दूसरी कोशिश विवादों में घिर गई। सेनाध्यक्ष बिपिन रावत ने लीडरशिप की बात करते हुए एक बयान दिया कि नेता वह नहीं होते जो लोगों को गलत दिशा में ले जाते हैं। स्वाभाविक तौर पर सेनाध्यक्ष का यह बयान शहरों में हो रही हिंसा और आगजनी कर रही भीड़ को लेकर था। इस भीड़ का नेतृत्व कथित तौर पर कॉलेज और यूनिवर्सिटी छात्र कर रहे थे।

मुम्बई पुलिस की भी तारीफ हो रही है जिन्हें प्रदर्शनकारियों ने चाय पिलाई और उनके नाम के जयकारे लगाए।

निरपेक्ष भाव से देखने पर सेनाध्यक्ष की टिप्पणी में कुछ गलत नहीं है। मगर सीएए और एनआरसी के मुद्दे पर बंटे माहौल के बीच बयान को निरपेक्ष भाव से लिया जाना भी आसान नहीं। विपक्ष इस बयान को सेना प्रमुख का अपने दायरे से बाहर दिया गया बयान बता रहा है। इसके लिए इमरजेंसी के हालात और जेपी के आंदोलन का हवाला दिया गया है। दलील दी जा रही है कि इमरजेंसी के दौरान जेपी का आंदोलन भी हिंसारहित नहीं रहा था। इमरजेंसी के समय के आंदोलनों में शामिल नेता आज मुख्यधारा की राजनीति में हैं। इसलिए किसी आंदोलन को सिर्फ हिंसा का उदाहरण देकर आंदोलनों की वजह को खारिज नहीं किया जा सकता।

जाहिर है विपक्ष इसे अपने चश्मे से देख रहा है। दरअसल बिपिन रावत 31 दिसंबर को रिटायर हो रहे हैं और विपक्ष को लग रहा है कि इस बयान के पीछे रिटायरमेंट के बाद करियर की उनकी प्लानिंग है। भले ही विपक्ष के पास इसका कोई आधार नहीं हैं, लेकिन लगता है कि इन 'हवाई' कयासों को मौजूदा सेनाध्यक्ष के समर्थन में पूर्व सेनाध्यक्ष और सरकार में मंत्री वीके सिंह के बयान से हवा मिली है। विपक्ष अंदेशा जता रहा है कि रिटायरमेंट के बाद वीके सिंह ने जिस राह को चुना, उसी राह पर मौजूदा सेनाध्यक्ष ने भी अपने कदम बढ़ा दिए हैं। हालांकि ये बात फिर दोहराई जाएगी कि विपक्ष के पास इसका कोई आधार नहीं है। वैसे भी देश भरोसे के साथ जिन हाथों में अपनी सुरक्षा सौंपता है, उन पर अविश्वास की कोई वजह नहीं होनी चाहिए।

देश हित में सेनाध्यक्ष पहले भी कश्मीर से लेकर पाकिस्तान पर अपने मन की बात सार्वजनिक करते रहे हैं।

चर्चा अरुंधति रॉय के उस विवादास्पद बयान की भी खूब हुई है जिसमें उन्होंने देश की जनता खासकर छात्रों को एनपीआर के लिए गलत जानकारी देने के लिए कथित तौर पर उकसाया है और परोक्ष रूप से देश के प्रधानमंत्री और गृहमंत्री के लिए अपमानजनक टिप्पणी की है।

वैसे विवादों में पीएम नरेंद्र मोदी की वो टिप्पणी भी आई है जिसमें उन्होंने प्रदर्शकारियों की पहचान उनके कपड़ों से होने की बात कही थी। झारखंड की चुनावी रैली से निकली इस टिप्पणी पर विपक्ष वहां नई सरकार बन जाने के बाद भी निशाना साध रहा है।

आज देश के अलग-अलग हिस्सों में प्रदर्शन, हिंसा, कर्फ्यू, इंटरनेट पर रोक, धारा 144 जैसे हालात यकीनन सरकार के लिए चुनौती बने हुए हैं।

आज देश के अलग-अलग हिस्सों में प्रदर्शन, हिंसा, कर्फ्यू, इंटरनेट पर रोक, धारा 144 जैसे हालात यकीनन सरकार के लिए चुनौती बने हुए हैं। जरूरत इस विरोध को संवाद के जरिए सुलह के रास्ते पर ले जाने की है। अगर सरकार मानती है कि भ्रम फैलाया जा रहा है तो उसे इसका जवाब लेकर सामने आना चाहिए। यह सिर्फ तथ्य सामने रखकर बहस जीतने से नहीं होगा, बल्कि इसके लिए लोगों का भरोसा भी जीतना होगा। सवाल यह है कि जो पहल मुम्बई में पुलिस का एक आला अधिकारी कर सकता है, वो देश की सरकार क्यों नहीं कर सकती? जब महाराष्ट्र में सत्ताधारी दल और विपक्ष किसी बात पर एक-राय हो सकते हैं तो राष्ट्रीय स्तर पर विपक्ष और सत्ता पक्ष को एक होने से कौन रोक रहा है? जाहिर है इस ओर कोशिश होगी तो नतीजे भी निकलेंगे। उम्मीद की जानी चाहिए कि राष्ट्रीय स्तर पर यह कोशिश जल्द दिखेगी।

(राष्ट्रीय सहारा, 29 दिसंबर, 2019)

13

डर के आगे है 2020

आशावादी सोच तो यह है कि आज जब ज्यादातर देशों में जबर्दस्त मंदी का 'परचम' है, तब भी भारत में इसका असर कम है। बेशक आर्थिक विकास हिचकोले खा रहा हो, मगर हमारे पास इसे दोबारा पटरी पर लाने का हौसला भी है और हुनर भी है। जरूरत बस इस बात की है कि इम्तिहान की इस घड़ी में देश का माहौल न बिगड़े। विज्ञान बताता है कि अच्छी नींद हमें तरोताजा रखने और बेहतर नतीजों के लिए तैयार करती है जबकि साधारण ज्ञान कहता है कि अच्छी नींद के लिए अच्छा माहौल जरूरी होता है। क्या मंदी को लेकर पसरी नकारात्मकता का हम इसी सोच के साथ सामना नहीं कर सकते कि नींद के इसी मंत्र को जपकर हमारा आर्थिक तंत्र अब न केवल जागने वाला है, बल्कि स्वस्थ आर्थिक माहौल का गवाह भी बनने वाला है।

2020 का आगाज हो चुका है। बीते साल हमने नाउम्मीदी खत्म होने की उम्मीद को बेचैनी में बदलते देखा था। ये बेचैनी नए साल में नई बरकत में बदलेगी, इसका भरोसा ही हमें 21वीं सदी के तीसरे दशक की मजबूत बुनियाद रखने का हौसला दे सकता है।

घटती जीडीपी, औद्योगिक उत्पादन का ऋणात्मक इंडेक्स, चरम पर पहुंच चुकी बेरोजगारी, उद्योगपतियों में कथित डर का माहौल और कमजोर होता कंज्यूमर सेंटीमेंट–कहने का मतलब यह कि तरक्की के जिस पहिए को आगे बढ़ना था, वो पिछले साल के ज्यादातर हिस्से में रिवर्स गियर में ही उलझता रहा। नए साल में सकारात्मक माहौल के लिए अब इस पहिये का नई रफ्तार पकड़ना कोई मजबूरी नहीं बल्कि जरूरी हो गया है।

नए साल में सकारात्मक माहौल के लिए अब इस पहिये का नई रफ्तार पकड़ना कोई मजबूरी नहीं बल्कि जरूरी हो गया है।

आशावादी सोच तो यह है कि आज जब ज्यादातर देशों में जबर्दस्त मंदी का 'परचम' है, तब भी भारत में इसका असर कम है। बेशक आर्थिक विकास हिचकोले खा रहा हो, मगर हमारे पास इसे दोबारा पटरी पर लाने का हौसला भी है और हुनर भी है। जरूरत बस इस बात की है कि इम्तिहान की इस घड़ी में देश का माहौल न बिगड़े। विज्ञान बताता है कि अच्छी नींद हमें तरोताजा रखने और बेहतर नतीजों के लिए तैयार करती है जबकि साधारण ज्ञान कहता है कि अच्छी नींद के लिए अच्छा माहौल जरूरी होता है। क्या मंदी को लेकर पसरी नकारात्मकता का हम इसी सोच के साथ सामना नहीं कर सकते कि नींद के इसी मंत्र को जपकर हमारा आर्थिक तंत्र अब न केवल जागने वाला है, बल्कि स्वस्थ आर्थिक माहौल का गवाह भी बनने वाला है।

लेकिन उम्मीद के इस माहौल में भी दो ऐसी बड़ी चिंताएं हैं जिन्हें लंबे समय तक टाला नहीं जा सकता। एक डॉ मनमोहन सिंह की चिंता जिसे उन्होंने बीते साल नवंबर के आखिरी हफ्ते में सार्वजनिक किया था। नेशनल इकॉनोमी कॉन्क्लेव में उन्होंने कहा था कि मौजूदा दौर में समाज में डर का माहौल है जिसे आत्मविश्वास में बदलने की जरूरत है। दूसरे शब्दों में यही चिंता देश के नामचीन उद्योगपति राहुल बजाज की जुबां से बयां हुई है।

राहुल बजाज ने तो देश के गृहमंत्री से सीधे तौर पर कहा कि उद्योग जगत के लोग मौजूदा सरकार से डरते हैं। जब यूपीए-2 की सरकार थी, तो वो किसी की भी आलोचना कर सकते थे, लेकिन आज के माहौल में उन्हें भरोसा नहीं है कि सरकार खुले तौर पर अपनी आलोचना पसंद करेगी।

देश की सेहत को लेकर इसी तरह की सतर्क टिप्पणी रिजर्व बैंक की हालिया रिपोर्ट में भी दिखती है। रिजर्व बैंक की दिसम्बर की रिपोर्ट बताती है कि साल 2019-20 में आर्थिक विकास की दर दयनीय रूप से 5 फीसद रहने वाली है जो अप्रैल के उसके ही अनुमान 7.2 फीसद से काफी कम है। 2019 के सितम्बर में इंडियन इंडस्ट्रियल आउटपुट बीते 8 साल के न्यूनतम स्तर पर पहुंच गया। लेकिन लगता है ये काफी नहीं था क्योंकि अक्टूबर में तो यह आंकड़ा - 4.3 फीसद दर्ज किया गया।

2019 के सितम्बर में इंडियन इंडस्ट्रियल आउटपुट बीते 8 साल के न्यूनतम स्तर पर पहुंच गया।

चिन्ता का एक पहलू बेरोजगारी भी है। केंद्र सरकार का पीरियॉडिक लेबर फोर्स सर्वे (पीएलएफएस) कहता है कि भारतीय अर्थव्यवस्था के वर्क फोर्स में नए लोगों के शामिल होने की दर कम हुई है। ग्रामीण महिलाएं इससे सबसे ज्यादा प्रभावित हुई हैं। साल 2004-05 में वर्कफोर्स में इनकी हिस्सेदारी 58 फीसद थी जो साल पहले 2011-12 में गिरकर 15 फीसद हुई और फिर साल 2017-18 आते-आते ऋणात्मक 5 फीसद हो गई। साल 2011-12 और 2017-18 के बीच के छह साल में ही 62 लाख लोगों की नौकरियां चली गईं। यानी अब समस्या नौकरी पाने से ज्यादा नौकरी बचाने की हो गई है।

उपभोक्ताओं और अर्थव्यवस्था का रिश्ता भी डांवाडोल दिख रहा है जिसके असर से उद्योगपति की सोच भी प्रभावित हो रही है। कन्ज्यूमर इंडेक्स का हर हाल में 100 से ऊपर रहना जरूरी माना जाता है लेकिन बीते 6 साल में यह 89.9 के न्यूनतम स्तर पर पहुंच गया है। रिजर्व बैंक के नवंबर के सर्वे में कन्ज्यूमर सेंटीमेंट इंडेक्स (सीएसआई) गिरकर 85.7 रह गया जो साल 2011 के बाद का न्यूनतम स्तर है।

पुरानी चुनौतियां 'बेताल' की तरह नए साल की पीठ पर चढ़ी हुई है, तो नई संभावनाएं भी कई सवालों का जवाब बनकर सामने आईं हैं।

नाउम्मीदी के बीच उम्मीद की एक किरण तो भारत के शेयर बाजार हैं जहां बीते साल करीब 15 फीसद की तेजी दर्ज हुई। साल के आखिरी पखवाड़े में सेंसेक्स 41,809.96 के रिकॉर्ड स्तर पर पहुंच गया। उम्मीद है कि बाजार का यह सेंटीमेंट साल 2020 में और तेजी पकड़कर 50 हजार के स्तर को भी पार कर सकता है।

साल 2019 में जिस ऑटो सेक्टर को अर्थव्यवस्था की रफ्तार थामने वाला ब्रेक बताया गया, उसे ही साल 2020 में इकोनॉमी का एक्सीलरेटर बताया जा रहा है। केंद्र सरकार का इन्सेन्टिव के ऐलान और नकदी संकट को हल करने की पहल का ऑटो सेक्टर को फायदा मिलने वाला है। इलेक्ट्रिक गाड़ियों की खरीद को लोन चुकाने में ब्याज पर 1.5 लाख रुपये की अतिरिक्त टैक्स योग्य आमदनी में छूट का भी फायदा मिलेगा। सरकार का बड़े पैमाने पर वाहन खरीद का फैसला और व्यावसायिक वाहनों में नई मांग निकलने से ऑटो सेक्टर में अच्छा माहौल बनता दिख रहा है।

साल 2011-12 और 2017-18 के बीच के छह साल में ही 62 लाख लोगों की नौकरियां चली गईं। यानी अब समस्या नौकरी पाने से ज्यादा नौकरी बचाने की हो गई है।

बैंकों में एनपीए अब भी बड़ी समस्या है, हालांकि इससे निपटने में आंशिक सफलता भी मिली है। एक तरफ सरकार ने ऋण लागत कम करने की नीति लागू की है, वहीं इस बात का भी ध्यान रखा जा रहा है कि इससे ऋण बांटने की प्रक्रिया भी प्रभावित न हो। फिलहाल बैंकों के सामने 16 कंपनियों के 2.4 ट्रिलियन बैड लोन को रिकवर करने की चुनौती है। इसके इलाज के लिए केंद्र सरकार ने बैंकों में जो 70 हजार करोड़ की रकम लगाई है उसके नतीजे इस साल देखने को मिल सकते हैं।

आर्थिक मोर्चे पर गुड न्यूज सरहद पार से भी आ सकती है। दुनिया के दूसरे बाजारों की तरह भारत भी अमेरिका और चीन के ट्रेड वार का शिकार हुआ। हालांकि सरकार की ओर से कॉरपोरेट टैक्स घटाकर इस ट्रेड वार का फायदा लेने की कोशिश भी हुई। शुरुआती तौर पर तो शेयर बाजार ने उछल-उछल कर सरकार की इस पहल का स्वागत किया, मगर जल्द ही यह मिश्रित नतीजे में बदल गया। अब उम्मीद की जा रही है कि उस पहल

से पूंजी निवेश और निर्यात में बढ़ोतरी होगी जिसका फायदा साल 2020 में देखने को मिलेगा।

पिछले वित्तीय वर्ष में देश में 9.56 लाख करोड़ रुपये से ज्यादा का रिजर्व था। इनमें से 1.76 लाख करोड़ रुपये केंद्र सरकार को दे दिए गए। राहत की बात यह है कि इसके बावजूद देश के हाथ में अब भी विपरीत परिस्थितियों से निपटने के लिए मोटी रकम है। इसलिए भारतीय अर्थव्यवस्था के पास मंदी की मार झेलने का माद्दा भी है। भारत अगर इस दौर को पार कर लेता है, तो 7 से 8 फीसद विकास की गति वाली रफ्तार कोई अजूबा नहीं रह जाएगी।

रीयल एस्टेट सेक्टर के लिए भी यह साल बेहतरीन बताया जा रहा है। रीयल सेक्टर का देश की जीडीपी में अभी 6 से 8 फीसदी योगदान है। माना जा रहा है कि नए साल में यह बढ़कर 10 से 12 फीसदी तक पहुंच सकता है। दिल्ली-एनसीआर में रीयल सेक्टर को डूबने से बचाने के लिए केंद्र सरकार हजारों करोड़ की मदद का पैकेज लेकर सामने आई है। एनसीआर में पीएम आवास योजना के तहत सस्ते आवासीय प्रोजेक्ट में अधूरे पड़े करीब 50 लाख घर बनाने के लिए नेशनल बिल्डिंग कंस्ट्रक्शन कॉर्पोरेशन का आगे आना एक बड़ी पहल है, जिसका असर इस साल दिख सकता है। अगर कॉर्पोरेशन योजना के 50 फीसदी प्रोजेक्ट्स भी अपने हाथ में ले ले तो बड़े पैमाने पर एलआईजी और ईडब्ल्यूएस प्रोजेक्ट्स पूरे होंगे और रोजगार के अवसर पैदा होंगे।

आर्थिक मोर्चे पर गुड न्यूज सरहद पार से भी आ सकती है। दुनिया के दूसरे बाजारों की तरह भारत भी अमेरिका और चीन के ट्रेड वार का शिकार हुआ।

हमेशा की तरह कृषि की स्थिति मौसम पर ही निर्भर रहने वाली है और इसमें बहुत अधिक सुधार की उम्मीद नहीं दिखती। फिर भी मंदी के दौर में कृषि ने जो योगदान दिया है, उससे उम्मीद बरकरार है। सरकार ने किसानों को आर्थिक मदद देकर उनका मनोबल बढ़ाने की कोशिश की है जिसका सकारात्मक असर देखने को मिल सकता है।

एक क्षेत्र ऐसा भी है जिससे जुड़ी खबर भारतीय अर्थव्यवस्था के लिहाज से बेशक ज्यादा महत्त्वपूर्ण न हो, लेकिन उपलब्धि के लिहाज से खासी अहम है।

भारत इस साल चंद्रयान-3 की सफलता के लिए काम करेगा जो अंतरिक्ष विज्ञान के क्षेत्र में देश की पहचान को नया आयाम देने का काम करेगा।

इस सबके बीच अगर सरकार विज्ञान, रक्षा, सामाजिक और कॉरपोरेट क्षेत्र में निवेशकों की उत्सुकता बनाए रखने में सफल रहती है, तो 2019 के 'टेस्ट' से गुजरने के बाद 2020 में भारतीय अर्थव्यवस्था भी 20-20 क्रिकेट की रफ्तार से आगे बढ़ सकती है।

(राष्ट्रीय सहारा, 4 जनवरी, 2020)

14

कब पूरा होगा संवेदनहीनता का 'कोटा'?

इस मामले में अशोक गहलोत सरकार का रवैया बिहार की नीतीश सरकार से अलग नहीं दिखता। राजस्थान में नवजात की मौत का आंकड़ा 2 जनवरी तक 106 पहुंच चुका था, लेकिन मुख्यमंत्री अशोक गहलोत को अस्पताल जाने की फुर्सत नहीं मिली। 2017 में उत्तर प्रदेश के मुख्यमंत्री के गृहक्षेत्र गोरखपुर में तीन दिन के भीतर अस्पताल में ऑक्सीजन की कमी की वजह से 60 से ज्यादा बच्चों की मौत हो गई थी, मगर तब भी मुख्यमंत्री योगी आदित्यनाथ ने इसे 'हादसा' ही कहा, लापरवाही नहीं कही। वास्तव में राजस्थान, बिहार या उत्तर प्रदेश की ये तीनों घटनाएं बच्चों की 'सामूहिक हत्या' कही जानी चाहिए।

किसी भी समाज के विकसित होने की पहचान उसके स्वास्थ्य का स्तर भी होती है। करीब आधी सदी पहले विश्व स्वास्थ्य संगठन जैसी अंतरराष्ट्रीय संस्था इस बात पर मुहर लगा चुकी है। साल 1948 में ही उसने स्वास्थ्य को मानव अधिकार घोषणापत्र में शामिल कर लिया था। आज ये अधिकार 100 से ज्यादा देशों के संविधान में शामिल हो चुका है। लेकिन अफसोस की बात ये है कि विकास के तमाम दावों के बावजूद हम इन देशों में शामिल नहीं हैं और शायद यही वजह है कि हमारे समाज में आए दिन स्वास्थ्य से जानलेवा खिलवाड़ होता है और किसी जिम्मेदार के दामन पर दाग भी नहीं लगता।

राजस्थान में हुआ खिलवाड़ इसी बेशर्म सिलसिले की नई कड़ी लगती है। कोटा के जेके लोन अस्पताल में 34 दिन में 106 शिशुओं की मौत शर्म से सिर झुका देने वाली घटना नहीं तो फिर क्या है? प्रदेश सरकार ने जो सूचना साझा की है उसके अनुसार इनमें से 70 बच्चे न्यू बॉर्न इन्टेंसिव केयर यूनिट यानी एनआईसीयू में भर्ती हुए थे। इनमें 49 की हालत बेहद नाजुक थी। ज्यादातर बच्चे जन्म के समय मानक वजन ढाई किलो से कम के थे।

कोटा के जेके लोन अस्पताल में 34 दिन में 106 शिशुओं की मौत शर्म से सिर झुका देने वाली घटना नहीं तो फिर क्या है?

लेकिन इन आंकड़ों में पूरे सच को छिपाने की 'होशियारी' भी दिखती है। अगर 70 में से 49 बच्चों की बेहद नाजुक हालत सच्चाई है, तो एक सच ये भी है कि बाकी 21 बच्चे बेहद नाजुक अवस्था में नहीं थे। मतलब उनकी हालत एनआईसीयू में और खराब हुई। इस कदर खराब हुई कि जान ही चली गई। एक बार मरीज अस्पताल पहुंच जाए तो बहस इस बात पर नहीं होनी चाहिए कि उसकी हालत कितनी खराब थी बल्कि प्राथमिकता उसकी जान बचाने की होनी चाहिए। तकलीफदेह यह है कि कोटा में इसके ठीक उलट हुआ और इस बहस में कुछ ऐसे नवजात भी मौत के मुंह में चले गए जिनकी हालत उतनी बुरी नहीं थी।

जिस सरकार को नवजातों की जान बचाने के लिए खुद को झोंक देना चाहिए था, वो ऐसे मुश्किल समय में खुद को लाइफलाइन देने में बिजी थी।

एक तरफ अस्पताल में दम तोड़ रहे बच्चों के परिवारों में मातम छाया था, तो दूसरी तरफ बीएसपी से आए 6 विधायकों को पार्टी में औपचारिक एंट्री दिलवाकर सरकार कुर्सी बच जाने का खामोश जश्न मना रही थी।

> *तकलीफदेह यह है कि कोटा में इसके ठीक उलट हुआ और इस बहस में कुछ ऐसे नवजात भी मौत के मुंह में चले गए जिनकी हालत उतनी बुरी नहीं थी।*

इस मामले में अशोक गहलोत सरकार का रवैया बिहार की नीतीश सरकार से अलग नहीं दिखता। दोनों ही मुख्यमंत्रियों ने बच्चों की मौत पर दुख और इस पर होने वाली राजनीति पर चिंता जताकर जैसे अपनी जिम्मेदारी पूरी कर ली। राजस्थान में नवजात की मौत का आंकड़ा 2 जनवरी तक 106 पहुंच चुका था, लेकिन मुख्यमंत्री अशोक गहलोत को अस्पताल जाने की फुर्सत नहीं मिली। बिहार में नीतीश कुमार मुजफ्फरपुर के अस्पताल तब पहुंचे थे जब इंसेफलाइटिस से बच्चों की मौत का आंकड़ा 108 पहुंच गया था। तब 'नीतीश गो बैक' के नारे लगे थे। 2017 में उत्तर प्रदेश के मुख्यमंत्री के गृहक्षेत्र गोरखपुर में तीन दिन के भीतर अस्पताल में ऑक्सीजन की कमी की वजह से 60 से ज्यादा बच्चों की मौत हो गई थी, मगर तब भी मुख्यमंत्री योगी आदित्यनाथ ने इसे 'हादसा' ही कहा, लापरवाही नहीं कही। वास्तव में राजस्थान, बिहार या उत्तर प्रदेश की ये तीनों घटनाएं बच्चों की 'सामूहिक हत्या' कही जानी चाहिए।

तीनों राज्यों की सरकारों का रवैया मौत की संख्या को अप्रत्याशित मानने से बचने का दिखा था। बिहार में 'हर साल ये मौत होती है', 'कोशिश की जा रही है' या 'फिर पहले से कम मौत हुई है' जैसे बयान सामने आए थे। 2014 में 379 बच्चों की मौत की याद भी दिलाई गई कुछ इस कदर जैसे बिहार सरकार यह संदेश देना चाहती थी कि स्थिति पहले से बेहतर हुई है। राजस्थान के स्वास्थ्य मंत्री ने बच्चों की मौत को जिस तरीके से प्री मैच्योर डिलीवरी से जोड़ा है, ठीक वही बहाना यूपी के स्वास्थ्य मंत्री सिद्धार्थनाथ सिंह ने भी बनाया था। उन्होंने कहा था कि दो घंटे के लिए ऑक्सीजन की सप्लाई जरूर बंद थी लेकिन किसी बच्चे की मौत ऑक्सीजन की कमी से नहीं हुई। बिहार के स्वास्थ्य मंत्री मंगल पांडे तो महत्त्वपूर्ण बैठक में भी क्रिकेट का स्कोर जानने की कोशिश करते दिखे थे।

कोटा में तो जिन बच्चों की मौत हुई, उनमें से कई के माता-पिता तो बच्चों का नाम भी नहीं रख पाए। जयपुर से केवल 4 घंटे की दूरी होने के बावजूद स्वास्थ्य मंत्री रघु शर्मा गुरुवार तक अस्पताल का दौरा करने का समय नहीं निकाल पाए थे। शुक्रवार को जब वो अस्पताल पहुंचे तो प्रशासन ने भी अपनी संवेदनहीनता दिखाने में कोई शर्म नहीं की। पीड़ित माता-पिता बच्चों के लिए कफन तलाश रहे थे और प्रशासन मंत्रीजी की अगवानी में ग्रीन कारपेट बिछा रहा था। बाद में जब किरकिरी हुई तब जाकर इसे हटाया गया। रघु शर्मा ने अस्पताल का दौरा करने के बाद जो जानकारी ट्विटर पर साझा की, उसके मकसद को भी इस बात से समझा जा सकता है कि उन्होंने इस ट्वीट को राहुल गांधी, प्रियंका गांधी को जोड़ते हुए किया।

देश में नवजात बच्चों की मौत के आंकड़ों पर भी गौर करना जरूरी है। यूनीसेफ के आंकड़े बताते हैं कि भारत में 6 लाख 30 हजार बच्चों की मौत हर साल जन्म के पहले चार हफ्तों में हो जाती है। इनमें से आधी संख्या तो सिर्फ उत्तर प्रदेश, मध्य प्रदेश, राजस्थान और बिहार में होती है। सिर्फ राजस्थान की बात करें तो यहां 28 दिन से कम उम्र में ही हर साल 34 हजार से ज्यादा नवजात दम तोड़ देते हैं। इस सूचना का महत्त्व यह बताने में है कि राजस्थान के कोटा में 34 दिन में 106 नवजात की मौत का आंकड़ा शायद इसी वजह से मुख्यमंत्री या स्वास्थ्य मंत्री को उद्वेलित नहीं करता।

यूनीसेफ के आंकड़े बताते हैं कि भारत में 6 लाख 30 हजार बच्चों की मौत हर साल जन्म के पहले चार हफ्तों में हो जाती है।

डर की बात यह है कि जो हालात राजस्थान के हैं, वहीं कमोबेश पूरे देश की भी तस्वीर है। स्वास्थ्य के क्षेत्र में हमारी तैयारी ही मुकम्मल इलाज के सरकारी दावों की पोल खोल देती है। मौजूदा दौर में सरकार अपनी जीडीपी का 1.4 फीसद जन-स्वास्थ्य पर खर्च कर रही है जो विकासशील देशों में सबसे कम है। सरकार ने पिछले साल इसे 2.5 फीसद तक ले जाने का वादा किया था मगर ऐसा हुआ नहीं। यूरोप के विकसित देश, अमेरिका और ऑस्ट्रेलिया में यह खर्च 6 से 14 फीसदी के बीच है।

केंद्र सरकार की आयुष्मान भारत योजना के लिए दावा किया जाता है कि वो गरीब लोगों के लिए अब तक की सबसे फायदेमंद योजना है। लेकिन इस योजना को लेकर कितने ही आसमानी दावे कर लिए जाएं,

मुजफ्फरपुर से लेकर गोरखपुर और अब कोटा की जमीनी हकीकत यही बताती है कि जिस देश में स्वास्थ्य सेवाओं के लिए अब तक कोई आधारभूत संरचना तैयार नहीं हो पाई है, वहां आयुष्मान भारत जैसी योजना भी 'विफलता का स्मारक' ही साबित हो रही है।

इस सबके बीच नवजातों की मौत पर राजनीति के आरोप भी लग रहे हैं। बीजेपी की चिन्ता सिर्फ यही है कि प्रियंका गांधी क्यों चुप है या फिर ये कि कांग्रेस को माताओं का शाप लगने वाला है। राजस्थान में एक साल पहले तक बीजेपी की सरकार रही थी। लोकसभा में सभी सीटें बीजेपी ने जीती हैं। मजबूत विपक्ष और बड़ा जनाधार होने के नाते जो प्रतिक्रिया मिलनी चाहिए थी, उसकी कमी महसूस की जा सकती है। जेके लोन अस्पताल से नवजातों की निकलती लाशों के बाद क्या किसी सूबे के स्वास्थ्य मंत्री या मुख्यमंत्री को भी अपने पद पर रहने का नैतिक दायित्व रह जाता है? मगर, अब तक यह मांग भी नहीं उठी है।

चिन्ता की बात यही है कि नवजात की मौत देश की राजनीतिक चिन्ताओं में प्राथमिकता पर आने में अब भी नाकाम है।

विभिन्न राज्यों में मौत की जो पुरानी घटनाएं हुई हैं उनमें जिम्मेदारों को दंडित करने की न चिंता दिखती है, न इच्छाशक्ति। गोरखपुर में ऑक्सीजन की कमी से बच्चों की हुई मौत के मामले में जिस डॉ कफिल को जिम्मेदार घोषित कर दिया गया था, वह भी वास्तव में 'बलि का बकरा' साबित हुए। जांच में उन्हें निर्दोष पाया गया। तो क्या लापरवाही हुई ही नहीं? किसी की गलती थी ही नहीं?

बुनियादी ढांचे और जांच की बहस को अलग रख कर देखें तो इस मामले में हमारी संवेदनशीलता भी तेजी से खत्म होती दिखती है। कोटा जैसे मामलों का अंतहीन सिलसिला बताता है कि अंतरिक्ष में अपना स्वतंत्र स्टेशन और बुलेट ट्रेन चलाने में जुटे हमारे देश की प्राथमिकताएं कैसी और कितनी विचित्र हैं। इस विषय पर तहकीकात करने की फुर्सत किसी के पास नहीं है। चिन्ता की बात यही है कि नवजात की मौत देश की राजनीतिक चिन्ताओं में प्राथमिकता पर आने में अब भी नाकाम है। यह देश की चिन्ता बने, ये सबसे अधिक जरूरी है।

(राष्ट्रीय सहारा, 5 जनवरी, 2020)

15

नौबत ही न आने दें 'प्रेशर कुकर' फटने की

प्रधानमंत्री पद की शपथ लेने के बाद नरेन्द्र मोदी संसद के सेंट्रल हॉल पहुंचे तो उन्होंने संविधान की किताब के समक्ष शीश नवाकर प्रणाम किया और अपना संबोधन शुरू किया। इससे पहले 2014 में प्रचण्ड बहुमत हासिल करने के बाद लोक सभा में प्रवेश करने से पहले सीढ़ियों पर माथा टेका था। जब प्रधानमंत्री ने संविधान के समक्ष अपना माथा झुकाया तो देश के लोगों में ये उम्मीद और भरोसा पैदा हुआ कि एक ऐसा प्रधानमंत्री आया है, जो देश के संविधान को सर माथे रखता है। बीते लोक सभा चुनाव से ठीक पहले फिल्म अभिनेता अक्षय कुमार को दिए टीवी इंटरव्यू में जब उनसे पूछा गया था कि, बुरी तरह आलोचना किए जाने पर क्या उन्हें गुस्सा नहीं आता या वे आहत नहीं होते? इसके जवाब में प्रधानमंत्री ने कहा था,'जिस पद पर हैं, उसकी गरिमा और गंभीरता को वे अच्छी तरह समझते हैं। वहां राग-द्वेष के लिए कोई जगह नहीं है।'

दूसरी बार प्रधानमंत्री पद की शपथ लेने के बाद नरेन्द्र मोदी संसद के सेंट्रल हॉल पहुंचे तो उन्होंने संविधान की किताब के समक्ष शीश नवाकर प्रणाम किया और अपना संबोधन शुरू किया। इससे पहले 2014 में प्रचण्ड बहुमत हासिल करने के बाद लोक सभा में प्रवेश करने से पहले सीढ़ियों पर माथा टेका था। जब प्रधानमंत्री ने संविधान के समक्ष अपना माथा झुकाया तो देश के लोगों में ये उम्मीद और भरोसा पैदा हुआ कि एक ऐसा प्रधानमंत्री आया है, जो देश के संविधान को सर माथे रखता है। बीते लोक सभा चुनाव से ठीक पहले फिल्म अभिनेता अक्षय कुमार को दिए टीवी इंटरव्यू में जब उनसे पूछा गया था कि, बुरी तरह आलोचना किए जाने पर क्या उन्हें गुस्सा नहीं आता या वे आहत नहीं होते? इसके जवाब में प्रधानमंत्री ने कहा था, 'जिस पद पर हैं, उसकी गरिमा और गंभीरता को वे अच्छी तरह समझते हैं। वहां राग-द्वेष के लिए कोई जगह नहीं है।'

जनता के विरोध करने के अधिकार में शासन तंत्र की ओर से अवरोध खड़े करने के दृष्टांत अब नये नहीं रहे।

लोकतंत्र की सरलतम पहचान ऐसी शासन व्यवस्था से परिभाषित होती है, जिसमें रहने वाले लोगों को अपनी बात कहने की पूर्ण आजादी और व्यवस्था के विरोध का पूरा अधिकार होता है। जनता द्वारा, जनता के लिए, जनता का शासन इसकी लोकप्रिय अभिव्यक्ति है। जाहिर है, एक स्वस्थ लोकतंत्र में जिस तरह देश पर अभिमान वांछित माना जाता है, उसी तरह देशहित में विरोध और आलोचना भी जरूरी है, लेकिन दुनिया भर में जहां भी लोकतंत्र को शासन प्रणाली के तौर पर अंगीकार किया गया है, उनमें से कई देशों में इसकी मूल पहचान संकट में है। जनता के विरोध करने के अधिकार में शासन तंत्र की ओर से अवरोध खड़े करने के दृष्टांत अब नये नहीं रहे। अफसोस है कि दुनिया के सबसे बड़े लोकतंत्र का तमगा हासिल करने के बाद भारत में भी ये पहचान चुनौतीपूर्ण दौर से गुजर रही है।

विरोधियों की रार का सामना कर रही मौजूदा सरकार के पहले और दूसरे कार्यकाल में ऐसे कई वाकिआत सामने आए हैं, जब मुखालफत की आवाज को या तो सरकारी शोर से खारिज कर दिया गया या फिर हैरतअंगेज तौर पर चुप करवा दिया गया। विरोध करने वालों के लिए हालात असहायता

का बोध कराने वाले हैं, क्योंकि इसमें बातचीत का दायरा किसी भी सार्थक चर्चा के लिए लगातार सिकुड़ता जा रहा है।

जेएनयू से उलट जामिया मिलिया इस्लामिया में पुलिस का एक्शन सवालों में घिरा है। वहां भी रात के अंधेरे में छात्र-छात्राओं को खामोश करने की कोशिश की गई। खाकी वर्दी पहने पुलिस की जो तस्वीरें जामिया के हॉस्टल से निकलीं,उसे जेएनयू में नकाब पहने गुंडों से किसी भी तरह अलग करके नहीं देखा जा सकता। ये मामला केवल दिल्ली की दो यूनिर्वसटिी का नहीं कहा जा सकता। विरोध की तपिश मैसूर, अलीगढ़, बनारस जैसे देश के दूसरे हिस्सों में स्थित विश्वविद्यालयों में भी महसूस की गई और अफसोस की बात है कि वहां का प्रशासन भी छात्रों से चर्चा के बजाय उनके खिलाफ जांच के रास्ते पर ही आगे बढ़ा है। शिक्षण संस्थानों के कैंपस में मतभेद की गुंजाइश तो हो सकती है, लेकिन यहां बदले के माहौल की कोई जगह नहीं होनी चाहिए।

जेएनयू से उलट जामिया मिलिया इस्लामिया में पुलिस का एक्शन सवालों में घिरा है।

जेएनयू में छात्रों का समर्थन करने पहुंची फिल्म अभिनेत्री दीपिका पादुकोण भी इसी सोच का निशाना बनी है। दीपिका ने भले ही इस मामले पर अब तक मुंह न खोला हो, लेकिन विरोधियों की ओर से दीपिका की नीयत से लेकर उनकी ताजा फिल्म की नियति को लेकर जमकर शोर मचाया जा रहा है। कुछ इसी तर्ज पर सालों-साल जो देश 'हमारा बजाज' गुनगुनाता रहा, उसके लिए सरकार पर सवाल उठा कर मशहूर उद्योगपति राहुल बजाज रातों-रात पराए हो गए थे। अनुच्छेद 370 हटने के बाद कश्मीर में इंटरनेट सेवा भी लंबे समय तक ठप रही जो हाल के दिनों में विरोध को दबाने के एक 'प्रभावी' तरीके के रूप में सामने आई है। इंटरनेट शटडाउन ट्रैकर इंटरनेट पर बैन का हिसाब-किताब रखने वाले एक पोर्टल है। इस पोर्टल के अनुसार इस साल सरकारी तौर पर भारत में अब तक 100 से ज्यादा बार इंटरनेट सेवाएं ठप की गई हैं, जो दुनिया में सबसे ज्यादा है। पिछले साल ऐसा 134 बार हुआ जो पूरी दुनिया के इंटरनेट शटडाउन का 68 फीसद था। इस मामले में दूसरे नंबर पर रहे पाकिस्तान में वहां की सरकार की ओर से केवल 12 बार इंटरनेट ठप किया गया। हम उम्मीद ही कर सकते हैं कि

'डिजिटल इंडिया' का नारा देने वाली सरकार यकीनन सबका साथ लेकर सबको अपनी आवाज उठाने के अधिकार का विास दिलाने की इस चुनौती से निबटने का रास्ता भी तलाश रही होगी।

लेकिन विडंबना यह है कि सरकार की कोशिशें जमीन पर उतरती नहीं दिख रही हैं। साल 2014 से डेमोक्रेसी इंडेक्स यानी लोकतंत्र रैंकिंग में भारत लगातार पिछड़ा है। ब्रिटिश कंपनी ईआईयू-इकॉनामिस्ट इंटेलिजेंस यूनिट इस इंडेक्स को तैयार करती है, जिसमें निष्पक्ष चुनाव, राजनीतिक भागीदारी, बहुलतावाद और सिविल लिबर्टी जैसे पैमानों पर देशों की रैंकिंग की जाती है। साल 2016 में भारत को इंडेक्स में 32वां स्थान मिला था जो पिछले साल की रैंकिंग में 41वीं पोजीशन पर पहुंच गया यानी केवल तीन साल में भारत इस सूचकांक में 10 स्थान फिसल गया है।

देश के मुख्य न्यायाधीश अगर मौजूदा दौर को मुश्किल हालात बताते हैं और शांति के रास्ते तलाशने की जरूरत पर जोर देते हैं तो उनके इस बयान की गंभीरता को समझना होगा। कुछ साल पहले तत्कालीन मुख्य न्यायाधीश ने भी असंतोष को लोकतंत्र का सुरक्षा वॉल्व बताते हुए सत्ता प्रतिष्ठान को आगाह किया था कि अगर इसे दबाया गया तो देश के संतुलन का प्रेशर कुकर फट भी सकता है।

देश के मुख्य न्यायाधीश अगर मौजूदा दौर को मुश्किल हालात बताते हैं और शांति के रास्ते तलाशने की जरूरत पर जोर देते हैं तो उनके इस बयान की गंभीरता को समझना होगा।

उम्मीद की जाती है कि देश की न्याय व्यवस्था की सबसे ऊंची कुर्सी से निकली इस नसीहत से सरकार अनजान नहीं होगी। प्रधानमंत्री नरेन्द्र मोदी से ज्यादा इसकी अहमियत कौन जान सकता है! उनका सर्वोच्च पद पर पहुंचना लोकतंत्र की मजबूती का ही सबूत है, जो एक आम इंसान को चुनाव लड़ने की ताकत भी देता है और उस पर शासन करने का अधिकार भी। तमाम खामियों के बावजूद यही लोकतांत्रिक संरचना भारत की खासियत भी है। जरूरत बस इसे राजनीति का केंद्र बिंदु बनाए रखने की है क्योंकि एक बार लोक और तंत्र के बीच खाई के हालात पैदा हुए तो उसे पाटने के लिए लोकतांत्रिक ताकतों को बड़ी लड़ाई लड़नी पड़ेगी।

(राष्ट्रीय सहारा, 11 जनवरी, 2020)

16

भारत पर भी दंगल टालने का दारोमदार

शुरुआती आक्रामकता के बाद दोनों देशों के संयम दिखाने से मध्य-पूर्व में तनाव भले कम हुआ हो, लेकिन जंग का खतरा टला नहीं है। अंदेशा है कि अमेरिका अगर इस क्षेत्र में अब कोई भी हिमाकत करता है तो रूस और चीन ईरान की मदद के लिए आगे आ सकते हैं। ईरान चूंकि शिया देश है इसलिए अगर अमेरिका आगे बढ़ता है तो सुन्नी आबादी बहुल सऊदी अरब, यूएई, कुवैत, कतर और इजरायल उसका समर्थन कर सकते हैं। इन हालात में दुनिया को तबाही से बचाने के लिए भारत की भूमिका बड़ी हो जाती है। चूंकि भारत अमेरिका और ईरान दोनों का करीबी सहयोगी है, इसलिए वो उसकी बात सुन सकते हैं।

बड़ी ताकत बड़ी जिम्मेदारी लाती है। कहने को ये कहावत भले ही एक कॉमिक सीरीज स्पाइडर मैन से लोकप्रिय हुई है, लेकिन पूरी दुनिया इस बात की गंभीरता को मानती है। इसलिए ये संयोग नहीं कि जब-जब इस बात को नजरअंदाज करने की कोशिश हुई है, तब-तब तबाही की आहट सुनाई दी है। ईरान पर अमेरिकी हमले और उसके बाद बने हालात इस बात की नई मिसाल है।

अमेरिका ने नए साल के पहले हफ्ते में बगदाद एयरपोर्ट पर जनरल कासिम सुलेमानी को एयर स्ट्राइक में मार गिराया। इसके बाद ईरान ने इराक में अमेरिका के दो सैनिक ठिकानों पर ऑपरेशन शहीद सुलेमानी के तहत 22 मिसाइलें दागीं और 80 अमेरिकियों के मारे जाने का दावा किया। हालांकि अमेरिका ने मौत के आंकड़ों की पुष्टि नहीं की लेकिन ईरान इसे सुलेमानी की मौत का बदला बता रहा है। वार-पलटवार के इस वाकये ने दुनिया को अचानक तीसरे विश्वयुद्ध के मुहाने पर लाकर खड़ा कर दिया।

अमेरिका ने नए साल के पहले हफ्ते में बगदाद एयरपोर्ट पर जनरल कासिम सुलेमानी को एयर स्ट्राइक में मार गिराया।

अमेरिका की ओर से सुलेमानी पर हमले की कई वजहें गिनाईं गईं। कहा गया कि सुलेमानी के उकसावे पर ही बगदाद में अमेरिकी दूतावास को घेरा गया, 27 दिसंबर को रॉकेट हमले में अमेरिकी ठेकेदार की हत्या की गई, उससे पहले सऊदी अरब के एक तेल क्षेत्र पर जबर्दस्त हमला किया गया। लेकिन इस सबके बीच अमेरिका की इस कार्रवाई को जायज नहीं ठहराया जा सकता। सुलेमानी ओसामा बिन लादेन या बगदादी नहीं था, जिसे कानूनों को ताक पर रखकर मार दिया जाए। सुलेमानी जो कर रहा था उसमें उसे अपने देश की भलाई दिखती थी। अमेरिका को वो उकसाने वाली कार्रवाई लग रही थी तो भी दुनिया के सबसे शक्तिशाली देश होने के नाते उसकी जिम्मेदारी बनती थी कि वो ईरान के साथ बातचीत की पहल करता, ईरान के मित्र देशों के साथ चर्चा करता और ये भी संभव नहीं होता तो सुरक्षा परिषद के जरिए सुलह के रास्ते तलाशता। लेकिन अमेरिका ने इन संभावनाओं को दरकिनार करते हुए शक्ति प्रदर्शन का रास्ता चुना जिसने पूरी दुनिया को सकते में ला दिया।

अमेरिकी हमले की पृष्ठभूमि में डोनाल्ड ट्रंप का वो बयान भी आया जिसमें वो ईरान के 52 इलाकों को अमेरिका के निशाने पर बताते रहे हैं। ट्रंप का कहना है कि ईरान ने साल 1979 में 52 अमेरिकियों को एक साल तक बंदी बनाकर रखा था और 52 इलाकों पर हमला कर वो उसी बात का बदला लेना चाहते हैं। कथित राष्ट्रवाद की इससे बचकानी सोच ढूंढ़े नहीं मिलेगी जो एक राष्ट्र को आगे ले जाने के बजाय 40 साल पीछे ले जाने वाली हो।

अमेरिका बेशक जनरल कासिम सुलेमानी को आतंकी कहता था, लेकिन सुलेमानी वास्तव में ईरान के सुरक्षा कवच थे। पूरा ईरान उन पर अपनी जान छिड़कता था। सुलेमानी के जनाजे में जितनी बड़ी तादाद में लोग शरीक हुए वह उनकी लोकप्रियता को दशार्ता है और अमेरिका की ओर से एकांगी तरीके से सुलेमानी को आतंकी घोषित किए जाने पर प्रश्नचिन्ह लगाता है। ईरान के सबसे ताकतवर और सर्वोच्च धार्मिक नेता अयातोल्लाह खमेनेई के बाद उन्हें ईरान का दूसरा सबसे शक्तिशाली इंसान समझा जाता था। सुलेमानी कुद्स फोर्स नाम की सैन्य टुकड़ी के प्रमुख थे जो दुनिया के कोने-कोने में ईरान के दुश्मनों को मिटाने का काम करती थी। सुलेमानी की अगुवाई में इसी फोर्स ने स्थानीय संगठनों की मदद लेकर इराक में दुनिया के सबसे खूंखार आतंकवादी संगठन इस्लामिक स्टेट का खात्मा किया था। माना जाता है कि सुलेमानी की वजह से ही सीरिया को आतंकवादी देश घोषित करने का अमेरिका का एजेंडा पूरा नहीं हो पाया था। सुलेमानी ने पिछले साल अमेरिका को खुलेआम चुनौती दे दी थी कि आर्थिक पाबंदियां दोबारा बहाल कर अमेरिका ने बेशक ईरान के खिलाफ जंग शुरू की हो लेकिन उसे खत्म ईरान ही करेगा। अमेरिका और खासकर डोनाल्ड ट्रंप इसी वजह से सुलेमानी से खार खाए बैठे थे और उसके सफाए के मौके की तलाश में थे। सुलेमानी को खत्म कर ट्रंप अपनी सनक पूरी करने में कामयाब जरूर हो गए, लेकिन इसके जरिए उन्होंने पूरी दुनिया को खतरे में डाल दिया।

अमेरिकी हमले की पृष्ठभूमि में डोनाल्ड ट्रंप का वो बयान भी आया जिसमें वो ईरान के 52 इलाकों को अमेरिका के निशाने पर बताते रहे हैं।

वो तो भला हो अमेरिकी संसद का जिसने समझदारी दिखाते हुए ट्रंप की सनक से फिलहाल दुनिया को बचा लिया। अमेरिकी संसद में ट्रंप की

ईरान को जवाब देने की मंशा पर पानी फेरते हुए एक प्रस्ताव लाया गया। जंग के खिलाफ आए प्रस्ताईव के समर्थन में 224 वोट पड़े और विपक्ष में केवल 194 वोट। इतना ही नहीं, अब इस प्रस्ताव के पास हो जाने से ट्रंप की शक्तियां भी सीमित हो गई हैं। महाभियोग के समर्थन में वोटिंग के बाद अमेरिकी सदन में ट्रंप की ये दूसरी हार है।

साल 2003 में इराक पर अमेरिकी हमले को साल 2004 में बुश की चुनावी जीत का बड़ा हथियार माना गया था।

दरअसल ट्रंप के 'ऑपरेशन ईरान' का उत्प्रेरक भी उसी हार को माना जा रहा है। अमेरिका चुनाव के मुहाने पर खड़ा है और महाभियोग की तलवार जिस तरह ट्रंप की छवि को तार-तार कर रही है, उसने ट्रंप के सामने करो या मरो के हालात खड़े कर दिए हैं। वैसे भी जंग और अमेरिकी चुनावों का पुराना कनेक्शन रहा है। साल 2003 में इराक पर अमेरिकी हमले को साल 2004 में बुश की चुनावी जीत का बड़ा हथियार माना गया था। साल 2011 में जब बराक ओबामा दोबारा राष्ट्रपति बनने की तैयारी कर रहे थे, तब डोनाल्ड ट्रंप ने ट्वीट कर कहा था कि चुनाव जीतने के लिए ओबामा ईरान के साथ युद्ध शुरू कर सकते हैं। संयोग देखिए कि ओबामा ने तो ऐसा कुछ नहीं किया, लेकिन ट्रंप जरूर उसी रास्ते पर आगे बढ़ गए। बगदाद पर हवाई हमला ऐसे वक्त में हुआ जब अमेरिका में चुनाव की तैयारियां जोरों पर हैं। लेकिन जिस तरह अमेरिका में संसद से सड़क तक इस हमले का विरोध हुआ, उससे लगता है कि ट्रंप का ये पांसा उल्टा पड़ गया है।

शायद इसीलिए ईरानी हमले के बाद ट्रंप जब दुनिया के सामने आए तो उन्होंने ईरान की जनता का भविष्य तो बेहतर बताया ही, साथ ही ये भी साफ किया कि उनका मकसद ईरान में सत्ता परिवर्तन नहीं, बल्कि उसे परमाणु ताकत नहीं बनने देना है। अपनी गुस्ताखी पर पर्दा डालने की कोशिश में ट्रंप अब ओबामा शासनकाल में ईरान के साथ हुए परमाणु समझौता को बड़ी गलती बता रहे हैं और चाहते हैं कि रूस, चीन जैसे ईरान के मित्र देश उसे अमेरिका के साथ नया करार करने के लिए तैयार करें। लेकिन चीन ने जिस तरह इस प्रस्ताव को खारिज किया है उससे तो यही लगता है कि ट्रंप की ये हसरत भी अधूरी रह जाएगी।

शुरुआती आक्रामकता के बाद दोनों देशों के संयम दिखाने से मध्य-पूर्व में तनाव भले कम हुआ हो, लेकिन जंग का खतरा टला नहीं है। अंदेशा है कि अमेरिका अगर इस क्षेत्र में अब कोई भी हिमाकत करता है तो रूस और चीन ईरान की मदद के लिए आगे आ सकते हैं। ईरान चूंकि शिया देश है इसलिए अगर अमेरिका आगे बढ़ता है तो सुन्नीआ बहुल सऊदी अरब, यूएई, कुवैत, कतर और इजरायल उसका समर्थन कर सकते हैं।

इन हालात में दुनिया को तबाही से बचाने के लिए भारत की भूमिका बड़ी हो जाती है। भारत अमेरिका और ईरान दोनों का करीबी सहयोगी है। भारत में ईरान के राजदूत और अमेरिका का रक्षा मंत्रालय भी कह चुका है कि तनाव कम करने के लिए वे भारत की कोशिशों का स्वागत करेंगे। फिलहाल जंग का खतरा टल गया है, इसलिए उसके असर पर अभी बात करना फिजूल होगा, लेकिन तनाव के बीच दोनों देशों को साथ लेकर कैसे आगे बढ़ा जाए ये देखना जरूरी होगा।

ईरान के साथ भारत के पुराने सांस्कृतिक संबंध रहे हैं। साल 2016 में प्रधानमंत्री नरेन्द्र मोदी के दौरे ने इसमें नई जान फूंकी है।

ईरान के साथ भारत के पुराने सांस्कृतिक संबंध रहे हैं। साल 2016 में प्रधानमंत्री नरेन्द्र मोदी के दौरे ने इसमें नई जान फूंकी है। इस दौरे की सामरिक सार्थकता स्थापित करते हुए इसे चाबहार पोर्ट से जोड़ा गया था और चीन और पाकिस्तान की बढ़ती दोस्ती की काट बताया गया था। वैसे भी भारत की ऊर्जा जरूरतों को पूरा करने के लिहाज से ईरान एक अहम देश है। साल 2008 में अरब की खाड़ी में ईरान के समुद्री क्षेत्र में प्राकृतिक गैस की खोज 2008 में एक भारतीय टीम ने ही की थी। लेकिन हाल के दशकों में भारत की अमेरिका से भी करीबियां बढ़ीं हैं। खासकर नरेन्द्र मोदी के प्रधानमंत्री बनने के बाद इसमें संतुलन के नए आयाम जुड़े हैं। मोदी सरकार की लगातार कोशिशों से अमेरिका ने पाकिस्तान पर लगाम कसी है, मसूद अजहर समेत यूएनएससी, एनएसजी में सदस्यता जैसे कई मोर्चों पर साथ भी मिला है।

जाहिर है आने वाले दिनों में देखने वाली बात केवल यही नहीं होगी कि दुनिया इस संकट से बाहर कैसे निकलती है, नजरें इस बात पर भी रहेंगी कि दुनिया को तबाही से बचाने में भारत कैसे अपनी जिम्मेदारी निभाता है।

(राष्ट्रीय सहारा, 12 जनवरी, 2020)

17

शांति का विश्वदूत बने भारत

सवा सौ साल पहले दुनिया में अमन-चैन की दुआ भारत की जमीन से ही निकली थी। उस दौर में स्वामी विवेकानंद ने दुनिया को शांति का संदेश दिया था। दोबारा सत्ता में लौटने के बाद पिछले साल प्रधानमंत्री मोदी ने संयुक्त राष्ट्र के मंच से भारत की उस पहचान को दुनिया से साझा किया था। प्रधानमंत्री ने दुनिया को याद दिलाया था कि भारत ने मानवता को युद्ध नहीं, बुद्ध दिए हैं। आज के दौर में बुद्ध भले न लौटें, युद्ध का खतरा जरूर लौटा है। मानवता आज फिर संकट में है और दुनिया की नजरें एक बार फिर भारत पर टिकी हैं।

विश्व शांति सैद्धांतिक रूप से भले संभव हो, इसे व्यावहारिक जामा पहनाना बड़ी चुनौती रहा है। आम तौर पर इसके पीछे मान्यता है कि मानव प्रकृति स्वाभाविक तौर पर इसे रोकती है क्योंकि मनुष्य प्राकृतिक रूप से हिंसक है। लेकिन यही सच है तो फिर हिंसा न करने की वह शपथ क्या थी, जिसने भारत महान को न केवल आजाद जहान बनाया, बल्कि समूची मानवता को शांति का पाठ भी पढ़ाया। दुनिया आज एक बार फिर उसी मुहाने पर खड़ी है, जहां इतिहास के उन्हीं पुराने पन्नों से सबक लेने की जरूरत आन पड़ी है। मिडिल ईस्ट में अमेरिका और ईरान के बीच तनाव से विश्व युद्ध का खतरा पैदा हो गया है। ऐसे में मानवता को तबाही से बचाने के लिए एक बार फिर भारत से ही शांति का विश्वदूत बनने की उम्मीद लगाई जा रही है।

दुनिया आज एक बार फिर उसी मुहाने पर खड़ी है, जहां इतिहास के उन्हीं पुराने पन्नों से सबक लेने की जरूरत आन पड़ी है।

इसकी सबसे बड़ी उम्मीद तो वही दोनों देश कर रहे हैं, जिन्होंने दुनिया को निराशा में झोंकने का काम किया है। अमेरिका और ईरान आज पुरानी दुश्मनी को नये सिरे से याद कर रहे हैं। हालांकि राहत की बात यह है कि वह भारत के साथ अपने पुराने रिश्तों को नजरअंदाज भी नहीं कर रहे हैं। रायसीना डायलॉग में हिस्सा लेने आए ईरान के विदेश मंत्री जावेद जरीफ ने खाड़ी क्षेत्र में तनाव कम करने के लिए भारत की हिस्सेदारी को काफी अहम बताया है। जरीफ से पहले भारत में ईरान के राजदूत भी भारत की शांति की कोशिशों के समर्थन की बात कह चुके हैं। दूसरी तरफ बदले हालात में अमेरिका को भी भारत की यह पहल सुकून दे रही है।

दुनिया के मौजूदा राजनीतिक संतुलन को देखने पर भारत की अहमियत और साफ हो जाती है। विश्व शक्तियों पर नजर डालें तो रूस और चीन से अमेरिका के रिश्ते सामान्य नहीं हैं। यूरोपीय यूनियन भी हाल-फिलहाल की घटनाओं के बाद उतना मजबूत नहीं रही। अमेरिका के लिए झटके वाली बात यह भी है कि सुलेमानी की हत्या के बाद इंग्लैंड, जर्मनी, फ्रांस जैसे उसके परंपरागत समर्थकों में से किसी ने भी खुलेआम तो छोड़िए, दबी जुबान में भी अमेरिका का खुलकर समर्थन नहीं किया।

भारत बन सकता है धुरी

दरअसल, अमेरिका और ईरान के बीच भारत के शांति की धुरी बनने के पीछे कई वजहें हैं। दोनों ही देशों से भारत के दशकों पुराने आर्थिक, राजनीतिक और सांस्कृतिक संबंध रहे हैं। बंटवारे से पहले 14 अगस्त, 1947 तक तो ईरान भारत का पड़ोसी ही था। सात दशक बीत जाने के बाद भी दोनों पड़ोसी धर्म को अच्छे से निभा रहे हैं। एक के मुश्किल में पड़ने पर दूसरा या तो मदद के लिए आगे आता है, या फिर तटस्थ रहता है। युद्ध के मैदान में भारत बनाम पाकिस्तान और ईरान बनाम इराक इसकी मिसालें हैं।

ईरान में इस्लामिक क्रांति के बाद से लेकर अब तक अमेरिका के सख्त रवैये के बावजूद दोनों देशों के बीच रिश्ते काफी मजबूत बने हुए हैं। साल 1990 में अफगानिस्तान से तालिबान को उखाड़ फेंकने के लिए भारत के साथ ही ईरान ने भी नॉर्दर्न अलायंस बनाने का समर्थन किया था। साल 2002 में दोनों देशों के बीच रणनीतिक संधि तक हो गई। बीबीसी के एक सर्वे में तो ईरान के 71 फीसद लोगों ने कहा था कि भारत को लेकर उनकी सोच पॉजिटिव है।

> *ईरान में इस्लामिक क्रांति के बाद से लेकर अब तक अमेरिका के सख्त रवैये के बावजूद दोनों देशों के बीच रिश्ते काफी मजबूत बने हुए हैं।*

इन सभी के अलावा भारत अपनी जरूरत का करीब 80 फीसद तेल ईरान से ही खरीदता है। ईरान को तेल खरीद की कीमत भारतीय रुपये में अदा करने से भारत को तेल डॉलर की तुलना में सस्ता पड़ता है। भारत ईरान में तेल के अलावा गैस के क्षेत्र में सबसे बड़ा विदेशी निवेशक भी है।

पाकिस्तान के भारत विरोधी एजेंडे का भी ईरान तीखा आलोचक रहा है। संयुक्त राष्ट्र से लेकर इस्लामिक सहयोग संगठन तक वह भारत के खिलाफ पाकिस्तान की गलतबयानी का विरोध करता रहा है। गर्मजोशी से भरे इस दोस्ताने को नई मजबूती देने के मकसद से ही प्रधानमंत्री नरेन्द्र मोदी ने मई, 2016 में ईरान का दौरा किया था। इस दौरान दोनों देशों के बीच कई समझौतों पर हस्ताक्षर हुए थे। इसमें चाबहार पोर्ट भी शामिल है, जो दोनों देशों के बीच संबंधों को मजबूत बनाने में मील का पत्थर साबित हुआ है।

ईरान की तरह अमेरिका से भी भारत के रिश्ते आजादी के पहले से हैं, जो बीते दो दशकों में खासकर पीएम मोदी के कार्यकाल में और भी घनिष्ठ हुए हैं। साल 2015 में तत्कालीन अमेरिकी राष्ट्रपति बराक ओबामा का भारत दौरा इस संबंध में बेहद खास मायने रखता है। यह पहला मौका था कि जब कोई अमेरिकी राष्ट्रपति भारत के गणतंत्र दिवस के मौके पर मुख्य अतिथि बना हो। भारत को एनएसजी (न्यूक्लियर सप्लाई ग्रुप) का हिस्सा बनाने की वकालत कर अमेरिका ने संबंधों को और घनिष्ठ बनाने की पहल की। इसकी एक वजह यह भी रही कि चीन के सामने अमेरिका को सबसे बड़ी ताकत भारत ही लगता है। हालांकि चीन की वजह से ही भारत इसमें शामिल नहीं हो सका था।

भारत का साथ दिया अमेरिका ने

भारत ने पाकिस्तान के आतंकियों को वैश्विक आतंकी घोषित करने के लिए यूएन में जो प्रस्ताव रखा था, उसे भी अमेरिका का समर्थन मिला था। पुंछ और पुलवामा के आतंकी हमलों की कड़ी आलोचना और बालाकोट एयर स्ट्राइक और सर्जिकल स्ट्राइक का खुलेआम समर्थन कर अमेरिका ने पाकिस्तान को साफ कर दिया कि किस तरह दक्षिण एशिया में अब उसकी प्राथमिकताएं बदल चुकी हैं।

भारत ने पाकिस्तान के आतंकियों को वैश्विक आतंकी घोषित करने के लिए यूएन में जो प्रस्ताव रखा था, उसे भी अमेरिका का समर्थन मिला था।

जहां रिश्तों की डोर इतनी मजबूत हो, वहां तनाव के शोर को कम करना भारत के लिए जरूरी भी है, और उसकी जिम्मेदारी भी। इस तनाव ने पहले से ही ग्लोबल मंदी झेल रही दुनिया की कई अर्थव्यवस्थाओं को संकट में डाल दिया है। खासकर वे देश जिनकी इकोनॉमी पूरी तरह मिडिल ईस्ट के तेल पर टिकी हैं। भारत और चीन के साथ-साथ रूस और समूचा यूरोपीय संघ भी इसमें शामिल है। तेहरान और वॉशिंगटन, दोनों से ही दोस्ती निभाते हुए भारत को इस अप्रत्याशित घटनाक्रम के बीच मुश्किलों से गुजर रही अपनी अर्थव्यवस्था को बहुत सावधानी से संभालने की चुनौती है। यही कारण है कि दोनों देशों से संयम बरतने की अपील करते हुए भारत ने मध्यस्थता की शुरुआत समझदारी से की है।

दुनिया की चिंताएं अपनी जगह हैं, लेकिन इन सबके बीच भारत को इस संकट में अपनी प्राथमिकताओं पर ज्यादा गौर करने की जरूरत है। तेल की निर्बाध सप्लाई भारत के लिए एक अहम पहलू है। इसके अलावा, खाड़ी क्षेत्र में भारी संख्या में भारतीय कामगार भी मौजूद हैं। हवाई परिवहन के लिहाज से भी मिडिल ईस्ट का शांत हवाई क्षेत्र हमारे लिए जरूरी है। लेकिन इन सबसे बड़ा सवाल है क्षेत्रीय स्थिरता लाने में हमारी भूमिका का। सवा सौ साल पहले दुनिया में अमन-चैन की दुआ भारत की जमीन से ही निकली थी। उस दौर में स्वामी विवेकानंद ने दुनिया को शांति का संदेश दिया था। दोबारा सत्ता में लौटने के बाद पिछले साल प्रधानमंत्री मोदी ने संयुक्त राष्ट्र के मंच से भारत की उस पहचान को दुनिया से साझा किया था। प्रधानमंत्री ने दुनिया को याद दिलाया था कि भारत ने मानवता को युद्ध नहीं, बुद्ध दिए हैं। आज के दौर में बुद्ध भले न लौटें, युद्ध का खतरा जरूर लौटा है। मानवता आज फिर संकट में है, और दुनिया की नजरें एक बार फिर भारत पर टिकी हैं।

दुनिया की चिंताएं अपनी जगह हैं, लेकिन इन सबके बीच भारत को इस संकट में अपनी प्राथमिकताओं पर ज्यादा गौर करने की जरूरत है।

(राष्ट्रीय सहारा, 18 जनवरी, 2020)

18

मोदी-विरोध को देश-विरोध न बनाए विपक्ष

रचनात्मक भूमिका को लेकर विपक्ष के पास कोई विजन नहीं दिखा है। जनता किसी समस्या का सामना कर रही है तो विपक्ष सरकार की आलोचना तो करता है, लेकिन समस्या दूर करने के लिए न तो खुद कोई पहल करता है, न सरकार को कोई सकारात्मक सुझाव देता दिखता है। केवल आलोचना करना, शोर मचाना, अव्यवस्था पैदा करना, अभद्र बयान देने जैसे तरीके जनता का ध्यान बांटने का काम करते हैं और मूल मुद्दे शोर में दबकर रह जाते हैं। विपक्ष इस मामले में राष्ट्रपिता महात्मा गांधी से बड़ी सीख ले सकता है। अंग्रेजों के खिलाफ गांधीजी ने जब विदेशी वस्तुओं का बहिष्कार किया तो उन्होंने रचनात्मक स्तर पर स्वदेशी का परिष्कार भी किया।

हमने अपने देश में शासन के लिए संसदीय व्यवस्था को चुना है। इस व्यवस्था में बहुमत के पास सरकार चलाने का जनादेश होता है और अल्पमत के पास रचनात्मक विरोध की जिम्मेदारी। अपवाद को छोड़ दिया जाए तो बहुमत यानी पक्ष और अल्पमत यानी विपक्ष। चुनावी नतीजे भले ही विपक्ष के मंसूबों पर अंकुश लगाते हों, लेकिन हमारा संविधान उसे सरकार को निरंकुश होने से रोकने का अधिकार भी देता है। आम तौर पर विपक्ष इस अधिकार से सरकार को तीन तरीकों से घेरता है - पहला सरकार को सुझाव देना, दूसरा सरकार की गलत नीतियों का विरोध करना और तीसरा सरकार को हटाने की संवैधानिक कोशिश करना।

प्रधानमंत्री का यह कहना कि सरकार का विरोध करते-करते विपक्षी दल देश का विरोध करने लगे हैं।

लेकिन क्या भारत की राजनीति में मौजूदा विपक्ष इस अधिकार की कसौटी पर खरा उतर पा रहा है? संसदीय लोकतंत्र में यूं तो सत्ता पक्ष से सवाल पूछने की परम्परा होती है, लेकिन अगर विपक्ष जिम्मेदार तरीके से जनता की आवाज बनने में नाकाम हो रहा हो, तो उसे भी कठघरे में खड़ा करने पर किसे आपत्ति होनी चाहिए? मोदी सरकार के पहले कार्यकाल के बाद मोदी 2.0 में भी ऐसी कई घटनाएं सामने आईं हैं जब विपक्ष का बर्ताव मान्य परम्पराओं को खंडित करता दिखा है।

सबसे ताजा मामला तो नागरिकता संशोधन कानून को लेकर ही है, जिसमें प्रधानमंत्री के स्तर से भरोसा दिलाए जाने के बावजूद विपक्ष सरकार से 'संधि' के मूड में नहीं दिख रहा है। हैरानी की बात ये है कि कई जगह विरोध के हिंसक होने के बावजूद विपक्ष इससे बेपरवाह दिखाई दिया है। अकेले उत्तर प्रदेश में ही विरोध प्रदर्शन में 19 लोग मारे जा चुके हैं। कर्नाटक में भी प्रदर्शन के दौरान कुछ लोगों ने जान गंवाई है। हालत ये है कि जान-माल को नुकसान पहुंचाने की अंधी होड़ में सड़कों और शिक्षण संस्थानों के कैंपस का फर्क भी खत्म हो गया है।

एक तरफ प्रधानमंत्री नरेन्द्र मोदी देश को भरोसा दिलाने में दिन-रात एक किए हुए हैं तो दूसरी तरफ विपक्ष ने प्रधानमंत्री को ही निशाने पर ले रखा है। प्रधानमंत्री ने कम-से-कम दो मौकों पर– पहले दिल्ली के रामलीला मैदान और फिर पश्चिम बंगाल के बेलूर मठ में–इस कानून पर सरकार का पक्ष रखते हुए स्पष्ट किया है कि यह कानून केवल नागरिकता देने के लिए है,

न कि किसी की नागरिकता छीनने के लिए लिए। लेकिन सीएए को नेशनल रजिस्टर ऑफ सिटिजन से जोड़कर ये लगातार दुष्प्रचार किया जा रहा है कि सरकार की मंशा मुसलमानों को देश से बेदखल करने की है। रामलीला मैदान में ही प्रधानमंत्री एनआरसी को लेकर साफ कर चुके हैं कि इस पर उनके मंत्रिमंडल में अभी तक कोई बात ही नहीं हुई है।

सवाल केवल सीएए और एनआरसी को लेकर ही नहीं है, पिछले छह-सात महीनों का घटनाक्रम देखा जाए तो तीन तलाक पर रोक, कश्मीर से अनुच्छेद 370 का हटना और बाबरी मस्जिद पर सुप्रीम कोर्ट के फैसले के बाद देश में एक उलझन यह पैदा की गई कि यह सरकार मुसलमानों के खिलाफ है। जाहिर तौर पर जो लोग ऐसी बातों को हवा दे रहे हैं वो देश को एक बड़े खतरे की ओर धकेल रहे हैं।

जिस बेनामी संपत्ति एक्ट ने लालू यादव समेत देश के कई रसूखदार लोगों को जेल की हवा खिलाई, विपक्ष उसका भी विरोध करता रहा।

प्रधानमंत्री का यह कहना कि सरकार का विरोध करते-करते विपक्षी दल देश का विरोध करने लगे हैं आखिर किस बात का इशारा है? क्यों प्रधानमंत्री को यह कहना पड़ा कि विपक्षी चाहे उनके कितने भी पुतले जला लें, लेकिन देश को न जलाएं।

इसकी एक बड़ी वजह तो यह दिखती है कि विपक्षी दलों के लिए सरकार का विरोध ज्यादातर प्रधानमंत्री पर निजी हमले तक सिमटा हुआ है। इस 'पर्सनल' विरोध के कारण ये दल रचनात्मक विपक्ष की भूमिका निभाने में नाकाम हो रहे हैं। सरकार की गलत नीतियों का विरोध विपक्ष का अधिकार है, लेकिन मोदी विरोध का आलम ये है कि विपक्ष देश के फायदे वाली नीतियों को भी संदेह के नजरिये से ही देखता है।

हमारे सामने कई ऐसे उदाहरण हैं जिस पर विपक्ष को सरकार के साथ खड़ा रहना चाहिए था, लेकिन मोदी विरोध की 'दीवार' बार-बार इसके आड़े आती रही। नोटबंदी पर सरकार के साथ खड़े होने के बजाय तत्कालीन कांग्रेस अध्यक्ष राहुल गांधी विरोध जताने के लिए एटीएम की लाइन में खड़े दिखे, तो ममता बनर्जी ने पश्चिम बंगाल में इसके खिलाफ आंदोलन ही छेड़ दिया। जिस बेनामी संपत्ति एक्ट ने लालू यादव समेत देश के कई रसूखदार लोगों को जेल की हवा खिलाई, विपक्ष उसका भी विरोध करता रहा।

राजनीतिक विरोध अपनी जगह है, लेकिन संकट के समय देश एक आवाज में बोलता है। सर्जिकल स्ट्राइक के समय विपक्ष देश के लिए ये जिम्मेदारी भी भूल गया। दिल्ली के मुख्यमंत्री अरविंद केजरीवाल ने सरकार से सर्जिकल स्ट्राइक का सबूत मांग लिया, जबकि पी चिदंबरम और संजय निरूपम जैसे कांग्रेस के बड़े नेताओं ने सेना की साख पर सवाल खड़े कर दिए। देश की अर्थव्यवस्था मजबूत करने और निवेश बढ़ाने के मकसद से लाए गए जीएसटी कानून को लागू करने की प्रक्रिया में भी विपक्ष के कई दल रोड़े अटकाते रहे। इसे लागू करने के लिए सरकार की ओर से जब संसद में आधी रात को ऐतिहासिक बैठक का आयोजन हुआ, तो सबसे बड़े विपक्षी दल कांग्रेस ने विरोध में बैठक का बहिष्कार कर दिया।

अंग्रेजों के खिलाफ गांधीजी ने जब विदेशी वस्तुओं का बहिष्कार किया तो उन्होंने रचनात्मक स्तर पर स्वदेशी का परिष्कार भी किया।

आतंकवाद से जब सेना ने सख्ती से निपटना शुरू किया तो कांग्रेस के एक नेता ने तत्कालीन सेना प्रमुख के लिए बेहद अशोभनीय टिप्पणी कर डाली। कश्मीरी पत्थरबाज को मानव ढाल बनाने की मेजर गोगोई की बहादुरी पर भी वामपंथी दल सरकार के साथ खड़े होने के बजाय पत्थरबाजों के मानवाधिकार की चिंता करते दिखे। आधार कार्ड की अनिवार्यता से लेकर स्वच्छता अभियान, योग दिवस, गोहत्या पर रोक जैसे फैसलों का सभ्य समाज में कौन विरोध करेगा, लेकिन विपक्ष यहां भी सरकार से एक-राय नहीं बना पाया।

विपक्ष की एक बड़ी समस्या यह रही है कि रचनात्मक भूमिका को लेकर उसके पास कोई विजन नहीं दिखा है। जनता किसी समस्या का सामना कर रही है तो विपक्ष सरकार की आलोचना तो करता है, लेकिन समस्या दूर करने के लिए न तो खुद कोई पहल करता है, न सरकार को कोई सकारात्मक सुझाव देता दिखता है। केवल आलोचना करना, शोर मचाना, अव्यवस्था पैदा करना, अभद्र बयान देने जैसे तरीके जनता का ध्यान बांटने का काम करते हैं और मूल मुद्दे शोर में दबकर रह जाते हैं।

विपक्ष इस मामले में राष्ट्रपिता महात्मा गांधी से बड़ी सीख ले सकता है। अंग्रेजों के खिलाफ गांधीजी ने जब विदेशी वस्तुओं का बहिष्कार किया तो

उन्होंने रचनात्मक स्तर पर स्वदेशी का परिष्कार भी किया। गांधीजी की ऐसी कई पहल से आजादी के लिए देश में सकारात्मक माहौल तैयार हुआ था।

साल 1971 में पाकिस्तान से युद्ध के वक्त भी देश की राजनीति में अभूतपूर्व एकजुटता का माहौल दिखा था। युद्ध में विजय के बाद भारत जब बांग्लादेश निर्माण के अपने मिशन में कामयाब हो गया, तो लोकसभा में मेज थपथपाने और जय बांग्ला, जय इंदिरा के नारे लगाने वालों में कांग्रेस ही नहीं, दूसरे दलों के सदस्य भी शामिल थे। पाकिस्तान के बिना शर्त समर्पण पर लोकसभा में सदस्यों ने खड़े होकर इंदिरा गांधी को सम्मान दिया था। उस दौरान अमेरिका युद्ध विराम के लिए इंदिरा सरकार पर लगातार दबाव बनाता रहा, लेकिन सरकार की दृढ़ता के बीच विपक्ष भी उसके समर्थन में एकजुट रहा। संसद में अटल बिहारी वाजपेयी ने तत्कालीन अमेरिकी राष्ट्रपति रिचर्ड निक्सन के भारत विरोधी बयानों की धज्जियां उड़ाने का काम किया था, तो सड़क पर लालकृष्ण आडवाणी और बलराज मधोक जैसे जनसंघ के नेताओं ने अमेरिकी उच्चायोग के बाहर प्रदर्शन किया था। द्रमुक, भाकपा और अन्य क्षेत्रीय पार्टियां भी अमेरिका के विरुद्ध सरकार के साथ खड़ी थीं।

संसद में अटल बिहारी वाजपेयी ने तत्कालीन अमेरिकी राष्ट्रपति रिचर्ड निक्सन के भारत विरोधी बयानों की धज्जियां उड़ाने का काम किया था।

मौजूदा दौर में देश के सामने भले युद्ध का संकट न हो, अर्थव्यवस्था, बेरोजगारी, महंगाई जैसी चुनौतियां भी कम नहीं हैं। इस सबके बीच सीएए और एनआरसी जैसे मसलों पर सरकार और जनता के बीच अविश्वास की खाई देश को गर्त में ही ले जाने का काम करेगी। ऐसे में अगर विपक्ष सिर्फ हंगामा खड़ा करने के मकसद से सरकार की राह में अवरोध और प्रधानमंत्री नरेन्द्र मोदी के व्यक्तिगत विरोध को पीछे छोड़ इतिहास में हुए रचनात्मक प्रतिरोध से प्रेरणा लेकर देश की सूरत बदलने की कोशिश करता है, तो वो न केवल अपनी जिम्मेदारियों पर खरा उतरेगा, बल्कि देशहित में सरकार को भी ज्यादा जवाबदेह बनने के लिए मजबूर कर सकेगा।

(राष्ट्रीय सहारा, 19 जनवरी, 2020)

19

चुनौतियों से गुजर रहा है गणतंत्र

आज यह बात साफ तौर पर सामने आ रही है कि नागरिकता कानून के खिलाफ जो माहौल बनाया गया है उसके केंद्र में यह डर है कि संशोधित कानून भारत के मुसलमानों के खिलाफ है। एनआरसी से जोड़कर भेदभाव के इस डर को दोगुना कर दिया गया है। संविधान पर खतरे की आशंका बताकर इसे प्रचारित किया जा रहा है। एक पत्रकार के तौर पर मुस्लिम समाज के कई लोगों से मेरी बात हुई है जिसमें उन्होंने स्वीकार किया है अपने राजनीतिक स्वार्थ को सिद्ध करने के मकसद से कई दल विरोध की आग को निरंतर भड़का रहे हैं। वो भी तब जब प्रधानमंत्री नरेन्द्र मोदी खुद कई मंचों से साफ कर चुके हैं कि न तो यह कानून किसी वैध नागरिक से उसकी नागरिकता छीनने जा रहा है, न ही सरकार की फिलहाल एनआरसी लागू करने की कोई मंशा है।

हमारा देश लोकतंत्र होने के साथ ही गणतंत्र भी है। संविधान के जरिए हमने अपने देश में गणतंत्र को 70 साल पहले स्वीकार किया था। वैसे इसका इतिहास तो और भी पुराना है। माना जाता है कि गणराज्यों की परंपरा ग्रीस के नगर राज्यों से शुरू हुई थी, लेकिन उससे भी हजारों साल पहले अखंड भारतवर्ष में कई गणराज्य स्थापित हो चुके थे। इसका जिक्र ऋग्वेद में 40 बार, अथर्ववेद में 9 बार और पौराणिक ग्रंथों में अनेक बार हुआ है।

गणतंत्र यानी गण का तंत्र जिसका मतलब हुआ जनता द्वारा नियंत्रित प्रणाली। इसलिए गणतंत्र एक ऐसा तंत्र है जिसमें देश के हर नागरिक का योगदान होता है। और ये योगदान जारी रहे इसके लिए हमारा संविधान हर नागरिक को समान अधिकार देता है, इन अधिकारों की रक्षा भी करता है और इस बात की व्यवस्था भी कि दो नागरिकों के बीच किसी भी तरह का भेदभाव न हो। संविधान की प्रस्तावना में इस बात का पुरजोर एलान भी है।

संविधान के जरिए हमने अपने देश में गणतंत्र को 70 साल पहले स्वीकार किया था।

लेकिन इतने वर्षों के अनुभव के बावजूद गणतंत्र की यह व्यवस्था समस्या से युक्त भी रही है। पिछले सात दशकों में ही तमाम व्यावहारिक दिक्कतें पहाड़-सी नजर आती रही हैं, हालांकि ये भी हकीकत है कि ऐसे हर दौर में हमारा संविधान ही हर चुनौती से पार पाने का जरिया बना है। 70 साल पहले जिस विजन के साथ गणतंत्र की बुनियाद रखी गई थी, संविधान की वही सोच भारत का नागरिक होने के मायने तय कर रही है।

इस पृष्ठभूमि का विस्तार दरअसल इसलिए जरूरी है कि आज इसी सोच पर सवाल उठ रहे हैं, गणतंत्र के साथ-साथ लोकतंत्र को भी कठघरे में खड़ा किया जा रहा है और सबसे बड़ी बात तो ये कि संविधान को खतरे में बताया जा रहा है। समूचा विवाद भारतीय नागरिकता से जुड़े नए कानून को लेकर है। विरोध का आधार ये है कि संशोधित कानून धार्मिक आधार पर भेदभाव करता है, इसलिए वो संवैधानिक भावना के खिलाफ है।

विरोध के नाम पर देश भर में पिछले करीब दो महीनों से जो हिंसक प्रदर्शन हो रहे हैं वो चिंता ही नहीं, चिंतन का विषय भी बन गए हैं।

शांतिपूर्ण प्रदर्शन से किसी को एतराज नहीं हो सकता, लेकिन जहां-जहां प्रदर्शन से अराजकता फैल रही है, वहां सरकार पर सवाल उठा रहा विपक्ष भी कठघरे में खड़ा हो रहा है। 70 साल से गांधी की विरासत पर अधिकार जमाने के बावजूद विपक्ष अहिंसा और शांति से अपनी बात रखने की जगह हिंसक आंदोलनकारियों के समर्थन में खड़ा दिखता है तो सवाल जरूर खड़ा होता है। सवाल इस बात का भी उठता है कि सार्वजनिक संपत्ति को नुकसान पहुंचा रही अराजक भीड़ को ताकत पहुंचाकर कहीं विपक्ष खुद तो लोकतंत्र को कमजोर नहीं कर रहा? और सबसे बड़ा सवाल तो यही कि जिस कानून को संविधान के लिए खतरा बताकर वो देश की सबसे बड़ी अदालत में पहुंचा है, उसी अदालत के फैसले का इंतजार किए बगैर उन्मादी भीड़ के साथ खड़ा होकर वो संविधान की किस मयार्दा की मिसाल पेश कर रहा है?

हैरानी की बात यह भी है कि विपक्ष की कुछ सरकारें अपने-अपने राज्यों में संशोधित नागरिकता कानून को लागू न करने की बात भी कर रही हैं। संसद के जरिए बने केन्द्रीय कानून को नकारना क्या संविधान की भावना की अवहेलना नहीं होगी? ऐसी राज्य सरकारों के लिए क्या यह उचित नहीं होगा कि संसद से बने कानून को दरकिनार करने की कोशिश की बजाय वो सुप्रीम कोर्ट में दाखिल याचिकाओं पर फैसले का इंतजार करे। देश में पहले भी कई कानूनों को सुप्रीम कोर्ट में चुनौती दी गई है। हालांकि शाहबानो मामले में तो तत्कालीन सरकार ने धार्मिक संगठनों के दबाव में सुप्रीम कोर्ट के फैसले को ही संसद से कानून बनाकर अमान्य कर दिया था।

> *सवाल इस बात का भी उठता है कि सार्वजनिक संपत्ति को नुकसान पहुंचा रही अराजक भीड़ को ताकत पहुंचाकर कहीं विपक्ष खुद तो लोकतंत्र को कमजोर नहीं कर रहा?*

संविधान भले ही चुनी हुई सत्ता को सबसे ताकतवर मानता हो और संसद को लोकतंत्र का मंदिर कहता हो, लेकिन इसी संविधान में इस बात की भी व्यवस्था है कि कोई संस्था तानाशाही में न बदल जाए। साल 1975 में जब देश में आपातकाल लगा, तो नागरिकों को संविधान से मिलने वाले हक निलंबित कर दिए गए, मनचाहे ढंग से संविधान को परिभाषित करने के आरोप भी सामने आए। जनता की आजादी पर बंदिशें लगा दी गई। लेकिन जब आपातकाल हटा, तो इसी जनता ने अपना फैसला सुनाकर संविधान से मिली ताकत को स्पष्ट कर दिया।

आज यह बात साफ तौर पर सामने आ रही है कि नागरिकता कानून के खिलाफ जो माहौल बनाया गया है उसके केंद्र में यह डर है कि संशोधित कानून भारत के मुसलमानों के खिलाफ है। एनआरसी से जोड़कर भेदभाव के इस डर को दोगुना कर दिया गया है। संविधान पर खतरे की आशंका बताकर इसे प्रचारित किया जा रहा है। एक पत्रकार के तौर पर मुस्लिम समाज के कई लोगों से मेरी बात हुई है जिसमें उन्होंने स्वीकार किया है अपने राजनीतिक स्वार्थ को सिद्ध करने के मकसद से कई दल विरोध की आग को निरंतर भड़का रहे हैं। वो भी तब जब प्रधानमंत्री नरेन्द्र मोदी खुद कई मंचों से साफ कर चुके हैं कि न तो यह कानून किसी वैध नागरिक से उसकी नागरिकता छीनने जा रहा है, न ही सरकार की फिलहाल एनआरसी लागू करने की कोई मंशा है।

संविधान की आड़ लेकर देश को जलाने पर आमादा लोग प्रधानमंत्री के इस भरोसे पर भी विश्वास करने को तैयार नहीं है कि भारत की मिट्टी के जो मुसलमान हैं, उनकी नागरिकता और अधिकारों पर कोई आंच नहीं आने वाली है। प्रधानमंत्री जब ऐसे लोगों को 'मेरे टेप रिकॉर्ड पर नहीं, मेरे ट्रैक रिकॉर्ड पर ध्यान देने' वाली अपील करते हैं, तो उनके इस भरोसे पर शंका करने की कोई वजह नहीं रह जाती। प्रधानमंत्री आवास योजना, उज्ज्वला योजना, आयुष्मान योजना या केंद्र की दूसरी किसी भी योजना से जुड़ा ऐसा कोई मामला सामने नहीं आया है जहां किसी मुसलमान ने इन योजनाओं के फायदों से वंचित किए जाने की शिकायत की हो। यहीं क्यों, इसी सरकार के मौजूदा कार्यकाल में तीन तलाक, धारा 370 और राम मंदिर जैसे विवादास्पद मसलों पर आए फैसलों पर भी न देश का सद्भाव टूटा, न संविधान खतरे में पड़ा।

> *संविधान की मूल आत्मा का सम्मान तभी हो पाएगा जब हम अधिकारों के साथ कर्तव्य पूरी करने की जिम्मेदारी भी निभाएं।*

इस तारतम्य में पिछले साल संविधान दिवस के मौके पर प्रधानमंत्री के भाषण का जिक्र भी मौजूं होगा। सेंट्रल हॉल में संसद के संयुक्त सत्र को संबोधित करते हुए प्रधानमंत्री ने संविधान की भावना को अटल और अडिग बताया था। तब उन्होंने देश को ये खास तौर पर याद दिलाया था कि जब भी

संविधान की मर्यादा के खिलाफ प्रयास हुए हैं, तो देशवासी ही इसे असफल करने में आगे आए हैं।

प्रधानमंत्री की इस बात से यह संदेश भी मिलता है कि हमारे गणतंत्र में लोग अधिकारों की बात तो करते हैं, लेकिन कर्तव्यों पर चुप्पी साध जाते हैं। संविधान की मूल आत्मा का सम्मान तभी हो पाएगा जब हम अधिकारों के साथ कर्तव्य पूरी करने की जिम्मेदारी भी निभाएं। अच्छा तो यही होता कि विपक्ष संविधान विरोधी आरोप लगाकर केवल सरकार को घेरने के अधिकार तक ही खुद को सीमित न रखता, बल्कि अपनी जिम्मेदारी भी निभाता और अराजकता को पीछे छोड़कर देश को मजबूत बनाने में सरकार को रचनात्मक सहयोग करता। गणतंत्र दिवस पर दुनिया को शायद हमारे देश का यही सही संदेश भी होगा।

(राष्ट्रीय सहारा, 25 जनवरी, 2020)

20

जम्हूरियत में अराजकता की इजाजत नहीं

सवाल सिर्फ अविश्वास का ही नहीं, इस विरोध-प्रदर्शन से फैल रही अराजकता का भी है। समाज के एक तबके की 'आशंका' से आजादी की चाहत ने इलाके के दूसरे हजारों रहवासियों को भी बंधक बना कर रख दिया है। अगर शाहीन बाग की महिलाओं को आजादी से जीने का अधिकार है, तो देश के उन नागरिकों ने ऐसा कौन-सा कसूर किया है कि उनकी आजादी के अधिकार या फिर उनकी सहूलियतों पर ग्रहण लगा दिया जाए। नोएडा और दिल्ली को जोड़ने वाली सड़क पर प्रदर्शनकारी इस तरह से धरने पर बैठे हैं कि स्थानीय लोगों के लिए वहां से पैदल निकलना भी मुश्किल हो गया है। परीक्षा के मौसम में लोग अपने बच्चों को स्कूल नहीं भेज पा रहे हैं, तो दूसरी ओर स्थानीय लोगों का व्यापार ठप हो गया है। रास्ता बंद हो जाने से आधे घंटे की दूरी तीन से चार घंटों में तय हो रही है, जिससे नौकरी-पेशा लोगों को भी अपने कार्यस्थलों तक पहुंचने में दिक्कतें हो रही हैं।

लोकतंत्र ऐसी शासन प्रणाली है जिसमें जनता को सबसे ऊपर रखा गया है। इसी तरह तमाम शासन प्रणालियों की तुलना में लोकतंत्र के आकर्षण को सर्वोपरि माना गया है। आजादी के सात दशक से भी ज्यादा वक्त बीत जाने के बाद तमाम चुनौतियों से गुजरते हुए न केवल लोकतंत्र का आकर्षण बरकरार है, बल्कि ये पहले से कहीं ज्यादा समृद्ध हुआ है। लोकतंत्र जहां लोगों को अभिव्यक्ति की आजादी देता है वहीं इस पर असहमति या विरोध का अधिकार उसे और खूबसूरत बना देता है।

देश के पूर्व राष्ट्रपति प्रणब मुखर्जी ने भी हाल ही में आम राय को लोकतंत्र की जीवन रेखा बताया है। लोकतंत्र में सभी की बात सुनने, विचार व्यक्त करने, विमर्श करने, तर्क-वितर्क करने और यहाँ तक कि असहमति का महत्त्वपूर्ण स्थान है। लेकिन असहमति का ये अधिकार जब जिम्मेदारी से विमुख होकर अराजक बन जाए, तो लोकतंत्र की खूबसूरती के लिए ये खतरा भी बन जाता है।

चिंता की बात यह भी है कि दिल्ली में दो हफ्ते बाद विधानसभा का चुनाव है और शहर का एक बड़ा हिस्सा भीड़तंत्र के हवाले है।

देश की राजधानी दिल्ली के शाहीन बाग इलाके से उठ रहे असहमति के स्वर में खतरे की ये आहट सुनाई देने लगी है। शाहीन बाग की मुस्लिम महिलाओं का ये आंदोलन इस आशंका में अपनी जमीन तलाश रहा है कि नागरिकता कानून में बदलाव और एनआरसी दोनों मुसलमानों को इस देश से बेदखल करने के लिए लाए जा रहे हैं। करीब सात हफ्ते पहले शुरू हुआ ये विरोध हठधर्मिता की हद पार कर अब 'बगावत' की ओर बढ़ चला है। देश के किसी भी नागरिक के साथ भेदभाव नहीं होने देने के प्रधानमंत्री नरेन्द्र मोदी के आश्वासन और देश की सबसे बड़ी अदालत में सुनवाई शुरू हो जाने के बावजूद अगर अविश्वास का भाव बरकरार रहता है तो इसे बगावत नहीं तो फिर क्या कहा जाए।

सवाल सिर्फ अविश्वास का ही नहीं, इस विरोध-प्रदर्शन से फैल रही अराजकता का भी है। समाज के एक तबके की 'आशंका' से आजादी की चाहत ने इलाके के दूसरे हजारों रहवासियों को भी बंधक बना कर रख दिया है। अगर शाहीन बाग की महिलाओं को आजादी से जीने का अधिकार है,

तो देश के उन नागरिकों ने ऐसा कौन-सा कसूर किया है कि उनकी आजादी के अधिकार या फिर उनकी सहूलियतों पर ग्रहण लगा दिया जाए।

नोएडा और दिल्ली को जोड़ने वाली सड़क पर प्रदर्शनकारी इस तरह से धरने पर बैठे हैं कि स्थानीय लोगों के लिए वहां से पैदल निकलना भी मुश्किल हो गया है। परीक्षा के मौसम में लोग अपने बच्चों को स्कूल नहीं भेज पा रहे हैं, तो दूसरी ओर स्थानीय लोगों का व्यापार ठप हो गया है। रास्ता बंद हो जाने से आधे घंटे की दूरी तीन से चार घंटों में तय हो रही है, जिससे नौकरी-पेशा लोगों को भी अपने कार्यस्थलों तक पहुंचने में दिक्कतें हो रही हैं। धरना स्थल के एक तरफ कतार से फैक्ट्री आउटलेट्स हैं जो 15 दिसंबर से बंद पड़े हैं। एक अनुमान के मुताबिक इनका नुकसान 1000 करोड़ रुपये के पार पहुंच गया है।

तो क्या इंतजार इस बात का होना चाहिए कि चुनाव में किसका तीर निशाने पर लगता है?

अराजकता का आलम यह है कि एक तरफ हाईकोर्ट के निर्देश पर दिल्ली पुलिस प्रदर्शनकारियों से धरना खत्म करने की गुहार लगा रही है तो दूसरी तरफ प्रदर्शनकारी प्रधानमंत्री के धरनास्थल पर आने या फिर सीएए खत्म करने की मांग पर अड़े हुए हैं। वो तो गनीमत है कि स्थानीय लोगों और पुलिस की मिन्नतों के बाद प्रदर्शनकारी स्कूल बस और एंबुलेंस को रास्ता देने के लिए तैयार हुए हैं। लेकिन रोजाना अपनी रोजमर्रा की जरूरतों को पूरा करने के लिए भाग-दौड़ कर रहे लोगों की समस्याएं जस की तस बनी हुई हैं जिसका समाधान होता नहीं दिख रहा है। हालात को देखते हुए बीते शुक्रवार पुलिस ने कार्रवाई करते हुए कुछ प्रदर्शनकारियों को हिरासत में ले लिया और लंगर चला रहे समूहों को धरनास्थल से हटा दिया। लेकिन इससे भी समस्या हल होती नहीं दिख रही है।

चिंता की बात यह भी है कि दिल्ली में दो हफ्ते बाद विधानसभा का चुनाव है और शहर का एक बड़ा हिस्सा भीड़तंत्र के हवाले है। सियासी नफे-नुकसान की तलाश ने इस अफरा-तफरी को चुनाव का मुद्दा भी बना दिया है। दिल्ली की सत्ता पर काबिज आम आदमी पार्टी खुलेआम प्रदर्शनकारियों के साथ खड़े होने का एलान कर रही है, तो कांग्रेस और वामदलों के कई नेता

भी धरनास्थल के चक्कर लगा चुके हैं। दूसरी ओर, प्रदर्शन के कारण लोगों को हो रही परेशानी को मुद्दा बनाकर बीजेपी अपने विरोधियों से सवाल पूछ रही है। नौबत तो यहां तक तक आ पहुंची है कि दिल्ली के चुनावी मौसम में प्रदर्शन पर सवालों की बौछार के बीच पाकिस्तान की भी एंट्री हो गई है।

लोकतंत्र अगर विरोध का अवसर देता है, तो विरोध के 'विरोध' में खड़े होने का अधिकार भी देता है।

तो क्या इंतजार इस बात का होना चाहिए कि चुनाव में किसका तीर निशाने पर लगता है? बिल्कुल नहीं। चिंतन का विषय ये होना चाहिए कि विरोध की आग में जगह-जगह शाहीन बाग खड़े करने की जिद के पीछे कौन-सी मानसिकता काम कर रही है। शाहीन बाग की तर्ज पर देश के करीब नौ राज्यों—महाराष्ट्र, बिहार, मध्य प्रदेश, उत्तर प्रदेश, पंजाब, राजस्थान, गुजरात, पश्चिम बंगाल और झारखंड में प्रदर्शन हो रहे हैं। झारखंड के लोहरदगा में तो सीएए के समर्थकों का रैली निकालने का हक भी इसके विरोधियों को गंवारा नहीं हुआ। सीएए समर्थकों पर हिंसा के बाद वहां धारा 144 लगानी पड़ी।

लोकतंत्र अगर विरोध का अवसर देता है, तो विरोध के 'विरोध' में खड़े होने का अधिकार भी देता है। लेकिन अभिव्यक्ति के लिए अराजक होने की सहूलियत कभी नहीं देता, हिंसा की कीमत पर तो बिल्कुल नहीं। इसलिए सवाल उठता है कि जो राजनीतिक दल ऐसी अराजकता को खुलकर समर्थन दे रहे हैं, बारी-बारी से अपनी मौजूदगी दर्ज करवा कर प्रदर्शनकारियों का जोश 'हाई' रख रहे हैं, वो जाने-अनजाने कहीं लोकतंत्र को हाईजैक करने की कोशिश का हिस्सा तो नहीं बन रहे हैं?

बताया जा रहा है कि पूरे प्रकरण में विपक्ष इस वजह से भी खास तौर पर निशाने पर है क्योंकि मौजूदा सरकार की लोकप्रियता को बांधने की उसकी कोशिशें अब तक मन-मुताबिक नतीजे नहीं दे पाई हैं। इसलिए आरोप लग रहे हैं कि अपनी राजनीति चमकाने के लिए विपक्ष छात्रों के बाद अब महिलाओं को मोहरा बना रहा है क्योंकि शाहीन बाग का मोर्चा महिलाओं के हाथ में ही है। बेशक ये आरोप राजनीतिक हो सकता है, लेकिन विपक्ष को इस बात का जवाब तो देना ही होगा कि उस पर ऐसे अविश्वास की नौबत आखिर आई क्यों?

वैसे भी रातों-रात व्यवस्था में सुधार की उसकी मांग तार्किक भी नहीं दिखती। देश भर के 'शाहीन बाग' जिस मांग को लेकर अड़े हैं, उस पर तो देश की सबसे बड़ी अदालत भी सरकार के जबाव का इंतजार करने के लिए तैयार है। सीएए के खिलाफ आई याचिकाओं पर सुप्रीम कोर्ट ने कोई एकतरफा फैसला न देते हुए सरकार को जवाब दाखिल करने के लिए चार हफ्ते की मोहलत देकर विरोधियों को भी असहमति में फिलहाल सब्र रखने का साफ तौर पर संदेश दिया है।

(राष्ट्रीय सहारा, 26 जनवरी, 2020)

21

टैक्स वसूली में 'मधुमक्खियां' बनें मिसाल

सवाल उठता है कि क्या टैक्स ही सरकार की आमदनी का इकलौता जरिया है? क्या सरकार पुराने अनुभवों से सबक लेकर टैक्स वसूलने की कोई नई और बेहतर राह तैयार नहीं कर सकती? मंदी के दौर में ऐसा कौन-सा टैक्स सिस्टम बना सकती है जिसमें आम जनता को तकलीफ भी न हो और सरकार का खजाना भी भरता रहे? मौजूदा टैक्स व्यवस्था को बदलते हुए अपना खजाना मजबूत करने के लिए सरकार के पास दो ही रास्ते दिखते हैं—ज्यादा से ज्यादा लोगों को टैक्स के दायरे में लाया जाए या फिर राजस्व बढ़ाने के दूसरे विकल्पों पर काम किया जाए।

केंद्र सरकार की आमदनी का बहुत बड़ा हिस्सा जनता के चुकाए टैक्स से आता है। पिछले कुछ वर्षों के बजट के आकलन से पता चलता है कि सरकारी खजाने में जितना पैसा आता है, ये उसके 70 फीसद के करीब होता है। मोटे तौर पर आप यह रकम इनकम टैक्स और जीएसटी के रूप में चुकाते हैं, लेकिन इनके अलावा भी कई टैक्स होते हैं जो सरकार आप से प्रत्यक्ष या परोक्ष - डायरेक्ट और इनडायरेक्ट तरीके से वसूलती है। टैक्स की मात्रा कम-ज्यादा हो सकती है, लेकिन सरकारी खर्च पूरा करने के लिए पूरी दुनिया में कमोबेश यही प्रणाली काम करती है।

इसके पीछे दलील यह होती है कि सरकारों पर अपने नागरिकों को कई तरह की सेवाएं उपलब्ध करवाने की जिम्मेदारी होती है, जिन पर काफी रकम खर्च करनी पड़ती है। इसमें सड़क, बिजली-पानी जैसी बुनियादी सेवाओं के साथ ही किसानों और गरीब तबके को दी जाने वाली सब्सिडी या आर्थिक मदद भी शामिल होती है। सुरक्षा और प्रशासन पर भी सरकार को काफी खर्च करना होता है। भारत जैसे विशाल देश में यह खर्च वैसे ही काफी बड़ा होता है। उस पर आबादी का बड़ा हिस्सा गरीब और कम आय वाला है जो सुविधाओं के बदले किसी तरह का टैक्स देने की स्थिति में नहीं होता। इन स्थितियों में टैक्स अदा कर सकने वाली आबादी के अपेक्षाकृत छोटे हिस्से पर दोहरी मार पड़ती है—सरकारी खर्च पूरा करने के लिए उन्हें ज्यादा टैक्स और तरह-तरह के टैक्स चुकाने पड़ते हैं।

टैक्स की मात्रा कम-ज्यादा हो सकती है, लेकिन सरकारी खर्च पूरा करने के लिए पूरी दुनिया में कमोबेश यही प्रणाली काम करती है।

आम नागरिकों के साथ ही देश की आदर्श आर्थिक सेहत के लिए भी इस व्यवस्था को अच्छा नहीं कहा जा सकता। खपत बढ़ाने के लिए आम आदमी के हाथ में ज्यादा पैसा होना जरूरी है और इसके लिए उस पर टैक्स का बोझ कम होना चाहिए। हाल ही में एक कार्यक्रम में सुप्रीम कोर्ट के चीफ जस्टिस शरद ए बोबड़े ने भी उचित टैक्स की वकालत की है। नागरिकों पर अधिक टैक्स को उन्होंने सामाजिक अन्याय बताया है। उनकी यह टिप्पणी गौर करने वाली है कि जिस तरह मधुमक्खियां फूलों को नुकसान पहुंचाए

बिना रस निकाल लेती हैं, वैसे ही सरकार की टैक्स प्रणाली से टैक्स अदा करने वालों को भी कोई परेशानी नहीं होनी चाहिए। दिलचस्प बात यह है कि कुछ साल पहले तत्कालीन चीफ जस्टिस दीपक मिश्रा ने भी टैक्स सिस्टम को कल्याणकारी बनाने के लिए ठीक यही मिसाल दी थी।

इस मिसाल का संदर्भ आर्थिक विषयों के सबसे बड़े ग्रंथ—अर्थशास्त्र में मिलता है जिसमें कौटिल्य ने इसी उदाहरण को सामने रखते हुए कराधान प्रणाली यानी टैक्स सिस्टम को वास्तविक और सुनियोजित करने की सलाह दी थी। अर्थशास्त्र ही क्यों, मनुस्मृति में भी इस बात पर जोर है कि राजा को कर वसूली की ऐसी व्यवस्था करनी चाहिए कि प्रजा करों की अदायगी करते समय कठिनाई महसूस न करे।

खपत बढ़ाने के लिए आम आदमी के हाथ में ज्यादा पैसा होना जरूरी है और इसके लिए उस पर टैक्स का बोझ कम होना चाहिए।

कालांतर में कई राजा-महाराजा इस सीख पर चले और राज्य के सफल संचालन की वजह से अपनी प्रजा के बीच लोकप्रिय भी रहे। सम्राट अशोक के समय आचार्य चाणक्य की कर प्रणाली के सुरक्षित और लचीले मिश्रण के सबूत मिलते हैं। इतिहासकार बताते हैं कि मुगल सम्राट अकबर ने भी भूमि सुधार, दहशाला और करोड़ी कर प्रणाली को लागू किया। छत्रपति शिवाजी के समय कर लेने का सामान्य सिद्धांत यह था कि नागरिकों से कर ऐसे लिया जाए जैसे दूध में से मलाई यानी थोड़ी-सी ऊपरी परत-मात्रा भी न घटे और शासन को कर भी प्राप्त हो जाए। किसानों को शोषण से बचाने के लिए शिवाजी ने जागीरदारी और जमींदारी प्रथा को समाप्त कर दिया था। शिवाजी ने इसकी भरपाई के लिए किसानों को लगान मुक्त भूमि देकर नए इलाके बसाए और बेकार भूमि पर खेती के लिए तकाबी जैसे ऋण देकर उन्हें प्रोत्साहित किया। बुनियादी रूप से इन सभी महान शासकों ने अपनी जनता की तकलीफों का ध्यान रखते हुए कर प्रणाली को न्यायसंगत बनाया और शासन चलाने के लिए आय के वैकल्पिक स्रोत भी तलाशे।

इसमें कोई दो-राय नहीं कि खाने-पीने की चीज हो या जीवन रक्षक दवाएं, यात्रा हो या मनोरंजन के साधन, आम आदमी से हर बात पर टैक्स

वसूला जा रहा है। सवाल उठता है कि क्या टैक्स ही सरकार की आमदनी का इकलौता जरिया है? क्या सरकार पुराने अनुभवों से सबक लेकर टैक्स वसूलने की कोई नई और बेहतर राह तैयार नहीं कर सकती? मंदी के दौर में ऐसा कौन-सा टैक्स सिस्टम बना सकती है जिसमें आम जनता को तकलीफ भी न हो और सरकार का खजाना भी भरता रहे?

मौजूदा टैक्स व्यवस्था को बदलते हुए अपना खजाना मजबूत करने के लिए सरकार के पास दो ही रास्ते दिखते हैं—ज्यादा-से-ज्यादा लोगों को टैक्स के दायरे में लाया जाए या फिर राजस्व बढ़ाने के दूसरे विकल्पों पर काम किया जाए। मौजूदा सरकार पहले उपाय पर तभी से विचार कर रही है जब से वो सत्ता में आई है। आंकड़ों के मुताबिक भारत में हर साल 39 लाख से भी ज्यादा लोग तिपहिया या चारपहिया वाहन खरीदते हैं, लेकिन 4 लाख से भी कम लोग 5 लाख रुपये से ऊपर का इनकम टैक्स भरते हैं। कई आर्थिक विश्लेषकों का मानना है कि सरकार को ऐसे लोगों को अपने टैक्स रेवेन्यू पूल में शामिल करना चाहिए। तत्कालीन वित्त मंत्री अरुण जेटली ने भी कहा था कि वैश्विक प्रतिस्पर्धा के लिए देश को निचले दर के टैक्सेशन की जरूरत है। प्रधानमंत्री नरेन्द्र मोदी भी कई मौकों पर कह चुके हैं कि जिस तरह लाखों समर्थ लोगों ने अपने हिस्से की सब्सिडी छोड़ी है, उसी तरह लोग अपने-अपने हिस्से का टैक्स भरने की पहल करें। लेकिन चुनावी राजनीति की मजबूरी के बीच सरकार खुद इस दिशा में कोई पहल करेगी, इस पर बड़ा संदेह है।

एक अनुमान है कि तेज इकॉनोमिक ग्रोथ के लिए भारत को साल 2030 तक इंफ्रास्ट्रक्चर पर 4.5 लाख करोड़ डॉलर खर्च करने होंगे।

ऐसे में दूसरा विकल्प ही सरकार के पास आखिरी रास्ता दिखता है और ये रास्ता है राजस्व बढ़ाने के तरीकों की खोज। इसके लिए सरकार को इंडस्ट्रियल ग्रोथ और इंफ्रास्ट्रक्चर समेत दूसरे संसाधनों के जरिए आमदनी बढ़ाने की कोशिश करनी होगी। सरकार ने इसी हफ्ते इंफ्रास्ट्रक्चर प्रोजेक्ट्स पर 102 लाख करोड़ के प्लान का ऐलान किया है। ये प्रोजेक्ट एनआईपी यानी नेशनल इंफ्रास्टक्चर पाइपलाइन का हिस्सा होगा और 5 साल में पूरा होगा।

एक अनुमान है कि तेज इकॉनोमिक ग्रोथ के लिए भारत को साल 2030 तक इंफ्रास्ट्रक्चर पर 4.5 लाख करोड़ डॉलर खर्च करने होंगे।

एनआईपी के जरिए इस काम को अंजाम दिया जाएगा। सरकार को उम्मीद है कि इससे उसकी आर्थिक गतिविधियों का विस्तार होगा, नए रोजगार के अवसर बनेंगे, लोगों का जीवन स्तर सुधरेगा और सबसे बड़ी बात कि खुद उसका खजाना भरेगा। संक्षेप में कहें तो सरकार को लग रहा है कि आर्थिक वृद्धि के लिए ये प्रोजेक्ट जादू की छड़ी का काम कर सकता है।

लेकिन हमें ये बात भी याद रखनी होगी कि हाल ही में कॉरपोरेट टैक्स में बड़ी छूट का एलान करते समय भी वित्त मंत्रालय की ओर से इसी तरह के दावे किए गए थे। इन दावों की हकीकत से मुंह चुराना अपने पैर पर कुल्हाड़ी मारने जैसा होगा। यह इसलिए भी जरूरी है क्योंकि सरकार के सामने आम आदमी के साथ ही कॉरपोरेट जगत को भी 'अन्याय' से छुटकारा दिलाने की चुनौती है। एक साल पहले देश के जान-माने उद्योगपति टीवी मोहनदास पई ने कहा था कि कॉरपोरेट इंडिया डरा हुआ है क्योंकि पांच साल में टैक्स विवाद के मुद्दे दोगुने हो गए हैं। कुछ दिनों पहले ही राहुल बजाज के साथ देश के कई दूसरे उद्योगपति भी इस डर को सार्वजनिक कर चुके हैं। कैफे कॉफी-डे के संस्थापक वीजी सिद्धार्थ की खुदकुशी और कई बड़े कारोबारियों का देश से अपना कारोबार समेट कर विदेश चले जाने को भी अनदेखा नहीं किया जा सकता।

एक साल पहले देश के जान-माने उद्योगपति टीवी मोहनदास पई ने कहा था कि कॉरपोरेट इंडिया डरा हुआ है क्योंकि पांच साल में टैक्स विवाद के मुद्दे दोगुने हो गए हैं।

यह टैक्स कंफ्यूजन से जुड़े ऐसे मामले हैं जो विदेशी निवेशकों के सेंटीमेंट पर नकारात्मक असर डालते हैं। इससे देश की छवि खराब होती है जिसका सीधा असर देश की आर्थिक सेहत पर पड़ता है और आगे चलकर इस चक्की में आम आदमी भी पिसता है।

आखिर में चाणक्य नीति को याद करते हुए यही कहा जा सकता है कि सरकार को अपनी अर्थनीति को जनकल्याण से जोड़ना होगा, क्योंकि अर्थ आम आदमी से नहीं जुड़ा तो अनर्थ को टालना मुश्किल हो जाएगा।

(राष्ट्रीय सहारा, 1 फरवरी, 2020)

22

ब्रिटेन की चुनौती, भारत के लिए मौका

ब्रेक्जिट से भारत को फायदे का भी अनुमान है—1. ब्रेक्जिट के कारण ब्रिटेन और ईयू दोनों को एक-दूसरे के विकल्पों की जरूरत होगी और भारत ये जरूरत पूरी कर सकता है। तकनीक, साइबर सुरक्षा, रक्षा और निवेश के क्षेत्र में भारत की भूमिका अहम हो सकती है। 2. भारत सरकार ने पिछले महीने ही ब्रिटेन और यूरोपीय संघ से अलग-अलग मुक्त व्यापार समझौते पर वार्ता करने का संकेत दिया है। 3. ब्रेक्जिट के बाद ब्रिटेन ईयू के जटिल नियामक ढांचे से बाहर निकल आएगा। ऐसे में भारतीय कंपनियां ब्रिटेन में एक डिरेगुलेटेड और फ्री मार्केट की उम्मीद कर सकती हैं। 4. ब्रिटेन को व्यापार के लिए बड़ी तादाद में कुशल श्रम की आवश्यकता होगी और अंग्रेजी बोलने वाली जनसंख्या के साथ भारत के लिए यह फायदेमंद होगा।

शुक्रवार और शनिवार की दरम्यानी रात आखिरकार वो लम्हा आ ही गया जिस पर पिछले चार साल से समूची दुनिया और खासकर यूरोप की नजरें लगी हुईं थीं। आधी रात को आखिरकार ब्रिटेन यूरोपीय यूनियन से अलग हो गया। 28 देशों के इस समूह से ब्रिटेन साल 1973 से जुड़ा हुआ था। भावुक पलों में 47 साल पुराने रिश्तों को बाय-बाय कहने की इस घटना को ब्रेक्जिट का नाम दिया गया है। हालांकि, गुडबाय कहने में अभी भी थोड़ा वक्त है। ब्रिटेन 2020 के आखिर तक यूरोपीय यूनियन की आर्थिक व्यवस्था में बना रहेगा, लेकिन अब न तो वह इसका सदस्य रहेगा, न ही उसका नीतिगत मामलों में कोई दखल होगा।

आधी रात को आखिरकार ब्रिटेन यूरोपीय यूनियन से अलग हो गया। 28 देशों के इस समूह से ब्रिटेन साल 1973 से जुड़ा हुआ था।

अलगाव कभी आसान नहीं होता। चाहे वो व्यक्ति का व्यक्ति से हो या किसी संस्था से या फिर किसी देश से। वर्षों तक कदम से कदम मिलाकर चलने के बाद जब जुदाई की घड़ी आती है तो वो एक दर्द दे जाती है। ब्रेक्जिट पर मुहर लगाने के बाद यूरोपीय यूनियन की नामित अध्यक्ष उरसुला वोन डेर लेयेन की बातों में भी भावनाओं का सागर उमड़ता दिखा जब उन्होंने कहा कि अलगाव के दर्द में ही प्यार की गहराई का पता चलता है। साथ ही उन्होंने कहा कि ब्रिटेन से हम कभी दूर नहीं होंगे और उससे हमेशा प्यार करते रहेंगे।

जुदाई की यही कशमकश दूसरी तरफ भी देखने को मिली। ब्रिटेन की संसद में गतिरोध के कारण ब्रेक्जिट की समय सीमा को तीन बार बढ़ाना पड़ा। ब्रिटेन में साल 2016 में पहली बार जनमत संग्रह हुआ था जिसमें ब्रेक्जिट को मंजूरी दी गई। लेकिन जनता की मुहर लग जाने के बाद भी ब्रिटेन को आखिरी फैसला लेने में 43 महीने का वक्त लग गया। ब्रिटेन के दो प्रधानमंत्री भी इसकी भेंट चढ़ गए—पहले डेविड कैमरन गए और फिर पिछले साल कंजरवेटिव नेता टेरीजा मे को इस्तीफा देना पड़ा। आखिरकार टेरीजा की जगह कुर्सी संभालने वाले बोरिस जॉनसन ने इस समझौते को अंजाम दिया। लेकिन इसके लिए जॉनसन को भी कम पापड़ नहीं बेलने पड़े हैं।

संसद में विपक्षियों का गतिरोध दूर करने के लिए उन्हें 12 दिसंबर को मध्यावधि चुनाव तक कराना पड़ा। चुनाव में उनकी कंजरवेटिव पार्टी को भारी बहुमत मिला जिससे न केवल जॉनसन की कुर्सी बची बल्कि ब्रेक्जिट पर आगे बढ़ने का जनादेश भी मिल गया। जॉनसन ने इसके बाद यूरोपियन यूनियन के सदस्य देशों के शीर्ष नेताओं से बातचीत कर इसे आखिरी खाका पहनाया। चार साल की खींचतान के बाद ईयू की संसद ने 49 के मुकाबले 621 मतों के बहुमत से ब्रेक्जिट समझौते पर मुहर लगा दी। जॉनसन अब इसे नए युग की शुरुआत बता रहे हैं।

चुनाव में उनकी कंजरवेटिव पार्टी को भारी बहुमत मिला जिससे न केवल जॉनसन की कुर्सी बची बल्कि ब्रेक्जिट पर आगे बढ़ने का जनादेश भी मिल गया।

नए युग की शुरुआत का जॉनसन का सपना सच होगा या नहीं, ये तो वक्त ही बताएगा लेकिन फिलहाल दुनिया उनकी इसी सोच पर बंटी दिख रही है। इसकी वजह भी है। अभी तक के अनुमान बता रहे हैं कि जनमत संग्रह की शुरुआत से अब तक पिछले चार साल में ब्रिटेन की जीडीपी एक फीसद तक कम हो गई है। ब्लूमबर्ग की रिपोर्ट में 2016 से 2020 तक 18.9 लाख करोड़ के नुकसान का अनुमान है जो फिलहाल 12 लाख करोड़ रुपये तक पहुंच चुका है। अंदेशा है कि ब्रिटेन की इकोनॉमी को हर साल 53 हजार करोड़ रुपये तक का नुकसान हो सकता है जिसका देश के हर नागरिक पर करीब 70 हजार रुपये का बोझ पड़ेगा। मौटे तौर पर ब्रिटेन में बड़े पैमाने पर महंगाई से लेकर रोजगार तक का संकट दिखाई पड़ सकता है।

तो सवाल ये उठता है कि इतना बड़ा नुकसान उठा कर कहीं ब्रिटेन ने अपने पैरों पर कुल्हाड़ी तो नहीं मारी है? दुनिया का बड़ा हिस्सा भले ही ऐसा सोच रहा हो लेकिन ब्रिटेन की अपनी दलीलें हैं-

- इंग्लैंड अब स्वतंत्र होकर अपने फैसले ले सकेगा। ईयू की दखलंदाजी से उसकी स्वायत्तता प्रभावित हो रही थी और वो कानून बनाने के अधिकार का खुलकर इस्तेमाल नहीं कर पा रहा था।

- इंग्लैंड को अब अपनी इमीग्रेशन नीति बनाने का हक मिलेगा। पिछले कुछ वर्षों में ईयू की इमीग्रेशन नीति के कारण ब्रिटेन में सीरिया, मध्य-पूर्वी यूरोप और यूरोपीय संघ के देशों से बड़ी तादाद में अप्रवासी अलग-अलग वजहों से ब्रिटेन में घुस आए थे।
- यूरोपियन यूनियन को 13 बिलियन पाउंड का भारी-भरकम सदस्यता शुल्क देने के बावजूद ब्रिटेन को व्यापार और दूसरे मद से बेहद कम राशि मिल रही थी।

मोटे तौर पर ब्रिटेन में बड़े पैमाने पर महंगाई से लेकर रोजगार तक का संकट दिखाई पड़ सकता है।

- ईयू की दखलंदाजी से ब्रिटेन में लालफीताशाही बढ़ रही थी और प्रशासनिक काम अटक रहे थे।
- लंदन को दुनिया की वित्तीय राजधानी का दर्जा हासिल है और ब्रिटेन को लगता है कि वो खुद के दम पर फाइनेंशियल सुपर पावर बन सकता है।

ब्रेक्जिट से ईयू की अर्थव्यवस्था को 1.50 लाख करोड़ का नुकसान होगा और उसकी इकोनॉमी चार फीसद तक सिकुड़ जाएगी। अलगाव की इस घटना में बेशक ब्रिटेन और यूरोपीय संघ ही मुख्य किरदार हों, लेकिन कम-ज्यादा मात्रा में इसका असर पूरी दुनिया पर पड़ने वाला है। भारत के लिहाज से देखें तो इसके नतीजे फिलहाल तो मिले-जुले दिख रहे हैं। भारत और ब्रिटेन का द्विपक्षीय व्यापार 25 अरब डॉलर का है। भारत ब्रिटेन को 12 अरब डॉलर का निर्यात करता है और वहां से 13 अरब डॉलर का आयात करता है। दोनों देशों के बीच सालाना 17 फीसदी की दर से आपसी व्यापार बढ़ रहा है। पिछले कुछ साल में ब्रिटेन में निवेश करने वाली भारतीय कंपनियों की संख्या बढ़कर 800 तक पहुंच गई है।

सबसे बुरी खबर ऑटो सेक्टर से आ सकती है। मंदी की मार झेल रहा यह सेक्टर ब्रेक्जिट के बाद सबसे ज्यादा दबाव में रहने वाला है।

- ब्रिटेन के रास्ते भारतीय कंपनियों की यूरोप के बाकी 27 देशों के बाजार तक सीधी पहुंच हो जाती थी। ब्रेक्जिट के बाद भारतीय कंपनियों को यूरोपीय बाजार तक पहुँचने के नए रास्ते निकालने होंगे।

- ब्रिटेन में बने उत्पादों पर भारतीय कंपनियों को यूरोपीय देशों में टैक्स भी देना होगा। इस कारण भी कंपनियों का खर्च बढ़ेगा।
- दुनिया भर की करंसियों में उतार-चढ़ाव का असर आईटी कंपनियों पर दिखेगा। एचसीएल टेक, टीएसएस, विप्रो, महिंद्रा, इंफोसिस जैसी कंपनियों को नए सिरे से अपनी रणनीति बनानी होगी।
- सबसे बुरी खबर ऑटो सेक्टर से आ सकती है। मंदी की मार झेल रहा यह सेक्टर ब्रेक्जिट के बाद सबसे ज्यादा दबाव में रहने वाला है। अंदेशा है कि व्यापार की शर्तें अब कड़ी होगी जो टाटा की जेएलआर, भारत फोर्ज, मदरसन सुमी जैसी कंपनियों की ग्रोथ स्टोरी को प्रभावित कर सकती है।

मॉरीशस और सिंगापुर के बाद ब्रिटेन भारत में तीसरा सबसे बड़ा निवेशक है।

- मॉरीशस और सिंगापुर के बाद ब्रिटेन भारत में तीसरा सबसे बड़ा निवेशक है। अगर ब्रेक्जिट से ब्रिटेन की अर्थव्यवस्था कमजोर हुई तो भारत में उसके निवेश में भी कमी आ सकती है।
- पाउंड के कमजोर होने से डॉलर मजबूत बनेगा। ऐसी परिस्थिति में रुपया डॉलर के मुकाबले कमजोर हो सकता है। इसका सीधा असर कच्चे तेल और विदेश से खरीदे जानेवाले सोने और इलेक्ट्रॉनिक सामानों पर पड़ेगा।

वैसे सब कुछ बुरा ही नहीं होने जा रहा है। ब्रेक्जिट से भारत को फायदे का भी अनुमान है–

- ब्रेक्जिट के कारण ब्रिटेन और ईयू दोनों को एक-दूसरे के विकल्पों की जरूरत होगी और भारत ये जरूरत पूरी कर सकता है। तकनीक, साइबर सुरक्षा, रक्षा और निवेश के क्षेत्र में भारत की भूमिका अहम हो सकती है।
- भारत सरकार ने पिछले महीने ही ब्रिटेन और यूरोपीय संघ से अलग-अलग मुक्त व्यापार समझौते पर वार्ता करने का संकेत दिया है।
- ब्रेक्जिट के बाद ब्रिटेन ईयू के जटिल नियामक ढांचे से बाहर निकल आएगा। ऐसे में भारतीय कंपनियां ब्रिटेन में एक डिरेगुलेटेड और फ्री मार्केट की उम्मीद कर सकती हैं।

▸ ब्रिटेन को व्यापार के लिए बड़ी तादाद में कुशल श्रम की आवश्यकता होगी और अंग्रेजी बोलने वाली जनसंख्या के साथ भारत के लिए यह फायदेमंद होगा।

जाहिर तौर पर ब्रेक्जिट ऐसा कदम है जिससे ब्रिटेन की ही तरह भारत में भी कहीं खुशी, तो कहीं गम हैं। ब्रिटेन के लिए अनिश्चितताओं की रात भले ही लंबी दिख रही हो, लेकिन भारत के लिए राहत की बात ये है कि आने वाले दिनों में ये चुनौती हमारे लिए नया मौका भी साबित हो सकती है।

(राष्ट्रीय सहारा, 2 फरवरी, 2020)

23

चुनौतियों के बीच उम्मीद वाला बजट

बजट में देश की जनता के लिए तमाम अवसरों और चुनौतियों के बीच एक राय पड़ोसी देश चीन से सबक लेने की भी है। चीन में भी इस समय वैसी ही मंदी है जैसी भारत में है। लेकिन क्योंकि चीन में भारत की तरह जनतंत्र नहीं है, इसलिए वहां सरकार जनमत की परवाह किए बिना राष्ट्रहित में कठोर नीतियां लागू कर सकती है। वैसे भी चीन की जनता आज की तुलना में कहीं बुरे दिन देख चुकी है और वहां राष्ट्रहित में पेट काटना शहादत नहीं समझा जाता।

साल 2020 का बजट अनुमानों के गलियारों से निकलकर अब हकीकत की जमीन पर उतर चुका है। ये बजट ऐसे समय में आया है जब देश घटती विकास दर, बढ़ती महंगाई, बेरोजगारी और निवेश में कमी समेत आर्थिक मोर्चों पर तमाम दूसरी चुनौतियों का सामना कर रहा है। नए दशक का पहला बजट पेश करने के दौरान सरकार पर किसी तरह का चुनावी दबाव नहीं था, मगर अर्थव्यवस्था को पटरी पर लाने के पर्याप्त अवसर थे। जब बजट पेश नहीं हुआ था, तब इस पर कई सवाल उठ रहे थे। मौटे तौर पर इन सवालों का सार यही था कि कैसे वित्त मंत्री इन सब चुनौतियों को पार कर देश को आगे ले जाने वाला बजट दे पाएंगी? अब जब बजट पेश हो चुका है तो सारे सवाल उस बड़ी पहेली में सिमट गए हैं कि क्या ये बजट देश को नई दिशा दे पाएगा?

मौटे तौर पर इन सवालों का सार यही था कि कैसे वित्त मंत्री इन सब चुनौतियों को पार कर देश को आगे ले जाने वाला बजट दे पाएंगी?

वैसे तो बजट को नापने के कई पैमाने होते हैं, लेकिन मौजूदा दौर की सबसे बड़ी चुनौती अर्थव्यवस्था में सुस्ती और बेरोजगारी है। तो क्या ये बजट मंदी को दूर करने वाला बजट साबित होगा? क्या इससे 45 साल की सबसे बड़ी बेरोजगारी दूर हो पाएगी? और सबसे बड़ा सवाल ये कि क्या इससे हमारी अर्थव्यवस्था के 5 ट्रिलियन के स्तर तक पहुंचने के सपने को मदद मिलेगी?

सरकार के बजट में जो रोडमैप दिखाया गया है, वो ये भरोसा तो देता है कि उम्मीद पूरी होगी, लेकिन वो कब होगी इसकी मियाद साफ नहीं हो पाई है। रोजगार बढ़ाने की सबसे बड़ी पहल इंफ्रास्ट्रक्चर के क्षेत्र में दिखती है। सरकार नेशनल इंफ्रास्ट्रक्चर पाइपलाइन प्रोजेक्ट पर 102 लाख करोड़ रुपये खर्च करेगी। ये इतनी बड़ी धनराशि है कि इससे देश के लिए जरूरी बुनियादी ढांचे को मजबूत करने के साथ ही बड़े पैमाने पर रोजगार के नए अवसर भी पैदा होंगे।

बजट से पहले आए इकोनॉमिक सर्वे में भी एनआईपी को लेकर बड़ी उत्साहजनक टिप्पणी है। इसके मुताबिक एनआईपी से इंफ्रास्ट्रक्चर परियोजनाएं बेहतर तरीके से आगे बढ़ेंगी। इससे आर्थिक विकास ज्यादा समावेशी होगा जो जीवन स्तर में सुधार के साथ ही रोजगार पैदा करने का जरिया भी बनेगा।

बजट में हाई-वे और इकोनॉमिक कॉरिडोर के लिए ट्रांसपोर्ट इंफ्रास्ट्रक्चर पर 1.7 लाख करोड़ रुपये का प्रस्ताव बड़ी बात है। इससे 2500 किलोमीटर के एक्सप्रेस हाई-वे, 2000 किलोमीटर के स्ट्रेटेजिक हाई-वे, 6000 किलोमीटर के हाई-वे और 9000 किलोमीटर का इकोनॉमिक कॉरिडोर बनाए जाने की योजना है। देश के इंफ्रास्ट्रक्चर के साथ ही ये प्रस्ताव रोजगार की तस्वीर बदलने में भी कारगर साबित होगा।

लेकिन खुद वित्तमंत्री के मुताबिक सबसे ज्यादा नौकरियां शिक्षा और नर्सिंग के क्षेत्र में आएंगी। बजट में युवाओं के कौशल विकास के लिए 3000 करोड़ रुपये की व्यवस्था की गई है। इससे युवा शिक्षक, नर्स, पैरा मेडिकल स्टाफ और विदेश में देखभाल करने वाले व्यक्ति के रूप में नौकरी पा सकेंगे। कौशल विकास के तहत ग्रामीण युवाओं को भी इंटर्नशिप कराने का प्रस्ताव है। सरकार को उम्मीद है कि इस पहल से गांव तक भी नौकरियां पहुंचेगी।

बजट से पहले आए इकोनॉमिक सर्वे में भी एनआईपी को लेकर बड़ी उत्साहजनक टिप्पणी है।

बजट में पर्यटन और हेल्थ केयर के लिए बड़े प्रस्ताव और पीएम जनआरोग्य जैसी योजना में पीपीपी मोड में 20 हजार से ज्यादा अस्पताल बनाए जाने जैसे कई कदम हैं जिनसे नई नौकरियां पैदा होंगी। मोबाइल फोन और दूसरे इलेक्ट्रॉनिक सामानों के निर्माण के लिए सरकार खास पैकेज लाने जा रही है जिससे फैक्ट्री की नौकरियां भी पैदा हो सकेंगी। हालांकि ये सवाल फिर भी रहेगा कि क्या ये नौकरियां इतनी होंगी कि हर साल श्रम बल में जुड़ने वाले सभी युवाओं को रोजगार दे सके।

बजट से जुड़ा दूसरा बड़ा सवाल उपभोग को लेकर है जिसकी अर्थव्यवस्था में सबसे ज्यादा हिस्सेदारी है। फिलहाल यह जीडीपी का करीब 60 फीसद है। इनकम टैक्स में कटौती का नया स्लैब टैक्स पेयर्स को करीब 40 हजार करोड़ की राहत पहुंचा सकता है। सरकार का अनुमान है कि इससे उपभोग के क्षेत्र को तत्काल मजबूती मिल सकती है। खास तौर पर युवा वेतनभोगी अपने खर्च की प्राथमिकताओं–वाहन या उपभोग की दूसरी वस्तुओं की खरीद पर नए सिरे से विचार कर सकता है। कटौती के बावजूद मनरेगा

और पीएम किसान योजना जैसी फ्लैगशिप स्कीम्स से ग्रामीण जनता तक बड़ी राशि पहुंचेगी। इससे खर्च और खपत बढ़ेगी जो विकास को नई गति देगी।

बजट में इस तरह से विकास के नए अवसर बनाने के कई और भी कदम हैं, लेकिन अर्थव्यवस्था के लिहाज से कुछ फैसले चौंकाते भी हैं। बजट में रियल एस्टेट या ऑटो सेक्टर के लिए कोई बड़ा एलान नहीं दिखा जबकि ये दोनों सेक्टर उपभोक्ता मांग में तत्काल इजाफा लाने वाले हैं। निवेशकों की लॉन्ग टर्म कैपिटल गेन्स को खत्म करने की उम्मीद पूरी नहीं हो पाई। उल्टे निवेशक पर डिविडेंट डिस्ट्रिब्यूशन टैक्स खत्म करने की मार पड़ी है। इस फैसले से निवेशक का डिविडेंट अब करदाता की आय में जुड़ जाएगा। बाजार को अगले वित्त वर्ष के लिए जीडीपी वृद्धि दर का 10 फीसद अनुमान, विनिवेश के लिए 2.10 लाख करोड़ के लक्ष्य की ही तरह महत्त्वाकांक्षी लग रहा है। इसी साल सरकार को विनिवेश से एक लाख करोड़ रुपये की उम्मीद थी, लेकिन लक्ष्य का केवल 40 फीसद ही हाथ लग पाया है। हालात इतने चुनौतीपूर्ण हैं कि जो सरकारी सम्पत्ति आज तक जुटाई गई है, उसे बेचना भी संभव नहीं हो रहा है यानी मंडी तो तैयार है पर खरीदार गायब हैं। एयर इंडिया इसका प्रमाण है।

बजट से जुड़ा दूसरा बड़ा सवाल उपभोग को लेकर है जिसकी अर्थव्यवस्था में सबसे ज्यादा हिस्सेदारी है।

बजट के इतर भी सरकार के कुछ फैसले आर्थिक मोर्चे पर चुनौती की ओर इशारा कर रहे हैं। जीएसटी का कलेक्शन 1.2 लाख करोड़ रुपये कम रहने का अनुमान है। कम आय की भरपाई के लिए सरकार ने अब रिजर्व बैंक से 45 हजार करोड़ रुपये मांगे हैं। ये पिछले साल लिए 1.48 लाख करोड़ के डिविडेंड और 28 हजार करोड़ के अंतरिम डिविडेंड के अतिरिक्त है। इसके अलावा सरकार ने तेल कंपनियों और दूसरी कई सरकारी कंपनियों से 19000 करोड़ मांगे हैं। वहीं सरकारी खजाना भरने के लिए कई कंपनियां अपने कैश रिजर्व से सरकार से शेयर वापस खरीद रही हैं। साल 2015-2019 के बीच के चार साल में घरेलू खर्च जीडीपी के 9 फीसद से बढ़कर 11.7 फीसद हो गया है। इससे महंगाई, घटती ब्याज दर और बढ़ते घरेलू कर्ज का मकड़जाल तैयार हो रहा है जो अर्थव्यवस्था के लिए चिंता का विषय है।

बजट में देश की जनता के लिए तमाम अवसरों और चुनौतियों के बीच एक राय पड़ोसी देश चीन से सबक लेने की भी है। चीन में भी इस समय वैसी ही मंदी है जैसी भारत में है। लेकिन क्योंकि चीन में भारत की तरह जनतंत्र नहीं है, इसलिए वहां सरकार जनमत की परवाह किए बिना राष्ट्रहित में कठोर नीतियां लागू कर सकती है। वैसे भी चीन की जनता आज की तुलना में कहीं बुरे दिन देख चुकी है और वहां राष्ट्रहित में पेट काटना शहादत नहीं समझा जाता।

सरकारी खजाना भरने के लिए कई कंपनियां अपने कैश रिजर्व से सरकार से शेयर वापस खरीद रही हैं।

वैसे आधिकारिक तौर पर प्रधानमंत्री नरेन्द्र मोदी ने देश की जनता को बजट पर गुमराह करने वालों से बचने की सलाह दी है और इसे दशक का सबसे अच्छा बजट कहा है। प्रधानमंत्री का कहना है कि इस बजट में विजन और एक्शन दोनों है जिससे इकोनॉमी के तमाम इंजन - आमदनी, निवेश, मांग और खपत में इजाफा होगा। आम जनता की जुबान में कहें तो प्रधानमंत्री ने सबको भरोसा दिलाया है कि इस बजट से देश की मौजूदा जरूरत और भविष्य की उम्मीदें पूरी होगी।

(राष्ट्रीय सहारा, 8 फरवरी, 2020)

24

देश को दिशा देगा दिल्ली का चुनाव

दिल्ली का चुनाव प्रचार जिस तरह आगे बढ़ा, उसके क्लाइमैक्स का ऐसा होना हैरान नहीं करता। पिछले एक महीने में विकास से शुरू हुई चुनावी जंग कई मुकाम से गुजरते हुए राष्ट्रवाद की दहलीज भी पार कर गई। कई बातें ऐसी हुईं जिनका जिक्र भी बेमानी है, तो कई मुद्दे ऐसे भी रहे जो देश को नई दिशा देने का संकेत भी है। बहरहाल, सियासी दांव-पेंच का वक्त अब बीत चुका है। दिल्ली की डोर अब जनता के हाथ में है जिसने अपने वोट की ताकत से यह तय कर दिया है कि राजनीतिक दल चाहे जितना जोर लगा लें, लोकतंत्र में जीत का आखिरी मंत्र उसी का होगा।

लोकतंत्र में मतदान हर मतदाता का अधिकार भी है और जिम्मेदारी भी। शनिवार को दिल्ली के मतदाताओं ने बढ़-चढ़कर इस फर्ज को पूरा किया। दिल्ली का फैसला क्या होगा, इसकी आधिकारिक मुहर तो मंगलवार को ही लगेगी, लेकिन तमाम ओपिनियन (और एक्जिट) पोल आम आदमी पार्टी की वापसी का ही अनुमान लगा रहे हैं यानी बीजेपी का 21 साल से चला आ रहा वनवास इस बार भी शायद जारी रह सकता है। अनुमान है कि कांग्रेस को इस बार भी केवल अपना खाता खुलने की खुशी ही नसीब होने जा रही है।

बेशक ओपिनियन (और एक्जिट) पोल को अंतिम सत्य नहीं माना जा सकता, लेकिन इससे चुनावी हवा का इशारा तो मिलता ही है। हालांकि बीजेपी को लग रहा है कि इस बार हवा उसके पक्ष में बह रही है। हाल ही में पार्टी के अध्यक्ष पद से निवृत्त हुए गृहमंत्री अमित शाह तो इस बार 45 सीटों का दावा कर रहे हैं। फिलहाल ये दावा भले ही महत्त्वाकांक्षी लग रहा हो, लेकिन इस बात से भी इनकार नहीं किया जा सकता कि चुनाव प्रचार के आखिरी दौर में बीजेपी काफी हद तक अपनी खोई जमीन दोबारा हासिल करने में कामयाब रही है।

बेशक ओपिनियन (और एक्जिट) पोल को अंतिम सत्य नहीं माना जा सकता, लेकिन इससे चुनावी हवा का इशारा तो मिलता ही है।

जनवरी में जब दिल्ली चुनाव पर पहला ओपिनियन पोल सामने आया था तब विमर्श मुकाबले को लेकर नहीं, बल्कि इस बात पर था कि क्या आम आदमी पार्टी अपने पिछले प्रदर्शन को भी बेहतर कर सकती है? तब अनुमान था कि 70 में से कम-से-कम 59 सीटों पर तो आम आदमी पार्टी की जीत तय है। उस पोल में बीजेपी को 8 और कांग्रेस को 3 सीटें मिलने की संभावना थी। लेकिन महज एक महीने बाद हुए ओपिनियन पोल में चुनाव का नतीजा भले ही नहीं बदला, लेकिन सीटों का गणित जरूर बदल गया। प्रचार थमने से महज 24 घंटे पहले आए इन अनुमानों में आम आदमी पार्टी की सीटें घटकर 42 से 56 के दायरे में आ गईं, जबकि बीजेपी का ग्राफ उछलकर 10-24 सीटों तक पहुंच गया।

दोनों ओपिनियन पोल के बीच एक महीने का अंतराल रहा और इसी अंतराल में बीजेपी ने चुनावी चाल को बदलने का काम किया। प्रधानमंत्री नरेन्द्र मोदी और चुनावी चाणक्य कहे जाने वाले अमित शाह के साथ पार्टी के नए अध्यक्ष जेपी नड्डा की अगुवाई में बीजेपी ने हाल के चुनावों में शायद सबसे ज्यादा आक्रामक प्रचार किया। वैसे बीजेपी के प्रचार की शुरुआत काफी फीकी रही। शायद इसकी वजह पिछले पांच साल में दिल्ली की बुनियादी सुविधाओं में आए बदलाव और अरविंद केजरीवाल के मुकाबले का सीएम प्रत्याशी न दे पाना रहा हो। लेकिन प्रचार के आखिरी दौर में एक ऐसी घटना चुनाव का मुख्य मुद्दा बनती गई, जिसका भले ही दिल्ली से कोई सीधा सरोकार न हो, लेकिन उसके सामने दिल्ली से जुड़े सभी प्रमुख मुद्दे छोटे पड़ते गए। विरोधियों ने इस मुद्दे को बीजेपी को घेरने का हथियार बनाना चाहा, लेकिन बीजेपी ने इस मुद्दे को राष्ट्रवाद से जोड़कर बाजी को काफी हद तक अपने पक्ष में कर लिया।

यह मुद्दा रहा शाहीन बाग का जहां इलाके की मुस्लिम महिलाएं सीएए-एनआरसी के विरोध में धरने पर बैठी थी। शुरुआत में तो यह विरोध उपेक्षित ही रहा, लेकिन धीरे-धीरे इसने तूल पकड़ना शुरू किया। बीजेपी ने अपनी झोली में गिरे इस 'चुनावी गिफ्ट' को राष्ट्रीय एकता के लिए खतरा बताते हुए मुहिम छेड़ दी। चुनाव में राष्ट्रवादी तड़का लगाने के लिए बीजेपी ने अपने 70 मंत्रियों और 250 सांसदों को दिल्ली की सड़कों पर उतार दिया। खुद अमित शाह दिल्ली की गलियों में डोर-टू-डोर कैम्पेन करते दिखे।

बीजेपी ने अपनी झोली में गिरे इस 'चुनावी गिफ्ट' को राष्ट्रीय एकता के लिए खतरा बताते हुए मुहिम छेड़ दी।

प्रचार का हर दिन गुजरने के साथ शाहीन बाग के आसपास विवादों की इमारत बड़ी होती चली गई। सड़क ब्लॉक होने से स्थानीय लोगों की दिक्कतें, प्रदर्शनकारियों को 'दिहाड़ी का भुगतान', उनके खाने का इंतजाम, पीएफआई की फंडिंग, प्रदर्शन के विरोध में तीन-तीन बार फायरिंग, प्रदर्शन स्थल पर नवजात की मौत जैसे कई विवाद इससे जुड़ते गए। नेताओं के विवादित बयानों ने आग में घी डालने का काम किया जिसे रोकने के लिए चुनाव आयोग को

बार-बार नोटिस और चेतावनी का चाबुक चलाना पड़ा। सड़क पर प्रचार की बंदिश लगी तो कठघरे में आए नेताओं ने संसद में शाहीन बाग मसले पर संग्राम छेड़ दिया। 'राष्ट्रवाद' के जोर पकड़ते नारों के बीच स्थानीय मुद्दों का शोर मद्धिम पड़ता चला गया।

प्रचार में राष्ट्रवाद का 'बुखार' ऐसा सिर चढ़कर बोला कि अरविंद केजरीवाल तक को अपने हिंदू होने का प्रमाण देना पड़ा। इसके लिए उन्होंने हनुमान चालीसा का पाठ भी करना शुरू कर दिया। जो कसर बाकी थी, वो धरना स्थल से शरजील इमाम के असम को तोड़ने वाले बयान ने पूरी कर दी। वोटिंग से पहले आए ओपिनियन पोल में 83 फीसद लोगों ने माना कि शाहीन बाग का धरना चुनाव में बड़ा मुद्दा बना। इनमें से 39 फीसद लोगों ने यह भी माना कि इससे बीजेपी को फायदा होगा। गौर करने वाली बात ये है कि पोल में रोजगार, प्रदूषण, महिला सुरक्षा, मोहल्ला क्लीनिक, महंगाई, विकास और दूसरे विकल्प भी शामिल थे, लेकिन सर्वे में शामिल लोगों ने शाहीन बाग को भी अहमियत दी। बीजेपी को भी लगता है कि शाहीन बाग पर आक्रामक प्रचार से एक तीर से दो शिकार का उसका मकसद पूरा हुआ है। एक तरफ उसका कोर वोट बैंक पार्टी में वापस लौटा है और विपक्ष का वोट बैंक कांग्रेस और आम आदमी पार्टी के बीच बंटा है। दिल्ली में कुल मतदाताओं में 41 फीसद सवर्ण और 12 फीसद मुस्लिम हैं। बीते पांच चुनावों का विश्लेषण बताता है कि विधानसभा और लोकसभा चुनाव के लिए इन वोटरों की प्राथमिकताएं बदलती रही हैं। लोकसभा चुनाव में सवर्णों ने बीजेपी पर भरोसा दिखाया, तो विधानसभा चुनाव के लिए उन्हें आम आदमी पार्टी का साथ रास आया है। इसी तरह मुस्लिम वोटर भी दोनों चुनावों में कांग्रेस और आम आदमी पार्टी के बीच पाला बदलते रहे हैं। नौ महीने पहले लोकसभा चुनाव में जब बीजेपी ने दिल्ली की सातों सीटों पर विरोधियों का सफाया किया था तो उसे 75 फीसद सवर्ण वोटरों का साथ मिला था। ये सियासी समीकरण सीधे शाहीन बाग से जाकर जुड़ता है। बीजेपी का आकलन है कि अगर लोकसभा चुनाव की ही तरह सवर्ण उसके साथ बने रहे और मुस्लिम वोटर आम आदमी पार्टी और

दिल्ली में कुल मतदाताओं में 41 फीसद सवर्ण और 12 फीसद मुस्लिम हैं।

कांग्रेस के बीच बंट गए, तो दिल्ली की सत्ता से दो दशकों की दूरी को खत्म किया जा सकता है।

लेकिन आक्रामक चुनाव प्रचार दोधारी तलवार की तरह होता है। इसमें अगर विरोधियों को पस्त करने का माद्दा होता है, तो खुद के नुकसान का खतरा भी होता है। बीजेपी के ही कई समर्थकों को ये डर भी सता रहा है कि प्रचार में अरविंद केजरीवाल पर जिस तरह निजी हमले किए गए वो बैकफायर भी कर सकता है। आतंकी बताए जाने के जवाब में केजरीवाल ने 'परिवार के बड़े बेटे' वाला जो इमोशनल कार्ड खेला, वो बीजेपी की पूरी सियासी कवायद को उलट-पलट कर रख सकता है। ओपिनियन पोल में दिल्ली के 48 फीसद लोगों ने कहा भी है कि केजरीवाल को निजी तौर पर निशाना बनाना बीजेपी के लिए नुकसानदेह हो सकता है।

वोटिंग से ठीक पहले दिल्ली चुनाव में केंद्र सरकार की एजेंसी सीबीआई की एंट्री पर भी सवाल खड़े हुए हैं। डिप्टी सीएम मनीष सिसोदिया के ओएसडी की रिश्वत लेते हुई गिरफ्तारी ने भले ही बीजेपी को आम आदमी पार्टी पर हमले का एक और मौका दे दिया हो, लेकिन इस कार्रवाई की टाइमिंग ने बीजेपी को भी कठघरे में खड़ा किया है।

वोटिंग से ठीक पहले दिल्ली चुनाव में केंद्र सरकार की एजेंसी सीबीआई की एंट्री पर भी सवाल खड़े हुए हैं।

वैसे दिल्ली का चुनाव प्रचार जिस तरह आगे बढ़ा, उसके क्लाइमैक्स का ऐसा होना हैरान नहीं करता। पिछले एक महीने में विकास से शुरू हुई चुनावी जंग कई मुकाम से गुजरते हुए राष्ट्रवाद की दहलीज भी पार कर गई। कई बातें ऐसी हुईं जिनका जिक्र भी बेमानी है, तो कई मुद्दे ऐसे भी रहे जो देश को नई दिशा देने का संकेत भी है। बहरहाल, सियासी दांव-पेंच का वक्त अब बीत चुका है। दिल्ली की डोर अब जनता के हाथ में है जिसने अपने वोट की ताकत से यह तय कर दिया है कि राजनीतिक दल चाहे जितना जोर लगा लें, लोकतंत्र में जीत का आखिरी मंत्र उसी का होगा।

(राष्ट्रीय सहारा, 9 फरवरी, 2020)

25

जनता की भलाई से ही होगा राजनीति का 'कल्याण'

जनकल्याण की कसौटी पर खरे उतरने का आत्मविश्वास देखिए कि अकेले अरविंद केजरीवाल ही इस सियासी फौज पर भारी पड़ गए। प्रचार के दौरान एक खेमा उन्हें लगातार मजहबी मसलों की गैर-जरूरी बहस में उलझाने की कोशिश करता रहा, तो जवाब में केजरीवाल इस खेमे को काम पर चर्चा के लिए साथ आने का चैलेंज देते रहे। विरोधी खेमा तो केजरीवाल के साथ नहीं आया, लेकिन जनता ऐसी साथ आई कि अब अगले पांच साल तक दिल्ली के कल्याण में कोई रोड़ा नहीं अटका पाएगा। आम आदमी पार्टी की इस प्रचंड जीत का राज पिछले पांच साल के उसके रिपोर्ट कार्ड में छिपा है।

चुनावी राजनीति में जीत का जश्न और हार की मायूसी एक ही सिक्के के दो पहलू हैं। वक्त गुजरने के साथ इनका असर और चर्चा दोनों ही खत्म हो जाते हैं। लेकिन जनादेश से निकला संदेश लंबी राह भी तैयार करता है और देश को नई राह भी दिखाता है। दिल्ली चुनाव से निकला संदेश भी इस मायने में बेहद खास है - नाम उसी का होगा जो काम करेगा।

पिछले पांच साल में आम आदमी पार्टी ने अपना पूरा जोर जनकल्याण पर लगाया तो बदले में दिल्ली के मतदाताओं ने उसे फिर से सत्ता की चाबी सौंप दी। ये परिणाम उस विमर्श के लिए बड़ा सबक है जो तकरीर करता है कि हमारे देश में काम के नाम पर वोट नहीं मिलता। दिल्ली में तो ठीक इसका उल्टा हुआ। वो भी तब जब सामने देश के प्रधानमंत्री, गृहमंत्री, कई मौजूदा और पूर्व मुख्यमंत्री, 70 से ज्यादा मंत्री और करीब 250 सांसदों की भारी-भरकम फौज खड़ी थी।

पिछले पांच साल में आम आदमी पार्टी ने अपना पूरा जोर जनकल्याण पर लगाया तो बदले में दिल्ली के मतदाताओं ने उसे फिर से सत्ता की चाबी सौंप दी।

जनकल्याण की कसौटी पर खरे उतरने का आत्मविश्वास देखिए कि अकेले अरविंद केजरीवाल ही इस सियासी फौज पर भारी पड़ गए। प्रचार के दौरान एक खेमा उन्हें लगातार मजहबी मसलों की गैर-जरूरी बहस में उलझाने की कोशिश करता रहा, तो जवाब में केजरीवाल इस खेमे को काम पर चर्चा के लिए साथ आने का चैलेंज देते रहे। विरोधी खेमा तो केजरीवाल के साथ नहीं आया, लेकिन जनता ऐसी साथ आई कि अब अगले पांच साल तक दिल्ली के कल्याण में कोई रोड़ा नहीं अटका पाएगा।

आम आदमी पार्टी की इस प्रचंड जीत का राज पिछले पांच साल के उसके रिपोर्ट कार्ड में छिपा है। साल 2015 में 30 हजार करोड़ रुपये के अपने पहले बजट में केजरीवाल सरकार ने एक-तिहाई हिस्सा शिक्षा के लिए और एक बड़ा हिस्सा स्वास्थ्य के लिए आवंटित किया। साल 2019 तक आते-आते दिल्ली का कुल बजट दोगुना होकर 60 हजार करोड़ रुपये का हो गया, तो सरकार ने इसका 25 फीसद यानी लगभग 15 हजार करोड़ रुपये शिक्षा के लिए और 12.5 फीसद यानी लगभग साढ़े सात हजार करोड़

रुपये स्वास्थ्य को दिया। इसमें 200 यूनिट तक मुफ्त बिजली, 20 हजार लीटर तक मुफ्त पानी, 400 से ज्यादा मोहल्ला क्लीनिक और स्कूलों में 20 हजार नए कमरे बनवाने के आम आदमी पार्टी के दावे को जोड़ दिया जाए तो समझ आता है कि किस तरह इस सरकार ने दिल्ली के एक बड़े हिस्से को अपने साथ जोड़ लिया।

जनता के टैक्स से मिले पैसे को केजरीवाल जनता को ही वापस लौटाते रहे।

ये हिस्सा उस निम्न और मध्यम वर्ग का है जिसकी औसत आय 18 हजार रुपये से भी कम है। इस वर्ग की चुनौती यह है कि गरीबी में रहते हुए भी उसे गरीबों को मिलने वाली सुविधाओं का लाभ नहीं मिलता। देश में हाल के कई साल में गरीबी नापने का कोई नया पैमाना तय नहीं हुआ है। देश में इस वक्त कितने गरीब हैं इस पर भी सरकार कोई आंकड़ा देने से बचती रही है। 21वीं सदी की शुरुआत में बनी सुरेश तेंदुलकर समिति ने ग्रामीण क्षेत्रों में 27 रुपये और शहरी क्षेत्रों में 33 रुपये प्रतिदिन खर्च करने वालों को गरीबी रेखा से ऊपर रखा था। इस पर विवाद होने के बाद रंगराजन समिति बनाई गई जिसने खर्च की सीमा को बढ़ाते हुए ग्रामीण क्षेत्रों में 32 रुपये और शहरी क्षेत्रों में 47 रुपये रोजाना खर्च करने वालों को गरीबी रेखा से बाहर कर दिया।

भ्रष्टाचार पर लगाम लगाकर केजरीवाल मुफ्त सुविधाएं देने के बावजूद सरकार का राजस्व बढ़ाने में भी सफल रहे।

सोचिए इस वर्ग के लिए केजरीवाल सरकार की अच्छी शिक्षा, मुफ्त चिकित्सा, मुफ्त बिजली-पानी कितनी बड़ी राहत है। मोहल्ला क्लीनिक से लेकर गरीब बच्चों के लिए सस्ती और सुलभ शिक्षा के बीच परिवार के लिए बचत कर पाना दिल्ली की गरीब जनता के लिए सपने के सच होने जैसा है। जनता के टैक्स से मिले पैसे को केजरीवाल जनता को ही वापस लौटाते रहे। आलोचक उनके इस मॉडल को मुफ्त सुविधाओं का लॉलीपॉप कहकर खारिज करते रहे, लेकिन दिल्ली की जनता ने इसे समझा भी और सराहा भी। इतना ही नहीं, भ्रष्टाचार पर लगाम लगाकर केजरीवाल मुफ्त सुविधाएं देने के बावजूद सरकार का राजस्व बढ़ाने में भी सफल रहे।

केजरीवाल के इस दिल्ली मॉडल ने गुजरात मॉडल की चर्चा को दोबारा केन्द्र में ला दिया है। गुजरात मॉडल शासन का वो मॉडल था जब प्रधानमंत्री नरेन्द्र मोदी गुजरात के मुख्यमंत्री हुआ करते थे। तब इस मॉडल के तहत गुजरात सरकार प्रदेश की जनता को भरपूर रोजगार, ज्यादा कमाई, महंगाई पर लगाम, अर्थव्यवस्था का विकास, अच्छी शिक्षा और सुरक्षा यानी बेहतर सामाजिक जीवन की गारंटी दिया करती थी। गवर्नेंस के इस मॉडल से ही नरेन्द्र मोदी न केवल गुजरात की जनता के बीच लोकप्रिय हुए, बल्कि पूरे देश में भी उनकी स्वीकार्यता की बुनियाद मजबूत हुई। प्रधानमंत्री बनने के बाद पहले कार्यकाल में महिलाओं, गरीबों और किसानों के कल्याण की उनकी योजनाओं से इन वर्गों के जीवन स्तर में आया सकारात्मक बदलाव किसी से छिपा नहीं है।

दिल्ली में कांग्रेस लगातार दूसरी बार खाता खोलने में नाकाम हुई है, तो महज वोट शेयर बढ़ना बीजेपी के लिए भी कोई कामयाबी नहीं कही जाएगी।

प्रधानमंत्री नरेन्द्र मोदी और अरविंद केजरीवाल की ये कामयाबी सत्तर के दशक के उस सीधे-साधे नायक जैसी दिखती है जो बड़ी और नकारात्मक ताकतों से भिड़कर उस व्यवस्था को बदलता है जिसका मकसद आम जनता का शोषण होता था। राहत की बात यह है कि अब जनता खुद बदलाव की अपनी ताकत को पहचान रही है। दिल्ली में आम आदमी पार्टी की जीत इसका इशारा है। पश्चिम बंगाल, तेलंगाना, मध्य प्रदेश और झारखंड की सरकारों ने जनकल्याण के इस फॉर्मूले को अपनाने की मंशा जताकर इसके संकेत भी दिए हैं।

दिल्ली में कांग्रेस लगातार दूसरी बार खाता खोलने में नाकाम हुई है, तो महज वोट शेयर बढ़ना बीजेपी के लिए भी कोई कामयाबी नहीं कही जाएगी। 21 साल के वनवास के बाद सत्ता से उसका फासला पांच साल के लिए और बढ़ गया है। बीजेपी के लिए मंथन की बड़ी वजह ये होगी कि पिछले पंद्रह महीनों में राज्यों की चुनावी लड़ाई में उसका सियासी ग्राफ लगातार नीचे गया है। इस दौरान जिन सात राज्यों में चुनाव हुए हैं, वहां बीजेपी केवल एक राज्य हरियाणा में सरकार बना पाई है, वो भी जेजेपी के समर्थन से। महाराष्ट्र में हाथ आई सत्ता उसके हाथ से निकल गई जबकि मध्य प्रदेश, राजस्थान,

छत्तीसगढ़, झारखंड और अब दिल्ली में उसे शिकस्त झेलनी पड़ी। दिल्ली में तो यह बीजेपी की लगातार छठी हार है। अब बीजेपी के सामने बिहार और बंगाल की चुनौती है। हालांकि दोनों राज्यों के चुनाव में अभी वक्त है, लेकिन दिल्ली की हार ने बीजेपी की चिंता जरूर बढ़ा दी है।

दिल्ली के चुनाव में बीजेपी का जेडीयू और एलजेपी के साथ मेल बुरी तरह फेल हुआ है। उस पर बिहार में नीतीश सरकार का परफॉर्मेंस और बंगाल में ममता बनर्जी की पॉलिटिक्स का परसेप्शन उसका सिरदर्द बढ़ा सकती है। केजरीवाल सरकार ने पांच साल में शिक्षा, स्वास्थ्य और बिजली से जुड़े मुद्दों पर जैसा काम किया है, वैसा नीतीश सरकार चौदह वर्षों में भी नहीं कर पाई है। हालांकि बिहार में आज भी जनता के मुद्दों पर जातीय समीकरण ही भारी पड़ता है। लेकिन बंगाल के हालात और हैं और वहां ममता ने जिस तरह एनआरसी और सीएए के खिलाफ जबरदस्त मुहिम छेड़ रखी है उसका फायदा तृणमूल कांग्रेस को मिलता नजर आ रहा है। दिल्ली की ही तरह अगर मुस्लिम समाज ने वहां भी मतविभाजन रोकने वाली रणनीति अपना ली, तो बीजेपी के लिए कोलकाता जीतना एक बार फिर सपना ही साबित हो सकता है ।

दिल्ली में तो यह बीजेपी की लगातार छठी हार है। अब बीजेपी के सामने बिहार और बंगाल की चुनौती है।

हालांकि दिल्ली में हार के बाद अमित शाह की अपने नेताओं के बर्ताव और उनके विवादित बयानों पर प्रतिक्रिया बीजेपी के लिए सार्थक संकेत देता है। अमित शाह कुछ दिनों पहले तक बीजेपी के अध्यक्ष थे और उनका बयान बीजेपी समेत उन दूसरे दलों को भी जनकल्याण पर अधिक ध्यान देने के लिए मजबूर करेगा जो इसे लगभग भुलाए बैठे थे। आम आदमी पार्टी की सत्ता में वापसी जनता के लिए भी संदेश है - वो यह कि जनता अगर चाह ले तो जाति और धर्म की सियासत के बजाय सड़क, शिक्षा, स्वास्थ्य और पानी-बिजली जैसी जनकल्याण की बुनियादी जरूरतें भी सरकार के अहम मुद्दे हो सकते हैं।

(राष्ट्रीय सहारा, 15 फरवरी, 2020)

26

भारत-अमेरिकी संबंधों का 'मजा मा' दौर

ट्रंप का यह दौरा दक्षिण एशिया में पाकिस्तान पर दबाव बनाए रखने के नजरिये से भी खास है। कश्मीर से धारा 370 हटाए जाने के बाद पाकिस्तान बौखलाया हुआ है। नौ फरवरी को रियाद में इस्लामिक सहयोग संगठन की बैठक में कश्मीर को लेकर सऊदी अरब का रुख भी पाकिस्तान के खिलाफ गया है। बहरहाल, इस समय दुनिया की निगाहें अहमदाबाद पर टिकीं हैं। ये देखना वाकई दिलचस्प होगा कि 'केम छो ट्रंप' पर ट्रंप का जवाब क्या होता है, क्योंकि इस जवाब से न केवल भारत और अमेरिका, बल्कि पूरे दक्षिण एशिया, मिडिल ईस्ट के साथ दुनिया का भविष्य जुड़ा है।

डोनाल्ड ट्रंप अमेरिका का राष्ट्रपति पद संभालने के बाद पहली बार भारत आ रहे हैं। दुनिया के सबसे पुराने लोकतंत्र और सुपर पावर की दोस्ती को जमाना देखता रहा है। 24 और 25 फरवरी को प्रधानमंत्री नरेन्द्र मोदी और अमेरिकी राष्ट्रपति डोनाल्ड ट्रम्प की यही दोस्ती बुलंदियों का आसमान छूने जा रही है। दो दिन के दौरे में ट्रंप सबसे पहले प्रधानमंत्री नरेन्द्र मोदी के गृह राज्य गुजरात की राजधानी अहमदाबाद जाएंगे जहां दुनिया के सबसे बड़े क्रिकेट स्टेडियम के उद्घाटन के बाद एक खास कार्यक्रम में शामिल होंगे। इस कार्यक्रम का नाम हाउडी मोदी की तर्ज पर 'केम छो ट्रंप' रखा गया है। पिछले साल सितंबर में प्रधानमंत्री मोदी जब अमेरिका गए थे, तो उनके सम्मान में ह्यूस्टन में हाउडी मोदी कार्यक्रम रखा गया था, जिसमें 50 हजार से ज्यादा अप्रवासी भारतीय शामिल हुए थे। हाउडी मोदी में उमड़ी भीड को देखकर ट्रंप अचंभित हुए थे। 'केम छो ट्रंप' के लिए जब वो मोटेरा स्टेडियम पहुंचेंगे, तो उनके सम्मान में वहां दोगुनी भीड़ मौजूद होगी। इसके अलावा एयरपोर्ट से साबरमती आश्रम के 22 किलोमीटर लंबे रोड-शो में भी लाखों लोग शामिल होंगे। जाहिर है 50 हजार की भीड़ देखकर रोमांचित हो जाने वाले ट्रंप के लिए लाखों लोगों की मौजूदगी हैरान करने वाला अनुभव होगा। इसका जिक्र उन्होंने हाल के अपने एक ट्वीट में भी किया है।

> *24 और 25 फरवरी को प्रधानमंत्री नरेन्द्र मोदी और अमेरिकी राष्ट्रपति डोनाल्ड ट्रम्प की यही दोस्ती बुलंदियों का आसमान छूने जा रही है।*

ट्रंप की हैरानी को थोड़ी देर के लिए अलग रख दिया जाए, तो भारत के लिए ये तथ्य जरूर हैरान करने वाला रहेगा कि जिस दौर में भारत और अमेरिका के संबंध नए शिखर छू रहे थे, उसी दौर में ट्रंप अब तक भारत आने का वक्त नहीं निकाल पाए। पिछले साल उन्हें गणतंत्र दिवस पर मुख्य अतिथि बनाने की कोशिश भी हुई थी, लेकिन किसी वजह से बात नहीं बन पाई थी। अब जब कार्यकाल के आखिरी साल में ट्रंप भारत आने के लिए तैयार हुए हैं तो इसके लिए आपसी संबंधों की गर्माहट के साथ ही अमेरिका में चुनाव की आहट को भी वजह बताया जा रहा है।

वैसे इसकी शुरुआत पिछले साल सितंबर में ही हो गई थी जब हाउडी मोदी कार्यक्रम में हजारों एनआरआई की मौजूदगी में 'अबकी बार ट्रंप सरकार' का नारा लगा था। भारत के दौरे पर ट्रंप उस जुड़ाव को और मजबूत करना चाहेंगे। साउथ एशियन एडवोकेसी ग्रुप के आंकड़े बताते हैं कि अमेरिका में साल 2019 में भारतीय मूल के लोगों की संख्या करीब 38 फीसद तक बढ़ी है और अब यह 50 लाख के करीब पहुंच गई है। इसमें करीब 20 फीसदी गुजराती मूल के हैं। 'केम छो ट्रंप' के जरिए ट्रंप की नजर इन्हीं मतदाताओं पर है। दुनिया में सबसे खचीर्ला चुनाव अमेरिका में होता है और गुजराती मतदाता वोट के साथ पैसे से भी ट्रंप की मदद कर सकते हैं। इस सबके बीच मौजूदा दौर में गुजरातियों के बीच सबसे बड़ा चेहरा माने जाने वाले प्रधानमंत्री नरेन्द्र मोदी भी साथ खड़े हों, तो यह ट्रंप-कार्ड भी साबित हो सकता है।

दौरे से पहले ट्रंप ने भारत के साथ ट्रेड डील को लेकर सकारात्मक संकेत भी दिए हैं। अमेरिका चीन के बाद भारत का दूसरा सबसे बड़ा व्यापारिक साझेदार है। साल 2018 में दोनों देशों के बीच द्विपक्षीय व्यापार 142.6 बिलियन डॉलर के रिकॉर्ड स्तर तक रहा था। भारत स्टील और एल्यूमीनियम उत्पादों पर अमेरिका के लगाए गए भारी टैक्स में राहत के साथ-साथ कृषि, ऑटोमोबाइल, ऑटो और इंजीनियरिंग उत्पादों के लिए नए बाजार की तलाश में है। दौरे से ऐन पहले जनरलाइज्ड सिस्टम ऑफ प्रेफरेंस यानी जीएसपी की लिस्ट से हटाया जाना भारत के लिए किसी झटके से कम नहीं है। इससे भारत को निर्यात पर मिलने वाली भारी-भरकम छूट से हाथ धोना पड़ेगा। भारत की कोशिश रहेगी कि अमेरिका दोबारा यह सुविधा बहाल करे। दूसरी ओर अमेरिका की कोशिश है कि उसके कृषि, डेयरी, चिकित्सा उपकरण और विनिर्माण उत्पादों के लिए भारत अपने बाजार को ज्यादा खोले। लंबे समय से दोनों देश इस दिशा में काम कर रहे हैं।

केम छो ट्रंप' के लिए जब वो मोटेरा स्टेडियम पहुंचेंगे, तो उनके सम्मान में वहां दोगुनी भीड़ मौजूद होगी।

ट्रंप के इस दौरे को 'केम छो ट्रंप' का नाम दिया गया है। आम तौर पर इस सवाल का जवाब गुजराती में 'मजा मा' दिया जाता है। दिलचस्प बात यह है कि ट्रंप इस वक्त अमेरिका में ठीक ऐसे ही दौर से गुजर रहे हैं।

महाभियोग प्रस्ताव में क्लीन चिट के बाद ट्रंप राजनीतिक रूप से मजबूत हुए हैं। 49 फीसद अप्रूवल रेटिंग के साथ अमेरिका में उनकी लोकप्रियता आसमान छू रही है। इस नए अवतार में ट्रंप का कद अपनी पार्टी से भी बड़ा हो गया है और राष्ट्रपति पद के दूसरे कार्यकाल के लिए अब वो खुद एजेंडा तय करने की स्थिति में आ गए हैं।

> *महाभियोग प्रस्ताव में क्लीन चिट के बाद ट्रंप राजनीतिक रूप से मजबूत हुए हैं।*

प्रधानमंत्री नरेन्द्र मोदी के लिए भारत में भी कमोबेश ऐसी ही परिस्थितियां हैं। अपने-अपने देश में दोनों के व्यक्तिगत करिश्मे और लोकप्रियता को अलग भी रख दिया जाए तो आर्थिक फायदों और दुनिया पर अपनी छाप छोड़ने के दोनों देशों के पास समान अवसर दिखते हैं। ट्रंप का भारत दौरा इस लक्ष्य की ओर मजबूत शुरुआत का जरिया बन सकता है। भारत के लिए एशिया में आर्थिक विकास की धुरी बनने के साथ ही रणनीतिक मोर्चे पर भी ट्रंप सरकार से ज्यादा-से-ज्यादा सहूलियत हासिल करने का यह सबसे मुफीद समय है।

एशिया में भारत के प्रमुख प्रतिद्वंद्वी चीन की अर्थव्यवस्था इस समय ढलान पर है। ट्रेड वार के बाद चीन के साथ अमेरिका के व्यापारिक संबंध अभी भी सामान्य नहीं हो पाए हैं। इस बीच कोरोना वायरस ने चीन के व्यापारिक हितों पर जबर्दस्त चोट की है। इसके कारण चीन के बंदरगाह बंद पड़े हैं, निर्माण की इकाइयां ठप हैं और दुनिया के हर देश ने चीनी उत्पादों के लिए अपने दरवाजे बंद कर लिए हैं। चुनौतियों में घिरा चीन इस समय वैश्विक व्यापार से लगभग बाहर है और भारत इस खाली जगह को भरने का स्वाभाविक दावेदार दिखता है।

रणनीतिक मोर्चे पर भी चीन को साधे रखने के लिए ट्रंप भारत को जरूरी मानते हैं। ट्रंप के भारत दौरे पर चीन के मद्देनजर दो बड़े रक्षा समझौतों को अंतिम रूप भी दिया गया है। नेवी के लिए 24 एमएच-60 'रोमियो' सीहॉक मैरीटाइम मल्टी-मिशन हेलिकॉप्टर और सेना के लिए छह एएच-64 ई अपाचे अटैक हेलिकॉप्टरों का 25,000 करोड़ रुपये का सौदा होना है। यह रक्षा डील एक ओर अमेरिका के लिए आर्थिक रूप से फायदेमंद है, तो दूसरी ओर इससे हिंद महासागर में भारत के रणनीतिक हित जुड़े हुए हैं।

चीन को हिंद महासागर और दक्षिण चीन सागर में रोकने के लिए ही अमेरिका और भारत ने ऑस्ट्रेलिया और वियतनाम से हाथ मिलाया है।

चीन के साथ ही मिडिल ईस्ट के तनाव से भी अमेरिका के लिए भारत की अहमियत बढ़ी है। ईरान और भारत के रिश्ते बरसों पुराने और काफी मजबूत हैं और बाकी दुनिया की तरह अमेरिका भी इस बात को बखूबी जानता है।

> *चीन के साथ ही मिडिल ईस्ट के तनाव से भी अमेरिका के लिए भारत की अहमियत बढ़ी है।*

ट्रंप का ये दौरा दक्षिण एशिया में पाकिस्तान पर दबाव बनाए रखने के नजरिये से भी खास है। कश्मीर से धारा 370 हटाए जाने के बाद पाकिस्तान बौखलाया हुआ है। नौ फरवरी को रियाद में इस्लामिक सहयोग संगठन की बैठक में कश्मीर को लेकर सऊदी अरब का रुख भी पाकिस्तान के खिलाफ गया है। तीन-तीन मुलाकातों के बाद पाकिस्तान के प्रधानमंत्री इमरान खान भले ही ट्रंप से मध्यस्थता की बात कहलवाने में कामयाब हो गए हों, लेकिन भारत सधे और सख्त शब्दों में इस पेशकश को खारिज कर चुका है। वैसे भी कश्मीर के मुद्दे पर अमेरिका कई अंतरराष्ट्रीय मंचों पर भारत के साथ दिखा है। उम्मीद है कि भारत दौरे पर ट्रंप इस मसले पर एक बार फिर अपना पक्ष साफ कर देंगे। महंगाई, अर्थव्यवस्था और बेरोजगारी के सवालों से घिरे पाकिस्तान के लिए लंबे समय से इधर कुआं, उधर खाई के हालात बने हुए हैं। एफएटीएफ में ब्लैकलिस्टेड होने का खतरा और हाफिज सईद को सजा देने के मामले में भी उसकी जोरदार किरकिरी हो रही है।

बहरहाल, इस समय दुनिया की निगाहें अहमदाबाद पर टिकीं हैं। ये देखना वाकई दिलचस्प होगा कि 'केम छो ट्रंप' पर ट्रंप का जवाब क्या होता है, क्योंकि इस जवाब से न केवल भारत और अमेरिका, बल्कि पूरे दक्षिण एशिया, मिडिल ईस्ट के साथ दुनिया का भविष्य जुड़ा है।

(राष्ट्रीय सहारा, 16 फरवरी, 2020)

27

लंबी साझेदारी की तरफ नया कदम

रणनीतिक मोर्चे पर ट्रंप के इस भारत दौरे में चीन के मद्देनजर दो बड़े रक्षा समझौतों पर मुहर लगेगी। नेवी के लिए 24 एमएच-60 'रोमियो' सीहॉक मैरीटाइम मल्टी-मिशन हेलिकॉप्टर और सेना के लिए छह एएच-64 ई अपाचे अटैक हेलिकॉप्टरों का 25,000 करोड़ रुपये का सौदा होना है। यह रक्षा डील एक ओर अमेरिका के लिए आर्थिक रूप से फायदेमंद हैं, तो दूसरी ओर इससे हिंद महासागर में भारत के रणनीतिक हित जुड़े हुए हैं। चीन को हिंद महासागर और दक्षिण चीन सागर में रोकने के लिए ही अमेरिका और भारत ने ऑस्ट्रेलिया और वियतनाम से हाथ मिलाया है।

अमेरिकी राष्ट्रपतियों के भारत दौरे हमेशा से दिलचस्पी और कौतूहल के विषय रहे हैं। डोनाल्ड ट्रंप का भारत दौरा भी इससे अलग नहीं है। दौरा शुरू होने में अब चंद घंटे बचे हैं और कयासों का दौर पूरी रवानी पर है। खुद ट्रंप भी इस दौरे को लेकर खासे उत्साहित दिख रहे हैं। एक तरफ वो इस दौरे पर किसी बड़ी ट्रेड डील से इनकार चुके हैं, तो दूसरी तरफ 70 लाख लोगों की मेजबानी के मौके का बेसब्री से इंतजार भी कर रहे हैं। अनुमान है कि जब ट्रंप 24 फरवरी को अहमदाबाद पहुंचेंगे, तो एयरपोर्ट से साबरमती आश्रम के बीच के रास्ते में और मोटेरा स्टेडियम में होने वाले 'नमस्ते ट्रंप' कार्यक्रम में इतने लोग ट्रंप के स्वागत में मौजूद रहेंगे। लाखों की संख्या का दावा भले ही संदिग्ध हो, लेकिन लाख टके का सवाल यह है कि क्या ट्रंप केवल '70 लाख लोगों का जलसा' देखने के लिए ही भारत आ रहे हैं - इस तथ्य के बावजूद कि वो खुद फिलहाल किसी बड़े व्यापारिक समझौते की संभावना को खारिज कर चुके हैं।

एक तरफ वो इस दौरे पर किसी बड़ी ट्रेड डील से इनकार चुके हैं, तो दूसरी तरफ 70 लाख लोगों की मेजबानी के मौके का बेसब्री से इंतजार भी कर रहे हैं।

तो क्या ट्रंप के इस दौरे को देखने का कोई और नजरिया भी हो सकता है? ये पहली दफा नहीं है जब ट्रंप ने भारत को लेकर इस तरह की बयानबाजी की हो। अमेरिकी व्यापार को लेकर ट्रंप हमेशा से आक्रामक रहे हैं और इस मामले में वो भारत और चीन दोनों को एक ही तराजू में तौलते रहे हैं। पिछले साल उन्होंने भारत को इस आधार पर ही 'टैरिफ किंग' बता दिया था कि हम अमेरिका से आए सामानों पर बहुत ज्यादा टैरिफ लगाते हैं। ट्रंप के बयानों में भारत के साथ अमेरिका के व्यापार घाटे को लेकर निंदा के बोल और प्रधानमंत्री नरेन्द्र मोदी की व्यक्तिगत प्रशंसा पर भी गौर करना जरूरी है। एक में अमेरिका फर्स्ट की नीति है तो दूसरे में ट्रंप फर्स्ट नजर आते हैं। चूंकि अमेरिका में चुनाव हैं और ट्रंप को भारतीय समुदाय के वोट चाहिए, इसलिए वे भारतीयों को नाराज करना नहीं चाहते। मोदी अगर उन्हें पसंद आ रहे हैं तो इसकी वजह अमेरिका में मौजूद भारतीय मूल के 44 लाख से ज्यादा लोग भी हैं।

व्यापार में घाटे की अमेरिकी शिकायतों के उलट एक सच्चाई ये है कि दोनों देशों के बीच द्विपक्षीय कारोबार 10 फीसद की रफ्तार से बढ़ रहा है। लेकिन दूसरा पहलू ये है कि अमेरिका का व्यापार घाटा भी बढ़कर 1,690 करोड़ डॉलर तक पहुंच चुका है।

चूंकि अमेरिका में चुनाव हैं और ट्रंप को भारतीय समुदाय के वोट चाहिए, इसलिए वे भारतीयों को नाराज करना नहीं चाहते।

इसलिए जहां एक तरफ अमेरिका में चुनावी माहौल के बीच ट्रंप की चिंता लाजिमी दिखती है, वहीं ट्रेड डील पर भारतीय पक्ष ट्रंप की बयानबाजी को लेकर ज्यादा फिक्रमंद नहीं दिखता। दरअसल इस वक्त हमारी ज्यादा बड़ी चिंता जनरलाइज्ड सिस्टम ऑफ प्रिफरेंस यानी जीएसपी स्टेटस से जुड़ी है। भारत पिछले साल मई से ही अमेरिका की इस लिस्ट से बाहर चल रहा है। इस लिस्ट में विकासशील देश शामिल होते हैं, जिन्हें अमेरिका में सामान भेजने पर टैरिफ ड्यूटी में भारी-भरकम रियायत मिलती है। इस लिस्ट से बाहर हो जाने के कारण भारत को अमेरिकी निर्यात पर करीब 190 मिलियन डॉलर की ये छूट अब नहीं मिल पा रही है। इतना ही नहीं, ट्रंप के दौरे से ठीक पहले भारत को 'विकासशील देशों की सूची' से हटाकर 'विकसित देशों की सूची' में डाल दिया गया। यह अमेरिकी राष्ट्रपति की उस सोच के अनुरूप कदम है जिसमें उन्होंने 26 जुलाई 2019 को एक ट्वीट के जरिए कहा था कि विश्व व्यापार संगठन बिखर चुका है जिसमें दुनिया के अमीर देशों ने विकासशील देशों को डब्ल्यूटीओ के नियमों को तोड़ने की छूट दे रखी थी और ऐसे देशों को विशेष दर्जा दे रखा था। लेकिन इसे आगे चलाना मुमकिन नहीं है। ट्रंप के इस दौरे पर भारत पहले से मिल रही सुविधाओं को दोबारा बहाल करवाने पर जोर दे सकता है। इसके अलावा भारत स्टील और एल्यूमीनियम उत्पादों पर अमेरिका के लगाए गए भारी टैक्स में राहत के साथ-साथ ऑटोमोबाइल, ऑटो और इंजीनियरिंग उत्पादों के लिए भी नए बाजार की तलाश में है।

वैसे इस दौरे से भारत को कच्चे तेल के क्षेत्र में अच्छी खबर मिल सकती है। भारत को अमेरिकी तेल कंपनियों से पांच डॉलर प्रति बैरल की छूट का प्रस्ताव मिल सकता है। हालांकि इसके लिए अमेरिका ज्यादा तेल खरीदने

की शर्त रख सकता है। भारत में परंपरागत रूप से कच्चे तेल की ज्यादातर सप्लाई खाड़ी देशों से होती रही है। इस साल अमेरिका से क्रूड ऑयल आयात 1 करोड़ टन रहने की उम्मीद है। नया करार होने से अगले साल यह आयात दोगुना हो सकता है, जो कच्चे तेल की हमारी 10 फीसद जरूरत को पूरा कर सकता है। इससे अमेरिकी प्रतिबंधों के बाद से ईरान से कम हुए कच्चे तेल आयात की काफी हद तक भरपाई हो सकेगी और भारतीय कंपनियों को पेट्रोलियम उत्पादों के दाम नियंत्रित रखने में मदद मिलेगी।

रणनीतिक मोर्चे पर ट्रंप के इस भारत दौरे में चीन के मद्देनजर दो बड़े रक्षा समझौतों पर मुहर लगेगी। नेवी के लिए 24 एमएच-60 'रोमियो' सीहॉक मैरीटाइम मल्टी-मिशन हेलिकॉप्टर और सेना के लिए छह एएच-64 ई अपाचे अटैक हेलिकॉप्टरों का 25,000 करोड़ रुपये का सौदा होना है। यह रक्षा डील एक ओर अमेरिका के लिए आर्थिक रूप से फायदेमंद हैं, तो दूसरी ओर इससे हिंद महासागर में भारत के रणनीतिक हित जुड़े हुए हैं। चीन को हिंद महासागर और दक्षिण चीन सागर में रोकने के लिए ही अमेरिका और भारत ने ऑस्ट्रेलिया और वियतनाम से हाथ मिलाया है।

वैसे इस दौरे से भारत को कच्चे तेल के क्षेत्र में अच्छी खबर मिल सकती है।

सोचिए इतना सब कुछ तब हो रहा है, जब प्रधानमंत्री मोदी के साथ सातवीं मुलाकात में ट्रंप ये बयान दे रहे है कि इस दौरे पर कुछ बड़ा नहीं हो रहा है। असलियत ये है कि इसी बयान में ट्रंप ने एक बड़ा इशारा भी किया है। कयास इस बात के हैं कि भारत के साथ बड़ी डील उन्होंने भविष्य के लिए बचा कर रखी है - जो अक्टूबर में होने जा रहे राष्ट्रपति पद के चुनाव से पहले भी हो सकता है और नतीजे आने के बाद भी। अपनी जीत को लेकर इतने आत्मविश्वास में दिख रहे ट्रंप शायद ऐसी ही किसी बड़ी डील का इशारा कर रहे हैं?

दरअसल भारत और अमेरिका के बीच लंबे समय से मुक्त व्यापार समझौते यानी एफटीए को लेकर बातचीत हो रही है। साल 2014 में पीएम मोदी और अमेरिका के पूर्व राष्ट्रपति बराक ओबामा की पहली मुलाकात में इसकी बुनियाद पड़ी थी। इसका लक्ष्य द्विपक्षीय कारोबार को 500 अरब डॉलर

तक पहुंचाने का है। फिलहाल यह 140 अरब डॉलर के करीब है। माना जा रहा है कि इस समझौते से दोनों देशों के बीच कारोबारी तनाव दूर होगा और लंबी अवधि के हितों का ध्यान रखना संभव होगा। दौरे के दूसरे दिन हैदराबाद हाउस में प्रधानमंत्री नरेन्द्र मोदी और ट्रंप के बीच जो आधिकारिक बातचीत होगी, उसमें एफटीए बड़ा मुद्दा रह सकता है। इसमें 6 साल पुराने एक्शन प्लान को जमीन पर उतारने की ठोस पहल शुरू हो सकती है ।

वैसे भी इस पहल के लिए मौजूदा समय सबसे बेहतर मौका है। ट्रंप फिलहाल व्यापार में नया करार करने से भले ही पीछे हट गए हों, लेकिन उन्होंने एक बार फिर आगे बढ़कर प्रधानमंत्री नरेन्द्र मोदी से अपनी दोस्ती का इकरार किया है। दोनों देशों के बीच रणनीतिक, व्यापारिक और कूटनीतिक उतार-चढ़ाव के बावजूद दोनों नेताओं की इस व्यक्तिगत केमिस्ट्री में कोई बदलाव नहीं आया है। हाउडी मोदी से लेकर नमस्ते ट्रंप के बीच इस रिश्ते ने आपसी गर्मजोशी की नई ऊंचाइयों को छुआ है। दोनों नेताओं की अपने-अपने देश में स्वीकार्यता भी शिखर पर है। महाभियोग से बेदाग निकलने के बाद अमेरिका में ट्रंप की अप्रूवल रेटिंग 49 प्वाइंट्स तक पहुंच चुकी है, जबकि भारत में पीएम मोदी की लोकप्रियता दूसरे कार्यकाल में भी बरकरार है। बेशक दो देशों के बीच के करार को उनके दो शीर्ष नेताओं के आपसी संबंधों से परिभाषित नहीं किया जा सकता, लेकिन नेताओं की पहल से करार के लिए मुफीद माहौल तैयार होने की संभावना से इनकार भी नहीं किया जा सकता।

हाउडी मोदी से लेकर नमस्ते ट्रंप के बीच इस रिश्ते ने आपसी गर्मजोशी की नई ऊंचाइयों को छुआ है।

भारत और अमेरिका के रिश्तों को लेकर बराक ओबामा ने एक बार कहा था कि दुनिया के दो सबसे बड़े लोकतंत्र 21वीं सदी के सबसे महत्त्वपूर्ण साझेदार होंगे। उम्मीद की जानी चाहिए कि 24 फरवरी को मोटेरा स्टेडियम में राष्ट्रपति ट्रंप और पीएम मोदी जब एक-दूसरे का हाथ थामेंगे, तो वे दो लोकतंत्र की साझेदारी को और मजबूत बनाने की ओर नया कदम भी बढ़ाएंगे।

(राष्ट्रीय सहारा, 22 फरवरी, 2020)

28

सड़क ही नहीं, दिल भी खोलें

साल 2012 में मध्यस्थता पर एक राष्ट्रीय संगोष्ठी में तत्कालीन राष्ट्रपति प्रणब मुखर्जी ने कहा था कि अक्सर विवादों का समाधान संबंधित व्यक्तियों में संप्रेषण की कमी या फिर अहम के कारण मुश्किल हो जाता है। ऐसे में मध्यस्थता का विषय बंटवारा करने का नहीं, बल्कि इस प्रक्रिया में शामिल सभी को विजयी होने का अहसास दिलाने का है। उम्मीद की जानी चाहिए कि शाहीन बाग समेत जहां कहीं भी विवाद के मुद्दे उलझे हैं वहां मध्यस्थता की कोशिशें इसी भाव से परवान चढ़ेंगी और ये केवल सुलह की एक सड़क ही नहीं, बल्कि लाखों-करोड़ों दिलों को खोलने का भी काम करेंगी।

हमारे देश में संवाद की पुरानी परंपरा रही है। केवल संवाद ही नहीं, वाद-विवाद भी हमारी सभ्यता की पहचान बने हैं। यहां तक कि भारत के संविधान में भी इस पहचान को बनाए रखने का ध्यान रखा गया है। आर्टिकल 19 में बोलने की आजादी को बुनियादी अधिकार माना गया है, जो एक ही विषय पर देश के लोगों को अलग-अलग राय रखने की स्वतंत्रता देता है। हाल ही में जस्टिस डीवाई चंद्रचूड़ ने भी असहमति को लोकतंत्र का सेफ्टी वॉल्व बताते हुए कहा है कि असहमति को देश विरोधी ठहराना लोकतंत्र की आत्मा पर चोट करना है।

ताजा प्रसंग दिल्ली के शाहीन बाग में चल रहे धरना-प्रदर्शन से जुड़ा है।

ये मान्यता जितनी पुरानी होती जा रही है, उतनी इसकी प्रासंगिकता बढ़ती भी जा रही है। ताजा प्रसंग दिल्ली के शाहीन बाग में चल रहे धरना-प्रदर्शन से जुड़ा है। नागरिकता कानून में संशोधन (सीएए) और नेशनल रजिस्टर ऑफ सिटिजनशिप (एनआरसी) को लेकर इस क्षेत्र की एक बड़ी मुस्लिम आबादी दो महीने से भी ज्यादा समय से धरने पर बैठी है, जिससे इलाके की सड़कों पर आवाजाही ठप हो गई है और लाखों लोग परेशान हो रहे हैं। प्रदर्शनकारियों को समझाने के लिए सुप्रीम कोर्ट ने मध्यस्थता के लिए वरिष्ठ वकील संतोष हेगड़े, साधना रामचंद्रन और पूर्व नौकरशाह वजाहत हबीबुल्ला को वार्ताकार नियुक्त किया। हालांकि वजाहत हबीबुल्ला तो सुलह की कोशिश में ज्यादा सक्रिय नहीं दिखे, लेकिन संतोष हेगड़े और साधना रामचंद्रन ने प्रदर्शनकारियों से तीन दिन में तीन मुलाकात कर बातचीत के जरिए हल निकालने की कोशिश की।

लेकिन, मामला सुलझाने की पहल के बाद भी शाहीन बाग के प्रदर्शनकारी सीएए वापस लेने के पक्ष में धरनास्थल पर डटे हुए हैं। ये अनुमान लगाया जा रहा है कि वो अपनी सुरक्षा को लेकर डरे हुए हैं। दोनों वार्ताकारों ने संकेत दिए हैं कि अगर प्रदर्शनकारियों को अदालत से सुरक्षा का भरोसा मिल जाएगा, तो वो एक तरफ की सड़क खोलने के लिए तैयार हो सकते हैं। शुक्रवार को इस दौर की अंतिम मुलाकात के बाद गेंद अब फिर से सुप्रीम कोर्ट के पाले में है जहां 24 फरवरी को मामले की अगली सुनवाई है।

नागरिकता की कसौटी पर देखें तो प्रदर्शनकारियों को ये समझना होगा कि अगर देश की सबसे बड़ी अदालत ने उनकी तरफ हाथ बढ़ाया है, तो उन्हें भी आगे बढ़कर इस हाथ को थामना चाहिए क्योंकि ये मसला कानून के साथ चलकर ही सुलझाया जा सकता है। अड़ियल रवैये की वजह से अगर दुर्भाग्य से शाहीन बाग में कुछ गलत हो गया तो क्या ये जायज होगा कि बाकी देश भी उस आग में झुलसे? सरकार से लेकर सुप्रीम कोर्ट तक नागरिकता के सवाल पर हर सूरत में केवल और केवल समर्थन की ही उम्मीद करना और उम्मीद पूरी नहीं होने तक अड़े रहना भी ठीक नहीं है। वार्ताकारों का ये तर्क काफी वाजिब लगता है कि प्रदर्शन और सड़क एक साथ चलेगी, तो शाहीन बाग देश के लिए मुसीबत नहीं, बल्कि मिसाल बन सकेगा।

हकीकत में यह एक किस्म के डर और आशंका की अभिव्यक्ति है जो निराधार भी हो सकती है।

मध्यस्थता की शुरुआत करते हुए सुप्रीम कोर्ट ने भी अधिकारों और कर्तव्यों के बीच समन्वय को जरूरी बताया था। अदालत ने लोगों के धरना देने के मौलिक अधिकार को तो स्वीकार किया था, लेकिन ये भी कहा कि लोगों को सड़क पर चलने और अपनी दुकानें खोलने का भी अधिकार है क्योंकि अगर अपनी मांगों को लेकर हर व्यक्ति रास्ते पर उतरने लगेगा तो काफी मुश्किल होगी। यानी सुप्रीम कोर्ट ने भी संकेतों में साफ कर दिया था कि लोकतंत्र विचार व्यक्त करने का अधिकार देता है, लेकिन उसकी भी सीमाएं हैं।

ऐसे में लगता यही है कि अगर ये मध्यस्थता सफल होती है, तो इससे धरने की जगह ही बदलेगी, धरना खत्म नहीं होगा जबकि कई कारणों से ऐसा होना जरूरी है। अब तक इस धरने को संविधान बचाने की लड़ाई बताकर या तो इसका महिमामंडन किया गया है या फिर हिंदू-मुस्लिम की साझा लड़ाई बताकर इसका गुणगान ही हुआ है। लेकिन शाहीन बाग और इसकी तर्ज पर देश भर में चल रहे आंदोलन आम नागरिकों के आंदोलन नहीं कहे जा सकते। हकीकत में यह एक किस्म के डर और आशंका की अभिव्यक्ति है जो निराधार भी हो सकती है।

असली डर तो उस प्रक्रिया को लेकर होना चाहिए, जिसके तहत यह आंदोलन धीरे-धीरे राजनीतिक रंग लेता गया है। सरकार से भरोसा मिल जाने के बावजूद नागरिकता छिन जाने के डर को बरकरार रखना तर्क की कसौटी पर खरा नहीं उतरता। वो भी तब जबकि सबका साथ, सबका विकास और सबका विश्वास केवल सरकारी नारा नहीं, बल्कि तेजी से जमीनी हकीकत बन रहा हो। इससे इस बात के भी पर्याप्त संकेत मिलते हैं कि प्रदर्शनकारियों में भरोसा बहाल करने की सरकार की कोशिशों में रोड़े अटकाए जा रहे हैं।

पंच-परमेश्वर के देश में मध्यस्थों की सार्थकता पर तब भी सवाल उठा था, जब मौजूदा सरकार ने कश्मीर के युवाओं में भरोसा बहाल करने की पहल की थी। बड़ी चुनौतियों से मुकाबले के बाद सरकार आखिरकार पत्थरबाजी की घटनाएं रोकने में कामयाब हुई। दो दशकों से अशांति झेल रहा पूर्वोत्तर भी संवाद के माध्यम से ही शांति की राह पर लौटा है।

दो दशकों से अशांति झेल रहा पूर्वोत्तर भी संवाद के माध्यम से ही शांति की राह पर लौटा है।

विवादों को सुलझाने के लिए भारत में मध्यस्थता वैसे भी नई बात नहीं है। पंचायत प्रणाली के मंच पर पहले गांव के बड़े-बुजुर्ग विवादों का निपटारा किया करते थे। जनजातीय समुदायों में तो आज भी इस तरह की मध्यस्थता चलन में है। अंग्रेजों के आने के बाद देश में ज्यूडिशियरी प्रणाली शुरू हुई जो आज तक चली आ रही है। लेकिन अब ज्यूडिशियरी में भी एक तरह का घमासान मचा हुआ है। हाल ही में जजों की नियुक्ति को लेकर सुप्रीम कोर्ट की ओर से दिल्ली हाईकोर्ट में जो नाम भेजे गए थे उस पर असहमति जताते हुए कॉलेजियम ने वो सभी नाम वापस सुप्रीम कोर्ट को भेज दिए। इसके बाद जिस तरह दिल्ली हाई कोर्ट के जज मुरलीधर का तबादला पंजाब और हरियाणा हाईकोर्ट में किया गया वह आज सुर्खियों में है। तबादले के विरोध में दिल्ली हाई कोर्ट का बार गुरुवार को हड़ताल पर चला गया। इसी तरह बॉम्बे हाईकोर्ट के दूसरे सबसे वरिष्ठ जज एस सी धर्माधिकारी ने मेघालय हाई कोर्ट का मुख्य न्यायाधीश बनाए जाने के विरोध

तबादले के विरोध में दिल्ली हाई कोर्ट का बार गुरुवार को हड़ताल पर चला गया।

में इस्तीफा दे दिया। अपने इस्तीफे में उन्होंने निजी और पारिवारिक कारणों का हवाला देते हुए कहा कि वो महाराष्ट्र से बाहर नहीं जाना चाहते। जस्टिस धर्माधिकारी के इस्तीफे से महाराष्ट्र बार के वकील भी नाराज बताए जा रहे हैं। ऐसे में सवाल है कि ट्रांसफर अगर एक रूटीन प्रक्रिया है तो फिर इस पर इतना बवाल क्यों मचा है?

साल 2012 में मध्यस्थता पर एक राष्ट्रीय संगोष्ठी में तत्कालीन राष्ट्रपति प्रणब मुखर्जी ने कहा था कि अक्सर विवादों का समाधान संबंधित व्यक्तियों में संप्रेषण की कमी या फिर अहम के कारण मुश्किल हो जाता है। ऐसे में मध्यस्थता का विषय बंटवारा करने का नहीं, बल्कि इस प्रक्रिया में शामिल सभी को विजयी होने का अहसास दिलाने का है। उम्मीद की जानी चाहिए कि शाहीन बाग समेत जहां कहीं भी विवाद के मुद्दे उलझे हैं वहां मध्यस्थता की कोशिशें इसी भाव से परवान चढ़ेंगी और ये केवल सुलह की एक सड़क ही नहीं, बल्कि लाखों-करोड़ों दिलों को खोलने का भी काम करेंगी।

(राष्ट्रीय सहारा, 23 फरवरी, 2020)

29

हर हाल में रोके जाएं ऐसे हिंसक उन्माद

आखिर ऐसा क्या हो गया कि एक समाज दो हिस्सों में बंट गया, रातों-रात दिल्ली दंगों की आग में झुलस गई, तीन दिन की हिंसा तीन दर्जन से ज्यादा जिंदगियों को लील गई? सीएए और एनआरसी के समर्थन और विरोध को लेकर देश भर में चल रहे प्रदर्शनों को इस हादसे की बुनियाद बताना तर्कसंगत नहीं लगता। ये प्रदर्शन तो दो महीने से ज्यादा समय से चल रहे हैं और इक्का-दुक्का घटनाओं को छोड़कर कमोबेश शांतिपूर्ण ही रहे हैं। आम धारणा है कि इन प्रदर्शनों को लेकर समाज में गुस्से का बारूद तो पहले से इकट्ठा था, इसमें चिंगारी लगाने की जो कसर बाकी थी वो राजनीतिक दलों के नेताओं की भड़काऊ बयानबाजी ने पूरी कर दी।

भारत के सामाजिक और राजनीतिक प्रबोधन में अक्सर इस बात का जिक्र आता है कि लोकतंत्र में हिंसा की कोई जगह नहीं है। हिंसा की आलोचना करने में भी कोई पीछे नहीं रहना चाहता। बापू के देश में वैसे भी इस मान्यता पर कोई अचरज नहीं होना चाहिए। आजाद देश में किसी भी हिस्से से हिंसा की आवाज यकीनन आलोचना का विषय होना चाहिए, लेकिन जब वो हिस्सा देश की राजधानी का ही हो, तब तो अवसर केवल दूसरों पर उंगली उठाने का नहीं, बल्कि खुद के अंदर झांकने का भी हो जाता है। ऐसा इसलिए भी कि जिन पर कहर बरपा वो तो हमारे अपने हैं ही, जिन्होंने हैवानियत दिखाई वो भी हमारे ही समाज से हैं।

बापू के देश में वैसे भी इस मान्यता पर कोई अचरज नहीं होना चाहिए।

फिर आखिर ऐसा क्या हो गया कि एक समाज दो हिस्सों में बंट गया, रातों-रात दिल्ली दंगों की आग में झुलस गई, तीन दिन की हिंसा तीन दर्जन से ज्यादा जिंदगियों को लील गई? सीएए और एनआरसी के समर्थन और विरोध को लेकर देश भर में चल रहे प्रदर्शनों को इस हादसे की बुनियाद बताना तर्कसंगत नहीं लगता। ये प्रदर्शन तो दो महीने से ज्यादा समय से चल रहे हैं और इक्का-दुक्का घटनाओं को छोड़कर कमोबेश शांतिपूर्ण ही रहे हैं। आम धारणा है कि इन प्रदर्शनों को लेकर समाज में गुस्से का बारूद तो पहले से इकट्ठा था, इसमें चिंगारी लगाने की जो कसर बाकी थी वो राजनीतिक दलों के नेताओं की भड़काऊ बयानबाजी ने पूरी कर दी।

जिन्होंने हैवानियत दिखाई वो भी हमारे ही समाज से हैं।

हिंसा का गुबार थमने के बाद अब जो तस्वीर सामने आ रही है, वो दिल्ली के गुनहगारों का भयावह सच सामने ला रहा है। अफसोस की बात यह है कि जनता के जिन नुमाइंदों को लोगों को दंगाइयों से बचाने का जिम्मा निभाना था, वही लोगों को दंगाइयों के हवाले करने का काम कर रहे थे। दंगे भड़काने के लिए जहां देश की सरकार चला रही बीजेपी से जुड़े कुछ जनप्रतिनिधि सवालों के घेरे में हैं, तो दंगाइयों को कथित तौर पर असलहा-बारूद 'सप्लाई' करने से लेकर हत्या के आरोप में दिल्ली की सत्ता में बैठी आम आदमी पार्टी के एक पार्षद भी कानून

के कठघरे में हैं। वहीं देश की सबसे पुरानी पार्टी कांग्रेस के कुछ नेताओं पर अनर्गल बयानबाजी के जरिए लोगों को उकसाने के आरोप लग रहे हैं।

लोकतंत्र को शर्मसार करने वाले इस 'कारनामे' में जो सक्रियता सियासी नेताओं ने दिखाई, दरअसल उसे रोकने की जांबाजी दिल्ली पुलिस को दिखानी थी, लेकिन वो हैरतअंगेज तरीके से 'खामोश' रही। जब सियासत से लेकर अदालत ने खाकी की खबर लेनी शुरू की, तब भी बवाल रोकने के बजाय पुलिस अपनी बेचारगी का रोना रोती ही दिखी। सफाई दी गई कि उसका बड़ा अमला अमेरिकी राष्ट्रपति डोनाल्ड ट्रंप की ड्यूटी बजा रहा था, इसलिए दंगाइयों से निपटने का राष्ट्रधर्म पीछे छूट गया। आंकड़े बताते हैं कि दिल्ली में पुलिस बल की संख्या लगभग 85 हजार है जिनमें से दस हजार पुलिसकर्मी अलग से वीवीआईपी और वीआईपी सुरक्षा में तैनात होते हैं। यानी 75 हजार के संख्या बल के साथ देश में मौजूद पुलिसिंग की सबसे आधुनिक तकनीक, नेटवर्क और दूसरी बेहतरीन सुविधाओं से लैस होने के बावजूद दिल्ली पुलिस अगर शहर के एक हिस्से को महफूज नहीं रख सकती तो जरूरत पड़ने पर पूरी दिल्ली को सुरक्षित कैसे रखेगी?

फटकार दिल्ली पुलिस को पड़ी, तो सवालों के घेरे में देश के गृह मंत्रालय को आना ही था।

पुलिस की इसी 'बेचारगी' से नाराज हाईकोर्ट को टिप्पणी करनी पड़ी कि वो किसी सूरत में दिल्ली में दोबारा 1984 के हालात बनने नहीं दे सकते। दिल्ली पुलिस पर आरोप लगते हैं कि 84 के सिख दंगों में उसकी निष्क्रियता के कारण ही बड़े पैमाने पर सिखों का नरसंहार हुआ था।

फटकार दिल्ली पुलिस को पड़ी, तो सवालों के घेरे में देश के गृह मंत्रालय को आना ही था, वो आया भी। कांग्रेस ने तुरंत मुद्दा लपका और राष्ट्रपति को राजधर्म का तकाजा देकर गृहमंत्री के इस्तीफे की मांग कर दी। हालांकि बेहतर तो यह होता कि कांग्रेस देश पर लंबे समय तक शासन करने के अनुभव से सरकार पर हमले के साथ ही उसे इस चुनौती से निकलने का कोई रास्ता भी सुझा देती। बदले में बीजेपी का कांग्रेस को 1984 के दंगों की याद दिलाना भी संजीदा जवाब नहीं दिखता। सत्ता में बैठी सरकार देश के किसी भी हिस्से में अशांति की जिम्मेदारी से पल्ला नहीं झाड़ सकती। हां उसका ये सवाल

जरूर गौर करने लायक हो सकता है कि जब देश में अमेरिकी राष्ट्रपति का दौरा हो रहा था, तब दिल्ली में दंगे भड़कना कोई साजिश तो नहीं है। लेकिन यहां भी सवाल के बदले सवाल ही उठेगा कि अगर कोई साजिश है भी, तो सरकार उसका पदार्फाश क्यों नहीं करती?

दंगों की जांच के बीच दिल्ली पुलिस को फटकार लगाने और भड़काऊ बयानबाजी करने वाले नेताओं पर एफआईआर का निर्देश देने वाले दिल्ली हाईकोर्ट के जज जस्टिस मुरलीधर का पंजाब और हरियाणा हाईकोर्ट में तबादला भी सियासी सवालों का सबब बना है। कांग्रेस इस तबादले की टाइमिंग को आधार बनाकर फैसले को शर्मनाक बता रही है, तो सरकार इसके लिए सुप्रीम कोर्ट की अनुशंसा को बुनियाद बता रही है।

बदले में बीजेपी का कांग्रेस को 1984 के दंगों की याद दिलाना भी संजीदा जवाब नहीं दिखता।

इस सियासी घमासान के बीच यह जानकारी भी अहम है कि हेट स्पीच पर कार्रवाई को लेकर एक बार फिर विधि आयोग की 267वीं रिपोर्ट लागू कराने की मांग सामने आई है। इसके लिए गुरुवार को सुप्रीम कोर्ट में एक जनहित याचिका दायर हुई है। साल 2014 में सुप्रीम कोर्ट ने ही विधि आयोग से नफरत फैलाने वाले भाषणों और बयानों को परिभाषित करने को कहा था। इसके तीन साल बाद 2017 में विधि आयोग ने सरकार को यह रिपोर्ट सौंप दी थी।

वैसे दंगों पर सरकार बेशक गंभीर है और यह गंभीरता इस बात से भी दिखती है कि हालात का जायजा लेने के लिए एनएसए अजित डोवाल खुद सड़कों पर उतरे। कश्मीर में अनुच्छेद 370 हटाए जाने के बाद भी डोवाल ने लोगों में भरोसा बहाल करने का यह तरीका अपनाया था। वैसे नौकरशाहों के इस तरह आवाम के बीच जाने से यह सवाल भी उठ सकता है कि क्या जनप्रतिनिधि अब जनता के भरोसे के काबिल नहीं रहे?

बहरहाल राहत की बात यह है कि प्रधानमंत्री नरेन्द्र मोदी की शांति की अपील और दिल्ली पुलिस के देर से ही सही एक्शन में आने से हालात तेजी से पटरी पर लौटे हैं। 136 दंगाइयों के सलाखों के पीछे पहुंचने और 48 केस दर्ज होने से उन लोगों के हौसले जरूर पस्त हुए होंगे जो अभी भी दिल्ली

में नफरत की आग फैलाने का मंसूबा पाल रहे हैं। दो एसआईटी बनाने का फैसला भी इस मायने में वाजिब दिखता है कि इससे गुनहगारों की पहचान और जांच का काम तेजी से होगा।

वैसे एक और काम है जो सरकार के साथ-साथ हमें-आपको भी बड़ी तेजी से करना होगा। बड़ी बात यह है कि इसकी जिम्मेदारी कोई और नहीं बल्कि बापू हम लोगों पर छोड़ गए हैं। प्रसंग साल 1920 में यंग इंडिया में लिखा बापू का एक लेख है। इस लेख का शीर्षक था लोकशाही बनाम भीड़शाही। दिलचस्प बात यह है कि बापू ने इस लेख में जिन हालात का वर्णन किया है, सौ साल बाद आज भी देश में कमोबेश वैसे ही हालात दिखाई देते हैं। बापू ने तब लिखा था कि आज भारत बड़ी तेजी से भीड़शाही की अवस्था से गुजर रहा है और दुर्भाग्य से ऐसा भी हो सकता है कि हमें इस अवस्था से बहुत धीरे-धीरे छुटकारा मिले। बदलाव की सुस्त रफ्तार के बावजूद बुद्धिमानी इसी में होगी कि हम इससे जल्द-से-जल्द छुटकारा पाने के उपायों का सहारा लें।

बापू ने तब लिखा था कि आज भारत बड़ी तेजी से भीड़शाही की अवस्था से गुजर रहा है।

दंगे और हिंसा भी लोकशाही पर भीड़शाही के हावी होने का नतीजा ही होते हैं और वाकई बुद्धिमानी इसी में होगी कि बापू की सीख पर चलकर इससे जल्द छुटकारा पाने की हर कोशिश को आगे बढ़कर सहारा दिया जाए।

(राष्ट्रीय सहारा, 29 फरवरी, 2020)

30

‘उपचार’ को देश में उदाहरण बनाएं

दिल्ली में जो हुआ उसकी गूंज अब अंतरराष्ट्रीय स्तर पर सुनाई दे रही है और जिन ट्रंप की भारत में मौजूदगी के दौरान ये सब कुछ हुआ, उन्हीं के अमेरिका में भारत पर सवाल उठ रहे हैं। जाहिर है इस बार दांव पर साख केवल पुलिस की ही नहीं, बल्कि सरकार की भी लगी है। बेशक ये हमारा आंतरिक मामला हो, लेकिन केवल इतने भर से सरकार की जिम्मेदारी पूरी नहीं हो जाएगी। दिल्ली देश का दिल है और जिस तरह दिल को लगा जख्म पूरे शरीर को दर्द देता है, उसी तरह दिल्ली पर लगी चोट पूरे देश की पीड़ा बढ़ाती है। इसलिए सरकार को तमाम उपलब्ध संसाधनों को साथ लाकर दिल्ली में सुरक्षा और भरोसा बहाल करने की ऐसी ठोस योजना तैयार करनी होगी जो आने वाले समय में पूरे देश के सामने मिसाल बन सके।

दंगे और हिंसा रुकने के बाद दिल वालों की दिल्ली भले ही दोबारा पटरी पर लौटती दिख रही है, लेकिन अब भी कई ऐसे सवाल हैं जिनका जवाब ढूंढ़े बिना आगे का सफर आसान नहीं दिख रहा है। तमाम सवालों में सबसे बड़ा सवाल आम दिल्लीवासी की सुरक्षा का है क्योंकि जान है तो जहान है और जहां भविष्य का भरोसा हर तबके का एक बड़ा अरमान है। दुर्भाग्य से हालिया हादसे में दर्जनों जिंदगियों का ही नहीं, इस भरोसे का भी कत्ल हुआ है।

दुर्भाग्य से हालिया हादसे में दर्जनों जिंदगियों का ही नहीं, इस भरोसे का भी कत्ल हुआ है।

देश की राजधानी होने के नाते यह सवाल और भी बड़ा हो जाता है। खासकर इसलिए भी क्योंकि हालात ऐसे समय में बेकाबू हुए जब अमेरिकी राष्ट्रपति डोनाल्ड ट्रंप भारत के दौरे पर थे और दिल्ली ही नहीं, देश में चारों तरफ सुरक्षा इंतजामों को लेकर 'परिंदा भी पर न मार सकें' वाले दावे किए जा रहे थे।

ये चूक इसलिए भी बहुत बड़ी है क्योंकि राजधानी में दिल्ली पुलिस ही नहीं, बल्कि राष्ट्रीय खुफिया एजेंसियों से भी इनपुट मिलते हैं। फिर भी इतनी बड़ी तादाद में लोग इकट्ठे होते गए और खुफिया तंत्र को भनक तक नहीं लगी। अगर पहले से ही खुफिया जानकारी होती तो अतिरिक्त पुलिस फोर्स तैनात करके हालात को बिगड़ने से पहले काबू में किया जा सकता था।

इतनी बड़ी तादाद में लोग इकट्ठे होते गए और खुफिया तंत्र को भनक तक नहीं लगी।

जिस आंदोलन को इस हिंसा के लिए जिम्मेदार बताया जा रहा है, वह भी अचानक रातों-रात खड़ा नहीं हुआ। दिल्ली में अलग-अलग जगहों पर ये आंदोलन लंबे समय से चल रहे थे। शाहीन बाग के धरना-प्रदर्शन को तो दो महीने से भी ज्यादा का वक्त बीत चुका है। उत्तर-पूर्वी दिल्ली में जहां दंगे भड़के, वहां के जाफराबाद में भी आंदोलनकारी दो दिन पहले धरने पर बैठे थे लेकिन पुलिस कार्रवाई के बाद धरना स्थल से हटा दिए गए थे।

इसके बावजूद आसपास के इलाकों में हजारों की तादाद में भीड़ जुट गई और उन्हें रोकने के लिए समय पर पर्याप्त पुलिस फोर्स भी नहीं पहुंची।

पुलिस न जाने किस अदृश्य शक्ति से आदेश के इंतजार में हाथ-पर-हाथ धरे बैठी रही, जबकि कमिश्नर सिस्टम में अफसरों पर इसकी कोई बंदिश नहीं होती। मौके पर मौजूद जिम्मेदार अधिकारी भी उपद्रवियों के खिलाफ एक्शन के लिए फैसले ले सकते थे। पुलिस के पास वैसे भी धारा-144 से लेकर कर्फ्यू लागू करने जैसे कई अधिकार होते हैं। पुलिस को फटकार लगाते हुए दिल्ली हाईकोर्ट ने यह बात कही भी है।

पुलिस को फटकार लगाते हुए दिल्ली हाईकोर्ट ने यह बात कही भी है।

सवाल तो इस बात पर भी उठ रहे हैं कि जब बात-बात पर इंटरनेट बंद कर दिया जाता हो, तो इतने बड़े उपद्रव के दौरान इसे अनदेखा क्यों किया गया? यही सवाल रैपिड एक्शन फोर्स को 'एक्शन' से दूर रखने को लेकर भी है।

दंगाग्रस्त इलाकों से तबाही का सामान जिस बड़ी तादाद में बरामद हो रहा है, वो साफ इशारा है कि उपद्रवी लंबे समय से दिल्ली को दहलाने की तैयारी कर रहे थे। दिल्ली में दंगाइयों के मॉड्यूल से अब दूसरे शहरों की पुलिस को भी अलर्ट हो जाना चाहिए, क्योंकि सीएए और एनआरसी के विरोध में देश में कई जगह आंदोलन चल रहे हैं और कौन यह दावा कर सकता है कि जो दिल्ली में हुआ उसे दूसरी जगह नहीं दोहराया जाएगा। खतरा इस लिहाज से बढ़ा है कि जब पुलिसिंग में देश का सबसे हाईटेक सिस्टम दंगाइयों के सामने फेल हो गया, तो बाकी जगहों की सुरक्षा की गारंटी कौन दे सकता है?

आम पब्लिक को तो छोड़िए, पुलिस और खुफिया एजेंसियां अपने ही जवानों की गारंटी लेने की हालत में नहीं दिखतीं। क्योंकि अगर सुरक्षा तंत्र तंदुरुस्त होता तो दिल्ली पुलिस के एक कांस्टेबल और आईबी के कर्मचारी को अपनी जान क्यों गंवानी पड़ती? हमें यह नहीं भूलना चाहिए कि सिक्योरिटी सिस्टम से जुड़े लोग जब किसी खतरे से लोहा लेते हुए जान गंवाते हैं, तो इससे पूरे फोर्स का मनोबल प्रभावित होता है। वैसे भी तीस हजारी कोर्ट में वकीलों के हमले और जेएनयू-जामिया यूनिवर्सिटी में कार्रवाई पर किरकिरी के बाद दिल्ली पुलिस का जोश कितना 'हाई' होगा, इसे आसानी से समझा जा सकता है।

शुरुआती जांच में इस बात के भी संकेत मिल रहे हैं कि हिंसा को बाहरी लोगों ने अंजाम दिया और इसके लिए उत्तर प्रदेश से बड़ी संख्या में लोग दिल्ली आए थे। हिंसा के बीच उत्तर प्रदेश से सटे दिल्ली के बॉर्डर को संभवतः इस वजह से भी सील किया गया था। पुलिस को ऐसे इनपुट मिले हैं कि उत्तर प्रदेश में कुछ खास व्हाट्सअप ग्रुप सक्रिय थे जो नफरत भरे भाषणों, अफवाहों और हमलों की योजना बना रहे थे और हिंसा के दौरान उन्मादी मैसेज और वीडियो शेयर कर रहे थे।

सुरक्षा बलों को इसे किसी टेरर अटैक की चुनौती की तरह ही लेना होगा।

हकीकत क्या है ये तो पुलिस की तफ्तीश से ही सामने आएगा, लेकिन अगर ये आशंका सच साबित होती है तो ये पूरे देश के लिए खतरे की घंटी है। सुरक्षा बलों को इसे किसी टेरर अटैक की चुनौती की तरह ही लेना होगा। हिंसा के बाद जिस तरह का खौफ पसरा है, समाज का अमन-चैन टूटा है और पुलिस से लोगों का भरोसा हिला है–ये सभी हालात आतंकी हमले के बाद के सूरते-हाल से मेल खाते हैं।

सड़क से लेकर अदालत तक इस हिंसा को लेकर 1984 के सिख विरोधी दंगों का भी बार-बार जिक्र आ रहा है। हालांकि कई समानताओं के बावजूद दोनों की तुलना तर्कसंगत नहीं लगती। उस वक्त दंगा किसी खास इलाके में नहीं, बल्कि दिल्ली समेत पूरे देश में भड़का था। तब आग में घी डालने वाला सोशल मीडिया नहीं था, इसके बावजूद हिंसा इतने बड़े स्तर पर हुई थी कि मौत का आंकड़ा 3,000 के पार पहुंच गया था। लेकिन इस बात को नहीं भुलाया जा सकता कि तब न तो पुलिस के पास आज की तरह दंगे रोकने में मददगार हाईटेक तकनीक थी और न ही दंगाइयों पर काबू पा सकने वाले अत्याधुनिक हथियार। ये जरूर है कि तब भी आज ही की तरह भड़काऊ भाषणों और बयानबाजियों की कोई कमी नहीं थी, कानून-व्यवस्था ताक पर रख दी गई थी और पुलिस की सुस्ती पर कई सवाल उठे थे। तब भी पीड़ितों को अदालत की चौखट से ही इंसाफ मिला और इस बार भी शासन-प्रशासन को आईना दिखाने का काम अदालत को करना पड़ रहा है। दिल्ली हाईकोर्ट ने नेताओं के भड़काऊ बयानों पर एफआईआर न करने, सोशल मीडिया पर वायरल हो रहे हिंसा के

तब आग में घी डालने वाला सोशल मीडिया नहीं था।

वीडियो की जांच नहीं करने और फौरी कदम नहीं उठाने पर दिल्ली पुलिस को जमकर लताड़ लगाई है।

वैसे हकीकत तो यह भी है कि दिल्ली पुलिस को ऐसे हालात से निपटने का ज्यादा अनुभव भी नहीं है। 84 के दंगों से आगे बढ़ें तो कानून-व्यवस्था के लिहाज से मंडल आयोग, लालकृष्ण आडवाणी की रथ यात्रा और बाबरी ढांचा गिराने पर हुई हिंसा बीते तीन दशकों की सबसे बड़ी घटनाएं रहीं हैं और इन तीनों मौकों पर दिल्ली में वैसी हिंसा नहीं हुई थी जैसी इस बार हुई है।

यह बातें उस पुलिस के लिए अफसोसजनक ही कही जाएंगी जिसके आतंक विरोधी यूनिट की स्पेशल सेल बीते एक साल में 11 आतंकी हमलों की साजिशों को नाकाम कर चुकी है। उसके ऑपरेशंस की धाक दिल्ली से लेकर जम्मू-कश्मीर, पूर्वोत्तर और नेपाल बॉर्डर तक सुनाई दी है, लेकिन इस बार कहानी पलट गई है। दिल्ली में जो हुआ उसकी गूंज अब अंतरराष्ट्रीय स्तर पर सुनाई दे रही है और जिन ट्रंप की भारत में मौजूदगी के दौरान ये सब कुछ हुआ, उन्हीं के अमेरिका में भारत पर सवाल उठ रहे हैं।

> *दिल्ली देश का दिल है और जिस तरह दिल को लगा जख्म पूरे शरीर को दर्द देता है।*

जाहिर है इस बार दांव पर साख केवल पुलिस की ही नहीं, बल्कि सरकार की भी लगी है। बेशक ये हमारा आंतरिक मामला हो, लेकिन केवल इतने भर से सरकार की जिम्मेदारी पूरी नहीं हो जाएगी। दिल्ली देश का दिल है और जिस तरह दिल को लगा जख्म पूरे शरीर को दर्द देता है, उसी तरह दिल्ली पर लगी चोट पूरे देश की पीड़ा बढ़ाती है। इसलिए सरकार को तमाम उपलब्ध संसाधनों को साथ लाकर दिल्ली में सुरक्षा और भरोसा बहाल करने की ऐसी ठोस योजना तैयार करनी होगी जो आने वाले समय में पूरे देश के सामने मिसाल बन सके।

(राष्ट्रीय सहारा, 1 मार्च, 2020)

31

एहतियात से दूर होगा कोरोना का 'रोना'

हमारे लिए भी इतनी राहत तो है ही कि चीन के पड़ोसी होने के बावजूद देश में अब तक कोरोना का वैसा असर नहीं दिखा है, जैसा दुनिया के बाकी देशों में दिख रहा है। उम्मीद इस वजह से भी कायम रखनी चाहिए कि कोरोना का वायरस अपने एक हजार मरीजों में से फिलहाल केवल एक की जान ले रहा है। यानी लाइलाज होने के बावजूद यह इतना रहमदिल तो है कि एहतियात बरतने पर जिंदगी बख्श रहा है। हालांकि कोशिश तो इस बात की होनी चाहिए कि जान गंवाने वाले इस एक मरीज को भी बचाया जा सके।

चीन की 'कैद' से आजाद होकर कोरोना वायरस अब पूरी दुनिया में फैल गया है। दुनिया भर से आ रही खबरों से यह पता चल रहा है कि अंटार्कटिका को छोड़ कर अब कोई महाद्वीप इसके संक्रमण से नहीं बचा है। पूरी दुनिया की सेहत पर नजर रखने वाले विश्व स्वास्थ्य संगठन ने भी यह कहकर खतरे की घंटी बजा दी है कि यह वायरस अगर सभी देशों में नहीं, तो भी ज्यादातर देशों में अपने पैर पसार सकता है। इस चेतावनी को सही ठहराते हुए कोरोना वायरस अब तक 72 देशों में घुसपैठ कर चुका है और अब यह हमारे घर में भी अनचाहे अतिथि की तरह घुस आया है।

भारत में अब तक कोरोना के 30 से ज्यादा पीड़ित सामने आ चुके हैं और करीब 30 हजार संदिग्ध सरकार की निगरानी में हैं। बेशक यह आंकड़ा फिलहाल सब कुछ नियंत्रण में होने का भाव देता हो, लेकिन इसमें सतर्क हो जाने का संकेत भी दिखता है। खास तौर पर इस वजह से भी कि कोरोना से प्रभावित बाकी दुनिया और हमारे देश की बसाहट में एक बुनियादी फर्क है। भारत में आबादी का घनत्व सबसे ज्यादा है और इस मामले में चीन के अलावा दो-तीन दक्षिण एशियाई देश ही हमें टक्कर देते हैं। हमारे यहां झुग्गियों में सघन बसाहट है जहां एक-एक कमरे में चार से पांच लोग तक रहते हैं जो संक्रमण के बेलगाम होने की आशंका को बढ़ा देते हैं।

चीन की 'कैद' से आजाद होकर कोरोना वायरस अब पूरी दुनिया में फैल गया है।

वैसे भी अब तक इस वायरस का कोई इलाज नहीं मिलने के कारण सावधानी रखना जरूरी है, क्योंकि फिलहाल तो केवल बीमारी के लक्षण कम होने वाली दवाइयां ही दी जा सकती हैं। कुछ अस्पतालों में एंटी-वायरल दवाओं की तैयारी जरूर चल रही है, लेकिन इसको अमल में लाने में कई महीने लग सकते हैं।

दिल्ली में मिले कोरोना वायरस के एक मरीज ने अपने घर पर ही बच्चे के बर्थडे की पार्टी दी थी।

कोरोना वायरस को लेकर हमारी पर्सनल हाईजीन की आदतें, अज्ञानता, गरीबी भी सवालों में आती है। इसे इसलिए भी चिंता का विषय बनना चाहिए क्योंकि दिल्ली में मिले कोरोना वायरस के एक मरीज ने अपने घर पर ही

बच्चे के बर्थडे की पार्टी दी थी। इसमें शामिल होने आए रिश्तेदारों में से भी 6 लोग पॉजिटिव पाए गए हैं। टेस्ट होने से पहले यह मरीज कितने लोगों के संपर्क में आए होंगे, इसकी जानकारी जुटाना जरूरी तो है, लेकिन आसान बिल्कुल भी नहीं। यही कोरोना का सबसे बड़ा खतरा भी है कि ग्लोबल हिस्ट्री बन जाने के बावजूद यह अब तक दुनिया के लिए मिस्ट्री बना हुआ है।

हालांकि सरकार दावा कर रही है कि उसने देश के सभी एंट्री प्वाइंट्स पर स्क्रीनिंग के पुख्ता इंतजाम कर लिए हैं। एयरपोर्ट से लेकर बंदरगाहों तक और जमीनी सीमाओं से लेकर आइसोलेशन सेंटर तक सरकार खुद को हर मोर्चे पर मुस्तैद बता रही है। सरकार के इन दावों पर संदेह की कोई वजह भी नहीं दिखती, लेकिन उसकी दावेदारी के बीच कोरोना से लड़ने में आपकी-हमारी जिम्मेदारी भी कम नहीं हो जाती। खासकर इस वजह से भी कि होली का त्योहार सामने खड़ा है। बाकी त्योहारों से होली का मिजाज इस मायने में अलग है कि इसमें लोगों के बीच आपसी संपर्क के ज्यादा अवसर होते हैं जो कोरोना के फैलने के लिए बेहद मुफीद है। इस लिहाज से प्रधानमंत्री नरेन्द्र मोदी और सरकार के इस बार होली नहीं खेलने के संकेत को समझना जरूरी हो जाता है। प्रधानमंत्री मोदी ने अपने ट्वीट में इस बात पर खासा जोर दिया है कि कोरोना से बचने के लिए एक साथ भीड़ में जमा होने से बचना भी जरूरी है। यानी इस बार होली के पर्व पर समाज के साथ-साथ राष्ट्र के लिए भी जिम्मेदारी निभाते हुए इससे जितना बचा जाए, उतना बेहतर होगा। इस मामले में हम चीन से सबक ले सकते हैं, जहां मानवाधिकार ताक पर रखने वाली सख्ती के बावजूद वहां के नागरिकों ने सरकार का हर स्तर पर सहयोग किया है।

टेस्ट होने से पहले यह मरीज कितने लोगों के संपर्क में आए होंगे।

इसी तरह सोशल मीडिया पर कोरोना के इलाज से लेकर इसके खतरे की बेतुकी दलीलों से भी बचने की जरूरत है। जब मेडिकल एक्सपर्ट्स तक इस बात पर एक राय नहीं हो पा रहे हैं कि भारत के गर्म मौसम में कोरोना वायरस के जीवित रहने की संभावना कितनी है, तो सोशल मीडिया के इन 'नीम-हकीमों' पर एतबार करने में एहतियात बरतना जरूरी हो जाता है।

सवाल सिर्फ स्वास्थ्य का ही नहीं, देश और दुनिया की आर्थिक सेहत पर मंडरा रहे खतरे का भी है। इस साल की पहली तिमाही में चीन की अर्थव्यवस्था में पिछले साल के मुकाबले चार फीसद तक की गिरावट का अनुमान है। वैश्विक अर्थव्यवस्था भी 0.2 फीसद तक पिछड़ सकती है। आज के दौर में दुनिया की अर्थव्यवस्थाएं जिस तरह एक-दूसरे से जुड़ी हुई हैं, उसमें भारत भी इसकी चपेट में आ सकता है। पहले से ही सुस्ती की गिरफ्त में चल रही अर्थव्यवस्था के लिए संकेत अच्छे नहीं हैं। कोरोना के संक्रमण को लेकर अब तक दो अनुमान सामने आए हैं। ऑर्गनाइजेशन फॉर इकोनॉमिक कोऑपरेशन एंड डेवलपमेंट यानी ओईसीडी ने साल 2020-21 के दौरान भारत की विकास दर का अनुमान घटाकर 5.1 फीसद कर दिया है। इसी तरह मूडीज ने यह अनुमान 6.6 फीसद से कम कर 5.4 फीसद कर दिया था। खास कर पर्यटन, इलेक्ट्रॉनिक्स और ऑटो इंडस्ट्री पर दबाव और बढ़ने वाला है।

आगे की राह जब निराशाजनक दिख रही है, तो दुनिया के बाजार पीछे पलटकर उम्मीद तलाश रहे हैं। साल 2003 में सार्स, 2014 में इबोला और 2016 में जीका वायरस से भी ग्लोबल इकॉनोमी के चौपट होने का डर पैदा हुआ था। तीनों मौकों पर भारी नुकसान झेलने के बावजूद दुनिया न केवल संभली, बल्कि नई रफ्तार से आगे भी बढ़ी है।

सवाल सिर्फ स्वास्थ्य का ही नहीं, देश और दुनिया की आर्थिक सेहत पर मंडरा रहे खतरे का भी है।

लेकिन कोरोना वायरस से पैदा हुए हालात पहले से अलग हैं। इसने दुनिया के बनाए हुए गोरे-काले, अमीर-गरीब और बड़े-छोटे देशों का फर्क खत्म कर दिया है। कोरोना के सामने अति-आधुनिक होती जा रही दुनिया की खुद को सुरक्षित मानने वाली तैयारियों की पोल भी खुल गई है। तीन महीनों में 72 देशों के सफर और तीन हजार मौत के साथ करीब एक लाख लोगों पर असर डालने के बावजूद समाधान तो दूर की बात है, कोई अब तक इसके फैलने की असली वजह भी नहीं बता पा रहा है।

विश्व स्वास्थ्य संगठन ने इसे पैन्डेमिक यानी पूरी दुनिया पर असर डालने वाली संक्रामक बीमारी मान लिया है। ईरान, चिली और अर्जेंटीना जैसे देशों

की क्या बिसात कही जाए, कोरोना पर अमेरिका से लेकर इटली, ब्रिटेन और फ्रांस तक में हाहाकार मचा हुआ है। हमारे अपने देश में भजन-कीर्तनों का दौर शुरू हो चुका है और ईसा मसीह की जन्मस्थली बेथलेहम में पहली बार चर्च को बंद करना पड़ा है। भारत के साथ ही दुनिया के तमाम देशों में जितनी बड़ी तादाद में एक साथ स्कूल बंद हुए हैं, वैसा आम तौर पर क्रिसमस की छुट्टियों पर ही देखने को मिलता है।

हमारे लिए भी इतनी राहत तो है ही कि चीन के पड़ोसी होने के बावजूद देश में अब तक कोरोना का वैसा असर नहीं दिखा है, जैसा दुनिया के बाकी देशों में दिख रहा है। उम्मीद इस वजह से भी कायम रखनी चाहिए कि कोरोना का वायरस अपने एक हजार मरीजों में से फिलहाल केवल एक की जान ले रहा है। यानी लाइलाज होने के बावजूद यह इतना रहमदिल तो है कि एहतियात बरतने पर जिंदगी बख्श रहा है। हालांकि कोशिश तो इस बात की होनी चाहिए कि जान गंवाने वाले इस एक मरीज को भी बचाया जा सके।

(राष्ट्रीय सहारा, 7 मार्च, 2020)

32

भरोसे के खजाने को 'यस' कहने की जरूरत

यस बैंक का मामला भले ही अगले 30 दिन में सुलझ जाए, बैंकिंग से जुड़े सवाल लंबे समय तक पीछा नहीं छोड़ने वाले हैं। यह कहना कि बैंकिंग सेक्टर के लिए यह समय चुनौतियों से भरा है, शायद समस्या का सरलीकरण होगा। जाहिर है वक्त अब ठोस बदलाव के लिए नई शुरुआत करने का है। क्योंकि इन हालात में सबसे ज्यादा जरूरी उस आम आदमी को राहत पहुंचाना है, जो साख के बार-बार दांव पर लगने के बावजूद आज भी बैंक को अपनी पूंजी का सबसे सुरक्षित ठिकाना मानता है। ऐसे में लोगों के इस भरोसे को यथावत बनाए रखना आज के दौर की सबसे बड़ी चुनौती बन गई है।

देश के बैंकिंग सेक्टर से अच्छी खबर नहीं है। प्राइवेट सेक्टर का चौथा सबसे बड़ा बैंक कहा जाने वाला यस बैंक उसी राह पर है, जिस पर चलकर कुछ दिनों पहले पंजाब और महाराष्ट्र के कोऑपरेटिव बैंक डूब चुके हैं। सरकार और रिजर्व बैंक ऑफ इंडिया ने बेशक रेस्क्यू ऑपरेशन शुरू कर दिया है, लेकिन इन दोनों के अलावा इकोनॉमी के ज्यादातर 'सर्जन' यही मान रहे हैं कि 'मर्ज' अब इतना फैल चुका है कि कोई चमत्कार ही 'मरीज' को बचा सकता है।

रिजर्व बैंक ने यस बैंक के बोर्ड का नियंत्रण अपने हाथ में ले लिया है।

रिजर्व बैंक ने यस बैंक के बोर्ड का नियंत्रण अपने हाथ में ले लिया है। बैंक की री-स्ट्रक्चरिंग के लिए दस प्वाइंट का प्लान बनाया गया है। एसबीआई बोर्ड ने यस बैंक में 49 फीसद तक की हिस्सेदारी यानी 2,450 करोड़ रुपये के निवेश की सैद्धांतिक मंजूरी दी है। इस फैसले से बैंक का तो पता नहीं, लेकिन खातेदारों का पैसा जरूर डूबने से बच सकता है।

वैसे समय रहते अगर 'कुछ' कर लिया गया होता तो 30 दिनों के इस एक्शन प्लान की जरूरत ही नहीं पड़ती। यस बैंक तो अगस्त 2018 से ही संकट में था, यानी भविष्य के संकेत 20 महीने पहले से मिलने लगे थे। पारिवारिक कलह, संदिग्ध ट्रांजैक्शन और लोन से जुड़ी खामियों की वजह से बैंक के तत्कालीन प्रमुख राणा कपूर को 31 जनवरी, 2019 तक पद छोड़ने को कहा गया था। इसके बाद खबर बाहर आई कि लोन देने में बैंक अपनी जमा-पूंजी की सीमा को बहुत पहले लांघ चुका था। पिछले साल की पहली तिमाही में बैंक को पहली बार घाटा हुआ, जो फिर बढ़ता ही गया।

बैंक के सिर पर चढ़ा एनपीए-जिसकी रिकवरी के चांस शून्य थे-अपना असर दिखाने लगा था। बैड लोन ने बैंक का 'बैंड' बजाना शुरू कर दिया। ज्यादा ब्याज के लालच में दिवालिया हो रही कंपनियों को भी लोन देने के लिए यस बैंक ने कभी 'नो' नहीं कहा। जो सबको दिख रहा था, वो सच भी साबित हुआ। ज्यादातर कंपनियों ने लोन नहीं चुकाया और बैंक का पैसा फंस गया। ठीक एक साल बाद अगस्त 2019 में बैंक को लेकर मूडीज की घटी हुई रेटिंग ने बैंक में निवेशकों की दिलचस्पी भी घटा दी।

बैंक से नकदी लगातार बाहर निकलती गई। डिपोजिट यानी जमा बैंक के लिए ऑक्सीजन का काम करता है और जब वो ही कम होता गया तो यस बैंक भी आईसीयू में पहुंच गया।

ज्यादातर कंपनियों ने लोन नहीं चुकाया और बैंक का पैसा फंस गया।

बहरहाल थोड़े में ज्यादा कहा जाए तो संकट अब स्पष्ट है और बैंक के खातेदार पैनिक मोड में हैं। हो भी क्यूं ना? जिनकी जिंदगी भर की जमा-पूंजी छिन जाने का खतरा हो, उनसे कम-से-कम परेशान होने का हक तो नहीं छीना जा सकता है। सवाल यह है कि संकट का जो समाधान पेश किया जा रहा है, उसकी सफलता की क्या गारंटी है? फिलहाल इस पर दावे के साथ कुछ नहीं कहा जा सकता। छह महीने पहले पीएमसी बैंक को भी रिजर्व बैंक ने यही 'दवा' पिलाई थी, लेकिन उसकी सांसें उखड़ गई। यस बैंक और उसके खातेदारों के लिए अगले 30 दिन अहम हैं क्योंकि इसी दौरान साफ होगा कि बैंक का मर्जर होगा या टेकओवर, या फिर एक और बैंक टाइटैनिक साबित होगा जिसकी आशंका विपक्ष जता रहा है।

नए सवाल जुड़ते जाते हैं तो मूल सवाल भी बड़ा होता जाता है। इस मामले में यह सवाल इस लिहाज से भी बड़ा हो जाता है कि आखिर क्यों एक डूब रहे प्राइवेट बैंक को बचाने के लिए देश के सबसे बड़े सरकारी बैंक को आगे किया जा रहा है। वो भी तब जब यह बैंक खुद भारी-भरकम एनपीए के कारण दबाव में है। सरकार ने इसी 3 मार्च को राज्यसभा में इसकी तस्दीक की है। सदन में पेश रिपोर्ट में बताया गया है कि इस वित्त वर्ष में पांच बड़े सरकारी बैंकों में 1,59,661 करोड़ रुपये का सबसे ज्यादा एनपीए भारतीय स्टेट बैंक यानी एसबीआई पर ही है। फिर क्यों बार-बार बैंकों के संकट में एसबीआई को ही आगे कर दिया जाता है? एसबीआई और एलआईसी कब तक खुद संकट में पड़कर संकटमोचक की भूमिका निभाते रहेंगे? क्या वजह है कि बैंकिंग सेक्टर को रिवाइव करने का कोई भी दांव उससे जुड़े दावे के हिसाब से काम नहीं कर पा रहा है?

बैंकिंग से जुड़ी हर समस्या के लिए पिछली सरकार को जिम्मेदार ठहरा देने से काम नहीं चलेगा। अगर एनपीए का पहाड़ यूपीए की नीतियों से खड़ा

हुआ है, तो पूर्व वित्त मंत्री पी चिदंबरम के उस ट्वीट से मुंह चुराना भी मुश्किल है कि पिछले सात साल में एनपीए कम होने के बजाय बढ़ता ही क्यों गया? क्यों बैंकिंग व्यवस्था सुधारने की कवायद से समस्या कम होने की जगह और गंभीर होती गई?

एनपीए की दीमक ने इस दावे को भी खोखला कर दिया।

साल 2014 में सत्ता संभालने के बाद केंद्र सरकार ने सरकारी बैंकों के लिए एक मेगा प्लान तैयार किया। दावा था कि प्रोफेशनल तरीके से काम होगा तो सरकारी बैंकों का हाल भी बदलेगा। प्लान में वरिष्ठ पदों पर चुन-चुन कर सही लोगों को बैठाना था। इसके लिए बैंक बोर्ड बना लेकिन वो दो साल तक पहली मीटिंग ही नहीं कर पाया। इस बीच पंजाब नेशनल बैंक का घोटाला सामने आ गया। फिर सरकार ने एसबीआई में उसके एसोसिएट बैंकों को मर्ज कर दिया। दावा बैंक की सेहत सुधारने का था, लेकिन हुआ क्या? 2017-18 की तीसरी तिमाही में स्टेट बैंक को 17 साल में पहली बार पूरे 2,400 करोड़ रुपये से भी ज्यादा का घाटा हुआ। पिछले साल बैंकिंग रिफॉर्म की तरफ बड़ा कदम उठाते हुए सार्वजनिक क्षेत्र के 10 बैंकों का विलय कर 4 बड़े बैंक बनाने का फैसला हुआ था। इस बार भी दावा इकोनॉमी को रफ्तार देने का था। लेकिन देश सुस्ती की गिरफ्त से बाहर नहीं निकल पाया। ठीक उसी समय पीएसयू बैंकों को मुनाफे में लाने के लिए 70,000 करोड़ रुपये का बूस्टर डोज भी दिया गया, मगर एनपीए की दीमक ने इस दावे को भी खोखला कर दिया।

अंदेशा है कि करीब 9.5 लाख करोड़ के एनपीए में फंसे सरकारी बैंकों की हालत और खराब होने वाली है। 31 मार्च को एमएसएमई को लेकर एनपीए पर लगी रोक हटने जा रही है। यानी छोटे और मध्यम आकार के व्यवसायियों ने जो लोन नहीं लौटाए हैं, अब वो भी एनपीए के खाते में दिखाई देने लगेंगे। मुद्रा लोन के साथ-साथ राज्य बिजली वितरण कंपनियों पर करीब 80 हजार करोड़ और टेलीकॉम सेक्टर पर 92 हजार करोड़ रुपये पहले से बकाया हैं।

इसलिए यस बैंक का मामला भले ही अगले 30 दिन में सुलझ जाए, बैंकिंग से जुड़े सवाल लंबे समय तक पीछा नहीं छोड़ने वाले हैं।

यह कहना कि बैंकिंग सेक्टर के लिए यह समय चुनौतियों से भरा है, शायद समस्या का सरलीकरण होगा। जाहिर है वक्त अब ठोस बदलाव के लिए नई शुरुआत करने का है। क्योंकि इन हालात में सबसे ज्यादा जरूरी उस आम आदमी को राहत पहुंचाना है, जो साख के बार-बार दांव पर लगने के बावजूद आज भी बैंक को अपनी पूंजी का सबसे सुरक्षित ठिकाना मानता है। ऐसे में लोगों के इस भरोसे को यथावत बनाए रखना आज के दौर की सबसे बड़ी चुनौती बन गई है।

(राष्ट्रीय सहारा, 8 मार्च, 2020)

33

अर्थनीति को अर्थवान बनाने का समय

यस बैंक का जो आउटस्टैंडिंग लोन है वह 2014 में 55,633 करोड़ रुपये था। मार्च, 2019 में बढ़कर 2,41,499 करोड़ रुपये हो गया है। यानी 5 साल में यस बैंक का फंसा हुआ कर्ज चार गुना से भी अधिक बढ़ गया है। इतने कम समय में इस कदर लोन का बढ़ना बड़े घोटाले की ओर संकेत करता है। यह एक अमेरिकी पूंजीवादी की करीब एक सदी पहले कही गई बात को ही मजबूत करता है कि अगर आप बैंक से 100 डॉलर कर्ज लेते हैं और चुका नहीं सकते हैं तो यह आपकी समस्या है, लेकिन अगर आप 10 करोड़ डॉलर कर्ज लेकर चुका नहीं पाते हैं तो यह समस्या कर्ज देने वाले बैंक की है।

यस बैंक के मामले ने समूचे देश में बैंकिंग व्यवस्था की बड़ी कमजोरियों को बेनकाब किया है। इसने बताया है कि किस तरह से व्यक्तिगत लाभ के लिए बैंक के प्रमोटर जनता की गाढ़ी कमाई की बंदरबांट कर लेते हैं। डूबी हुई कंपनियों को बेहिसाब लोन देते हैं और इसके बदले अपने परिजन के नाम गलत फायदे लेते हैं।

यस बैंक के मामले ने समूचे देश में बैंकिंग व्यवस्था की बड़ी कमजोरियों को बेनकाब किया है।

राणा कपूर यस बैंक के संस्थापक थे और लंबे समय तक इसके प्रमुख रहे। उनके परिवार के सदस्यों की भी बैंक में खासी हिस्सेदारी रही। फंसे हुए कर्ज को दुनिया की नजर से दूर रखने के लिए ऐसे लोगों का रसूख और पहुंच कारोबारी दुनिया से लेकर शेयर बाजार तक बड़ा काम आता है। लेकिन रसूख और पहुंच का पर्दा हटने के बाद पोल खुल रही है कि बैंक ने कर्ज बांटने में जमकर घोटाला किया, कमीशनखोरी हुई और लापरवाहियों को देख कर भी अनदेखा किया गया। सच्चाई तो जांच के बाद ही सामने आएगी लेकिन इससे यह तो साफ होता है कि यस बैंक के संचालन में बड़ा गड़बड़झाला था।

यूबीएस दुनिया की एक जानी-मानी वित्तीय कंपनी है और भारत में स्विस बैंक के नाम से जानी जाती है। उसने पांच साल पहले ही चेता दिया था कि कमजोर कर्ज का चक्र लंबा चला तो यस बैंक खतरे में आ जाएगा। इसकी वजह यस बैंक के लोन बुक की तेज बढ़ोतरी थी जिसका आधार वो कंपनियां थीं जो या तो दिवालिया हो चुकी थीं या फिर तेजी से उस ओर बढ़ रहीं थी।

राणा कपूर यस बैंक के संस्थापक थे और लंबे समय तक इसके प्रमुख रहे।

वैसे भी उस समय तक राणा कपूर ऐसे शख्स के तौर पर अपनी पहचान बना चुके थे जो किसी भी कंपनी को कर्ज दे सकता है, बस ब्याज दर कुछ ज्यादा होती थी। यानी राणा की प्राथमिकता कर्ज की सुरक्षा से ज्यादा उससे होने वाली कमाई रहती थी। यस बैंक के स्टेटमेंट बताते हैं कि पिछले साल की तिमाही तक यस बैंक करीब चार लाख करोड़ रुपये का कर्ज बांट चुका था और इसमें केवल चार फीसद के बदले ही गारंटी रखी गई थी।

जिन्हें बैंक से लोन मिला उनमें बेशक उसे लौटाने का सामर्थ्य नहीं था, मगर उन्होंने प्रमोटरों के परिजन को रिश्वत देने का सामर्थ्य दिखलाया। नतीजा यह हुआ कि लोन अचानक बैड लोन होने लग गए। दिवालिया कंपनियों के लिए यस बैंक से लोन बड़ी राहत जरूर रही, लेकिन इसने बड़ी आफत को भी न्योता दे दिया।

जब कर्ज की रिकवरी लगातार गिरने लगी तब बैंक को अपने मुनाफे का खयाल आया, जिसे और गिरने से बचाने के लिए बैंक ने और बड़ा जोखिम मोल लिया। बैंक प्रबंधन ने अकाउंट में हेरफेर से लेकर बैंकिंग नियमों से छेड़छाड़ तेज कर दी। लेकिन तब तक हेराफेरी का घड़ा भर चुका था। बढ़ते एनपीए के कारण मुनाफा कमाने की क्षमता गिरती गई, जिससे बैंक ने निवेशकों और ग्राहकों दोनों का भरोसा खो दिया। अगस्त 2018 में 394 रुपये की ऊंचाई देखने वाले शेयर इस महीने की शुरुआत में इकाई के अंकों तक लुढ़क गए।

जब कर्ज की रिकवरी लगातार गिरने लगी तब बैंक को अपने मुनाफे का खयाल आया।

यह बात भी गौर करने वाली है कि यस बैंक का जो आउटस्टैंडिंग लोन है वह 2014 में 55,633 करोड़ रुपये था। मार्च, 2019 में बढ़कर 2,41,499 करोड़ रुपये हो गया है। यानी 5 साल में यस बैंक का फंसा हुआ कर्ज चार गुना से भी अधिक बढ़ गया है। इतने कम समय में इस कदर लोन का बढ़ना बड़े घोटाले की ओर संकेत करता है। यह एक अमेरिकी पूंजीवादी की करीब एक सदी पहले कही गई बात को ही मजबूत करता है कि अगर आप बैंक से 100 डॉलर कर्ज लेते हैं और चुका नहीं सकते हैं तो यह आपकी समस्या है, लेकिन अगर आप 10 करोड़ डॉलर कर्ज लेकर चुका नहीं पाते हैं तो यह समस्या कर्ज देने वाले बैंक की है।

यही दरअसल हमारे बैंकिंग सिस्टम की भी समस्या है। वित्तमंत्री निर्मला सीतारमण का कहना है कि 2017 से यस बैंक पर नजर थी। अब इस नजर का क्या फायदा अगर खाताधारकों की रकम को लूट से बचाया नहीं जा सके। आज भले ही रिजर्व बैंक पूंजी निवेश के जरिए यस बैंक को उबारने

वित्तमंत्री निर्मला सीतारमण का कहना है कि 2017 से यस बैंक पर नजर थी।

की कोशिश कर रहा हो, भले ही बैंक के शेयर रिकवरी के संकेत दे रहे हों, लेकिन यह कौन दावा कर सकता है कि निकासी की सीमा पर लगी रोक हटने पर खाताधारक बैंक से अपना पैसा नहीं निकालेंगे और बैंक के साथ आगे भी अपना संबंध रखेंगे। तब तो बैंक को उबारने की सारी कोशिशें फेल हो जाएंगी।

भारतीय बैंकों के पास ग्लोबल पैमानों पर 80 पर्सेंट ज्यादा जोखिम उठाने की क्षमता है।

यस बैंक के संकट के बीच महामारी का रूप ले चुके कोरोना की दहशत का खासा असर शेयर बाजार पर भी देखने को मिल रहा है। हफ्ते के बीच एक ऐसा वक्त भी आया जब कारोबार के दौरान सेंसेक्स 3200 अंकों के नुकसान में रहा जबकि निफ्टी में 1000 अंक की गिरावट देखी गई। इतना ही नहीं अमेरिकी बाजार नेस्डेक में भी 10 प्रतिशत की गिरावट दर्ज की गई। अलग-अलग कारणों से गोता लगा रहे शेयर बाजार की इन खबरों के बीच दिलचस्प बात ये है कि बेल आउट पैकेज की खबर मिलने से यस बैंक के शेयर में उछाल देखा गया। शुक्रवार को भी जब बाजार में कोरोना के कारण लोअर सर्किट लगा तब भी पुनर्गठन प्लान को कैबिनेट की मंजूरी मिलने के बाद यस बैक के शेयर बढ़त के साथ कारोबार करते दिखे।

इन सबके बीच मुख्य आर्थिक सलाहकार (CEA) के सुब्रमण्यम ने राहत वाली बात ये कही है कि भारतीय बैंक रिस्क झेलने के लिए काफी मजबूत हैं। उन्होंने तर्क दिया कि वैश्विक तौर पर बैंकों का कैपिटल टू रिस्क असेट रेशियो (CRAR) 8 फीसदी है, जबकि भारत में बैंकों के लिए CRAR 14.3 पर्सेंट के करीब है। इस तरह भारतीय बैंकों के पास ग्लोबल पैमानों पर 80 पर्सेंट ज्यादा जोखिम उठाने की क्षमता है। सवाल उठता है कि जोखिम उठाने की जरूरत क्यों है?

पिछले दो साल में बैंकों को आपस में मिलाने से सरकारी बैंक 27 से घटकर 12 रह गए हैं। इसको लेकर सरकार के तमाम दावों में से एक दावा यह भी रहा है कि इससे कर्ज की तुलना में बैंकों की स्थिति पहले से मजबूत होगी। विडंबना यह है कि सरकार अगली पीढ़ी का बैंक तैयार करने की कोशिश कर रही है, जबकि फिलहाल जरूरत अभी की चुनौतियों से बाहर

निकलने की है। इस समय बैंकों के सामने सबसे बड़ी चुनौती एनपीए की है जो साल-दर-साल बढ़ते-बढ़ते अब नौ लाख करोड़ के पार पहुंच गया है। बैंकों के विलय का फायदा दिखने में कम-से-कम दो साल का समय लग सकता है और तब तक 'दिन दोगुनी, रात चौगुनी' तरक्की कर रहा यह एनपीए कहां तक पहुंच जाएगा, यह कोई नहीं जानता। बढ़ते एनपीए का मतलब होगा बैंकों के लोन देने की क्षमता का घटना, मुनाफे में कमी और नकदी का प्रवाह रुकना जो बैंकों के साथ-साथ अर्थव्यवस्था के लिए भी खराब संकेत हैं।

बैंकिंग सिस्टम की चुनौतियों से निपटने के लिए कुछ फौरी कदम उठाने की जरूरत है। यह बात नहीं भूलनी चाहिए कि लोन बैंकों के लिए ऑक्सीजन का काम करते हैं। अपनी कमाई बढ़ाने के लिए लोन देना बैंकों के लिए मजबूरी ही नहीं, जरूरी भी है। कोशिश होनी चाहिए कि कर्ज लेने वाले की साख कितनी भी बड़ी हो, उसे बड़ा कर्ज देने और वसूलने की प्रक्रिया में नियमों की अनदेखी न हो। क्योंकि बड़े कर्ज अटकने पर पहले बैंक लटकते हैं और फिर अर्थव्यवस्था भटकती है। हमारे बैंकों को लाभ बढ़ाने और जोखिम घटाने के लिए ज्यादा प्रोफेशनल होने की जरूरत है। ग्राहकों की ज्यादा से ज्यादा जानकारियां निकालने के लिए नेटवर्किंग को भी बेहतर करने की जरूरत है। इन तमाम बदलावों के लिए उन देशों से सबक लिया जा सकता है जहां बैंकिंग सिस्टम की साख आज भी बेदाग है।

विजय माल्या ने 13 बैंकों को 9,432 करोड़ रुपये का चूना लगाया।

इस मामले में अमेरिका हमारे लिए बेहतर मिसाल साबित हो सकता है, जहां कैश घोटाले नहीं बल्कि केवल फेक अकाउंट बनाने पर ही 5,300 कर्मचारी बर्खास्त कर दिए जाते हैं और बैंक के सीईओ से इस्तीफा मांग लिया गया था। अमेरिका के सबसे बड़े बैंक वेल्स फार्गो का ये मामला साल 2016 का है जब कर्मचारियों ने बैंक से मिले टारगेट को पूरा करने के लिए 20 लाख से ज्यादा फर्जी अकाउंट बनाए और गलत तरीके से क्रेडिट-डेबिट कार्ड बांटे। हैरानी की बात यह रही कि घोटाला पांच साल तक चलता रहा, लेकिन फेक अकाउंट से न तो कोई लेन-देन हुआ, न ही कर्मचारियों ने अकाउंट बनाकर कोई पैसे कमाए। इसके बावजूद पूरे बैंक को भारी जुर्माने के साथ सख्त सजा मिली।

एक के बाद बैंक घोटाले देख रहे देश को इस तरह का एक्शन दूर की कौड़ी लग सकता है। लोकसभा में सरकार भी कबूल कर चुकी है कि इस साल भी पहली छमाही में वित्तीय संस्थानों में 1,13,374 करोड़ रुपये का फ्रॉड हुआ, यानी बैंकों पर नजर रहने वाली संस्था कहीं-न-कहीं चूक कर रही हैं। खासकर रिजर्व बैंक ऑफ इंडिया की लापरवाही छुपाए नहीं छिप रही। विजय माल्या ने 13 बैंकों को 9,432 करोड़ रुपये का चूना लगाया जो बैंक अधिकारियों की मिलीभगत के बगैर नहीं हो सकता। इसी तरह पीएनबी में 11,400 करोड़ का घोटाला हुआ। बैंक की जिस ब्रांच से नीरव मोदी घोटाले करता रहा, उसका कई साल तक ऑडिट ही नहीं हुआ था। यहां भी फौरी तौर पर आरबीआई जिम्मेदार नजर आती है। आगे पीएमसी बैंक, आईएलएफएंडएस, इलाहाबाद बैंक घोटाला, रोटोमैक पेन घोटाला भी सामने आया। किसी भी मामले में किसी दोषी की गर्दन नहीं पकड़ी जा सकी।

किसी भी मामले में किसी दोषी की गर्दन नहीं पकड़ी जा सकी।

यस बैंक के ताजा मामले में भी जो कार्रवाइयां हुई हैं उससे ऐसा कोई विश्वास नहीं जगता कि आगे से ऐसे घोटाले नहीं होंगे। फिर भी, छापेमारियां हो रही हैं, केस दर्ज किए जा रहे हैं और जांच की प्रक्रिया तेज गति से हो रही हो तो लोगों में इंसाफ की उम्मीद तो जगती ही है।

(राष्ट्रीय सहारा, 14 मार्च, 2020)

34

'हाथ' मिलेंगे तो हारेगा कोरोना

दुनिया पर छाए संकट से लड़ने की सबसे बड़ी हौसला-अफजाई एक बार फिर हमारे देश से ही हुई है। प्रधानमंत्री नरेन्द्र मोदी ने इस दिशा में बड़ी पहल की है। दुनिया को 'नमस्ते' की अहमियत की याद दिला चुके प्रधानमंत्री ने इस बार अपनी-अपनी सरहदों में सिमट गए देशों को हिम्मत बंधाई है और कोरोना के खिलाफ साथ खड़े होने की सलाह दी है। इसकी शुरुआत के लिए उन्होंने सार्क देशों के बीच वीडियो कॉन्फ्रेंसिंग का सुझाव दिया है जिसे पाकिस्तान समेत सदस्य देशों ने तुरंत मंजूर भी कर लिया है। संकेत साफ है-कोरोना के 'इलाज' में सामाजिक दूरी ही नहीं, बल्कि साथ मिलकर लड़ाई भी जरूरी है।

दो महीने से चीन के लिए चैलेंज बना हुआ कोरोना वायरस अब पूरी दुनिया का सिरदर्द बन गया है। 131 देशों में करीब डेढ़ लाख लोगों को बीमार करने और 5 हजार से ज्यादा लोगों के इसका शिकार बनने के बाद वि स्वास्थ्य संगठन ने भी इसे महामारी मान लिया है। हमारे देश में भी कोरोना से दो मौत हो चुकी हैं और मरीजों का आंकड़ा शतक की ओर बढ़ने लगा है। क्या आम और क्या खास, ब्रिटेन, स्पेन और ऑस्ट्रेलिया के मंत्री से लेकर हॉलीवुड और एनबीए तक कोरोना की चपेट में हैं। अनहोनी की आशंका को भांपते हुए भारत सरकार ने कोरोना को आपदा घोषित कर दिया है। 11 साल बाद दूसरा अवसर है जब किसी बीमारी को वैश्विक स्तर पर महामारी घोषित किया गया है। जिस तेजी से यह फैल रहा है उससे दुनिया की सरकारें सशंकित, बाजार सहमा और पर्यटन थम चुका है।

दो महीने से चीन के लिए चैलेंज बना हुआ कोरोना वायरस अब पूरी दुनिया का सिरदर्द बन गया है।

बाजार किस तरह सशंकित है इसका अंदाजा इससे लगाया जा सकता है कि बीते कारोबारी हफ्ते के आखिरी दिन यानी शुक्रवार को भारतीय शेयर बाजार ने 5400 अंकों का उतार-चढ़ाव देखा। भारतीय शेयर बाजार के इतिहास में पहला मौका है जब एक ही दिन में 3600 अंक की गिरावट और 1700 अंकों का सुधार, दोनों देखने को मिले। लोअर सर्किट भी 2008 के बाद लगा है। अमेरिकी शेयर बाजार समेत दुनिया के सभी बाजारों में यह उथल-पुथल देखने को मिली है। पिछली बार दुनिया पर ऐसा खतरा साल 2009 में मंडराया था जब स्वाइन फ्लू को महामारी घोषित किया गया था। उस समय दुनिया में दो लाख से ज्यादा लोग मारे गए थे। स्वाइन फ्लू का वायरस भी कोरोना वायरस की तरह बिल्कुल नया था, आसानी से लोगों को संक्रमित कर रहा था और आपसी संपर्क पर सवार होकर दुनिया की 'सैर' कर रहा था। क्योंकि अभी तक कोरोना वायरस का कोई इलाज नहीं ढूंढ़ा जा सका है, इसलिए फिलहाल इसके विस्तार को रोकना ही इसका इकलौता एंटीडोट है।

कोरोना के कहर से पूरी दुनिया में कर्फ्यू जैसे हालात हैं। चीन के बाहर कोरोना का सबसे ज्यादा कहर इटली पर बरपा है। महामारी ने इटली को इस कदर चपेट में ले लिया है कि दुनिया के टूरिज्म कैपिटल के नाम से मशहूर

इस देश की पहचान आज 'टेरर कैपिटल' के रूप में होने लगी है। साल भर पर्यटकों की चहल-पहल से गुलजार रहने वाले इस देश में तालाबंदी-सी हो गई है। खौफ इतना है कि 6 करोड़ लोग घरों में कैद हैं और दवा व राशन की दुकानों को छोड़कर सब कुछ बंद है। जर्मनी ने भी बड़े जमावड़े वाले आयोजन रद्द कर दिए हैं। वहां खाली पड़े स्टेडियम में फुटबॉल मैच खेला जा रहा है। पोलैंड और स्विट्जरलैंड जैसे देशों में अभी तक कोरोना से कोई मौत नहीं हुई है, लेकिन इसके डर वहां भी सड़कें वीरान हैं। दुनिया के सबसे ताकतवर मुल्क अमेरिका में कोरोना से 40 मरीजों की मौत के बाद नेशनल इमरजेंसी की घोषणा कर दी गई है। हालात की गंभीरता को देखते हुए अमेरिका ने ब्रिटेन और आयरलैंड को छोड़कर सभी यूरोपीय देशों के नागरिकों के लिए अपने देश में प्रवेश पर पाबंदी लगा दी है। दुनिया के सबसे ताकतवर शख्स का चुनाव अभियान भी कोरोना के सामने बौना साबित हो रहा है।

भारत में भी इटली, ईरान, द. कोरिया और जापान के नागरिकों का वीजा निलंबित कर दिया गया है। जहां-जहां कोरोना फैला है, वहां बहुत जरूरी नहीं होने पर यात्रा न करने की एडवायजरी जारी हो गई है। दिल्ली समेत कई राज्यों में स्कूल-कॉलेज, सिनेमाघर बंद कर दिए गए हैं। सरकारी आयोजनों के साथ ही भीड़ जुटाने वाले आईपीएल, आईफा जैसे सालाना जलसे या तो रद्द कर दिए गए हैं, या फिर आगे बढ़ा दिए गए हैं।

कोरोना के कहर से पूरी दुनिया में कर्फ्यू जैसे हालात हैं।

सामाजिक दूरी बनाने के इस अभियान की सबसे बड़ी मार तो अर्थव्यवस्था पर पड़ रही है। आईएमएफ से लेकर ओईसीडी और ऑक्सफोर्ड इकोनॉमिक्स से मूडीज एनालिटिक्स तक अर्थव्यवस्था की जानी-मानी संस्थाओं का अनुमान है कि कोरोना से ग्लोबल इकोनॉमी में एक से डेढ़ फीसद का स्लोडाउन आ सकता है। दुनिया की सभी टॉप-5 इकोनॉमी किसी-न-किसी रूप में इसकी कीमत चुकाएंगी। आर्थिक मंदी के बीच ग्लोबल जीडीपी के 2.4 फीसदी रहने की उम्मीद थी मगर इस वायरस के कारण अब

दुनिया के सबसे ताकतवर शख्स का चुनाव अभियान भी कोरोना के सामने बौना साबित हो रहा है।

मूडीज ने यह अनुमान घटाकर 1.7 प्रतिशत कर दिया है। वहीं अमेरिका की विकास दर घटाकर 1.5 फीसद कर दी गई है यानी पिछले 126 हफ्तों से विस्तार का 'अश्वमेध' कर रही दुनिया की सबसे बड़ी 'अर्थव्यवस्था के घोड़ों' को भी कोरोना से खतरा है। 2003 में अमेरिका को सार्स से जितना नुकसान हुआ था, कोरोना वायरस उससे सात गुना तक नुकसान पहुंचा सकता है। कोरोना की सबसे बड़ी मार झेल रहे चीन के लिए भी विकास दर 5.2 से घटाकर 4.8 फीसद कर दी गई है। जापानी अर्थव्यवस्था में गिरावट की आशंका नहीं है, तो बढ़ोतरी की भी उम्मीद नहीं। 2009 से लगातार आर्थिक विकास देख रहे जर्मनी की ग्रोथ स्टोरी पर भी कोरोना ब्रेक लग सकता है। भारत की विकास दर भी 0.1 फीसद गिरकर 5.3 पर आ सकती है। पिछले महीने ही मूडीज ने इसके 5.4 फीसद तक रहने का अनुमान लगाया था। पहले से ही सुस्ती की गिरफ्त में चल रहे फार्मा, ऑटो, पर्यटन, इलेक्ट्रॉनिक्स, कंज्यूमर गुड्स, पॉल्ट्री, जूलरी, हैंडीक्राफ्ट, कपड़ा, स्टील और एग्रोकेम उद्योग को आने वाले दिनों में और दबाव झेलने के लिए तैयार रहना होगा।

अर्थव्यवस्था का हाल स्टॉक मार्केट की चाल से समझ आता है जो बता रहा है कि मरीज बदहाल है। पिछला हफ्ता भारत ही नहीं, दुनिया भर के बाजारों के लिए अब तक का सबसे बुरा सपना साबित हुआ है। सेंसेक्स 9.2 फीसद तक गिरा है, जबकि निफ्टी का दायरा भी 9 फीसद तक सिकुड़ा है। अमेरिकी बाजार तो इससे दोगुने तक यानी करीब-करीब 18 फीसद तक गोता लगा चुके हैं। वॉल स्ट्रीट ने इस हफ्ते 33 साल की सबसे बड़ी गिरावट देखी है। गुरुवार को डाउ जोंस 9.99 फीसद, नैस्डेक 9.43 फीसद और एस एंड पी 9.51 फीसद तक गिर गया। सेंटीमेंट बिगड़ने से सेंसेक्स ने भी गुरुवार को 52 हफ्ते का निचला स्तर छू लिया। शुक्रवार को तो अफरा-तफरी ऐसी रही कि बाजार कुल 5,400 अंक उतरा-चढ़ा। कोरोना का वायरस केवल 15 मिनट में 12 ट्रिलियन की पूंजी साफ कर गया। यह इस मायने में हैरतअंगेज है कि 2008 की मंदी में दुनिया भर के बाजारों को 30 से 50 फीसद तक गिरने में जहां दो साल लग गए थे, वहीं कोरोना यह काम केवल एक महीने में हो गया। पिछले हफ्ते को ही देखें, तो जापान में टोक्यो स्टॉक एक्सचेंज

सेंसेक्स 9.2 फीसद तक गिरा है, जबकि निफ्टी का दायरा भी 9 फीसद तक सिकुड़ा है।

का निक्केई 16 फीसद तक टूट गया, जबकि रूस, ब्राजील, फ्रांस, जर्मनी, अर्जेंटीना और ब्रिटेन के बाजार 20 फीसद तक गिरे हैं।

बाजार की यह घबराहट दरअसल भरोसे की गिरावट है। मंगल ग्रह को अब और तब जीतने का दावा करने वाली दुनिया कोरोना का 'अमंगल' टालने की दवा नहीं ढूंढ़ पाई है। रिसर्च के लिए तकरीबन हर प्रभावित देश पानी की तरह पैसा बहा रहा है। इजराइल ने बेशक कोरोना का वैक्सीन इजाद करने का दावा किया है, लेकिन बाकी दुनिया इस पर यकीन नहीं कर पा रही। हालांकि इस मामले में सबसे ज्यादा तबाही झेल चुके चीन की कामयाबी जरूर राहत दे रही है। ऐसी रिपोर्ट्स हैं कि चीन एक मरीज के शरीर से कोरोना वायरस को अलग करने में सफल रहा है। उसके रिसर्चरों ने तकनीक के जरिए कोरोना वायरस की जीनोम सिक्वेंसिंग और उसकी पहचान का काम पूरा कर लिया है। सरल शब्दों में यह कोरोना की जड़ को पहचान लेने जैसा है।

कोरोना का वायरस केवल 15 मिनट में 12 ट्रिलियन की पूंजी साफ कर गया।

लेकिन दुनिया पर छाए संकट से लड़ने की सबसे बड़ी हौसला-अफजाई एक बार फिर हमारे देश से ही हुई है। प्रधानमंत्री नरेन्द्र मोदी ने इस दिशा में बड़ी पहल की है। दुनिया को 'नमस्ते' की अहमियत की याद दिला चुके प्रधानमंत्री ने इस बार अपनी-अपनी सरहदों में सिमट गए देशों को हिम्मत बंधाई है और कोरोना के खिलाफ साथ खड़े होने की सलाह दी है। इसकी शुरुआत के लिए उन्होंने सार्क देशों के बीच वीडियो कॉन्फ्रेंसिंग का सुझाव दिया है जिसे पाकिस्तान समेत सदस्य देशों ने तुरंत मंजूर भी कर लिया है। संकेत साफ है-कोरोना के 'इलाज' में सामाजिक दूरी ही नहीं, बल्कि साथ मिलकर लड़ाई भी जरूरी है। क्योंकि यह समस्या किसी एक देश की नहीं, बल्कि पूरे विश्व की हो चुकी है। लिहाजा, कोरोना के राक्षस पर विजय पाने के लिए पूरी दुनिया को एक विशेष रणनीति के साथ मुकाबले के लिए तैयार होना पड़ेगा।

(राष्ट्रीय सहारा, 15 मार्च, 2020)

35

मोदी के 'अनुशासन मंत्र' से लड़ाई होगी आसान

विशाल आकार और आबादी के घनत्व के कारण ऐसी आशंका जताई जा रही है कि भारत कोरोना का अगला सबसे प्रमुख केंद्र बन सकता है। भारत में हर वर्ग किलोमीटर में औसतन 420 लोग रहते हैं। चीन में यह आंकड़ा 148 पर ठहर जाता है यानी हमारी आबादी का घनत्व चीन से करीब तीन गुना है। इसका एक बड़ा हिस्सा उन तंग बस्तियों में रहता है, जहां पांच से लेकर आठ लोगों तक का एक छोटे-से कमरे में रहना सामान्य बात है। यहां साफ-सफाई के संसाधनों और पानी की कमी भी असामान्य बात नहीं है।

पिछले तीन महीनों में कोरोना का वायरस एक तूफान की तरह लगातार आगे बढ़ता गया है। यह तूफान जहां-जहां से गुजरा है, वहां-वहां खौफ का मंजर दिखाई दे रहा है। अब तक दुनिया के 180 से ज्यादा देशों में करीब ढाई लाख लोग इसके संक्रमण से जूझ रहे हैं और दस हजार से ज्यादा लोग अपनी जान गंवा चुके हैं। इसने चीन से निकल कर यूरोप को अपना एपीसेंटर बना लिया है, जहां इटली में अब मौत का आंकड़ा चीन से भी ज्यादा हो गया है और शवों को दफनाने के लिए कब्रिस्तान कम पड़ने लगे हैं। बुधवार को इटली में 475 लोग और गुरुवार को 427 लोग इसके शिकार बन गए। कोरोना वायरस भारत में भी पांच जिंदगियां लील चुका है और संक्रमित लोगों का आंकड़ा दोहरे शतक को पार कर गया है।

बुधवार को इटली में 475 लोग और गुरुवार को 427 लोग इसके शिकार बन गए।

लगातार बढ़ रहा मौत का आंकड़ा खौफ को बढ़ा रहा है और दुनिया की बेबसी को भी बयां कर रहा है। कोरोना का पहला मामला सामने आए हुए करीब-करीब 100 दिन बीत चुके हैं। लेकिन हम बस इतना पता लगा पाए हैं कि यह वायरस इंसानी शरीर पर किस तरह वार कर रहा है। इसका पलटवार यानी इलाज क्या है, इस पर अभी तक तो पूरी दुनिया खाली हाथ है। चीन, अमेरिका, इजराइल, जापान जैसे कई देश कोरोना का 'तोड़' ढूंढ़ लेने का दावा तो कर रहे हैं, लेकिन कोई भी यकीनी तौर पर अपनी 'कामयाबी' पर एतबार नहीं कर पा रहा है।

कोरोना का पहला मामला सामने आए हुए करीब-करीब 100 दिन बीत चुके हैं।

चीन दावा कर रहा है कि वो ऐसी दवा पर काम कर रहा है जिससे हल्के मामलों को गंभीर बनने से पहले ही ठीक कर लिया जाए। अमेरिका मलेरिया की दवा में कोरोना का इलाज ढूंढ़ रहा है तो लंदन के वैज्ञानिक सार्स की दवा आजमा रहे हैं। भारत में जयपुर में एचआईवी के टीके से तीन मरीजों के ठीक होने की खबर सामने आई है, तो ऑस्ट्रेलिया ने अपने टीके को 'ब्रह्मास्त्र' बनाने के लिए एचआईवी की दवा में मलेरिया का भी कॉम्बिनेशन कर दिया है। चीन और इटली के बाद सबसे ज्यादा परेशान ईरान भी जर्मनी

की तरह कोरोना से फेफड़ों को बचाने के मिशन पर काम कर रहा है और इजराइल वायरस की जैविक संरचना का पता लगा कर खुद को दवा बनाने के बेहद करीब बता रहा है। दवा बनाने के लिए यूके की सरकार ने 440 करोड़ रुपये का फंड भी जारी कर दिया है। यूरोपियन देशों की ही 35 से ज्यादा कंपनियां कोरोना की काट ढूंढ़ने में लगी हैं। इस सबसे इतना तो समझ में आ रहा है कि दवा ढूंढ़ लेने की दावेदारी को भले ही अंधेरे में तीर चलाने जैसी जुमलेबाजी से खारिज न किया जा सकता हो, लेकिन इसकी तुलना तीरंदाजी की किसी ऐसी विश्वसनीय प्रतियोगिता से भी नहीं की जा सकती जिसका लक्ष्य स्पष्ट होता है और दावेदार में से किसी-न-किसी का विजेता बनना भी तय होता है।

इसलिए फिलहाल तो समझदारी किसी जुमले के बजाय मेडिकल साइंस के आजमाए फॉर्मूले 'प्रिवेंशन इज बेटर दैन क्योर' पर चलने में ही दिखती है जिसके लिए हद से ज्यादा हाईजीन बनाए रखने की जरूरत है। हम जितना ज्यादा सफाई में रहेंगे, जितना खुद को आइसोलेट करेंगे, उतना ही कोरोना से बचे रहेंगे।

जितना खुद को आइसोलेट करेंगे, उतना ही कोरोना से बचे रहेंगे।

प्रधानमंत्री नरेन्द्र मोदी ने भी देश को हर तरह की एहतियात बरतने की नसीहत दी है। रविवार को एक दिन सुबह से रात तक देश की जनता से खुद को कर्फ्यू में रखने की उनकी अपील को लॉकडाउन की घबराहट के तौर पर नहीं, बल्कि खतरे की आहट के बीच देशवासियों को सुरक्षित रखने के लिए संसाधनों की बेहतर जमावट के नजरिए से देखा जाना चाहिए। प्रधानमंत्री मोदी की इस अपील से साफ है कि 21वीं सदी के तीसरे दशक का 12वां रविवार आने वाले समय में जनता कर्फ्यू के लिए याद किया जाएगा। जनता की ओर से, जनता के लिए, जनता का कर्फ्यू पीएम मोदी ने इसे इसी रूप में परिभाषित किया है। कारण यह है कि लोकतंत्र की परिभाषा में शामिल जनता पहली बार चिकित्सकीय सुरक्षा के किसी आंदोलन में शामिल हुई है। कोरोना के खिलाफ दुनिया भर में जारी जंग में भारत पहला ऐसा देश बन गया है जिसने एक साथ एक समय पर खुद को क्वॉरंटाइन करते हुए मुहिम से जुड़े लोगों के लिए तालियां बजाकर सम्मान देने का निर्णय लिया है।

अपनी अपील में प्रधानमंत्री मोदी ने कोरोना के दूसरे चरण में प्रवेश कर चुके देश को याद दिलाया है कि किस तरह चीन और पाकिस्तान से युद्ध के दौरान देशवासियों ने संकल्प और संयम की मिसाल पेश करते हुए ब्लैकआउट की चुनौती को पार किया था। वक्त उस चुनौती का गवाह बने लोगों का नये सिरे से इम्तिहान ले रहा है क्योंकि वही पीढ़ी आज उम्र के उस दौर में है जहां कोरोना से सबसे ज्यादा खतरा है।

हम अभी नहीं संभले तो कोरोना का असर चीन से तीन गुना तक जा सकता है।

प्रधानमंत्री की नसीहत एक और संदर्भ में बेहद अहम है। दरअसल, विशाल आकार और आबादी के घनत्व के कारण ऐसी आशंका जताई जा रही है कि भारत कोरोना का अगला सबसे प्रमुख केंद्र बन सकता है। भारत में हर वर्ग किलोमीटर में औसतन 420 लोग रहते हैं। चीन में यह आंकड़ा 148 पर ठहर जाता है यानी हमारी आबादी का घनत्व चीन से करीब तीन गुना है। इसका एक बड़ा हिस्सा उन तंग बस्तियों में रहता है, जहां पांच से लेकर आठ लोगों तक का एक छोटे-से कमरे में रहना सामान्य बात है। यहां साफ-सफाई के संसाधनों और पानी की कमी भी असामान्य बात नहीं है। लंबे समय में यह किल्लत यहां रहने वालों में स्वच्छता को लेकर असंवेदनशीलता की आदत में बदल जाती है। ऐसी हालत में अगर हम संक्रमण के तीसरे चरण में पहुंच गए तो बीमारी का सामुदायिक प्रसार होगा, मरीजों को आइसोलेट करना मुश्किल हो जाएगा और हालात बेकाबू हो जाएंगे। इसलिए हम अभी नहीं संभले तो कोरोना का असर चीन से तीन गुना तक जा सकता है।

केवल घनत्व ही नहीं, हमारी आबादी की जमावट और साफ-सफाई की आदत पर भी ध्यान देने की जरूरत है। देश की दो-तिहाई आबादी गांव में रहती है यानी हर तीन में से दो व्यक्ति गांव में रहते हैं। कई रिपोर्ट्स से हमें यह भी पता चलता है कि इस ग्रामीण आबादी का एक-चौथाई हिस्सा स्वच्छता और बीमारियों को लेकर लापरवाही बरतता है। बेशक, इसकी वजह गरीबी और अज्ञानता भी है, लेकिन मौजूदा दौर में बीमारी के लक्षण छिपाना,

हाथों को नियमित साफ नहीं करना, बिना हाथ धोए बच्चों को खाना खिला देना जैसी लापरवाहियां केवल एक शख्स को नहीं, बल्कि उसके परिवार और संपर्क में आने वाली बड़ी आबादी को भी मुश्किल में डाल सकता है। इसमें रोज कमाकर खाने वालों की घर से बाहर निकलने की मजबूरी को भी जोड़ लें तो तीसरा चरण हमारे लिए दुनिया के किसी भी दूसरे देश से ज्यादा भयावह साबित हो सकता है।

(राष्ट्रीय सहारा, 21 मार्च, 2020)

36

'जड़ों' में मिलेगी कोरोना की जड़

कोरोना से बचाव के लिए दुनिया भारतीय परंपरा की एक और पुरानी पहचान योग का सहारा भी ले रही है। कोरोना के संक्रमण से जो लोग ठीक हुए हैं, उनका इम्यून सिस्टम यानी रोग प्रतिरोधक क्षमता अच्छी पाई गई है, जिससे उनका शरीर इस वायरस से लड़ने में कामयाब हुआ। योग इसका सबसे बड़ा सूत्र है क्योंकि यह रोग प्रतिरोधक क्षमता बढ़ाने के साथ ही श्वसन तंत्र भी मजबूत करता है। अमेरिका के प्रमुख चिकित्सा संस्थान हॉर्वर्ड मेडिकल स्कूल ने भी कहा है कि योग करने से कोरोना वायरस से बचा जा सकता है क्योंकि इससे सांस को नियंत्रित किया जा सकता है।

कोरोना का कहर अब 100 दिन पार कर चुका है और इसका कोहराम रोज ही किसी-न-किसी नये इलाके में सुनाई दे रहा है। बेशक, अभी भी कुछ क्षेत्र इसके सीधे असर से बचे हुए हैं, लेकिन कोरोना का खौफ पूरी दुनिया पर हावी हो चुका है। इसकी बड़ी वजह है अब तक इसका लाइलाज होना। ऐसा भी नहीं है कि दुनिया के तीन-चौथाई हिस्से और लाखों लोगों में फैल चुकी इस बीमारी से अब तक कोई ठीक नहीं हुआ हो। हजारों लोग ठीक भी हुए हैं, लेकिन एक भी मामले में यह दावा नहीं किया जा सकता कि यह किसी दवा का कमाल है। हर देश में इलाज का तरीका लगभग एक जैसा ही दिखा है-आपसी संपर्क से परहेज, स्वच्छता और सजगता।

भारत में भी कोरोना की रोकथाम के लिए फिलहाल इसी रणनीति पर काम किया जा रहा है। प्रधानमंत्री नरेन्द्र मोदी ने भी देशवासियों से संकल्प और संयम दिखाने की अपील की है। अच्छी बात यह है कि भारत अब तक इस बीमारी को दूसरे चरण में रोके रखने में कामयाब दिख रहा है। इसके संक्रमण के बढ़ने की रफ्तार नियंत्रण में है और तीसरे चरण में होने वाले सामुदायिक प्रसार का खतरा फिलहाल टला हुआ है। इसी वजह से कोरोना की रोकथाम के लिए भारत के कदम की सराहना हो रही है और दुनिया की निगाहें एक बार फिर भारत पर आकर टिक गई हैं।

कोरोना का कहर अब 100 दिन पार कर चुका है।

इस विचार के पीछे का मकसद यह कहना बिल्कुल नहीं है कि भारत ने कोरोना का कोई रामबाण इलाज ढूंढ़ लिया है। हो सकता है आगे चलकर ऐसा हो भी जाए लेकिन अभी ऐसी स्थिति नहीं है। दरअसल, इस विचार की बुनियाद यह है कि कोरोना से लड़ने के लिए विश्व स्वास्थ्य संगठन से लेकर तमाम विकसित देशों में जो भी गाइडलाइन जारी हो रही है, वो सब हमारी संस्कृति में हजारों-लाखों साल से चलन में रही हैं, बस आधुनिकता की रेस में वो थोड़ी पीछे जरूर छूट गई है। अपने आसपास के वातावरण के साथ ही खुद की नियमित सफाई, कहीं बाहर से लौटने पर

प्रधानमंत्री नरेन्द्र मोदी ने भी देशवासियों से संकल्प और संयम दिखाने की अपील की है।

घर में प्रवेश से पहले हाथ-पैर धोना, नियम से सोना-जागना, भोजन करना, भोजन से पहले और शौच के बाद हाथों को अच्छी तरह से साफ करना, रोज नहाना और कपड़े धोना, अनुशासित जीवन शैली इस सब की सलाह तो हमारी जीवन पद्धति में पहले से दी जाती रही है। हमारे यहां सर्वे भवन्तु सुखिनः सर्वे सन्तु निरामयाः यानी समूची दुनिया के सुखी और निरोगी रहने की कामना तो वैदिक काल से जारी है और इसे प्राप्त करने के लिए ही नियमन पर जोर दिया गया है। यहां तक कि शुरुआती परिचय से लेकर अंतिम विदाई तक के लिए अपनाई जाने वाली विधि का परंपरा के साथ-साथ वैज्ञानिक आधार भी है। परस्पर अभिवादन के तौर पर हाथ मिलाने की जगह हाथ जोड़कर नमस्ते करना और मृत्यु के पश्चात शव का अग्निदाह सनातनी परंपरा है। कोरोना की चुनौती के बीच प्रधानमंत्री नरेन्द्र मोदी की पहल और विश्व स्वास्थ्य संगठन की सलाह पर ज्यादातर देशों के लोग अब अभिवादन के लिए हाथ मिलाना छोड़ कर नमस्ते करने लगे हैं। इसी तरह अंतिम संस्कार की पद्धति में भी बदलाव दिख रहा है। मृत देह को दफन करने से जीवाणु संक्रमण का खतरा बरकरार रहता है। इसी कारण कई देशों में कोरोना पीड़ितों की दफन क्रिया को प्रतिबंधित करते हुए शव को जलाना अनिवार्य कर दिया गया है। कोरोना से बचाव के लिए दुनिया भारतीय परंपरा की एक और पुरानी पहचान योग का सहारा भी ले रही है। कोरोना के संक्रमण से जो लोग ठीक हुए हैं, उनका इम्यून सिस्टम यानी रोग प्रतिरोधक क्षमता अच्छी पाई गई है, जिससे उनका शरीर इस वायरस से लड़ने में कामयाब हुआ। योग इसका सबसे बड़ा सूत्र है क्योंकि यह रोग प्रतिरोधक क्षमता बढ़ाने के साथ ही श्वसन तंत्र भी मजबूत करता है। अमेरिका के प्रमुख चिकित्सा संस्थान हॉर्वर्ड मेडिकल स्कूल ने भी कहा है कि योग करने से कोरोना वायरस से बचा जा सकता है क्योंकि इससे सांस को नियंत्रित किया जा सकता है। रोजाना नियमित तौर पर योग के आसन करने से शरीर में श्वेत रक्त कोशिकाएं ज्यादा तेजी से बनती हैं।

मृत देह को दफन करने से जीवाणु संक्रमण का खतरा बरकरार रहता है।

योग इन सभी बीमारियों को दूर करता है।

यही कोशिकाएं बीमारियों से लड़ने की क्षमता को बढ़ाती हैं जिससे हमारा इम्यून सिस्टम वायरस को खत्म करने की ताकत पाता है। कोरोना वायरस के संक्रमण से ऐसे लोगों को ज्यादा खतरा बताया जा रहा है जो ब्लडप्रेशर, हाईपरटेंशन, डायबिटीज और दिल की बीमारी से पीड़ित हैं और योग इन सभी बीमारियों को दूर करता है।

हमारे शास्त्रों में अध्यात्म चिकित्सा का भी उल्लेख मिलता है, जिसे अपना कर हमारे ऋषि-महर्षियों, योगियों और मुनियों ने कई असाध्य रोगों को हराया और निरोगी रहते हुए दीघार्यु प्राप्त की। ऋषि दुर्वासा का जीवन काल तो सतयुग, त्रेता और द्वापर, तीन युगों का माना जाता है। अध्यात्म चिकित्सा योग और मेडिटेशन पर ही केंद्रित थी, जिसे ऋषि-मुनियों ने संतुलित और संयमित जीवन शैली का संदेश देकर आगे बढ़ाया। आयुर्वेद और नैचरोपैथी भी अनुशासित जीवनशैली से स्वस्थ समाज की पैरवी करती है। स्वस्थ दिनचर्या शरीर और मन का अनुशासन है और इससे प्रतिरक्षा तंत्र मजबूत होता है। दोपहर का भोजन भारी हो, रात्रि का भोजन हल्का और सूर्यास्त से पहले कर लिया जाए, पाचन के लिए नियमित सैर और रात में पर्याप्त नींद शरीर और मन की शुद्धि के साथ ही इम्यून सिस्टम को भी मजबूत करते हैं। इसी जीवनशैली से निकले दादी मां और नानी मां के साफ-सफाई और इलाज के घरेलू नुस्खे किसी वक्त घर-घर की बात हुआ करते थे। बच्चों पर संक्रमण का सबसे ज्यादा खतरा होता है, इसलिए बार-बार उनके हाथ धुलाना, तुलसी की चाय पीना, खाने में अंकुरित अनाज, अदरक-लहसुन की मात्रा बढ़ाना हमारे समाज का आजमाया हुआ फॉर्मूला है। एकल परिवार का चलन जिस परंपरा को लील गया वो कोरोना के डर से ही सही, फिर से हमारी जीवनचर्या का हिस्सा बन रहा है। आधुनिकता की चकाचौंध में अपनी समृद्ध संस्कृति से हमने जो दूरी बनाई, प्रकृति के तय नियमों की जिस तरह अनदेखी की, आज वो हमें सावधान करने के साथ गंभीर परिणामों की चेतावनी भी दे रही है। अच्छा तो यही होता कि तरक्की के साथ हम सदियों से चली आ रही पद्धतियों के बीच एक समन्वय स्थापित करते। अगर तात्कालिक लाभ के

आयुर्वेद और नैचरोपैथी भी अनुशासित जीवनशैली से स्वस्थ समाज की पैरवी करती है।

लिए ऐलोपैथ दवाओं का इस्तेमाल मजबूरी बन जाता है तब भी आयुर्वेद के चमत्कारिक फायदे को अनदेखा नहीं करते क्योंकि शोधों में यह साबित हो चुका है कि ऐलोपैथ दवाओं के साइड-इफेक्ट्स होते हैं, जिनका नियमित इस्तेमाल नये रोगों को आमंत्रित करता है। प्रकृति ने अगर समस्याएं पैदा की हैं, तो उसके निराकरण के उपाय भी दिए हैं। जरूरत है तो बस उन तय नुस्खों को आजमाने की।

बापू कहते थे कि बीमारी इंसान की गलत आदतों का नतीजा है।

कोरोना को जड़ से मिटाने के लिए केवल भारत ही नहीं, चीन भी अपनी जड़ों की ओर लौटा है। चीनी राष्ट्रीय स्वास्थ्य आयोग और पारंपरिक चीनी चिकित्सा ब्यूरो की सलाह पर कोरोना के मरीजों का पारंपरिक दवाइयों से बने डिटॉक्स सूप से इलाज किया गया। करीब 60 हजार मरीजों पर इसका प्रयोग किया गया और इसके नतीजे भी अच्छे आए। इस मामले में ज्यादातर पश्चिमी देश बेबस दिखाई देते हैं। न तो उनके पास चिकित्सा की कोई पुरानी परंपरा दिखती है और कोरोना के बाद यह भी कहा जा सकता है कि नई चुनौती से निपटने की तैयारी भी नदारद है। तमाम देशों को हथियारों और परमाणु युद्ध के संसाधन जुटाने में पानी की तरह पैसा बहाने की प्रतियोगिता में ही उन्हें उपयोगिता दिखती है, लेकिन महामारी रोकने की तैयारी तभी प्राथमिकता बनती है, जब पानी सिर के ऊपर से निकलने लगता है। दुनिया आज जिस चुनौती के बीच घिर गई है, उसमें महात्मा गांधी की कही बात बार-बार सबक की तरह याद आती है। बापू कहते थे कि बीमारी इंसान की गलत आदतों का नतीजा है और जो गलती करता है, उसे भुगतना भी पड़ता है। यह भी दिलचस्प है कि बापू खुद अनुशासित और सेहतमंद दिनचर्या के बड़े पैरोकार थे।

(राष्ट्रीय सहारा, 22 मार्च, 2020)

37

‘लॉक’ रखने से ही ‘डाउन’ होगा कोरोना

दुनिया के दूसरे देशों में हो रहा है, वो हमारे लिए भी सबक होना चाहिए। इटली, स्पेन, ब्रिटेन, अमेरिका स्वास्थ्य सुविधाओं के लिहाज से अव्वल देश कहलाते हैं। इसके बावजूद यहां कोरोना के तांडव में कोई कमी नहीं है। हालांकि इसकी एक वजह यह भी है कि इनमें से किसी देश ने सामाजिक दूरी बरतने की एहतियात को गंभीरता से नहीं लिया और जब लिया तब तक बहुत देर हो चुकी थी। अमेरिका तो अब भी तालाबंदी को अपनी शान के खिलाफ मान रहा है, वो भी तब जब कोरोना के मामलों के लिहाज से अमेरिका की लकीर चीन से भी बड़ी हो गई है और वो इटली और स्पेन की राह पर आगे बढ़ रहा है। लॉकडाउन की लकीर खींचकर प्रधानमंत्री नरेन्द्र मोदी ने देश को इसी बेपरवाही से सचेत किया है।

कोरोना वायरस के खिलाफ लड़ाई अब 'वन वर्सेज ऑल' बन चुकी है। एक तरफ बेलगाम वायरस और दूसरी तरफ बेबस विश्व। चीन का दम निकालने के बाद यह 'निरंकुश' वायरस अब यूरोप में तबाही मचा रहा है। बारहमासी चहल-पहल वाले इटली और स्पेन जैसे देशों को इसने चंद हफ्तों में कब्रिस्तान में बदल दिया है। एक सदी पहले तक जिस ब्रिटेन का सूरज कभी अस्त नहीं होता था, आज उसी अंग्रेजी सल्तनत का राजकुमार कोरोना के सामने पस्त है। इसकी आहट इतनी डरावनी है कि दुनियाभर को अपनी ताकत से डराने वाला अमेरिका तक सहमा हुआ है। हमारे देश में भी घुसपैठ के बाद अब इसका दायरा चिंताजनक तरीके से लगातार बढ़ता जा रहा है।

बोतल से निकले जिन्न की तरह कोरोना अपने साथ मौत की सुनामी लेकर चल रहा है और इससे पार पाना ठीक वैसा ही लग रहा है जैसे किसी सुनामी को बोतल में भरना। लाइलाज होने से महामारी में बदल चुके कोरोना की फिलहाल एक ही कमजोरी है और वो है इससे दूरी। देश में लगभग कर्फ्यू वाला संपूर्ण लॉकडाउन करने का प्रधानमंत्री नरेन्द्र मोदी का ऐलान इसी दिशा में एक जरूरी कदम है। यह भी गौर करने वाली बात है कि दुनिया के लिए जो बीमारी मेडिकल पहेली बनी हुई है, उसकी गुत्थी सुलझाने के लिए प्रधानमंत्री ने ऐसे प्रतीकों की मदद ली है जिसे आमजन अच्छे से समझते हैं। कोरोना की रावण से तुलना और लॉकडाउन को घर के आगे खिंची लक्ष्मण रेखा बताकर प्रधानमंत्री ने देशवासियों को सरल शब्दों में संदेश दिया है कि समस्या कितनी विकराल है।

कोरोना वायरस के खिलाफ लड़ाई अब 'वन वर्सेज ऑल' बन चुकी है।

लॉकडाउन के पहले तीन दिनों का अनुभव बताता है कि देश ने अपने प्रधानमंत्री की अपील पर चलना भी शुरू कर दिया है। वरना तो अलग-अलग राज्यों में पहले से घोषित लॉकडाउन का खुलकर माखौल उड़ता दिख रहा था। बार-बार समझाने के बावजूद जब हालात नहीं सुधरे तो प्रधानमंत्री को दखल देना पड़ा। पिछले तीन महीने के अनुभव को देखते हुए कोरोना

दुनियाभर को अपनी ताकत से डराने वाला अमेरिका तक सहमा हुआ है।

को काबू करने का जो कारगर तरीका सामने आया है वो है इसकी चेन को तोड़ना। इंसानी शरीर में इसका वायरस 14 से 21 दिनों तक रहता है यानी इसका 'कुचक्र' तोड़ने के लिए 21 दिनों तक इंसान का इंसान से संपर्क चक्र रोकना ही एकमेव उपाय है।

कोरोना को रोकने की प्रधानमंत्री की इस पहल की तारीफ विपक्ष से लेकर विश्व स्वास्थ्य संगठन तक कर रहा है। यही वजह है कि भारत इसकी शुरुआत के छह हफ्ते बाद भी दूसरे देशों की तुलना में बेहतर स्थिति में है। लेकिन यह इस बात की भी गारंटी नहीं है कि बाकी दुनिया की तुलना में भारत पर इसका असर कम पड़ेगा। हमें मानकर चलना होगा कि देश में 'सावधानी हटी तो दुर्घटना घटी' वाले हालात बन सकते हैं। अमेरिका और ब्रिटेन के बारे में अनुमान है कि वहां की 50 से 60 फीसदी तक की आबादी कोरोना की चपेट में आएगी। यदि हम इस आंकड़े को बेहद सीमित रखते हुए 10 फीसद तक रोकने में भी सफल हो जाते हैं तो भी करीब-करीब 15 करोड़ लोगों का इससे प्रभावित होने का खतरा है।

कोरोना को रोकने की प्रधानमंत्री की इस पहल की तारीफ विपक्ष से लेकर विश्व स्वास्थ्य संगठन तक कर रहा है।

नहीं कोई शॉर्ट कट

हमें समझना होगा कि न तो यह संख्या छोटी है, न इसे हासिल करने का दूसरा कोई शॉर्ट कट तरीका है। जिस चीन और अमेरिका को हम पैमाना मान रहे हैं, उनकी तुलना में हमारी आबादी का घनत्व कई गुना ज्यादा है। चीन से तीन गुना और अमेरिका से करीब-करीब तेरह गुना। हालात बहुत बेहतर भी रहे तो भी हर पांच में से कम-से-कम एक मरीज की बीमारी तो गंभीर स्तर वाली होगी यानी 15 से 20 लाख लोगों को गंभीर हालत में अस्पताल में पहुंचाना होगा जिसके लिए इतनी बड़ी तादाद में बेड और वेंटिलेटर की जरूरत पड़ेगी। इंडियन सोसायटी ऑफ क्रिटिकल केयर मेडिसिन के आंकड़े बताते हैं कि देश में करीब 70 हजार आईसीयू बेड और 40 हजार वेंटिलेटर हैं। इसका भी बहुत बड़ा हिस्सा बड़े शहरों और निजी अस्पतालों में है। अब आप खुद अंदाजा लगा लीजिए कि हमारे सामने कितनी बड़ी मेडिकल इमरजेंसी खड़ी होने जा रही है।

सवाल उठता है कि हम इसके लिए कितने तैयार हैं? केवल स्वास्थ्य सेवाओं के नजरिए से ही नहीं, देश की सामाजिक संरचना के लिहाज से भी।

रोज कमाकर खाने वाली देश की 80 फीसद आबादी के लिए एक तरफ कुआं, दूसरी तरफ खाई वाले हालात थे। बाहर निकलें तो कोरोना का प्रहार और घर बैठें तो भुखमरी की मार। ऐसे मुश्किल वक्त में सरकार ने जनकल्याण के जो कदम उठाए हैं उनकी तारीफ की जानी चाहिए और शायद इसी वजह से प्रधानमंत्री मोदी का संपूर्ण लॉकडाउन का फैसला केवल साहसिक ही नहीं, दूरदर्शी भी दिखाई देने लगा है।

बाहर निकलें तो कोरोना का प्रहार और घर बैठें तो भुखमरी की मार।

हेल्थ इंफ्रास्ट्रक्चर को मजबूत करने के लिए 15 हजार करोड़ रुपये का प्रावधान जांच सुविधाएं बढ़ाने, आईसीयू में बेड और वेंटिलेटर की संख्या में इजाफा करने और मेडिकल के साथ ही पैरामेडिकल स्टाफ की ट्रेनिंग में बड़ा बदलाव ला सकता है। इससे भी आगे बढ़कर सरकार ने प्रधानमंत्री गरीब कल्याण योजना के तहत एक लाख सत्तर हजार करोड़ का बूस्टर डोज देकर समाज के आखिरी व्यक्ति तक को अकेला न छोड़ने की अपनी संवेदनशीलता का परिचय दिया है। इस बूस्टर डोज के लिए सरकार ने किसान, दिहाड़ी मजदूर, महिलाओं और गरीबों तक भरपूर अन्न और धन पहुंचाने के लिए अपना खजाना खोला है। वैसे तो राहत का यह पैकेज मुकम्मल दिखाई देता है, लेकिन अगर सरकार कोरोना के इलाज को भी आयुष्मान भारत के तहत ले आए तो इससे गरीब परिवारों को और राहत मिल जाएगी।

प्रधानमंत्री कई बार मौजूदा दौर की तुलना युद्ध से कर चुके हैं और मैदान में डटकर लोगों का इलाज कर रहे स्वास्थ्यकर्मियों को वॉर वॉरियर्स यानी युद्ध सेनानी बता चुके हैं। ऐसे स्वास्थ्यकर्मियों के सम्मान और उनकी हौसला-अफजाई के लिए प्रधानमंत्री ने देश से जनता कर्फ्यू के दौरान थाली-ताली और घंटी-शंख बजाने की अपील की थी। इससे एक कदम आगे जाकर प्रधानमंत्री ने बूस्टर डोज में चिकित्साकर्मियों को 50 लाख रुपये का लाइफ इंश्योरेंस कवर भी दिया है जिससे वो और उनके परिवार चिंता और डर से मुक्त हो सकें।

आर्थिक लक्ष्य और कोरोना

गुरुवार को जी-20 देशों की वीडियो कॉन्फ्रेंसिंग के दौरान भी प्रधानमंत्री मोदी का यही मानवीय चेहरा दिखाई दिया जब उन्होंने इस समस्या के बीच मानव

को ही आर्थिक लक्ष्यों से आगे रखने की अपील की। कोरोना से लड़ने की उनकी इस अपील को जमीन पर उतारने के लिए जी-20 देशों में 50 खरब डॉलर की सहायता राशि देने पर सहमति बनी है, जो इस महामारी से लड़ने में बड़ी मददगार साबित होगी।

इस मौके पर प्रधानमंत्री का कहना कि हमारी अर्थव्यवस्थाएं भले ही मजबूत हों, हमारी व्यवस्थाएं चरमरा चुकी हैं-भी काफी वाजिब दिखता है। इसका संदर्भ बेशक, विश्व स्वास्थ्य संगठन की प्रासंगिकता को लेकर हो, लेकिन इसका एक सिरा जी-8 के मजबूत कहे जाने वाले देशों से भी जुड़ता है। जी-8 के सदस्य देशों अमेरिका, ब्रिटेन, फ्रांस, रूस, जर्मनी, जापान, इटली और कनाडा को दुनिया की सबसे मजबूत अर्थव्यवस्था होने का गुमान रहा है, लेकिन कोरोना ने इन सबको घुटने टेकने पर मजबूर कर दिया है। आशंका है कि वैश्विक अर्थव्यवस्था को होने वाले 1.5 फीसद नुकसान में से केवल अमेरिका का ही हिस्सा करीब चार ट्रिलियन डॉलर तक होगा। यह इतनी बड़ी राशि है कि इसके सामने कई देशों की कुल जीडीपी भी बौनी पड़ जाए। अमेरिका भले ही लॉकडाउन न करके दुनिया को आज भी अपनी अकड़ दिखा रहा हो, लेकिन कोरोना से लड़ने के लिए उसे भी अपने इतिहास का सबसे बड़ा राहत पैकेज देने के लिए मजबूर होना पड़ा है। इसलिए जो दुनिया के दूसरे देशों में हो रहा है, वो हमारे लिए भी सबक होना चाहिए। इटली, स्पेन, ब्रिटेन, अमेरिका स्वास्थ्य सुविधाओं के लिहाज से अव्वल देश कहलाते हैं। इसके बावजूद यहां कोरोना के तांडव में कोई कमी नहीं है। हालांकि इसकी एक वजह यह भी है कि इनमें से किसी देश ने सामाजिक दूरी बरतने की एहतियात को गंभीरता से नहीं लिया और जब लिया तब तक बहुत देर हो चुकी थी। अमेरिका तो अब भी तालाबंदी को अपनी शान के खिलाफ मान रहा है, वो भी तब जब कोरोना के मामलों के लिहाज से अमेरिका की लकीर चीन से भी बड़ी हो गई है और वो इटली और स्पेन की राह पर आगे बढ़ रहा है। लॉकडाउन की लकीर खींचकर प्रधानमंत्री नरेन्द्र मोदी ने देश को इसी बेपरवाही से सचेत किया है।

कोरोना ने इन सबको घुटने टेकने पर मजबूर कर दिया है।

(राष्ट्रीय सहारा, 28 मार्च, 2020)

38

अर्थव्यवस्था में 'करुणा' की व्यवस्था भी जरूरी

दुनिया के सबसे ताकतवर देश को फिलहाल ज्यादा चिंता अपनी अर्थव्यवस्था को होने जा रहे दो फीसद यानी करीब चार ट्रिलियन डॉलर के नुकसान को लेकर है। शायद इसी वजह से राष्ट्रपति डोनाल्ड ट्रंप लॉकडाउन को नकार कर आर्थिक नुकसान की भरपाई को ज्यादा तवज्जो दे रहे हैं, भले ही इसके बदले कोरोना के सामने खुलेआम एक्सपोज हो रहे आम अमेरिकी की जान दांव पर क्यों न लग रही हो। हैरानी की बात है कि करोड़ों अमेरिकियों की जान से खिलवाड़ का आरोप झेल रहे ट्रंप जी-20 देशों की उस वीडियो कॉन्फ्रेंसिंग में भी शामिल थे, जिसमें प्रधानमंत्री नरेन्द्र मोदी ने इस नाजुक दौर में मानव को आर्थिक हितों के केंद्र में रखने की बात कही थी। कोरोना से लड़ाई में भारत के समूचे एक्शन प्लान में पहले जन फिर धन की भावना कदम-कदम पर दिखाई देती है।

अर्थव्यवस्था का वजूद यूं तो दुनिया के वजूद जितना ही पुराना है, लेकिन इसकी ताकत की समझ तुलनात्मक रूप से नई थ्योरी है। खासकर उदारीकरण के दौर के बाद तो अर्थव्यवस्था ही देशों की रीढ़ बन गई है। लेकिन कोरोना वायरस ने मजबूत से मजबूत रीढ़ को भी झुकने के लिए मजबूर कर दिया है। कहा जा रहा है कि अभी कहर की पूरी 'पिक्चर' सामने आना बाकी है, लेकिन चंद महीनों के 'ट्रेलर' ने ही दुनिया की आर्थिक समझ को ही नहीं, जिंदगी के नजरिये को भी पूरी तरह बदल कर रख दिया है। तबाही का यह चक्र इतनी तेज घूम रहा है कि जिस तरह कोरोना का इलाज नहीं मिल रहा है, उसी तरह आर्थिक गिरावट का अंदाजा नहीं लग पा रहा है। बदलाव का हर अनुमान दिन बदलने के साथ पुराना पड़ रहा है और गिरावट की हर आशंका बौनी साबित हो रही है।

बदलाव का हर अनुमान दिन बदलने के साथ पुराना पड़ रहा है।

सबसे ताजा अनुमान मूडीज का है, जिसने वैश्विक अर्थव्यवस्था की विकास की दर को अब 0.5 फीसद कम कर दिया है। 'ऑर्गनाइजेशन फॉर इकोनॉमिक को-ऑपरेशन एंड डवलपमेंट और एशियन डवलपमेंट बैंक' का अनुमान भी इसी के आसपास है। कोरोना के प्रकोप से ठीक पहले पिछले साल नवम्बर में रेटिंग एजेंसियां दुनिया की इकोनॉमी के 2.6 फीसद की दर से बढ़ने का अनुमान लगा रहीं थीं। गिरावट का ताजा आंकड़ा 2.7 ट्रिलियन डॉलर का है, जो करीब-करीब भारत की कुल जीडीपी के बराबर है। यह भी अजीब विडंबना है कि जिस चीन को इस तबाही का गुनहगार बताया जा रहा है, अब उसे ही रिकवरी का खेवनहार भी माना जा रहा है। इसकी वजह हाल के दशक में चीन की अर्थव्यवस्था का विस्तार है। सत्रह साल पहले सार्स के समय चीन दुनिया की छठी सबसे बड़ी अर्थव्यवस्था वाला देश था। वैश्विक जीडीपी में उसका योगदान 4.2 फीसद था। आज कोरोना के दौर में वह वैश्विक जीडीपी में 16.3 फीसद योगदान के साथ दूसरी सबसे बड़ी अर्थव्यवस्था बन चुका है। लेकिन चीन के इस बढ़े कद की भी कोरोना ने कोई कद्र नहीं की है। चीन में सरकार समर्थक थिंक टैंक 'चाइनीज एकेडमी ऑफ सोशल साइंस' तक मान कर चल रहा है कि टोटल लॉकडाउन के कारण साल के

पहले तीन महीने में उसकी अर्थव्यवस्था में पांच फीसद तक की कमी आ सकती है। लेकिन अगर चीन जल्द ही अपनी घरेलू परिस्थितियों पर काबू पा लेता है और दूसरी तिमाही में उसके यहां उत्पादन शुरू हो जाता है तो अर्थव्यवस्था पर होने वाले नकारात्मक प्रभावों को काफी हद तक कम भी किया जा सकता है। चीन से ताजा खबर तो यही है कि वहां की 80 फीसद निर्माण इकाइयों में कामकाज शुरू हो गया है। ऐसा होता है तो पहली तिमाही के झटके के बाद दूसरी तिमाही में रिकवरी देखने को मिल सकती है। तब भी ध्यान में रखना होगा कि जी-8 में शामिल इटली, जापान, फ्रांस और जर्मनी जैसी मजबूत अर्थव्यवस्थाएं भी कोरोना की बड़ी मार झेल रही हैं। इसके असर से वैश्विक अर्थव्यवस्था बच नहीं पाएगी। रूस को छोड़ दें तो जी-8 के बाकी तीन देश अमेरिका, ब्रिटेन और कनाडा के साथ-साथ भारत और ब्राजील की जीडीपी पर यही बात लागू होगी। यह गिनती इसलिए जरूरी है क्योंकि यही देश दुनिया की टॉप-10 इकोनॉमी को पूरा करते हैं और इनकी अर्थव्यवस्था का हाल ही दुनिया के कारोबार की चाल को तय करता है।

जल्द सुधार की उम्मीदें पालना इसलिए भी तर्कसंगत नहीं लगता क्योंकि चीन में भले ही उत्पादन सामान्य हो जाए लेकिन जिन देशों में उसके तैयार या कच्चे माल की खपत होनी है, वे सब फिलहाल संक्रमण के दौर में हैं यानी उत्पादन के बाद भी चीन के पास अगले कुछ महीनों तक उसे खपाने के लिए बाजार नहीं होगा। चीन का सबसे बड़ा बाजार तो भारत ही है। पिछले कारोबारी साल में दोनों देशों के बीच व्यापार 92 अरब डॉलर का रहा था। भारत की अर्थव्यवस्था कोरोना के आने से पहले ही सुस्ती में जा चुकी थी। ऐसे में अब चीन की अर्थव्यवस्था का स्लोडाउन भारत के लिए और बड़ी मुसीबत बनेगा। इसका पहला इशारा मूडीज की ओर से आया है, जिसने भारत की ग्रोथ रेट को अपने पिछले अनुमान 5.3 फीसद से घटाकर अब 2.5 फीसद कर दिया है। वजह यह है कि ऑटोमोबाइल, रियल एस्टेट और लघु उद्योग समेत असंगठित क्षेत्र पिछले साल से ही पस्त पड़े हैं और बैंकों को आने वाले कई साल तक एनपीए की समस्या से जूझना है।

ऐसे में अब चीन की अर्थव्यवस्था का स्लोडाउन भारत के लिए और बड़ी मुसीबत बनेगा।

लॉकडाउन के फायदे हैं तो नुकसान भी हैं-लोग घरों में हैं, उत्पादन बंद है, दुकानों पर ताले डल गए हैं और कई सेक्टर में मांग खत्म हो गई है यानी अर्थव्यवस्था का पहिया पूरी तरह जाम हो गया है। इसका संकेत बार्कलेज ने भी दिया है, जिसने लॉकडाउन के बाद भारत की अर्थव्यवस्था से 9 लाख करोड़ रुपए 'साफ' हो जाने का अंदेशा जताया है। यह राशि भारत की जीडीपी के चार फीसद के बराबर है। मूडीज का अनुमान सच साबित होता है तो ग्रोथ रेट का यह स्तर तीन दशक पहले का होगा जो देश के 21 साल पीछे जाने की प्रधानमंत्री मोदी की चेतावनी की भी याद दिलाता है। हालांकि हम यह भी नहीं भूल सकते कि नॉर्थ ब्लॉक से तय होने वाली देश की अर्थव्यवस्था के समानांतर ही भारत के घर-घर में एक पारंपरिक अर्थव्यवस्था भी चलती है जिसका आधार बचत पर टिका होता है।

78 फीसद अमेरिकी कामगार हर महीने मिलने वाली सैलरी से ही अपनी जरूरतें पूरी करते हैं।

इसमें कैश से लेकर जूलरी तक शामिल होती है और जो मुश्किल के दौर में पहले भी कई मौकों पर बड़ा सहारा साबित हो चुकी है। लेकिन नोटबंदी के बाद कैश नहीं, पर जूलरी से ही सही यह अर्थव्यवस्था कोरोना के सामने भी कारगर होगी; यह सोचना उम्मीद के खिलाफ उम्मीद भी हो सकता है। ह्यूमन राइट्स वॉच की रिपोर्ट बताती है कि अमेरिका में गरीबी रेखा से नीचे रहने वाले करीब साढ़े चार करोड़ लोगों के पास इतनी भी बचत नहीं होती कि आमदनी रुकने पर वो कुछ दिन गुजारा कर सकें। रोजगार से जुड़ी वेबसाइट कॅरियर बिल्डर के तीन साल पहले हुए सर्वे में पता चला था कि 78 फीसद अमेरिकी कामगार हर महीने मिलने वाली सैलरी से ही अपनी जरूरतें पूरी करते हैं, जबकि 25 फीसद किसी तरह की बचत नहीं करते यानी कमाओगे तो ही खा पाओगे। इस जीवनशैली का सबसे बड़ा साइडइफेक्ट यह है कि अमेरिका की 8 फीसद आबादी का अपना कोई स्वास्थ्य बीमा भी नहीं है, जो कोरोना जैसी मेडिकल इमरजेंसी में बड़ा कवर साबित हो सकता है। लेकिन दुनिया के सबसे ताकतवर देश को फिलहाल ज्यादा चिंता अपनी अर्थव्यवस्था को होने जा रहे दो फीसद यानी करीब चार ट्रिलियन डॉलर के नुकसान को लेकर है। शायद इसी वजह से राष्ट्रपति डोनाल्ड ट्रंप लॉकडाउन को नकार कर आर्थिक

नुकसान की भरपाई को ज्यादा तवज्जो दे रहे हैं, भले ही इसके बदले कोरोना के सामने खुलेआम एक्सपोज हो रहे आम अमेरिकी की जान दांव पर क्यों न लग रही हो।

हैरानी की बात है कि करोड़ों अमेरिकियों की जान से खिलवाड़ का आरोप झेल रहे ट्रंप जी-20 देशों की उस वीडियो कॉन्फ्रेंसिंग में भी शामिल थे, जिसमें प्रधानमंत्री नरेन्द्र मोदी ने इस नाजुक दौर में मानव को आर्थिक हितों के केंद्र में रखने की बात कही थी। कोरोना से लड़ाई में भारत के समूचे एक्शन प्लान में पहले जन फिर धन की भावना कदम-कदम पर दिखाई देती है। बड़े आर्थिक दुष्परिणामों के अनुमानों के बावजूद सवा-सौ करोड़ आम देशवासियों की जान को तरजीह देते हुए प्रधानमंत्री मोदी ने कोरोना के सामने लॉकडाउन की लक्ष्मणरेखा खींचने का साहसिक फैसला किया है। स्वास्थ्य सेवाओं के विस्तार और सुधार के लिए 5 हजार करोड़ का पैकेज, लॉकडाउन के बीच किसानों, बुजुर्गों, महिलाओं और दिहाड़ी मजदूरों को होने वाली रोजी-रोटी की दिक्कत दूर करने के लिए एक लाख सत्तर हजार करोड़ का बूस्टर डोज, कोरोना से वॉर वॉरियर्स की तरह लड़ रहे चिकित्साकर्मियों को 50 लाख का बीमा कवर, आरबीआई के जरिए मिडिल क्लास को तीन महीनों तक ईएमआई से राहत समाज के हर तबके के कल्याण के चिंतन का ही नतीजा है। मानवता का दुश्मन बने कोरोना से लड़ने के लिए अर्थव्यवस्था की उचित व्यवस्था के साथ ही जन-जन के लिए यह करुणा भी जरूरी है।

अमेरिका की 8 फीसद आबादी का अपना कोई स्वास्थ्य बीमा भी नहीं है।

(राष्ट्रीय सहारा, 29 मार्च, 2020)

39

सरोकार के प्रकाश से दूर होगा कोरोना का अंधकार

निजामुद्दीन के मरकज का मसला अलग है। सामान्य दिनों में वहां सालभर धर्मगुरुओं और आस्थावानों का जमघट लगा रहता है। इसमें कुछ भी आपत्तिजनक नहीं है। लेकिन संकट काल में समाज और देश की उम्मीदें अलग होती हैं। यह वह वक्त होता है जब सारे धर्म मिलकर इंसानियत के धर्म में बदल जाते हैं जिसके सामने फिर किसी एक धर्म के प्रचार का मंसूबा बेमानी हो जाता है। मरकज में पहुंचे लोग इसी 'ईमान' को सुरक्षित रखने की उम्मीदों पर खरे नहीं उतरे। जिस पवित्र जगह से धार्मिक शिक्षाओं का विस्तार होना था, वहीं से जाने-अनजाने देश भर में कोरोना का फैलाव होना अब दुनिया के लिए सबक बन गया है।

देश में संपूर्ण लॉकडाउन का आज 10वां दिन है, यानी वो पड़ाव जहां 21 दिनों की तालाबंदी का आधा सफर पूरा होता है। लेकिन इस बात का यह मतलब लगाना बड़ी भूल होगी कि अब कोरोना से लड़ाई का आधा सफर ही बाकी है। दरअसल देश अब लड़ाई के उस निर्णायक दौर में प्रवेश कर रहा है जहां हर राह पर परस्पर सहयोग, हर मोड़ पर आपसी सरोकार और हर कदम पर एक-दूसरे पर विश्वास की जरूरत है। लॉकडाउन के असर को व्यापक और सामुदायिक संक्रमण को सीमित करके देश को उसके इतिहास की शायद सबसे बड़ी त्रासदी से बचाने का इसके अलावा कोई रास्ता नहीं है।

देश बेशक अभी सामुदायिक संक्रमण की अवस्था में न पहुंचा हो, लेकिन इसका खतरा ज्यादा दूर भी नहीं है। पिछले 10 दिनों में संपूर्ण लॉकडाउन के भविष्य पर उठा हर सवाल इस खतरे की आहट से लाजवाब साबित हुआ है। शायद इसीलिए अगले 11 दिनों का सबसे बड़ा सवाल यही रहने वाला है कि संपूर्ण लॉकडाउन कोरोना की इस खतरनाक स्टेज को टालने के अपने मकसद में कितना कामयाब रहेगा? देश की सरकार ने इसके लिए मेगा प्लान बनाना भी शुरू कर दिया है। गुरुवार को मुख्यमंत्रियों की वीडियो कॉन्फ्रेंसिंग में प्रधानमंत्री ने एक तरह से इस दिशा में राज्यों की तैयारियों का जायजा भी ले लिया। उम्मीद है कि 21 दिनों की मियाद पूरी होने पर लॉकडाउन को भले ही पूरी तरह से न हटाया जाए, पर इसकी चरणबद्ध प्रक्रिया शुरू हो सकती है - बेशक हालात इसी तरह काबू में रहे जैसे कि वो फिलहाल हैं।

अब कोरोना से लड़ाई का आधा सफर ही बाकी है।

यही देश और सरकार की सबसे बड़ी चुनौती भी है। खासकर लॉकडाउन के पहले आधे हिस्से की दो बड़ी घटनाओं ने इस चुनौती को और मुश्किल बना दिया है। दोनों घटनाएं भारत के लिए ही नहीं, भारत की ओर उम्मीद की नजरों से देख रही दुनिया के लिए भी महत्त्वपूर्ण हैं। एक घटना गरीबों के पलायन की है जिसमें भुखमरी या कोरोना में से किसी एक को चुनने की लाचारी है और दूसरी घटना धर्म के विस्तार से जुड़ा सुकून है जिसमें केवल अपने कौम को ही नहीं, पूरे वतन को मुश्किल में डालने का अजीबोगरीब जुनून है।

देश की सरकार ने इसके लिए मेगा प्लान बनाना भी शुरू कर दिया है।

पलायन की घटना को किसी ने साजिश कहा, तो किसी ने चिंता जताई। मगर, जब दुधमुहें बच्चे को गोद में लेकर एक बाप या सात महीने का गर्भ लेकर कोई महिला अपने परिवार के साथ सैकड़ों किलोमीटर पैदल चलने की ठान ले तो उसका कारण मामूली कतई नहीं हो सकता। सवाल यह है कि गरीब अगर सड़क पर उतरे तो क्या वह कोरोना से लड़ाई नहीं थी? कोरोना संकट ने गरीबों की रोजी-रोटी छीन ली। अस्तित्व की लड़ाई में कोरोना को मात देने ही तो वे निकले थे। जी गए तो कोरोना हार जाए और हार गए तो कोरोना जीत जाए।

जी गए तो कोरोना हार जाए और हार गए तो कोरोना जीत जाए।

निजामुद्दीन के मरकज का मसला अलग है। सामान्य दिनों में वहां सालभर धर्मगुरुओं और आस्थावानों का जमघट लगा रहता है। इसमें कुछ भी आपत्तिजनक नहीं है। लेकिन संकट काल में समाज और देश की उम्मीदें अलग होती हैं। यह वह वक्त होता है जब सारे धर्म मिलकर इंसानियत के धर्म में बदल जाते हैं जिसके सामने फिर किसी एक धर्म के प्रचार का मंसूबा बेमानी हो जाता है। मरकज में पहुंचे लोग इसी 'ईमान' को सुरक्षित रखने की उम्मीदों पर खरे नहीं उतरे। जिस पवित्र जगह से धार्मिक शिक्षाओं का विस्तार होना था, वहीं से जाने-अनजाने देश भर में कोरोना का फैलाव होना अब दुनिया के लिए सबक बन गया है। यह अंधविश्वास भी सामने आया कि ऊपरवाले के दरबार में कोरोना से कोई नहीं मर सकता और यह हठधर्मिता भी कि अगर कोई मरता भी है तो इससे बेहतर मौत कुछ हो ही नहीं सकती।

मरकज में जमातें पहली बार नहीं पहुंची थी।

अच्छा होता कि मरकज ने वेटिकन सिटी और मक्का से सबक लिया होता। वीरान हो चुकी वेटिकन सिटी में बारिश में भीगते हुए पोप ने अकेले सड़क पर चल कर कोरोना के खिलाफ एकजुटता का संदेश दिया है। दुनिया आबाद बनी रहे, इसलिए मक्का में खुदा का घर भी सुनसान है। दुनिया भर की मस्जिदों और गिरिजाघरों का यही हाल है। हमारे देश में भी चारों धाम बंद हैं, धार्मिक स्थलों में सन्नाटा पसरा है, कभी न रुकने वाला अमृतसर का लंगर भी कोरोना काल में ठहर गया है। यह सब सिर्फ इसलिए कि कोरोना से लड़ाई मजबूत हो।

हालांकि अपराध की हद वाली इस लापरवाही के लिए अकेले मरकज को कसूरवार ठहराना भी जायज नहीं होगा। जाहिर तौर पर यह मामला सावधानी हटी, दुर्घटना घटी वाला दिखता है। यह कैसे मान लिया जाए कि देश की राजधानी में इतनी सतर्कता और सुरक्षा के बावजूद हजारों लोग जमा होते रहे और पुलिस और खुफिया तंत्र को भनक तक नहीं लगी या फिर कहीं ऐसा तो नहीं कि पता होते हुए भी हमारा तंत्र इसकी गंभीरता को भांप नहीं सका। मरकज में जमातें पहली बार नहीं पहुंची थी। वैसे भी तबलीगी मरकज में आने वाले प्रतिनिधि ब्यूरो ऑफ इमीग्रेशन से लेकर गृह मंत्रालय तक अपने आगमन की सूचना देते हैं। सवाल उठता है कि फिर इस बार ऐसा क्या हुआ कि इतने दिनों तक दो हजार से ज्यादा लोगों का जमावड़ा लगा रहा और न तो 100 मीटर से कम दूरी पर बने थाने में कोई हलचल हुई और न खुफिया तंत्र ने कोई सक्रियता दिखाई। क्या दिल्ली पुलिस की जिम्मेदारी मरकज के प्रतिनिधियों से मुलाकात का 'सबूत' तैयार करने भर से पूरी हो जाती है? उल्टे दिल्ली पुलिस की ओर से जारी मुलाकात के इस वीडियो से ही इस बात के सबूत मिल जाते हैं कि एसएचओ से लेकर बड़े पुलिस अफसर और एसडीएम रैंक के अधिकारी तक को इस जमावड़े की सूचना थी। फिर बार-बार के पत्र-व्यवहार के बावजूद समय रहते कोई कार्रवाई नहीं हुई तो इसके लिए अकेले मरकज पर ठीकरा फोड़ने से काम नहीं चलेगा।

> *एक बार फिर कोरोना के खिलाफ एकजुट होकर खड़ा होना पड़ेगा।*

रास्ता बार-बार केवल इस सवाल को उठाने से भी नहीं निकलेगा कि इस चूक की देश को कितनी बड़ी कीमत चुकानी पड़ेगी। बल्कि इसके लिए एक बार फिर कोरोना के खिलाफ एकजुट होकर खड़ा होना पड़ेगा। साथ ही इस लड़ाई को कमजोर कर रहे लोगों को साफ और स्पष्ट संदेश भी देना होगा कि मानवाधिकार मानवों के लिए होता है, दानवों के लिए नहीं। खासकर कोरोना के कहर से बचाने के लिए 'धरती के भगवान' की तरह काम कर रहे डॉक्टरों और हेल्थ वर्करों के साथ बदसलूकी को तो किसी कीमत पर बर्दाश्त नहीं किया जा सकता। इंदौर, धारावी, राजस्थान और यूपी-बिहार से इंसानियत को शर्मसार करने

वाली कई ऐसी तस्वीरें सामने आई हैं जब कोरोना से लोगों की जान बचा रहे स्वास्थ्य अमले को अपनी जान तक दांव पर लगानी पड़ी है।

अच्छी बात यह है कि इन सब घटनाओं के बावजूद कोरोना से लड़ने का देश का संकल्प और जज्बा बरकरार है और अब तो दुनिया भी इस जज्बे को सलाम कर रही है। स्वास्थ्य से जुड़े दुनिया के सबसे बड़े संगठन डब्ल्यूएचओ तक ने कोरोना से भारत की लड़ाई की तारीफ की है और अमेरिका, ब्रिटेन जैसी महाशक्तियों को इससे सीख लेने की सलाह दी है। भारत से उम्मीद की जा रही है कि जिस तरह साथ रहकर हमने पोलियो से दुनिया को निजात दिलाई, वैसी ही एकजुटता कोरोना के अंधकार को भी दूर कर सकती है। पांच अप्रैल की रात को देश के घर-घर में प्रकाश पर्व मनाने की प्रधानमंत्री की अपील दरअसल एक अरब 36 करोड़ देशवासियों को यह स्मरण करवाने की कोशिश ही है कि सामाजिक दूरियां बनाए रखते हुए भी सामूहिक शक्ति के दम पर कोरोना की महामारी को भी परास्त किया जा सकता है।

> *लोगों की जान बचा रहे स्वास्थ्य अमले को अपनी जान तक दांव पर लगानी पड़ी है।*

(राष्ट्रीय सहारा, 4 अप्रैल, 2020)

40

कोरोना से लड़ाई, मोदी-मंत्र ने राह दिखाई

पीएम मोदी की दूरदर्शी सोच की वजह से भारत सीमित संसाधनों के बावजूद कोरोना से मुकाबले में बेहतर स्थिति में है। देश के लिए यह गर्व का विषय है कि इस मामले में संयुक्त राष्ट्र से लेकर विश्व स्वास्थ्य संगठन और कई यूरोपियन थिंक टैंक भी हमारे प्रधानमंत्री के नेतृत्व का लोहा मान रहे हैं। अपनी बुद्धिमता, तत्काल निर्णय लेने की खूबी और फैसलों के क्रियान्यवन में तत्परता से पीएम मोदी ने वैश्विक राजनीति के मंच पर वो स्थान हासिल कर लिया है, जहां उन्हें अमेरिका, इंग्लैंड, जर्मनी, फ्रांस, इटली और रूस जैसे विकसित देशों के राष्ट्राध्यक्षों के मुकाबले बेहतर नेता माना जा रहा है। पहले जनता कर्फ्यू लगाकर कोरोना के खिलाफ युद्ध का उद्घोष और फिर परिस्थितियों को भांपते हुए देश भर में लॉक-डाउन को लागू कर उन्होंने पूरी दुनिया का ध्यान अपनी ओर खींचा।

कोरोना से लड़ाई में भारत अब तक बेहतरीन योद्धा साबित हुआ है। दुनिया के महारथी देश जिस वायरस के सामने एक के बाद एक घुटने टेकने को मजबूर हुए हैं, उस कोरोना के सामने भारत न केवल मजबूती से डटा हुआ है, बल्कि उसे काबू में रखने में भी काफी हद तक कामयाब हुआ है। पिछले दो महीनों में भारत में कोरोना की धीमी चाल ने अमेरिका और यूरोप के उन देशों को हैरान कर दिया है, जहां ये वायरस काल बनकर कहर बरपा रहा है। लड़ाई बेशक अभी जीती नहीं गई है, लेकिन जो कामयाबी मिली है; उसका बड़ा श्रेय देश के प्रधानमंत्री नरेन्द्र मोदी को भी जाता है। कोरोना से लड़ाई में देश ही नहीं, पूरी दुनिया के लीडर के तौर पर उनकी छवि और पुख्ता हुई है।

जो कामयाबी मिली है; उसका बड़ा श्रेय देश के प्रधानमंत्री नरेन्द्र मोदी को भी जाता है।

इसकी एक नहीं, कई वजह हैं। पीएम मोदी की दूरदर्शी सोच की वजह से भारत सीमित संसाधनों के बावजूद कोरोना से मुकाबले में बेहतर स्थिति में है। देश के लिए यह गर्व का विषय है कि इस मामले में संयुक्त राष्ट्र से लेकर विश्व स्वास्थ्य संगठन और कई यूरोपियन थिंक टैंक भी हमारे प्रधानमंत्री के नेतृत्व का लोहा मान रहे हैं। अपनी बुद्धिमता, तत्काल निर्णय लेने की खूबी और फैसलों के क्रियान्यवन में तत्परता से पीएम मोदी ने वैश्विक राजनीति के मंच पर वो स्थान हासिल कर लिया है, जहां उन्हें अमेरिका, इंग्लैंड, जर्मनी, फ्रांस, इटली और रूस जैसे विकसित देशों के राष्ट्राध्यक्षों के मुकाबले बेहतर नेता माना जा रहा है। पहले जनता कर्फ्यू लगाकर कोरोना के खिलाफ युद्ध का उद्घोष और फिर परिस्थितियों को भांपते हुए देश भर में लॉक-डाउन को लागू कर उन्होंने पूरी दुनिया का ध्यान अपनी ओर खींचा। सामाजिक दूरी को हथियार बनाने की उनकी समझ कोरोना के खिलाफ लड़ाई में मास्टर स्ट्रोक साबित हुई है। पूरी दुनिया ने माना कि सीमित संसाधन और सघन आबादी की चुनौतियों के बीच इस जंग की और कोई बेहतर रणनीति नहीं हो सकती थी। हमारे मुकाबले अमेरिका, इटली, स्पेन, फ्रांस जैसे यूरोपीय देशों ने कोरोना को रोकने के लिए कड़े फैसले लेने में देरी कर दी। नतीजा सबके सामने है।

अमेरिका, इटली और स्पेन में कोरोना पॉजिटिव के मामले चंद दिनों में ही लाख के ऊपर पहुंच गए, जबकि भारत में कोरोना पिछले 30 दिनों से दूसरी स्टेज में ही 'कैद' है। इस कामयाबी ने विश्व स्वास्थ्य संगठन को भी भारत की जबर्दस्त क्षमता का अहसास करवा दिया है। डब्ल्यूएचओ मान रहा है कि भारत ने पहले भी 'साइलेंट किलर' कही जाने वाली दो गंभीर बीमारियों 'स्मॉल पॉक्स' और 'पोलियो' को खत्म करने में दुनिया की अगुवाई की थी और अब लॉक-डाउन के फैसले ने एक बार फिर दुनिया को नई राह दिखाई है। ऐसा इसलिए भी क्योंकि सार्वजनिक स्वास्थ्य के स्तर पर भारत की आक्रामक कार्रवाई ही कोरोना का भविष्य तय करेगी। यूरोप की नामी संस्था 'यूरोपियन फाउंडेशन फॉर साउथ एशियन स्टडीज' ने भी भारत की विशाल जनसंख्या को लॉकडाउन के दायरे में लाने के फैसले को मजबूत इच्छाशक्ति की मिसाल बताया है।

इस संकट काल में सामाजिक कल्याण और अर्थव्यवस्था को सहारा देने के मामले में भी भारत ने नेतृत्व क्षमता दिखाई है। लॉक-डाउन के दौरान प्रधानमंत्री के सामाजिक सरोकार से जुड़े फैसलों की दुनिया में सराहना हुई है। करीब-करीब 80 करोड़ जरूरतमंदों को मुफ्त राशन और गैस सिलेंडर की सुविधा ऐसे संकट के बीच किसी संजीवनी से कम नहीं है। इसमें जन-धन खातों के जरिए 21 करोड़ गरीबों तक पहुंच रही आर्थिक मदद को भी जोड़ दिया जाए तो यह 1.7 लाख करोड़ रुपये का ऐसा जनहित कार्यक्रम बन जाता है जिसे लागू करने में विकासशील देश ही नहीं, कई विकसित देशों को भी संघर्ष करना पड़ रहा है। दुनिया भर की संस्थाओं ने माना है कि गरीबों के हित में इस तरह की सामाजिक और आर्थिक पहल कोरोना के खिलाफ लड़ाई में भारत को और मजबूत बनाएगी।

लॉक-डाउन के दौरान प्रधानमंत्री के सामाजिक सरोकार से जुड़े फैसलों की दुनिया में सराहना हुई है।

यह केवल संयोग नहीं हो सकता कि जिस दिन प्रधानमंत्री ने भारत में राहत पैकेज का एलान किया, उसके दूसरे दिन ही अमेरिका में ट्रंप सरकार ने भी दो ट्रिलियन डॉलर की योजना घोषित कर दी। जरूर ही अमेरिका में इस दिशा में पहले से ही तैयारी चल रही होगी, लेकिन यह भी हकीकत है कि ट्रंप

की इस योजना के ज्यादातर प्रावधानों में पीएम मोदी की सोच झलकती है। ट्रंप ने अमेरिकियों के खातों में डायरेक्ट ट्रांसफर की जो बात कही, उसकी बुनियाद तो मोदी सरकार के पहले कार्यकाल 1.0 में ही रख दी गई थी।

कोरोना की वैश्विक तबाही के बीच भारत का नेतृत्व केवल घरेलू जनता ही नहीं, अंतरराष्ट्रीय बिरादरी के जरिए संपूर्ण मानवता की ढाल बनकर भी सामने आया है। यह प्रधानमंत्री नरेन्द्र मोदी की ही पहल थी, जिसने इस समस्या से लड़ने के लिए सार्क देशों को एक मंच पर लाने का काम किया। जी-7 और जी-20 देशों ने भी भारत की दिखाई राह पर चलने में जरा भी देर नहीं की। इन बैठकों में भारत की ओर से यही पैगाम सामने आया कि जब पूरी दुनिया की समस्या एक है तो उससे लड़ने के लिए भी पूरी दुनिया को एक होना पड़ेगा और इस लड़ाई में मानवीय मूल्यों को केंद्र में रखना होगा। कोरोना काल में प्रधानमंत्री ने अपने तमाम विमर्श में इस बात को बार-बार स्थापित भी किया है। गरीबों के लिए राहत पैकेज इसकी व्यापक अभिव्यक्ति है। साथ ही अस्पताल में जान दांव पर लगा कर मरीजों की जान बचा रहे स्वास्थ्यकर्मियों और सड़क पर लॉक-डाउन के बंदोबस्त में जुटे पुलिसकर्मियों का सम्मान कायम रखने की उनकी अपील एक मायने में मानवीय मूल्यों की रक्षा का ही विस्तार है।

जी-7 और जी-20 देशों ने भी भारत की दिखाई राह पर चलने में जरा भी देर नहीं की।

जनता कर्फ्यू के दौरान देशवासियों ने जब ताली-थाली और घंटी-शंख बजाए तो उससे केवल कोरोना के इन योद्धाओं का ही सम्मान नहीं हुआ, बल्कि पूरी दुनिया में मानवता को बचाने के लिए भारत की नई लड़ाई का शंखनाद भी हुआ। इस मुश्किल घड़ी में प्रधानमंत्री देश की जनता से तीन बार संवाद कर चुके हैं और हर संवाद में उन्होंने परिवार के एक मुखिया की तरह एक-एक देशवासी की संवेदना को छुआ है। इस 'हीलिंग टच' के जरिए प्रधानमंत्री केवल देशवासियों का मनोबल बढ़ाने में ही नहीं, दुनिया का भरोसा जीतने में भी कामयाब हुए हैं। इस बात की अहमियत इस तथ्य से और बढ़ जाती है कि भारत पर यह भरोसा ऐसे वक्त में बढ़ रहा है, जब चीन की छवि बड़ी तेजी से धोखेबाज राष्ट्र के रूप में स्थापित हो रही है।

कोरोना को अमेरिका कई बार चीनी वायरस कह चुका है। कोरोना के बाद चीन में एक और वायरस 'हंता' सक्रिय हुआ है और ऐसी भी खबरें हैं कि वहां के हुबेई प्रांत में एक समय 1,500 से ज्यादा स्ट्रेन वायरस बैंक में जमा थे। डब्ल्यूएचओ ने भी सीधे तौर पर तो नहीं, लेकिन संकट से उबरने के बाद इन आरोपों की जांच का इशारा किया है। इस सबसे यही बात स्थापित होती है कि किसी समस्या को लेकर हुक्मरानों की सोच भविष्य की राहें भी तय करती हैं। कोरोना के संकट काल में चीन पर आरोप लग रहे हैं कि वो दुनिया को घुटनों पर लाकर अपने साम्राज्य के विस्तार का अवसर तलाश रहा है। दूसरी तरफ पीएम मोदी के नेतृत्व में भारतीय अभियान की इस बात के लिए सराहना हो रही है कि वो मानवता का सिर उठाकर इस समस्या से मुकाबले के लिए डटकर खड़े रहने का साहस दे रहा है।

कोरोना को अमेरिका कई बार चीनी वायरस कह चुका है।

(राष्ट्रीय सहारा, 5 अप्रैल, 2020)

41

लॉकडाउन के विस्तार से सीमित होगा कोरोना का आकार

माना जा रहा था कि 25 मार्च से लागू हुए लॉकडाउन का असर 5 अप्रैल से दिखाई देने लगेगा। मार्च के आखिरी हफ्ते की शुरुआत तक सब कुछ कंट्रोल में दिख रहा था, लेकिन फिर तबलीगी जमातियों की वजह से संक्रमित मरीजों की संख्या अचानक बढ़ी और हालात बेकाबू होने लगे। इसलिए अब लॉकडाउन का अगला प्लान देश के लिए बड़ा सवाल बन गया है। इसे बढ़ाने को लेकर ज्यादातर राज्य सरकारों का रुख साफ है। केन्द्र भी अब संपूर्ण से आगे बढ़कर सख्त लॉकडाउन के पक्ष में दिख रहा है। प्रधानमंत्री नरेन्द्र मोदी ने जिस तरह कोरोना संकट को सोशल इमरजेंसी बताया है उससे तो यही संकेत मिलते हैं कि 15 अप्रैल को एक साथ लॉकडाउन खत्म न हो, बल्कि यह कुछ इलाकों में डेढ़ से दो सप्ताह तक और ज्यादा सख्ती से लागू हो जाए।

जब किसी समस्या में आपदा के लक्षण दिखने लगे, तो ऐसी समस्या से बाहर निकलने के लिए विलक्षण तरीके भी जरूरी हो जाते हैं। कोरोना वायरस दुनिया के सामने यही चुनौती पेश कर रहा है। समस्या अब लक्षण नहीं, बल्कि पूरे तौर पर आपदा बन चुकी है, लेकिन वो विलक्षण तरीका अब भी नजरों से दूर है जो हमें कोरोना मुक्त दुनिया का नजारा दिखा सके। यह भी साफ हो चुका है कि जब तक वैक्सीन नहीं आती, तब तक कोरोना से तन कर लड़ाई में नहीं, बल्कि इससे बच कर रहने में ही भलाई है। अब यह काम जनता करे या सरकार, इतना तो साफ है कि फिलहाल एहतियात ही कोरोना के खिलाफ सबसे बड़ा हथियार है।

दुनिया के एक बड़े हिस्से में यह एहतियात लॉकडाउन की शक्ल में सामने आया है। भारत में भी कोरोना को दूर रखने के लिए हम लॉकडाउन के दौर से गुजर रहे हैं। इसका पहला चक्र पूरा होने जा रहा है और देश एक बार फिर उसी सवाल से रू-ब-रू है, जिसके जवाब में इसे 21 दिन पहले लागू किया गया था। फर्क इतना भर है कि तब यही कोरोना का मुकम्मल जवाब दिख रहा था और अब तीन हफ्ते के अनुभव से हमें यह समझ आ गया है कि इसे माकूल बनाने के लिए इसके अनुकूल माहौल बनाना भी जरूरी है।

कोरोना वायरस दुनिया के सामने यही चुनौती पेश कर रहा है।

माना जा रहा था कि 25 मार्च से लागू हुए लॉकडाउन का असर 5 अप्रैल से दिखाई देने लगेगा। मार्च के आखिरी हफ्ते की शुरुआत तक सब कुछ कंट्रोल में दिख रहा था, लेकिन फिर तबलीगी जमातियों की वजह से संक्रमित मरीजों की संख्या अचानक बढ़ी और हालात बेकाबू होने लगे। इसलिए अब लॉकडाउन का अगला प्लान देश के लिए बड़ा सवाल बन गया है। इसे बढ़ाने को लेकर ज्यादातर राज्य सरकारों का रुख साफ है। केन्द्र भी अब संपूर्ण से आगे बढ़कर सख्त लॉकडाउन के पक्ष में दिख रहा है। प्रधानमंत्री नरेन्द्र मोदी ने जिस तरह कोरोना संकट को सोशल इमरजेंसी बताया है उससे तो यही संकेत मिलते हैं कि 15 अप्रैल को एक साथ लॉकडाउन खत्म न हो, बल्कि यह कुछ इलाकों में डेढ़ से दो सप्ताह तक और ज्यादा सख्ती से लागू हो जाए।

दुनिया के एक बड़े हिस्से में यह एहतियात लॉकडाउन की शक्ल में सामने आया है।

भविष्य का रोड मैप मुख्यमंत्रियों के साथ प्रधानमंत्री की 11 अप्रैल को होने वाली बैठक में साफ हो जाएगा। लॉकडाउन की मियाद को लेकर प्रधानमंत्री पहले भी एक बार मुख्यमंत्रियों से बात कर चुके हैं। सियासी बिरादरी में एकजुटता बनाए रखने के लिए वो सर्वदलीय बैठक भी कर चुके हैं। राजनीतिक दलों ने भी अपने-अपने सुझावों के साथ सरकार को इस मामले में फ्री-हैंड दे रखा है।

राजनीतिक दलों ने भी अपने-अपने सुझावों के साथ सरकार को इस मामले में फ्री-हैंड दे रखा है।

इस बीच राज्य सरकारों की बेचैनी बता रही है कि जमीन पर हालात सामान्य नहीं हैं। ओडिशा ने केन्द्र के फैसले का इंतजार किए बिना ही लॉकडाउन को अपनी ओर से 30 अप्रैल तक बढ़ा दिया है। संक्रमण रोकने के लिए मुंबई, दिल्ली, उत्तर प्रदेश और मध्य प्रदेश ने भी कई इलाकों को सील कर दिया है। यानी इन इलाकों में जरूरी चीजों के लिए भी घर से निकलने की मोहलत खत्म हो गई है। दूध-दवा की दुकानें खुल तो रहीं हैं, लेकिन केवल सप्लाई के लिए, खरीदार के यहां पहुंचने पर साफ मनाही है। जरूरत के सामान की होम डिलिवरी का जिम्मा सरकार ने ही अपने कंधों पर ले लिया है। हालांकि इससे सप्लाई की सुविधा बढ़ी है या समस्या, ये अलग विवाद का विषय है। वैसे सील करने के पीछे की समझ बिल्कुल साफ है–कोई घर की दहलीज नहीं लांघेगा, तो कोरोना का वायरस भी घर में घुसपैठ नहीं कर पाएगा।

अब सील किए गए इलाकों की रोजाना समीक्षा हो रही है, पूरे क्षेत्र को सैनिटाइज किया गया है और एक-एक घर की जांच की जा रही है। इस तरह के मामलों में राज्य ही क्यों, केंद्र को भी भीलवाड़ा मॉडल पर गौर करना चाहिए। राजस्थान के भीलवाड़ा में एक डॉक्टर के संक्रमित होने के बाद वहां तेजी से कोरोना पॉजिटिव मरीजों की संख्या बढ़ी, लेकिन बाद में यह आंकड़ा 27 मरीजों पर ठिठक गया। पॉजिटिव मरीज सामने आते ही भीलवाड़ा में कर्फ्यू लगाकर सीमाएं सील कर दी गईं। जिले के एक-एक शख्स की स्क्रीनिंग की गई। करीब एक हफ्ते में प्रशासन, पुलिस और मेडिकल टीमों के थ्री-टियर सिस्टम ने 15 हजार टीमें बनाकर 18 लाख लोगों के बीच अपनी आमद दी। 17 दिन के कर्फ्यू और तीन दिन के महाकर्फ्यू के बाद जनता ने भी सोशल

डिस्टेंसिंग का ख्याल रखा। कोशिश ईमानदार हो तो नतीजा भी शानदार होता है। भीलवाड़ा ने पूरे देश के सामने मिसाल रखी है कि थोड़े दिन की कड़ाई कोरोना से लड़ाई में कितना बड़ा फर्क पैदा कर सकती है।

यह बात इसलिए भी खास है क्योंकि देश के ज्यादातर इलाकों में हालात इससे उलट हैं। लॉकडाउन के बीच मेडिकल और पुलिस टीमों पर कहीं पत्थरबाजी हो रही है, तो कहीं फायरिंग। कुछ एक जगह पर तो पुलिस पर ही स्वास्थ्यकर्मियों से बदसलूकी के आरोप हैं। मरकज से निकले जमातियों ने अलग बखेड़ा खड़ा कर रखा है। बीमारों और जरूरतमंदों की व्यवस्था करने की जगह सरकारी मशीनरी को भगोड़े बन रहे जमातियों की तलाश में ही अपनी ताकत जाया करनी पड़ रही है।

भीलवाड़ा ने पूरे देश के सामने मिसाल रखी है।

सोशल डिस्टेंसिंग को लेकर कई जगहों पर आम जनता भी ज्यादा सीरियस नहीं दिख रही। इसकी धज्जियां उड़ने की तस्वीरें हम कम-से-कम तीन मौकों पर देख चुके हैं। जनता कर्फ्यू के दौरान वॉर वॉरियर्स का आभार जताने के दौरान, फिर लॉकडाउन के ऐलान के बाद बड़े पैमाने पर हुए पलायन और कुछ दिनों पहले प्रकाश पर्व के दौरान हुई आतिशबाजी के दौरान। जन-धन और पीडीएस जैसी सरकारी सुविधाओं के लिए लगने वाली भीड़ भले ही मजबूरी का सबब हो, लेकिन ऐसा रवैया समाज के लिए खतरनाक भी हो सकता है। उत्तर प्रदेश में सीलिंग की खबर लगते ही लोग सरकार की अपील को ताक पर रखकर जरूरी सामान की खरीदारी के लिए सड़कों पर उतर आए थे। सोचिए जब संपूर्ण लॉकडाउन के बावजूद लापरवाहियां बरती जा रही हैं, तो लॉकडाउन हटने के बाद हालात क्या होंगे?

बेशक लॉकडाउन का विस्तार अर्थव्यवस्था के आकार को और सीमित करेगा। जिस तरह आजकल रोजमर्रा की सुविधाएं आवाम से दूर हैं, उसी तरह खेत किसान से और रोजगार नौजवान से दूर होंगे। अर्थव्यवस्था में जान फूंकने के लिए सरकार ने हाल ही में कॉरपोरेट सेक्टर को जो बूस्टर डोज दिया था, उसका असर भी सीमित हो जाएगा। उद्योग जगत की ओर से सरकार को कुछ शर्तों और प्रतिबंध के तहत उत्पादन जारी रखने का प्रस्ताव भी दिया गया है।

हालांकि फिलहाल तो लगता है कि सरकार जान है तो जहान है की थ्योरी को ही तवज्जो दे रही है।

सोशल डिस्टेंसिंग को लेकर कई जगहों पर आम जनता भी ज्यादा सीरियस नहीं दिख रही।

वैसे लॉकडाउन खत्म होने में अभी चार दिन बचे हैं। इन्हीं चार दिनों में पता चलेगा कि आने वाले दिन कैसे होंगे? वक्त भले ही कम है पर बहुत अहम है क्योंकि इसी आधार पर आगे की रणनीति तय होगी। हमें यह भी समझना होगा कि महामारी के खिलाफ अकेले लॉकडाउन ही हमारा कवच नहीं होगा। इसके लिए जरूरी होगा कि सरकार संकल्प के साथ इसे लागू करवाए और जनता भी लक्ष्मण रेखा में रहने का संयम दिखाए।

(राष्ट्रीय सहारा, 11 अप्रैल, 2020)

42

मोदी की 'मेडिकल डिप्लोमेसी' से बढ़ा भारत का रुतबा

वैसे भारत को लेकर दुनिया की यह राय हमें गौरवान्वित तो करती है, लेकिन हैरान नहीं करती। आतंकवाद से लेकर ग्लोबल वॉर्मिंग जैसे वैश्विक सुरक्षा से जुड़े मुद्दों पर दुनिया प्रधानमंत्री की सक्रियता पहले ही देख चुकी है। कोरोना के दौर में ही जहां ज्यादातर देशों ने खुद को अपने आप तक ही सीमित कर रखा था, तब पीएम मोदी ने ही भारत की वसुधैव कुटुम्बकम यानी सभी के कल्याण का विचार सिद्ध करते हुए सार्क देशों को साथ लाकर पहली सामूहिक पहल की थी। प्रधानमंत्री की इसी पहल ने जी-20 देशों को कोरोना के खिलाफ एकजुट होने का हौसला दिया था। ये जरूर गौर करने वाली बात है कि भारत के लिए ये 'कृतज्ञता' ऐसे समय में सामने आ रही है जब चीन के दामन पर कोरोना से जुड़ी जानकारियों को कथित रूप से छिपाने के दाग लग रहे हैं।

कोरोना का कहर भले ही विश्वव्यापी हो, लेकिन लगभग हर देश अपने-अपने तरीके से इससे निपट रहा है। जरूरी नहीं कि किसी एक देश में इलाज के प्रोटोकॉल का दूसरे देश में भी वैसा ही मोल हो। बेशक हालात 'अंधेरे में तीर' चलाने जैसे न हों, लेकिन ऐसा कोई 'वीर' भी सामने नहीं आया है जो कोरोना के खिलाफ दुनिया की लाचारी को दूर कर सके। ऐसे मुश्किल दौर में भारत ने एक बार फिर मानवता की ऐसी मिसाल पेश की है, जिसने नाउम्मीदी में उम्मीद का चिराग रोशन कर दिया है।

दरअसल कोरोना से बिना वैक्सीन की लड़ाई साजो-सामान से लैस दुश्मन से निहत्थे लड़ने जैसा है। दुनिया पर राज करने वाला अमेरिका भी कोरोना के सामने बेबस है। इस लड़ाई में फिलहाल मलेरिया के इलाज में दी जाने वाली हाइड्रोक्सीक्लोरोक्वीन (एचसीक्यू) अकेली ऐसी दवा बनकर सामने आई है जो कोरोना से लोहा ले सके। हमारा देश दशकों से इस दवा का सबसे बड़ा निमार्ता रहा है। ऐसे में अमेरिका से लेकर दुनिया के कई देश कोरोना से बचाव के लिए भारत-भरोसे हैं और भारत हमेशा की तरह इस बार भी दुनिया की डूबती नाव का खिवैया बनकर सामने आया है। घरेलू चुनौतियों के बीच भारत ने एचसीक्यू के निर्यात पर लगी पाबंदी हटाकर दुनिया की मदद के लिए हाथ बढ़ाया है।

संकट की घड़ी में भारत से मिली मदद को भुलाया नहीं जाएगा।

भारत की मदद पर डोनाल्ड ट्रंप ने जिस अंदाज में पीएम मोदी का शुक्रिया अदा किया है, उस पर भी ध्यान देना जरूरी है। आम तौर पर अमेरिकी राष्ट्रपति किसी दूसरे देश से मिली सहायता का केवल औपचारिक रूप से संज्ञान लेते आए हैं। लेकिन ट्रंप ने पीएम मोदी के मजबूत नेतृत्व की सराहना करते हुए इसे मानवता की बड़ी मदद बताया है और कहा है कि अमेरिका इस मदद को हमेशा याद रखेगा। ब्राजील के राष्ट्रपति जैर बोलसोनारो ने तो हाइड्रोक्सीक्लोरोक्वीन को संजीवनी बताते हुए पीएम मोदी की तुलना हनुमान से ही कर दी। इस लिस्ट में इजरायल के पीएम बेंजामिन नेतन्याहू का नाम भी जुड़ गया है जिन्होंने मलेरिया की दवा देने के लिए भारत को थैंक यू कहा है। वैश्विक स्वास्थ्य की सबसे बड़ी संस्था डब्ल्यूएचओ तो कोरोना से लड़ने में भारत की भूमिका को पहले से ही सबसे अहम मान रही है।

अमेरिका के राष्ट्रनपति डोनाल्ड ट्रंप का यह कहना काफी मायने रखता है कि संकट की घड़ी में भारत से मिली मदद को भुलाया नहीं जाएगा। बदले में प्रधानमंत्री नरेन्द्र मोदी का–मुश्किल समय ही दोस्तों को करीब लाता है–वाला बयान उनका बड़प्पन ही दिखाता है, वरना तो मदद मांगते समय भी ट्रंप का लहजा धमकी भरा ही था। हालांकि ट्रंप को शायद जल्द ही अपनी गलती का अहसास भी हो गया क्योंकि दवा की पहली खेप मिलते ही उनके सुर बदल गए। कोरोना के सामने लाचार सुपरपावर अमेरिका अब भारत की मदद से अपने लाखों कोरोना पीड़ितों को बचा सकेगा।

संकट की घड़ी में भारत से मिली मदद को भुलाया नहीं जाएगा।

उम्मीद की जा सकती है कि इस कदम के बाद भारत-अमेरिका की साझेदारी पहले से ज्यादा मजबूत होगी। व्हाइट हाउस का ट्विटर हैंडल पर पीएम मोदी का 'फॉलोवर' बन जाना इसका बड़ा प्रतीक समझा जाना चाहिए, क्योंकि मोदी पहले और अकेले ऐसे नेता हैं जिन्हें व्हाइट हाउस ने यह सम्मान दिया है।

महामारी के इस दौर में भारत एक अच्छा पड़ोसी भी साबित हो रहा है। हम अपना ध्यान तो रख ही रहे हैं, साथ ही कोरोना के सामने लाचार दिख रहे पड़ोसी देशों की भी बढ़-चढ़कर मदद कर रहे हैं। भूटान, बांग्लादेश, अफगानिस्तान, नेपाल, म्यांमार, सेशेल्स, मॉरिशस और कुछ अफ्रीकन देशों को दवाइयों की बड़ी खेप भेजने की तैयारी है। संकट की इस घड़ी में भारत दुनिया की तेल की जरूरत को पूरा करने वाले खाड़ी देशों के लिए भी मददगार बना है। इस हफ्ते की शुरुआत में ही भारत ने श्रीलंका को करीब 10 टन दवाइयां भेजी हैं। श्रीलंका की यह मदद सार्क फ्रेमवर्क के तहत दान के रूप में की गई है जो बताती है कि घरेलू चुनौतियों और दिक्कतों के बावजूद भारत ने हमेशा अपने संसाधनों और विशेषज्ञता को अपने दोस्त और भागीदार देशों के साथ साझा करने में विश्वास किया है।

अच्छी बात यह है कि वैश्विक जिम्मेदारी निभाते हुए हमारी सरकार ने देश की जनता की जरूरतों के साथ कोई समझौता नहीं किया है। बाकी दुनिया को कोरोना के खिलाफ दवाओं का कवच देने से पहले सरकार ने यह अच्छी तरह से सुनिश्चित कर लिया है कि अगर हमारे देश में भी दूसरे देशों की तरह

हालात बिगड़ते हैं, तो बुरी-से-बुरी हालत में भी देश की जनता को किसी सूरत में दवाइयों की कमी न होने पाए। दरअसल कोरोना को जब डब्ल्यूएचओ ने महामारी घोषित किया, उसके बाद पैरासिटामोल और हाइड्रोक्सीक्लोरोक्वीन के निर्यात पर पाबंदी लगाई ही इस मकसद से गई थी कि किसी भी विषम परिस्थिति का सामना करने के लिए हम इसका जरूरी स्टॉक तैयार कर लें।

भारत ने श्रीलंका को करीब 10 टन दवाइयां भेजी हैं।

कई देशों से मदद की गुहार आने के बाद हाइड्रोक्सीक्लोरोक्वीन से निर्यात की पाबंदी हटाने के मोदी सरकार के फैसले ने वैश्विक स्तर पर भारत की छवि को और चमकदार बना दिया है। इस फैसले को एक जिम्मेदार देश का ऐसा कदम बताया जा रहा है जो दुनिया को संकट से उबारने में पीछे नहीं रहना चाहता। वैसे भारत को लेकर दुनिया की यह राय हमें गौरवान्वित तो करती है, लेकिन हैरान नहीं करती। आतंकवाद से लेकर ग्लोबल वॉर्मिंग जैसे वैश्विक सुरक्षा से जुड़े मुद्दों पर दुनिया प्रधानमंत्री की सक्रियता पहले ही देख चुकी है। कोरोना के दौर में ही जहां ज्यादातर देशों ने खुद को अपने आप तक ही सीमित कर रखा था, तब पीएम मोदी ने ही भारत की वसुधैव कुटुम्बकम यानी सभी के कल्याण का विचार सिद्ध करते हुए सार्क देशों को साथ लाकर पहली सामूहिक पहल की थी। प्रधानमंत्री की इसी पहल ने जी-20 देशों को कोरोना के खिलाफ एकजुट होने का हौसला दिया था।

वैसे चीन की इस 'चालबाजी' ने भारत के लिए नए दरवाजे भी खोले हैं।

ये जरूर गौर करने वाली बात है कि भारत के लिए ये 'कृतज्ञता' ऐसे समय में सामने आ रही है जब चीन के दामन पर कोरोना से जुड़ी जानकारियों को कथित रूप से छिपाने के दाग लग रहे हैं। जले पर नमक छिड़कने वाली बात ये भी है कि जब चीन मुश्किल में था तब इटली, स्पेन और फ्रांस जैसे देशों ने आगे बढ़कर मेडिकल उपकरण और दूसरे संसाधन दान देकर उसकी मदद की, लेकिन जब इन देशों पर आपदा आई तो चीन ने दान में मिली मदद की मुंहमागी कीमत ही नहीं वसूली, बल्कि मुनाफे के लिए इन देशों में घटिया सामान निर्यात कर दिया।

वैसे चीन की इस 'चालबाजी' ने भारत के लिए नए दरवाजे भी खोले हैं। अमेरिका, ब्राजील, इजराइल जैसे देशों से डिमांड आने के बाद माना जा रहा है कि दूसरे देश भी यह दवा मांगेंगे। एचसीक्यू और पैरासिटामोल पेटेंट-फ्री होने के कारण सस्ती और जेनेरिक दवाएं हैं जिनका भारत में बड़ी तादाद में उत्पादन होता है। एक अनुमान है कि भारत के पास एचसीक्यू की सालाना 20 करोड़ टैबलेट उत्पादन की मूल्यवान क्षमता है। मानवता की मदद के साथ ही इस क्षमता के मेडिकल और आर्थिक आयाम भी हैं जिसके उपयोग में कोई बुराई नहीं है। खासकर अमेरिका के संदर्भ में तो इसके व्यापक परिणाम मिल सकते हैं। दवा के क्षेत्र में भारत पहले से ही अमेरिका का प्रमुख सहयोगी रहा है। दोनों देश गांधी-रीगन विज्ञान और तकनीकी समझौते के जरिए संक्रामक बीमारियों के टीके बनाने के लिए रिसर्च करते हैं। अब इसमें कोरोना को भी शामिल किया जा सकता है।

हम यह भी नहीं भूल सकते कि अमेरिका सुपर पावर होने के साथ ही भारत का सबसे बड़ा व्यापारिक साझेदार भी है। साल 2018-19 में दोनों देशों के बीच 87.95 अरब डॉलर का कारोबार हुआ था। एचसीक्यू के बहाने बनी ताजा प्रगाढ़ता दोनों देशों को मुक्त व्यापार समझौते के करीब ला सकती है जो द्विपक्षीय कारोबार को एक नई ऊंचाई दे सकता है। कोरोना के बाद के संभावित गंभीर आर्थिक मंदी के दौर में यह समझौता तात्कालिक राहत के साथ ही लंबी साझेदारी की बुनियाद भी रख सकता है। वैसे भी अमेरिका उन चुनिंदा देशों में है जिसके साथ व्यापार संतुलन का झुकाव भारत के पक्ष में है।

वैसे भी अमेरिका उन चुनिंदा देशों में है जिसके साथ व्यापार संतुलन का झुकाव भारत के पक्ष में है।

बहरहाल कोरोना काल में एक बात फिर साबित हुई है कि कई राष्ट्र आज भी भारत को सांस्कृतिक तौर पर अपना गुरु, मित्र और बड़ा भाई मानते हैं और संकट के समय उम्मीद की नजरों से देखते हैं। दुनिया को भारत के शासक से इसी भूमिका की अपेक्षा रहती है और प्रधानमंत्री मोदी के नेतृत्व में भारत इस अपेक्षा को बखूबी पूरा करता भी नजर आ रहा है।

(राष्ट्रीय सहारा, 12 अप्रैल, 2020)

43

आसान नहीं लॉकडाउन का इम्तिहान

सरकार ने बेशक गरीबों के लिए अन्न के भंडार खोल दिए हैं, लेकिन इसे सही हाथों तक पहुंचाने वाली सप्लाई चेन बनने में वक्त लग रहा है। यही हाल सरकारी योजनाओं से जुड़ी राहतों का है। इन गरीब मजदूरों की समस्या लॉकडाउन हटने के बाद तुरंत दूर हो जाएगी, ऐसा भी नहीं लग रहा। बेरोजगार हो चुके मजदूरों के लिए नए सिरे से रोजगार की तलाश बड़ी चुनौती साबित हो सकती है। असंगठित ही नहीं, संगठित क्षेत्र और बड़ी-बड़ी कंपनियां भी अपने भविष्य को लेकर चिंतित हैं। भारत में करीब साढ़े छह एमएसएमई यानी सूक्ष्म, लघु और मध्यम आकार के उद्योग हैं।

कोरोना के खिलाफ जंग में इस वक्त हमारे देश में लॉकडाउन का दूसरा चरण चल रहा है। कुछ छिटपुट घटनाओं को छोड़ दिया जाए, तो कहा जा सकता है कि पहली तालाबंदी में देश के आम आदमी ने खुद को घरों में 'कैद' रखकर संयम का संकल्प बखूबी निभाया। जान है तो जहान है - की रणनीति पर चलते हुए सरकार का जोर भी ज्यादा-से-ज्यादा जान बचाने पर रहा।

दुनिया जिस अमेरिका के सामने सिर झुकाती है, उसे भी कोरोना ने घुटनों पर ला दिया है।

हमारे लिए राहत की बात यह है कि लॉकडाउन के फैसले ने हमें कोरोना के खिलाफ संसाधनों की जमावट का मूल्यवान समय दिया है, वरना तो दुनिया जिस अमेरिका के सामने सिर झुकाती है, उसे भी कोरोना ने घुटनों पर ला दिया है। वहां पूंजीपतियों और उद्योगपतियों के निजी स्वार्थों की वजह से केवल कामचलाऊ लॉकडाउन लगाया गया, जिसने अमेरिका का काम और नाम, दोनों खराब कर दिया। नतीजतन, अमेरिका का हाल इटली और स्पेन से भी ज्यादा बदतर हो गया है। अमेरिका में कोरोना मरीजों का आंकड़ा 6 लाख पार कर गया है, यानी इस वक्त दुनिया में हर तीसरा कोरोना मरीज अमेरिका से ही है।

सरकार की कोशिशों और जनता के सहयोग से हमारे देश में ऐसे हालात अभी दूर-दूर तक नहीं दिखाई दे रहे हैं। दिखाई दे रहे हैं तो संक्रमण रोकने के लिए लगे लॉकडाउन के सार्थक परिणाम। देश के 325 जिले अभी भी संक्रमण से पूरी तरह मुक्त हैं, जबकि संक्रमण देख चुके 17 राज्यों के 27 जिलों में भी पिछले 16 दिनों से कोरोना का एक भी मामला सामने नहीं आया है। जो पहले से बीमार हैं, उनके स्वस्थ होने की रफ्तार भी बढ़ी है।

जो पहले से बीमार हैं, उनके स्वस्थ होने की रफ्तार भी बढ़ी है।

लॉकडाउन के पहले चरण में लोगों को सुरक्षित रखने का लक्ष्य पूरा करने के बाद अब सरकार अपनी रणनीति में बदलाव के संकेत दे रही है। तालाबंदी के दूसरे दौर में अब 'जान भी और जहान भी' का शोर सुनाई दे रहा है, यानी सरकार ने अब देशवासियों की जान बचाने के साथ ही देश के तंत्र को भी

मजबूत बनाए रखने का संकल्प लिया है। यकीनन लॉकडाउन के पहले चरण से मिले फीडबैक पर सरकार ने कागजों पर इसका रोडमैप भी तैयार किया होगा, लेकिन जान और जहान के बीच संतुलन साधना आसान नहीं होगा।

खासकर गरीबी रेखा के नीचे रह रहे लोगों के लिए लॉकडाउन से जुड़ी अपनी परेशानियां हैं। संरचना के लिहाज से भारतीय समाज क्लिष्ट भी है और विशिष्ट भी। दुनिया में भारत जैसी मिसाल शायद ही कहीं और मिले जहां एक देश में पांच देश समाए हों।

> *दुनिया में भारत जैसी मिसाल शायद ही कहीं और मिले जहां एक देश में पांच देश समाए हों।*

1. पहले भारत में देश की कुल आबादी का एक फीसद वो हिस्सा है, जो ठाठ-बाट की जिंदगी जीता है, जिसके आसपास दुनिया जहान की कोई तकलीफ नहीं फटकती, जो चार्टर्ड प्लेन से चलता है, लग्जरी गाड़ियों से लेकर महंगे मोबाइल फोन तक उनके पास लॉन्चिंग के दूसरे दिन ही पहुंच जाते हैं।
2. दूसरे भारत में ब्यूरोक्रैट्स से लेकर ऐसे उद्योगपति और कारोबारी शामिल हैं, जिन्हें आर्थिक तंगी कभी परेशान नहीं करती।
3. तीसरे भारत में वो उच्च मध्यमवर्गीय लोग हैं जो सामान्य से बेहतर जीवन यापन करता है और ताउम्र ऊपर की इन दोनों क्लास में आने का सपना देखते हैं।
4. चौथा भारत निम्न मध्यम वर्ग यानी वो लोअर मिडिल क्लास वाला भारत है जो जिंदगी भर गरीबी के कुचक्र में गिरने से बचने के संघर्ष में जुटा रहता है। इसमें क्लर्क से लेकर सेक्शन ऑफिसर और प्राइवेट सेक्टर में छोटे-मोटे काम करने वाले लोग होते हैं। यही वो वर्ग है जो बदलाव के प्रति बेहद संवेदनशील होता है और देश-दुनिया में थोड़ा-सा भी उलटफेर इनकी जिंदगी में उथल-पुथल मचा देता है।
5. और पांचवां भारत 49 करोड़ लोगों का वो भारत है जिनकी सुरेश तेंदुलकर समिति की रिपोर्ट के मुताबिक रोजाना की आय महज 20 से 30 रुपये होती है।

यही वो भारत है जो जिंदगी की गाड़ी चलाने के लिए प्रतिदिन कमाता है और फिर उसी कमाई से अपनी कम-से-कम जरूरतों को पूरा करने के लिए रोजाना नई लड़ाई लड़ता है। लॉकडाउन के दौर में इस 'भारत' की संवेदना का ध्यान रखना ही सरकार की सबसे बड़ी चुनौती है।

लॉकडाउन से उत्पादन लगभग ठप है और गरीब मजदूर बड़े पैमाने पर बेरोजगार हो गया है। सरकार पर दबाव है कि अगर जल्द आर्थिक गतिविधियां शुरू नहीं हुईं तो एक बड़े वर्ग के सामने भुखमरी की समस्या भी आ सकती है, जो न सिर्फ कोरोना से लड़ाई को कमजोर करेगी बल्कि एक नया सामाजिक संकट भी खड़ा कर देगी।

कोरोना काल में असंगठित क्षेत्र के 40 करोड़ श्रमिक तबाही की जद में हैं।

अंतरराष्ट्रीय श्रम संगठन की ताजा स्टडी बताती है कि कोरोना काल में असंगठित क्षेत्र के 40 करोड़ श्रमिक तबाही की जद में हैं। इन पर और ज्यादा गरीब और वंचित होने का खतरा मंडराने लगा है। ऐसे लाखों मजदूर अपने-अपने घरों से दूर दूसरे राज्यों में फंसे हैं। इस स्टडी के अनुसार इनमें से 80 फीसद से ज्यादा मजदूर केवल जिंदा रहने के लिए राशन की अपनी बुनियादी जरूरत के लिए भी सरकारी मदद के भरोसे हैं। खाने के एक पैकेट के लिए परिवार के मुखिया को लंबी कतारों में खड़ा होना पड़ रहा है। अपनी पत्नी और बच्चों के सामने रोज इस तरह अपना स्वाभिमान दांव पर लगाना कितना तकलीफदेह होता होगा, यह वो ही जानता है। इस वजह से भी कई मजदूर दिहाड़ी का पक्का इंतजाम होने तक अपने-अपने घरों को लौटना चाहते हैं। गुजरात में, ओडिशा और मुंबई में यूपी-बिहार के मजदूरों का घर जाने की मांग को लेकर हंगामा इसी बात की अभिव्यक्ति भी हो सकता है।

सरकार ने बेशक गरीबों के लिए अन्न के भंडार खोल दिए हैं, लेकिन इसे सही हाथों तक पहुंचाने वाली सप्लाई चेन बनने में वक्त लग रहा है। यही हाल सरकारी योजनाओं से जुड़ी राहतों का है। इन गरीब मजदूरों की समस्या लॉकडाउन हटने के बाद तुरंत दूर हो जाएगी, ऐसा भी नहीं लग रहा। बेरोजगार हो चुके मजदूरों के लिए नए सिरे से रोजगार की तलाश बड़ी चुनौती साबित हो सकती है। असंगठित ही नहीं, संगठित क्षेत्र और बड़ी-बड़ी कंपनियां भी अपने भविष्य को लेकर चिंतित हैं। भारत में करीब साढ़े छह एमएसएमई यानी सूक्ष्म, लघु और मध्यम आकार के उद्योग हैं। उत्पादन से जुड़ी ऐसी कई इकाइयों पर अभी से टेकओवर की तलवार लटक गई है। ऐसे में वो खुद का भविष्य बचाएंगे या मजदूरों का ये समझने वाली बात है।

उद्योग-धंधों को फिर से पटरी पर लाने के लिए बेल-आउट पैकेज की बातें भी चल रहीं हैं। 20 अप्रैल के बाद इस पर शायद कोई फैसला हो।

लेकिन आज के हालात में यह पैकेज कितने काम का होगा इस पर भी सवाल है। जब बाजार में डिमांड ही नहीं है तो सामान खरीदेगा कौन? एक तरफ मांग का संकट गहरा रहा है और दूसरी तरफ आपूर्ति का मसला है जो लगभग रुका हुआ है। जाहिर तौर पर उसका असर अर्थव्यवस्था पर भी दिखने लगा है। ब्रिटिश ब्रोकरेज फर्म बार्कलेज ने अंदेशा जताया है कि लॉकडाउन में आर्थिक गतिविधियां ठप रहने से भारतीय अर्थव्यवस्था को करीब 235 अरब डॉलर का नुकसान हो सकता है। अनुमान है कि इससे हमारी विकास दर शून्य या उससे नीचे भी जा सकती है। कोरोना का संकट इतना बड़ा है कि एशिया समेत पूरे विश्व के लिए इससे भी बुरे पूवार्नुमान हैं। एक-दूसरे से अर्थव्यवस्था के जुड़े होने के कारण भारत भी इससे अछूता नहीं रह सकता। इसीलिए संभवतः ऐसा पहली बार हो रहा है कि भारत की विकास दर शून्य या नेगेटिव जोन में जाने का अनुमान लग रहा है।

मौजूदा स्तर को संभाले रखने का ऐसा ही संकट नौकरी-पेशा लोगों के सामने भी खड़ा है। देश में वर्क फ्रॉम होम का नया कल्चर बड़े पैमाने पर उनकी छंटनी या वेतन कटौती की चुनौती का सबब बन सकता है। इस सबके बीच किसानों के लिए राहत की शुरुआत जरूर हो गई है। लगभग सभी प्रदेशों में गेहूं की सरकारी खरीद की प्रक्रिया आरंभ हो गई है। फिलहाल इसकी रफ्तार जरूर धीमी है, लेकिन आने वाले दिनों में यह तेजी पकड़ेगी जो किसानों को अनिश्चित दिख रहे भविष्य के भंवर से बाहर निकालेगी।

कोरोना का संकट इतना बड़ा है कि एशिया समेत पूरे विश्व के लिए इससे भी बुरे पूवार्नुमान हैं।

इससे यकीनन बाकी सेक्टरों को भी नई उम्मीद बंधेगी। सरकार की भविष्य की योजना में जान के साथ जहान का भी कल्याण शामिल है, लेकिन प्राथमिकता अब भी जान की सुरक्षा ही है। इसके पीछे सोच यह है कि पहले सार्वजनिक स्वास्थ्य को दुरुस्त कर लिया जाए क्योंकि अगर वो मोर्चा डांवाडोल हुआ, तो अर्थव्यवस्था ऐसे ही डगमगा जाएगी। ऐसे में संतुलन की तस्वीर कैसी होगी, यह सरकार की ओर से तय 20 अप्रैल की डेडलाइन के बाद ही साफ हो पाएगा।

(राष्ट्रीय सहारा, 18 अप्रैल, 2020)

44

कोरोना से लड़ाई में भारत दुनिया का रोल मॉडल

यह हमारी सरकार की बेहतर प्लानिंग का ही असर है कि भारत में अब तक कोरोना का सामुदायिक प्रसार नहीं हो पाया है। नए मामले सामने आने के बाद भी देश में अफरा-तफरी का माहौल नहीं, बल्कि उससे निपटने में आत्मविश्वास से भरी रणनीति दिखाई देती है। संक्रमण के अलग-अलग स्तरों के आधार पर देश को अलग-अलग हिस्सों में बांट दिया गया है जहां जमीनी अमला स्थानीय जरूरतों के हिसाब से अलग-अलग एक्शन प्लान पर काम कर रहा है। देश को हॉट स्पॉट और नॉन हॉट स्पॉट जोन में बांटने से सरकार ज्यादा सटीक तरीके से जरूरतमंदों तक पहुंच रही है और संसाधनों की फिजूलखर्ची भी नहीं हो रही है। कोरोना से लड़ने में सरकार के चौतरफा प्रयासों के साथ ही भारत को प्राकृतिक, आनुवांशिक और ऐतिहासिक बढ़त भी हासिल है।

कोरोना के खिलाफ जंग में भारत अब ऐसा योद्धा बन चुका है, जो दुनिया को घुटने पर लाने वाले 'दुश्मन' के खिलाफ 'दीवार' बनकर खड़ा है। भारत ना थक रहा है, ना थम रहा है, बल्कि कोरोना की रफ्तार को कदम-दर-कदम चुनौती दे रहा है। पिछले ढाई महीनों की लड़ाई को देखें, तो यह साफ दिखता है कि भारत इस मामले में किसी भी दूसरे देश से ना केवल आगे खड़ा है बल्कि दुनिया की नींद उड़ा चुके इस जानलेवा वायरस से पूरी हिम्मत से लोहा भी ले रहा है। संक्रमण की रोकथाम हो या टेस्टिंग, जनता की सुरक्षा का सवाल हो या लॉकडाउन में जरूरतमंदों तक सरकारी मदद पहुंचाने का इंतजाम, भारत हर मोर्चे पर दुनिया के लिए मिसाल साबित हुआ है। इतना ही नहीं, कोरोना के इलाज में संजीवनी कही जा रही दवा के निर्यात के बंद दरवाजे खोलकर भारत इस महामारी के खिलाफ वैश्विक एकजुटता का संदेश देने में भी कामयाब हुआ है।

कोरोना की रफ्तार को कदम-दर-कदम चुनौती दे रहा है।

सीमित संसाधनों और बेहद घनी आबादी के बावजूद भारत जिस तरह इस लड़ाई में लगातार नए मील के पत्थर स्थापित कर रहा है, उसकी दुनिया भर में सराहना हो रही है। कई देश तो इस जंग में भारत को बाकायदा अपना रोल मॉडल घोषित कर चुके हैं। डब्ल्यूएचओ, वर्ल्ड बैंक, अंतरराष्ट्रीय मुद्रा कोष जैसे वैश्विक संगठन भी हमारी सरकार के फैसलों के मुरीद बन गए हैं। कोरोनाजनित तबाही की बढ़ती रफ्तार और चीन और अमेरिका के झगड़ों से परेशान, डब्ल्यूएचओ तो अब भारत से ही कोई राह निकालने की उम्मीद लगा रहा है। उसका कहना है कि पोलियो को मात दे चुका भारत कोरोना से निपटने में भी कामयाब रहेगा। इसके लिए डब्ल्यूएचओ भारत के साथ मिलकर काम भी कर रहा है।

डब्ल्यूएचओ जिस 'करिश्मे' की बात कर रहा है, उसका किस्सा महज 6 साल पुराना है। साल 2014 में पोलियो के खिलाफ भारत ने इसी तर्ज पर लड़ाई लड़ी थी। जिस तरह आज कोरोना के मरीजों को ढूंढ़-ढूंढ़ कर क्वारंटीन किया जा रहा है, उसी तरह उस वक्त भी पोलियो के एक-एक मरीज की तलाश की गई थी। देश भर में युद्ध स्तर पर यह काम हुआ था और

हमारे जुनून को देखते हुए भारत में डब्ल्यूएचओ का स्टाफ भी हमारे स्वास्थ्य महकमे की मदद के लिए आगे आया था।

इस जंग में भारतीय मेधा की भी जमकर तारीफ हो रही है। भारत सरकार के आरोग्य सेतु एप को वर्ल्ड बैंक ने कोरोना से लड़ाई का सबसे इनोवेटिव हथियार बताया है। इस एप से महज लक्षणों के आधार पर ही तय किया जा सकता है कि किसी शख्स को टेस्टिंग की जरूरत है या नहीं। साथ ही किसी इलाके में कोरोना संक्रमित मरीज की मौजूदगी की सटीक जानकारी भी मिल जाती है। इससे कोरोना का खतरा काफी हद तक नियंत्रित हो सकेगा और हेल्थ टीम के संसाधन और समय की भी बचत होगी। अब हमारे एक्सपर्ट की दिखाई राह पर चलकर एप्पल और गूगल भी कॉन्टैक्ट ट्रेसिंग के लिए इसी तरह का एप बना रहे हैं।

आरोग्य सेतु एप को वर्ल्ड बैंक ने कोरोना से लड़ाई का सबसे इनोवेटिव हथियार बताया है।

कोरोना से लड़ाई में लॉकडाउन भारत का मास्टर स्ट्रोक साबित हुआ है और इसकी चर्चा पूरी दुनिया में हो रही है। अंतरराष्ट्रीय मुद्रा कोष यानी आईएमएफ भी कह चुका है भारत ने बिल्कुल सही समय पर लॉकडाउन लागू करने का फैसला लिया है। आईएमएफ तो नरेन्द्र मोदी सरकार की उस सोच का भी कायल दिखा है कि बेशक लॉकडाउन से आर्थिक मंदी का खतरा बढ़ जाएगा लेकिन अगर इससे कोरोना रुकता है तो आर्थिक वृद्धि में फिर उछाल आ सकता है। इसे अमेरिका, इटली, स्पेन जैसे देशों की जनता का दुर्भाग्य ही कहा जाएगा कि उनकी सरकारों ने सामाजिक किलेबंदी के बजाय आर्थिक साम्राज्य को बचाने पर ज्यादा जोर दिया जिसके नतीजे में लाखों लोग अपने करीबियों से हमेशा-हमेशा के लिए दूर हो गए।

लॉकडाउन का फैसला लेने में ही नहीं, बल्कि इसके अमल के तरीके को लेकर भी भारत ने दुनिया को नया रास्ता दिखाया है। पहले दौर में 21 दिन और दूसरे में 19 यानी कुल 40 दिन का लॉकडाउन महज संयोग नहीं, बल्कि इसका व्यावहारिक आधार है। दरअसल जब किसी इलाके से 28 दिन तक संक्रमण का कोई नया मामला नहीं आता तब जाकर यह माना जाता है कि

उस इलाके में कोरोना की चेन टूट गई है। लॉकडाउन को 3 मई तक बढ़ाने की वजह यही सुनिश्चित करना है कि हर इलाके में ये चेन तोड़ दी जाए।

साफ है कि कोरोना की महामारी इस लिहाज से भी नया पैमाना बन रही है कि सरकारों की सोच जंग का रंग किस तरह बदल सकती है। व्यापक समझ के साथ लॉकडाउन लागू करने से भारत में संक्रमितों का आंकड़ा धीमे-धीमे बढ़ा और 10 हजार का आंकड़ा आते-आते 75 दिन बीत गए। इस लंबे अंतराल में हमें अपनी रणनीति और संसाधनों के बेहतर जमावट पर काम करने की उपयोगी मोहलत मिल गई। इस मामले में केवल चीन कागजी आंकड़ों में हमें टक्कर दे पाया है। लॉकडाउन से मुंह चुराने वाले अमेरिका, इटली और स्पेन जैसे देशों का हाल यह रहा कि वहां देखते-ही-देखते संक्रमितों का आंकड़ा सैकड़ों से हजार और फिर लाख के पार पहुंच गया। जब लाशों के अंबार लगने शुरू हो गए तो वहां की सरकारों की ऊर्जा का बड़ा हिस्सा हालात संभालने के बजाय लाशों को ठिकाने लगाने में खर्च होता रहा। अब इन देशों में हर्ड इम्यूनिटी ही आखिरी उम्मीद बची है जिसके बारे में यह अनुमान है कि जब 60 फीसद आबादी संक्रमित हो जाती है तो वो उन लोगों के लिए प्रतिरक्षा तंत्र बनाती है जो संक्रमण के लिए इम्यून नहीं हैं।

लॉकडाउन लागू करने से भारत में संक्रमितों का आंकड़ा धीमे-धीमे बढ़ा।

यह हमारी सरकार की बेहतर प्लानिंग का ही असर है कि भारत में अब तक कोरोना का सामुदायिक प्रसार नहीं हो पाया है। नए मामले सामने आने के बाद भी देश में अफरा-तफरी का माहौल नहीं, बल्कि उससे निपटने में आत्मविश्वास से भरी रणनीति दिखाई देती है। संक्रमण के अलग-अलग स्तरों के आधार पर देश को अलग-अलग हिस्सों में बांट दिया गया है जहां जमीनी अमला स्थानीय जरूरतों के हिसाब से अलग-अलग एक्शन प्लान पर काम कर रहा है। देश को हॉट स्पॉट और नॉन हॉट स्पॉट जोन में बांटने से सरकार ज्यादा सटीक तरीके से जरूरतमंदों तक पहुंच रही है और संसाधनों की फिजूलखर्ची भी नहीं हो रही है।

कोरोना से लड़ने में सरकार के चौतरफा प्रयासों के साथ ही भारत को प्राकृतिक, आनुवांशिक और ऐतिहासिक बढ़त भी हासिल है।

देश में गर्मी का मौसम शुरू हो चुका है, कई इलाकों में तो पारा 40 डिग्री को पार कर गया है और आने वाले दिनों में इसके 48 डिग्री तक पहुंचने का अनुमान है। बेशक फिलहाल कोई एक्सपर्ट अभी दावा नहीं कर रहा है, लेकिन इस बात से इनकार भी नहीं कर रहा है कि गर्म मौसम का असर कोरोना के विस्तार पर ब्रेक लगा सकता है।

कैलिफोर्निया यूनिवर्सिटी का भी मानना है कि भारतीयों को यह अनुवांशिक लाभ है कि वो अपने जीन, शरीर में प्राकृतिक हत्यारी कोशिकाओं को ताकतवर बनाकर उन्हें वायरल संक्रमण के खिलाफ ज्यादा प्रतिरोधक बनाते हैं। ऐसा ही तंत्र इबोला और सार्स जैसे वायरस से चमगादड़ को बचाता है। कालांतर में भारतीयों ने स्पैनिश फ्लू जैसे उन रोगाणुओं का लगातार सामना किया जो प्रतिरक्षा प्रणाली को मजबूत बनाते हैं और हमलावर रोगाणुओं को नष्ट करते हैं। आईसीएमआर का एक अध्ययन भी संकेत देता है कि भारत, अफ्रीका और लैटिन अमेरिकी देशों में टीबी से मुकाबले के लिए बचपन में बीसीजी का जो टीका दिया जाता रहा है वो एक तरह की क्रॉस इम्युनिटी विकसित करता है जो कोरोना के असर को कम कर सकता है। अमेरिका और इटली जैसे देशों को टीबी का ज्यादा अनुभव नहीं है लिहाजा वहां कोरोना के मामले भी ज्यादा हैं।

अमेरिका और इटली जैसे देशों को टीबी का ज्यादा अनुभव नहीं है।

ऐतिहासिक दृष्टि से भी भारत ने अतीत में कुल 11 विदेशी आक्रांताओं के हमले झेले हैं। बेशक इन हमलों का शरीर के अंदर प्रतिरोधक क्षमता विकसित करने से कोई सीधा संबंध ना हो, लेकिन इसने हम भारतीयों को पीढ़ी-दर-पीढ़ी बुरी-से-बुरी स्थिति का भी डटकर सामना करना तो सिखाया ही है। परंपरा से मिले सबक भी आज कोरोना के खिलाफ हमारी लड़ाई की एक पहचान बने हुए हैं। बेशक कोरोना के खिलाफ इस पहचान का इम्तिहान बेहद लंबा होने जा रहा है। लेकिन इतना भी तय है कि सरकार का संकल्प और जनता का संयम यूं ही बरकरार रहा तो इस इम्तिहान में भी जीत हमारे नाम ही होगी।

(राष्ट्रीय सहारा, 19 अप्रैल, 2020)

45

भारत की बढ़ी जिम्मेदारी

एक तरफ अमेरिका और यूरोप का दक्षिणपंथी वर्ग चीन को लगातार धमकाते हुए उसके माथे पर कोरोना फैलाने का कलंक चस्पा करने में जुटा है, तो अपना दामन साफ दिखाने में चीन भी अमेरिका को घेरने में कोई कोर-कसर नहीं छोड़ रहा है। लेकिन इस सबके बावजूद चीन अपने 'चालबाज चरित्र' से दुनिया का ध्यान हटा नहीं पा रहा है। कोरोना के भुक्तभोगी ज्यादातर देश भले ही अभी खुलकर अमेरिका के साथ नहीं दिख रहे हों, लेकिन चीन की ओर शक की नजर से जरूर देख रहे हैं।

कोरोना के खिलाफ अब विश्व राजनीति तीसरे चरण में आ चुकी है। पहले चरण में इस महामारी से निपटने के लिए दुनिया भर में एकजुटता की कसमें खाई गईं। धीरे-धीरे वैश्विक एकता का दायरा सरहदों में सिमटता गया और दूसरा चरण आते-आते कमोबेश हर देश अपनी लड़ाई अपने तरीके से अलग-अलग लड़ता दिख रहा है। तीसरे चरण की लड़ाई में भरोसे की यह खाई लगातार चौड़ी होती जा रही है और दुनिया खेमों में बंटती जा रही है।

तीसरे चरण की लड़ाई में भरोसे की यह खाई लगातार चौड़ी होती जा रही है।

एक खेमा अमेरिका का है, तो दूसरा चीन का। इजराइल हमेशा की तरह अमेरिका के साथ है, जबकि चीन को रूस और सीरिया के साथ कुछ अन्य मिडिल ईस्ट देशों का साथ हासिल है। लेकिन यूरोप इस मामले में बंट गया है। अमेरिका और इजराइल आरोप लगा रहे हैं कि कोरोना चीन का जैविक हथियार है और वुहान की लैब में तैयार हुआ है। दूसरी ओर चीनी खेमा इसे ट्रेड वॉर के बाद चीन की अर्थव्यवस्था को चौपट करने के लिए रची गई अमेरिकी साजिश बता रहा है।

इसके लिए अमेरिका का पुराना रिकॉर्ड खंगाल दिया गया है। दुनिया को बताया जा रहा है कि पहले भी किस तरह एचआईवी से रूस, स्वाइन फ्लू से चीन और बर्ड फ्लू से मिस्त्र को तबाह करने की कोशिशें हुई हैं। सीरिया इस लड़ाई में इबोला, जीका और एंथ्रेक्स जैसे वायरस का 'तड़का' लगाकर यह साबित करने की कोशिश कर रहा है कि अमेरिका पहले भी अपने विरोधियों को दबाने के लिए जैविक हथियारों का इस्तेमाल करता रहा है। मामला अब कोरोना से शिफ्ट होकर क्षेत्रीय दबदबे की ओर बढ़ गया लगता है।

कोरोना चीन का जैविक हथियार है और वुहान की लैब में तैयार हुआ है।

वैसे भी गलतियों पर पर्दा डालने के लिए बलि का बकरा तलाशने की रवायत ना तो नई है और ना ही अस्वाभाविक। एक तरफ अमेरिका और यूरोप का दक्षिणपंथी वर्ग चीन को लगातार धमकाते हुए उसके माथे पर कोरोना फैलाने का कलंक चस्पा करने में जुटा है, तो अपना दामन साफ दिखाने में चीन भी अमेरिका को

घेरने में कोई कोर-कसर नहीं छोड़ रहा है। लेकिन इस सबके बावजूद चीन अपने 'चालबाज चरित्र' से दुनिया का ध्यान हटा नहीं पा रहा है। कोरोना के भुक्तभोगी ज्यादातर देश भले ही अभी खुलकर अमेरिका के साथ नहीं दिख रहे हों, लेकिन चीन की ओर शक की नजर से जरूर देख रहे हैं।

ब्रिटेन का नजरिया अभी से सख्त दिखने लगा है। वहां यह मांग उठ रही है कि जिस तरह 'पहले' शीत युद्ध के शांतिपूर्ण दौर में रूस को लेकर कड़ी सावधानी बरती गई थी, वही रुख अब चीन के लिए भी जरूरी हो गया है। इटली भी अमेरिकी जांच की संभावना से पहले ही कोरोना को मानवता पर चीन का हमला बता रहा है। कई देश तो अपने यहां कोरोना से हुए नुकसान के लिए चीन से भरपाई की मांग तक कर रहे हैं। अमेरिकी कंजरवेटिव तो लगातार कह रहे हैं कि चीन ने पहले समस्या पैदा की और फिर उसे मिटाने में अपनी सफलता का प्रदर्शन कर अपनी छवि चमकाने की कोशिश कर रहा है। नाराज अमेरिका ने तो विश्व स्वास्थ्य संगठन को चंदा देना भी बंद कर दिया है क्योंकि उसे लगता है कि वो भी चीन का साथ दे रहा है।

कई देश तो अपने यहां कोरोना से हुए नुकसान के लिए चीन से भरपाई की मांग तक कर रहे हैं।

अमेरिका की नजर में इस बार चीन के अपराधों की लिस्ट लंबी ही नहीं, शर्मनाक भी है। उसने कोरोना का पता चलने के बाद इसे दुनिया से छुपाया, देरी से कदम उठाए, मरीजों के आंकड़ों में हेरा-फेरी की और फिर अमेरिका पर इसे फैलाने की तोहमत लगाई। पिछले दिनों चीन ने जिस तरह घरेलू मौत के आंकड़ों को रिवाइज किया है, उससे अमेरिका के आरोपों को बल भी मिला है। इसे लेकर अमेरिका के एक राज्य मिसौरी की अदालत में चीन के खिलाफ मुकदमा भी दर्ज हुआ है। हालांकि इसकी गंभीरता महज सांकेतिक दिखती है, क्योंकि इस अदालत का आदेश चीन पर कितना बंधनकारी होगा यह समझा जा सकता है।

लेकिन अमेरिका के लिए यूरोप का बर्ताव झटका देने वाला है। ब्रिटेन को छोड़ दें तो इटली, हंगरी और ग्रीस चीन की आलोचना के बावजूद उसके साथ खड़े दिख रहे हैं। जर्मनी और फ्रांस के बीच भी एक राय नहीं है, जबकि हॉलैंड अपने देश में चीन के भारी-भरकम निवेश के बोझ तले दबा हुआ है।

कच्चे तेल के मामले ने भी अमेरिका की फिसलन बढ़ा रखी है। अब यह साफ दिखने लगा है कि तेल के गिरते भाव का खेल कोई प्राइस वॉर नहीं बल्कि अमेरिका के 'प्राइड' को चकनाचूर करने का गेम है। वेनेजुएला की राजनीति में अमेरिका के हस्तक्षेप की आड़ लेकर रूस पुराने दिनों का हिसाब बराबर कर रहा है। तेल का भाव 18 साल के न्यूनतम स्तर तक गिर गया है जिससे अमेरिकी तेल कंपनियां कंगाली की कगार पर पहुंच गईं हैं और कोरोना के साथ एक और मोर्चे पर अमेरिका की फजीहत हो रही है।

इस सबके बीच मौका ताड़ते हुए चीन 'मानवता' की मदद के बहाने कोरोना से प्रभावित 100 से ज्यादा देशों में अपनी पहुंच बना चुका है। पारंपरिक रूप से यह भूमिका अब तक अमेरिका निभाता आया था जो इस बार लाचार है। इसलिए सवाल तो उठ ही गए हैं कि क्या जिम्मेदारियों के बोझ से अमेरिका अब थकने लगा है? क्या वैश्विक संतुलन का पलड़ा चीन की ओर झुकने लगा है? क्या चीन ने 'बिग डैडी' अमेरिका को उसकी जगह से हटाकर वो जमीन हथिया ली है?

> *कोरोना का संकट खत्म होते ही इस युद्ध विराम की मियाद भी खत्म हो जाएगी।*

तमाम सवाल भले ही अभी अनुमान हों, लेकिन अमेरिका के लिए इतना भर भी खतरे की घंटी है। साल 1945 में सोवियत यूनियन के खिलाफ ट्रांस-अटलांटिक गठजोड़ तैयार करने में अमेरिका की एक आवाज पर पूरा यूरोप उसके पीछे आकर खड़ा हो गया था। लेकिन अब चैलेंज भी बदल गया है और चैलेंजर भी। आपस में जुड़ी दुनिया अब पहले से ज्यादा आजाद है और अमेरिका का रुतबा भी बीते दिनों की बात हो गई है।

फिलहाल तो दोनों महाशक्तियों ने आपस में एक अस्थायी युद्ध विराम कर रखा है जिसमें आग उगलने वाली जुबान को फिलहाल आराम दिया जा रहा है। लेकिन इतना तय है कि कोरोना का संकट खत्म होते ही इस युद्ध विराम की मियाद भी खत्म हो जाएगी। तब दोनों ओर से मन में दबा आक्रोश खुलकर व्यक्त होगा और अगर जल्द बीच-बचाव की पहल नहीं हुई तो इससे पूरब और पश्चिम के बीच एक खाई पैदा हो सकती है, जो दूसरे शीत युद्ध की शक्ल में लंबे समय तक स्थायी भी बन सकती है।

ऐसे हालात भारत के लिए भी चुनौती लेकर आएंगे। यह सोच तो ठीक लगती है कि चीन पर दुनिया का भरोसा जितना कम होगा, हमारे अवसर उतने ही बढ़ेंगे। बाजार और मानव श्रम के आकार के मामले में आज केवल भारत ही चीन को टक्कर दे सकता है। लेकिन यह इस बात से भी तय होगा कि बदले हालात में हमारे कदम किस ओर बढ़ते हैं? अमेरिका के साथ अगर भारत के संबंध इस समय सर्वकालिक सर्वश्रेष्ठ दौर में हैं, तो चीन के साथ हमारा आपसी लेन-देन भी नई ऊंचाइयां छू रहा है। कारोबार के मामले में भी अमेरिका और चीन हमारे सबसे बड़े व्यापारिक साझेदार हैं।

इस महीने की शुरुआत में ही भारत और चीन के राजनयिक संबंधों के 70 साल पूरे हुए हैं। योजना तो यह थी कि दोनों देश इस मौके पर 70 अलग-अलग क्षेत्रों में नए कार्यक्रमों की शुरुआत करेंगे, लेकिन कोरोना आड़े आ गया। बेशक यह योजना आगे के लिए टल गई हो, लेकिन इससे यह तो समझ आता ही है कि दोनों देश कड़वी यादों से आगे बढ़कर 'हिंदी-चीनी भाई-भाई' की भावना को एक मौका और देना चाहते हैं। इसलिए ज्यादा संभावना इस बात की है कि रूस-अमेरिका शीत युद्ध के दौर वाली गुट-निरपेक्षता की पुरानी नीति को भारत एक बार फिर अमल में लाए।

कारोबार के मामले में भी अमेरिका और चीन हमारे सबसे बड़े व्यापारिक साझेदार हैं।

हमारे राष्ट्रीय हितों के साथ-साथ पूरी दुनिया के लिए भी भारत की यह रणनीति मददगार साबित हो सकती है, क्योंकि इस बारे में कोई दो-राय नहीं कि अमेरिकी राष्ट्रपति डोनाल्ड ट्रंप और चीनी राष्ट्रपति शी जिनपिंग के साथ किसी एक विश्व नेता के सबसे करीबी संबंध हैं तो वो हमारे प्रधानमंत्री नरेन्द्र मोदी ही हैं। विश्व अशांति के दौर में यह करीबी दुनिया के बड़े काम ही नहीं आ सकती है बल्कि दुनिया को बड़े खतरे से बचा भी सकती है।

(राष्ट्रीय सहारा, 25 अप्रैल, 2020)

46

क्या से क्या हो गया कोरोना काल में

हकीकत तो यह है कि जिंदा रहने की यह जंग सभी मान्यताओं पर हावी हो चुकी है। पूजा-पाठ के तरीके भी इससे नहीं बच पाए हैं। किसने सोचा था कि नवरात्रि के नौ दिन मंदिर जाए बिना भी पूरे रीति-रिवाज से मनाए जा सकते हैं? कौन कह सकता था कि ईस्टर का जश्न चर्च के बाहर भी मनाया जा सकता है? कौन यकीन कर सकता था कि मुस्लिम परिवार बिना मस्जिद जाए रमजान में रोजा रख सकते हैं, तरावी के बिना और सिर्फ अपने परिवार के साथ ही इफ्तारी करेंगे? लेकिन यह सब हुआ, हम सबने देखा-जिया।

अच्छा तुम्हारे शहर का दस्तूर हो गया, जिसको गले लगा लिया वो दूर हो गया–मशहूर शायर बशीर बद्र ने यह शेर लिखा तो था नजदीकियों पर नसीहत देने के लिए, लेकिन कोरोना के दौर में यह सोशल डिस्टेंसिंग का सबक बन गया है। गले मिलना तो दूर, दुनिया अब हाथ मिलाने से भी कतरा रही है। अब नजरें तो मिलती हैं, लेकिन हाथ मिलाने के लिए नहीं, एक-दूसरे के सम्मान में हाथ जोड़ने के लिए। भारत का नमस्ते ही अब दुनिया के अभिवादन का जरिया बन गया। दुनिया के सबसे शक्तिशाली देश अमेरिका के राष्ट्रपति हों या दो सदियों तक आधी दुनिया पर राज कर चुके ब्रिटिश राजवंश के राजकुमार, फ्रांस के राष्ट्रपति हों या इजराइल के प्रधानमंत्री–कोरोना के कहर से बचने के लिए आज हर कोई भारतीय संस्कृति की इस पहचान का कायल बना हुआ है।

गले मिलना तो दूर, दुनिया अब हाथ मिलाने से भी कतरा रही है।

नजरिया केवल मेल-मिलाप के जरिए पर ही नहीं बदला है, जीवन से जुड़ा हर छोटा-बड़ा तौर-तरीका भी बदल रहा है। सफाई की आदत हो या खान-पान की बात, कामकाज का तरीका हो या कारोबार का सलीका, बिना जरूरत घर से बाहर ना निकलने का नियम हो या सार्वजनिक जगहों पर भीड़ का हिस्सा बनने से बचने का संयम, कोरोना की पदचाप कदम-दर-कदम जिंदगी के हर हिस्से पर अपनी छाप छोड़ती जा रही है।

सोशल डिस्टेंसिंग का शब्द तो अपने अस्तित्व में आने के बाद से अब तक जितनी बार नहीं बोला गया होगा, उससे ज्यादा पिछले कुछ महीनों में कहा-सुना गया है। हर खास-ओ-आम की जुबान पर चढ़कर कब ये शब्द उनकी जिंदगी का हिस्सा भी बन गया, बहुतों को तो इसका अहसास भी नहीं हो पाया। कोरोना की विदाई के बाद भले ही दो मीटर के इस 'लक्ष्मण घेरे' को थोड़ी ढील मिल जाए, लेकिन इतना तय है कि यह इससे कुछ कमतर दूरी के साथ हमारी जिंदगी का स्थायी हिस्सा बना रहेगा। प्राइवेसी की चर्चा में हम अब तक जिस पर्सनल स्पेस की बात करते रहे हैं, उसमें अब इस बात को लेकर भी सतर्कता बरती जाने लगेगी कि इस स्पेस में किस शख्स की एंट्री हो, किसकी नहीं।

अमेरिका और यूरोप के ज्यादातर हिस्से में इसका पालन ज्यादा मुश्किल नहीं होगा, लेकिन एशिया में हमारे जैसे घनी आबादी वाले देशों में यह कैसे होगा, ये देखने वाली बात होगी। साल 2011 में भारत का जनसंख्या घनत्व 382 प्रति वर्ग किमी था। संयुक्त राष्ट्र का अनुमान है कि यह अब बढ़कर 440 के पार पहुंच चुका है जो अमेरिका से 13 गुना और ऑस्ट्रेलिया से 113 गुना होता है। चीन दुनिया की सबसे ज्यादा जनसंख्या वाला देश है, लेकिन उसकी आबादी का घनत्व भी हमसे करीब तीन गुना कम है।

कोरोना के संदर्भ में आबादी का फैक्टर इस लिहाज से भी अहम है कि इससे केवल सोशल डिस्टेंसिंग के लिए जगह की ही कमी नहीं, बल्कि बार-बार हाथ धोने के लिए पानी की उपलब्धता की चुनौती भी जुड़ती है। साल 2019 के आंकड़ों से पता चलता है कि 17 देश पानी की कमी से जूझ रहे हैं और दुनिया की एक-चौथाई आबादी इन्हीं देशों में रहती है। इस लिस्ट में भारत का नंबर 13वां है। यह हालत इसलिए है क्योंकि हमारी आबादी का घनत्व लिस्ट के बाकी देशों के मुकाबले दो से तीन गुना ज्यादा है। यानी हमारी आबादी का घनत्व कोरोना या फिर किसी भी दूसरी महामारी से लड़ने में हमें दो मोर्चों पर संसाधनों का सर्वश्रेष्ठ इस्तेमाल और जबर्दस्त एहतियात बरतने का इशारा करता है।

कोरोना के संदर्भ में आबादी का फैक्टर इस लिहाज से भी अहम है।

प्राकृतिक और मानवजनित संसाधनों के साथ ही मानव संसाधन की जमावट भी धीरे-धीरे बड़े बदलाव के लिए तैयार हो रही है। भारत में कामकाजी लोगों का घर में भी ऑफिस का काम लेकर आना आम बात हुआ करती थी। गृहिणियों को इससे काफी शिकायत होती थी और कई घरों में तो इसी पर महाभारत हो जाया करती थी। कोरोना की मेहरबानी से अब 'वर्क फ्रॉम होम' का यह कल्चर ही कामकाजी लोगों का न्यू नॉर्मल बन गया है। प्रधानमंत्री नरेन्द्र मोदी ने सटीक संकेत दिया है कि अब घर ही नया ऑफिस है और इंटरनेट नया मीटिंग रूम। आने वाले दिनों में दुनिया भर की कंपनियां और संस्थाओं में वर्क फ्रॉम होम और वर्चुअल ऑफिस जैसे नए तरीके स्थायी विकल्प बन जाएंगे। रिमोट वर्क को सुविधाजनक बनाने के एप

और सॉफ्टवेयर्स की मांग में तेज उछाल भी इसी बात का इशारा है। कौन जाने कई संस्थान खर्च में कटौती के लिए अपने कर्मचारियों को सालाना इंक्रीमेंट की जगह घर से काम करने का विकल्प देना शुरू कर दें।

स्कूल-कॉलेजों में भी डिस्टेंस लर्निंग को अपनाने की शुरुआत हो गई है। लॉकडाउन में बच्चे शिक्षण संस्थान नहीं जा पा रहे हैं, तो स्कूल-कॉलेज ही ऑनलाइन कक्षाओं के माध्यम से बच्चों के घरों तक पहुंच गए हैं। देश की कई कोचिंग संस्थाएं पहले से ही शिक्षण कार्य में डिजिटल मोड पर काम कर रहीं थीं और बदले हालात में अब यह औपचारिक शिक्षा का मॉडल भी बनने जा रहा है। वैसे भी स्कूल-कॉलेज में सोशल डिस्टेंसिंग और हाईजीन का उच्चतम स्तर बनाए रखना हमेशा से ही कड़ी चुनौती रहा है।

स्कूल-कॉलेजों में भी डिस्टेंस लर्निंग को अपनाने की शुरुआत हो गई है।

इस तरह के बदलाव आबादी के एक बड़े हिस्से की घर से बाहर निकलने की जरूरत को सीमित करेंगे। इसके अपने फायदे होंगे। कम लोग बाहर निकलेंगे, तो बसों-मेट्रो-ट्रेन में लोगों की भीड़ सीमित होगी, इससे सोशल डिस्टेंसिंग भी आसान होगी और पर्यावरण पर भी कम दबाव पड़ेगा। लॉकडाउन में हम ये फर्क देख भी रहे हैं। परिवहन सीमित होने से हमारे आसपास की हवा शुद्ध हुई है, फैक्ट्रियों से केमिकल कचरे की निकासी रुकने से गंगा-यमुना जैसी नदियों का पानी निर्मल होकर बहने लगा है। कई महानगरों में तो चिड़ियों की चहचहाहट लोगों को इस मुश्किल समय में फील गुड वाला अहसास करवा रही है। कोरोना हमें एक ऐसे विकल्प के भी करीब लाया है, जिसका नियमित इस्तेमाल स्वास्थ्य के क्षेत्र में क्रांतिकारी बदलाव ला रहा है। यह विकल्प है टेलीमेडिसन का। कोरोना जैसी महामारियों के इलाज और सोशल डिस्टेंसिंग के लिहाज से यह मरीजों खासकर बुजुर्गों के लिए वरदान साबित हो रही है। यह वीडियो कॉलिंग की मदद से डॉक्टर से मशविरा लेकर मरीजों की बाहर जाने और लंबी कतारों में खड़े रहने की मजबूरी को खत्म करता है। केवल शहरी ही नहीं, यह सुविधा तो ग्रामीण क्षेत्रों के मरीजों का इलाज करने और उन्हें शहर के डॉक्टरों से जोड़ने का जरिया भी बन रही है।

वैसे हकीकत तो यह है कि जिंदा रहने की यह जंग सभी मान्यताओं पर हावी हो चुकी है। पूजा-पाठ के तरीके भी इससे नहीं बच पाए हैं। किसने सोचा था कि नवरात्रि के नौ दिन मंदिर जाए बिना भी पूरे रीति-रिवाज से मनाए जा सकते हैं? कौन कह सकता था कि ईस्टर का जश्न चर्च के बाहर भी मनाया जा सकता है? कौन यकीन कर सकता था कि मुस्लिम परिवार बिना मस्जिद जाए रमजान में रोजा रख सकते हैं, तरावी के बिना और सिर्फ अपने परिवार के साथ ही इफ्तारी करेंगे? लेकिन यह सब हुआ, हम सबने देखा-जीया। और जरूरत पड़ी तो यह आगे नहीं होगा, यह भी कोई नहीं कह रहा। शादी-ब्याह के साथ भी यही बात है। यह हमारी जिंदगी में किसी त्योहार से कम नहीं होते। लेकिन हिंदुओं के विवाह हों या मुस्लिमों के निकाह, मंदिर-मस्जिद से दूर सारी रस्में ऑनलाइन ही हो रही हैं।

> *जिंदगी जीने के तरीके ही नहीं बदले, कोरोना ने मौत की रस्में भी बदल डाली हैं।*

सिर्फ जिंदगी जीने के तरीके ही नहीं बदले, कोरोना ने मौत की रस्में भी बदल डाली हैं। बदले हालात में अब न तो अर्थी चार कंधों पर श्मशान तक जाती है, न चिता के आसपास अपनों की भीड़ जुटती है। श्रद्धांजलि भी मोबाइल पर दी जा रही है।

इसमें कोई शक नहीं कि हमारी जिंदगी पर कोरोना का असर सिक्के के दो पहलू की तरह पड़ा है—कहीं बुरा हुआ है, तो कुछ बहुत अच्छा भी हुआ है। साफ-सफाई और स्वास्थ्य के लिए जागरुकता बढ़ी है, तो खांसने-छींकने को मौसमी बीमारी बताकर नजरअंदाज करने की जगह गंभीर पूछ-परख ने ले ली है। एक ओर कोरोना ने महामारी की शक्ल में दुनिया भर में इंसानों पर करारा प्रहार किया है तो वहीं इसने अपनों से करीबी जुड़ाव के साथ ही दूरी की मयार्दा का महत्त्व बताया है। इतना ही नहीं, पड़ोसियों से बरसों से बंद बोलचाल शुरू करने का पाठ भी पढ़ाया है। इसे इस तरीके से भी समझा जा सकता है कि मानवता की बेहतरी के लिए कोरोना ने गंभीर संकट पैदा कर हमें बदल जाने का सबक सिखाया है।

(राष्ट्रीय सहारा, 26 अप्रैल, 2020)

47

विश्व गुरु बनने का अवसर

कोरोना काल ने हमें यह भी दिखाया है कि भारतीय श्रमिक कितने असुरक्षित हैं। इनमें से ज्यादातर छोटे खेतों और अनौपचारिक या स्वरोजगार के क्षेत्र में बड़ी मुश्किल से गुजर-बसर लायक आमदनी कमाते हैं। दोबारा इन मजदूरों को ऐसे दिन ना देखने पड़े इसके लिए जरूरी है कि उन्हें छोटे काम-धंधों से निकालकर उनकी क्षमताओं के मुताबिक अधिक उत्पादक और बेहतर भुगतान करने वाली नौकरियों में लगाया जाए। मौजूदा इंफ्रास्ट्रक्चर में इस उम्मीद के पूरे होने के आसार कम हैं, लेकिन अगर विदेशी कंपनियां बड़ी तादाद में भारत में अपनी नई इकाइयां डालती हैं, तो यह सपना जरूर सच हो सकता है।

कोरोना से भारत की जंग पर अब स्वदेशी रंग चढ़ रहा है। सरकार ने हरियाणा में बनी दक्षिण कोरियाई कंपनी की किट से रैपिड टेस्टिंग की मंजूरी दे दी है। ये किट चीनी किट से बेहतर भी है और कम-से-कम 450 रुपये सस्ती है। इसमें केवल 10 मिनट में नतीजे मिलेंगे। चीन से जो किट आई थीं, वो सही नतीजे नहीं दे रही थीं और इसीलिए उन्हें वापस कर दिया गया है। कोरोना से जिस बड़े पैमाने पर लड़ाई चल रही है, उसके बीच सरकार का यह फैसला कइयों को आज भले ही छोटा कदम लग रहा हो, लेकिन इसका इशारा बहुत बड़ा है। बहुत संभावना है कि यह छोटा-सा कदम ही भारत के लिए उस मुकाम की राह तैयार कर दे, जो फिलहाल चीन की पहचान है।

कोरोना से भारत की जंग पर अब स्वदेशी रंग चढ़ रहा है।

दरअसल, चीन कई सेक्टर में ग्लोबल सप्लायर है और उसकी पहचान मैन्यूफैक्करिंग हब के तौर पर होती है। लंबे समय से चीन दुनिया को उसकी जरूरत का सामान सप्लाई करता रहा है, कई सेक्टर में तो उसने दुनिया भर की खपत का जिम्मा अकेले उठा रखा है। मैन्यूफैक्करिंग सेक्टर में अमेरिका को पछाड़ने वाले चीन की यह बादशाहत अब पांच साल पुरानी हो चुकी है। यूनाइटेड नेशंस कांफ्रेंस ऑन ट्रेड एंड डवलपमेंट की साल 2015 की रिपोर्ट के मुताबिक मैन्यूफैक्करिंग सेक्टर में चीन की वैश्विक हिस्सेदारी 20 फीसद थी, जबकि अमेरिका की 18 फीसद। इलेक्ट्रॉनिक्स, मोबाइल, ऑटो और कंप्यूटर पार्ट्स के मामले में तो दुनिया एक तरह से चीन-भरोसे ही है। टॉप-5 में एशिया से जापान और दक्षिण कोरिया भी हैं। इस फेहरिस्त में भारत तीन फीसद हिस्सेदारी के साथ छठे नंबर पर है यानी चीन हमसे छह गुना फासले पर है। लेकिन अब हालात बदल रहे हैं और ज्यादातर कंपनियां या तो चीन से अपना बोरिया-बिस्तर समेटने के मौके तलाश रही हैं या फिर उस पर अपनी निर्भरता सीमित करना चाहती हैं। चीन में बढ़ती लागत और अमेरिका के साथ उसके ट्रेड वार के कारण इसकी शुरुआत तो पहले ही हो चुकी थी, कोरोना वायरस ने आकर हताशा की आग में असुरक्षा का घी डालने का भी काम कर दिया। रही-सही कसर टेस्टिंग किट और जरूरी मेडिकल उपकरणों की सप्लाई में हुई चालबाजी ने पूरी कर दी।

दुनिया को हुआ अहसास

महामारी फैलने से चीन में कामकाज ठप हुआ तो दुनिया को इस बात का अहसास हुआ कि उत्पादन के ज्यादातर स्रोत का एक देश में सीमित होने का क्या खमियाजा हो सकता है। चीनी कारखानों से शुरू होने वाली सप्लाई चेन टूटी है, और दुनिया के एक बड़े हिस्से को अपनी जरूरत का सामान नहीं मिल पा रहा है। भविष्य में कोरोना जैसी परेशानी आने पर सप्लाई चेन का ऐसा हाल ना हो, इसके लिए विदेशी कंपनियों ने अब चीन से बाहर भी देखना शुरू कर दिया है। इन कंपनियों के सामने विकल्प क्या हैं? बहुत से लोग वियतनाम का नाम आगे कर रहे हैं, क्योंकि वो दक्षिण-पूर्व एशिया में सप्लाई चेन का बड़ा खिलाड़ी है। लेकिन वहां श्रमिकों की कमी है और सड़क से लेकर बंदरगाह बेहद सक्रिय कारोबारी गतिविधियों के कारण पहले से ही दबाव में हैं।

चीन कई सेक्टर में ग्लोबल सप्लायर है और उसकी पहचान मैन्यूफैक्चरिंग हब के तौर पर होती है।

विकेंद्रीकरण की इस मुहिम में भारत भी विदेशी कंपनियों की स्वाभाविक पसंद बन कर सामने आ रहा है। वैसे भी चीन के कारोबार का आकार देखा जाए तो विशाल मानव संसाधन से लेकर मजबूत सर्विस सेक्टर के कारण भारत उसके विकल्प के तौर पर बेहतर दावेदार नजर आता है। हालांकि अकुशल श्रमिक, अपर्याप्त इंफ्रास्ट्रक्चर और सुदूर क्षेत्रों की कमजोर कनेक्टिविटी जैसी दिक्कतें भारत के सामने भी हैं।

वियतनाम के अलावा कंबोडिया और बांग्लादेश जैसे देश भी हमारी दावेदारी को चुनौती दे रहे हैं। इस बार मामला तेजी दिखाने से भी जुड़ा है यानी पहल करने के लिए परिस्थितियों के सामान्य होने का इंतजार शायद अच्छी रणनीति साबित ना हो। इसीलिए बांग्लादेश ने लॉकडाउन लागू रहते हुए भी अपनी कपड़ा फैक्ट्रियों में उत्पादन शुरू कर दिया है। कपड़ा उत्पादन के मामले में बांग्लादेश चीन के बाद दूसरे नंबर पर आता है। इससे समझ आता है कि दावेदारी की रेस जीतने के लिए जो कदम उठाने हैं, वे तेजी से उठाने हैं और अगले कुछ दिनों में ही उठाने होंगे।

मोदी सरकार ने इस दिशा में शुरुआत भी कर दी है। गुरुवार को वित्त, उद्योग और वाणिज्य मंत्रालयों के साथ बैठक कर प्रधानमंत्री नरेन्द्र मोदी ने स्थानीय और विदेशी निवेश की संभावनाओं को टटोला है। ऐसी करीब 1000 कंपनियां भारत में अपनी फैक्ट्रियां लगाने के लिए सरकार से संपर्क में हैं। इनमें ज्यादातर कंपनियां मोबाइल, इलेक्ट्रॉनिक्स, फार्मा, स्वास्थ्य उपकरण, कपड़ा और फैब्रिक्स के क्षेत्र से हैं यानी उत्पादन का वो कोर सेक्टर जिस पर चीन का एकाधिकार है।

भारत कितना तैयार?

अब स्वास्थ्य के उच्च मानकों का पहले से भी ज्यादा ध्यान रखना होगा।

फिर सवाल उठता है कि चीन का विकल्प बनने के लिए भारत कितना तैयार है? इसके लिए सबसे पहले तो हमें तीन मोर्चे दुरुस्त करने होंगे पारदर्शिता, भूमि और श्रम सुधार। विदेशी कंपनियां नीतियां बनाने में पूवार्नुमान और पारदर्शिता को काफी तवज्जो देती हैं और इस मामले में हमारे पुराने प्रदशर्न में सुधार की काफी गुंजाइश है।

कोरोना काल ने हमें यह भी दिखाया है कि भारतीय श्रमिक कितने असुरक्षित हैं। इनमें से ज्यादातर छोटे खेतों और अनौपचारिक या स्वरोजगार के क्षेत्र में बड़ी मुश्किल से गुजर-बसर लायक आमदनी कमाते हैं। दोबारा इन मजदूरों को ऐसे दिन ना देखने पड़े इसके लिए जरूरी है कि उन्हें छोटे काम-धंधों से निकालकर उनकी क्षमताओं के मुताबिक अधिक उत्पादक और बेहतर भुगतान करने वाली नौकरियों में लगाया जाए। मौजूदा इंफ्रास्ट्रक्चर में इस उम्मीद के पूरे होने के आसार कम हैं, लेकिन अगर विदेशी कंपनियां बड़ी तादाद में भारत में अपनी नई इकाइयां डालती हैं, तो यह सपना जरूर सच हो सकता है। हालांकि यह प्रक्रिया इतनी सरल भी नहीं होगी क्योंकि हमें यह भी ध्यान रखना होगा कि कारोबारी लिहाज से भारत भले ही टॉप-5 पसंदीदा देशों में आता हो, लेकिन अक्सर हम विदेशी कंपनियों के पहले विकल्प नहीं होते हैं।

इसके लिए अक्सर कारोबार के लिए मुफीद माहौल और प्रोत्साहन की कमी के अलावा लालफीताशाही का भी हवाला दिया जाता है। विदेशी

कंपनियों की शिकायत जायज है या नहीं, इस बहस में ना पड़ते हुए जरूरी यह है कि जो भी दिक्कतें हैं उन्हें दूर कर लिया जाए। इसके साथ ही सरकार को बिजली, सड़क, बंदरगाहों जैसी इंफ्रास्ट्रक्चर से जुड़ी सुविधाओं में बड़े पैमाने पर निवेश करना होगा। साथ ही उत्पादन के लिए सकारात्मक माहौल तैयार करने में अब स्वास्थ्य के उच्च मानकों का पहले से भी ज्यादा ध्यान रखना होगा। अच्छी बात यह है कि कोरोना काल में भारत की अंतरराष्ट्रीय विसनीयता का स्तर पहले से और अधिक ऊंचा हुआ है। कोरोना के खिलाफ लड़ाई में ज्यादातर देशों ने भारत को वैश्विक लीडर के तौर पर स्वीकारा है। आने वाले दिनों में इसके बड़े फायदे अपेक्षित हैं। हालात सामान्य होने पर दुनिया भर की अर्थव्यवस्थाएं फिर से अपने पैरों पर खड़ी होंगी और निवेशक अपनी पूंजी लगाने के लिए सुरक्षित जमीन तलाशेंगे। ऐसे में निवेशकों को लुभाने के लिए सरकार ऐसा पैकेज तैयार कर सकती है, जिससे मैन्यूफैक्चरिंग हब बनने की संभावनाओं को तो विस्तार मिले ही, साथ में बड़ी संख्या में रोजगार के नये अवसर भी पैदा हों जिससे देश में जॉबलेस ग्रोथ की शिकायत भी दूर हो जाए।

कोरोना के खिलाफ लड़ाई में ज्यादातर देशों ने भारत को वैश्विक लीडर के तौर पर स्वीकारा है।

सरकार को भी इस बात का अहसास है कि मेक इन इंडिया के सपने को सच करने का यह बेहतरीन मौका है। प्रधानमंत्री मोदी खुद मंत्रिमंडल समूह की बैठक में इस बात का इशारा कर चुके हैं कि अगर हालात को समझदारी से संभाला जाए तो कोरोना के बाद की वैश्विक आर्थिक व्यवस्था में भारत स्वावलंबन की राह पर चलकर पहले से दमदार स्थिति में आ सकता है। बेशक, कोरोना के जरिए ही सही, दुनिया ने 'नमस्ते' की सामाजिक सार्थकता को समझा है। अब भारत के पास मौका विदेशी कंपनियों की मेजबानी के जरिए दुनिया में अपनी आर्थिक उपयोगिता साबित करने का है। अगर भारत यह करने में कामयाब हो गया तो पांच ट्रिलियन डॉलर की इकोनॉमी का लक्ष्य ज्यादा मुश्किल नहीं रह जाएगा।

(राष्ट्रीय सहारा, 3 मई, 2020)

48

पाबंदियों से एग्जिट की रिहर्सल वाला लॉकडाउन

लॉकडाउन बढ़ाने के फैसले को लेकर दो नजरिये हो सकते हैं। एक यह कि सरकार ने पहले दो लॉकडाउन के लिए जो लक्ष्य रखे थे वो पूरे नहीं हो सके जिसके लिए तीसरे लॉकडाउन की जरूरत पड़ी। दूसरा यह कि लॉकडाउन सरकार की अपेक्षा के मुताबिक नतीजे दे रहा है और सरकार अगले 14 दिनों में नये लॉकडाउन के कवच से देशवासियों की सुरक्षा को और पुख्ता कर लेना चाहती है। लॉकडाउन 1.0 में सख्त पिता की तरह दिखी सरकार लॉकडाउन 3.0 तक आते-आते एक दयालु मां की तरह दिखने लगी है। सरकार ने जिस तरह देश के 80 फीसद से ज्यादा हिस्सों में रियायतों का दायरा बढ़ाया है, उसे देखते हुए लॉकडाउन थ्री देश को लॉकडाउन फ्री करने का एग्जिट प्लान ही दिखाई दे रहा है।

अगर मियाद नहीं बढ़ी होती तो आज के बाद देश लॉकडाउन से फ्री हो जाता, लेकिन ऐसा हो नहीं पाया और इसकी जगह अब सोमवार से देश में लॉकडाउन थ्री लागू होने जा रहा है। दो हफ्ते का यह लॉकडाउन 17 मई तक जारी रहेगा। हालांकि इस दौर के लॉकडाउन में पाबंदी कम और रियायत ज्यादा दिख रही है। रेड जोन के 130 जिलों को छोड़ दिया जाए, तो ऑरेंज और ग्रीन जोन वाले 603 जिलों में लॉकडाउन-थ्री काफी कुछ लॉकडाउन-फ्री जैसा ही होगा। लेकिन हर जोन में भीड़ लगने की हर संभावना पर बंदिश बरकरार रखी गई है। इसका मतलब यह समझाना है कि कोरोना का खतरा अभी टला नहीं है और लड़ाई अब भी लंबी चल सकती है।

> *दो हफ्ते का यह लॉकडाउन 17 मई तक जारी रहेगा।*

कई राज्य सरकारें ही नहीं, भारत के हालात पर नजरें रखने वाली स्वास्थ्य से जुड़ी वैश्विक संस्थाएं भी लॉकडाउन बढ़ाने की पैरवी कर रही थीं। मशहूर हेल्थ जर्नल 'द लांसेट' के एडिटर-इन-चीफ रिचर्ड हॉर्टन कह चुके हैं कि भारत को अब तक हुई मेहनत का फायदा लेना है तो कुल 10 हफ्ते यानी 70 दिनों का लॉकडाउन करना होगा। 17 मई तक लॉकडाउन के 54 दिन पूरे हो जाएंगे। अगर हॉर्टन के सुझाव को मान लिया जाए तो भारत में लॉकडाउन को 2 जून तक बढ़ाना होगा।

इस सुझाव की व्यावहारिकता भले ही बहस के दायरे में हो, लेकिन इसकी उपयोगिता का एक सांख्यिकीय आधार तो है। जिन देशों ने लॉकडाउन पर भरोसा किया उन्होंने कमोबेश इसे लंबी अवधि के लिए लागू किया और इसका सीधा असर कोरोना मरीजों की रिकवरी में दिखा है। चीन ने हालात को काबू में करने के लिए वुहान को 77 दिनों तक बंद रखा। स्पेन और इटली में लागू लॉकडाउन भी अपनी मियाद पूरी करने तक 57 दिनों और फ्रांस में 56 दिनों का हो जाएगा। वुहान में मरीजों का रिकवरी रेट 93 फीसद है और फ्रांस में 25 फीसद। 54 दिनों के लॉकडाउन के बाद हमारा रिकवरी रेट भी फ्रांस के आस-पास है।

लॉकडाउन बढ़ाने का फैसला ऐसे वक्त लिया गया है जब लंबे इंतजार के बाद प्रवासी मजदूरों की घर वापसी की शुरुआत भी हो गई है।

कई राज्य सरकारें पहला लॉकडाउन शुरू होने के समय से ही इन मजदूरों को उनके घर वापस भेजने की मांग कर रही थीं। अकेले बिहार में ही 28 लाख लोग हेल्पलाइन पर फोन कर राज्य में वापसी की इच्छा जता चुके हैं। इससे अंदाजा लगता है कि सिर्फ बिहार के ही प्रवासी मजदूरों का आंकड़ा कितना बड़ा होगा। इसमें उत्तर प्रदेश, मध्य प्रदेश, राजस्थान, छत्तीसगढ़, झारखंड, ओडिशा और पश्चिम बंगाल के मजदूरों को भी जोड़ा जाए तो पलायन की समस्या का आकार स्पष्ट हो जाता है।

चीन ने हालात को काबू में करने के लिए वुहान को 77 दिनों तक बंद रखा।

इसीलिए काम की तलाश में घर से दूर रह रहे इन मजदूरों की बेचैनी को अनदेखा नहीं किया जा सकता। मुंबई, सूरत, दिल्ली के आनंद विहार की घटनाएं इसी बेचैनी का नतीजा थीं। महानगर गरीब प्रवासी मजदूरों को आर्थिक सुरक्षा देते हैं, लेकिन उनकी सामाजिक सुरक्षा की नाल तो उनके पैतृक गांवों से ही जुड़ी होती है, जहां से उन्हें रहने-खाने की स्थायी सुविधा का भरोसा मिलता है। कामकाज ठप होने और हाथ का रोजगार चले जाने से इन मजदूरों की आर्थिक सुरक्षा छिन गई है। ऐसे में सामाजिक सुरक्षा का आकर्षण उन्हें घर की ओर खींच रहा है।

एक सरकारी रिपोर्ट के मुताबिक कुल प्रवासी मजदूरों में से आधे नौ राज्यों के 56 जिलों से ताल्लुक रखते हैं। अब जब उनकी घर वापसी का रास्ता साफ हो गया है तो इन जिलों के हॉटस्पॉट बनने का खतरा भी बढ़ गया है, क्योंकि छोटी-सी चूक से संक्रमण बड़े पैमाने पर फैल सकता है। टेस्टिंग और ट्रेसिंग के अभाव में ग्रीन जोन को रेड जोन में बदलने में देर नहीं लगेगी।

घर वापसी पर इन मजदूरों को 14 दिनों के क्वारंटीन में रखा जाएगा। क्वारंटीन की अवधि पूरी होते-होते तीसरे दौर का लॉकडाउन भी पूरा हो जाएगा। क्वारंटीन पूरा करते ही मजदूर फिर से काम की तलाश में तुरंत वापस निकल पड़ेंगे ऐसा तार्किक नहीं दिखता। जाहिर है कि इतनी मुश्किलें झेलने के बाद वो घर पर कुछ वक्त बिताना चाहेंगे। ये मजदूर जितना वक्त घर पर बिताएंगे, शहरों के कल-कारखाने उत्पादन में उतने ही पिछड़ जाएंगे। उत्पादन का पहिया रुका रहेगा, तो गरीब मजदूरों की आमदनी भी अटक जाएगी जो उनके परिवारों के लिए जीवन-मरण का सवाल भी बन सकता है।

इसीलिए लॉकडाउन के समर्थन के बीच इसके विरोध में भी कई आवाजें मुखर हैं। इंफोसिस के फाउंडर एनआर नारायण मूर्ति का मानना है कि भारत लम्बे समय तक लॉकडाउन सहन करने में सक्षम नहीं है और लम्बा खिंचने से एक ऐसा वक्त भी आ सकता है जब देश में कोरोना वायरस के बजाय भूख से ज्यादा मौत होने लगे। इसके लिए नारायण मूर्ति ने सरकार को 'इमोशन' के बजाय 'एनालिटिकल' तरीके से सोचने को कहा है।

इसमें कोई दो-राय नहीं कि लॉकडाउन समाज के गरीब तबके की आजीविका पर सीधा प्रहार करता है। इसीलिए रिजर्व बैंक के पूर्व गवर्नर रघुराम राजन भी इसे अर्थव्यवस्था के लिहाज से टिकाऊ उपाय नहीं मानते। राजन का अनुमान है कि घरों में कैद होकर रह गए गरीबों की महज जिंदा रहने की बुनियादी जरूरत को पूरा करने के लिए ही सरकार को अपने खजाने से कम-से-कम 65 हजार करोड़ रुपये खर्च करने होंगे।

घर वापसी पर इन मजदूरों को 14 दिनों के क्वारंटीन में रखा जाएगा।

नारायण मूर्ति और रघुराम राजन की चिंता वाजिब ही है। प्रधानमंत्री नरेन्द्र मोदी भी जब 'जान भी और जहान भी' की बात करते हैं तो वो कमोबेश वही मंशा व्यक्त करते हैं जिसका इशारा नारायण मूर्ति और राजन कर रहे हैं। पहले लॉकडाउन को छोड़ दिया जाए तो दूसरे और अब तीसरे दौर की तालाबंदी में सरकार की यही रणनीति दिखाई भी दी है। रेड जोन में बंदिशें कायम रखते हुए सरकार ने ऑरेंज और ग्रीन जोन में ढील को बढ़ाया है। इसका असर भी दिख रहा है। नेशनल हाईवे पर सामान्य का 60-70 फीसद तक ट्रैफिक शुरू हो गया है। हाईवे कंस्ट्रक्शन में लगे ठेकेदार भी काम पर लौट आए हैं। बंदरगाहों पर आयात-निर्यात की गतिविधियां भी शुरू हो गई हैं।

रेड जोन में बंदिशें कायम रखते हुए सरकार ने ऑरेंज और ग्रीन जोन में ढील को बढ़ाया है।

अर्थव्यवस्था में जान फूंकने के लिए इंडस्ट्री को नया पैकेज देने की सुगबुगाहट भी शुरू हो चुकी है। इसमें खास तौर पर एमएसएमई पर नजरें रहेंगी। एमएसएमई की देश की ग्रोथ में 29 फीसद और निर्यात में 48 फीसद तक की हिस्सेदारी है। पिछले आधे दशक में इस सेक्टर में रोजगार के 11 करोड़

नये अवसर पैदा हुए हैं। हालांकि मजदूरों की बड़े पैमाने पर घर वापसी का असर एमएसएमई सेक्टर पर भी पड़ेगा और यहां आर्थिक गतिविधियों के बहाल होने में समय लग सकता है।

बहरहाल, लॉकडाउन बढ़ाने के फैसले को लेकर दो नजरिये हो सकते हैं। एक यह कि सरकार ने पहले दो लॉकडाउन के लिए जो लक्ष्य रखे थे वो पूरे नहीं हो सके जिसके लिए तीसरे लॉकडाउन की जरूरत पड़ी। दूसरा यह कि लॉकडाउन सरकार की अपेक्षा के मुताबिक नतीजे दे रहा है और सरकार अगले 14 दिनों में नये लॉकडाउन के कवच से देशवासियों की सुरक्षा को और पुख्ता कर लेना चाहती है। लॉकडाउन 1.0 में सख्त पिता की तरह दिखी सरकार लॉकडाउन 3.0 तक आते-आते एक दयालु मां की तरह दिखने लगी है। सरकार ने जिस तरह देश के 80 फीसद से ज्यादा हिस्सों में रियायतों का दायरा बढ़ाया है, उसे देखते हुए लॉकडाउन थ्री देश को लॉकडाउन फ्री करने का एग्जिट प्लान ही दिखाई दे रहा है।

(राष्ट्रीय सहारा, 4 मई, 2020)

49

खिंचता लॉकडाउन बढ़तीं चुनौतियां

लॉकडाउन थ्री में कई जगह ऐसा भी देखने को मिल रहा है कि आर्थिक गतिविधियों की छूट को कई लोगों ने सैर-सपाटे का जरिया बना लिया है। इससे हर कीमत पर सोशल डिस्टेंसिंग बनाए रखने का सरकार का मकसद पराजित होता है। शराब बिक्री की व्यवस्था इसका प्रत्यक्ष प्रमाण है। केंद्र सरकार ने कोरोना के खिलाफ राज्य सरकारों को आर्थिक ताकत देने के लिए शराब बिक्री को मंजूरी दी है, लेकिन कई राज्य सरकारें इस बिक्री से जुड़ी सुरक्षा गाइडलाइनों का पालन कराने में विफल हो रहीं हैं। इसके कारण कई राज्यों में शराब दुकानों के सामने मेले जैसा नजारा दिखाई दिया है। ऐसी लापरवाहियां भी देश को लॉकडाउन-फ्री करने की सरकार की रणनीति और अनुशासन में रह रही बड़ी आबादी की जीवनचर्या को चुनौतीपूर्ण बना रही है।

पैंतालीस दिन पहले कोरोना महामारी के विस्तार की चिंता के बीच देश में लॉकडाउन की बुनियाद पड़ी थी। इतने दिन गुजर जाने के बाद अब उसी लॉकडाउन का विस्तार चिंताओं के बीच नई चुनौतियों की वजह बन रहा है।

पहली चुनौती तो लॉकडाउन के अभीष्ट से ही जुड़ी है। बेशक बाकी दुनिया के मुकाबले भारत में कोरोना के मरीज अभी भी बेहद कम हैं। इसमें कोई संदेह नहीं कि इसकी सबसे बड़ी वजह सही समय पर लॉकडाउन लागू करने का फैसला है। लेकिन पिछले कुछ दिनों का अनुभव बता रहा है कि लॉकडाउन ने हमें कोरोना से लड़ने का कुछ समय जरूर दे दिया है, लेकिन यह कोरोना का मुकम्मल इलाज नहीं है। कोरोना को देश के पहले 10 हजार लोगों को अपना मरीज बनाने में 75 दिन लगे, लेकिन अगले 40 हजार मरीज केवल 22 दिन में ही सामने आ गए। इसमें भी 40 हजार से 50 हजार का आंकड़ा केवल तीन दिन में पार हो गया। तो क्या लॉकडाउन में ढील के साथ कोरोना भी कैद से आजाद हो रहा है?

विशेषज्ञ कह रहे हैं कि कोरोना लंबे समय तक हमारा 'अतिथि' बनकर रहेगा।

विशेषज्ञ कह रहे हैं कि कोरोना लंबे समय तक हमारा 'अतिथि' बनकर रहेगा और इसका संक्रमण मई-जून के बीच अपने चरम पर पहुंचेगा। एम्स के डायरेक्टर रणदीप गुलेरिया ने भी कहा है कि जून-जुलाई में कोरोना पीक पर रहेगा। अमेरिका की बोस्टन कंसल्टिंग ग्रुप यानी बीसीजी का अनुमान है कि भारत में कोरोना के मामले जून के तीसरे हफ्ते में चरम पर रहेंगे। इस रिपोर्ट के मुताबिक भारत में जून के आखिरी हफ्ते में लॉकडाउन हटाने के हालात बन सकते हैं लेकिन वो भी मामूली रियायतों के साथ। टोटल लॉकडाउन फ्री वाली स्थिति तो सितंबर में ही जाकर बन पाएगी।

सरकार ने अभी तक कोरोना का जिस तरह सामना किया है, उसे देखते हुए फिलहाल तो यह नहीं लगता कि हालात बेकाबू होंगे। पहला मामला सामने आने के तीन महीने बाद भी कोरोना के ज्यादातर मामले कुछ ही राज्यों तक सीमित हैं। खासकर महाराष्ट्र, दिल्ली, तमिलनाडु और गुजरात जिनकी कुल मामलों में 62 फीसद तक की हिस्सेदारी है। साथ ही देश के 13 राज्यों में पिछले कई दिनों से कोई नया मामला नहीं आया है। लेकिन इसके बावजूद यह

भी मानना होगा कि सरकार के सामने अभी लंबे समय तक देशवासियों की जान की हिफाजत करने की चुनौती बनी रहेगी। खासकर उस गरीब मजदूर तबके की जिसके सामने एक तरफ कोरोना का कुआं है, तो दूसरी तरफ भूख की खाई। लॉकडाउन जितना बढ़ेगा, यह खाई उतनी चौड़ी होती जाएगी।

शहरों में कामकाज ठप होने से हजारों प्रवासी मजदूर अपने-अपने घर लौट चुके हैं और लाखों कतार में हैं। गांवों में वो अपने जिस परिवार के बीच पहुंच रहे हैं, उनमें से ज्यादातर का खर्च उनके भेजे पैसों से ही चलता था। अब कामबंदी ने दोनों के लिए समस्या खड़ी कर दी है। शहरों का उनका रोजगार उनके वापस लौटने तक उनसे छिन ही गया है और गांवों में जहां वो अब पहुंचे हैं वहां पहले से ही ना काम है, ना कमाई। जो पूंजी पास में जमा थी वो बिना काम के शहर में फंसे रहने के सितम और घर वापसी के जतन में खर्च हो गई है। यानी अब यह गरीब मजदूर पूरी तरह से सरकार के भरोसे हैं। अच्छा तो यही होता कि जो राज्य सरकारें ऐसे फंसे मजदूरों को अपने राज्यों में लेकर आई हैं, वह स्थानीय स्तर पर इनके लिए रोजगार की व्यवस्था भी कर देती। क्योंकि लंबे समय की बेरोजगारी इन्हें गरीबी के चक्र में और जकड़ देगी।

गुजरात से ओडिशा लौटे कई मजदूर संक्रमित पाए गए हैं।

प्रवासी मजदूरों की घर वापसी के सफर में एक बड़ी चुनौती भी गुपचुप तरीके से अपनी नई मंजिलें तलाश रही हैं। गुजरात से ओडिशा लौटे कई मजदूर संक्रमित पाए गए हैं जिससे ओडिशा में नए मामले तेजी से बढ़े हैं। महाराष्ट्र, दिल्ली और पश्चिम बंगाल से मजदूरों के घर लौटने में भी यही ट्रेंड दिखने लगा है। सबसे चिंताजनक पहलू यह है कि हमारे जो गांव अभी तक महामारी के प्रकोप से बचे हुए थे, अब उन पर भी संक्रमण का जबर्दस्त खतरा मंडरा रहा है। एक बार गांवों में संक्रमण फैला तो उससे लड़ने के लिए वहां स्वास्थ्य संसाधन जुटाना टेढ़ी खीर साबित हो सकता है।

यह इसलिए भी चिंता की बात होनी चाहिए क्योंकि गांव ही हमारी अर्थव्यवस्था की रीढ़ हैं और यहीं से निकलकर देश भर में फैलने वाले मजदूर हमारे उद्योगों की धुरी हैं। कहते हैं मजदूर के हाथ चलते हैं तो उद्योगों

का पहिया भी सरपट दौड़ता है। लेकिन लॉकडाउन में मजदूर हाथ पर हाथ रखकर बैठने के लिए मजबूर हैं और काम की मंजूरी के बावजूद कारखाने ठप पड़े हैं।

इनमें वो तमाम एमएसएमई की इकाइयां भी शामिल हैं जिन पर नई औद्योगिक पॉलिसी में सरकार का खास फोकस रहा है। सरकार की इस पहल से हाल के कुछ साल में इस सेक्टर में रोजगार के 11 करोड़ नए अवसर पैदा हुए हैं। इन नव-कामगारों की बड़ी संख्या अब वापस घर लौट चुकी है। यह कामगार वापस काम पर कब लौटेंगे इस पर अभी कोई दावा जल्दीबाजी ही होगी। ऐसे में रोजगार के सबसे बड़े सेक्टर में आने वाले दिनों में वीरानी बरकरार रह सकती है। इसका असर बड़े उद्योगों पर भी पड़ेगा क्योंकि उनमें से ज्यादातर छोटे उद्योगों से ही माल खरीदते हैं। ऐसे में जब तक हालात सामान्य नहीं हो जाते, तब तक बड़े उद्योगों में काम करने वाले श्रमिकों के सामने भी आजीविका का संकट खड़ा रहेगा।

इस सबके बीच केंद्र और राज्य सरकारों के बीच सामंजस्य की अपनी चुनौतियां हैं। कई राज्य केन्द्रीय गाइडलाइन से परे जाकर अपने-अपने तरीके से संक्रमण को रोकने में जुटे हैं। जैसे तमिलनाडु ने हाईवे पर दीवार खड़ी कर दी है, तो आंध्र प्रदेश और हरियाणा जैसे राज्यों ने हाईवे पर गड्ढा ही खोद दिया है। पता नहीं इससे संक्रमण की चेन रुक रही है या नहीं, लेकिन इसका सप्लाई चेन पर जरूर असर हो रहा है। कोरोना को रोकने के लिए केंद्र की तरफ से राष्ट्रीय स्तर पर गाइडलाइन बनाने की जरूरत है।

कोरोना को रोकने के लिए केंद्र की तरफ से राष्ट्रीय स्तर पर गाइडलाइन बनाने की जरूरत है।

लॉकडाउन के तीसरे चरण में पहुंच जाने के बाद भी सरकार के सामने लोगों को खुद जांच के लिए आगे आने और इससे जुड़ी सोच को बदलने की भी चुनौती है। इसके लिए सरकारी तंत्र को लोगों को यह भरोसा दिलाना होगा कि अगर कोई व्यक्ति खुद अपनी जांच के लिए आगे आता है तो उसका पूरा ख्याल रखा जाएगा। खासकर दिहाड़ी मजदूरों को यह यकीन दिलाना

होगा कि पॉजीटिव पाए जाने पर सरकार उनके खाने-पीने का इंतजाम करेगी और वो भूखे नहीं रहेंगे।

लॉकडाउन थ्री में कई जगह ऐसा भी देखने को मिल रहा है कि आर्थिक गतिविधियों की छूट को कई लोगों ने सैर-सपाटे का जरिया बना लिया है। इससे हर कीमत पर सोशल डिस्टेंसिंग बनाए रखने का सरकार का मकसद पराजित होता है। शराब बिक्री की व्यवस्था इसका प्रत्यक्ष प्रमाण है। केंद्र सरकार ने कोरोना के खिलाफ राज्य सरकारों को आर्थिक ताकत देने के लिए शराब बिक्री को मंजूरी दी है, लेकिन कई राज्य सरकारें इस बिक्री से जुड़ी सुरक्षा गाइडलाइनों का पालन कराने में विफल हो रहीं हैं। इसके कारण कई राज्यों में शराब दुकानों के सामने मेले जैसा नजारा दिखाई दिया है। ऐसी लापरवाहियां भी देश को लॉकडाउन-फ्री करने की सरकार की रणनीति और अनुशासन में रह रही बड़ी आबादी की जीवनचर्या को चुनौतीपूर्ण बना रही है।

(राष्ट्रीय सहारा, 9 मई, 2020)

50

जिम्मेदारियां बांटने का अवसर

आखिर केंद्र की सरकार कब तक अकेले इस जिम्मेदारी को उठाती रहेगी? राज्यों को केंद्र का भार हल्का करने के लिए आगे क्यों नहीं आना चाहिए? आखिर असंगठित क्षेत्र के यह मजदूर जब प्रवास करते हैं तो वो एक तरह के देशी NRI बन जाते हैं–जिस राज्य में वो काम करते हैं वहां की इकोनॉमी की मदद तो करते ही हैं, साथ ही कमाई से बचाया हुआ जो पैसा वो अपने परिवार को भेजते हैं उससे उनके गृह राज्य की अर्थव्यवस्था को भी मजबूती मिलती है। इसके बावजूद ना तो देश और ना ही राज्यों की योजनाओं में इनकी सुरक्षा का कोई ठोस प्रावधान दिखता है।

कोरोना के खिलाफ तीसरे लॉकडाउन के दो हफ्ते का 'सुरक्षा कवच' आज अपनी आधी मियाद पूरी कर रहा है। इस पहले हफ्ते में दो घटनाएं प्रमुखता से सामने आई हैं। पहली कोरोना मरीजों की संख्या में चिंताजनक इजाफा और दूसरी प्रवासी मजदूरों का व्यापक पलायन। दोनों घटनाएं इस तथ्य के बावजूद सामने आई हैं कि सरकार इन दोनों मोर्चों को दुरुस्त रखने के लिए पूरी कर्मठता के साथ जी-तोड़ मेहनत कर रही है।

दोनों घटनाएं इस लिहाज से अहम हो जाती हैं कि एक का सीधा असर दूसरे पर पड़ता है। कोरोना से हालात जितने बिगड़ेंगे, गरीबों और मजदूरों की जिंदगी में दुश्वारियां भी उसी अनुपात में बढ़ेंगी। इसी 'रिश्ते' की अहमियत को प्रधानमंत्री नरेन्द्र मोदी ने काफी पहले ही भांप लिया था। पिछले दो लॉकडाउन में हमने प्रधानमंत्री को कई मौकों पर ये कहते सुना कि इस नुकसान को जितना हो सके सीमित रखना उनकी प्राथमिक चिंताओं में शुमार है।

प्रवासी मजदूरों का हिस्सा भी 20 फीसद यानी करीब 9 करोड़ लोगों का है।

दरअसल यह वर्ग उस असंगठित क्षेत्र का एक बड़ा हिस्सा है जिसकी हमारी अर्थव्यवस्था में खासी अहमियत है। असंगठित क्षेत्र में ज्यादातर वे लोग आते हैं जो ठेके पर काम करते हैं या फिर मजदूरी करके रोज की दिहाड़ी से अपना गुजारा करते हैं। यह क्षेत्र कितना बड़ा है इसका ठीक-ठीक अंदाज लगाना सरकारों के लिए हर दौर में चुनौती भरा रहा है। पिछले साल आई इकोनॉमिक सर्वे की रिपोर्ट में बताया गया है कि देश की कुल वर्क फोर्स 45 करोड़ है और इसका 93 फीसद हिस्सा यानी 41.85 करोड़ असंगठित क्षेत्र का है। वैसे 45 फीसद हिस्से के साथ कृषि क्षेत्र में देश का सबसे बड़ा असंगठित वर्ग काम करता है, लेकिन इस क्षेत्र में प्रवासी मजदूरों का हिस्सा भी 20 फीसद यानी करीब 9 करोड़ लोगों का है।

असंगठित क्षेत्र में ज्यादातर वे लोग आते हैं जो ठेके पर काम करते हैं।

कोरोना महामारी से पैदा हुई अद्वितीय परिस्थिति ने इन मजदूरों के सामने जीवन-मरण का संकट पैदा कर दिया है। हालांकि परीक्षा की इस घड़ी में

प्रधानमंत्री नरेन्द्र मोदी की संवेदनशील सोच ने इस तबके के जख्मों पर मरहम लगाने का काम किया है। सरकार ने इस दिशा में कई कामयाब पहल भी की है। पीएम गरीब कल्याण पैकेज के तहत मोदी सरकार ने गरीबों की मदद के लिए 1.7 लाख करोड़ रुपये जारी किए हैं। करीब 40 करोड़ लाभार्थियों तक इसका फायदा पहुंच भी चुका है।

> *80 करोड़ लोगों को तीन महीने का अतिरिक्त राशन उपलब्ध कराया जा रहा है।*

- मनरेगा के तहत दिहाड़ी मजदूरी को 20 रुपये बढ़ाया गया है।
- 80 करोड़ लोगों को तीन महीने का अतिरिक्त राशन उपलब्ध कराया जा रहा है।
- 20.40 करोड़ महिलाओं के जन-धन खातों में तीन महीने के हिसाब से 1,500 रुपये ट्रांसफर किए जा रहे हैं।
- 8 करोड़ परिवारों को उज्ज्वला योजना के तहत तीन महीने तक मुफ्त गैस सिलेंडर की सुविधा मिल रही है।
- 8.7 करोड़ किसानों को पहले से ही प्रधानमंत्री किसान सम्मान निधि के तहत दो हजार रुपये दिए जा रहे हैं।

इन कोरोड़ों लाभार्थियों में बड़ा हिस्सा असंगठित क्षेत्र के उन मजदूरों का भी है जिनके लिए कोरोना काल में यह मदद संजीवनी साबित हो रही है। शहरों में रोजगार छिन जाने के बावजूद यह वर्ग इसी मदद से मिले हौसले के दम पर अपने-अपने घर की ओर प्रवास कर रहा है। इस उम्मीद के साथ कि शायद अबकी बार जीवन यापन के लिए शहरों की विषम परिस्थिति में बार-बार लौटने की उसकी मजबूरी को तिलांजलि मिल जाए और दाना-पानी की व्यवस्था उनके अपने घर के करीब ही हो जाए।

लेकिन क्या ऐसा संभव है? यदि नहीं है, तो अब होना चाहिए। आखिर केंद्र की सरकार कब तक अकेले इस जिम्मेदारी को उठाती रहेगी? राज्यों को केंद्र का भार हल्का करने के लिए आगे क्यों नहीं आना चाहिए? आखिर असंगठित क्षेत्र के यह मजदूर जब प्रवास करते हैं तो वो एक तरह के देशी NRI बन जाते हैं - जिस राज्य में वो काम करते हैं वहां की इकोनॉमी की मदद तो करते ही हैं, साथ ही कमाई से बचाया हुआ जो पैसा वो अपने परिवार को भेजते हैं उससे उनके गृह राज्य की अर्थव्यवस्था को भी मजबूती मिलती है।

इसके बावजूद ना तो देश और ना ही राज्यों की योजनाओं में इनकी सुरक्षा का कोई ठोस प्रावधान दिखता है। असंगठित होने की वजह से इनमें से 49.6 फीसद लोग तो किसी सामाजिक सुरक्षा से जुड़ी योजना का हिस्सा भी नहीं हैं। ऐसे में आपदा की स्थिति में वो पूरी तरह केंद्र सरकार के आसरे रह जाते हैं।

तो क्या कोरोना इस रीति को बदल देने का अवसर लेकर आया है? ऐसा बिल्कुल हो सकता है। सामाजिक सुरक्षा की तलाश में असंगठित क्षेत्र का बड़ा हिस्सा घर लौट चुका है, वो जल्द वापसी करेगा इसके आसार भी फिलहाल कम हैं। हो सकता है कि इनमें से कई लोग तो वापसी का विकल्प बंद करके ही घर लौटे हों। अगर यह मजदूर काम पर नहीं लौटेंगे तो अनुमति मिलने के बाद भी कारखाने लंबे समय तक ठप पड़े रहेंगे जिससे ना तो उत्पादन का पहिया आगे बढ़ेगा और ना अर्थव्यवस्था का चक्का घूमेगा। ऐसे में केंद्र सरकार कितने भी बड़े राहत पैकेज का ऐलान कर दे, उसका जमीनी असर सीमित ही रहेगा। लेकिन अगर राज्य सरकारें अपने-अपने स्तर पर पहल करें, तो ना केवल हालात बदल सकते हैं बल्कि एक ऐसी नई शुरुआत भी हो सकती है जिसमें आर्थिक गतिविधियां कुछ क्षेत्रों में सीमित रहने के बजाय देश के कई अंदरूनी हिस्सों तक पहुंच सकती हैं। इससे भविष्य में कोरोना जैसी महामारी के दौरान होने वाले आर्थिक नुकसान को काफी हद तक नियंत्रित किया जा सकता है।

सामाजिक सुरक्षा की तलाश में असंगठित क्षेत्र का बड़ा हिस्सा घर लौट चुका है।

तो राज्य सरकारें इस दिशा में क्या कर सकती हैं? कुछ राज्यों ने इस ओर पहल की है। उत्तर प्रदेश की योगी सरकार बाहर से आए मजदूरों और कामगारों का स्किल डाटा तैयार करा रही है ताकि राज्य के भीतर ही उनके लिए काम के अवसर तलाशे जा सकें। शुरुआती तौर पर इन्हें एक जिला, एक उत्पाद योजना से जोड़ने के संकेत मिले हैं। झारखंड सरकार भी टाटा स्टील के साथ मिलकर ऐसे मजदूरों को स्थानीय रोजगार से जोड़ने का कार्यक्रम तैयार कर रही है। केरल सरकार भी इस दिशा में बड़े पैकेज का ऐलान कर चुकी है।

लेकिन केवल दो-तीन राज्यों के आगे बढ़ने से यह समस्या नहीं सुलझेगी। इसके लिए देश के हर राज्य को अपनी-अपनी दक्षता और स्थानीय संभावनाओं में संतुलन बनाते हुए पहल करनी होगी।

- सबसे पहले तो राज्यों को घर लौटे श्रमिकों की फौरी जरूरतों को पूरा करने के लिए डायरेक्ट कैश ट्रांसफर पर विचार करना चाहिए। इसके लिए राज्य केंद्र की जन-धन योजना की ही तरह राज्य स्तरीय योजना शुरू कर सकते हैं।
- बाहर से लौटे श्रमिकों की बड़ी संख्या को मनरेगा के तहत विकास कार्यों में समाहित किया जा सकता है।

स्वरोजगार को प्रेरित करने के लिए नई ऋण योजना पर काम किया जा सकता है।

- एमएसएमई के तहत स्थानीय उद्योगों में रोजगार के अवसर बढ़ाए जा सकते हैं।
- ग्रामीण स्तर पर ही कुछ छोटे उद्योगों या बंद पड़ी उत्पादन इकाइयों को उपयोगिता के आधार पर दोबारा शुरू किया जा सकता है।
- स्थानीय स्तर पर स्वरोजगार को प्रेरित करने के लिए नई ऋण योजना पर काम किया जा सकता है।

बेशक असंगठित क्षेत्र से जुड़े लाखों-करोड़ों श्रमिकों को उनके घर के करीब रोजगार देने के लिहाज से यह कदम काफी अपर्याप्त होंगे, लेकिन इससे एक शुरुआत तो होगी। सफर कितना लंबा होगा, यह फिलहाल कोई तय नहीं कर सकता। लेकिन इतनी उम्मीद जरूर की जा सकती है कि इस सफर पर चलकर हमारे यही लाखों-करोड़ों मजदूर मजबूर नहीं बल्कि मजबूत होकर राष्ट्र निर्माण में योगदान दे सकेंगे।

(राष्ट्रीय सहारा, 10 मई, 2020)

51

कोरोना के आगे कामयाबी है

आत्मनिर्भरता का नारा देकर प्रधानमंत्री ने चुनौतियों के बीच उम्मीद को नई रफ्तार देने की कोशिश की है। यह भी गौर करने वाली बात है कि आज जिन्हें हम विकसित या विकासशील अर्थव्यवस्थाएं कहते हैं, वो सब कुछ-न-कुछ अंशों में अपनी जरूरतों के लिए दूसरों पर निर्भर हैं। ऐसे में अगर हमारा देश विकास की नई स्वदेशी जमीन तैयार कर पाता है तो यह ना केवल हमारी मुश्किलें दूर करेगा, बल्कि दुनिया के लिए भी नई मिसाल का काम करेगा।

किसी भी देश के लिए नागरिकों के उत्थान के बिना समावेशी विकास का लक्ष्य हासिल करना संभव नहीं है। इसके लिए समय-समय पर नागरिकों को मदद मुहैया करवाना सत्ता-शीर्ष की जिम्मेदारी होती है। इसमें भी यह समझदारी जरूरी है कि मदद ऐसी हो जो उसे हासिल करने वाले को आने वाले कल के लिए अपने पैरों पर खड़ा होने में सक्षम बना सके।

आत्मनिर्भरता का यह कवच मानव सभ्यता को भविष्य की चुनौतियों के लिए तैयार रहने की ताकत देता है। राष्ट्रपिता महात्मा गांधी तो उम्र भर इस दर्शन के बड़े पैरोकार रहे। घर का शौचालय साफ करने जैसा निजी काम हो या चरखा कातकर स्वयं से अपनी जरूरत पूरी करने का संदेश देना हो, बापू ने पग-पग पर आत्मनिर्भरता की महत्ता को स्थापित किया।

बापू ने पग-पग पर आत्मनिर्भरता की महत्ता को स्थापित किया।

संयोग से पिछले साल ही हमने बापू की 150वीं जयंती मनाई है और यह भी एक विडंबना है कि इतने लंबे कालखंड में हम बापू के आत्मनिर्भरता के जिस दर्शन को आत्मसात नहीं कर पाए, वही दर्शन आज कोरोना के संकट काल में जीवन की जरूरत बन गया है। इसीलिए देश को आत्मनिर्भर बनाने की प्रधानमंत्री नरेन्द्र मोदी की पहल को बापू की सोच और वक्त की जरूरत से जोड़ कर देखा जा सकता है।

आत्मनिर्भर भारत की गूंज ऐसे समय में उठी है जब दुनिया का सबसे शक्तिशाली देश अमेरिका कोरोना की मार से निराश है और यूरोप के ज्यादातर विकसित देश पूरी तरह हताश हैं। कोविड-19 की मातृभूमि बना चीन इस बीमारी से उबर चुका है और हम उसे पीछे छोड़कर संक्रमित देशों की फेहरिस्त में आगे बढ़ चुके हैं।

आत्मनिर्भर भारत की गूंज ऐसे समय में उठी है जब दुनिया का सबसे शक्तिशाली देश अमेरिका कोरोना की मार से निराश है।

हर संकट अवसर लेकर आता है और देशवासियों में उम्मीद जगाने के लिए हमारे प्रधानमंत्री ने इसी बात को सूत्र वाक्य बनाया है। देश में पहला लॉकडाउन लगाते वक्त प्रधानमंत्री ने 'जान है तो जहान है' का नारा देकर आर्थिक गतिविधियों पर जिन्दगी को वरीयता दी थी। तीसरे लॉकडाउन तक

आते-आते जीवन और आर्थिक गतिविधियों को तराजू के संतुलित पलड़ों की तरह बताते हुए उन्होंने इस नारे को 'जान भी, जहान भी' में संशोधित किया। आत्मनिर्भर भारत का नया संकल्प कोरोना की विभीषिका से डटकर मुकाबला करने और देश के कदम नहीं रुकने देने का ऐलान है।

13 मई को प्रधानमंत्री नरेन्द्र मोदी ने आत्मनिर्भर भारत के लिए 20 लाख करोड़ रुपये के पैकेज का ऐलान किया। दुनिया के स्तर पर यह विशाल राहत पैकेज है। डॉलर में यह 270 बिलियन है और रुपये में 2 ट्रिलियन जो करीब-करीब 200 लाख करोड़ रुपये वाली हमारी इकोनॉमी का 10 फीसद हिस्सा है। इसका मकसद अर्थव्यवस्था में नई जान फूंकने और लॉकडाउन की मार झेल रहे कामगार-कारोबारी जगत को राहत पहुंचाना है।

20 लाख करोड़ को कोरोना पैकेज के बजाए कोरोना बजट कहना अधिक उपयुक्त लगता है।

इसे कोविड बजट बोला जाए या कोविड राहत पैकेज–यह इस बात पर निर्भर है कि सरकार की इस पहल को किस नजरिए से देखा जाता है। अमेरिका, जापान, स्वीडन और जर्मनी के बाद भारत ही है जिसने अपनी जीडीपी का 10 फीसदी या उससे अधिक रकम कोरोना पैकेज के तौर पर खर्च करने का बजट रखा है, वरना तो फ्रांस अपनी जीडीपी का 9.3 फीसद, स्पेन 7.3 फीसद, इटली 5.7 फीसद, ब्रिटेन 4 फीसद, चीन 3.8 फीसद और दक्षिण कोरिया 2.2 फीसद ही खर्च कर रहे हैं। भारत के संदर्भ में यह बात भी महत्त्वपूर्ण है कि यहां देश के 10 राज्यों में कोरोना के 90 फीसदी मामले हैं। इसलिए अगर 20 लाख करोड़ का पैकेज सिर्फ कोरोना पैकेज होता तो आवंटन के मामले में इन 10 राज्यों को ही प्रमुखता मिलनी चाहिए थी। मगर ऐसा नहीं है। इसलिए 20 लाख करोड़ को कोरोना पैकेज के बजाए कोरोना बजट कहना अधिक उपयुक्त लगता है।

मेड इन चाइना के बजाए मेड इन इंडिया का डंका बजे।

इससे यह उम्मीद भी जगती है कि वैश्विक आर्थिक गतिविधियों में भारत अपने प्रभुत्व का और विस्तार कर सकता है। दुनिया में चीन की विश्वसनीयता घटी है और अमेरिका के साथ यूरोप कमजोर हुआ है। बाजार भारत के लिए और ज्यादा खुल गया है।

ऐसे में आत्मनिर्भर भारत दुनिया के लिए भी मददगार हो सकता है। मेड इन चाइना के बजाए मेड इन इंडिया का डंका बजे, इसके लिए भारतीय मैन्यूफैक्चरिंग उद्योग के साथ ही इकोनॉमी के लिहाज से अहम दूसरे सेक्टरों को भी मजबूती से खड़ा करना होगा। भारत ने इस ओर अपने कदम भी बढ़ाए हैं।

कैश फ्लो को बनाए रखने के लिए आरबीआई पिछले तीन महीनों में चार बार अर्थव्यवस्था को 'लिक्विडिटी इंजेक्शन' लगा चुका है। पहले लॉकडाउन के दो दिन बाद 27 मार्च को वित्तमंत्री निर्मला सीतारमण ने भी 1.7 लाख करोड़ के राहत पैकेज का एलान किया था। इन दोनों का जोड़ 9.74 लाख करोड़ होता है जो 20 लाख करोड़ के पैकेज में शामिल है।

श्रमिक ट्रेनें चलाकर भी सरकार मजदूरों को उनके घर लौटने में लगातार मदद कर रही है।

वित्तमंत्री की ओर से इस पैकेज का जो ब्योरा सामने आया है, उसमें हमारी इकोनॉमी के इंजन माने जाने वाले एमएसएमई को लेकर सरकार का नया एक्शन प्लान दिखा है। नए पैकेज में छोटे, लघु और मध्यम उद्योगों की परिभाषा का विस्तार हुआ है और 200 करोड़ तक के निवेश तक उन्हें विदेशी संस्थानों की प्रतियोगिता से मुक्त खुला मैदान दिया गया है। इसी तरह बिना गारंटी के तीन लाख करोड़ रुपये तक का कर्ज भी बुरे दौर से गुजर रहे छोटे, मझौले और मध्यम उद्योगों को जीवनदान दे सकता है।

इस पर दो-राय है कि अगर एमएसएमई को लोन पर ब्याज दर में राहत मिलती तो वह उनके ज्यादा काम आती। लेकिन सरकार ने पूंजी की कमी को पूरा करके इस श्रेणी के कारोबारियों का बोझ हल्का करना ज्यादा जरूरी समझा। हालांकि इस बारे में सब एक-राय हैं कि एमएसएमई को मजबूत करना रोजगार के आसरे रहने वाले मजदूर को मजबूत करना भी है, क्योंकि अकेला यही सेक्टर 15 करोड़ लोगों को रोजगार देता है।

इसके साथ ही कोविड-19 से लड़ाई में स्वास्थ्य सेवाओं को भी और मजबूती देने की कोशिश हुई है। पीएम केअर्स फंड से 3,100 करोड़ रुपये जारी करके उस आलोचना का भी जवाब दिया गया है जिसमें कहा जा रहा था कि इस फंड का पैसा खर्च क्यों नहीं हो रहा है। इनमें से दो हजार करोड़ रुपये वेंटीलेटर्स पर और हजार करोड़ रुपये प्रवासी मजदूरों पर खर्च होंगे। दोनों तात्कालिक और फौरी जरूरत है।

श्रमिक ट्रेनें चलाकर भी सरकार मजदूरों को उनके घर लौटने में लगातार मदद कर रही है। आम लोगों के लिए भी स्पेशल एसी ट्रेन शुरू की गई हैं, हालांकि समूची रेल सेवा बहाल होने में अभी वक्त लगेगा। शराब की दुकानें खोलने के अलोकप्रिय फैसले के साथ ही यह तय हो गया था कि लॉकडाउन 4 आएगा, मगर यह अलग रंग-रूप में होगा - इसका संकेत प्रधानमंत्री दे चुके हैं। इससे स्पष्ट है कि अब जिंदगी दो गज की दूरी रखकर कोरोना के साथ चलेगी। इसलिए देश को मरीजों की संख्या में अप्रत्याशित वृद्धि देखने के लिए तैयार रहना होगा। यह भी सच है कि तीन लॉकडाउन के बावजूद कोरोना के मरीजों का बढ़ना रुका नहीं, रफ्तार जरूर स्थिर रही। बीते दो हफ्तों से भारत ने रोजाना 3 हजार से ऊपर का स्तर बनाए रखा है।

देश को मरीजों की संख्या में अप्रत्याशित वृद्धि देखने के लिए तैयार रहना होगा।

यकीनन आगे रास्ता कठिन है, मगर आत्मनिर्भरता का नारा देकर प्रधानमंत्री ने चुनौतियों के बीच उम्मीद को नई रफ्तार देने की कोशिश की है। यह भी गौर करने वाली बात है कि आज जिन्हें हम विकसित या विकासशील अर्थव्यवस्थाएं कहते हैं, वो सब कुछ-न-कुछ अंशों में अपनी जरूरतों के लिए दूसरों पर निर्भर हैं। ऐसे में अगर हमारा देश विकास की नई स्वदेशी जमीन तैयार कर पाता है तो यह ना केवल हमारी मुश्किलें दूर करेगा, बल्कि दुनिया के लिए भी नई मिसाल का काम करेगा।

(राष्ट्रीय सहारा, 16 मई, 2020)

52

मोदी का अभियान...आत्मनिर्भर हिंदुस्तान

लॉकडाउन में जब पूरी दुनिया एक-दूसरे से कटी हुई है तब स्वदेशी उत्पादन, स्थानीय बाजार और लोकल सप्लाई चेन ही हमारा सहारा बनी है। प्रधानमंत्री ने ठीक याद दिलाया कि आज जो बड़े ग्लोबल ब्रांड हैं, वो भी कभी-न-कभी लोकल ही थे, जो स्थानीय जनता के वोकल सहयोग से दुनिया के कारोबार पर छा गए। हमें यह भी नहीं भूलना चाहिए कि सात दशक पहले आजादी की लड़ाई जीतने और गुलामी की बैसाखी हटाकर देश को अपने पैरों पर खड़ा करने के लिए बापू ने भी स्वदेशी के इसी जज्बे को जनता का हथियार बनाया था।

कोरोना वायरस को रोकने के लिए दुनिया के ज्यादातर देश लॉकडाउन के रास्ते पर आगे बढ़े हैं, लेकिन इस कदम ने ऐसे तमाम देशों की राह में गंभीर आर्थिक चुनौती खड़ी कर दी है। इससे पैदा हुए आर्थिक संकट को 1930 के दशक की महामंदी के बाद का सबसे बड़ा संकट भी माना जा रहा है। गौर करें तो यह दशक उस कालखंड का अहम पड़ाव भी है, जब गुलाम भारत अपनी स्वाधीनता की लड़ाई को चरम पर ले जाने की तैयारी कर रहा था। महात्मा गांधी की अगुवाई में आजादी के परवाने पराधीनता की बेड़ियां तोड़कर खुद अपने पैरों पर खड़े होने का नारा बुलंद कर रहे थे। ऐसे समय में बापू ने आत्मनिर्भरता के दर्शन को राष्ट्रीय चिंतन बनाया, जिसने आगे चलकर भारत को एक स्वाधीन और आत्मनिर्भर राष्ट्र की पहचान दिलाई।

सात दशक बाद प्रधानमंत्री नरेन्द्र मोदी ने देश को एक बार फिर आत्मनिर्भरता के उस मंत्र की याद दिलाई है। कोरोना वायरस ने मानवता के साथ ही समूची दुनिया की अर्थव्यवस्था को अपना गुलाम बना लिया है। इससे उबरने के लिए दुनिया भर की सरकारें कोरोना राहत पैकेज का ऐलान कर रही हैं। भारत में भी मोदी सरकार ने 20 लाख करोड़ के पैकेज का ऐलान किया है जो हमारी जीडीपी का दस फीसद है। बेशक दुनिया के पांच देशों ने हमसे बड़े पैकेज का ऐलान किया हो, लेकिन उनमें से किसी भी देश को अपने पैरों पर खड़ा करने की सोच उतनी मजबूत और भरोसेमंद नहीं दिखती जो हमारे देश के राहत पैकेज में झलकती है। शायद यही वजह है कि प्रधानमंत्री नरेन्द्र मोदी ने इसे आत्मनिर्भर भारत अभियान पैकेज का नाम दिया है।

दुनिया भर की सरकारें कोरोना राहत पैकेज का ऐलान कर रही हैं।

कोरोना संकट की शुरुआत से ही प्रधानमंत्री कहते रहे हैं कि बड़ा संकट बड़े अवसर भी लेकर आता है। आत्मनिर्भर भारत अभियान केवल इस संकट के बीच से देश को सुरक्षित निकाल ले जाने मात्र की बुनियाद नहीं है बल्कि यह भविष्य के लिए एक ऐसी इमारत खड़ी करने की तैयारी भी है जो बड़े-से-बड़े झंझावात को भी आसानी से झेल सके। इसमें कल कारखानों के लिए संजीवनी की तलाश है, तो किसानों को उनकी मेहनत का पूरा प्रतिफल देने का भी प्रयास है, मिडिल क्लास की फिक्र है, तो रेहड़ी वालों के सम्मान का भी जिक्र है। प्रवासी मजदूरों के लिए चिंतन है, तो कारोबारियों के लिए भी मंथन है।

मोटे तौर पर देश को आत्मनिर्भर बनाने के लिए इकोनॉमी, इंफ्रास्ट्रक्चर, सिस्टम, डेमोग्राफी और डिमांड को मजबूत करने के लिए जमीन, श्रम, नकदी और कानून पर नए सिरे से काम इस अभियान की पहचान है।

इसकी शुरुआत देश को 15 करोड़ तक रोजगार देने वाले एमएसएमई सेक्टर से हुई है। 20 लाख करोड़ रुपये के पैकेज में से 3 लाख करोड़ एमएसएमई को जाएंगे। 200 करोड़ तक के टेंडर को ग्लोबल प्रतिस्पर्धा से मुक्त कर सरकार ने एमएसएमई को संरक्षण का बड़ा कवच पहनाया है जो इस सेक्टर को विस्तार के ज्यादा मौके भी देगा और ग्लोबल मार्केट में लोकल प्रोडक्ट को वोकल बनाने में सहयोग भी करेगा। चार साल तक बिना गारंटी वाला लोन एमएसएमई में नई जान फूंकने का काम करेगा। निवेश की लिमिट में बदलाव लाते हुए सरकार ने एमएसएमई की परिभाषा भी बदली है। इसके अलावा एमएसएमई के लिए कई राहत-भरी घोषणाएं हैं। एक सोच यह भी है कि अगर सरकार कर्मचारियों के सैलरी संकट के लिए भी कुछ व्यवस्था कर देती, तो एमएसएमई सेक्टर की एक बड़ी चिंता दूर हो जाती क्योंकि अगर ये संकट दूर नहीं हुआ तो इतने बड़े पैमाने पर रोजगार सृजित करने वाले सेक्टर में बेरोजगारी तेजी से बढ़ सकती है।

20 लाख करोड़ रुपये के पैकेज में से 3 लाख करोड़ एमएसएमई को जाएंगे।

एमएसएमई के साथ ही देश के सबसे बड़े असंगठित क्षेत्र कृषि के लिए भी इस राहत पैकेज में सरकार की चिंता सामने आई है। प्रधानमंत्री किसानों की आय को दोगुना करने की सरकार की प्रतिबद्धता से पीछे नहीं हटे हैं और यह पैकेज उस सोच को विस्तार भी देता है। सबसे उत्साहजनक बात यह है कि भारत का किसान अब अपना उत्पाद देश के किसी भी बाजार में बेच सकेगा। इसके लिए सरकार मौजूदा कानूनों में बदलाव करेगी। किसान संगठन लंबे समय से यह मांग कर रहे थे। कृषि क्षेत्र की आधारभूत संरचना को मजबूत करने के लिए सरकार ने एक लाख करोड़ रुपये का ऐलान किया है।

राष्ट्रीय विजन के साथ ही सरकार ने लोकल का भी ध्यान रखा है। इसीलिए बिहार का मखाना, पूर्वोत्तर में बांस के कोपल, उत्तर प्रदेश के आम और कश्मीर के केसर उत्पादन को बढ़ाने के लिए योजनाएं बनाई गई हैं। अनाज ही नहीं, फल से लेकर मधुमक्खी, मत्स्य और पशुपालन तक सबके लिए सरकार ने अपना पिटारा खोला है। इनमें से कई योजनाएं बजट से भी

जुड़ी हैं और कोरोना संकट में सरकार इन योजनाओं को रफ्तार देने जा रही है ताकि इनसे जुड़े किसानों की तकलीफों को तेजी से दूर किया जा सके।

इसी तरह प्रवासी मजदूरों के लिए 3500 करोड़ की मदद का ऐलान यकीनन शहरों में रोजगार गंवाने और घर लौटने के दौरान दर-दर ठोकरें खाने से मिले जख्मों पर मरहम लगाने का काम करेगा। अगले 2 महीनों तक 5 किलो गेहूं या चावल के लिए राशन कार्ड की बाध्यता हटाने का फैसला भी खाली हाथ घर लौटे मजदूरों को परिवार वालों पर बोझ बनने की ग्लानि से राहत देगा। लॉकडाउन ने ठेली-पटरियों पर दुकान लगाने वाले स्ट्रीट वेंडरों को भी प्रभावित किया है। इनकी कमाई भले बहुत ज्यादा ना हो, लेकिन करीब 50 लाख की बड़ी तादाद के कारण इनकी छोटी कमाई भी अर्थव्यवस्था में बड़ा योगदान देती है। सरकार ने ऐसे लोगों को कारोबार दोबारा शुरू करने के लिए लोन का प्रावधान किया है।

> *राष्ट्रीय विजन के साथ ही सरकार ने लोकल का भी ध्यान रखा है।*

इन तमाम योजनाओं में भले ही तात्कालिक राहत कम दिख रही हो, लेकिन सरकार की सोच देश को सरकारी मदद के भरोसे नहीं, बल्कि अपने पैरों पर खड़ा होने की ताकत देने जैसी दिखती है। यह ठीक भी लगता है क्योंकि जिस तरह आज कोरोना संकट बन कर सामने आया है, कल कोई और विपदा दुनिया को मुश्किल में डाल सकती है। ऐसे में देश और स्वदेश की बात हमें उस हालात से उबारने में मददगार होगी। लॉकडाउन में जब पूरी दुनिया एक-दूसरे से कटी हुई है तब स्वदेशी उत्पादन, स्थानीय बाजार और लोकल सप्लाई चेन ही हमारा सहारा बनी है। प्रधानमंत्री ने ठीक याद दिलाया कि आज जो बड़े ग्लोबल ब्रांड हैं, वो भी कभी-न-कभी लोकल ही थे, जो स्थानीय जनता के वोकल सहयोग से दुनिया के कारोबार पर छा गए। हमें यह भी नहीं भूलना चाहिए कि सात दशक पहले आजादी की लड़ाई जीतने और गुलामी की बैसाखी हटाकर देश को अपने पैरों पर खड़ा करने के लिए बापू ने भी स्वदेशी के इसी जज्बे को जनता का हथियार बनाया था। आज कोरोना काल में आत्मनिर्भर भारत के अभियान को उसकी मंजिल तक पहुंचाने के लिए उसी जज्बे को नई धार देने की दरकार है।

(राष्ट्रीय सहारा, 17 मई, 2020)

53

आत्मनिर्भर अभियान से बढ़ेगा मजदूर का सम्मान

लॉकडाउन में जब पूरी दुनिया एक-दूसरे से कटी हुई है तब स्वदेशी उत्पादन, स्थानीय बाजार और लोकल सप्लाई चेन ही हमारा सहारा बनी है। प्रधानमंत्री ने ठीक याद दिलाया कि आज जो बड़े ग्लोबल ब्रांड हैं, वो भी कभी-न-कभी लोकल ही थे, जो स्थानीय जनता के वोकल सहयोग से दुनिया के कारोबार पर छा गए। हमें यह भी नहीं भूलना चाहिए कि सात दशक पहले आजादी की लड़ाई जीतने और गुलामी की बैसाखी हटाकर देश को अपने पैरों पर खड़ा करने के लिए बापू ने भी स्वदेशी के इसी जज्बे को जनता का हथियार बनाया था।

एक चुनौती यह भी है कि घर लौट रहे ज्यादातर मजदूर अकुशल श्रमिक हैं, लेकिन खस्ताहाल अर्थव्यवस्था के बीच ऐसे सभी श्रमिकों के लिए कृषि या मनरेगा में अवसर निकालना संभव नहीं होगा। ऐसे में राज्यों को परंपरागत सोच से ऊपर उठकर प्रयोगधर्मी होना पड़ेगा। कहीं मजदूरों के लिए उनके अनुभव के हिसाब से नया रोजगार सृजित करना होगा, तो कहीं सरकारी योजनाओं के तहत कर्ज देकर उन्हें दोबारा अपने पैरों पर खड़े होने का अवसर मुहैया कराना होगा। प्रधानमंत्री नरेन्द्र मोदी का आत्मनिर्भर भारत अभियान शायद इन्हीं परिस्थितियों का पूवार्नुमान है।

मजदूरों के लिए उनके अनुभव के हिसाब से नया रोजगार सृजित करना होगा।

पिछले करीब एक महीने से देश की सड़कों पर दिखाई दे रही प्रवासी मजदूरों की तस्वीरों के बारे में जितना कहा जाए, उतना कम है। बड़े-से-बड़े इतिहास का गवाह बन चुकी इन सड़कों पर मजदूर बेबसी की जो इबारत लिख रहे हैं, वो ऐसे दस्तावेज के रूप में दर्ज हो रही है जिसकी मिसाल आने वाले कई साल तक दी जाएगी। ठीक उसी तरह जैसे सात दशक से भी पहले हुए देश के बंटवारे की तस्वीरें आज नए संदर्भों में देखी जा रही हैं। दोनों तस्वीरों में फर्क बस रंग का है, वरना तो अपने देश में ही परदेसी हो जाने की बेबसी जैसी तब थी, आज भी वैसी ही है।

घर वापसी ने मजदूरों की जिंदगी को बेरंग कर दिया।

इन मजदूरों के लिए जिंदगी भले ही कल भी रंगीन नहीं थी, लेकिन उसमें रंग भरने की उम्मीद ही इन्हें 'परदेस' में भी जिंदादिल बनाए हुए थी। घर वापसी की मजबूरी ने उनकी जिंदगी से वो रंग ही नहीं छीना, बल्कि उनकी उम्मीदों को भी बेरंग कर दिया। विडंबना देखिए कि जब कोरोना के डर से समूची दुनिया घरों में कैद है, तब हमारे मजदूर सड़कों पर उतरने के लिए मजबूर हैं। दो-जून की रोटी छिन जाने की बेबसी हजारों किलोमीटर के उस सफर से कहीं बड़ी निकली जिस पर लाखों परिवार भूखे पेट ही पैदल निकल पड़े। इसमें वो सैकड़ों मजदूर भी शामिल हैं जो अब उस सफर पर चले गए हैं, जहां से कोई लौट कर नहीं आता। इस सफर में ऐसी अनगिनत कहानियां हैं,

जिसे सुनकर किसी का भी दिल भर आएगा। शायद इसीलिए मद्रास हाईकोर्ट ने भी इसे मानवीय त्रासदी का नाम दिया है।

सवाल उठता है कि क्या इस हालात को टाला नहीं जा सकता था? किसी भी फैसले को सही या गलत की कसौटी पर कसने के दो नजरिये हो सकते हैं। एक फैसला लेते वक्त की परिस्थिति और दूसरा फैसले के बाद उत्पन्न हालात। दूसरे नजरिये से देखें तो यह कहने का आधार बनता है कि 20 खरब डॉलर की अर्थव्यवस्था का पहिया चलाने वाले हमारे मजदूरों का इस तरह पलायन की त्रासदी से अभिशप्त होना दुर्भाग्यपूर्ण है। लेकिन पहला नजरिया लॉकडाउन के फैसले के वक्त से जुड़ता है जिसे दुनिया जहान में कोरोना के खिलाफ लड़ाई का सही समय पर लिया गया सबसे सटीक फैसला माना गया। इस फैसले को लेकर बड़े पैमाने पर यह समझ बनी है कि मानवता को बचाने के इस सबसे बड़े अभियान के कारण ही करोड़ों परिवार सलामत हैं और इनमें कई लाख परिवार हमारे मजदूरों के भी हैं।

प्रवासी मजदूर इतना नहीं कमा पाते कि बचत कर पाए।

लॉकडाउन के दौरान प्रधानमंत्री नरेन्द्र मोदी देशवासियों से लगातार इस बात की अपील करते दिखे कि जो जहां हैं, वो वहीं रहें। इस अपील का चौतरफा असर भी दिखा। लेकिन जैसे-जैसे प्रवासी मजदूरों की कमाई के स्रोत बंद होते गए, उनमें पलायन के लिए बेचैनी बढ़ती गई। प्रवासी मजदूर इतना नहीं कमा पाते कि बचत कर पाए। शहरों में रहकर जो थोड़ी-बहुत पूंजी बचाते भी हैं, उसे वो होली-दीपावली-छठ के मौके पर गांव में घरवालों को सौंप आते हैं। उस पर परिवार में कोई शादी-ब्याह निकल आए, तो परिवार का आर्थिक चक्र कर्जे के कुचक्र में उलझ जाता है जिसकी भरपाई में ही लंबा वक्त लग जाता है। कोरोना के संकट काल में ज्यादातर मजदूरों ने अपनी आखिरी कमाई मार्च की शुरुआत में की थी। उसी कमाई पर जैसे-तैसे अप्रैल का महीना गुजरा। हालांकि सरकार की ओर से राशन-पानी का इंतजाम कर दिया गया, लेकिन असुरक्षित भविष्य की आशंका से

प्रवासी मजदूरों को लेकर हुई सियासत ने हालात और चुनौतीपूर्ण बना दिए।

मजदूरों का सब्र जवाब दे गया। जब मजदूर सड़क को पैदल ही नापने लगे, तो सरकार ने श्रमिक स्पेशल ट्रेनें भी शुरू कर दी, लेकिन पलायन का आंकड़ा इतना बड़ा निकला कि उसके सामने दुनिया की चौथी सबसे बड़ी रेल सेवा भी छोटी पड़ गई। सरकार ट्रेनों की सुविधा का विस्तार करती तब तक सड़कों पर मजदूरों का सैलाब उमड़ चुका था।

प्रवासी मजदूरों को लेकर हुई सियासत ने हालात और चुनौतीपूर्ण बना दिए। सियासत अब भी जारी है। पहले श्रमिक स्पेशल ट्रेन के किराये को लेकर विवाद हुआ। श्रमिकों से कथित तौर पर ज्यादा किराया वसूलने की खबरों के बाद विपक्ष की ओर से किराया भुगतान करने की बात कही गई। ट्रेन के किराये से शुरू हुई सियासत का एक सिरा उत्तर प्रदेश के मजदूरों के लिए बस सुविधा की पेशकश से भी जुड़ा। इस बीच कुछ राज्यों पर संक्रमण के आंकड़ों को कम रखने के लिए दूसरे राज्यों से अपने प्रवासी मजदूरों की वापसी में रोड़े अटकाने के आरोपों को लेकर भी खूब सियासत हुई। हालांकि ज्यादातर राज्य इस चुनौतीपूर्ण समय में केन्द्र के साथ सहयोग के लिए तैयार दिखे हैं, लेकिन कुछ राज्य ऐसे भी हैं जहां समन्वय की तमाम कोशिशों के बावजूद केन्द्र को अपेक्षित सफलता नहीं मिल पाई है। इसका राजनीतिक निहितार्थ क्या है ये भले ही साफ ना हो, लेकिन इतना स्पष्ट है कि इससे मजदूरों का कोई भला नहीं हो रहा है।

इस मुश्किल घड़ी में भारतीय समाज अपनी जिम्मेदारी पर खरा उतर रहा है।

हालांकि यह राहत की बात है कि इस मुश्किल घड़ी में भारतीय समाज अपनी जिम्मेदारी पर खरा उतर रहा है। सड़कों पर लगातार चल रहे हर एक मजदूर और उनके परिवारों तक सरकारी मदद पहुंचाना संभव नहीं है। ऐसे में कई सामाजिक, धार्मिक, सांस्कृतिक संगठनों और युवाओं के समूह अपने स्तर पर प्रवासी मजदूरों को खाना खिलाने और चप्पलें पहनाने के साथ ही चिकित्सा सहायता जैसी सराहनीय मदद कर रहे हैं। वैसे भी सुख-दुख में एक-दूसरे का साथ निभाना भारतीय समाज की पुरानी पहचान रही है। फिर सरकार की अपनी सीमाएं भी होती हैं। इसलिए ऐसी आपदाओं में समाज से अपेक्षा भी रहती है कि वो ज्यादा-से-ज्यादा संख्या में अपने घरों से बाहर

निकलकर प्रभावितों की मदद करे। प्रवासी मजदूरों की बड़ी संख्या को देखते हुए अभी समाज से और भी ज्यादा व्यापक मदद की जरूरत है।

सरकार की ओर से घोषित 20 लाख करोड़ के 'कोविड बजट' से भी प्रवासी मजदूरों के कल्याण की उम्मीद बंधी है। लेकिन इसके लिए घोषित योजनाओं का लाभ उन तक तुरंत पहुंचाना होगा। हालांकि मजदूरों का भरोसा बहाल करने के लिए और भी बहुत कुछ करने की जरूरत पड़ेगी। सबसे पहले तो राज्य सरकारों को आपसी समन्वय बना कर ऐसे इंतजाम करने चाहिए जिससे परिवार के साथ पैदल धक्के खा रहे मजदूर सुविधा और सम्मानजनक तरीके से अपने-अपने घर पहुंच सकें। रेलवे इस कोशिश में पहले से ही जुटा है। गुरुवार देर शाम को रेलवे ने आंकड़ा जारी कर बताया कि वो 2,050 से ज्यादा श्रमिक स्पेशल ट्रेन चलाकर 30 लाख से ज्यादा कामगारों को उनके गृह राज्य तक पहुंचा चुका है। घर पहुंचकर ये मजदूर हाथ-पर-हाथ धरे बैठकर अपने परिवारों पर बोझ बनना नहीं चाहेंगे। इसके लिए उन्हें स्थानीय स्तर पर ही जल्द-से-जल्द काम देने की जरूरत पड़ेगी, जिससे उनके गुजर-बसर का इंतजाम हो सके। लेकिन यह काम आसान नहीं रहने वाला है। अनुमान है कि उत्तर प्रदेश में 15-20 लाख प्रवासी मजदूरों की वापसी होगी। बिहार में घर वापसी कर रहे मजदूरों का आंकड़ा भी इसी के आसपास रहने की उम्मीद है, जबकि झारखंड में यह संख्या 10 लाख के आसपास रह सकती है। छत्तीसगढ़ में भी करीब दो से तीन लाख मजदूर घर वापसी कर सकते हैं। मध्य प्रदेश, राजस्थान, ओडिशा और पश्चिम बंगाल में भी घर लौटने वाले मजदूरों की संख्या काफी बड़ी होगी।

> *इस मुश्किल घड़ी में भारतीय समाज अपनी जिम्मेदारी पर खरा उतर रहा है।*

इतने बड़े पैमाने पर मजदूरों का पलायन कोई सोची-समझी योजना नहीं, बल्कि एक तात्कालिक प्रतिक्रिया है। लेकिन इस प्रतिक्रिया से स्थानीय स्तर पर जो समस्या पैदा होगी वह तत्काल दूर नहीं होगी बल्कि लंबे समय तक बनी रह सकती है। मजदूरों का रिवर्स माइग्रेशन तुरंत होगा, इसकी संभावना बेहद कम है। इसलिए आधी-अधूरी कोशिशों से उनका भला नहीं हो सकेगा। इसके लिए ठोस कार्ययोजना पर काम करना होगा जिससे मजदूरों को अपना

भविष्य सुरक्षित दिख सके। इसके लिए राज्यों को किसी केन्द्रीय योजना के तहत साथ मिलकर काम करने के भी तैयार रहना होगा।

राज्यों के सामने एक चुनौती यह भी है कि घर लौट रहे ज्यादातर मजदूर अकुशल श्रमिक हैं, लेकिन खस्ताहाल अर्थव्यवस्था के बीच ऐसे सभी श्रमिकों के लिए कृषि या मनरेगा में अवसर निकालना संभव नहीं होगा। ऐसे में राज्यों को परंपरागत सोच से ऊपर उठकर प्रयोगधर्मी होना पड़ेगा। कहीं मजदूरों के लिए उनके अनुभव के हिसाब से नया रोजगार सृजित करना होगा, तो कहीं सरकारी योजनाओं के तहत कर्ज देकर उन्हें दोबारा अपने पैरों पर खड़े होने का अवसर मुहैया कराना होगा।

राज्यों को परंपरागत सोच से ऊपर उठकर प्रयोगधर्मी होना पड़ेगा।

प्रधानमंत्री नरेन्द्र मोदी का आत्मनिर्भर भारत अभियान शायद इन्हीं परिस्थितियों का पूवार्नुमान है। इसीलिए सरकार का लक्ष्य अब देश के साथ-साथ मजदूरों को भी आत्मनिर्भर बनाना है ताकि भविष्य की कोई भी चुनौती उन्हें फिर अपनी जिंदगी और आत्मसम्मान दांव पर लगाने के लिए मजबूर ना कर सके।

(राष्ट्रीय सहारा, 23 मई, 2020)

54

डर के आगे उम्मीद की डगर

बेशक अर्थव्यवस्था को पटरी पर लाने के लिए सरकार ने 21 लाख करोड़ रुपये के पैकेज की घोषणा की है, लेकिन पटरी पर आने के बाद इसे दौड़ाने के लिए आर्थिक गतिविधियों की भी जरूरत पड़ेगी। हालांकि इस बात से भी इनकार नहीं किया जा सकता है इस सबसे संक्रमण फैलने का खतरा भी बढ़ेगा। लेकिन सरकार के सामने अब यह जोखिम उठाने की मजबूरी भी है और यह वक्त के हिसाब से जरूरी भी दिखता है। लॉकडाउन के बावजूद भारत की विकास दर के अनुमान अब तक सकारात्मक ही दिख रहे थे, लेकिन अब ताजा सर्वे इसके शून्य से नीचे जाने का अंदेशा जताने लगे हैं।

भारत में जब अप्रैल का महीना खत्म हो रहा था, तब देश में लॉकडाउन लागू हुए एक महीने से ज्यादा का समय बीत चुका था। यह वही समय था जब इंफोसिस के संस्थापक पद्मश्री एनआर नारायणमूर्ति ने देश और सरकार को लंबे लॉकडाउन के खतरे से आगाह किया था। नारायणमूर्ति ने जो कुछ कहा उसका निचोड़ यही था कि अगर भारत में लॉकडाउन लंबा खिंचा, तो कोरोना के मुकाबले भुखमरी से ज्यादा लोगों की जान जा सकती है। इस चेतावनी के साथ ही मूर्ति ने सरकार को यह सलाह भी दी थी कि वो कोरोना वायरस को न्यू नॉर्मल के रूप में स्वीकार कर और संक्रमितों का ध्यान रखते हुए सक्षम लोगों के लिए काम पर वापस लौटने का माहौल तैयार करे।

लॉकडाउन तीन लागू होते समय ही शराब की बिक्री भी शुरू कर दी गई थी।

करीब तीन हफ्ते बाद देश ठीक इसी दिशा में आगे बढ़ता दिख रहा है। अब इसमें नारायणमूर्ति की सलाह का कोई हाथ है या सरकार को अपने स्त्रोतों से मिली जानकारी का आधार, यह तो पता नहीं लेकिन इतना स्पष्ट है कि कोरोना से निपटने की नीति में यू-टर्न दिखाई देने लगा है। 'जो जहां हैं, वहीं रहें' की नीति एक मई को ही बदल दी गई थी। लॉकडाउन तीन लागू होते समय ही शराब की बिक्री भी शुरू कर दी गई थी। अब इंडियन काउंसिल ऑफ मेडिकल रिसर्च ने कोरोना टेस्ट के लिए भी नए दिशा निर्देश जारी कर दिए हैं जिसके अनुसार जरूरी मामलों में ही कोरोना के टेस्ट हुआ करेंगे। श्रमिक स्पेशल और एसी ट्रेनों के बाद अब 1 जून से नॉन एसी ट्रेनें भी चलेंगी। 31 मई तक घरेलू उड़ानें नहीं चलने की घोषणा के बीच नई घोषणा आ गई कि 25 मई से यह सेवा भी शुरू होने जा रही है। चौथा लॉकडाउन शुरू होते ही वह दिशा निर्देश भी वापस ले लिया गया जिसमें फैक्ट्री मालिकों से कहा गया था कि कामगारों को नहीं निकालें और उनके वेतन न काटें। लॉकडाउन 4 के दिशा निदेर्शों के अनुसार अब कारखाने भी

लॉकडाउन 4 के दिशा निदेर्शों के अनुसार अब कारखाने भी खुल रहे हैं।

खुल रहे हैं और दुकानें भी, ट्रैफिक भी दिखने लगा है और निर्माण कार्य भी, मगर शर्तों के साथ।

सवाल उठता है कि न संक्रमण का विस्तार थम रहा है, न मौत के मामले रुक रहे हैं, न कोई दवा मिली है, न वैक्सीन, फिर ऐसे इतनी ढील देने का आधार क्या है?

पिछले दिनों में आखिर ऐसा क्या हुआ कि जान और जहान के बीच संतुलन का लक्ष्य दोनों को तराजू के एक ही पलड़े में तौलने की कवायद बन कर रह गया? इस बात पर कोई विवाद नहीं है कि लॉकडाउन के शुरुआती दो चरण बेहद सफल रहे। प्रधानमंत्री नरेन्द्र मोदी की एक अपील पर देश ने 40 दिनों तक जो संयम दिखाया उसे हर किसी ने सराहा। सियासी मतांतर से प्रेरित आलोचना के बावजूद देश का विपक्ष भी कमोबेश सहयोगी भूमिका में ही दिखाई दिया। देश ही नहीं, इस दौर का सख्त लॉकडाउन दुनिया भर में चर्चा का विषय बना। तो फिर उस दौर की कामयाबी को पीछे छोड़कर हम क्यों उस राह पर बढ़ चले हैं जिस पर अमेरिका और ब्रिटेन पहले से ही कदमताल कर रहे हैं। वो भी तब जब मौत के चढ़ते ग्राफ के बीच लॉकडाउन को लेकर दोनों देशों का ढुलमुल रवैया उनके अपने देशों में ही कड़ी आलोचना का सबब भी बन रहा है।

सख्त लॉकडाउन दुनिया भर में चर्चा का विषय बना।

दरअसल अमेरिका और कुछ यूरोपीय देशों का फैसला एक पूर्व निर्धारित कार्य योजना का हिस्सा दिखता है जिसमें इन देशों ने अपने देशवासियों का जीवन चक्र सुरक्षित करने की तुलना में अर्थव्यवस्था के पहिए को चलायमान रखना ज्यादा जरूरी समझा। हमारी सरकार ने देशवासियों की जान बचाने को प्राथमिकता दी, लेकिन अब जब हम भी वरीयता बदलने की दिशा में आगे बढ़ रहे हैं तो यह कदम तीसरे और चौथे लॉकडाउन में बने हालात से प्रेरित दिखता है। यह बात हर कोई पहले से ही जानता था कि लॉकडाउन कोरोना के विस्तार को कुछ समय के लिए टाल सकता है, उसे खत्म नहीं कर सकता। राज्यों के साथ मंथन और उनके आग्रह पर जब लॉकडाउन को तीसरे और चौथे चरण तक बढ़ाकर उसमें ढील दी गई तो संक्रमण और मौत के चढ़ते ग्राफ से यह बात प्रमाणित भी हो गई।

देश का वर्तमान संकट सड़क पर मजदूरों का होना है जो भूखे और बेचैन हैं, हताश और निराश हैं। कई अर्थों में कोरोना पॉलिसी में जो यू-टर्न आया है उसकी वजह यही मजदूर हैं। मजदूरों की बेबसी समय-समय पर कभी गुजरात, कभी महाराष्ट्र, कभी राजस्थान तो कभी तेलंगाना और मध्य प्रदेश में रोषपूर्ण प्रदर्शन के रूप में सामने आती रही। कभी रेल हादसे में उनकी बेबसी को देश ने देखा, कभी सड़क हादसों में। रोजगार और कमाई के स्रोत छिन जाने से इन मजदूरों के सामने अपने परिवार का पेट भरने का संकट खड़ा हो गया है। भूख से बेबस इन परिवारों के लिए कोरोना का डर भी मामूली बन कर रह गया।

> *असंगठित क्षेत्र में भी बड़े पैमाने पर आर्थिक गतिविधियां शुरू करनी होंगी।*

वैसे राज्यों के बीच आपसी समन्वय से इस स्थिति को टाला जा सकता था। महाराष्ट्र, गुजरात, राजस्थान, पंजाब जैसे प्रांतों में प्रवासी मजदूरों की बहुतायत है और इनमें से ज्यादातर उत्तर प्रदेश, बिहार, ओडिशा, झारखण्ड और पश्चिम बंगाल से आते हैं। जिन प्रदेशों को मजदूर छोड़ना चाहते थे, वहां के शासन-प्रशासन की रुचि उन्हें वहीं बनाए रखने में थी। मगर, ऐसा तब हो पाता जब उनके लिए रोजगार बचे होते या फिर कम से कम दो वक्त के भोजन की गारंटी होती। मगर ऐसा हुआ नहीं। अब जब मजदूर अपने गृहप्रांतों में लौट रहे हैं तो वहां भी यह इंतजाम हो पाएंगे यह संभव नहीं दिखता। यानी पेट की आग मिटाने के लिहाज से मजदूरों के लिए इधर कुआं, उधर खाई वाले हालात हैं।

हालात की इन कसौटियों पर सरकार के फैसले को कसा जाए तो नियमों में ढील का आशय खुद-ब-खुद साफ हो जाता है। कोरोना के जोखिम से बचाने के साथ ही देश की एक बड़ी आबादी को भुखमरी से बचाना भी सरकार की जिम्मेदारी है। कोरोना काल में लगभग 67 फीसद मजदूर अपना रोजगार गंवा चुके हैं, जिससे उनके लिए दो-जून की रोटी दूभर हो गई है। अंतरराष्ट्रीय श्रम संगठन का अनुमान है कि कोरोना की मार भारत की कम-से-कम 40 करोड़ आबादी के सामने आजीविका का ऐसा संकट खड़ा कर सकती है जहां उनके लिए पेट भरने का इंतजाम जुटाना असंभव हो जाएगा। ग्लोबल हंगर इंडेक्स-2019 की रिपोर्ट में तो महामारी शुरू होने से पहले ही भारत

में भुखमरी के स्तर गंभीर होने की चेतावनी जारी कर दी गई थी। इस सबके बीच सरकार को अपने स्त्रोतों से भी हालात विकट होने की जानकारी है।

इससे उबरने का एक ही रास्ता है कि मजदूर ही नहीं, अर्थव्यवस्था के लिए अहम हर किरदार के हाथों में पैसा पहुंचे। बेशक अर्थव्यवस्था को पटरी पर लाने के लिए सरकार ने 21 लाख करोड़ रुपये के पैकेज की घोषणा की है, लेकिन पटरी पर आने के बाद इसे दौड़ाने के लिए आर्थिक गतिविधियों की भी जरूरत पड़ेगी। हालांकि इस बात से भी इनकार नहीं किया जा सकता है इस सबसे संक्रमण फैलने का खतरा भी बढ़ेगा।

लेकिन सरकार के सामने अब यह जोखिम उठाने की मजबूरी भी है और यह वक्त के हिसाब से जरूरी भी दिखता है। लॉकडाउन के बावजूद भारत की विकास दर के अनुमान अब तक सकारात्मक ही दिख रहे थे, लेकिन अब ताजा सर्वे इसके शून्य से नीचे जाने का अंदेशा जताने लगे हैं। यानी हालात अब वाकई शून्य से शुरुआत करने वाले बन गए हैं। जाहिर है केवल कल-कारखानों में उत्पादन शुरू हो जाने से काम नहीं बनेगा। इसके लिए असंगठित क्षेत्र में भी बड़े पैमाने पर आर्थिक गतिविधियां शुरू करनी होंगी जो लॉकडाउन की बंदिशों को हटाए बिना संभव नहीं होगा।

(राष्ट्रीय सहारा, 24 मई, 2020)

55

आत्मनिर्भर भारत अभियान : आंतरिक शक्ति की पहचान

सबसे महत्त्वपूर्ण यह होगा कि देश की जनता भी बदलाव के इस अभियान में अपना हाथ बंटाए। इस मामले में जापान जैसे देश हमारे लिए मिसाल का काम कर सकते हैं जहां की जनता इतनी मेहनतकश और सहयोगी है कि सरकार की आधी जिम्मेदारी जनता के भरोसे ही पूरी हो जाती है। दूसरे विश्व युद्ध में हार के बाद पश्चिमी देशों खासकर अमेरिका की ओर से जापान को सैन्य शक्ति में ही नहीं, बल्कि आत्मसम्मान के मामले में भी लाचार बनाने की कोशिश से हुई।

कोरोना वायरस से प्रभावित देश की अर्थव्यवस्था को दोबारा पटरी पर लाने के लिए केन्द्र सरकार ने 20 लाख करोड़ रुपये के आर्थिक पैकेज का ऐलान किया है। व्यावहारिक रूप से यह आंकड़ा 21 लाख करोड़ रुपये का है, जो न केवल हमारी जीडीपी का 10 फीसद हिस्सा है, बल्कि प्रसंगवश दुनिया के करीब 150 देशों की जीडीपी से ज्यादा होने के कारण ऐतिहासिक भी बन गया है। लेकिन इस ऐलान का सबसे सार्थक पक्ष आर्थिक सुधारों में नई जान फूंकने का है, जिसे प्रधानमंत्री नरेन्द्र मोदी ने भारत को आत्मनिर्भर बनाने का अभियान बनाया है।

दरअसल इकोनॉमी में आमूल-चूल सुधार की बात लंबे समय से हो रही थी। प्रधानमंत्री लगातार कोरोना संकट को देश के लिए अवसर बता रहे थे। इसी राह पर चलते हुए सरकार ने इकोनॉमी में मूलभूत बदलाव लाने का संकल्प लेकर इस बहुआयामी अभियान को जमीन पर उतारने का फैसला किया है। यह कैसे होगा इसका खाका भी सरकार ने तैयार कर लिया है।

प्रधानमंत्री लगातार कोरोना संकट को देश के लिए अवसर बता रहे थे।

रिफॉर्म 2.0 के इस लक्ष्य को हासिल करने के लिए प्रधानमंत्री ने चार साधक और पांच पिलर वाली नौ सीढ़ियों का सूत्र दिया है। चार साधक यानी चार एल - लैंड, लेबर, लिक्विडिटी और लॉ और पांच पिलर यानी इकोनॉमी, इंफ्रास्ट्रक्चर, सिस्टम, डेमोग्राफी और डिमांड। मौटे तौर पर इन नौ शब्दों में ही देश को आत्मनिर्भर बनाने वाले रोड मैप का पूरा सार छिपा है। इसमें देश को सबसे ज्यादा रोजगार देने वाले एमएसएमई सेक्टर को नई पहचान देने का ब्लू प्रिंट है, तो बड़े उद्यमियों के लिए राहत भी। देश के खेत-खलिहान को अपने पसीने से सींचने वाले किसान के लिए स्वाबलंबन की सौगात है, तो देश का पहिया खींचने वाले दिहाड़ी मजदूरों के लिए अब अपने पैरों पर खड़े होने का अवसर भी है।

जाहिर है भारत को दुनिया का सिरमौर बनाने की मंशा वाले इस अभियान का रास्ता गांवों से होकर ही गुजरेगा। ऐसे हालात में ग्रामीण विकास भारतीय अर्थव्यवस्था को बड़ा सहारा दे सकता है। ग्रामीण विकास का सीधा संबंध हमारे किसानों से जुड़ता है और कृषि क्षेत्र में क्रांति के लिए कृषिगत अधोसंरचना

के साथ ही प्रशासनिक और नीतिगत सुधारों की तैयारी है। कृषि कल्याण के लिए इस पैकेज में इस साल 30 हजार करोड़ रुपये की अतिरिक्त व्यवस्था की गई है। इसी तरह एमएसएमई के लिए उठाए जा रहे कदम भी लिक्विडिटी बढ़ाने के साथ ही कारोबारियों को सशक्त बनाएंगे और उनके बीच प्रतिस्पर्धा भावना को मजबूत करेंगे। 100 करोड़ रुपये तक के टर्नओवर वाली यूनिट्स के लिए एमएसएमई की परिभाषा में बदलाव गेम चेंजर साबित हो सकता है। इसी तरह ढांचागत विकास में खनन से लेकर गगन तक देश को आत्मनिर्भर बनाने के प्रावधान दिखे हैं। यह सब सुधार ऐसे हैं जिसके पीछे एक दूरदर्शी सोच दिखती है। इसलिए इनका जमीन पर असर दिखने में थोड़ा वक्त लग सकता है, लेकिन इससे जो बदलाव होगा उम्मीद है कि वो काफी टिकाऊ साबित होगा।

> *ढांचागत विकास में खनन से लेकर गगन तक देश को आत्मनिर्भर बनाने के प्रावधान दिखे हैं।*

लेकिन आत्मनिर्भर बनने के लिए सबसे पहली जरूरत होगी कि हम अपनी सोच में आत्मनिर्भर बनें। यह दुर्भाग्यपूर्ण है कि इस महत्त्वाकांक्षी अभियान पर कुछ चर्चाओं में उपहास के स्वर भी सुनाई दिए हैं। ऐसे लोगों के लिए आज यह जानना जरूरी है कि अगर हमने ऐसी सोच नहीं रखी होती तो हम अंग्रेजों की गुलामी से कभी आजाद भी नहीं हो पाते। आजादी की लड़ाई का एक मजबूत स्तम्भ स्वदेशी आंदोलन भी था, जिसकी बुनियाद ही आत्मनिर्भरता पर टिकी थी। सैद्धांतिक सोच का यह फर्क केन्द्र और कई राज्य सरकारों के बीच भी दिखता है। केन्द्र सरकार तो अपना पूरा जोर लगा ही रही है, राज्य सरकारों को भी उसका हाथ थामने के लिए आगे आना होगा ताकि केन्द्र और राज्य एक टीम की तरह मिलकर देश को आत्मनिर्भर बनाने का लक्ष्य हासिल कर सकें। अगर हम राज्य सरकारों से केन्द्रीय दिशा-निर्देशों के पालन की उम्मीद करते हैं, तो केन्द्र से भी राज्यों के कामकाज में गैर-जरूरी हस्तक्षेप नहीं करना अपेक्षित रहेगा।

व्यावहारिक तौर पर हमें ऐसे कानूनों की जरूरत पड़ेगी जो सही अर्थों में हमारे कामगारों के हितों का संरक्षण करते हों। ऐसे कानून पहले से होते तो प्रवासी मजदूरों को ऐसे दिन नहीं देखने पड़ते। कोरोना ने इस मामले में हमें

बड़ा सबक सिखाया है। राज्यों की आपसी रस्साकशी से आज लाखों मजदूर बेघर हो गए हैं। अधर में झूल रहे इन विस्थापित कामगारों का व्यवस्था में दोबारा भरोसा बहाल करवाना आसान नहीं होगा। हमारी एक बड़ी चुनौती कारोबार की हमारी प्रक्रियाएं भी हैं जो कई बार इतनी जटिल हो जाती हैं कि कारोबारी इसमें उलझ कर रह जाते हैं। आत्मनिर्भरता की राह में प्रोसेस रिफॉर्म लाकर इन प्रक्रियाओं को सरल बनाने की भी जरूरत है। टैक्स सिस्टम को भी बिजनेस-फ्रैंडली बनाने के लिए काफी गुंजाइश है।

दूसरे विश्व युद्ध के कुछ साल बाद भारत आजाद हुआ।

सबसे महत्त्वपूर्ण यह होगा कि देश की जनता भी बदलाव के इस अभियान में अपना हाथ बंटाए। इस मामले में जापान जैसे देश हमारे लिए मिसाल का काम कर सकते हैं जहां की जनता इतनी मेहनतकश और सहयोगी है कि सरकार की आधी जिम्मेदारी जनता के भरोसे ही पूरी हो जाती है। दूसरे विश्व युद्ध में हार के बाद पश्चिमी देशों खासकर अमेरिका की ओर से जापान को सैन्य शक्ति में ही नहीं, बल्कि आत्मसम्मान के मामले में भी लाचार बनाने की कोशिश से हुई। लेकिन परमाणु हमले, आए-दिन के भूकंप, सुनामी और ज्वालामुखी से होने वाली तबाही और खाद्य और दूसरे प्राकृतिक संसाधनों के बिना भी दुनिया की तीसरी सबसे बड़ी अर्थव्यवस्था बन जाना जापान के लोगों के लिए खास सम्मान का भाव पैदा करता है। इस तरक्की का राज यहां की कार्य संस्कृति में छिपा है। दुनिया-भर में हड़ताल का एक ही मतलब होता है–काम बंद। लेकिन जापान के लोग इतने मेहनतकश होते हैं कि उन्होंने हड़ताल की भी अपनी अलग परिभाषा बनाई हुई है। यहां लोग हड़ताल के दौरान ओवरटाइम करते हैं, ताकि फैक्ट्रियों में उत्पादन बढ़ जाए जिससे मालिक खासे प्रभावित हों। इसी जुनून के दम पर जापान आज ऑटो इंडस्ट्री, इलेक्ट्रॉनिक्स, कम्प्यूटर हार्डवेयर जैसे कई सेक्टर में पूरी तरह आत्मनिर्भर देश बन चुका है।

कोरोना संकट में जापान ने अपने जीडीपी के 21 फीसद के बराबर के पैकेज का ऐलान किया है और दुनिया को उम्मीद है कि वो इस चुनौती को भी पार कर जाएगा। दरअसल भारत और जापान दोनों ही यूरोपीय जातियों

की साम्राज्यवादी चेतना के शिकार रहे हैं, फर्क है तो बस टाइमलाइन का। भारत द्वितीय युद्ध के पहले तक और जापान उस युद्ध के बाद से।

दूसरे विश्व युद्ध के कुछ साल बाद भारत आजाद हुआ और स्वतंत्र देश के सामने जब चुनौतियों ने सिर उठाया, तो हमने उसका जवाब आत्मनिर्भर बनकर ही दिया। बंटवारे के बाद जब खाद्यान्न का संकट गहराया, तो हरित क्रांति ने हमें अनाज की आपूर्ति में आत्मनिर्भर बनाया। कभी अपना पेट भरने के लिए दूसरे देशों से खाद्यान्न मंगाने वाला हमारा देश आगे चलकर बाकी दुनिया का पेट भरने लायक भी बना। 50 के दशक में ही दूध के उत्पादन में स्थायित्व और दूध के उचित मूल्य की व्यवस्था करने के लिए देश ऐसा एकजुट हुआ कि अगले दो दशकों में ही दूध का उत्पादन 50 लाख टन बढ़ गया। उस श्वेत क्रांति का असर यह है कि भारत आज दूध की घरेलू जरूरत पूरी करने के साथ ही दुनिया में सबसे ज्यादा दूध उत्पादन वाला देश भी बना हुआ है। इसके बाद देश मछली और तिलहन के उत्पादन में आत्मनिर्भर होने और रोजगार बढ़ाने के लिए हुई नीली और पीली क्रांति का भी गवाह बना। इसी तरह साल 1991 के आर्थिक सुधार व्यापार और उद्योग में आत्मनिर्भरता लाने के आधार बने। इन सुधारों का सीधा असर यह हुआ कि तीन दशक बाद आज देश में गरीबी की दर आधी रह गई है और साल 1991 की हमारी जीडीपी 266 बिलियन डॉलर से बढ़कर साल 2020 में 2.59 ट्रिलियन डॉलर हो गई है।

भारत को वैश्विक हब बनाने के लिए साल 2014 में मेक इन इंडिया की बुनियाद पड़ी।

खुद के दम पर अपनी जरूरतें पूरी करने और तरक्की हासिल करने का यह अभियान मोदी सरकार के दोनों कार्यकाल में भी जारी रहा है। भारत को वैश्विक हब बनाने के लिए साल 2014 में मेक इन इंडिया की बुनियाद पड़ी। इसके असर से पिछले वित्तीय साल में एफडीआई 49 बिलियन डॉलर तक पहुंच गई है। साल 2015 के बजट से लॉन्च हुई मुद्रा योजना आज देश के उन युवाओं के सपने को सच करने का काम कर रही है, जो स्वरोजगार के बूते अपने परिवार के साथ-साथ देश को भी आत्मनिर्भर बनाने में योगदान दे रहे हैं।

साल 2016 से शुरू हुआ स्टार्ट अप इंडिया भी इसी तरह सफलता के झंडे गाड़ रहा है। वंचित तबके के लिए शुरू की गई प्रधानमंत्री आवास योजना, उज्ज्वला योजना और आयुष्मान भारत पीएम केयर्स स्वास्थ्य योजना भी देश को आत्मनिर्भर बनाने के सिलसिले का ही विस्तार है।

आज भारत के सामने एक बार फिर अपनी आंतरिक शक्ति को नई पहचान देने की चुनौती आ खड़ी हुई है। कोरोना संकट ने वैश्वीकरण की कमियों को उजागर करते हुए उसे गहरी चोट पहुंचाई है, तो यह भारत के लिए लोकल को वोकल बनाने का मौका भी है जिसे आत्मनिर्भर बनकर ही हासिल किया जा सकता है।

(राष्ट्रीय सहारा, 30 मई, 2020)

56

अच्छे दिन से आत्मनिर्भर अभियान तक

प्रधानमंत्री का अब तक का कार्यकाल इस बात से भी परिभाषित किया जा सकता है कि वो चुनौतियों से लड़खड़ाए नहीं हैं, बल्कि डटकर सामना करते हुए उन्होंने चुनौतियों को अवसर में बदला है। कोरोना के खिलाफ उनकी अगुवाई में भारत सरकार की लड़ाई भी इसी रास्ते पर आगे बढ़ रही है। एक तरफ अमेरिका, ब्रिटेन जैसे विकसित देशों को इस आर्थिक और मानवीय आपदा से बाहर निकलने का कोई रास्ता नहीं सूझ रहा है, वहीं प्रधानमंत्री ने आत्मनिर्भर भारत का नारा देकर अर्थव्यवस्था को दोबारा पटरी पर लाने का अभियान छेड़ दिया है।

देश के लोकप्रिय प्रधानमंत्री नरेन्द्र मोदी ने पांच साल के पहले कार्यकाल के बाद शनिवार को दूसरे कार्यकाल का पहला साल भी पूरा कर लिया। इन छह साल के कार्यकाल में दुनिया जिस रफ्तार से बदली है, उससे कहीं तेज बदलाव हमारे देश में दिखा है। छह साल में पहले जो सफर अच्छे दिन के वादे के साथ शुरू हुआ था, वो अब देश को आत्मनिर्भर बनाने के दावे तक पहुंच गया है। इस सफर में बतौर प्रधानमंत्री नरेन्द्र मोदी की झोली में बेशुमार सफलताएं हैं, तो गिने-चुने असफल प्रयास भी हैं।

छह साल की इस अवधि की विभाजक रेखा बिल्कुल साफ और स्पष्ट है।

छह साल की इस अवधि की विभाजक रेखा बिल्कुल साफ और स्पष्ट है। पहले कार्यकाल के पांच साल और दूसरे कार्यकाल का पहला साल। साल 2014 में मोदी जब पहली बार चुनकर आए तो यह प्रधानमंत्री पद के लिए एक नए नेता को विकास के एजेंडे पर साफ-सुथरी और मजबूत सरकार की उम्मीद से दिया गया समर्थन था। मोदी इस कसौटी पर उम्मीद से भी ज्यादा खरे उतरे। घर में ही नहीं, विदेशों में भी उन्हें अपरंपार समर्थन मिला लेकिन पिछले साल से शुरू हुई दूसरी पारी में उनका फोकस विदेश नीति से बदलकर घरेलू नीति पर शिफ्ट हो गया है। शायद इसकी वजह पहले से भी ज्यादा बहुमत का मिलना हो सकता है जिसने उन्हें संघ के दशकों पुराने हिन्दुत्व के एजेंडे को जमीन पर उतारने का अवसर भी दिया और अधिकार भी।

लेकिन प्रधानमंत्री मोदी को यह अधिकार सहज ही हासिल नहीं हुआ है। इसकी बुनियाद साल 2014 से ही पड़नी शुरू हो गई थी जिस पर अपने राजनीतिक साहस और प्रशासनिक हुनर के बूते उन्होंने बुलंदी की वो इमारत तैयार की जिसका फर्क आज हर हिंदुस्तानी महसूस करता है। प्रधानमंत्री मोदी के नेतृत्व में भारत ने दुनिया के नजरिये को कितना बदल दिया है और कैसे भारत का कद विश्व में बढ़ा है, इसकी कई बेहतरीन मिसालें हैं। सऊदी अरब से लेकर यूएई सहित कई देशों ने उन्हें अपने सर्वोच्च नागरिक सम्मान से सम्मानित किया। अमेरिकी राष्ट्रपति डोनाल्ड ट्रंप, ब्रिटेन के पूर्व पीएम डेविड कैमरुन, इजराइली प्रधानमंत्री बेंजामिन नेतान्याहू समेत कोई भी उनकी

‘जादू की झप्पी’ के सम्मोहन से बच नहीं पाया। इसी साल फरवरी में अहमदाबाद में ‘नमस्ते ट्रंप’ कार्यक्रम के लिए आए करीब 1 लाख लोगों का खुमार तो अमेरिकी राष्ट्रपति पर कई दिनों तक छाया रहा। लेकिन उससे पहले भी हाउडी मोदी जैसे आयोजनों से नरेन्द्र मोदी ऐसे इकलौते विदेशी नेता बनकर सामने आए, जिनके लिए ऐतिहासिक भीड़ जुटी और जिसका राजनीतिक लाभ उठाने के आकर्षण से उन देशों के हुक्मरान भी नहीं बच पाए। विदेशों में जाकर उन्हीं देशों के राष्ट्राध्यक्ष की मेजबानी करने की ऐसी मिसाल कायम करना आज शायद ही किसी दूसरे अंतरराष्ट्रीय नेता के बूते की बात हो।

पहले कार्यकाल में ही पाकिस्तानी सीमा में सर्जिकल और एयर स्ट्राइक ने दिखा दिया कि कैसे विश्व कल्याण के लिए नया हिंदुस्तान अपनी शर्तों पर अपनी कूटनीतिक प्राथमिकताएं तय करता है, किसी दूसरे के दबाव में आकर नहीं। और जब बात जनकल्याण की आई, तो प्रधानमंत्री मोदी जन-धन योजना, उज्ज्वला योजना, घर-घर बिजली पहुंचाने वाली सौभाग्य योजना, प्रधानमंत्री आवास योजना, आयुष्मान भारत योजना के लिए दरियादिली दिखाने में भी पीछे नहीं रहे।

नया हिंदुस्तान अपनी शर्तों पर अपनी कूटनीतिक प्राथमिकताएं तय करता है।

लेकिन उनके दूसरे कार्यकाल का पहला साल संघ के एजेंडे को समर्पित कहा जा सकता है। इस साल सरकार ने अपने घोषणापत्र के उन वादों को पूरा किया जिसके लिए विपक्ष सदैव से जनता को भ्रमित करने का आरोप लगाता रहा था। प्रधानमंत्री ने एक तरफ जनसंघ के संस्थापक श्यामा प्रसाद मुखर्जी के एक देश, एक विधान के सपने को सच करते हुए जम्मू-कश्मीर से धारा 370 हटाकर राजनीतिक इच्छाशक्ति का परिचय दिया, तो लम्बी अदालती लड़ाई जीतकर 90 के दशक से बीजेपी के लिए संजीवनी साबित होते आ रहे अयोध्या के राम मंदिर निर्माण का रास्ता भी साफ करवा दिया। तीन तलाक का मुद्दा भी बीजेपी के कोर एजेंडे में तब से शामिल था जबसे शाहबानो प्रकरण में तत्कालीन सरकार ने सुप्रीम कोर्ट का फैसला पलट दिया था।

तीन तलाक की लड़ाई में संसद से जीत के बाद सरकार अवैध घुसपैठ रोकने वाले नागरिक संशोधन कानून पर भी संसद की मुहर लगवाने में कामयाब रही है।

हालांकि धारा 370 और नागरिकता संशोधन जैसे कानूनों पर देश में विवाद के हालात भी बने हैं। इन मामलों में अंतरराष्ट्रीय समुदाय की चुप्पी को लेकर यह धारणा है कि समर्थन से ज्यादा यह भारत को नाराज न करने की रणनीति है। इस लिहाज से भी मानें तो इसे दुनिया में प्रधानमंत्री मोदी के नेतृत्व में भारत के बढ़ते दबदबे का सबूत ही कहा जाएगा।

देश ने प्रधानमंत्री की व्यक्तिगत छवि को दांव पर लगते देखा।

छह साल का यह कामयाब सफर एक बेहद खास घटनाक्रम का जिक्र किए बिना पूरा नहीं किया जा सकता है। वो है पिछले करीब तीन दशकों से उनके सबसे विश्वस्त सिपहसालार अमित शाह की भूमिका में बदलाव। प्रधानमंत्री मोदी के पहले कार्यकाल में अमित शाह ने संगठन की बागडोर संभालते हुए बीजेपी के 'सियासी दिग्विजय' का देश भर में विस्तार किया था। दूसरे कार्यकाल में उन्हें सरकार में शामिल किया गया, तो यहां भी वो प्रधानमंत्री के बाद दूसरे सबसे ताकतवर मंत्री साबित हुए हैं। धारा 370, सीएए जैसे मुद्दों पर बतौर गृहमंत्री अमित शाह की छाप बेहद स्पष्ट है।

एक के बाद एक कामयाबियों के बीच कम से कम दो ऐसे स्पष्ट मौके भी आए हैं जहां देश ने प्रधानमंत्री की व्यक्तिगत छवि को दांव पर लगते देखा। पहला मौका था पहले कार्यकाल में नोटबंदी का और दूसरा मौजूदा कार्यकाल में तालाबंदी का। नोटबंदी के दौरान आम जनता को जहां जिंदगी की गाड़ी चलाने के लिए अपनी ही गाढ़ी कमाई हासिल करने में हफ्तों मशक्कत करनी पड़ी, तो तालाबंदी में प्रवासी मजदूरों को भूख से बिलखते परिवार के साथ पैदल पलायन करने की दिक्कत झेलनी पड़ी। हालांकि इन परेशानियों के बीच इस हकीकत को भी नहीं झुठलाया जा सकता कि सही समय पर लॉकडाउन लागू करने की प्रधानमंत्री की पहल के कारण ही भारत कोरोना की महामारी को अब तक सीमित रखने में सफल रहा है। लेकिन इस बात से भी इनकार नहीं किया जा सकता कि जिस तरह उसे लागू किया गया उसमें प्रशासनिक

कमजोरी के साथ-साथ समाज की संवेदनहीनता भी सामने आई है। हालांकि दोनों मौके पर प्रधानमंत्री ने एक जननायक की तरह जिम्मेदारी अपने कंधों पर ली और प्रभावितों का दर्द साझा करने की हरसंभव कोशिश भी की।

वैसे एक नजरिये से देखा जाए तो प्रधानमंत्री का अब तक का कार्यकाल इस बात से भी परिभाषित किया जा सकता है कि वो चुनौतियों से लड़खड़ाए नहीं हैं, बल्कि डटकर सामना करते हुए उन्होंने चुनौतियों को अवसर में बदला है। कोरोना के खिलाफ उनकी अगुवाई में भारत सरकार की लड़ाई भी इसी रास्ते पर आगे बढ़ रही है। एक तरफ अमेरिका, ब्रिटेन जैसे विकसित देशों को इस आर्थिक और मानवीय आपदा से बाहर निकलने का कोई रास्ता नहीं सूझ रहा है, वहीं प्रधानमंत्री ने आत्मनिर्भर भारत का नारा देकर अर्थव्यवस्था को दोबारा पटरी पर लाने का अभियान छेड़ दिया है, क्योंकि आज के दौर में अर्थव्यवस्था पक्की होगी तो ही देश में खुशहाली लौटेगी और चीन-नेपाल जैसे पड़ोसियों का बर्ताव भी सुधरेगा। प्रधानमंत्री मोदी का अब तक का छह साल का कार्यकाल यह भरोसा तो देता ही है कि हम ना केवल कोरोना की लड़ाई जीतेंगे बल्कि 21वीं शताब्दी में उन गिने-चुने फ्रंट लाइन देशों में भी शामिल होंगे जो दुनिया का नेतृत्व करेंगे। अगले चार साल में प्रधानमंत्री की भी शायद यही कोशिश होगी।

(राष्ट्रीय सहारा, 31 मई, 2020)

57

लम्बी लड़ाई के लिए इंडिया अनलॉक

भारत एक ऐसे समय में अनलॉक होने के लिए कदम बढ़ा रहा है जब गैर जरूरी वस्तुओं की बिक्री मई महीने में 80 फीसदी गिर चुकी है। यहां तक कि आवश्यक वस्तुओं और दवाओं का बाजार भी मई महीने में 40 फीसदी गिर चुका था। पहले से नीचे की ओर जा रही जीडीपी जो 4.3 फीसदी की वृद्धि दर पर पहुंच चुकी है, अब इसके कोरोना काल से प्रभावित होकर 2020-21 में 0 से -7 प्रतिशत तक पहुंचने के आसार जताए जा रहे हैं।

कोरोना के खिलाफ भारत की लड़ाई अब घर की लक्ष्मण रेखा पार कर आत्मनिर्भर बनने की ओर बढ़ चली है। कोरोना को रोकने के मकसद से लगाया गया लॉकडाउन 68 दिन वाले चार चरण पूरे कर खत्म हो चुका है। पिछले करीब एक हफ्ते से देश अनलॉक होने की प्रक्रिया से गुजर रहा है जिसके तहत कई पाबंदियां हटाई गई हैं। लेकिन इस पर स्पष्टता 8 जून के बाद ही आएगी जब होटल-रेस्टोरेंट, शॉपिंग मॉल और धार्मिक स्थलों से लेकर शैक्षणिक संस्थानों और राजनीति-मनोरंजन-खेल से जुड़ी दूसरी गतिविधियों को लेकर दिशा-निर्देश सामने आएंगे।

भारत एक ऐसे समय में अनलॉक होने के लिए कदम बढ़ा रहा है जब गैर जरूरी वस्तुओं की बिक्री मई महीने में 80 फीसदी गिर चुकी है। यहां तक कि आवश्यक वस्तुओं और दवाओं का बाजार भी मई महीने में 40 फीसदी गिर चुका था। पहले से नीचे की ओर जा रही जीडीपी जो 4.3 फीसदी की वृद्धि दर पर पहुंच चुकी है, अब इसके कोरोना काल से प्रभावित होकर 2020-21 में 0 से -7 प्रतिशत तक पहुंचने के आसार जताए जा रहे हैं।

पिछले एक पखवाड़े से संक्रमण की रफ्तार बढ़ी है।

इस मामले में सरकार का फूंक-फूंक कर कदम आगे बढ़ाना समझ भी आता है, क्योंकि गतिविधियों का दायरा जितना बढ़ेगा, कोरोना के संक्रमण का खतरा भी उसी अनुपात में बढ़ेगा। वैसे भी पिछले एक पखवाड़े से संक्रमण की रफ्तार बढ़ी है और प्रभावितों का आंकड़ा बड़ी तेजी से ढाई लाख के करीब पहुंचा है। इसमें से आखिरी एक लाख मामले तो पिछले 15 दिनों में ही सामने आए हैं। ऐसे में समझा जा सकता है कि लॉकडाउन लगाने के प्रधानमंत्री नरेन्द्र मोदी के जिस कदम पर पूरी दुनिया से प्रशंसात्मक प्रतिक्रियाएं सामने आती रही हैं, उसे हटाने का फैसला सरकार के लिए आसान नहीं रहा होगा।

अनलॉक करने का कदम देश को किस राह पर ले जाएगा यह तो समय ही तय करेगा, लेकिन लॉकडाउन के नफा-नुकसान का आकलन करने के लिए हमारे पास अब पर्याप्त आधार है। पिछले करीब पांच महीने के अनुभव से कोरोना को लेकर दुनिया भर में यह समझ बन चुकी है कि लड़ाई लंबी है और यह साल-छह महीने नहीं, बल्कि आने वाले कई साल तक चलेगी।

इस मायने में प्रधानमंत्री की 'पहले जान और फिर जहान' वाली सोच देश के लिए फायदेमंद और बड़ी तबाही टालने में दूरदर्शी साबित हुई है। सही समय पर लॉकडाउन लगाना दो मोर्चे पर कारगर साबित हुआ–एक तो इसने घनी आबादी वाले हमारे देश में सामुदायिक संक्रमण की अवस्था को अब तक टाल कर रखा है और दूसरा इसने स्वास्थ्य संसाधनों की कमी से जूझ रहे नेशनल हेल्थ केयर सिस्टम को भविष्य की चुनौती के लिए तैयार होने की जरूरी मोहलत दे दी। नतीजा यह है कि संक्रमण के बढ़ते मामलों के बीच हमारे रिकवरी का अनुपात भी 48 फीसद के पास पहुंच गया है यानी ठीक होने वाले मरीजों की तादाद नए मरीजों की तुलना में बढ़ती जा रही है। कोरोना से मौत के मामले भी तीन फीसद तक सिमटे हैं।

सही समय पर लॉकडाउन लगाना दो मोर्चे पर कारगर साबित हुआ।

लॉकडाउन नहीं लगाया जाता तो हालात कितने बदतर होते इसका अंदाजा लगाना भी मुश्किल है। शायद हम इटली, ब्रिटेन, स्पेन को बहुत पहले पीछे छोड़कर आज अमेरिका और ब्राजील से होड़ लगा रहे होते। लेकिन यह भी उतना ही सच है कि अगर कुछ राज्य सरकारों और स्थानीय प्रशासन ने लॉकडाउन को केन्द्र सरकार की मंशा के अनुरूप लागू किया होता तो कोरोना से हुए नुकसान को और सीमित किया जा सकता था। कहना गलत नहीं होगा कि मोदी सरकार ने तो राज्यों से संवाद करने के बाद ही लॉकडाउन के लिए स्पष्ट दृष्टि और स्पष्ट नीति का फॉर्मूला तैयार किया था, लेकिन इसके स्पष्ट पालन में चुनिंदा राज्यों के हित आड़े आ गए। इसमें केन्द्र और राज्यों के बीच समन्वय की कमी का भी हाथ रहा जिसका नतीजा हमें प्रवासी मजदूरों के बेहद त्रासद पलायन के रूप में दिखा।

मूल रूप से प्रवासी मजदूरों की महाराष्ट्र, गुजरात, राजस्थान, पंजाब, दिल्ली जैसे प्रांतों में बहुतायत है। जिन प्रदेशों में ये मजदूर लौटना चाहते थे उनमें यूपी, बिहार, ओडिशा, झारखण्ड, पश्चिम बंगाल शामिल हैं। जिन प्रदेशों को मजदूर छोड़ना चाहते थे, उनकी रूचि उन्हें वहीं बनाए रखने में थी। मगर, ऐसा तब हो पाता जब उनके लिए रोजगार बचे होते या फिर कम से कम दो शाम के भोजन की गारंटी होती। जिन गृह प्रदेशों में मजदूर लौटना

चाहते थे उन प्रदेशों की सरकारों को उन्हें लाने की व्यवस्था करनी चाहिए थी। मगर 1 मई तक 'जो जहां हैं, वहीं रहें' की गृहमंत्रालय की नीति के कारण इस विषय पर कभी विचार ही नहीं किया गया। प्रधानमंत्री के साथ मुख्यमंत्रियों की बैठक में भी यह मुद्दा इतनी बारीकी से नहीं उठा। राज्य की सरकारें निश्चिंत थीं कि फैक्ट्री मालिक अपने-अपने मजदूरों को देख लेंगे, उनकी नौकरी बनी रहेगी और सैलरी भी वे देते रहेंगे। मगर ऐसा नहीं हुआ। इसके बाद जब 'जो जहां हैं, वहीं रहें' की नीति में संशोधन हुआ तो ट्रेन-बस को लेकर राज्यों के बीच जमकर राजनीति खेली गई और इसे बेनकाब करने की प्रक्रिया में मजदूरों को प्रताड़ना झेलनी पड़ी।

लॉकडाउन ने लाखों जिंदगियों को बचाया है।

दो माह से लंबे चले लॉकडाउन में प्रवासी मजदूरों के पलायन और राज्यों के बीच आपसी खींचतान के अलावा भी कई ऐसे मसले रहे जिन्हें भविष्य के लिए सबक के तौर पर याद रखे जाने की जरूरत है। सबसे बड़ा सबक तो अपनी जरूरत के लिए दूसरों पर निर्भरता को कम करते हुए आत्मनिर्भर बनने का ही है। इसकी जरूरत को तो खुद प्रधानमंत्री भी रेखांकित कर चुके हैं। इसे सही मायने में किसी ने समझा और महसूस किया है तो वो देश का मजदूर वर्ग ही है जिसके सामने अब आत्मनिर्भर बनने और अपने स्वाभिमान की रक्षा की दोहरी चुनौती है।

लॉकडाउन ने हमें यह भी दिखा दिया कि हम भविष्य की कितनी भी बातें करते हों, असलियत यही है कि ज्यादातर मसलों पर हम इसके लिए कोई योजना नहीं बनाते। सरकार की अपनी सीमाएं हैं, लेकिन समाज के तौर पर भी इसके लिए हमारी तैयारी अधूरी ही है। हमने ऐसा कोई सिस्टम नहीं बनाया है जो गरीब और वंचित तबके को इस तरह के संकट में सामाजिक सुरक्षा दे सके। उल्टे हम देख रहे हैं कि धीरे-धीरे ऐसे व्यवसायों और कंपनियों की संख्या बढ़ती जा रही है जो संकट के समय में अपने कर्मचारियों की मुश्किलें हल करने के बजाय उनकी सैलरी काटने या छंटनी में जुट गई हैं। लॉकडाउन ने हमें यह भी समझाया कि काम को लेकर हमारा नजरिया जिनके लिए सबसे तंग है, वही दरअसल समाज के सबसे जरूरी अंग हैं। बीते दो महीनों ने

हमें सफाईकर्मी, चौकीदार, ड्राइवर, मोहल्ले की दूध-किराना की दुकानों की हमारी जिंदगी में हैसियत समझाई है। समाज के तौर पर हममें से कइयों ने यह भी महसूस किया होगा कि काम-काज से जुड़ी रोज की भाग-दौड़, ट्रैफिक, पैसे से भी ज्यादा जरूरी जीवन का मूल्य है।

अफसोस की बात है कि इस अहसास के बावजूद लॉकडाउन के दौरान समाज के स्तर पर जीवन मूल्यों की कमी दिखाई दी है। लॉकडाउन ने लाखों जिंदगियों को बचाया है, तो हजारों परिवारों को भुखमरी की कगार पर भी पहुंचा दिया है। सरकार बेशक ऐसे परिवारों को उबारने में लगी हुई है, लेकिन इसके साथ ही यह सवाल भी जरूरी हो जाता है कि समाज के स्तर पर हम-आप एक जिम्मेदार नागरिक की कसौटी पर कितने खरे उतरे? बहरहाल, यह व्यक्तिगत आकलन का विषय है, लेकिन इससे यह सार्वजनिक अभिव्यक्ति तो होती ही है कि देश को नया बनाने के साथ ही उसे संवेदनशील बनाना भी जरूरी है। इसकी जरूरत तब और ज्यादा होगी, जब कोरोना पर लगाम के बाद इसके दुष्परिणामों का दूसरा चरण शुरू होगा, जिसमें आर्थिक और सामाजिक दुश्वारियों के जबर्दस्त विस्तार की आशंका है।

फिलहाल तो देश के सामने पाबंदियों से इस तरह से अनलॉक होने का टास्क है जिससे लॉकडाउन में कोरोना के खिलाफ मिली बढ़त को बरकरार रखा जा सके। हमें ये समझना होगा कि यह ढील हमारे वर्तमान की परेशानियां दूर करने और भविष्य की जरूरतों के लिए है, कोरोना से लड़ाई में ढिलाई के लिए नहीं।

(राष्ट्रीय सहारा, 6 जून, 2020)

58

चालबाज चीन का स्याह चरित्र

लब्बोलुआब यही है कि दुनिया की सबसे बड़ी शक्ति बनने और सीमाओं के विस्तार की अपनी आकांक्षाओं से चीन कभी समझौता नहीं करेगा। चीन के सरकार समर्थक 'वेन वेई पो' अखबार में सात साल पहले मैंडरिन भाषा में एक लेख छपा था जो उसकी विस्तारवादी सोच की एक झलक देने के लिए काफी है। इस लेख में दावा किया गया था कि अपनी सीमाओं के विस्तार और तथाकथित विदेशी कब्जे वाली जमीनों को दोबारा हासिल करने के लिए चीन ने अगले 50 साल में छह युद्ध लड़ने की योजना बनाई है।

पूर्वी लद्दाख में चीन से लगी भारत की सीमा पर तीन साल बाद शांति फिर टूटी है। लेह की पैंगोंग झील और गालवन घाटी में भारतीय और चीनी सैनिकों के बीच तनातनी के बाद दोनों ओर तनाव के हालात बन गए हैं। हालांकि भारत और चीन ने अपने-अपने कूटनीतिक तंत्र को सक्रिय कर विवाद की आग को फिलहाल शांत कर लिया है, लेकिन कब कौन-सी दबी चिंगारी फिर सुलग जाए इस पर अनिश्चितता बरकरार है।

साल 2017 में जब डोकलाम हुआ था तब सीमा पर हालात सामान्य होने में 73 दिन लग गए थे। हालिया विवाद इसलिए गंभीर है, क्योंकि चीनी सेना ने सरहदी समझौते को तोड़ते हुए भारतीय पोस्ट तक पहुंचने वाली सड़क पर कैम्प लगाने की हिमाकत की है। 260 किलोमीटर लंबी यह सड़क दरबुक-श्योक-दौलत बेग ओल्डी सड़क है, जो एलएसी इलाके में सेना की उत्तरी चौकी को जोड़ती है। यह सड़क एलएसी तक हर मौसम में तेजी से रसद पहुंचाने के लिए बन रही उन 73 सड़कों में शामिल है जिन पर पिछले छह साल में या तो काम पूरा हो चुका है या तेजी से पूरा किया जा रहा है।

पूर्वी लद्दाख में चीन से लगी भारत की सीमा पर तीन साल बाद शांति फिर टूटी है।

तो क्या दशकों से सीमा पर भारत का जो इलाका भारतीय सेना के लिए दुर्गम बना हुआ था, उस पर इंफ्रास्ट्रक्चर को मजबूत करने की भारत की कोशिश ही चीन की ताजा बौखलाहट का नतीजा है? यकीनन यह एक वजह है, लेकिन यही एकमात्र कारण नहीं है। इसकी बुनियाद तो पिछले साल अगस्त में ही पड़ गई थी जब भारत ने धारा 370 हटाकर जम्मू-कश्मीर का बंटवारा कर दिया था। इस बंटवारे से केवल पाकिस्तान के मंसूबों को झटका नहीं लगा था, बल्कि लद्दाख का सीधे-सीधे केंद्र की निगरानी में आ जाना चीन के लिए भी किसी सदमे से कम नहीं था।

इस दौरान चीनी मीडिया में छपी खबरों से यह साफ होता है कि वहां बड़े पैमाने पर यह धारणा बनी है कि प्रधानमंत्री नरेन्द्र मोदी के दूसरे कार्यकाल में चीन को लेकर भारत का रवैया बदल गया है। 2018 में वुहान समिट के बाद दोनों देशों में संबंध स्थिर होने लगे थे, लेकिन लद्दाख की स्वायत्तता और

फिर अमेरिका, जापान और ऑस्ट्रेलिया के साथ क्वाड या चतुर्भुज सामरिक संवाद में भारत की बढ़ती भागीदारी से उसकी 'वन चाइना पॉलिसी' खटाई में पड़ गई है। हांगकांग, ताइवान, वियतनाम और तिब्बत पहले से ही इस पॉलिसी की कड़ी परीक्षा ले रहे हैं। चीन ने पिछले अप्रैल में दक्षिण चीन सागर में वियतनामी जहाज को डुबा दिया था। फिर हांगकांग में जब विरोध के स्वर बुलंद हुए तो उन्हें दबाने के लिए चीन ने कानून सख्त कर दिया। ताइवान को तो वो अलगाव के खिलाफ लगातार चेताता रहा है।

चीन यह अच्छे से जानता है कि भारत की बांह मरोड़कर अपनी बात नहीं मनवा सकता।

लेकिन चीन यह भी अच्छे से जानता है कि भारत के साथ बांह मरोड़कर बात मनवा लेने वाला दांव नहीं खेला जा सकता। उसकी बौखलाहट की एक वजह यह भी हो सकती है कि उसे कोरोना का कुहासा छंटने के बाद भारत से व्यापारिक रिश्तों में दरार की आशंका परेशान कर रही हो। आधुनिक आर्थिक व्यवस्था में भारत का बड़ा बाजार हर देश को आकर्षित करता है। यहीं इस विवाद में अमेरिका की एंट्री भी होती है। ट्रेड वार के बाद भी चीन में अमेरिका का निवेश कम नहीं हुआ है, लेकिन भारत से उसके लगातार बेहतर होते रिश्ते चीन को खटक रहे हैं। वैसे भी कोविड के बहाने अमेरिकी राष्ट्रपति डोनल्ड ट्रंप इस कोशिश में जुटे हैं कि चीन को दुनिया से अलग-थलग कर दिया जाए। चीन से अपनी बादशाहत को मिल रही गंभीर चुनौती और चुनावी साल में चीन के खिलाफ अमेरिका में फैली नकारात्कता रणनीतिक रूप से ट्रंप के लिए फायदेमंद है। चीन भी अपने गुट को बड़ा करने में जुटा है। ऐसे में भारत इन दो महाशक्तियों की पावर पॉलिटिक्स का केन्द्र बन गया है।

इस सबके बीच कश्मीर पर पाकिस्तान से कई बार मध्यस्थता का राग अलाप चुके ट्रंप ने पहली बार चीन को लेकर भी ऐसी पेशकश कर दी है। अब यह पेशकश कितनी गंभीर है इसे इस बात से भी समझा जा सकता है कि जो अमेरिका खुद चीन से अपने मसले नहीं सुलझा पा रहा है, वो किस मुंह से भारत और चीन को रिश्ते सुधारने के लिए कह सकता है।

दरअसल यह मामला 'हाथी के दांत खाने के और दिखाने के और' वाला है। अमेरिका की मंशा झगड़ा सुलझाने की नहीं, बल्कि यह दिखाने की है कि वो भारत के साथ खड़ा है और अब भी दुनिया में शांति बनाए रखने में उसकी चौधराहट बरकरार है।

अमेरिका ने जी-7 का विस्तार कर उसे जी-11 या जी-12 बनाकर भारत को उसमें शामिल होने का प्रस्ताव भी दिया है। जी-7 दुनिया की सात बड़ी और विकसित अर्थव्यवस्था वाले देशों का समूह है। इसमें भारत के अलावा ऑस्ट्रेलिया और ब्राजील को भी जोड़ने की योजना है जबकि रूस को लेकर अभी असमंजस बना हुआ है। चीन इस योजना से इसलिए तिलमिलाया हुआ है, क्योंकि इंडो-पैसिफिक इलाके में वो इसे अपनी घेराबंदी और भारत की अहमियत बढ़ाने की अमेरिकी साजिश के तौर पर देख रहा है।

जी-7 में भारत को शामिल करने की योजना से तिलमिलाया चीन।

यह भी एक वजह है कि वुहान और चेन्नई में भारत के साथ रिश्ते बेहतर करने की पहल में शामिल होने वाले चीन ने भारत को घेरने के लिए एक तरफ नेपाल को मोहरा बनाया है तो दूसरी तरफ खुद सीमा विवाद उठाकर भारत पर दबाव बनाने की कोशिश कर रहा है। जी-7 वाले मसले पर भी उसने भारत को पुरानी दोस्ती का हवाला दिया है और संभावित कोल्ड वार में अमेरिका के साथ जाने को आग से खेलना बताया है।

लब्बोलुआब यही है कि दुनिया की सबसे बड़ी शक्ति बनने और सीमाओं के विस्तार की अपनी आकांक्षाओं से चीन कभी समझौता नहीं करेगा। चीन के सरकार समर्थक 'वेन वेई पो' अखबार में सात साल पहले मैंडरिन भाषा में एक लेख छपा था जो उसकी विस्तारवादी सोच की एक झलक देने के लिए काफी है। इस लेख में दावा किया गया था कि अपनी सीमाओं के विस्तार और तथाकथित विदेशी कब्जे वाली जमीनों को दोबारा हासिल करने के लिए चीन ने अगले 50 साल में छह युद्ध लड़ने की योजना बनाई है और वो इसका ब्लूप्रिंट भी तैयार कर चुका है।

इसमें भारत के साथ भी एक युद्ध शामिल है जो दक्षिण तिब्बत को हथियाने की चीन की योजना का फ्लैशप्वाइंट होगा। अखबार के मुताबिक

इसके लिए 2035 से 2040 का कालखंड निर्धारित किया गया है, क्योंकि चीन का मानना है कि तब तक वो सैन्य शक्ति के मामले में भारत से काफी आगे निकल चुका होगा। इसके बावजूद चीन को इस बात का डर है कि अगर सीधा युद्ध हुआ तो इस बार उसे भी नुकसान उठाना पड़ सकता है। इसलिए उसने भारत को टुकड़ों में बांटकर कमजोर करने का प्लान तैयार किया है। इसके लिए वो पूर्वोत्तर में असम और सिक्किम में खुद अशांति के हालात बनाएगा और उत्तर में कश्मीर के मोर्चे पर पाकिस्तान को हथियार सप्लाई कर मदद करेगा। चीन को उम्मीद है कि भारत को एक साथ दो मोर्चे पर उलझाकर दक्षिण तिब्बत पर कब्जा जमाने का उसका सपना पूरा हो जाएगा।

चीन भारत को एक साथ दो मोर्चों पर उलझाकर दक्षिण तिब्बत पर कब्जा जमाना चाहता है।

भारत ही नहीं, चीन अपने दूसरे पड़ोसी और फिलहाल करीबी सहयोगी माने जाने वाले रूस के सरहदी इलाकों पर भी नजरें जमाए बैठा है। चीन की योजना है कि पांच युद्ध जीतकर वो इतना शक्तिशाली बन चुका होगा कि जब वो किंग साम्राज्य के समय का नक्शा सामने रखकर रूसी सीमा में शामिल हिस्से का दावा ठोकेगा तो रूस के सामने ज्यादा विकल्प नहीं बचे होंगे। चीन की सोच इतनी आक्रामक है कि इसके लिए वो 2055-2060 के बीच रूस से आमने-सामने के युद्ध के लिए भी तैयार है क्योंकि उसका मानना है 21वीं सदी के मध्य तक दुनिया में उसे चुनौती देने वाला कोई नहीं बचेगा, क्योंकि रूस और जापान कमजोर पड़ चुके होंगे, भारत और अमेरिका की ताकत स्थिर हो जाएगी और वो खुद दुनिया का नया सुपर पावर बन चुका होगा।

इसलिए जो लोग कोरोना महामारी के बीच चीन के सीमा विवाद भड़काने पर हैरान हैं, उन्हें चीन की यह सोच नए सिरे से परेशान कर सकती है। यह भी मुमकिन है कि चीन ने अगले 50 साल के अपने गेम प्लान में एक मोहरा और आगे बढ़ाया हो। वैसे भी चीन की पहचान उसकी उस वैश्विक रणनीति से ही होती रही है जो दुनिया को आपदा में डालकर उसमें खुद अपने फायदे का अवसर तलाशता है।

(राष्ट्रीय सहारा, 7 जून, 2020)

59

चीन को सबक सिखाने का आत्मनिर्भर प्लान

चीन की चालबाजी का तोड़ ढूंढ़ने के लिए भारत को दूसरे देशों के भरोसे रहने के बजाय आत्मनिर्भर बनना होगा। ताजा विवाद सुलझाने के लिए चीन के साथ भले ही बातचीत चल रही है, लेकिन केवल बातचीत से चीन मान जाएगा ऐसा लगता नहीं। उसे एक बार फिर डोकलाम जैसा कड़ा संदेश देने की जरूरत है कि भारत अब उसके दबाव में आने वाला नहीं। भारत के उस कड़े रुख का संदेश वियतनाम, मंगोलिया, सिंगापुर, फिलीपींस जैसे पड़ोसी देशों तक भी पहुंचा था कि अगर संकल्प पक्का हो तो चीन के बनाए किसी भी चक्रव्यूह को तोड़ा जा सकता है।

चीन के साथ पूर्वी लद्दाख के सीमा विवाद में भारत को कामयाबी मिली है और चीनी सेना को पीछे हटना पड़ा है। बातचीत शुरू करने के लिए भारत ने यह शर्त रखी थी। फिलहाल बातचीत शुरू हो गई है लेकिन चीन की तरफ से विरोधाभासी संकेत आने बंद नहीं हुए हैं। एक तरफ चीनी डिप्लोमेट सकारात्मक बयान जारी कर रहे हैं, तो दूसरी तरफ चीन लद्दाख से लेकर सिक्किम और अरुणाचल तक में अपनी सेना पीपुल्स लिबरेशन आर्मी की तैनाती बढ़ा रहा है। इसलिए केवल बातचीत से विवाद पूरी तरह सुलझ जाएगा, चीनी माल की ही तरह इसकी कोई गारंटी नहीं दी जा सकती।

चीन की तरफ से विरोधाभासी संकेत आने बंद नहीं हुए हैं।

बातचीत किस तरह बढ़ेगी इसका जवाब तो आने वाले दिनों में ही मिल पाएगा लेकिन हर बार की तरह चीन की इस हरकत ने कई सवाल जरूर खड़े कर दिए हैं। चीन की यह हिमाकत क्या केवल सीमा विवाद है या फिर उसकी कोई नई चाल है, क्योंकि इस बार का उसका व्यवहार पिछले पैटर्न से बिल्कुल अलग है। इस बार चीन ने नए इलाके में घुसपैठ की है और सैनिकों की संख्या भी पहले से कहीं ज्यादा रही। एलएसी के संदर्भ में गालवान घाटी या पैंगोंग झील को लेकर चीन ने पहले कभी बखेड़ा खड़ा नहीं किया था। उसकी गतिविधियां चुमर या डोकलाम तक सीमित थीं। ऐसा पहली बार हुआ है कि चीन ने पेट्रोलिंग के दौरान अपनी सीमा लांघी तो वो उस इलाके में टेंट गाड़ कर बैठ गया। तीसरा अंतर यह है कि इस बार घुसपैठ की हिमाकत एक नहीं, बल्कि एक से ज्यादा इलाके में एक साथ की गई। इस बार चीन ने एक साथ तीन-तीन इलाकों में चुनौती दी है और चौथा यह कि चीन अब पहले से ज्यादा आक्रामक और जिद्दी दिख रहा है।

तस्वीर को बड़ा करें तो चीन का बर्ताव थोड़ा और स्पष्ट होता है। वुहान में साजिश की प्रयोगशाला से शुरू हुई कोरोना महामारी ने चीन की अर्थव्यवस्था के अलावा कई देशों से उसके संबंधों को नुकसान पहुंचाया है। ऐसे में चीन का यह 'शक्ति प्रदर्शन' उसकी दबाव नीति का हिस्सा लगता है, जिसमें एक मौका देखकर भारत के साथ द्विपक्षीय संबंधों में बढ़त लेने की फितरत है तो दूसरी तरफ कोविड के मामले में हो रही किरकिरी की भरपाई करने की हसरत।

वैसे भी अपनी सीमाओं के विस्तार को लेकर चीन की चालबाजी किसी से छिपी नहीं है। रूस के अलावा चीन ही ऐसा देश है जिसकी सीमाएं 14 देशों से सटी हुई हैं और अकेले पाकिस्तान को छोड़कर ऐसा कोई पड़ोसी नहीं है, जिसके साथ चीन का सीमा विवाद ना हो। उत्तर कोरिया को तो चीन अपना आर्थिक और राजनीतिक दोस्त बताता है, लेकिन सरहद का भूगोल बदलने में चीन ने उसे भी नहीं बख्शा है। मंगोलिया, लाओस, वियतनाम, म्यांमार, अफगानिस्तान, कजाकिस्तान, किर्गिस्तान और ताजिकिस्तान जैसे सभी पड़ोसी आज चीन को शक की नजर से देखते हैं। दक्षिण चीन सागर में चीन के एकछत्र राज की चाहत से मलेशिया, इंडोनेशिया, फिलीपींस, वियतनाम और ब्रुनेई जैसे देश परेशान हैं, तो पूर्वी चीन सागर में कुछ द्वीपों को लेकर उसकी जापान से खटपट होती रहती है।

भारत के मामले में तो चीन की चाल और भी टेढ़ी रही है। अपने पड़ोसियों के साथ-साथ चीन की नजरें भारत के पड़ोसियों पर भी लगी रहती हैं। तिब्बत, नेपाल, पाकिस्तान, मालदीव, श्रीलंका, बांग्लादेश, म्यांमार जैसे भारत के तमाम पड़ोसी देशों को बंदरगाहों, सड़कों और फ्रंटियर रोड जैसे काम के लिए भारी-भरकम कर्ज देकर चीन उन्हें अपने पाले में लाने का जाल फेंकता रहता है। उत्तर, मध्य और दक्षिण एशिया में पैठ बनाने के लिए चीन की वन बेल्ट, वन रोड और सिल्क रूट की मुहिम का एक मकसद इन क्षेत्रों में भारत की घेराबंदी करना भी है।

चीन ही ऐसा देश है जिसकी सीमाएं 14 देशों से सटी हुई हैं।

फिर चीन के विस्तारवादी मंसूबे की काट क्या हो? जिस तरह द्वितीय विश्व युद्ध के बाद सोवियत संघ की साम्यवादी विचारधारा के प्रसार को रोकने के लिए यूरोपीय देशों ने उत्तरी अटलांटिक संधि संगठन यानी नाटो का गठन किया गया था, उसी तर्ज पर आज एशिया में चीन को रोकने के लिए एशियाई नाटो की जरूरत है। खासकर चीन पर आसियान और सार्क संगठन के लगभग निष्प्रभावी साबित होने के बाद यह और जरूरी हो जाता है। नाटो का एक उपबंध उसके सदस्य सभी 30 देशों को यह सुरक्षा कवच देता है कि किसी भी एक देश पर हमला बाकी सभी देशों पर हमला माना जाएगा।

इसी तरह एशिया में भी ऐसा कोई संगठन बन जाता है तो चीन को अपनी सीमाओं के विस्तार की कोशिश से पहले उसके अंजाम को लेकर कई बार सोचना पड़ेगा।

एशिया में चीन को रोकने के लिए एशियाई नाटो की जरूरत है।

वैसे एशियाई नाटो का ये सुझाव नया नहीं है। जापान के प्रधानमंत्री शिंजो आबे ने 30 मई 2014 को सिंगापुर के अपने भाषण में पहली बार एशियाई देशों को नाटो बनाने का मशविरा दिया था। इसके लिए शिंजो आबे ने भारत के साथ ही अमेरिका और ऑस्ट्रेलिया को मिलाकर एक ऐसा गठजोड़ बनाने की चर्चा की थी जो चीन के विरुद्ध एशियाई देशों के एक मजबूत गठबंधन की बुनियाद रख सके। दरअसल जब भी भारत के संदर्भ में चीन का जिक्र होता है तो यह बात भी बार-बार सामने आती है कि भारत की पश्चिमी और पूर्वी एशियाई ताकतों के साथ नजदीकी चीन की आंखों में कांटे की तरह खटकती है। साल 2007 में जब भारत ने अमेरिका, ऑस्ट्रेलिया, जापान और सिंगापुर के साथ बंगाल की खाड़ी में 'ऑपरेशन मालाबार' में हिस्सा लिया तब भी चीन ने इस सालाना सामरिक अभ्यास को एशियाई नाटो का नाम दिया था।

बहरहाल यह बात अब पुरानी पड़ चुकी है और जब तक एक मजबूत एशियाई नाटो का विचार कागज से जमीन पर नहीं उतरता है, तब तक चीन को रोकने के लिए जापान, ऑस्ट्रेलिया और अमेरिका के साथ मिलकर बने 'क्वाड' पर ही दांव खेला जा सकता है। लेकिन इसके लिए भी भारत को एशिया में सहयोगी देशों के बीच अपनी रणनीतिक सोच को नए सिरे से परिभाषित करना होगा। सबसे पहले तो भारत को आसियान देशों को यह भरोसा दिलाना होगा कि क्वाड में हिस्सेदारी करते हुए भी वो दूसरे क्षेत्रीय समूहों को बराबर की अहमियत देता रहेगा। दरअसल यह इसलिए जरूरी है कि कई आसियान देशों को लगता है कि उन्हें क्वाड जैसे अहम रणनीतिक गठबंधन से दूर रखा गया है जिससे वो चीन और 'एशियाई नाटो' की लड़ाई में फंस कर रह गए हैं।

एक विकल्प चीन की आर्थिक घेराबंदी का भी हो सकता है। चीन ने इस साल अपनी अर्थव्यवस्था के लिए कोई लक्ष्य तय नहीं किया है यानी वो भी यह मान रहा है कि कोरोना से उबरने के बावजूद आर्थिक रिकवरी आसान नहीं होगी। इसके उलट भारत ने आत्मनिर्भर बनने का लक्ष्य निर्धारित किया है जो चीन पर आर्थिक दबाव डालकर हासिल किया जा सकता है। स्वदेशी उत्पादों को बढ़ावा देकर हम चीन से होने वाले आयात पर अपनी निर्भरता कम कर सकते हैं। अमेरिका भले ही आज हमारा सबसे बड़ा कारोबारी दोस्त बन गया हो, लेकिन चीन से हमारा आयात आज भी 70 अरब डॉलर के करीब है जबकि निर्यात 20 अरब डॉलर से भी कम। ऐसे में अगर हम चीनी उत्पादों का बहिष्कार करें, तो चीन को आर्थिक चोट पहुंचाई जा सकती है। हालांकि डब्ल्यूटीओ के नियमों के कारण क्षेत्रीय और सैन्य समस्याएं होने के बावजूद चीनी सामान पर पूर्ण प्रतिबंध नहीं लगाया जा सकता। यह भी ध्यान रखना होगा कि हमारे कुल निर्यात का आठ फीसद चीन को जाता है, जबकि वो अपने निर्यात का केवल दो फीसद हिस्सा हमें भेजता है। इसलिए अगर हम उसके उत्पादों का बहिष्कार करेंगे तो वो भी ऐसा कर सकता है जिससे हमारा ही ज्यादा नुकसान होगा। ऐसे में सरकार चीनी सामान पर एंटी डंपिंग ड्यूटी जैसे शुल्क जरूर लगा सकती है जिससे चीनी माल की कीमत बढ़ जाएगी और हमारे घरेलू उत्पादक कीमतों के स्तर पर उनसे मुकाबला कर सकेंगे।

चीन से हमारा आयात आज भी 70 अरब डॉलर के करीब है।

जी-7 में भारत को शामिल करने की अमेरिकी पेशकश का स्पष्ट निहितार्थ भी इंडो-पैसिफिक क्षेत्र में चीन की ताकत को संतुलित करने का दिखता है। इन हालात में अमेरिका की अगुवाई में अगर दुनिया की बाकी शीर्ष अर्थव्यवस्थाएं भी चीन के बनाए माल का बहिष्कार करें तो चीन पर लगाम जरूर लगाई जा सकती है। लेकिन आज की आर्थिक व्यवस्था में हर देश के चीन से अपने-अपने हित जुड़े हैं। यहां तक कि चीन से रिश्तों में ऐतिहासिक कड़वाहट के बावजूद अमेरिका के लिए चीन से पूरी तरह मुंह मोड़ना संभव नहीं दिखता।

इसलिए चीन की चालबाजी का तोड़ ढूंढ़ने के लिए भारत को दूसरे देशों के भरोसे रहने के बजाय आत्मनिर्भर बनना होगा। ताजा विवाद सुलझाने के लिए चीन के साथ भले ही बातचीत चल रही है, लेकिन केवल बातचीत से चीन मान जाएगा ऐसा लगता नहीं। उसे एक बार फिर डोकलाम जैसा कड़ा संदेश देने की जरूरत है कि भारत अब उसके दबाव में आने वाला नहीं। भारत के उस कड़े रुख का संदेश वियतनाम, मंगोलिया, सिंगापुर, फिलीपींस जैसे पड़ोसी देशों तक भी पहुंचा था कि अगर संकल्प पक्का हो तो चीन के बनाए किसी भी चक्रव्यूह को तोड़ा जा सकता है।

(राष्ट्रीय सहारा, 13 जून, 2020)

60

आखिर यह देश हमारा ही तो है

सरकार की कोशिशें अपनी जगह हैं, लेकिन इतना भी तय है कि भारत जैसे घनी आबादी वाले देश में कोई भी सरकार हर काम को संपूर्ण कुशलता के साथ पूरा करने की जिम्मेदारी पर खरी नहीं उतर सकती। अपने सरोकार से जुड़े कुछ मामलों में आम जनता से भी जिम्मेदारी का बोझ बांटने की अपेक्षा की जाती है। खासकर जब समस्या कोरोना जैसी असाधारण हो, तो उसका हल भी साधारण तरीकों से नहीं हो सकता। जहां सोशल डिस्टेंसिंग जरूरी है, वहीं उसके साथ सोशल अवेयरनेस भी जरूरी है।

कोरोना के लिहाज से बीता सप्ताह दो मामलों में खासा बुरा रहा। पहला तो यह कि भारत दुनिया का चौथा सबसे संक्रमित देश बन गया। सप्ताह के आखिरी दिनों में कोरोना के नए मामलों की दर रोजाना 10 हजार से भी ज्यादा हो गई और कुल आंकड़ा तीन लाख के पार हो गया। इसका नतीजा ये हुआ कि भारत ने एक ही दिन में स्पेन और ब्रिटेन को पीछे छोड़ दिया। अब हमसे आगे केवल अमेरिका, ब्राजील और रूस ही बचे हैं। दूसरा मसला और भी ज्यादा बुरा है। विश्व स्वास्थ्य संगठन के मुताबिक कोरोना से संक्रमित टॉप-5 देशों में नए मामलों की रफ्तार अब भारत में सबसे ज्यादा हो गई है। यह अब 4.5 फीसद की दर से बढ़ रही है, जबकि दूसरा नंबर ब्राजील का है, जहां ग्रोथ रेट 4.3 फीसद है।

केवल महाराष्ट्र, दिल्ली, तमिलनाडु और गुजरात ही नहीं, अब तो उत्तर प्रदेश, राजस्थान और मध्य प्रदेश जैसे राज्यों में भी कोरोना की रफ्तार बेकाबू होने लगी है। केन्द्र और राज्य की सरकारें अलग-अलग आंकड़े दिखाकर भले ही हालात में सुधार का कितना भी गुणा-भाग बताएं, हकीकत यही है कि जमीनी हालात पर सरकारें भी एक-राय नहीं बना रही हैं। दिल्ली सरकार सामुदायिक संक्रमण हो जाने का दावा कर रही है, तो केन्द्र और महाराष्ट्र सरकार ऐसी किसी संभावना से इनकार कर रहे हैं। हमारी सबसे बड़ी मेडिकल रिसर्च संस्था आईसीएमआर सिरो-सर्वे के आधार पर सामुदायिक संक्रमण की आशंका को खारिज कर रही है, लेकिन कोविड-19 के लिए खास तौर पर बने नेशनल टास्क फोर्स के वैज्ञानिक इस आशंका से साथ खड़े हैं।

जमीनी हालात पर सरकारें भी एक-राय नहीं बना रही हैं।

आईसीएमआर जिस सिरो-सर्वे का हवाला दे रहा है वो भी ऐसा नहीं है कि उस पर सवाल ना उठाया जा सकता हो। एक तो यह सर्वे 30 अप्रैल तक के आंकड़ों पर आधारित है, जबकि संक्रमण की रफ्तार उसके बाद ही तेज हुई है। दूसरा यह सर्वे कंटेनमेंट इलाकों से बाहर किया गया यानी जहां संक्रमण की सबसे ज्यादा आशंका थी, सर्वे ने उन्हीं इलाकों को नजरअंदाज कर दिया। दिलचस्प बात यह है कि आईसीएमआर ने भी अप्रैल में सामुदायिक संक्रमण फैलने का इशारा किया था, लेकिन तब स्वास्थ्य मंत्रालय ने इसे नकार दिया था।

अब जब दिल्ली सरकार जुलाई के आखिर तक वहां कोरोना के साढ़े पांच लाख मामले हो जाने का खतरा बता रही है, तो एक दूसरा आंकड़ा पेश कर कहा जा रहा है कि लॉकडाउन से पहले देश में भी 20 लाख मामलों की आशंका जताई गई थी, लेकिन लॉकडाउन ने गेमचेंजर बनकर संक्रमण को सीमित कर दिया।

बहरहाल सरकारों का हर दावा सिर-आंखों पर, लेकिन कोई यह भी बताए कि मरीजों की संख्या में रोजाना हो रही बढ़ोतरी का राज क्या है? इससे निपटने के लिए हमारी कितनी तैयारी है? क्या हमारा मौजूदा मेडिकल इंफ्रास्ट्रक्चर इसके लिए पर्याप्त है? रेटिंग एजेंसी फिच सॉल्यूशंस की रिसर्च से इन सवालों का जवाब मिलता है, लेकिन ये जवाब भी नए सवाल खड़े करने वाले हैं। रिसर्च के मुताबिक हमारे पास प्रति 10 हजार मरीजों पर 8 डॉक्टर और 8.5 बेड हैं। इंडियन सोसाइटी ऑफ क्रिटिकल केयर की छानबीन बताती है कि देश में आईसीयू बेड भी 70 हजार और वेंटिलेटर 40 हजार ही हैं और इनमें से ज्यादातर मेट्रो, निजी अस्पतालों और मेडिकल कॉलेजों में ही हैं। यानी जिले से लेकर गांवों तक हमारे हेल्थ के सिस्टम में सेहत सुधारने की काफी गुंजाइश बची है। मेडिकल इंफ्रास्ट्रक्चर के ऐसे चुनौतीपूर्ण हालात का असर अस्पतालों की सेवाओं पर भी दिखता है। तमाम कोशिशों के बावजूद सरकारी अस्पतालों पर लगा दाग छूटने का नाम नहीं लेता।

तमाम कोशिशों के बावजूद सरकारी अस्पतालों पर लगा दाग छूटने का नाम नहीं लेता।

सरकारी सुविधाओं पर फल-फूल रहे निजी अस्पतालों का कोरोना मरीजों के इलाज से इनकार करना समस्या का एक अलग पहलू है। कोरोना मरीजों से जानवरों से भी बदतर बर्ताव वाली सुप्रीम कोर्ट की टिप्पणी ने तो हेल्थ के पूरे सिस्टम पर लगे दाग को और गहरा कर दिया है। एक बेड पर दो-दो मरीज, शव के बगल में मरीजों का इलाज, लॉबी और वेटिंग एरिया में लावारिस पड़े शव, मरीजों की तादाद के आगे ऑक्सीजन सपोर्ट सिस्टम और स्टाफ की संख्या का कम पड़ जाना किसे चिंतित नहीं करेगा? वो तो भला हो केन्द्र सरकार की कोशिशों का कि हम समय रहते पीपीई किट में

आत्मनिर्भर हो गए, वरना कोविड की शुरुआत में ही देश में पीपीई किट के लाले पड़े हुए थे।

सरकार की कोशिशें अपनी जगह हैं, लेकिन इतना भी तय है कि भारत जैसे घनी आबादी वाले देश में कोई भी सरकार हर काम को संपूर्ण कुशलता के साथ पूरा करने की जिम्मेदारी पर खरी नहीं उतर सकती। अपने सरोकार से जुड़े कुछ मामलों में आम जनता से भी जिम्मेदारी का बोझ बांटने की अपेक्षा की जाती है। खासकर जब समस्या कोरोना जैसी असाधारण हो, तो उसका हल भी साधारण तरीकों से नहीं हो सकता। जहां सोशल डिस्टेंसिंग जरूरी है, वहीं उसके साथ सोशल अवेयरनेस भी जरूरी है जिसकी जिम्मेदारी सामाजिक संगठन और सेल्फ हेल्प ग्रुप उठा सकते हैं। वैसे इस दिशा में काफी काम हुआ भी है। खासकर महिलाओं के स्व-सहायता समूहों और आंगनबाड़ी कार्यकताओं ने इस दौरान सराहनीय काम किया है। छत्तीसगढ़, झारखंड, असम, मध्य प्रदेश जैसे तमाम राज्यों में स्व-सहायता समूह पीपीई किट, मास्क बनाने से लेकर सोशल डिस्टेंसिंग का पाठ पढ़ाती दिखी हैं। इस दौरान कई सेलिब्रिटीज भी सामने आए हैं जिन्होंने प्रवासी मजदूरों और गरीब परिवारों को उनके घर पहुंचाने से लेकर उनके खाने-पीने का बीड़ा उठाया है। लेकिन अभी भी यह कोशिशें नाकाफी हैं। केवल पीएम केयर फंड में राशि भेज देने से ही जिम्मेदारियों का 'द एंड' नहीं हो जाता।

हम समय रहते पीपीई किट में आत्मनिर्भर हो गए।

समाज की ओर से मदद संसाधन के स्तर पर भी हो सकती है। मेडिकल इंफ्रास्ट्रक्चर का हाल बताता है कि वो संक्रमण के आपातकाल से निपटने के लिए नाकाफी है। अस्पतालों में बेड फुल हो गए हैं तो अब वेटिंग लिस्ट में नाम दर्ज कराने के लिए भी सवा लाख रुपये तक के लेन-देन की खबरें सामने आ रही हैं। यानी अब वो समय भी करीब आ रहा है जब हमें घरों को ही अस्पताल में बदलना पड़ सकता है। आग लगने पर कुआं खोदने से बेहतर है कि हम इसकी पहले से ही तैयारी शुरू कर दें। क्या आपात स्थिति में लोग अपने स्तर पर घरों में ऑक्सीजन सिलेंडर जैसे लाइफ सेविंग इंतजाम रख सकते हैं? देश के कुछ इलाकों में लोगों ने इस ओर जागरूकता दिखाई है।

दिल्ली की एक कॉलोनी के रहवासी को जब अस्पताल में यह सुविधा नहीं मिली, तो उस कॉलोनी के रेजिडेंट वेलफेयर एसोसिएशन ने अपने स्तर पर सोसायटी में ही ऐसे ऑक्सीजन कंसंट्रेटर मशीन और सिलेंडर का इंतजाम कर लिया। सोसायटी में रहने वाले एक रिटायर्ड डॉक्टर और सीनियर नर्स मदद के लिए आगे आए और मरीज को समय रहते खतरे से बाहर निकाल लिया गया। अब सोसायटी आसपास के इलाकों में भी ऐसे मरीजों के इलाज में मदद कर रही है। मुंबई में भी एक परिवार ने इसी तर्ज पर घर की महिला सदस्य की जान बचाई। इसके लिए परिवार के एक सदस्य ने बाकायदा डॉक्टरों से ऑक्सीजन सिलेंडर लगाने से लेकर मरीज को दी जाने वाली ऑक्सीजन की सही मात्रा की जानकारी ली। कोरोना की चुनौती के बीच आत्मनिर्भरता की यह छोटी-सी कोशिश भी समाज के लिए बड़ी मिसाल बन सकती है।

देश के अनलॉक होते ही कोरोना के मामले बेलगाम हुए है।

संक्रमण के बीच आर्थिक गतिविधियों को जारी रखने में भी यह जज्बा देश के काम आ सकता है। प्रवासी मजदूरों के पलायन के बाद बड़े शहरों की बड़ी इकाइयों में जल्द काम शुरू होने की उम्मीद बेमानी है। इसके बजाय फोकस गांवों और छोटे शहरों जैसे देश के उन इलाकों पर किया जा सकता है जहां इन मजदूरों का रिवर्स माइग्रेशन हुआ है। ऐसे क्षेत्रों में एहतियात के साथ छोटे-छोटे स्तर पर ही सही, आर्थिक गतिविधियों की शुरुआत की जा सकती है। इससे इन मजदूरों की सरकारी मदद पर निर्भरता भी कम की जा सकेगी, साथ ही उन्हें अपने घर के करीब रोजगार के विकल्प भी मिल जाएंगे। वर्क फ्रॉम होम की तर्ज पर प्रोडक्शन फ्रॉम होम पर भी विचार किया जा सकता है। हालांकि असंगठित क्षेत्र में इसकी पुरानी परंपरा है, लेकिन इसे संगठित अमलीजामा पहनाकर लोकल को वोकल बनाने की संभावना तलाशी जा सकती है।

यह तो स्पष्ट है कि देश के अनलॉक होते ही कोरोना के मामले बेलगाम हुए हैं, लेकिन इसके लिए हम भी कम जिम्मेदार नहीं हैं। इसलिए हालत सुधारने के लिए हमें भी जिम्मेदारी निभानी होगी, क्योंकि ये देश हमारा ही तो है।

(राष्ट्रीय सहारा, 14 जून, 2020)

61

शुरुआत चीन ने की है खत्म भारत करेगा

चीन को भी यह बात पता है कि देर-सबेर नेपाल और भारत करीब आ सकते हैं, इसलिए उसने नियोजित ढंग से लद्दाख में मोर्चा खोल दिया है। धारा 370 खत्म कर भारत ने जिस तरह सख्त कश्मीर नीति का संदेश दिया था और पाकिस्तान अधिग्रहित कश्मीर के साथ अक्साई चिन पर भी मजबूती से दावा ठोका था, उससे पहले से ही घबराए चीन को चालबाजी का यही रास्ता दिखा। चीन का मकसद चाहे जो हो लेकिन भारत सरकार और सेना ने साफ संदेश दे दिया है कि चीन को पीछे जाना ही होगा। शुरुआत चीन ने की है, खत्म भारत करेगा। यह नया हिंदुस्तान है, 21वीं सदी का नया इंडिया।

चीन ने एक बार फिर विश्वासघात किया है। पांच मई से ही लद्दाख की गलवान घाटी में वास्तविक नियंत्रण रेखा को पार करने की हिमाकत चीन ने शुरू की और जब भारत ने इसका कड़ा प्रतिरोध किया तो पीछे हटने को तैयार होने हो जाने के बावजूद अपनी हरकत से बाज नहीं आया। लेफ्टिनेंट जनरल और मेजर जनरल स्तर की दो बैठकों के बाद भी चीनी सैनिक रात के अंधेरे में एलएसी पार कर अपना तंबू लगाने की नापाक हरकत करने लगे जिसका गलवान घाटी में तैनात भारतीय सेना की बिहार रेजिमेंट ने मुंहतोड़ जवाब दिया। नतीजतन, 45 साल बाद भारत-चीन सीमा पर हिंसक झड़प हुई जिसमें कर्नल समेत भारतीय सेना के 20 जवान शहीद हुए और चीनी सेना के भी 40 से ज्यादा जवान या तो मारे गए या बुरी तरह जख्मी हुए।

45 साल बाद भारत-चीन सीमा पर हिंसक झड़प हुई।

एक तरह से कहें तो हमारे सैनिकों ने बिना समय व्यर्थ किए उसी रात चीनी सैनिकों को मारते-मारते अपनी शहादत देकर बदला ले लिया। लेकिन पूरा बदला बाकी है क्योंकि चीनी अभी भी वास्तविक नियंत्रण रेखा से पीछे नहीं हटे हैं। और तो और चीन का विदेश मंत्रालय अब यह भी कहने लगा है कि पूरी गलवान घाटी उसकी है। यह बयान दर्शाता है कि 15 जून की रात को उच्चस्तरीय सैन्य बैठकों के बीच चीनी सैनिकों का हिंसक व्यवहार जोश में कोई अचानक हो जाने वाली घटना नहीं थी, बल्कि एक पूर्वनियोजित साजिश का हिस्सा थी। अब चीन चाहे जितनी मीठी बातें करे और एलएसी पर शांति और यथास्थिति बनाए रखने की रट लगाता रहे, गलवान घाटी पर उसके विदेश मंत्रालय का दावा ठोकने वाला यह बयान दर्शाता है कि बातचीत लंबी खिंचेगी और लंबे समय तक दोनों तरफ की सेना आमने-सामने रहने वाली हैं। भारतीय सेना की चीन सीमा पर भारी तैनाती की खबरें चीन के साथ दीर्घगामी तनाव का ही इशारा कर रही हैं।

जिस चीन से हमारा सालाना व्यापार करीब 6 लाख करोड़ रुपये का है और जिस चीन के राष्ट्रपति से प्रधानमंत्री मोदी अलग-अलग समय पर करीब 18 बार मिल चुके हों आखिर उस चीन ने ऐसा क्यों किया? उसका मकसद क्या है? जब समूची दुनिया कोरोना जैसी जानलेवा महामारी से लड़ रही है,

तब चीन को ऐसी चालबाजी करने की आखिर जरूरत क्यों पड़ी? कहते हैं कि चीन ने 1962 में भी ऐसा ही किया था। 1962 की मई-जून तक चाउ-एन-लाई और पंडित नेहरू दिल्ली की सड़कों पर घूमते दिखे थे और लंच-डिनर की टेबल पर साथ बैठने की तस्वीरें छपी थीं और नवम्बर में चीन ने भारत पर हमला कर दिया था। खैर, वह इतिहास था, भारत का वर्तमान और चीन का वर्तमान बिल्कुल अलग है। आज दुनिया भारत को एक विश्वसनीय राष्ट्र के तौर पर देखती है जबकि चीन की छवि वि में एक धोखेबाज राष्ट्र के रूप में बनी है।

भारत का वर्तमान और चीन का वर्तमान बिल्कुल अलग है।

दरअसल, कोरोना काल में अपनी कारगुजारियों के कारण अलग-थलग पड़े चीन की यह एक चालबाजी थी। वुहान लैब के वायरस पर घिरे चीन की भारत-चीन सीमा पर तनाव पैदाकर मुद्दे को भटकाने और साथ में लद्दाख सीमा पर गलवान घाटी की फिंगर 8 तक की सामरिक दृष्टि से महत्त्वपूर्ण सभी चोटियों पर काबिज हो जाने की अपनी चाल में भारत को उलझाने की रणनीति थी। तनाव पैदाकर चीन से भाग रही कंपनियों का भारत प्रवेश का रास्ता चीन बंद करना चाहता था। भारत का बॉर्डर एरिया में विकास और राजमार्गों का जाल बिछाना भी चीन को नागवार गुजरा।

नेपाल में चीन की भूमिका

इसके लिए चीन ने सबसे पहले नेपाल का इस्तेमाल किया। लद्दाख की सड़कें और लिपुलेख के जरिए अमरनाथ यात्रा मार्ग, दोनों ही चीन की आंख की किरकिरी लगे। और इसी लिपुलेख राजमार्ग के चलते भारत-नेपाल जैसे दो पक्के दोस्तों में विवाद की जड़ बना है एक नक्शा, जिसमें नेपाल ने भारत के तीन इलाकों लिंपियाधुरा, कालापानी और लिपुलेख को अपनी सीमा में दिखाया है। विवाद इसलिए है, क्योंकि ये तीनों इलाके करीब 200 साल से भारत का हिस्सा हैं, यहां रहने वाले लोग भारतीय नागरिक हैं, भारत को टैक्स देते हैं और भारत के चुनावों में वोट भी डालते हैं। भारत की आपत्तियों के बावजूद नेपाल ने इस नक्शे को संवैधानिक जामा पहनाने की औपचारिकताएं पूरी कर ली हैं। नेपाली संसद के बाद वहां के राष्ट्रपति ने भी इसे मंजूरी दे दी है

यानी अब इस फैसले को केवल नेपाल के संविधान में संशोधन लाकर ही बदला जा सकेगा। ऐसी खबरें सामने आई हैं कि जो नक्शा भारत और नेपाल के बीच विवाद की वजह बना है, उसकी जड़ चीन ही है। इसकी भूमिका तैयार की नेपाल में चीन की युवा राजदूत होउ यांगी ने, जिसने ओली को भारत के खिलाफ इतना बड़ा कदम उठाने के लिए तैयार किया। भारत के थल सेनाध्यक्ष जनरल एमएस नरवणे ने पहले ही चीन का नाम लिए बगैर इसके संकेत दिए थे।

चीन ने पाकिस्तान के बाद अब नेपाल के कंधे पर भी बंदूक रख दी है।

लिपुलेख इसलिए भी हमारे लिए खास है कि 1962 के युद्ध के बाद से ही इस दर्रे से चीनी घुसपैठ की आशंका रही है। इस इलाके में सेना की पहुंच को तुरंत और आसान बनाने के लिए भारत ने यहां 80 किमी. लंबी सड़क भी बनाई है। नक्शा विवाद ने इस सड़क और इस क्षेत्र के भविष्य को लेकर भारत की रणनीतिक चिंताएं बढ़ा दी हैं। क्या हमें घेरने के लिए चीन ने पाकिस्तान के बाद अब नेपाल के कंधे पर भी बंदूक रख दी है? क्या भारत के खिलाफ चीन-पाकिस्तान-नेपाल कोई त्रिकोण बनाने जा रहे हैं? 2015 के चुनावी अभियान में ओली ने खुलकर चीन के साथ सहयोग बढ़ाने और भारत पर निर्भरता कम करने के नाम पर वोट मांगे। चीन ने भी धीरे-धीरे नेपाल में निवेश और कर्ज बढ़ाकर भारत की जगह भरने में कोई कसर नहीं छोड़ी। रेलवे, एयरपोर्ट, बिजली प्लांट और इंफ्रास्ट्रक्चर में बड़े आर्थिक निवेश के साथ ही उसने नेपाल को अपनी बेल्ट एंड रोड योजना में अहम साझेदार बना लिया। नेपाली स्कूलों में चीनी भाषा मैंडरिन की पढ़ाई होने लगी है और चीनी शिक्षकों का पूरा खर्च चीन ही उठा रहा है। पिछले साल नेपाल दौरे पर शी जिनपिंग ने काठमांडू को तिब्बत से जोड़ने वाली रेललाइन परियोजना को हरी झंडी दिखाई थी, ताकि आयात-निर्यात के मामले में नेपाल की भारत पर निर्भरता खत्म की जा सके। 1996 में जियांग जेमिन के बाद के दो दशकों में पहली बार कोई चीनी राष्ट्रपति नेपाल को इतनी तवज्जो देता दिखाई दिया। इसलिए आशंका खारिज नहीं की जा सकती कि चीन धीरे-धीरे हमारी समूची उत्तरी सीमा की घेराबंदी कर रहा है। राहत की बात यह है कि भारत की तरह नेपाल भी इस

विवाद के दूरगामी असर को समझ रहा है। ओली ने नेपाली सदन में भारत से रिश्ते बेहतर करने की बात दोहराई है, तो हमारे रक्षा मंत्री राजनाथ सिंह ने इससे एक कदम आगे बढ़ते हुए यहां तक दावा किया है कि कोई ताकत बाबा केदार और पशुपतिनाथ को अलग नहीं कर सकती।

नेपाली स्कूलों में चीनी भाषा मैंडरिन की पढ़ाई होने लगी है।

शायद चीन को भी यह बात पता है कि देर-सबेर नेपाल और भारत करीब आ सकते हैं, इसलिए उसने नियोजित ढंग से लद्दाख में मोर्चा खोल दिया है। धारा 370 खत्म कर भारत ने जिस तरह सख्त कश्मीर नीति का संदेश दिया था और पाकिस्तान अधिग्रहित कश्मीर के साथ अक्साई चिन पर भी मजबूती से दावा ठोका था, उससे पहले से ही घबराए चीन को चालबाजी का यही रास्ता दिखा। चीन का मकसद चाहे जो हो लेकिन भारत सरकार और सेना ने साफ संदेश दे दिया है कि चीन को पीछे जाना ही होगा। शुरुआत चीन ने की है, खत्म भारत करेगा। यह नया हिंदुस्तान है, 21वीं सदी का नया इंडिया।

(राष्ट्रीय सहारा, 20 जून, 2020)

62

चीन के बहिष्कार में आत्मनिर्भरता बने हथियार

विदेश कंपनियों को साधने के साथ ही घरेलू उत्पादन बढ़ाकर चीन को दोहरी आर्थिक चोट दी जा सकती है। जिन वस्तुओं के निर्माण में हम तकनीकी तौर पर सक्षम हैं, वहां पूरी तरह से चीनी वस्तुओं की जगह भारत में बनी वस्तुओं का ही प्रयोग कर किया जा सकता है। इस तरह से भारत चीन पर अपनी निर्भरता को काफी हद तक कम कर सकता है। उदाहरण के लिए देश में ज्यादातर पावर प्लांट चीन से आयात किए जाते हैं जबकि भारत हेवी इलेक्ट्रिकल्स लिमिटेड यानी भेल दुनिया के सबसे बेहतर पावर प्लांट बनाने में सक्षम है।

लद्दाख सीमा पर चीन की चालबाजी से इस समय पूरा देश उबल रहा है। देश भर में 20 शहीदों का बदला लेने की मांग हो रही है। जवानों की शहादत के सम्मान में चीनी सामान के बहिष्कार का नारा बुलंद हो रहा है। भावनाओं का जोर सर्वदलीय बैठक में भी दिखा जहां प्रधानमंत्री नरेन्द्र मोदी ने शहीद जांबाजों को सलामी दी और कहा कि भारत माता की तरफ आंख उठाकर देखने वालों को वो सबक सिखाकर गए। प्रधानमंत्री ने ठीक ही कहा कि जिस तरह भारत शांति और दोस्ती में हमेशा अव्वल रहा है, उसी तरह हमारी सेना देश की संप्रभुता की रक्षा में कभी पीछे नहीं हटती। इस बारे में कोई दो-राय नहीं कि हमारी सेना देश की सीमा को सुरक्षित रखना भी जानती है, दुश्मन से लोहा लेना भी जानती है और समय आने पर ईंट का जवाब पत्थर से भी देना जानती है। कोई संदेह नहीं कि अगर आन-बान पर बन आई, तो देश की शान बचाने के लिए सेना पराक्रम दिखाने का मौका नहीं चूकेगी।

देश भर में 20 शहीदों का बदला लेने की मांग हो रही है।

लेकिन जरूरी नहीं कि दुश्मन को मुंहतोड़ जवाब देने के लिए सेना को बार-बार अपने शौर्य का सबूत देना पड़े। जिस लड़ाई में पिछले 45 साल से एक भी गोली न चली हो, उस जंग को आगे भी सरहद की मर्यादा में रहकर दुश्मन की रीढ़ तोड़कर जीता जा सकता है। अर्थव्यवस्था को ताकत का पैमाना मानने के दौर में आर्थिक चोट का जोर भी कम कारगर नहीं होता। चीन को सबक सिखाने का काम इस तरीके से भी अंजाम दिया जा सकता है। अलग-अलग तरीकों से इसकी शुरुआत भी हो गई है। रेलवे ने चीन से चार साल पहले का 471 करोड़ रुपये का करार खत्म कर दिया है। बीएसएनएल समेत सार्वजनिक क्षेत्र के कई उपक्रमों ने अपने यहां चीनी कंपनियों के सामान का इस्तेमाल कम करना शुरू कर दिया है। कारोबारियों के राष्ट्रीय समूह कंफेडरेशन ऑफ ऑल इंडिया ट्रेडर्स यानी कैट ने देश की भावनाओं को देखते हुए भारतीय सामान-भारतीय अभिमान

रेलवे ने चीन से चार साल पहले का 471 करोड़ रुपये का करार खत्म कर दिया है।

अभियान शुरू कर दिया है जिसके पहले चरण में चीन से आने वाले 500 से ज्यादा सामानों का बहिष्कार किया जाएगा। देश की सरकार भी चीनी माल की 'सस्ती ताकत' को पंगु बनाने के लिए उस पर कस्टम ड्यूटी बढ़ाने का फैसला ले सकती है। इससे चीन से आने वाले माल की कीमत बढ़ेगी और सस्ते दाम होने के कारण हमारे बाजारों पर उसकी 'दादागीरी' कम हो सकेगी।

हकीकत यह है कि इसी ताकत के दम पर भारत में चीन हर जगह मौजूद है। ड्रॉइंग रूम से बेडरूम तक और किचन से बाथरूम तक। दवा से लेकर मोबाइल और खिलौने से ऑटोमोबाइल पार्ट्स तक के लिए हम चीन पर निर्भर हैं। चीन हमसे सस्ते दामों पर कच्चा माल खरीदता है और फिर उसी माल से बना सामान हमें ज्यादा कीमत पर बेच देता है। इस व्यवस्था में चीन से हमारा आयात तो 45 गुना तक बढ़ गया है, लेकिन निर्यात दो दशक पहले के स्तर से ज्यादा आगे नहीं बढ़ पाया है। साल 2019-20 में ही हमने चीन से 4.40 लाख करोड़ रुपये का सामान मंगवाया, लेकिन हम उसे केवल 1.10 लाख करोड़ रुपये का सामान ही बेच पाए।

चीन हमसे सस्ते दामों पर कच्चा माल खरीदता है और फिर उसी माल से बना सामान हमें ज्यादा कीमत पर बेच देता है।

आज चीन हमारे यहां की ई-कॉमर्स, लॉजिस्टिक, मीडिया, सोशल मीडिया, एग्रीगेशन सर्विस जैसी सेवाओं में अपना निवेश लगातार बढ़ाता जा रहा है। चीन की ऐसी कम-से-कम 75 कंपनियां है, जो इन सेक्टरों में भारत में पैसा लगा रही हैं। शाओमी 29 फीसद हिस्से के साथ भारत में सबसे बड़ी स्मार्टफोन कंपनी बन गई है, भारत में 5-जी के ट्रायल का अधिकार किसी भारतीय कंपनी ने नहीं, बल्कि चीनी कंपनी हुबाबे ने झपट लिया है, अलीबाबा का यूसी ब्राउजर भारत का सबसे लोकप्रिय ब्राउजर बनने की राह पर है। पेटीएम, जोमैटो, ओला, वायजू जैसे यूनिकॉर्न स्टार्टअप में भी चीन ने भारी-भरकम निवेश कर रखा है। यूनिकॉर्न स्टार्टअप वो कंपनियां होती हैं जिनकी वैल्यूएशन 100 करोड़ डॉलर तक होती है। कमोबेश हर बड़े सेक्टर में चीन की बड़ी घुसपैठ हो चुकी है।

- भारत के कुल आयात का 14 फीसद हिस्सा अकेले चीन से आता है।
- देश में स्मार्टफोन का बाजार करीब दो लाख करोड़ का है जिसमें चीन की हिस्सेदारी 73 फीसद यानी 1.46 लाख करोड़ की है।
- स्मार्ट टीवी बाजार में 45 फीसद हिस्सा यानी 12 हजार करोड़ रुपये के कारोबार पर चीन का कब्जा है।
- भारत में ऑटोमोबाइल पार्ट्स के 4.27 लाख करोड़ रुपये के बाजार में चीन हर साल 26 फीसद यानी एक लाख करोड रुपये के कल-पुर्जे बेच लेता है।
- देश में सौर ऊर्जा का मार्केट साइज 37,916 मेगावॉट का है और इसके 90 फीसद हिस्से पर चीन का कब्जा है।
- स्टील के बाजार में चीन की हिस्सेदारी 18-20 फीसद ही है, लेकिन यहां भी सस्ते चीनी उत्पादों को कोई टक्कर नहीं दे रहा।
- 75 फीसद एंटीबायोटिक्स और दवा बनाने का 70 फीसद कच्चा माल भी चीन से ही आ रहा है।
- मोटरसाइकिल और साइकिल के 81 फीसद पार्ट्स भी चीन से आयातित होते हैं।

अभी हाल ही में अमेरिका से पिछड़ने से पहले तक चीन भारत का सबसे बड़ा व्यापारिक साझेदार हुआ करता था। लेकिन कारोबार बढ़ने का फायदा तब भी हमसे ज्यादा चीन को ही था। भारतीय विदेश मंत्रालय की वेबसाइट से पता चलता है कि साल 2018 में दोनों देशों के बीच 95.54 अरब डॉलर का कारोबार हुआ लेकिन भारत से चीन निर्यात किए गए सामान का दाम केवल 18.84 अरब डॉलर निकला। यानी चीन ने हमसे जितना खरीदा, उससे चार गुना ज्यादा हमें बेच दिया।

मामला कारोबार का ही रहता तब भी ठीक था, लेकिन भारत से कमाई करने वाला चीन उसी पैसे से हमारे ही जवानों का खून बहाए, यह हरगिज मंजूर नहीं होगा। उसे सबक तो सिखाना ही होगा। बेशक यह आसान नहीं होगा और रातों-रात तो बिल्कुल भी संभव नहीं दिखता, लेकिन अगर भारत

लेकिन भारत से कमाई करने वाला चीन उसी पैसे से हमारे ही जवानों का खून बहाए, यह हरगिज मंजूर नहीं होगा।

जैसा विशाल देश एकजुट होकर ठान ले, तो यह लक्ष्य असंभव भी नहीं रह जाएगा।

> *चीन की कमजोर हो रही ग्लोबल हैसियत भारत के लिए एक अवसर की तरह है।*

अपनी जरूरत के लिए अगर हम चीन पर निर्भर हैं, तो हमसे सस्ता माल लिए बिना चीन भी दुनिया की फैक्ट्री कहलाने का दर्जा नहीं बचा सकता। वैसे भी कोरोना महामारी को दुनिया भर में फैलाने में कथित भूमिका के बाद चीन की मैन्यूफैक्चरिंग हब की हैसियत खतरे में पड़ चुकी है। बेशक पूरी सप्लाई चेन को एक जगह से उठाकर दूसरी जगह ले जाना आसान काम नहीं है, लेकिन सच तो ये भी है कि कई कंपनियां चीन से अपना कारोबार समेटने के लिए भरोसेमंद ठिकानों का मुंह देख रही हैं। चीन की कमजोर हो रही ग्लोबल हैसियत भारत के लिए एक अवसर की तरह है। इन कंपनियों को कारोबारी माहौल देने के लिए भारत लक्जमबर्ग से दोगुने आकार का लैंड पूल तैयार कर रहा है। अब तक 1,000 से ज्यादा अमेरिकी मल्टी-नेशनल कंपनियां भारत से संपर्क भी साध चुकी हैं।

विदेश कंपनियों को साधने के साथ ही घरेलू उत्पादन बढ़ाकर चीन को दोहरी आर्थिक चोट दी जा सकती है। जिन वस्तुओं के निर्माण में हम तकनीकी तौर पर सक्षम हैं, वहां पूरी तरह से चीनी वस्तुओं की जगह भारत में बनी वस्तुओं का ही प्रयोग कर किया जा सकता है। इस तरह से भारत चीन पर अपनी निर्भरता को काफी हद तक कम कर सकता है। उदाहरण के लिए देश में ज्यादातर पावर प्लांट चीन से आयात किए जाते हैं जबकि भारत हेवी इलेक्ट्रिकल्स लिमिटेड यानी भेल दुनिया के सबसे बेहतर पावर प्लांट बनाने में सक्षम है। उसे पूरी स्वायत्ता मिले तो वो आत्मनिर्भर भारत के लिए कमाल कर सकता है।

आत्मनिर्भर भारत अभियान दरअसल एमएसएमई के कल्याण का भी अभियान है। इसके जरिए सरकार छोटे उद्योगों, स्टार्ट अप और दूसरे उद्यमियों की सहायता के लिए आगे आई है। इस अभियान की शुरुआत करते हुए प्रधानमंत्री नरेन्द्र मोदी ने देश को यकीन दिलाया था कि भारत अर्थव्यवस्था

के संकट को अवसर में बदलेगा, लेकिन अब इसके साथ शहीदों के सम्मान का मकसद भी जुड़ गया है। जाहिर है सरकार तो अपने स्तर पर पूरी तैयारी करती दिख रही है, अब हम नागरिकों की जिम्मेदारी है कि हम भी प्रण लेकर देश का सम्मान बढ़ाने वाले इस रण में सच्चे नागरिक की पूरी जिम्मेदारी निभाते हुए अपना योगदान करें।

(राष्ट्रीय सहारा, 21 जून, 2020)

63

भारत चीन सीमा से समर की आहट!

कोरोना जैसे वैश्विक संकट के बीच चीन की यह चाल उसके मंसूबों को लेकर गंभीर सवाल खड़े कर रही है। वो भी तब जब कोरोना को लेकर चीन दो-तीन देशों को छोड़कर पूरी दुनिया का भरोसा खो चुका है। कुछ दिन पहले ही चीनी राष्ट्रपति शी जिनपिंग ने सेना को तैयार रहने को लेकर बयान दिया था। चीन ने अपने रक्षा बजट को भी 6.6 फीसद बढ़ाकर 178 बिलियन डॉलर तक पहुंचा दिया है। चीन की यह जमावट उसके मंसूबे से जुड़े सवालों की आग में अपनी ताकत की खतरनाक नुमाइश का काम कर रही है।

चीन से लगी सरहद पर पानी अब भारत के सिर के ऊपर से बहने लगा है। संवाद और समझाने की कोशिश और भारत के सख्त रुख के बावजूद चीन पीछे हटने के बजाय नया मोर्चा खोलता जा रहा है। उसने अरुणाचल प्रदेश, सिक्किम और उत्तराखंड में एलएसी के कई अहम ठिकानों पर अपने सैनिकों और हथियारों की नए सिरे से तैनाती की है। अपनी सीमाओं की सुरक्षा के मद्देनजर भारत भी वाजिब तैयारी कर रहा है। वायुसेना और थलसेना ने आपसी सामंजस्य से साझा रणनीति बनाई है। देश के कम-से-कम दर्जन भर एयरपोर्ट हाई अलर्ट पर हैं जहां से अपाचे, चिनूक, सुखोई जैसे लड़ाकू विमान एक इशारे पर उड़ान भरने के लिए तैनात हो गए हैं। हालांकि भारत तो शांति की अपनी महान परंपरा का निर्वाह करते हुए जरूरी संयम बरत रहा है, लेकिन चीन की ओर से लगातार उकसावे की कार्रवाई हो रही है। ऐसे में एक सड़क से शुरू हुई टकराहट में दुनिया को अब समर की आहट सुनाई देने लगी है। आशंका जताई जा रही है कि अगर भारत-चीन के बीच नया युद्ध हुआ, तो यह 1962 जैसा दो-देशों का युद्ध भर नहीं होगा, बल्कि यह समूची दुनिया को दो-धुरी में बांटने वाला युद्ध होगा। एक ऐसा युद्ध जिससे न कोई देश खुद को अलग रख पाएगा, न ही इसके असर से बच पाएगा।

चीन पीछे हटने के बजाय नया मोर्चा खोलता जा रहा है।

ऐसा होने का मतलब यह होगा कि चीन की जिद दुनिया को तीसरे विश्व युद्ध की ओर धकेल सकती है। कोरोना जैसे वैश्विक संकट के बीच चीन की यह चाल उसके मंसूबों को लेकर गंभीर सवाल खड़े कर रही है। वो भी तब जब कोरोना को लेकर चीन दो-तीन देशों को छोड़कर पूरी दुनिया का भरोसा खो चुका है। कुछ दिन पहले ही चीनी राष्ट्रपति शी जिनपिंग ने सेना को तैयार रहने को लेकर बयान दिया था। चीन ने अपने रक्षा बजट को भी 6.6 फीसद बढ़ाकर 178 बिलियन डॉलर तक पहुंचा दिया है। चीन की यह जमावट उसके मंसूबे से जुड़े सवालों की आग में अपनी ताकत की खतरनाक नुमाइश का काम कर रही है। इसलिए सवाल सिर्फ चीन की नजर का नहीं, उसके निशाने

चीन की ओर से लगातार उकसावे की कार्रवाई हो रही है।

का भी है—क्या आंतरिक उथल-पुथल के बीच राष्ट्रवाद का कार्ड खेलकर जिनपिंग चीन की जनता को कोई संदेश देना चाह रहे हैं या इस जमावट के पीछे भारत से मिल रही चुनौती के बीच एशिया में अपनी चौधराहट साबित करने की घबराहट है या फिर यह दुनिया के लिए कोई संदेश है कि कोरोना के कारण ढहती अर्थव्यवस्था के बावजूद सुपरपावर बनने का उसका मिशन उसकी सोची-समझी रणनीति पर ही आगे बढ़ रहा है।

चूंकि हर संदेश का लाइन ऑफ एक्शन भारत से जुड़ती लाइन ऑफ एक्चुअल कंट्रोल से है, इसलिए इसका सीधा असर द्विपक्षीय संबंधों पर भी पड़ना तय है। वैसे भी यह महज सीमा विवाद का मसला नहीं है। भारत के जिस भू-भाग पर चीन नजर गड़ा रहा है, उसका क्षेत्रफल बांग्लादेश जैसे देश के बराबर है। तनातनी के बावजूद भारत ने तो बातचीत के दरवाजे खोल रखे हैं, लेकिन चीन भारतीय क्षेत्र में घुसपैठ से बाज नहीं आ रहा है। बातचीत में चीनी डिप्लोमेट कुछ और कह कर रहे हैं, वहीं सरहद पर उसके सैनिक कुछ और बर्ताव कर रहे हैं। यह ऐसे ही चलता रहा तो भारत के पास दो ही विकल्प बचेंगे—शीर्ष राजनीतिक स्तर पर कूटनीतिक संवाद या फिर सैन्य स्तर पर रणनीतिक पलटवार।

तमाम आशंकाओं के बावजूद युद्ध की संभावना कम ही दिखती है।

हालांकि तमाम आशंकाओं के बावजूद युद्ध की संभावना कम ही दिखती है। इसकी एक नहीं, कई वजह हैं। विस्तारवादी जिद में जकड़ा चीन केवल भारत के साथ ही नहीं, अपने बाकी 13 पड़ोसियों के साथ भी सीमा विवाद में उलझा है। जाहिर तौर पर उसकी ताकत कई मोर्चों पर बंटी हुई है। इन पड़ोसियों में एक रूस भी है, जो भारत का पुराना दोस्त रहा है और जो अमेरिका जैसे भारत के नए दोस्त की ही तरह नहीं चाहता कि यह टकराव हो। अमेरिका इस टकराव पर पहले ही भारत से अपनी संवेदना जता चुका है। उम्मीद है कि रक्षामंत्री राजनाथ सिंह के दौरे से रूस के रुख को लेकर भी स्थितियां साफ हुईं होंगी। चीन भी यह जानता है कि आज का भारत 1962 वाला भारत नहीं है। तकनीक और हथियार के मामले में भारत भले ही आज भी उससे

पीछे हो, लेकिन सैन्य बलों के अनुभव और रणनीतिक कौशल में वो भारत के सामने कहीं नहीं टिकता। एकबारगी चीन इन सब बातों को नजरअंदाज कर भी दे, तो भारत का बड़ा बाजार उसके विस्तारवादी मंसूबों पर पड़ी बड़ी लगाम की तरह काम करता है। अमेरिका से पिछड़ने के बावजूद चीन अभी भी भारत का बड़ा व्यापारिक साझेदार है। चीन का भारत से लड़ने का मतलब केवल निर्यात के क्षेत्र में ही 74.72 बिलियन डॉलर से ज्यादा का नुकसान उठाना होगा। आर्थिक मोर्चे पर अमेरिका, ऑस्ट्रेलिया जैसे पश्चिमी देशों से टकराहट, एशिया-प्रशांत क्षेत्र में सैन्य बेड़ों की तैनाती पर भारी-भरकम खर्च और कोरोना से दरक रही अर्थव्यवस्था के बीच यह जोखिम उठाना चीन के लिए आत्मघाती हो सकता है।

वैश्विक रणनीति को लेकर भारत का नजरिया चीन से बिल्कुल अलग है।

वैश्विक रणनीति को लेकर भारत का नजरिया चीन से बिल्कुल अलग है। मोदी सरकार के कार्यकाल में पश्चिमी देशों से बढ़ा जुड़ाव भारत के लिए हितकारी साबित हुआ है। अमेरिका आज भारत को जी-7 में शामिल करवाना चाहता है तो इसकी वजह केवल भारत की अर्थव्यवस्था का दमदार होना ही नहीं है, बल्कि उसके लिए सामरिक दृष्टि से अहम इंडो-पैसिफिक क्षेत्र में भारत के जरिए चीन की ताकत को संतुलित करना भी है। इसके साथ ही क्वॉड के जरिए भारत के अमेरिका, ऑस्ट्रेलिया और जापान से जुड़ने को भी चीन अपनी घेराबंदी ही समझता है। ताइवान पर भी भारत ने अपना रुख बदला है और चीन को अंदेशा है कि अगर हांगकांग में जारी आंदोलन को भी भारत का समर्थन मिल गया तो उसके वन चाइना मिशन पर पानी फिर जाएगा। चीन के तमाम विरोध के बावजूद भारत कई मौके पर साफ कर चुका है कि अपने रणनीतिक हितों के मुताबिक वो अपनी पसंद के नए साझेदार चुनने के लिए स्वतंत्र रहा है और आगे भी हमें इसमें बदलाव की कोई जरूरत नहीं दिखती।

तो क्या भारत और चीन के लिए हिंदी-चीनी भाई-भाई की जगह हिंदी-चीनी बाय-बाय कहने का वक्त आ गया है या फिर अभी भी रिश्तों की सिकुड़ती सुरंग का कोई छोर उम्मीद की किसी किरण से रोशन हो रहा है?

आधुनिक वैश्विक व्यवस्था में जिस तरह एक देश के हित दूसरे देश से जुड़े होते हैं, उस लिहाज से ऐसा नहीं लगता कि चीन भारत के साथ युद्ध के रास्ते पर आगे बढ़ने की हिमाकत करेगा। इसके बजाय अपनी आक्रामकता दिखाने और भारत को उकसाने के लिए वो सीमा पर तनातनी का माहौल बनाए रख सकता है। देखने वाली बात यह होगी कि भारत आगे भी इसका जबाव संयम से देता रहेगा या फिर चीन से उसी आक्रामक भाषा में संवाद होगा जो भाषा उसे समझ आती है।

(राष्ट्रीय सहारा, 27 जून, 2020)

64

मेड इन चाइना को मात देने का फॉर्मूला

मेक इन इंडिया के अंतर्गत तैयार हो रहे सामानों की गुणवत्ता सवालों में रहती है। इसे दूर करने के लिए कौशल विकास कार्यक्रम में सुधार जरूरी है। यही चुनौती छोटे उद्योगों के साथ भी है। सही माहौल और समय पर मदद नहीं मिलने से छोटे उद्योग छोटे ही रह जाते हैं। आज के दौर में इन्हें स्टार्टअप के साथ जोड़कर बदलाव की उम्मीद की जा सकती है। फिर बुनियादी इंफ्रास्ट्रक्चर के स्तर पर भी बड़े पैमाने पर काम की जरूरत पड़ेगी। यह लिस्ट और भी लंबी हो सकती है, लेकिन इसमें ऐसा कुछ नहीं जिसे हासिल ना किया जा सकता हो। आखिर चीन को सफलता इसी राह पर चलकर मिली है।

सरहद पर चीन की चालबाजियां रुकने का नाम नहीं ले रही हैं। शतरंज के घोड़े की तरह चीन लगातार भारतीय सीमा में घुसपैठ कर रहा है। एक दिन वो एलएसी पर ढाई कदम पीछे हटता है, तो दूसरे दिन ढाई कदम आगे बढ़कर भारतीय सीमा में किसी दूसरे ठिकाने पर कब्जा कर लेता है। बातचीत की टेबल पर तो चीनी पक्ष सुलह की बात करता है, लेकिन सरहद पर उसके सैनिक वार्ता के उलट बर्ताव कर रहे हैं। इससे लगता है कि संयमित संवाद की भारत की कोशिशें या तो चीन को समझ नहीं आ रही हैं या फिर वो किसी बड़ी साजिश को अंजाम देने से पहले भारत की ताकत को तौल रहा है।

शतरंज के घोड़े की तरह चीन लगातार भारतीय सीमा में घुसपैठ कर रहा है।

चीन के इस मंसूबे का मुकाबला करने के लिए सरहद पर तो भारतीय सेना मुस्तैद है ही, देश के अंदर भी चीन को मुंहतोड़ जवाब देने का माहौल तैयार हो चुका है। देशवासियों के बीच यह राय तेजी से जगह बना रही है कि चीन बातों की नहीं, पैसों की भाषा समझता है और उससे निपटना है तो उसकी अर्थव्यवस्था पर हमला बोलना ही पड़ेगा। इसके लिए हर चीनी सामान का बहिष्कार करना होगा। चीन को लेकर गुस्सा अब इतना बढ़ चुका है कि सोनम वांगचुक जैसे कई सेलिब्रिटी भी कहने लगे हैं कि अब वक्त आ गया है कि चीन को सेना बुलेट से जवाब दे और जनता वॉलेट से।

हालांकि सरकार की ओर से चीनी सामान के बॉयकॉट करने का कोई आधिकारिक ऐलान तो अब तक नहीं हुआ है, लेकिन राज्यों और सार्वजनिक उपक्रमों ने चीनी कंपनियों के साथ चल रहे करारों पर सख्ती शुरू कर दी है। रेलवे ने चीन के साथ चार साल पुराना सिग्नल कॉन्ट्रेक्ट रद्द कर दिया है। दूरसंचार मंत्रालय ने भी सरकारी और निजी टेलीकॉम कंपनियों को चीनी कंपनियों की उपयोगिता सीमित करने की हिदायत दी है। चीनी माल पर कस्टम और एंटी डंपिंग ड्यूटी बढ़ाकर उसके सस्ते होने की 'ताकत' खत्म करने पर भी विचार चल रहा है। चीनी निवेश पर रोक के लिए सेबी और वित्त मंत्रालय की बातचीत अंतिम दौर में पहुंच चुकी है। भारतीय उपभोक्ताओं से मोटी कमाई करने वाली ई-कॉमर्स कंपनियों को अपने उत्पादों पर उसे बनाने

वाले देश का नाम डिस्प्ले करने को कहा गया है। हालांकि चीन ने यहां भी चालबाजी दिखाते हुए अपने उत्पादों पर मेड इन चाइना लिखना बंद कर दिया है। उपभोक्ताओं को झांसा देने के लिए वो अब इसकी जगह पीआरसी यानी पीपुल्स रिपब्लिक ऑफ चाइना लिख रहा है।

चीन आज हमारे बाजारों से होते हुए घर-घर में घुसपैठ कर चुका है।

चीन की यह मजबूरी भारत की ताकत बन सकती है। चीन आज हमारे बाजारों से होते हुए घर-घर में घुसपैठ कर चुका है। भारत में उसके खेल-खिलौने और सौर ऊर्जा के 90 फीसद बाजार, फॉर्मा और इलेक्ट्रॉनिक का 70 फीसद, टेलीकम्यूनिकेशन, टेलीविजन और ऑटो इंडस्ट्री का 25 फीसद, स्टील और न्यूक्लियर मशीनरी का 20 फीसद और ऑर्गेनिक केमिकल के 10 फीसद बाजार में हिस्सेदारी हो गई है। यह हिस्सेदारी जितनी घटेगी, चीन पर आर्थिक चोट उतनी ही गहरी होगी।

यही कहानी चीन के निवेश की है। पिछले कुछ समय में चीन ने भारतीय बाजारों में बड़ा निवेश भी किया है। भारतीय स्टार्टअप्स में चीन के 90 से ज्यादा कंपनियों में निवेश हैं और पिछले पांच वर्षों में उसने करीब आठ अरब डॉलर का निवेश किया है। एक अरब रुपये से ज्यादा निवेश वाले कुल 30 यूनीकॉर्न में से 18 में चीन का निवेश है। अलीबाबा और टेनसेंट जैसी चीनी कंपनियों ने जोमैटो, पेटीएम, बिग बास्केट और ओला जैसे भारतीय स्टार्टअप्स में अरबों डॉलर पैसा लगाया है। कारोबारी साल 2019-20 में चीनी तकनीकी कंपनियों ने दुनिया में सबसे ज्यादा निवेश भारत में ही किया।

जाहिर है भारतीय बाजार की विशाल उपभोग क्षमता को देखते हुए चीन खुद को भारत से दूर नहीं कर सकता। दरअसल चीन हमसे जितना सामान खरीदता है, उसका चार गुना से ज्यादा में हमें बेच देता है। इसलिए हमारा सबसे बड़ा व्यापार घाटा चीन के साथ ही है। बीस साल पहले भारत-चीन का व्यापार केवल तीन अरब डॉलर था। पिछले वित्तीय वर्ष में द्विपक्षीय कारोबार 95.7 अरब डॉलर तक पहुंच गया। इसमें हमारा 76.87 अरब डॉलर का

आयात और केवल 18.83 अरब डॉलर का निर्यात हुआ यानी 58.04 अरब डॉलर का व्यापार घाटा।

आयात-निर्यात के इसी खेल से निर्भरता के मामले में चीन हम पर भारी पड़ जाता है। चीन अपने कुल निर्यात का केवल तीन फीसद ही भारत को निर्यात करता है। इसीलिए चीनी सामान के बहिष्कार से उसका नुकसान तो होगा, लेकिन इतना नहीं कि उसकी आर्थिक सेहत ही बिगड़ जाए। यह चीन को अधूरा सबक सिखाने जैसा होगा। इसके साथ ही हमारी प्राथमिकता आयात पर निर्भरता को कम करने और अपनी जरूरतें पूरी करने के लिए आत्मनिर्भर बनने की होनी चाहिए। इसे चीन के ही उदाहरण से समझें तो जिस समय कोरोना के कारण पूरी दुनिया घरों में कैद थी, तब भी चीन अपने ऑनलाइन गेम और एप से अपना खजाना भर रहा था। हमारे पास भी ऐसा करने की काबिलियत है। रेटिंग एजेंसी एक्यूट के अनुसार अकेले मैन्युफैक्चरिंग का घरेलू उत्पादन बढ़ाकर ही इस सेक्टर में चीन से होने वाले आयात को 25 फीसद तक घटाया जा सकता है। इससे कुल आयात में 8 बिलियन डॉलर तक की कमी लाई जा सकती है। किसी एक सेक्टर में आत्मनिर्भरता की ओर उठाया गया एक छोटा-सा कदम अगर चीन पर हमारी निर्भरता में इतनी कमी ला सकता है, तो दूसरे सेक्टरों में भी इसकी शुरुआत करके भारत द्विपक्षीय व्यापार में चीन के कद को बौना कर सकता है।

आयात-निर्यात के इसी खेल से निर्भरता के मामले में चीन हम पर भारी पड़ जाता है।

हालांकि यह बोलने में जितना आसान लगता है, हकीकत में करना उतना ही मुश्किल है। जिस तरह आत्मनिर्भर होने की सोच दूरदर्शी है, उसी तरह इसे सच होने में भी वक्त लगेगा। लोकल सप्लाई चेन भी रातों-रात खड़ी नहीं की जा सकती। इसी तरह कई सामान ऐसे हैं जिनके आयात के विकल्प बेहद सीमित हैं।

खासकर वो सामान जो चीन बेहद सस्ते दामों पर तैयार कर लेता है। इसके लिए केवल कस्टम या एंटी डंपिंग ड्यूटी बढ़ाने से काम नहीं चलेगा, इसमें भारतीय उद्योगों को सरकारी मदद की जरूरत भी पड़ेगी जिससे कि उत्पादन बढ़ाकर उसकी लागत को कम किया जा सके। मेक इन इंडिया के

अंतर्गत तैयार हो रहे सामानों की गुणवत्ता सवालों में रहती है। इसे दूर करने के लिए कौशल विकास कार्यक्रम में सुधार जरूरी है। यही चुनौती छोटे उद्योगों के साथ भी है। सही माहौल और समय पर मदद नहीं मिलने से छोटे उद्योग छोटे ही रह जाते हैं। आज के दौर में इन्हें स्टार्टअप के साथ जोड़कर बदलाव की उम्मीद की जा सकती है। फिर बुनियादी इंफ्रास्ट्रक्चर के स्तर पर भी बड़े पैमाने पर काम की जरूरत पड़ेगी। यह लिस्ट और भी लंबी हो सकती है, लेकिन इसमें ऐसा कुछ नहीं जिसे हासिल ना किया जा सकता हो। आखिर चीन को सफलता इसी राह पर चलकर मिली है। फिर हम मेड इन चाइना को उसी के फॉर्मूले से क्यों नहीं पछाड़ सकते हैं?

(राष्ट्रीय सहारा, 28 जून, 2020)

65

तेल के खेल में अच्छे संकेत

पेट्रोल-डीजल के दाम नई ऊंचाई की ओर बढ़ रहे हैं, लेकिन ऐसा भी नहीं है कि देश में यह पहली बार हो रहा हो। यूपीए के समय भी पेट्रोल-डीजल की कीमतों में आग लगती रही है। साल 2013 में तो पेट्रोल की कीमत 82 रुपये 53 पैसे प्रति लीटर तक पहुंच गई थी। हालांकि, उसकी बड़ी वजह कच्चे तेल की कीमतों में आया वैश्विक उछाल था। लेकिन हमें यह भी याद रखना होगा कि 2004 से लेकर 2014 तक के दस वर्षों में देश में यूपीए की सरकार रही और इस दौरान पेट्रोल के दाम दोगुने तक बढ़े।

पेट्रोल-डीजल के दाम में लगी आग ने देश के सियासी तापमान को भी बढ़ा रखा है। कोरोना और चीन-नेपाल से होता हुआ विपक्ष अब पेट्रोलियम पदार्थों को लेकर सरकार पर हमलावर है। देश की राजधानी दिल्ली में पेट्रोल-डीजल 80 रुपये प्रति लीटर के करीब मिल रहा है और राज्यों में भी दाम इसके आसपास ही हैं। पिछले महीने पेट्रोल-डीजल ने 21 दिनों तक लगातार बढ़ोतरी का नया रिकॉर्ड बना दिया। विपक्ष के विरोध के बीच इस बढ़ोतरी से एक-दो दिन की राहत जरूर मिली, लेकिन अब फिर से इसमें तेजी दिख रही है। विरोध का सुर इसलिए और तीखा है, क्योंकि देश में तेल के दाम ऐसे समय बढ़ रहे हैं, जब अंतरराष्ट्रीय बाजार में कच्चा तेल तुलनात्मक रूप से सस्ता मिल रहा है। खपत में 35 फीसद तक की गिरावट के बाद एक समय तो कच्चा तेल अपने न्यूनतम स्तर पर गिरकर नेगेटिव तक में पहुंच गया था, हालांकि अब इसमें सुधार दिख रहा है ।

दिल्ली में पेट्रोल-डीजल 80 रुपये प्रति लीटर के करीब मिल रहा है।

इसलिए सवाल वाजिब भी लगता है कि पेट्रोल-डीजल में अंतरराष्ट्रीय मंदी के बावजूद क्या सरकार देश में महंगे होते जा रहे पेट्रोल-डीजल को लेकर चिंतित नहीं है? क्या पेट्रोलियम विभाग और वित्त मंत्रालय तक सभी के पास बढ़ते दाम को काबू में रखने के तमाम विकल्प खत्म हो गए हैं? या क्या सरकार जानबूझकर केवल अपना खजाना भरने के लिए कीमतों को बढ़ने दे रही है? सरकार से जुड़े बाबू-अफसर ही नहीं, राजनेता से लेकर देश की जनता भी इनमें से किसी सवाल का जवाब हां में नहीं सुनना चाहेगी। लेकिन हकीकत यही है कि सरकार के पास ऐसे हालात से निपटने के बहुत ज्यादा विकल्प नहीं हैं। कोरोना काल में पेट्रोलियम पदार्थ की घटी मांग और इससे अर्थव्यवस्था को मिल रही चुनौती ने सरकारों के विकल्पों को और भी सीमित कर दिया है।

अनुमान है कि देश में फिलहाल करीब 78 हजार पेट्रोल पंप हैं। सामान्य दिनों में यहां से औसतन हर रोज 10 करोड़ लीटर पेट्रोल और करीब 32 करोड़ लीटर डीजल की बिक्री होती है। रोजाना की इतनी बड़ी खपत के बावजूद आज भी हमें अपनी जरूरत का 80 फीसद से ज्यादा तेल बाहर से

मंगवाना पड़ता है। इस मजबूरी ने हमें दुनिया में कच्चे तेल का तीसरा सबसे बड़ा आयातक देश बना रखा है। लेकिन 78 दिनों की तालाबंदी ने मांग और आपूर्ति के सारे समीकरण उलट-पुलट दिए। लॉकडाउन में पेट्रोलियम पदार्थों की बिक्री 80 से 90 फीसद तक घट गई, जिससे सरकार को पेट्रोल पर रोजाना 206 करोड़ का नुकसान उठाना पड़ा। डीजल के मामले में तो रोज का नुकसान 550 करोड़ रुपये तक पहुंच गया। जब खपत ही नहीं हुई तो एक्साइज ड्यूटी बढ़ाने से भी कोई खास फर्क नहीं पड़ा।

हर रोज 10 करोड़ लीटर पेट्रोल और करीब 32 करोड़ लीटर डीजल की बिक्री होती है।

दरअसल हमारे देश में तेल के खेल में टैक्स का इतना गहरा मेल है कि उसे अलग कर नहीं देखा जा सकता। आम जनता को जिस दाम पर तेल मिलता है, उसका केवल 30 फीसद हिस्सा कच्चे तेल के अंतरराष्ट्रीय भाव पर निर्भर करता है। बाकी का 70 फीसद हिस्सा टैक्स का होता है। इसमें तेल की एक्स फैक्ट्री कीमत, केन्द्र सरकार की एक्साइज ड्यूटी, ढुलाई खर्च, डीलर का कमीशन और राज्य सरकारों का वैट शामिल होता है। कोरोना के असर से जब इंटरनेशनल क्रूड सस्ता हुआ था, तो केन्द्र और राज्य दोनों ने घाटे की भरपाई के लिए टैक्स बढ़ाए थे। खपत गिरने से लॉकडाउन में तो इसका फायदा नहीं हुआ, लेकिन देश के अनलॉक होने के बाद पेट्रोल-डीजल की मांग उठने से सरकारों का राजस्व बढ़ा है। मांग उठने के बावजूद सरकारों ने बढ़ाए हुए टैक्स नहीं घटाए, क्योंकि तमाम प्रत्यक्ष और अप्रत्यक्ष स्रोत का राजस्व अब तक सामान्य नहीं हो पाया है और अभी भी पेट्रोल-डीजल ही इसका इकलौता जरिया बने हुए हैं।

लेकिन ऐसा भी नहीं है कि पेट्रोलियम पदार्थों की बढ़ी कीमत वसूल कर सरकार केवल अपना खजाना भर रही हो। सरकार इसका बड़ा हिस्सा बिजली, अस्पताल, हाई-वे बनाने जैसे विकास कार्य और उज्ज्वला, मुद्रा, पीएम आवास, मुफ्त अनाज, किसान और गरीब कल्याण जैसी कल्याणकारी योजनाओं पर खर्च कर रही है। पिछले तीन महीनों में ही सरकार ने गरीबों के खातों में 65 हजार करोड़ से भी ज्यादा रुपये डाले हैं। अब सरकार अगर तेल पर एक्साइज ड्यूटी कम करती है तो चालू खाते का घाटा लक्ष्य से ऊपर

जाएगा जिससे राजस्व का गणित बिगड़ जाएगा। इसकी भरपाई के लिए सरकार को सार्वजनिक खर्चों में कटौती करनी होगी लेकिन इससे सरकार जो विकास कार्य और कल्याणकारी कार्यक्रम चला रही है, वो प्रभावित होंगे।

बेशक पेट्रोल-डीजल के दाम नई ऊंचाई की ओर बढ़ रहे हैं, लेकिन ऐसा भी नहीं है कि देश में यह पहली बार हो रहा हो। यूपीए के समय भी पेट्रोल-डीजल की कीमतों में आग लगती रही है। साल 2013 में तो पेट्रोल की कीमत 82 रुपये 53 पैसे प्रति लीटर तक पहुंच गई थी। हालांकि, उसकी बड़ी वजह कच्चे तेल की कीमतों में आया वैश्विक उछाल था। लेकिन हमें यह भी याद रखना होगा कि 2004 से लेकर 2014 तक के दस वर्षों में देश में यूपीए की सरकार रही और इस दौरान पेट्रोल के दाम दोगुने तक बढ़े। जून 2004 में पेट्रोल 35.71 रुपये पर बिक रहा था, जो मई 2014 में 71.52 रुपये तक पहुंच गया था। आज जब पेट्रोल 80 रुपये के आसपास है तो आंकड़ों के आधार पर सरकार से जुड़े कई लोग दावा कर रहे हैं कि मोदी सरकार के 6 साल के कार्यकाल में सिर्फ 8 रुपये की ही तो बढ़ोतरी हुई है। इसीलिए विपक्ष के विरोध के बीच ही कांग्रेस-शासित राजस्थान, पंजाब, झारखंड, पुडुचेरी और महाराष्ट्र जैसे राज्य भी निशाने पर हैं जहां की सरकारें खुद वैट बढ़ाकर अपने राज्य की जनता से तेल की ज्यादा कीमत वसूल रहीं हैं।

सरकार ने गरीबों के खातों में 65 हजार करोड़ से भी ज्यादा रुपये डाले हैं।

लेकिन यह भी सच है कि इसी दौर में डीजल पहली बार पेट्रोल से भी महंगा हो गया है। डीजल के दाम बढ़ने से ढुलाई-परिवहन महंगा होता है और रोजमर्रा की चीजों की कीमतें आसमान छूने लगती हैं। इन सबके बीच सरकार पिछले लंबे वक्त से पेट्रोल और डीजल की कीमत के फर्क को कम करने पर काम रही थी। इसकी एक वजह तो यह है कि दोनों पर लागत एकसमान आती है। लेकिन डीजल का इस्तेमाल खेती, बिजली और ट्रांसपोर्ट जैसे जरूरी सेक्टरों में ज्यादा होता है, इसलिए कल्याणकारी सोच के तहत सरकार उस पर सब्सिडी दे रही थी और डीजल सस्ता मिल रहा था।

लेकिन यूपीए सरकार में डीजल पर सब्सिडी का बोझ भी काफी ज्यादा हो गया था जिसके बाद उसकी कीमत को पेट्रोल के बराबर लाने की चर्चा शुरू हो गई थी।

बहरहाल, उम्मीद है कि एक बार अंतरराष्ट्रीय बाजार में कच्चे तेल के दाम स्थिर हो जाएंगे तो हमें भी दाम में आई तेजी से राहत मिल जाएगी। सरकार में भी इसे लेकर मंथन जोरों पर चल रहा है। इकोनॉमी का पहिया दोबारा चल पड़ा है, जिससे राजस्व के दूसरे स्त्रोतों से भी सरकारी कमाई बढ़ने लगी है। हालांकि जीएसटी और डायरेक्ट टैक्स कलेक्शन का अपेक्षित स्तर अभी भी दूर है, लेकिन इसमें हो रहा सुधार आने वाले दिनों के लिए शुभ संकेत है।

(राष्ट्रीय सहारा, 4 जुलाई, 2020)

66

विस्तारवाद पर ग्लोबल प्रहार

दिलचस्प बात यह है कि हमारे देश में इस पर बहुत कम बात हुई है कि चीन स्वाभाविक रूप से हमारा पड़ोसी नहीं है, बल्कि वो जबरन हमारे पड़ोस में आकर बैठ गया है। 50 के दशक में उसने तिब्बत पर कब्जा जमाया जहां से वो सिक्किम को मान्यता देने के बावजूद घुसपैठ से बाज नहीं आता है। यही हाल उत्तराखंड का है जहां नक्शे में अदला-बदली करके वो हमारे क्षेत्र पर दावा ठोकता रहता है। लेकिन गलवान घाटी में चीन की ताजा हिमाकत उसके विस्तारवादी मंसूबों के अंत की शुरुआत बन सकती है।

प्रधानमंत्री नरेन्द्र मोदी अपनी तमाम खूबियों के साथ ही आउट ऑफ द बॉक्स सोच के लिए भी जाने जाते हैं। इस सोच से सांप भी मर जाता है और लाठी की सेहत पर भी कोई असर नहीं पड़ता। लद्दाख की सीमा से उनकी ललकार के मायने कुछ इसी तरह से निकाले जा रहे हैं। प्रधानमंत्री ने नाम लिए बिना बेहद सख्त अंदाज में चीन को भारत के मन की बात बता दी। वैसे यह काम दिल्ली की चाक-चौबंद सुरक्षा के बीच बैठे-बैठे भी हो सकता था, लेकिन युद्ध की आशंका की आहट से पहले मोर्चे पर पहुंचकर जो कुछ हुआ है तो उसके पीछे का संदेश बेहद खास है। यह दुश्मन की चौखट पर पहुंचकर, उसका दरवाजा खुलवाकर, उसकी आंख में आंख डालकर समझाने जैसा है कि अब उसकी कोई भी गलती माफी के काबिल नहीं होगी और किसी भी ऐसी-वैसी गुस्ताखी की बड़ी कीमत चुकानी होगी। ठीक उसी तरह जैसे बंसी बजाने वाले कृष्ण जरूरत पड़ने पर सुदर्शन चक्र चलाकर दुश्मन का संहार करना भी जानते हैं।

शांति को चुनौती देने वाले ऐसे खतरे का अलर्ट प्रधानमंत्री ने पिछले साल सितंबर में संयुक्त राष्ट्र महासभा को संबोधित करते हुए भी दिया था। तब प्रधानमंत्री ने दुनिया को बुद्ध और युद्ध का दर्शन समझाया था। उस संदेश में भी एक परोक्ष चेतावनी थी पाकिस्तान के लिए कि भारत बुद्ध को मानता जरूर है, लेकिन सीमा पर शांति खतरे में पड़ेगी तो हम युद्ध से भी पीछे नहीं हटेंगे। शुक्रवार को प्रधानमंत्री ने जिस नीमू बेस कैंप का दौरा किया वो चीनी सीमा के साथ ही पाकिस्तानी बॉर्डर से भी ज्यादा दूर नहीं है—पूर्व में एलएसी, पश्चिम में एलओसी यानी एक तीर से दो शिकार।

प्रधानमंत्री नरेन्द्र मोदी अपनी तमाम खूबियों के साथ ही आउट ऑफ द बॉक्स सोच के लिए भी जाने जाते हैं।

नीमू बेस कैम्प से जवानों का हौसला बढ़ाने के बीच प्रधानमंत्री ने चीन के विस्तारवाद को लेकर ठीक ही कहा है कि जब विस्तारवाद जुनून बन जाए तो वह विश्व शांति के लिए खतरा बन जाता है। हमारे लिए तो चीन तभी से खतरा है जब उसने तिब्बत पर धोखे से कब्जा जमा लिया था। तब चीन की उस हरकत को डॉ राम मनोहर लोहिया ने 'शिशु हत्या' बताते हुए तत्कालीन सरकार को चीन से सावधान रहने की सलाह दी थी। डॉ लोहिया की

सात दशक पुरानी वो सलाह आज दुनिया के एक बड़े हिस्से के लिए सबक बन चुकी है। अपनी विस्तारवादी नीतियों के कारण चीन आज पूरी दुनिया के लिए खतरा बन गया है। जमीनी और समुद्री सरहदों को लेकर चीन इस वक्त कम-से-कम 23 देशों के लिए सिरदर्द बना हुआ है। चीन में शामिल 41 लाख वर्ग किलोमीटर का इलाका उसने दूसरे देशों से हथियाया है। यह चीन के मौजूदा क्षेत्रफल का 43 फीसद हिस्सा है, यानी करीब-करीब आधा चीन दूसरे देशों से हड़पी गई जमीन को मिलाकर बना है। जमीन हथियाने की उसकी यह नीति साल 1949 से चली आ रही है जब वहां कम्युनिस्ट शासन की स्थापना हुई थी। तुर्किस्तान इस नीति का पहला शिकार हुआ जब चीन ने उसका पूर्वी हिस्सा हड़प लिया। आगे चलकर मंगोलिया, हांगकांग, मकाऊ सब उसी सिलसिले की कड़ियां बनते गए। चीन की सरहद से 14 देश जुड़े हैं और हर देश की सरहद खतरे में है - यहां तक कि रूस और उत्तरी कोरिया भी दोस्ती के बावजूद चीन को भरोसे के काबिल नहीं समझते हैं। चीन की विस्तारवादी जिद जमीनी सीमाएं पार करने के साथ ही समुद्र को भी लांघ चुकी हैं। चारों ओर से समुद्र से घिरे ताइवान पर चीन की लंबे समय से नजर है। दक्षिण चीन सागर में ताइवान के अलावा चीन छह और देश इंडोनेशिया, मलेशिया, फिलीपींस, सिंगापुर, वियतनाम और ब्रुनेई में भी घुसपैठ की फिराक में रहता है। वैसे दावा तो वह दक्षिण चीन सागर के 90 फीसद इलाके पर करता है। यही हाल जापान के आठ द्वीपों का भी है।

तुर्किस्तान इस नीति का पहला शिकार हुआ जब चीन ने उसका पूर्वी हिस्सा हड़प लिया।

दिलचस्प बात यह है कि हमारे देश में इस पर बहुत कम बात हुई है कि चीन स्वाभाविक रूप से हमारा पड़ोसी नहीं है, बल्कि वो जबरन हमारे पड़ोस में आकर बैठ गया है। 50 के दशक में उसने तिब्बत पर कब्जा जमाया जहां से वो सिक्किम को मान्यता देने के बावजूद घुसपैठ से बाज नहीं आता है। यही हाल उत्तराखंड का है जहां नक्शे में अदला-बदली करके वो हमारे क्षेत्र पर दावा ठोकता रहता है।

लेकिन गलवान घाटी में चीन की ताजा हिमाकत उसके विस्तारवादी मंसूबों के अंत की शुरुआत बन सकती है। चीन के 59 ऐप्स पर डिजिटल स्ट्राइक, अरबों रुपये के करार तोड़ने और चीन को पाकिस्तान के साथ

'प्रायर रेफरेंस कंट्री' की लिस्ट में डालकर मोदी सरकार ने बिल्ली के गले में जो घंटी बांधी है, उसके असर से भारत की अगुवाई में चीन के खिलाफ एक ग्लोबल गठबंधन बड़ी तेजी से आकार लेने लगा है। चीनी कंपनियों को दुनिया भर से बुरी खबरें मिलनी शुरू हो गई हैं। ट्रंप सरकार ने हुआवे और जेडटीई को सुरक्षा वजहों से अमेरिका से अपना कारोबार समेटने का फरमान सुना दिया है। कनाडा ने तो हुआवे के एक अधिकारी को गिरफ्तार भी कर लिया था। हांगकांग, ताइवान, फिलीपींस से चीन का झगड़ा भी आक्रामक होता जा रहा है। इन सबके बीच चीन का ऑस्ट्रेलिया और वियतनाम से भी छत्तीस का आंकड़ा बन गया है। अमेरिका तो अब चीन से सीधे-सीधे टकराव के मूड में दिख रहा है। ट्रेड वॉर और कोरोना के कारण दोनों देशों के रिश्ते पहले से खराब चल रहे थे, वो और बिगड़कर शीत युद्ध वाले दौर के समान हो गए हैं। दक्षिण-पूर्व एशियाई देशों के लिए खतरा बन चुके चीन के कदम को रोकने के लिए अमेरिका यूरोप से अपनी सेना कम करके दूसरी जगहों पर नए सिरे से सैन्य जमावट कर रहा है। हालांकि अमेरिका की इस तैयारी को एक तीर से दो शिकार की कोशिश भी कहा जा सकता है जिसमें चीन पर निशाना लगाने के साथ ही वो हिंद महासागर में अपने हितों पर भी नजर रख सकता है।

चीनी कंपनियों को दुनिया भर से बुरी खबरें मिलनी शुरू हो गई हैं।

बहरहाल मौजूदा हालात में हमारे लिए संदेश बेहद साफ है। चीन एलएसी के साथ ही पीओके, नेपाल, भूटान और तिब्बत की सीमाओं के करीब सड़क और रेल का जो नेटवर्क तैयार कर रहा है, उसका मकसद केवल आर्थिक गतिविधियों को रफ्तार देना भर नहीं है। यह हमारे लिए पहले से ज्यादा सावधान हो जाने का संकेत है। हालांकि प्रधानमंत्री के सिंहनाद के बाद चीन ने जिस मिमियाने वाले अंदाज में दोनों ओर से संयम बरतने की अपील की है, वो तो यही बताता है कि कूटनीतिक स्तर पर सक्रियता और सैन्य जमावट में आक्रामकता बढ़ाकर सरकार ने लंबे समय के लिए बेशक नहीं, लेकिन फिलहाल तो चीन पर नकेल कसने में कामयाबी जरूर हासिल कर ली है।

(राष्ट्रीय सहारा, 5 जुलाई, 2020)

67

चीनी विस्तारवाद नई वैश्विक चुनौती

अमेरिका, ऑस्ट्रेलिया और जापान के साथ मिलकर बने क्वाड का दायरा नाटो की तरह बढ़ाना होगा। इससे जुड़ने के लिए इच्छुक वियतनाम, मलेशिया जैसे देशों को भी साथ लेना होगा और जी-11 में सदस्यता की पहल पर भी गंभीरता से विचार करना होगा। हमें सदैव स्मरण रखना होगा कि जमीन, जनता और आर्थिक क्षमता के स्तर पर अगर कोई एक देश चीन की 'दीवार' के उस पार जाने का दम रखता है तो वो भारत ही है। लद्दाख से दुनिया को चीन के विस्तारवाद की याद दिलाने के साथ ही प्रधानमंत्री मोदी ने दुनिया को भारत की इसी ताकत का अहसास भी कराया है।

प्रधानमंत्री नरेन्द्र मोदी ने जब लेह पहुंचकर चीन का नाम लिए बगैर उसके विस्तारवाद का जिक्र किया, तो दुनिया को भी इस बात का अहसास हुआ कि जमीन हड़पने के चीन के जुनून से कितने देश पीड़ित हैं। भारत समेत सभी 14 पड़ोसियों से चीन का सीमा को लेकर विवाद है। कंबोडिया, लाओस, इंडोनेशिया, मलेशिया, फिलीपींस और सिंगापुर जैसे देश जो उसके पड़ोसी भी नहीं हैं, उनसे भी चीन सीमा को लेकर झगड़ता रहता है। जमीन ही नहीं, चीन का हिंद महासागर और दक्षिण चीन सागर में बसे देशों से भी सीमा को लेकर विवाद है। चीन के कुल क्षेत्रफल का 43 फीसद हिस्सा उसका अपना नहीं, बल्कि कब्जा किया हुआ हिस्सा है। पूर्वी तुर्किस्तान, तिब्बत, दक्षिण मंगोलिया, ताइवान, हांगकांग और मकाऊ जैसे कम-से-कम 6 देश ऐसे हैं जिन पर चीन कब्जा जमा चुका है या फिर उन पर वो अपना हक जताता है। चीन साम-दाम-दंड-भेद की हर वो नीति अख्तियार करता है, जिससे दूसरे देशों को अपनी धौंस में लिया जा सके। लद्दाख में सीमा-विवाद भड़काने के पीछे भी उसकी मंशा यही थी, लेकिन इस बार उसका तीर निशाना ही नहीं चूका, बल्कि खुद चीन दुनिया के निशाने पर आ गया।

भारत समेत सभी 14 पड़ोसियों से चीन का सीमा को लेकर विवाद है।

कोरोना वायरस फैलाने की आशंकाओं के बीच चीन से कई देश पहले से ही नाराज चल रहे हैं और अब उसकी विस्तारवादी सोच में दुनिया को खतरा नजर आने लगा है। अमेरिका, ऑस्ट्रेलिया, जापान जैसे देश आरोप लगा रहे हैं कि कोरोना से दुनिया को मुश्किल में डालकर चीन हालात का फायदा उठा रहा है। विपरीत परिस्थितियों में भी उसका ट्रेड नकारात्मक नहीं हुआ यानी व्यापार घाटे से चीन बचा रह गया और अब तो उसकी अर्थव्यवस्था भी पटरी पर लौट रही है, जबकि मजबूत कही जाने वाली दुनिया की लगभग हर प्रमुख आर्थिक शक्ति कोरोना वायरस की चपेट में आकर तबाही की कगार पर नजर आ रही है। अंदेशा इसी बात का है चीन वो रुतबा हथियाने की फिराक में है, जो फिलहाल अमेरिका को हासिल है। कोरोना से अमेरिका को जान-माल का भले ही कितना भी नुकसान हुआ हो, मगर डॉलर ने अपनी मजबूती बनाए रखी है जिसके कारण चीन का सपना फिलहाल तो अधूरा ही है।

हालांकि चीन बार-बार यह कह रहा है कि न तो वो अमेरिका बनना चाहता है, ना ही अमेरिका के साथ किसी तरह के संघर्ष में उलझना चाहता है, लेकिन अब दुनिया का हर देश समझ चुका है कि उसकी मंजिल क्या है? अमेरिकी खुफिया एजेंसी एफबीआई तो सरकार के लिए बाकायदा अलर्ट जारी कर चुकी है कि चीन दुनिया की अकेली महाशक्ति बनना चाहता है। चीन की महत्त्वाकांक्षी बेल्ट एंड रोड इनिशिएटिव यानी बीआरआई योजना को तो अमेरिका इसी दिशा में बढ़ाए गए कदम की तरह देखता है। बीआरआई योजना साल 2013 में शुरू हुई थी और साल 2049 में जब यह पूरी होगी तब तक एशिया, मध्य-पूर्व एशिया, अफ्रीका, यूरोप और लैटिन अमेरिका के करीब 130 देश इससे जुड़ चुके होंगे। कई देशों में जहां से यह सड़क गुजरी है, वहां कई जगहों पर चीनी कॉलोनियां भी बस चुकी हैं।

कोरोना से दुनिया को मुश्किल में डालकर चीन हालात का फायदा उठा रहा है।

अमेरिका ही नहीं, रूस भी चीन की इस योजना को लेकर असहज है। बीआरआई को बढ़ाने के लिए चीन रूस के मना करने के बावजूद उसकी पश्चिमी सीमा पर यूक्रेन सरकार के साथ काम कर रहा है, जबकि यूक्रेन के साथ रूस के मौजूदा संबंध तनावपूर्ण चल रहे हैं। शीत युद्ध के बाद जब सोवियत संघ का विघटन हुआ, तो रूस की कमजोरी के कारण दुनिया अमेरिका के नेतृत्व में एक-ध्रुवीय होती चली गई। इसलिए जब चीन ने आगे आकर दूसरे ध्रुव की उस खाली जगह को भरने की कोशिश की, तो समान विचारधारा वाली दोस्ती की वजह से रूस ने कोई खास ऐतराज भी नहीं किया। लेकिन अब जब पुतिन के कार्यकाल में रूस दोबारा अपनी ताकत बटोर रहा है, तो अमेरिका के मुकाबले खड़े होने के लिए दोनों देशों के बीच एक अप्रत्यक्ष होड़ भी चल रही है। हाल ही में वर्ल्ड हेल्थ असेंबली में जब कोरोना फैलने की जांच के लिए चीन के खिलाफ प्रस्ताव लाया गया, तो रूस ने इसका समर्थन किया था। आर्कटिक क्षेत्र में अपने मिशन की जासूसी के कारण भी रूस धीरे-धीरे चीन से दूर हो रहा है।

केवल अमेरिका और रूस ही नहीं, इस वक्त तो दो-तीन देशों को छोड़कर पूरी दुनिया ही चीन से नाराज है। लेकिन अमेरिका समेत यूरोप के

कई देशों की धमकियों के बावजूद चीन मौकापरस्त और अड़ियल बना हुआ है। दरअसल चीन के इस रुख की बड़ी वजह उसकी आर्थिक ताकत है। केवल अमेरिका के पास उससे मजबूत अर्थव्यवस्था है और चीन को लगता है कि अगले कुछ दशक में वो उसे भी पीछे छोड़ देगा। पिछले चार दशक में चीन ने दुनिया का सबसे बड़ा निर्यातक बन कर खुद को ग्लोबल फैक्ट्री के तौर पर स्थापित किया है। चीन का वैश्विक निर्यात उसकी जीडीपी का 20 फीसद है और उसने दुनिया के कोने-कोने को चीनी माल से भर दिया है।

बेशक चीन पर यह आरोप भी लग रहे हैं कि वो अपनी ताकत को बढ़ा-चढ़ाकर दुनिया को बताता है, जबकि असलियत कुछ और है। कोरोना से उसके निर्यात सिमटे हैं और ग्रोथ भी तेजी से नीचे आई है। हालत ये हो गई है कि चीन ने अगले साल के लिए कोई नया आर्थिक लक्ष्य तय नहीं किया है। पैसों की तंगी के कारण उसे कई प्रोजेक्ट रोकने पड़े हैं और सेना के बजट तक में कटौती करनी पड़ी है। लेकिन इससे यह मान लेना कि चीन चुप बैठ जाएगा बड़ी गलती साबित हो सकती है। इसलिए उसकी दबंगई को रोकना है तो तमाम देशों को फिर से एक होना पड़ेगा, शीत युद्ध खत्म होने के बाद अप्रासंगिक हो चुके नाटो जैसे संगठन को नए सिरे से बहाल करना होगा। इसमें कोई शक नहीं कि चीन के खिलाफ प्रचार करने में अमेरिका के अपने स्वार्थ भी हैं, लेकिन दुनिया के कई देशों के साथ-साथ नाटो भी चीन को वास्तविक खतरा मान रहा है। समझ यही है कि अगर चीन को आज नहीं रोका गया, तो कल वो पूरी दुनिया का सिरदर्द बन जाएगा। इसके लिए उसकी सामरिक ताकत को सीमित करने के साथ ही उसके आर्थिक साम्राज्य पर भी चोट पहुंचाना जरूरी है। अमेरिका और यूरोप के कई देशों ने इसकी शुरुआत भी कर दी है। चीनी कंपनियों पर नकेल कसने के साथ ही हांगकांग, शिनजियांग, ताइवान, तिब्बत पर वैश्विक मुखरता बढ़ाकर चीन की कमजोर नसों को दबाने जैसे उपायों पर भी गंभीरता से मंथन हो रहा है।

आर्कटिक क्षेत्र में अपने मिशन की जासूसी के कारण भी रूस धीरे-धीरे चीन से दूर हो रहा है।

हालांकि हमारे लिए सवाल घूम-फिरकर वहीं आ जाता है, जहां से इस लेख की शुरुआत हुई है। चाहे लद्दाख से लेकर सिक्किम तक एलएसी

में इस ओर घुसपैठ करता चीन हो या एलओसी के दूसरी ओर आतंकियों को पाल-पोस रहा पाकिस्तान या फिर देश की आंतरिक समस्याएं हों, क्या इस ढाई मोर्चे की लड़ाई के लिए अब हमें मानसिक रूप से तैयार हो जाना चाहिए? तत्कालीन थल सेनाध्यक्ष जनरल बिपिन रावत ने ढाई मोर्चे शब्द का पहली बार इस्तेमाल डोकलाम विवाद के दौरान किया था। तबसे अब तक ब्रह्मपुत्र में काफी पानी बह चुका है। पाकिस्तान एक नाकाम देश है और चीन एक बड़ी आर्थिक और सैन्य महाशक्ति, लेकिन यह दोनों हमारे लिए समान रूप से अहम हैं, क्योंकि दोनों हमारे पड़ोसी हैं। इनसे निपटने के लिए अमेरिका और रूस की ओर देखने के साथ ही हमें अपने बाकी पड़ोसियों से समर्थन को भी मजबूत करना होगा। अमेरिका, ऑस्ट्रेलिया और जापान के साथ मिलकर बने क्वाड का दायरा नाटो की तरह बढ़ाना होगा। इससे जुड़ने के लिए इच्छुक वियतनाम, मलेशिया जैसे देशों को भी साथ लेना होगा और जी-11 में सदस्यता की पहल पर भी गंभीरता से विचार करना होगा। हमें सदैव स्मरण रखना होगा कि जमीन, जनता और आर्थिक क्षमता के स्तर पर अगर कोई एक देश चीन की 'दीवार' के उस पार जाने का दम रखता है तो वो भारत ही है। लद्दाख से दुनिया को चीन के विस्तारवाद की याद दिलाने के साथ ही प्रधानमंत्री मोदी ने दुनिया को भारत की इसी ताकत का अहसास भी कराया है।

(राष्ट्रीय सहारा, 5 जुलाई, 2020)

68

जश्न और प्रश्न में उलझा एनकाउंटर

अगर पुलिस ही ऐसे 'इंसाफ' पर उतारू हो जाएगी और न्याय का पैमाना 'मांग' और 'आक्रोश' ही बन जाएंगे, तो फिर हमने अदालतें किस काम के लिए बनाई हैं? अफसोसजनक बात यह है कि ऐसे मामलों में सबूत मिटाने से लेकर जांच तक को येन-केन-प्रकारेण प्रभावित किया जाता है। ऐसे अनुभवों को देखते हुए ही सुप्रीम कोर्ट ने साल 2014 में एनकाउंटर से जुड़ी जांच के लिए अपनी ओर से गाइडलाइन जारी की थी। इसके मुताबिक एनकाउंटर में पुलिस किसी वजह से गोली चलाती है या कस्टडी में आरोपी की मौत हो जाती है, तो संबंधित थाने को एफआईआर दर्ज करनी होगी और जांच किसी और थाने की पुलिस करेगी।

कानपुर वाले विकास दुबे के अंत के साथ ही अपराधों से भरी एक लंबी कहानी का भी अंत हो गया। उत्तर प्रदेश पुलिस के 8 जवानों की हत्या के ठीक आठवें दिन विकास दुबे की कहानी का 'द एंड' हुआ है। आठ का अंक शनि का अंक माना जाता है, जिन्हें हमारी पौराणिक कथाओं में न्याय का देवता कहा गया है, ऐसे देवता जो इंसान को उसके कर्मों के अनुसार फल देते हैं। विकास दुबे को उसके कर्म का फल तो मिल गया, लेकिन क्या हमारी न्याय-व्यवस्था के साथ भी इंसाफ हो पाया? विकास दुबे के अपराध इतने जघन्य थे कि परिजन और करीबियों को छोड़कर उसके अंजाम पर किसी को मलाल नहीं होगा, लेकिन सवाल जरूर उठेगा कि जिस तर्ज पर उसकी मौत हुई, क्या उससे समाज का मर्ज दूर हो पाएगा? अपराधियों के ऐसे अंत से क्या अपराध का भी अंत हो पाएगा? विकास की गिरफ्तारी से जिन सफेदपोशों के होश उड़े थे, उनका इंसाफ कब होगा? एक गैंगस्टर का खेल खत्म करवाकर राज हजम कर जाने वाले सिस्टम के 'शकुनियों' का अंजाम क्या होगा?

क्या हमारी न्याय-व्यवस्था के साथ भी इंसाफ हो पाया?

विकास दुबे के अपराधों का चिट्ठा जितना काला था, उसके एनकाउंटर की कहानी भी उतनी ही स्याह है। अपने आखिरी अपराध के बाद वो छह दिनों तक चार राज्यों में ट्रक, कार, ऑटो और बाइक से घूमता रहा, लेकिन 1,200 किलोमीटर से भी ज्यादा लंबे इस सफर में यूपी पुलिस की 100 से ज्यादा टीमें और 75 जिलों की पुलिस मिलकर भी एक अकेले आदमी को ढूंढ़ नहीं पाई। यह संयोग नहीं हो सकता कि जिस शख्स को चार राज्यों की पुलिस अपनी तमाम नाकेबंदी के बावजूद पकड़ नहीं पाई, वो मिला भी तो उज्जैन के महाकाल मंदिर में तैनात एक सुरक्षा गार्ड को।

उज्जैन से कानपुर के बीच विकास दुबे की गाड़ी का बदला जाना, एनकाउंटर की जगह से दो किलोमीटर पहले मीडिया को रोका जाना, महज 15 मिनट बाद उसका एनकाउंटर हो जाना, प्रत्यक्षदर्शियों का गाड़ी के एक्सीडेंट की बात से इनकार करना, सड़क पर गाड़ी के घिसटने के निशान नहीं मिलना, वारदात के बाद सड़क पर क्रेन से गाड़ी को घसीटकर निशान बनाना, इतने बड़े एक्सीडेंट में विकास के शरीर पर खरोंच तक ना आना,

दर्जनों पुलिसवालों की मौजूदगी में हथियार छीन कर उसका भाग निकलना, एक पैर में रॉड होने और लंगड़ाकर चलने के बावजूद तीन किलोमीटर तक पुलिस को छकाना, एनकाउंटर में पीठ पर नहीं बल्कि सीने पर गोली लगना ऐसे तमाम सवाल हैं जिससे पुलिस की कहानी उस चलनी जैसी दिख रही है जिसमें 72 छेद हैं।

एनकाउंटर वाले इस कथित इंसाफ से उन सवालों का भी एनकाउंटर हो गया है जो अपराधियों, पुलिस और नेताओं की सांठगांठ के राज से पर्दा उठा सकते थे। सामान्य तौर पर कोई अपराधी अपराध करता है तो पकड़ा भी जाता है, लेकिन विकास दुबे गंभीर अपराधों के बावजूद बच जाता था। आखिर उसे ऐसा रसूख किसने दिया? हमारे ही सिस्टम ने। यह तर्क विकास जैसे अपराधियों के लिए कोई संवेदना नहीं है, लेकिन 20 साल की उम्र में जब उसने पहला अपराध किया था तभी उस पर कार्रवाई हो गई होती तो कहानी कुछ और ही होती। लेकिन स्थानीय राजनीति के दबाव में मामला रफा-दफा करवा दिया गया। बाद के तीन दशकों में विकास दुबे राजनीति के अलग-अलग घाट का पानी पीता गया और अपनी ताकत बढ़ाता गया। अपराध के मामलों में पुलिस उसकी पैरवी करती थी और नेता उसे संरक्षण देते थे। कोई गुंडा थाने के अंदर मंत्री की हत्या कर दे और वहां मौजूद पांच-पांच सब इंस्पेक्टर समेत 30 जवान जुबान तक ना खोले, ऐसा 'रुतबा' किसी ऊपर तक पहुंच रखने वाले आदमी का ही हो सकता था। 60-60 क्रिमिनल केस होने के बाद भी वो खुलेआम घूमता था। जब तक हुक्मरानों के बीच उसका सिक्का चलता रहा, वो हर सियासी दल के लिए टकसाल बना रहा, लेकिन अब जब उसका खेल खत्म हो गया है, तो हर कोई उसे खोटा सिक्का बता रहा है।

पुलिस की कहानी उस चलनी जैसी दिख रही है जिसमें 72 छेद हैं।

उससे जुड़े मामले की जांच शुरू होने से पहले 'निपटाने' में आखिर किसका फायदा था? आखिर कोई तो होगा जो चाहता होगा कि मुंह खोलने से पहले ही विकास की जुबान बंद कर दी जाए। उसके एक-एक गुर्गे के मारे जाने की कहानी भी वैसी ही है जैसी पुलिस हर एनकाउंटर के बाद सुनाती है।

सात महीने पहले हैदराबाद में भी रेप और मर्डर के आरोपियों को मारने के बाद पुलिस ने इसी अंदाज में अपनी 'वीरता' का बखान किया था। केवल हैदराबाद ही क्यों, साल 2005 में चंबल के कुख्यात डाकू निर्भय सिंह का मामला हो या 2007 में यूपी के सबसे खूंखार डकैत ददुआ की मौत हो, 1982 में मुंबई का गैंगस्टर मान्या सुर्वे हो या 2016 में भोपाल की जेल से भागे सिमी के 8 आतंकी हों, हर एनकाउंटर में तीन समानताएं हैं - पहली सियासी कनेक्शन, दूसरी सवालों का अब तक सवाल बने रहना और तीसरी पुलिस का लाइसेंसशुदा बदमाशों की तरह काम करना।

तो क्या पुलिस को कानून के तहत अपराधियों को मारने का अधिकार मिल गया है? लेकिन बिकरू गांव में तो इसके ठीक उलट हुआ था। विकास दुब को पकड़ने गई पुलिस को अपने आठ साथी गंवाने पड़े थे। तो क्या विकास का मारा जाना उसी घटना का बदला है? फिर नया सवाल उठता है कि क्या पुलिस का काम बदला लेना है? अगर पुलिस ही ऐसे 'इंसाफ' पर उतारू हो जाएगी और न्याय का पैमाना 'मांग' और 'आक्रोश' ही बन जाएंगे, तो फिर हमने अदालतें किस काम के लिए बनाई हैं?

आखिर कोई तो होगा जो चाहता होगा कि मुंह खोलने से पहले ही विकास की जुबान बंद कर दी जाए।

अफसोसजनक बात यह है कि ऐसे मामलों में सबूत मिटाने से लेकर जांच तक को येन-केन-प्रकारेण प्रभावित किया जाता है। ऐसे अनुभवों को देखते हुए ही सुप्रीम कोर्ट ने साल 2014 में एनकाउंटर से जुड़ी जांच के लिए अपनी ओर से गाइडलाइन जारी की थी। इसके मुताबिक एनकाउंटर में पुलिस किसी वजह से गोली चलाती है या कस्टडी में आरोपी की मौत हो जाती है, तो संबंधित थाने को एफआईआर दर्ज करनी होगी और जांच किसी और थाने की पुलिस करेगी। पुलिस और सत्ता के गठजोड़ की बानगी देखिए कि विकास दुबे के मामले को देख रही एसटीएफ में वही अफसर शामिल हैं, जिसने दो साल पहले उस पर कोई कार्रवाई नहीं की थी।

हमारे सिस्टम के काम करने का यह तरीका कोई नया नहीं है। राष्ट्रीय मानवाधिकार आयोग (एनएचआरसी) के तत्कालीन अध्यक्ष जस्टिस जीपी माथुर

ने तो साल 2010 में ही अपराधियों को मारे जाने की जांच में पुलिसिया कार्रवाई पर सवाल उठाए थे। आयोग की ही रिपोर्ट बताती है कि साल 2000 से 2017 के बीच देश में 1,782 फर्जी एनकाउंटर हुए, जिसमें से 794 यानी करीब 45 फीसद अकेले यूपी में हुए। मार्च 2017 से जुलाई 2018 के बीच यूपी में तीन हजार से ज्यादा एनकाउंटर में करीब 75 अपराधियों के मारे जाने का दावा किया गया और यूपी सरकार ने इसे गणतंत्र दिवस समारोह में उपलब्धि की तरह पेश किया।

विकास दुबे अगर अदालत में जिंदा पेश होकर मुकदमे से गुजरता, तो दफन हो चुके राज का खुलासा होता, शहीद पुलिसकर्मियों को सही मायनों में न्याय भी मिलता।

बेशक हर सरकार की अपनी कार्यशैली हो सकती है, लेकिन हमें यह भी नहीं भूलना चाहिए कि सिस्टम से बाहर समाधान ढूंढ़ना खतरनाक भी हो सकता है। विकास दुबे जैसे बदमाश अपराधियों, नेताओं और पुलिस के गठजोड़ के ऐसे अहम किरदार होते हैं, जिन्हें सांठ-गांठ से पर्दा उठने की जरा सी आशंका पर रास्ते से हटा दिया जाता है। हो सकता है कि विकास दुबे अगर अदालत में जिंदा पेश होकर मुकदमे से गुजरता, तो अब दफन हो चुके राज का खुलासा होता, सिस्टम के भेदियों का इंसाफ होता और शायद शहीद पुलिसकर्मियों को सही मायनों में न्याय भी मिलता। अफसोस कि हमने यह मौका गंवा दिया।

(राष्ट्रीय सहारा, 12 जुलाई, 2020)

69

तंत्र से ही निकलेगा सफाई का मंत्र

राजनीति के अपराधीकरण के लिहाज से विकास दुबे एनकाउंटर मामला इसीलिए अहम हो जाता है और महत्त्वपूर्ण हो जाती है वो बहस जो उसके एनकाउंटर को लेकर हो रही है। बेशक इसके सही या गलत होने पर अलग-अलग राय रखी जा सकती है, लेकिन इस बात से कौन इनकार करेगा कि मौत से पहले अगर वो पूछताछ के दौर से गुजरता तो यकीनन कई ऐसे राज उगलता जो सियासी और पुलिस तंत्र से अपराधियों की सफाई में काम आता।

उत्तर प्रदेश के दुर्दांत अपराधी विकास दुबे के एनकाउंटर की गुत्थी अभी भी कई सवालों में उलझी हुई है। तमाम शक-शुबहों के बीच उसकी मौत ने राजनीति और अपराध के गठजोड़ से जुड़ी चुनौतियों को भी नए सिरे से जिंदा कर दिया है। गुनाह की दुनिया में 'फलने-फूलने' के समांतर ही उत्तर प्रदेश की सियासत में पैठ जमाने के इस प्रकरण से साबित होता है कि कोई कितना भी दावा करे, अपराध और तंत्र के गठजोड़ में कोई बदलाव नहीं आया है, बल्कि पहले की तुलना में इसकी 'जड़ें' और गहरी हुई हैं। नब्बे के दशक की तरह बेशक राज्यों की व्यवस्थाएं अपराधियों के संगठित गिरोहों के सामने लाचार ना दिखती हों, लेकिन यह हमारे तंत्र की सफलता नहीं है, बल्कि इसकी एक बड़ी वजह यह है कि ऐसे गिरोह अब व्यवस्था के समांतर सरकार चलाने की जगह सरकारों का ही हिस्सा बन गए हैं।

> *अपराध और तंत्र के गठजोड़ में कोई बदलाव नहीं आया है, बल्कि पहले की तुलना में इसकी 'जड़ें' और गहरी हुई हैं।*

साल 1993 में जब इस गठजोड़ का पता लगाने के लिए बनी वोहरा कमेटी की रिपोर्ट संसद में पेश की गई तो काफी हंगामा मचा। रिपोर्ट में इस बात का साफ इशारा था कि देश के कई प्रदेशों में सिस्टम की जड़ें खोद रहे स्थानीय माफिया को वहां के सियासी दल और सरकारी अफसर ही खाद-पानी मुहैया करवा रहे हैं। बहरहाल रिपोर्ट ठंडे बस्ते में डाल दी गई और गठजोड़ को उसी समय तोड़ने का मौका गंवा दिया गया। मौके गंवाने का यह सिलसिला आगे भी जारी रहा। सरकारी कमेटियां बार-बार खतरे की ओर इशारा करती रहीं और सरकारें आंखें फेरती रहीं। साल 2002 में एक बार फिर संविधान के कामकाज की समीक्षा करते हुए एनसीआरडब्ल्यूसी ने अपनी रिपोर्ट में लिखा कि राजनीति में गंभीर आपराधिक पृष्ठभूमि वाले लोगों की संख्या बढ़ रही है, लेकिन हम फिर भी नहीं चेते।

नतीजा सामने है, सिस्टम में फैलते-फैलते अपराध का दीमक अब उस संसद तक पहुंच चुका है, जिस पर इस अपराध के खिलाफ कानून बनाने की जिम्मेदारी है। साल 2004 में लोकसभा में दागी सांसदों की संख्या 128 थी, जो 2019 आते-आते बढ़कर 233 हो गई है। इस लिहाज से नेशनल

इलेक्शन वॉच और एडीआर की रिपोर्ट किसी अलर्ट से कम नहीं है। साल 2009 में 76 ऐसे सांसद जीत कर संसद पहुंचे थे, जिन पर गंभीर आपराधिक मामले दर्ज थे। साल 2019 में यह आंकड़ा 159 हो गया। यानी एक दशक में ही हमारी संसद में गंभीर आपराधिक पृष्ठभूमि वाले सांसद 109 फीसद तक बढ़ गए। सोचिए जिस संसद में हर दूसरा सांसद किसी-न-किसी अपराध से जुड़ा हो, जहां गंभीर अपराधों से जुड़े जनप्रतिनिधि दोगुनी रफ्तार से बढ़ रहे हों, उसी संसद से सियासत और अपराध के गठजोड़ को तोड़ने वाले कानून की उम्मीद करना कितना तर्कसंगत होगा?

आपराधिक पृष्ठभूमि वाले नेताओं के खिलाफ संगीन मुकदमे दशकों से लंबित पड़े हैं।

तो क्या चुनावी राजनीति के इस कुचक्र का कोई तोड़ नहीं है? है, लेकिन जिस न्यायिक व्यवस्था में इसका निदान मिल सकता है, उसमें फैसलों तक पहुंचने में अंतर्निहित देरी ही राजनीति के अपराधीकरण को बढ़ावा दे रही है। आपराधिक पृष्ठभूमि वाले नेताओं के खिलाफ संगीन मुकदमे दशकों से लंबित पड़े हैं। यह कितना भी अस्वाभाविक लगे, लेकिन हमारे यहां न्याय की यही चाल है। आपराधिक मामलों को निपटाने में हमारी अदालतें औसतन 15 साल लगा देती हैं। निचली अदालत सजा सुना भी दे, तो ऊपरी अदालत से स्टे मिल जाता है जिससे चुनाव लड़ने का रास्ता साफ हो जाता है। इस तरह मामले लंबे समय तक लटके रहते हैं और नेता आराम से अपनी पूरी राजनीतिक पारी खेल लेते हैं। फैसलों की प्रक्रिया को गति देने में फास्ट ट्रैक कोर्ट कितनी कामयाब होगी यह देखने वाली बात होगी, क्योंकि इसी मकसद से बने कंज्यूमर कोर्ट और कुटुंब न्यायालय भी अपने लक्ष्य को पूरा नहीं कर पा रहे हैं।

न्यायालयों की यही विसंगतियां विकास दुबे जैसे अपराधियों के एनकाउंटर को जायज ठहराने का आधार बनती हैं। यकीनन विकास दुबे ने जैसे कर्म किए, वैसा फल भुगता। उसके जघन्य अपराधों की सजा भी कड़ी ही होती। लेकिन ये चर्चा आज भी चल रही है कि अगर वो अब तक नहीं मारा जाता, तो कल कहीं का विधायक या सांसद बन जाता और अपने आकाओं की मदद से तमाम अपराधों को विपक्षियों की साजिश का जामा पहना देता।

क्या यह खुलेआम हमारी न्यायिक व्यवस्था पर अविश्वास नहीं है? एनकाउंटर करने वाली पुलिस को इस आधार पर बधाई दी जा रही है कि उसने अपने साथियों की शहादत का बदला लिया। लेकिन यह सवाल तब भी बरकरार रहेगा कि देश के कानून ने कब पुलिस को किसी की जान लेने का अधिकार दे दिया, भले ही वो अपराधी क्यों ना हो? आखिर देश में अदालतें किस काम के लिए बनी हैं? वैसे भी विकास दुबे समेत 6 अपराधियों का मारा जाना एनकाउंटर नहीं, बल्कि अपराध तंत्र के गवाहों की हत्या है। अगर ये गवाह जिन्दा बचते, तो कई राज उगलते। उन भेदियों को बेनकाब करते जो पुलिस की वर्दी पहने हुए विकास दुबे गैंग के लिए काम कर रहे थे। लेकिन पुलिस ने क्या किया? क्या विकास दुबे के घर को खंगालने की जगह आनन-फानन में उसे ढहा कर पुलिस ने सबूत तलाशने की जगह सबूत मिटाने का काम नहीं किया? क्या पूरा-का-पूरा घटनाक्रम अपराध जगत के नियमों से संचालित गैंगवार की तरह दिखाई नहीं देता? क्या नेताओं, पुलिस और अपराधियों के गठजोड़ के लिए रक्षा कवच बनकर सामने नहीं आया यह एनकाउंटर?

> *विकास दुबे ने जैसे कर्म किए, वैसा फल भुगता।*

इस गठजोड़ में पुलिस एक अहम कड़ी है, क्योंकि कानून से मिली ताकत से वो इस गठजोड़ का खेल बना सकती है तो खेल बिगाड़ भी सकती है। अक्सर कहा जाता है कि गलत राह में पुलिस का साथ मिल जाए, तो मंजिल का सफर आसान हो जाता है। यह कोई सकारात्मक व्याख्या नहीं है, लेकिन अक्सर इस ताकत के भ्रम में नेताओं और अपराधियों का मोहरा बन जाती है पुलिस। इसीलिए हर संगीन अपराध के बाद पुलिस सुधार की बात उठती है। इस बार भी उठ रही है, लेकिन क्या सुधार लाने से वो मानसिकता भी सुधर जाएगी, जो पुलिस तंत्र को नेताओं और अपराधियों का 'गुलाम' बनने के लिए मजबूर करती है? इसलिए बेहतर तो यह होगा कि राजनीति के अपराधीकरण को रोकने के लिए पुलिस को झोंकने से पहले पुलिस को आपराधिक मानसिकता की राजनीति से बचाने की कोशिश की जाए।

हालांकि सैकड़ों जातियों में बंटे समाज के बीच यह काम भी आसान नहीं दिखता। यह कोई रहस्य नहीं कि हमारे यहां जातीय गोलबंदी का चुंबक

भी नेताओं और माफिया को एक दूसरे के करीब लाता है। एक वक्त था जब सामंती शोषण को बनाए रखने के लिए सवर्ण जातियां आतंक को अपना हथियार बनाती थीं, लेकिन अब तो इस मामले में भी लोकतंत्र स्थापित हो चुका है। सत्ता में जो जाति हिस्सेदारी से दूर हो जाती है, वो अपने माफिया सरगनाओं की मदद से समाज में कथित बराबरी का हक हासिल करती है। विकास दुबे इसी मानसिकता का नमूना था, जिसने उत्तर प्रदेश की सत्ता में ब्राह्मणों की कथित अनदेखी का इस्तेमाल अपनी ताकत बढ़ाने के लिए किया। उसके एनकाउंटर के तुरंत बाद उत्तर प्रदेश से ताल्लुक रखने वाले एक पूर्व केन्द्रीय मंत्री का ब्राह्मण समाज को यह याद दिलाना कि उन पर अत्याचार हो रहा है क्या महज संयोग कह कर खारिज किया जा सकता है?

एक वक्त था जब सामंती शोषण को बनाए रखने के लिए सवर्ण जातियां आतंक को अपना हथियार बनाती थीं।

राजनीति के अपराधीकरण के लिहाज से विकास दुबे एनकाउंटर मामला इसीलिए अहम हो जाता है और महत्त्वपूर्ण हो जाती है वो बहस जो उसके एनकाउंटर को लेकर हो रही है। बेशक इसके सही या गलत होने पर अलग-अलग राय रखी जा सकती है, लेकिन इस बात से कौन इनकार करेगा कि मौत से पहले अगर वो पूछताछ के दौर से गुजरता तो यकीनन कई ऐसे राज उगलता जो सियासी और पुलिस तंत्र से अपराधियों की सफाई में काम आता।

(राष्ट्रीय सहारा, 18 जुलाई, 2020)

70

कांग्रेस कब समझेगी 'लोकतंत्र' की अहमियत?

एक स्वस्थ और मजबूत लोकतंत्र के लिए सबसे बड़ी विपक्षी पार्टी का ऐसा बुरा हाल चिंताजनक है। इससे सत्ता के निरंकुश हो जाने का खतरा बढ़ जाता है। हालात इसलिए और चुनौतीपूर्ण हैं, क्योंकि कांग्रेस की परिवारवाद वाली बीमारी देश की दूसरी कई और पार्टियों तक फैल चुकी है जिससे इन दलों का आंतरिक लोकतंत्र भी प्रभावित हो रहा है। लेकिन ऐसा भी नहीं है कि कांग्रेस की खुली मुट्ठी से उम्मीदों की सारी रेत फिसल चुकी है। अभी भी सैकड़ों अनुभवी नेता और लाखों कार्यकर्ता पार्टी और नेतृत्व के लिए वफादार हैं।

'जिसको जाना है, वो जाएगा ही' –राहुल गांधी का यह बयान बेशक बागी बने सचिन पायलट के संदर्भ में कहा गया हो, लेकिन ये बात उनकी पार्टी कांग्रेस पर ज्यादा फिट बैठती है। पिछले छह साल और खासकर आखिर के एक साल में कांग्रेस को देखकर यही लगता है कि उसने पुनरुत्थान की सारी उम्मीदें छोड़ दी हैं। सही मायनों में देश की इकलौती अखिल भारतीय पार्टी आज गिने-चुने राज्यों में सिमट कर रह गई है और जहां है भी, वहां उसके ही नेता अपनी ही पार्टी की जड़ें खोदने के काम में लगे हुए हैं। राजस्थान सबसे ताजा प्रसंग है और इसके ठीक पहले मध्य प्रदेश में हुए बड़े 'सियासी हादसे' के जख्म अब भी हरे हैं।

एक-के-बाद-एक मिल रहे झटकों के बावजूद कांग्रेस में इसे लेकर किसी तरह की बैचेनी का नहीं दिखना और भी निराशाजनक संकेत है। कांग्रेस के ज्यादातर नेताओं का जैसा रवैया दिखता है, उससे लगता है जैसे पार्टी पूरी तरह दिशाहीन हो चुकी है। कोई भी संगठन विचारों की बुनियाद पर खड़ा होता है और वो संगठन अगर किसी सियासी दल से जुड़ा है तो वो इस विचार से लोगों को जोड़ने का काम करता है। आजादी से पहले और उसके बाद के कुछ दशकों तक कांग्रेस ने यह काम बखूबी किया। लेकिन उसके बाद विचारों में जो जंग लगनी शुरू हुई, उसने कांग्रेस को अंदर-ही-अंदर इतना खोखला कर दिया कि आज खड़े रहने की जद्दोजहद में 135 साल पुरानी पार्टी के पैर लड़खड़ा रहे हैं।

कांग्रेस के ज्यादातर नेताओं का जैसा रवैया दिखता है, उससे लगता है जैसे पार्टी पूरी तरह दिशाहीन हो चुकी है।

मुश्किल यह है कि कांग्रेस जिसे समाधान समझती है, वही उसकी असल समस्या है। कांग्रेस की असल समस्या है उसका नेतृत्व। पिछले एक साल से कांग्रेस कोई पूर्णकालिक अध्यक्ष नहीं ढूंढ़ पाई है। लोकसभा चुनाव में हार के बाद जब राहुल गांधी ने अध्यक्ष पद से इस्तीफा दिया तो सोनिया गांधी ने मोर्चा संभाला जरूर लेकिन अंतरिम अध्यक्ष के तौर पर। तबसे आज तक समय-समय पर नए अध्यक्ष की मांग तो उठती है, लेकिन इतने अधूरे मन से कि अब तो पार्टी के नेता-कार्यकर्ताओं में भी इसे लेकर कोई जोश नहीं दिखता। अब कांग्रेस के लिए सोचने वाली बात यह है कि अगर वो खुद के

लिए एक अदद नेता नहीं खोज पा रही है, तो जनता उसमें अपना भविष्य कैसे खोजेगी? कांग्रेस की रीति-नीति से वाकिफ हर आदमी जानता है कि यह पद गांधी परिवार के लिए 'आरक्षित' है और राहुल गांधी की ताजपोशी महज औपचारिकता है। लेकिन हार के बाद छोड़े गए पद पर दोबारा वापसी के लिए कोई ठोस वजह जरूरी होगी। कांग्रेस को यह दिखाना होगा कि राहुल गांधी पार्टी की जरूरत हैं। लेकिन पिछले एक साल में राहुल ने ऐसा कुछ नहीं किया है जिससे वो पार्टी के लिए जरूरी लगें।

पिछले एक साल से कांग्रेस कोई पूर्णकालिक अध्यक्ष नहीं ढूंढ़ पाई है।

राहुल की समस्या यह है कि उनमें नेतृत्व की क्षमता तो दिखती है, लेकिन उसमें निरंतरता नहीं दिखती। कभी वो फुल जोश में होते हैं, तो कभी होश उड़ा देने वाली गलती कर बैठते हैं। कभी मैदान में डटे दिखते हैं, तो कभी अचानक मोर्चे से गायब हो जाते हैं। जब उन्होंने अध्यक्ष पद छोड़ा तो उनकी शिकायत थी कि उन्होंने मेहनत तो खूब की, लेकिन दूसरे नेताओं की कामचोरी उस पर भारी पड़ गई। राहुल को भरोसा था कि वो इस्तीफा देंगे तो बुजुर्ग हो चली वर्किंग कमेटी भी उनकी देखा-देखी इस्तीफा दे देगी। इससे वो नए सिरे से पार्टी का गठन कर सकते थे, लेकिन ऐसा कुछ नहीं हुआ। इससे पार्टी की युवा और बुजुर्ग सोच का फासला भी खुलकर सामने आ गया। आज हालत यह है कि यंग और ओल्ड की इस लड़ाई में युवा नेता एक-के-बाद-एक पार्टी से छिटकते जा रहे हैं। पूर्वोत्तर में हेमंत बिस्वा सरमा से शुरू हुआ सिलसिला मध्य प्रदेश में ज्योतिरादित्य सिंधिया से होते हुए अब राजस्थान में सचिन पायलट तक आ गया है। ये सब वो नेता हैं जो जनता को खुद से और अपनी पार्टी से जोड़कर रखने का हुनर जानते हैं। इनके दूर जाने से उनसे जुड़ा वोटबैंक भी पार्टी से दूर होता जा रहा है।

सियासत की यह बेहद बुनियादी समझ है कि जब-जब केन्द्रीय नेतृत्व अपने फैसलों से कमजोर होता दिखता है, तब-तब पार्टी के नेता इसी तरह बेलगाम हो जाते हैं। जब तक इंदिरा गांधी शीर्ष पर रहीं, पार्टी से बगावत करने वालों को उसकी बड़ी कीमत चुकानी पड़ी। राजीव और सोनिया गांधी के दौर में लीडरशिप समझौतावादी हुई, तो शरद पवार, ममता बनर्जी, जगनमोहन रेड्डी

जैसे जनाधार वाले बीसियों नेताओं ने बगावत का झंडा उठाकर पार्टी छोड़ दी। राहुल गांधी का अध्यक्षीय कार्यकाल भी उनकी दादी की तुलना में उनके माता-पिता जैसा रहा। लोकतंत्र में यूं तो सत्ता बनाने और बिगाड़ने की ताकत जनता के हाथ में होती है, लेकिन बीजेपी अगर आज अपराजेय दिखती है तो उसकी बड़ी वजह नरेन्द्र मोदी जैसे मजबूत नेता की बेहद मजबूत लीडरशिप भी है।

जब तक इंदिरा गांधी शीर्ष पर रहीं, पार्टी से बगावत करने वालों को उसकी बड़ी कीमत चुकानी पड़ी।

एक दौर में कांग्रेस का देश में ऐसा परचम लहराता था कि सूरज एक कांग्रेस शासित राज्य से उगता था और दूसरे कांग्रेस शासित राज्य में ही डूबा करता था। वैभवशाली अतीत से पराजित वर्तमान तक पहुंचने में कांग्रेस ने लोगों से दूर होने जैसी कई ऐसी गलतियां की जिनसे बचा जा सकता था और जब गलतियां हो गईं तो उन्हें सुधारा जा सकता था। लेकिन कांग्रेस नेतृत्व ने इस ओर तवज्जो देना जरूरी नहीं समझा। आज भी कांग्रेस अपने इतिहास से कुछ सीखने को तैयार नहीं दिख रही है। जनाधार खोती जा रही पार्टी अब भी यह नहीं समझ पा रही है कि अगर वह दोबारा लोगों से नहीं जुड़ती है और बदलते समाज के हिसाब से खुद में बदलाव नहीं लाती है तो उसका हश्र भी जनता दल और जनता पार्टी जैसे दलों की तरह हो सकता है। अलग-अलग वक्त में इन दोनों दलों की देश पर हुकूमत थी, लेकिन जनता से दूरी ने इनका नामो-निशान मिटा दिया। कांग्रेस के केन्द्रीय नेतृत्व में आज भी ऐसे लोगों का बोलबाला है जो जनता की पसंद से नहीं, बल्कि आलाकमान के 'आशीर्वाद' से राज्यसभा के रास्ते संसद में पहुंचते हैं। दूसरी तरफ बीजेपी है जिसने जनता से अपना जुड़ाव ऐसा मजबूत किया कि 35 साल में वो कुछ सैकड़ों कार्यकताओं और लोकसभा की दो सीटों से बढ़कर 11 करोड़ से ज्यादा कार्यकताओं वाली दुनिया की सबसे बड़े जनाधार और 303 सीटों वाली पार्टी बन गई।

कांग्रेस की मुश्किल यह है कि उसने सदियों की गुलामी से देश को तो आजाद करवा लिया, लेकिन आजादी के सात दशक बीतने के बाद भी पार्टी खुद एक परिवार की गुलामी से आजाद नहीं हो पाई है। हालत ये हो गई है कि

गांधी परिवार ही कांग्रेस को एकजुट रखता है और जब तक वहां से नेतृत्व का कोई विकल्प सामने नहीं आता तब तक कांग्रेस सियासी भूलभुलैया में भटकती रहती है।

एक स्वस्थ और मजबूत लोकतंत्र के लिए सबसे बड़ी विपक्षी पार्टी का ऐसा बुरा हाल चिंताजनक है। इससे सत्ता के निरंकुश हो जाने का खतरा बढ़ जाता है। हालात इसलिए और चुनौतीपूर्ण हैं, क्योंकि कांग्रेस की परिवारवाद वाली बीमारी देश की दूसरी कई और पार्टियों तक फैल चुकी है जिससे इन दलों का आंतरिक लोकतंत्र भी प्रभावित हो रहा है। लेकिन ऐसा भी नहीं है कि कांग्रेस की खुली मुट्ठी से उम्मीदों की सारी रेत फिसल चुकी है। अभी भी सैकड़ों अनुभवी नेता और लाखों कार्यकर्ता पार्टी और नेतृत्व के लिए वफादार हैं। जरूरत ऐसे नेतृत्व की है जो कड़े फैसले ले सके, कार्यकताओं में जीत का भरोसा जगा सके और 'जिसको जाना है वो जाएगा' जैसे निराशाजनक बयानों के बजाय 'जो जा चुके हैं, उन्हें वापस लाना है' जैसी सकारात्मक सोच पर पार्टी को आगे बढ़ा सके। सबसे जरूरी यह है कि खुद कांग्रेस को यह समझना होगा कि अगर उसे देश के लोकतंत्र को मजबूत करना है तो सबसे पहले उसे पार्टी के अंदर लोकतंत्र को मजबूत करना होगा।

कांग्रेस के केन्द्रीय नेतृत्व में आज भी ऐसे लोगों का बोलबाला है जो जनता की पसंद से नहीं, बल्कि आलाकमान के 'आशीर्वाद' से राज्यसभा के रास्ते संसद में पहुंचते हैं।

(राष्ट्रीय सहारा, 19 जुलाई, 2020)

71

क्यों मुश्किल बनती जा रही टोटल अनलॉक की चुनौती?

कोरोना संकट ने दुनिया की अर्थव्यवस्था को प्रभावित किया है। भारत भी इससे बहुत ज्यादा प्रभावित हुआ है। विकास की दर ऋणात्मक स्तर पर है और अर्थशास्त्री अगले साल भी ऐसा ही रहने का अनुमान लगा रहे हैं। मगर, जो बेरोजगारी मार्च-अप्रैल में 30 फीसदी के स्तर को पार कर गई थी, वह अब दोबारा 12-14 फीसदी के स्तर पर आ गई है। प्रवासी मजदूर वापसी करते दिख रहे हैं। ऐसे में 20 लाख करोड़ का कोरोना पैकेज असर दिखाएगा और छोटे-बड़े कारोबार बैंकों की मदद से खड़े हो सकेंगे, इसके पूरे आसार हैं।

कोरोना संकट में लॉक-अनलॉक के बीच 4 महीने बीत चुके हैं। न लॉकडाउन में रह सके और न ही अनलॉक हो पा रहे हैं हम। अगर कोरोना की भाषा में कहें तो एक्टिव केस रुक नहीं रहे, इसलिए लॉकडाउन की स्थिति बारम्बार दस्तक दे रही है। इसी तरह रिकवरी का लगातार बढ़ता प्रतिशत उम्मीद जगा रहा है कि अनलॉक की स्थिति अपने स्थायित्व की ओर बढ़ेगी। वहीं, यह बात भी सच है कि जब तक एक्टिव केस हैं तब तक रिकवरी की स्थिति है। और, जब तक दोनों हैं तब तक लॉक-अनलॉक की स्थिति भी रहने वाली है।

सबसे बेशकीमती सवाल यह है कि देश पूरी तरह से अनलॉक कब होगा? मतलब ये कि कोरोना से पहले वाली स्थिति में देश कब लौटेगा? मिलता-जुलता सवाल यह भी है कि भारत-चीन के बीच नियंत्रण रेखा पर बदली हुई परिस्थिति जिस कारण 20 भारतीय जवानों की शहादत हुई, कब पहले वाले यानी 5 मई से पहले वाले स्वरूप में वापस होगी? सच्चाई यह है कि दोनों सवालों का जवाब देश को दिया जा चुका है। एक सवाल का जवाब प्रधानमंत्री नरेन्द्र मोदी ने दिया था यह कहकर कि हमें कोरोना के साथ जीना सीखना होगा। दूसरे सवाल का जवाब रक्षा मंत्री राजनाथ सिंह दे चुके हैं कि वे एलएसी पर चीन से हो रही बातचीत के नतीजे को लेकर कोई गारंटी नहीं दे सकते।

कोरोना की भाषा में कहें तो एक्टिव केस रुक नहीं रहे, इसलिए लॉकडाउन की स्थिति बारम्बार दस्तक दे रही है।

पूर्ण अनलॉक हिन्दुस्तान की कल्पना को लेकर निराश होने की भी जरूरत नहीं है। यही सवाल तो कुछ दिनों पहले यूरोप में पूछे जा रहे थे। आज कोरोना संक्रमित देशों के टॉप टेन में सिर्फ दो यूरोपीय देश हैं। वे पूर्ण अनलॉक की ओर बढ़ चुके हैं। फरवरी से जून तक 5 महीने में उन्हें 'मोक्ष' मिल गया। अमेरिकी और लैटिन अमेरिकी देश अभी घनघोर कोरोना संकट के दौर से गुजर रहे हैं और इसलिए उनके समक्ष भी वही सवाल है जो भारत की जनता के समक्ष है। भारत में आशा की किरण यह है कि राजधानी दिल्ली अनलॉक भी है और कोरोना के संकट से जूझती हुई इससे उबरने का प्रयास करती भी दिख रही है। जिन प्रांतों में पहले कोरोना ने कहर बरपाया,

अब वहां अनलॉक की स्थिति मजबूत हो रही है। वहीं, कई नए प्रदेशों में कोरोना की धमक ने नए सिरे से लॉकडाउन की मांग पैदा की है।

भारत को अगर उर्ध्वाधिर रूप में दो हिस्सों में देखें तो लॉकडाउन से अनलॉक की ओर बढ़ते प्रदेशों में पंजाब, राजस्थान, महाराष्ट्र, केरल जैसे प्रदेश पहले आएंगे। फिर इसी हिस्से में नंबर आएगा मध्य प्रदेश, गुजरात, हिमाचल जैसे प्रदेशों का। वहीं हिन्दुस्तान का बायां हिस्सा या कहें कि पूर्वी हिस्सा अभी मिश्रित प्रतिक्रिया दिखा रहा है। बिहार, पूर्वी उत्तर प्रदेश, झारखण्ड, ओडिशा, तेलंगाना, आन्ध्रप्रदेश, कर्नाटक जैसे प्रांतों में कोरोना संक्रमण तेज होता नजर आ रहा है। मतलब ये कि यहां दोबारा लॉकडाउन की स्थिति पैदा हो रही है। इसलिए इन प्रदेशों में अनलॉक की प्रक्रिया आगे बढ़ने में अभी वक्त लगेगा।

दिल्ली ने दिखाया है कि अनलॉक से नुकसान कम फायदा ज्यादा है।

दिल्ली ने दिखाया है कि अनलॉक से नुकसान कम फायदा ज्यादा है। अनलॉक के दौरान कोरोना संक्रमण की लड़ाई तेज और फोकस होकर करने की जरूरत पड़ती है। अगर एक बार इसमें सफलता मिलनी शुरू हो गयी, तो लॉकडाउन अतीत हो जाता है ओर अनलॉक स्थायी रूप से वर्तमान में बदल जाता है। अनलॉक होने के जो खतरे हैं वो है तेज गति से कोरोना का संक्रमण, बेड की कमी और अस्पतालों में जगह कम। पीपीई किट से लेकर डायग्नोस्टिक किट और वेंटीलेटर तक का इंतजाम रखना होगा। इसके अलावा माइल्ड केस के इलाज की व्यवस्था मरीजों के घर में ही करनी होगी। अनलॉक के बाद कोरोना का एक झोंका तो आएगा, मगर तैयारियों की बदौलत इससे लड़ा जा सकता है। कम से कम दिल्ली ने देश को यह सिखाया है। आज दिल्ली में कुल केस सवा लाख से ज्यादा हैं तो एक्टिव केस 15 हजार के करीब।

यूपी में वीक एंड पर लॉकडाउन और बिहार में पूर्ण लॉकडाउन जारी है। इसी तरह झारखण्ड के कई जिलों में लॉकडाउन है। सवाल ये है कि इस लॉकडाउन की सीमा क्या हो, कब तक रहे? लॉकडाउन का औचित्य स्वास्थ्य सुविधाओं के हिसाब से है। दो हफ्ते का लॉकडाउन रखकर अगर टेस्टिंग, ट्रेसिंग और ट्रीटमेंट फॉर्मूले को लागू कर सकते हैं तो यह समय पर्याप्त है।

अगर नहीं, तो लॉकडाउन-लॉकडाउन खेलते रहें और कोरोना संक्रमण का काल उतना ही लम्बा खिंचता चला जाएगा। कहने का अर्थ यह है कि लॉकडाउन और कोरोना संकट काल में समानुपातिक संबंध है। एक लम्बा होगा, दूसरा भी लम्बा खिंचेगा। वहीं अनलॉक और कोरोना संक्रमण में संबंध यह है कि अनलॉक होते ही संक्रमण तेज होगा, मगर स्थिति सम्भालने पर यही संक्रमण घटता चला जाएगा।

कोरोना की जद में आ रहे नए-नए इलाकों के हक में यह बात है कि अब कोरोना से लड़ने का एक अनुभव है देश के पास। बचाव के तरीके हैं। प्रतिरोधक क्षमता बढ़ाने के उपाय भी खोजे जा चुके हैं। इसके अलावा आपात स्थितियों से निपटने के लिए मेडिकल सुविधाएं भी हैं। बुजुर्ग आबादी को बचाने का एहतियात, पहले से बीमार लोगों पर ध्यान देने की आवश्यकता भी स्पष्ट है।

अनलॉक की स्थिति की ओर बढ़े बगैर अर्थव्यवस्था की फंसी हुई गाड़ी को कोरोना के दलदल से खींच निकालना मुश्किल है।

कोरोना का संकट काल खत्म होने में बहुत समय नहीं लगेगा, यह भी तय है। वजह यह है कि दुनिया भर में कोरोना से लड़ाई के लिए जो वैक्सीन बनाने के प्रयास निरंतर चल रहे हैं उसके नतीजे अब मिलने लगे हैं। जैसे-जैसे मानवीय ट्रायल के चरणों को पूरा करते हुए ये वैक्सीन बाजार में उपलब्ध होने लगेंगे, वैसे-वैसे कोरोना से लड़ने की हमारी क्षमता बढ़ती चली जाएगी। डॉक्टरों का अनुमान है कि अक्टूबर तक भारत खुद अपना वैक्सीन बना लेगा। जब तक यह सुखद स्थिति नहीं आती है तब तक कैसे अनलॉक की ओर बढ़ा जाए, यह महत्त्वपूर्ण सवाल है।

अनलॉक की स्थिति की ओर बढ़े बगैर अर्थव्यवस्था की फंसी हुई गाड़ी को कोरोना के दलदल से खींच निकालना मुश्किल है। भारत सरकार ने खाद्य सुरक्षा योजना के तहत 80 करोड़ लोगों को अनाज उपलब्ध कराने के लिए जो समय-सीमा तय कर रखी है वह नवंबर है। ऐसे में नवंबर से पहले तक प्रत्येक प्रांतीय सरकारों के लिए अनलॉक की स्थिति को हासिल करना अहम लक्ष्य होना चाहिए। हिन्दुस्तान के स्तर पर अगर नवंबर तक अनलॉक के लक्ष्य को हासिल कर लिया गया तो इससे सुखद स्थिति और कुछ नहीं होगी।

यह कोई असंभव लक्ष्य नहीं है। पहली बात खुद भारत वैक्सीन बनाने के करीब है और दूसरी बात विदेश में भी वैक्सीन बनाने के दावे सामने आ रहे हैं। जो विकल्प पहले मिले, उसका इस्तेमाल अनलॉक होने के लिए किया जा सकता है।

एक आशंका बनती है कि केन्द्र और राज्य के बीच अनलॉक को लेकर असहमति बनने पर क्या हो। अखिल भारतीय स्तर पर ऐसी असहमति या मतभेद की गुंजाइश बहुत कम दिखती है। जब विपरीत इंजन वाली दिल्ली और केन्द्र सरकार में तालमेल सामने आ चुका है, पंजाब और महाराष्ट्र जैसे प्रांतों के साथ केन्द्र का तालमेल बना हुआ है और पश्चिम बंगाल के साथ तालमेल की आरंभिक अप्रिय स्थितियां खत्म हो चुकी हैं तो आगे ऐसा कोई विवाद सामने आएगा, ऐसा नहीं लगता। वैसे भी अनलॉक की स्थितियां केन्द्र और राज्य के बीच संवैधानिक स्तर पर निर्धारित सीमा के अनुरूप सुस्पष्ट हैं। शराबबंदी और शराब की दुकानें खोलने से लेकर पेट्रोल-डीजल के दाम बढ़ाने तक की स्थिति में भी जब केन्द्र और राज्यों के बीच तालमेल में कमी नहीं दिखाई पड़ी, तो अन्य विषय पर ऐसी आशंकाएं पालना निर्मूल है।

अनलॉक की स्थिति की ओर बढ़े बगैर अर्थव्यवस्था की फंसी हुई गाड़ी को कोरोना के दलदल से खींच निकालना मुश्किल है।

कुछेक देशों में अनलॉक की स्थिति पर नजर डालते हैं। जर्मनी में अप्रैल के महीने में अनलॉक को अपनाया गया। संक्रमण ने रफ्तार पकड़ी। मगर, यह रफ्तार नियंत्रित रही। 5 अप्रैल को 1 लाख संक्रमण था जो 5 मई को 1.67 लाख पहुंचा। यही 5 जून को 1.85 लाख और 5 जुलाई को 1.97 लाख पहुंचा। 23 जुलाई तक जर्मनी में आंकड़ा 2.04 लाख पर लगभग स्थिर होता दिख रहा है। दक्षिण कोरिया में भी अनलॉक के बाद कोरोना संक्रमण तेज हुआ, मगर थोड़े समय बाद वह स्थिर होता चला गया। इंग्लैंड में 23 मार्च से लॉकडाउन शुरू हुआ था। सीमित तरीके से अनलॉक होते हुए अब 4 जुलाई से लगभग अनलॉक की स्थिति में इंग्लैंड आ चुका है। 4 जुलाई से 23 जुलाई के बीच 2.85 लाख से आंकड़ा बढ़कर 2.95 लाख हुआ है। दैनिक मामले लगातार कम होते जा रहे हैं।

अमेरिका जरूर ऐसा उदाहरण है जहां न लॉकडाउन कभी ठीक से लागू हुआ और न ही अनलॉक लागू हो पा रहा है। यहां भी नीतियां लगातार बदल रही हैं। मगर अमेरिका ने जोखिम मोल लेते हुए अनलॉक के रास्ते को चुना है। अनलॉक के बाद से अमेरिका में कोरोना संक्रमण तेजी से बढ़ा है और मौत के आंकड़े भी बढ़े हैं।

कोरोना संकट ने दुनिया की अर्थव्यवस्था को प्रभावित किया है। भारत भी इससे बहुत ज्यादा प्रभावित हुआ है। विकास की दर ऋणात्मक स्तर पर है और अर्थशास्त्री अगले साल भी ऐसा ही रहने का अनुमान लगा रहे हैं। मगर, जो बेरोजगारी मार्च-अप्रैल में 30 फीसदी के स्तर को पार कर गई थी, वह अब दोबारा 12-14 फीसदी के स्तर पर आ गई है। प्रवासी मजदूर वापसी करते दिख रहे हैं। ऐसे में 20 लाख करोड़ का कोरोना पैकेज असर दिखाएगा और छोटे-बड़े कारोबार बैंकों की मदद से खड़े हो सकेंगे, इसके पूरे आसार हैं। भारतीय अर्थव्यवस्था के लिए महत्त्वपूर्ण बात यह है कि खाद्य और अखाद्य वस्तुओं की मांग बनी हुई है। बाजार में नकदी को बनाए रखने की चुनौती ही अहम है।

अमेरिका जरूर ऐसा उदाहरण है जहां न लॉकडाउन कभी ठीक से लागू हुआ और न ही अनलॉक लागू हो पा रहा है।

अनलॉक के ऐलान के बावजूद एक खौफ आम लोगों में घर कर गया है। इस खौफ से निकलना होगा। यह काम जीवन को गति में लाकर ही किया जा सकता है। दफ्तर और घर में तालमेल बनाते हुए एक नई किस्म की जीवनशैली विकसित हो रही है। यही शैली धीरे-धीरे आकार लेगी। अब वर्क फ्रॉम होम कारोबार की मजबूरी नहीं जरूरत होगी। पेशेवर लोगों के लिए यह स्वभाव होगा। वहीं, किसानों और मजदूरों के बीच कार्य की प्रकृति में कोई बड़ा बदलाव आता नहीं दिख रहा है। उनके लिए दोबारा अपने काम पर स्वाभाविक रूप में लौटना इस बात पर निर्भर करने वाला है कि सरकार क्या माहौल बनाती है।

(राष्ट्रीय सहारा, 25 जुलाई, 2020)

72

मोदी नीति का कमाल, चीन पर दुनिया 'लाल'

कूटनीतिक तौर पर भारत चीन को अलग-थलग करने में सफल रहा है और सीमा विवाद पर दुनिया को भारत के नजरिये पर ज्यादा यकीन है। और यह इसलिए हुआ है कि भारत ने पहली बार इस विवाद पर स्पष्ट और उद्देश्यपूर्ण कार्रवाई की है। इसके लिए प्रधानमंत्री नरेन्द्र मोदी की वैश्विक नीति इतिहास में सदैव याद रखी जाएगी जिसने चीन जैसे देश की नाक में दम कर दिया और बदले में चीन चुनौतियां पेश करने से ज्यादा कुछ नहीं कर पाया।

पूर्वी लद्दाख में अतिक्रमण के बाद भारत से बार-बार कूटनीतिक मात खाने के बावजूद चीन अपना अड़ियल रुख छोड़ने को तैयार नहीं है। शुक्रवार को डब्ल्यूएमसीसी की बैठक में चीन ने एलएसी पर विवादित इलाकों में शांति बहाल करने की बात तो की लेकिन वहां से पीछे हटने से मना कर दिया। उल्टे उसने पैंगोंग झील के पास फिंगर 4 इलाके में 40 हजार जवान तैनात कर दिए। डब्ल्यूएमसीसी को खास तौर पर सीमा विवाद के मामले में समन्वय और समझौते के लिए बनाया गया है। शुक्रवार को उसकी तीसरी बैठक थी। इससे पहले दोनों देशों के बीच सैन्य कमांडर स्तर की चार बैठकों में भी कोई ठोस पहल नहीं हो पाई। हर बैठक में चीन पीछे हटने की जुबान देने के बाद अपने ही वादे से मुकरता रहा जिसके कारण सीमा पर तनाव बरकरार है। राजस्थान में सियासी उठापटक के शोर में भले ही दोनों देशों की तनातनी मीडिया में कहीं गुम हो गई थी, लेकिन हकीकत यही है कि सीमा पर हालात अभी भी विकट हैं।

> *दोनों देशों के बीच सैन्य कमांडर स्तर की चार बैठकों में भी कोई ठोस पहल नहीं हो पाई।*

अब तक की बातचीत में चीन की मंशा साफ नहीं हो पाई है और ऐसा लगता है कि वो इस मामले को लंबा खींचकर वहां अपनी सैन्य ताकत को बढ़ाना चाहता है। ऐसे में गतिरोध तोड़ने के लिए आने वाले दिनों में हमारी ओर से एक बार विशेष प्रतिनिधियों की बातचीत की पहल देखने को मिल सकती है। पिछले रविवार को ऐसी ही एक बातचीत राष्ट्रीय सुरक्षा सलाहकार अजीत डोवाल और चीनी विदेश मंत्री के बीच हुई थी, जिसके बाद डोगरा, गलवान और हॉट स्प्रिंग्स से चीनी सेनाएं पीछे हटी थीं। पिछले अनुभवों से हमने सीखा है कि चीन के साथ बॉर्डर डिप्लोमैसी में जरा-भी हीला-हवाली हमारे लिए अच्छी नहीं रही है, क्योंकि इसमें जो समय जाया होता है, उसमें चीन चालाकी दिखाते हुए अपनी सेना को मजबूत कर लेता है।

हालांकि चीन के मिजाज और भारत के लिहाज से सीमा पर इस बार हालात अलग दिख रहे हैं। चीन किसी इलाके में एक कदम आगे बढ़ा रहा है, तो दूसरे इलाके में उसे दो कदम पीछे हटने के लिए मजबूर भी होना पड़ रहा है। अब तक जो आक्रामकता चीन की पहचान हुआ करती थी,

वो इस बार गीदड़भभकी में बदली दिख रही है। इसकी बड़ी वजह चीन की वैश्विक घेराबंदी है, जिसकी बुनियाद प्रधानमंत्री नरेन्द्र मोदी की ग्लोबल डिप्लोमैसी को माना जा रहा है। चीन कल तक दुनिया के साथ-साथ भारत को भी मौके-बेमौके आंख दिखा दिया करता था। लेकिन प्रधानमंत्री की अगुवाई में भारत ने अब कई मोर्चों पर उसकी नकेल कस दी है। इसमें से एक मोर्चा तो एलएसी का ही है, जहां चीन को उसकी जुबान में ही जवाब देने के लिए भारत लगातार अपनी सैन्य ताकत में इजाफा कर रहा है। LAC पर इस बार भारतीय वायुसेना ने जबरदस्त तैयारी की है। वायुसेना ने सुखोई, जगुआर, मिग और मिराज जैसे लड़ाकू विमानों को रणनीतिक रूप से अहम ठिकानों पर तैनात कर दिया है। चंद सेकेंडों में दुश्मन के बख्तरबंद टैंक से लेकर सेना के कैम्प को तबाह कर देने वाले अपाचे हेलीकॉप्टर भी लगातार सीमा पर उड़ान भर रहे हैं, तो टी-90 टैंक लगातार एलएसी की निगरानी कर रहे हैं। सोने पर सुहागा यह है कि भारत जल्द ही एलएसी पर दुनिया का सबसे खतरनाक लड़ाकू विमान राफेल तैनात करने जा रहा है। हमारे राफेल पर हैमर मिसाइल भी लगी होगी जो इसकी धार को और ताकतवार बना देगी। हैमर मिसाइल 60 से 70 किलोमीटर दूर से ही मजबूत से मजबूत बंकर को निशाना बना सकती है। राफेल की तैनाती पहाड़ों में युद्ध लड़ने में वायुसेना की महारत को और बढ़ा देगी। चीन इसी बात से डरा हुआ है।

अब तक की बातचीत में चीन की मंशा साफ नहीं हो पाई है।

चीन की गर्दन मरोड़ने के लिए प्रधानमंत्री मोदी ने वैश्विक घेराबंदी का ऐसा चक्रव्यूह रचा है, जिससे बाहर निकलने के लिए चीन को फिलहाल तो कोई राह नहीं सूझ रही है। इस घेराबंदी का आधार बना है दुनिया के नेताओं से दोस्ताना संबंध बनाने का प्रधानमंत्री का बेमिसाल हुनर। इसी हुनर के दम पर भारत चीन के कट्टर दुश्मन अमेरिका और उसके करीबी सहयोगी रूस का एक साथ, एक ही समय में समर्थन हासिल करने में कामयाब हुआ है। रूस के साथ रिश्तों में दोबारा गर्माहट लाना आसान काम नहीं था लेकिन प्रधानमंत्री मोदी ने अमेरिकी दबाव को दरकिनार करते हुए अपनी चतुर कूटनीति से असंभव दिखने वाले लक्ष्य को भी संभव कर दिखाया।

जापान और इजराइल के साथ तो हमारे संबंधों के नए शिखर को छूने की वजह ही वहां के प्रधानमंत्री शिंजो आबे और बेंजामिन नेतन्याहू के साथ प्रधानमंत्री मोदी के निजी ताल्लुकात हैं। हमेशा से पाकिस्तान के भरोसेमंद रहे संयुक्त अरब अमीरात को भारत के खेमे में लाना भी प्रधानमंत्री की पर्सनल टच वाली डिप्लोमैसी का ही नतीजा है। चीन के खिलाफ घेराबंदी में यह तमाम देश भारत के साथ मजबूती से खड़े हैं। जिस इंडो-पैसिफिक क्षेत्र को लेकर चीन की महत्त्वाकांक्षाएं हिलोरें मारती हैं, वहां भी अमेरिका, जापान और ऑस्ट्रेलिया के साथ भारत का गठजोड़ चीन के सपनों पर पानी फेर रहा है। ताइवान और हांगकांग पर भी रुख में बदलाव कर प्रधानमंत्री मोदी ने चीन को साफ जता दिया है कि विश्व राजनीति में भारत अब अपनी शर्तों पर ही आगे बढ़ेगा।

इस सबके साथ ही भारत चीन को आर्थिक मोर्चे पर भी एक-के-बाद झटके दे रहा है। सबसे ताजा झटका जनरल फाइनेंशियल नियम में बदलाव का है, जिसके बाद चीन के लिए अब सरकारी खरीद में बोली लगाना लगभग नामुमकिन हो जाएगा। बेशक इसका चीन की अर्थव्यवस्था पर ज्यादा असर नहीं पड़ेगा, लेकिन इस पाबंदी को लाकर भारत ने यह तो बता ही दिया है कि वो रक्षा और राष्ट्रीय सुरक्षा के लिहाज से पूरी तरह चौकस है और डेटा चुराने और जासूसी करने वाली चीनी कंपनियों के मंसूबे कम-से-कम भारत में तो कभी कामयाब नहीं होंगे। चीन के 59 ऐप्स को बैन करना, तमाम हाई-वे और रेलवे प्रोजेक्ट्स से चीन का पत्ता काटना, चीनी सामान के बहिष्कार से आयात बिल को एक लाख करोड़ रुपये तक घटाना जैसे कदम चीन की अर्थव्यवस्था के सामने बेशक मामूली हों, लेकिन चीन की साख पर इनकी चोट गहरी लगी है।

> *अरब अमीरात को भारत के खेमे में लाना भी प्रधानमंत्री की पर्सनल टच वाली डिप्लोमैसी का ही नतीजा है।*

लेकिन ये मान लेना कि सिर्फ भारत के रोकने से चीन को कोई बड़ा फर्क पड़ेगा, बहुत बड़ी भूल होगी, हालांकि यह जरूर है कि भारत के ऐसे कदम से दुनिया के दूसरे देशों पर एक नैतिक दबाव बना है। ये हमारी नई विदेश नीति का हिस्सा है,

जिसे 'डी-कपलिंग' कहा जा रहा है। एक-दो देशों को छोड़कर लगभग पूरी-की-पूरी दुनिया चीन के साथ 'डी-कपलिंग' की मुहिम में शामिल हो गई है। भारत में चीनी ऐप बैन हुए तो अमेरिका ने भी टिक-टॉक बैन कर दिया, भारत में सरकारी प्रोजेक्ट से चीनी कंपनियों का पत्ता कटा, तो ब्रिटेन और अमेरिका ने भी हुवावे जैसी टेलिकॉम कंपनियों की छुट्टी कर दी। सबसे ताजा खबर यह है कि ट्रंप सरकार चीन को यूएस डॉलर सिस्टम यानी स्विफ्ट से भी बाहर निकालने जा रही है। ऐसा हो गया तो अंतरराष्ट्रीय व्यापार और निवेश में चीन का भट्ठा बैठना तय हो जाएगा। डी-कपलिंग की मुहिम को आगे बढ़ाने के लिए 27 देश चीन की विस्तारवादी नीति के खिलाफ संयुक्त राष्ट्र मानवाधिकार आयोग में जाने वाले हैं, तो इंडो-पैसिफिक क्षेत्र में चीन को रोकने के लिए ऑस्ट्रेलिया अपने रक्षा बजट में 40 फीसद तक की बढ़ोतरी करने जा रहा है। दक्षिण चीन सागर पर अब तक खामोश रहे आसियान देश भी अब चीन के खिलाफ लामबंद होने लगे हैं।

भारत में चीनी ऐप बैन हुए तो अमेरिका ने भी टिक-टॉक बैन कर दिया।

बेशक चीन को लेकर दुनिया के नजरिए में इस बदलाव का पूरा श्रेय भारत को देना तर्कसंगत न हो, लेकिन यह भी तय है कि लद्दाख में सीमा पर तनाव बढ़ाना चीन को महंगा पड़ रहा है। कूटनीतिक तौर पर भारत चीन को अलग-थलग करने में सफल रहा है और सीमा विवाद पर दुनिया को भारत के नजरिये पर ज्यादा यकीन है। और यह इसलिए हुआ है कि भारत ने पहली बार इस विवाद पर स्पष्ट और उद्देश्यपूर्ण कार्रवाई की है। इसके लिए प्रधानमंत्री नरेन्द्र मोदी की वैश्विक नीति इतिहास में सदैव याद रखी जाएगी जिसने चीन जैसे देश की नाक में दम कर दिया और बदले में चीन चुनौतियां पेश करने से ज्यादा कुछ नहीं कर पाया।

(राष्ट्रीय सहारा, 26 जुलाई, 2020)

73

भारतीयता के पुनर्जागरण का प्रतीक बने राम मंदिर

अयोध्या हिन्दुओं का तीर्थस्थल पहले से है, लेकिन राम मंदिर निर्माण के बाद इसका दरजा भी अमरनाथ यात्रा जैसी तीर्थ यात्राओं जैसा हो जाएगा। यह आने वाले समय में हरिद्वार, ऋषिकेश, बद्रीनाथ, कामरूप, पुरी जैसे हिंदू तीर्थ स्थलों के बीच सबसे महत्त्वपूर्ण होकर उभरेगा। अयोध्या में रामलला अभी अस्थायी मंदिर में हैं, फिर भी पिछले साल करीब 1.5 लाख श्रद्धालु बाहर से आए। अयोध्या का पहुंच मार्ग अगर ठीक से विकसित हो जाता है, तो यहां श्रद्धालुओं की दैनिक संख्या पचास हजार तक पहुंच सकती है। महत्वपूर्ण बात यह भी है कि अयोध्या हिंदुओं के लिए ही नहीं, बौद्ध और जैन धर्मावलंबियों के लिए भी महत्त्व रखती है।

अयोध्या में राम मंदिर निर्माण का ही नहीं, बल्कि उस सपने के भी सच होने का वक्त आ गया है जो संभवतः भारतीयता के पुनर्जागरण का सबसे सुनहरा प्रतीक है। पांच अगस्त को नक्षत्रों और पवित्र मुहूर्त का खास ध्यान रखते हुए राम मंदिर की नींव रखी जानी है।

इस अवसर को लेकर पूरा देश राममय हो चला है और अयोध्या बन गई है सनातन संस्कृति की विस्तारित राजधानी। मंदिर निर्माण की औपचारिक प्रक्रिया शुरू होने के साथ ही यह कहना भी औपचारिकता मात्र ही रह जाएगा कि इस शुरुआत से लाखों-करोड़ों राम भक्तों का लंबा इंतजार खत्म हो जाएगा। साथ ही इतिश्री हो जाएगी उस आंदोलन की, जिसने भारतीय जनमानस की चेतना को लगभग तीन दशकों तक एक सूत्र में पिरोकर रखने का काम किया। इसे विधि की व्यवस्था भी कह सकते हैं कि भूमि पूजन का यह शुभ कार्य प्रधानमंत्री नरेन्द्र मोदी की मौजूदगी में हो रहा है, जो खुद राम जन्मभूमि आंदोलन के नायकों में से एक रहे।

मोदी साल 1990 में भारतीय जनता पार्टी के तत्कालीन अध्यक्ष लालकृष्ण अडवाणी की उस रथ यात्रा के सारथी थे।

सर्वविदित है कि मोदी साल 1990 में भारतीय जनता पार्टी के तत्कालीन अध्यक्ष लालकृष्ण अडवाणी की उस रथ यात्रा के सारथी थे, जिसने मंदिर आंदोलन को निर्णायक रफ्तार देने का काम किया। लेकिन इस बात की जानकारी कम लोगों को है कि अपनी भाषण शैली से लाखों की भीड़ को वश में कर लेने वाले मोदी ने पूरी रथ यात्रा के दौरान एक भी भाषण नहीं दिया था और पूरे समय पर्दे के पीछे रहकर चाणक्य का काम किया।

मंदिर निर्माण और आंदोलन का जिक्र

दरअसल, राम मंदिर निर्माण की कहानी इस आंदोलन के जिक्र के बिना पूरी भी नहीं हो सकती। वो इसलिए, क्योंकि आंदोलन से जुड़ा सियासी और संत समाज दशकों की अपनी मेहनत से राम मंदिर को देश की अस्मिता का सवाल बनाने में कामयाब रहा। नब्बे का वो दशक इस लिहाज से अहम था कि मंडल-कमंडल जैसे कई फैक्टर हमारी सामाजिक-राजनीतिक चेतना पर एक साथ अपना असर छोड़ रहे थे। सोमनाथ से अयोध्या तक की रथयात्रा,

देश भर में दंगे, कारसेवकों पर गोलीचालन, बाबरी विध्वंस, प्रतिक्रियास्वरूप बांग्लादेश, पाकिस्तान समेत कई देशों में हिंदुओं पर हमले, बीजेपी-शासित चार राज्यों में राष्ट्रपति शासन, यूपी के मुख्यमंत्री कल्याण सिंह को एक दिन की जेल, गोधरा कांड में अयोध्या से लौटते कारसेवकों को जिंदा जलाया जाना, प्रतिक्रियास्वरूप गुजरात में दंगे ऐसी घटनाएं हैं जो भुलाई नहीं जा सकतीं। 1984 में महज दो सांसदों से संसदीय पारी की शुरुआत करने वाली बीजेपी के लिए राम मंदिर आंदोलन ने संजीवनी का काम किया। अगले केवल 12 साल में बीजेपी तेरह दिन, तेरह महीने और फिर पांच साल की पहली विशुद्ध गैर-कांग्रेस सरकार चलाने में कामयाब रही।

राम मंदिर निर्माण की कहानी इस आंदोलन के जिक्र के बिना पूरी भी नहीं हो सकती।

2004 से 2014 तक दस साल का सियासी वनवास पूरा करने के बाद बीजेपी की सत्ता में दोबारा वापसी हुई, लेकिन इस जनादेश में केवल राम मंदिर निर्माण की भूमिका ही नहीं थी। देश की जनता ने यूपीए काल के भ्रष्टाचार के खिलाफ वैकल्पिक सुशासन देने के लिए बीजेपी को चुना था। फिर 2019 में राष्ट्रवादी तेवर बीजेपी की वापसी की वजह बने और पार्टी ने जम्मू-कश्मीर में अनुच्छेद 370 हटाने, घुसपैठियों को देश से बाहर निकालने और ट्रिपल तलाक जैसे मामले में सियासी कलेवर वाले फैसले किए। लेकिन राम मंदिर निर्माण का फैसला अदालत की चौखट पर जाए बिना संभव नहीं था। सो, बीजेपी ने अदालती प्रक्रिया को चुस्त-दुरुस्त करते हुए मंदिर के शिलान्यास की राह प्रशस्त की। इस लिहाज से बीते 30 साल का समय बीजेपी के राजनीतिक और धार्मिक पुनर्जागरण का काल भी कहा जा सकता है। कई बीजेपी नेता बहुत गर्व से कहते हैं कि आज राम मंदिर के निर्माण का कोई विरोध करने वाला नहीं रहा और यही बीजेपी के राम मंदिर आंदोलन की सबसे बड़ी जीत है। दरअसल, बीजेपी देश को समझाने में कामयाब रही कि मुसलमानों के लिए जैसे मक्का-मदीना है, ईसाइयों की वेटिकन सिटी है, तो हिंदुओं के लिए अयोध्या क्यों नहीं हो सकती और अगर अयोध्या होगी तो राम मंदिर वहां नहीं होगा, तो फिर कहां होगा?

रामराज्य अभी नहीं तो कब?

लेकिन इन सवालों के बदले कई दूसरे सवाल बीजेपी से भी किए जाते हैं। जब-जब रामलला की बात होती है तब-तब रामराज्य की भी बात उठ जाती है। वैसे तो राम मंदिर निर्माण से रामराज्य का कोई सीधा संबंध नहीं है, मगर अयोध्या आंदोलन से जुड़े राजनीतिक-धार्मिक विमर्श के कारण उससे रामराज्य की अपेक्षा भी जुड़ती है। हिंदी पट्टी के ज्यादातर प्रदेशों में डबल इंजन की सरकारें हैं यानी केंद्र के साथ ही राज्य में भी बीजेपी सरकार। इसलिए पूछा जाने लगा है कि रामराज्य अभी नहीं तो कब? रामराज्य का सीधा मतलब सुशासन होता है। इसका मतलब अन्याय का अंत है, न्याय की प्रतिष्ठा है। सिर्फ हिंदी पट्टी ही नहीं, समूचे हिंदुस्तान में रामराज्य यानी सुशासन की जरूरत लोग महसूस कर रहे हैं। दुर्भाग्य से इस कल्पना से यथार्थ अभी बहुत दूर है।

जब-जब रामलला की बात होती है तब-तब रामराज्य की भी बात उठ जाती है।

राम मंदिर के शिलान्यास की तारीख 5 अगस्त को चुनी गई है। यह वह तारीख है जिस दिन 2019 में जम्मू-कश्मीर में अनुच्छेद 370 का विलोपन हुआ था और इस राज्य को दो हिस्सों में बांटकर उन्हें केंद्र शासित प्रदेश में बदल दिया गया था। राम मंदिर आंदोलन के माथे पर सांप्रदायिकता का कलंक साथ-साथ आक्षेपित रहा है। ऐसे में शिलान्यास के मुहूर्त को भी जम्मू-कश्मीर से जोड़ देने पर इस अवसर को राजनीतिक रंग देने का आरोप भी अमिट रहेगा। खुद शंकराचार्य स्वरूपानन्द सरस्वती ने राम मंदिर के शिलान्यास के मुहूर्त को अशुभ बताया है। अशुभ मुहूर्त को राजनीतिक कारणों से अगर शुभ में बदल दिया जाता है, तो चाहे आस्थावान लोग हों या नास्तिक, दोनों के मन में खटका तो रहेगा। यही वजह है कि शिलान्यास के अवसर पर भी उंगलियां उठ रही हैं।

बहस तो इस बात को लेकर भी है कि क्या शिलान्यास का मौका देश के प्रधानमंत्री को दिया गया है? अगर हां, तो इससे जुड़ा दूसरा प्रश्न उठ जाता है कि क्या कोई गैर-बीजेपी सरकार का व्यक्ति प्रधानमंत्री होता तो उन्हें भी यह अवसर दिया जाता? इन प्रश्नों से इतर एक सच्चाई यह है कि

आंदोलन के महत्त्वपूर्ण क्षणों में उनकी सक्रिय भागीदारी और योगदान रहा। आज वे देश के प्रधानमंत्री हैं और उन्होंने मंदिर निर्माण में आ रही बाधाओं को दूर करने का काम किया है। ऐसे में वे अयोध्या आंदोलन के जनक लालकृष्ण आडवाणी की दावेदारी पर इस वजह से भी भारी पड़ गए क्योंकि वे देश के प्रधानमंत्री भी हैं।

अमरनाथ यात्रा जैसा हो जाएगा दर्जा

अयोध्या हिन्दुओं का तीर्थस्थल पहले से है, लेकिन राम मंदिर निर्माण के बाद इसका दरजा भी अमरनाथ यात्रा जैसी तीर्थ यात्राओं जैसा हो जाएगा। यह आने वाले समय में हरिद्वार, ऋषिकेश, बद्रीनाथ, कामरूप, पुरी जैसे हिंदू तीर्थ स्थलों के बीच सबसे महत्त्वपूर्ण होकर उभरेगा। अयोध्या में रामलला अभी अस्थायी मंदिर में हैं, फिर भी पिछले साल करीब 1.5 लाख श्रद्धालु बाहर से आए। अयोध्या का पहुंच मार्ग अगर ठीक से विकसित हो जाता है, तो यहां श्रद्धालुओं की दैनिक संख्या पचास हजार तक पहुंच सकती है। महत्त्वपूर्ण बात यह भी है कि अयोध्या हिंदुओं के लिए ही नहीं, बौद्ध और जैन धर्मावलंबियों के लिए भी महत्त्व रखती है। ऐसे में अयोध्या अंतरराष्ट्रीय तीर्थ स्थल के तौर पर उभरेगी, इसमें कोई संदेह नहीं है। देश के बड़े उद्योगपति मुकेश अंबानी और गौतम अडानी का शिलान्यास के मौके पर शामिल होना यह बताता है कि उनकी भी इसमें रुचि है। यह रुचि सिर्फ धार्मिक कायरे में रुचि न रहकर अयोध्या नगरी को तीर्थ केंद्र के तौर पर विकसित करने के रूप में भी होगी, ऐसा अनुमान है। धार्मिक पर्यटन का मॉडल अयोध्या को केंद्र में रखकर कैसे विकसित किया जाए, इस पर देशव्यापी चर्चा चल रही है। सकारात्मक रूप से सोचें तो अयोध्या ने अपने विकास का मार्ग राम मंदिर के केंद्र में सुनिश्चित कर लिया है।

जब-जब रामलला की बात होती है तब-तब रामराज्य की भी बात उठ जाती है।

(राष्ट्रीय सहारा, 1 अगस्त, 2020)

74

वर्चुअल वॉर के रियल खतरे

पेंटागन का अनुमान है कि इंडो-पैसिफिक क्षेत्र में चीन अब अमेरिका से बड़ी ताकत बन चुका है और साल 2030 तक दोनों देशों के बीच अगर कोई युद्ध होता है, तो अमेरिका का जीतना आसान नहीं होगा। इस वजह से भी अमेरिका ने अब चीन की सैन्य ताकत के साथ-साथ उसकी आर्थिक ताकत पर हमला तेज किया है। साल 2008 में ग्लोबल मंदी के बाद चीन ने दूसरे देशों में काफी पैसा निवेश किया है। इससे देश के बाहर उसकी ट्रेड पावर तो बढ़ी है, लेकिन साथ ही इन देशों से रिश्ते बनाकर रखने की मजबूरी भी बढ़ी है।

अमेरिका और चीन के रिश्ते क्या इतने बिगड़ गए हैं कि तीसरा विश्व युद्ध अब कोरी कल्पना नहीं, बल्कि बड़ी मुश्किल से टलने वाली एक खतरनाक संभावना बन गया है? इस बार मामला इसलिए गंभीर दिख रहा है, क्योंकि दोनों ओर से इस खतरे को टालने की कोई कोशिश भी नहीं दिख रही है। अमेरिका डाल-डाल, तो चीन पात-पात। लंबे समय से सुलग रही तनाव की आग को कोरोना वायरस के विवाद और अमेरिका के चुनावी साल ने और विकराल बना दिया है। अमेरिकी राष्ट्रपति डोनाल्ड ट्रंप अपने देश में कोरोना से बिगड़े हालात के लिए बार-बार न केवल चीन को जिम्मेदार ठहरा रहे हैं, बल्कि इस हिमाकत का नतीजा भुगतने के लिए चीन को धमका भी रहे हैं। इसकी आड़ में ट्रंप चीन से मिले 'गिफ्ट' में अमेरिकी चुनाव को आगे शिफ्ट करने का मौका भी तलाश रहे हैं। जिस देश में साल 1864 में हुआ गृह युद्ध भी चुनाव नहीं टाल पाया हो, जहां दोनों विश्व युद्ध के दौरान भी चुनाव तय समय पर हुए हों, जहां साल 2004 में 9/11 के आतंकी साए के बावजूद मतदान हुआ हो, ऐसे अमेरिकी स्वाभिमान से समझौता करने और इसके लिए चीन को इस्तेमाल करने की ट्रंप की कोशिश बताती है कि हालात अपने पक्ष में करने के लिए वो किस हद तक जा सकते हैं। हालांकि यह भी कम दिलचस्प नहीं है कि जब भी युद्ध काल में अमेरिका में चुनाव हुआ है, तब मौजूदा राष्ट्रपति को कभी हार का मुंह नहीं देखना पड़ा है। लेकिन क्या अमेरिकी मतदाताओं से अपनी कैमिस्ट्री सुधारने के लिए ट्रंप समूची दुनिया का भूगोल बिगाड़ने का खतरा भी मोल ले सकते हैं? ट्रंप को जानने-समझने वाले भी यही कहेंगे कि इसका जवाब तो खुद ट्रंप के पास भी नहीं मिलेगा।

ट्रंप चीन से मिले 'गिफ्ट' में अमेरिकी चुनाव को आगे शिफ्ट करने का मौका भी तलाश रहे हैं।

यही हाल चीन के आसमान में अमेरिका के लड़ाकू और टोही विमानों की दस्तक से जुड़े सवाल का है। अमेरिकी विमानों का शंघाई से महज 77 किलोमीटर दूर तक उड़ान भरने का मकसद क्या था? क्या यह विमान वहां 'सैर' करने गए थे या फिर ट्रंप चीन से चल रहे 'बैर' का हिसाब बराबर करने की जल्दी में हैं? एक अमेरिकी थिंक टैंक के हवाले से यह जानकारी

भी सामने आई है कि इन विमानों को एक अमेरिकी युद्धपोत कवर दे रहा था यानी चीन अगर कोई पलटवार करता तो उसे उसका तुरंत जवाब भी मिल जाता। कौन जानता है कि अगर चीन ने पलटवार कर ही दिया होता, तो यह किसी युद्ध का फ्लैशप्वाइंट भी बन सकता था।

अमेरिका और चीन के बीच बार-बार युद्ध की नौबत आना और फिर इसका टल जाना कितना रियल है या फिर कितना वर्चुअल, इसकी वजह का पता लगाना ज्यादा मुश्किल नहीं है। अमेरिका से ऐसी खबरें आ रहीं हैं, जो काफी हद तक सही भी लगता है, कि ट्रंप चुनाव प्रचार में पिछड़ रहे हैं और बाजी पलटने के लिए उन्होंने चीनी कार्ड खेला है। चार साल पहले भी ट्रंप ने रूस की पीठ पर चढ़कर चुनाव जीता था। अमेरिकी सर्वेक्षण एजेंसी गैलप की जुलाई की रेटिंग बताती है कि बगदादी को मारने से ट्रंप को फायदा मिला था, लेकिन कोरोना से निपटने की नाकामी के कारण ट्रंप की लोकप्रियता ने छह फीसद का गोता लगाया है। ये नाकामी इतनी बड़ी बताई जा रही है कि वियतनाम की असफलता भी इसके आगे छोटी दिखने लगी है। वियतनाम से लड़ाई में अमेरिका के 58 हजार सैनिक मारे गए थे, लेकिन कोरोना इससे भी ज्यादा अमेरिकियों को निगल चुका है। बना-बनाया खेल बिगड़ने से परेशान ट्रंप चीन को खलनायक बनाकर अपनी जीत की राह आसान करना चाहते हैं, लेकिन अमेरिकी वोटरों में ऐसे लोगों की संख्या लगातार बढ़ रही है जो इसके लिए ट्रंप की लापरवाही को जिम्मेदार मानते हैं। हालांकि इस मसले पर आम अमेरिकी भले ही बाइडेन और ट्रंप में बंटे हुए हों, लेकिन चीन से नाराजगी पर पूरा मुल्क एक है।

अमेरिकी विमानों का शंघाई से महज 77 किलोमीटर दूर तक उड़ान भरने का मकसद क्या था?

दक्षिण चीन सागर में दोनों देशों का युद्धाभ्यास, वाणिज्य दूतावासों की तालाबंदी, और ट्रेड वॉर का तनाव इस नाराजगी को और बढ़ा रहा है। अलग-अलग वजहों से ईरान, ब्राजील, जापान, ऑस्ट्रेलिया, ब्रिटेन, जर्मनी और यूरोपीय संघ के साथ आसियान देशों में भी चीन को लेकर गुस्सा है। चीन से नाराज वैश्विक समूह की वजनदारी इस वजह से भी काफी ज्यादा बढ़ जाती है कि भारत भी इस समूह में शामिल है। सीमा विवाद को लेकर भारत

में भी चीन के खिलाफ माहौल बना हुआ है। चीन को आर्थिक चोट पहुंचाने के लिए भारत ने कई कदम उठाए हैं, जिससे चीन झल्लाया हुआ है। राफेल के आने से जिस तरह सैन्य संतुलन बदला है, उसने चीन की झल्लाहट को और बढ़ा दिया है।

सीमा विवाद को लेकर भारत में भी चीन के खिलाफ माहौल बना हुआ है।

लेकिन असली खतरा चीन की खामोशी को लेकर है। चीन साम, दाम, दंड, भेद वाली रणनीति से चुपचाप अपनी ताकत को लगातार बढ़ाता रहता है। इसलिए अमेरिका की ओर से इतनी तीखी बयानबाजी के बावजूद अगर चीन पलटबयानी नहीं कर रहा है तो यह दुनिया के लिए राहत नहीं, बल्कि खतरे का अलर्ट माना जाना चाहिए। जिस इंडो-पैसिफिक क्षेत्र से अमेरिका की आर्थिक और सामरिक सुरक्षा जुड़ती है, उसके इस ओर चीन युद्धपोत और लड़ाकू विमान तैनात कर इस सुरक्षा पर लगातार दबाव बढ़ाता जा रहा है। पेंटागन की हालिया रिपोर्ट ने इस क्षेत्र में अमेरिका की सामरिक तैयारियों को और दबाव में ला दिया है। पेंटागन का अनुमान है कि इंडो-पैसिफिक क्षेत्र में चीन अब अमेरिका से बड़ी ताकत बन चुका है और साल 2030 तक दोनों देशों के बीच अगर कोई युद्ध होता है, तो अमेरिका का जीतना आसान नहीं होगा। इस वजह से भी अमेरिका ने अब चीन की सैन्य ताकत के साथ-साथ उसकी आर्थिक ताकत पर हमला तेज किया है। साल 2008 में ग्लोबल मंदी के बाद चीन ने दूसरे देशों में काफी पैसा निवेश किया है। इससे देश के बाहर उसकी ट्रेड पावर तो बढ़ी है, लेकिन साथ ही इन देशों से रिश्ते बनाकर रखने की मजबूरी भी बढ़ी है। इनमें से कई देश अब पाला बदल चुके हैं और अमेरिका इन्हें चीन का आर्थिक बॉयकॉट करने के लिए उकसा रहा है। शीत युद्ध के दौरान रूस के खिलाफ यही रणनीति अपनाकर अमेरिका दुनिया का 'दादा' बन गया था। बदले माहौल में चीन के खिलाफ यह रणनीति कितना काम करेगी, यह वक्त बताएगा। वैसे भी चीन इतना चालाक है कि अमेरिकी रणनीति के जवाब में वो अपनी बेल्ट एंड रोड परियोजना को जल्द-से-जल्द पूरा कर लेना चाहता है, ताकि अगर अमेरिका

उसके समुद्री रास्ते बंद भी कर दे तो भी व्यापार के लिए एक वैकल्पिक रास्ता खुला रहे। यानी बात वही है—अमेरिका डाल-डाल, तो चीन पात-पात।

विस्तारवाद से लेकर व्यापारिक एकाधिकारवाद के लिए चीन की ऐसी तैयारी केवल अमेरिका ही नहीं, बाकी दुनिया के लिए भी चुनौती बनती जा रही है। इसीलिए फिलहाल पूरी दुनिया में इस बात की चिंता है कि एक-दूसरे को नीचा दिखाने की होड़ कहीं अमेरिका और चीन को एक-दूसरे के सामने लाकर खड़ा न कर दे, क्योंकि अगर ऐसा हुआ तो फिर कोई भी देश हाथ-पर-हाथ धरे चैन से नहीं बैठ पाएगा।

(राष्ट्रीय सहारा, 2 अगस्त, 2020)

75

बदलेगी पद्धति तो होगी शिक्षा की उन्नति

अंग्रेजी को पूरी तरह भुला देना भी ठीक नहीं होगा। आईटी की दुनिया में अंग्रेजी का ज्ञान भारतीयों की सबसे बड़ी पूंजी साबित हुआ है और इस सच्चाई को झुठलाया नहीं जा सकता। अच्छी बात है कि नई शिक्षा नीति में मातृभाषा को उसका गौरव लौटाने की पहल में कहीं भी अंग्रेजी के आगे बढ़ने की राह में किसी तरह की बाधा नहीं खड़ी की गई है। हालांकि हिंदी को लेकर कुछ राज्यों की चिंताएं थीं, लेकिन क्षेत्रीय भाषा का विकल्प देकर सरकार ने विवाद की संभावना को बड़ी समझदारी से टाल दिया।

संविधान निर्माता बाबा साहेब भीमराव अंबेडकर ने शिक्षा के लिए कहा था कि उसे ऐसा होना चाहिए जो सभी के लिए सुलभ हो यानी जो भी शिक्षा पाना चाहे, शिक्षा उसकी पहुंच में हो। तीन दशक बाद देश को मिली नई शिक्षा नीति बाबा साहेब के इन्हीं विचारों को समर्पित लगती है। इसमें बच्चों की नींव मजबूत करने से लेकर उनके भविष्य की इमारत को भी सुदृढ़ बनाने का विजन दिखता है। शिक्षा व्यवस्था का दायरा बढ़ाना, शिक्षा के माध्यम के तौर पर मातृभाषा और स्थानीय भाषाओं को प्रोत्साहित करना, उच्च शिक्षा में इंस्पेक्टर राज खत्म करने की पहल, शिक्षकों की गुणवत्ता सुधारने पर जोर सब ऐसे फैसले हैं, जो देश में नई शिक्षा संस्कृति की शुरुआत बन सकते हैं। मौजूदा परिदृश्य में यह लक्ष्य भले बहुत महत्त्वाकांक्षी लगता हो, लेकिन यह पहुंच के बाहर भी नहीं है, बशर्ते यह जमीन पर उसी तरह उतर सके, जैसी कल्पना इसे बनाने वालों ने की है।

नई नीति में जो सबसे दूरदर्शी बात दिखती है, वो है शिक्षा को रोजगार से जोड़ने की पहल।

नई नीति में जो सबसे दूरदर्शी बात दिखती है, वो है शिक्षा को रोजगार से जोड़ने की पहल। बेरोजगारी की लगातार बढ़ती दर के बीच यह पहल ताजा हवा के झोंके जैसी दिखती है। कक्षा 6 से वोकेशनल कोर्स की शुरुआत होने का मतलब बुनियादी स्तर से ही पढ़ाई को लाइफ स्किल से सीधे जोड़ने जैसा है जिससे बच्चे किताबी ज्ञान के साथ कुछ नया कौशल भी सीख सकेंगे। कौशल का विकास स्वरोजगार की संभावनाओं को भी मजबूती देगा ऐसी उम्मीद की जा सकती है। मौजूदा शिक्षा व्यवस्था की सबसे बड़ी खामी ही शायद यह है कि बच्चे ना तो पढ़ाई का आनंद ले पा रहे हैं और ना ही पढ़ाई पूरी करने के बाद ढंग का कोई रोजगार तलाश पा रहे हैं। प्रधानमंत्री नरेन्द्र मोदी अक्सर ऐसी शिक्षा पर जोर देते रहे हैं, जो 'नौकरी मांगने वालों' के बजाय 'नौकरी देने वाले' तैयार कर सके और इस शिक्षा नीति में उसी सोच को सच बनाने की कोशिश दिखती है।

नई नीति में प्रधानमंत्री की एक और सोच - एक भारत, श्रेष्ठ भारत को साकार करने का रोडमैप भी दिखाया गया है। शिक्षा के माध्यम के रूप में मातृभाषा के साथ ही स्थानीय और क्षेत्रीय भाषा का विकल्प आत्मनिर्भरता

की परिकल्पना को व्यापकता देने में मददगार हो सकता है। तीन भाषा वाला फॉर्मूला बच्चों को एक साथ कई भाषाओं के साथ-साथ संबंधित विषय में महारथ हासिल करने का अवसर भी देगा। हाथ-कंगन को आरसी क्या, कई अध्ययनों ने भी इस बात पर मुहर लगाई है कि मातृभाषा में दी गई मूलभूत शिक्षा बच्चों की समझ को बेहतर करती है। इसका एक दूसरा फायदा भी दिखता है। अंग्रेजी मीडियम वाले स्कूलों से हमारी शिक्षा को फायदा पहुंचा हो या नहीं, लेकिन यह स्कूल चाहे-अनचाहे ही बच्चों के बीच हैसियत की खाई को चौड़ा करने का जरिया बने हैं। इससे समाज को काफी नुकसान पहुंचा है। अगर सभी बच्चे समान रूप से शुरुआती पढ़ाई मातृभाषा में करेंगे, तो यह खाई स्वतः ही समाप्त हो सकती है और राइट टू एजुकेशन से आगे बढ़कर राइट टू इक्वल एजुकेशन का सपना भी सच हो सकेगा। लेकिन अंग्रेजी को पूरी तरह भुला देना भी ठीक नहीं होगा। आईटी की दुनिया में अंग्रेजी का ज्ञान भारतीयों की सबसे बड़ी पूंजी साबित हुआ है और इस सच्चाई को झुठलाया नहीं जा सकता। अच्छी बात है कि नई शिक्षा नीति में मातृभाषा को उसका गौरव लौटाने की पहल में कहीं भी अंग्रेजी के आगे बढ़ने की राह में किसी तरह की बाधा नहीं खड़ी की गई है। हालांकि हिंदी को लेकर कुछ राज्यों की चिंताएं थीं, लेकिन क्षेत्रीय भाषा का विकल्प देकर सरकार ने विवाद की संभावना को बड़ी समझदारी से टाल दिया।

तीन भाषा वाला फॉर्मूला बच्चों को एक साथ कई भाषाओं के साथ-साथ संबंधित विषय में महारथ हासिल करने का अवसर भी देगा।

इसी तरह लॉ और मेडिकल को छोड़कर हायर एजुकेशन के लिए एकल नियामक बनाना उच्च शिक्षा की कई मुश्किलों को दूर करेगा। अब तक नियंत्रण की 'चाबुक' ढेर सारी संस्थाओं के बीच बंटी हुई थी। यूजीसी-एआईसीटीई के नियम-निर्देश भी शिक्षण संस्थानों की परेशानी दूर करने के बजाय और बढ़ा देते थे। अब एक नियामक होने से विश्वविद्यालयों को संचालन में ज्यादा आजादी मिल पाएगी। विश्वविद्यालयों की ही तरह छात्रों को भी अपने विषय चुनने की आजादी मिलेगी यानी अब मैथ्स के साथ म्यूजिक और फिजिक्स के साथ फैशन डिजाइनिंग की पढ़ाई भी की जा सकेगी। इससे पैसों की तंगी

या दूसरी वजहों से ड्रॉपआउट करने वाले छात्रों का साल बर्बाद होने से बच जाएगा। मल्टीपल एंट्री और एग्जिट का विकल्प अगर काम कर गया तो 2035 तक हर दूसरे छात्र को उच्च शिक्षा से जोड़ने का लक्ष्य आसान हो जाएगा।

गुणवत्ता और लचीलेपन का यह संयोग नई शिक्षा नीति की खास पहचान है। इसमें एक तरफ छात्रों की प्रतिभा को निखारने के उपाय हैं, तो दूसरी तरफ ठेके पर नहीं, बल्कि ठोक-बजा कर शिक्षकों को प्रशिक्षण देकर नई चुनौतियों के लिए तैयार करने के प्रावधान भी हैं। इसमें भी खास जोर इस बात का दिखता है कि गांवों में शिक्षकों की कमी को दूर किया जाए और शिक्षित ग्रामीण युवाओं को उनके गांव के आसपास ही रोजगार मुहैया करवाया जाए।

> *गुणवत्ता और लचीलेपन का यह संयोग नई शिक्षा नीति की खास पहचान है।*

नई शिक्षा नीति में जो बात पुरानी है, वह जानना भी जरूरी है। शिक्षा पर जीडीपी का छह फीसदी खर्च करने की बात पिछले 50 साल से की जा रही है और इस सिफारिश को एक बार फिर दोहरा दिया गया है। फिलहाल यह खर्च 4.43 फीसद के आसपास है। देखने में यह आंकड़ा लक्ष्य से ज्यादा दूर नहीं दिखता, लेकिन सच्चाई कड़वी है। एक मीडिया रिपोर्ट के अनुसार पांच साल पहले सरकार शिक्षा पर 38 हजार 607 करोड़ रुपये खर्च कर रही थी, जो पिछले साल में घटकर 37 हजार करोड़ रुपये रह गया। यानी बढ़ने की जगह शिक्षा पर खर्च कम होता जा रहा है।

चिंताएं और भी हैं। सरकार ने कहा है कि दो करोड़ बच्चों को स्कूल तक वापस लाएंगे। ये ड्रॉप-आउट रेट लगभग 40 फीसद का है और इसमें भी ज्यादातर लडकियां हैं जिनके लिए सरकार ने बेटी बचाओ, बेटी पढ़ाओ अभियान चलाया हुआ है। मानव संसाधान विकास मंत्रालय, जो आने वाले दिनों में शायद शिक्षा मंत्रालय के नाम से जाना जाने लगे, उसकी ही एक रिपोर्ट बताती है कि हर साल करीब 17 फीसद लड़कियां 14 साल या आठवीं कक्षा के बाद स्कूल जाना छोड़ देती हैं। नई शिक्षा नीति में इस चिंताजनक आंकड़े को लेकर कोई खास चिंता नहीं दिखी है। इसी तरह प्राइमरी स्कूलों से लेकर विश्वविद्यालयों तक शिक्षकों की भारी कमी है।

आंकड़ा करीब 10 लाख अध्यापकों का है। कई स्कूल तो महज एक शिक्षक के भरोसे चल रहे हैं। फिर नई शिक्षा नीति ऑनलाइन एजुकेशन को बढ़ावा देगी और इससे एक नई चिंता यह उभरी है कि हमारा आज का समाज इसके लिए तैयार नहीं है। स्कूल शिक्षा विभाग की रिपोर्ट से पता चलता है कि देश के दस फीसद से भी कम स्कूलों में कंप्यूटर हैं और इंटरनेट की पहुंच तो महज चार फीसद से कुछ ही ज्यादा स्कूलों तक है। इसी तरह उच्च शिक्षा के लिए प्रस्तावित क्रेडिट पॉलिसी निजीकरण को बढ़ावा दे सकती है। बेहतर ग्रेड पाने और आत्मनिर्भर बनने के लिए यूनिवर्सिटी छात्रों को पढ़ाई के खर्च से कोई भी राहत मिलनी बंद हो सकती है। आशंका इस बात की है इस होड़ में छोटे शहरों के कॉलेज और निचले स्तर के विश्वविद्यालय राष्ट्रीय यूनिवर्सिटी के सामने बेहद कमजोर खिलाड़ी साबित होंगे। शिक्षा पर जीडीपी का 6 फीसद खर्च करने का वादा किया गया है। बेशक खर्च बढ़ाने से ज्यादा बच्चों को गुणवत्ता वाली शिक्षा मिल सकेगी लेकिन इसके लिए आर्थिक संसाधन कैसे जुटाए जाएंगे इस का कोई जिक्र नीति में नहीं मिलता।

> *नई शिक्षा नीति ऑनलाइन एजुकेशन को बढ़ावा देगी।*

इसलिए सवाल तो उठेगा कि नई शिक्षा नीति देश की अपेक्षाओं पर कितनी खरी उतरी है? सरकार का तो दावा है कि उसकी नई शिक्षा नीति दुनिया में भारत को ज्ञान का सुपरपावर बनाने का काम करेगी। नई नीति में चौतरफा बदलावों को देखकर यह तो मानना पड़ेगा कि सरकार ने शिक्षा के चहुंमुखी विकास की मजबूत आधारशिला रखने की कोशिश की है। उम्मीद की जानी चाहिए कि नए भारत के निर्माण की यह अभूतपूर्व कोशिश केवल नेक इरादा बनकर नहीं, बल्कि एक सच्चा वादा बनकर पूरी होगी।

(राष्ट्रीय सहारा, 8 अगस्त, 2020)

76

आर-पार की लड़ाई के लिए दुनिया तैयार!

चीन के खिलाफ एकजुट होने की ऑस्ट्रेलियाई प्रधानमंत्री की गुहार का संदर्भ इसी खतरे से जुड़ता है। इस खतरे को लेकर दुनिया भारत की ओर भी बड़ी उम्मीद से देख रही है। पिछले आधे दशक में जिस तरह दुनिया में भारत का प्रभुत्व बढ़ा है, उसके बाद कई देश भारत से इस तनाव को दूर करने की गुहार लगाते रहे हैं। प्रधानमंत्री नरेन्द्र मोदी की अगुवाई में भारत ने इस दिशा में कई सार्थक पहलें भी की हैं, लेकिन चीन और पाकिस्तान जैसे पड़ोसियों की पीठ पर वार करने की नीति ने भारत को भी अपनी सुरक्षा पर गंभीरता से विचार करने के लिए मजबूर किया है।

लेबनान की राजधानी बेरुत में 'परमाणु बम' जैसे धमाकों की धुंध बेशक अभी साफ न हुई हो, लेकिन इन धमाकों ने दुनिया को एक साफ संकेत जरूर दे दिया है। यह संकेत दुनिया भर में चल रही टकराहट से आने वाली तबाही की आहट का है। बेरुत धमाके की जांच अभी जारी है, लेकिन नतीजे से पहले ही अमेरिकी राष्ट्रपति डोनाल्ड ट्रंप ने इसे 'आतंकी' हमला बता दिया। हालांकि इस अनुमान के समर्थन में ट्रंप अब तक कोई तर्क या सबूत पेश नहीं कर पाए हैं, लेकिन अपने स्वभाव के विपरीत वो अब तक अपने इस बयान से पलटे भी नहीं हैं।

खास बात यह है कि लेबनान के राष्ट्रपति ने भी रॉकेट या बम से हमले की संभावना से इनकार नहीं किया है। माना जा रहा है कि 'बाहरी दखल' की बात कह कर लेबनान ने अपने पड़ोसी इजरायल को मुजरिम साबित करने की कोशिश की है। लेकिन सऊदी अरब की मीडिया का खुलासा खुद लेबनान को कटघरे में खड़ा कर रहा है। इसके मुताबिक बेरुत के धमाके आतंकी समूह हिजबुल्लाह के हथियारों के गोदाम में हुए हैं।

लेबनान के राष्ट्रपति ने भी रॉकेट या बम से हमले की संभावना से इनकार नहीं किया है।

दरअसल हिजबुल्लाह कंगाल हो रहे लेबनान की सत्ता भी है और सेना भी। बरसों से हिजबुल्लाह के लड़ाके इजरायल के लिए सिरदर्द बने हुए हैं। कुछ दिन पहले ही इजरायल ने दावा किया था कि हिजबुल्लाह को ईरान से एक लाख से भी ज्यादा रॉकेट और मिसाइलें मिली हैं, जिनके दम पर उसने बेरुत में कम-से-कम 28 मिसाइल बेस बनाए हुए हैं। इजरायल इन मिसाइल बेस को अपनी सुरक्षा के लिए खतरा मानता है और कई बार लेबनान को चेता चुका था कि अगर हिजबुल्लाह ने कोई भी गलत हरकत की तो वो इन ठिकानों को नेस्तानाबूद कर देगा। ऐसे वक्त में बेरुत में धमाके होने से दोनों संभावनाओं के दरवाजे खुले गए हैं। यह लेबनान की खुद अपने पैरों पर कुल्हाड़ी मारने जैसा दुस्साहस भी हो सकता है जिसका इशारा सऊदी मीडिया कर रहा है या फिर इजरायल का साजिशन हमला भी हो सकता है जिसका अंदेशा ट्रंप समेत लेबनान के राष्ट्रपति भी जता रहे हैं। सवाल इस बात का भी है कि हजारों टन का यह विस्फोटक पदार्थ बेरुत ही क्यों लाया गया?

क्या इसकी सप्लाई सीरियाई विद्रोहियों को की जानी थी या फिर बेरुत में ही रखकर इसका इस्तेमाल आतंकी हमलों के लिए किया जाना था? वजह जो भी हो, मकसद दुनिया की शांति खतरे में डालना ही है।

लेकिन इस धमाके को केवल लेबनान-सीरिया और इजरायल तक सीमित नहीं रखा जा सकता, व्यापक तौर पर यह घटनाक्रम समूचे मिडिल ईस्ट की चिंताजनक पहचान है। आलम यह है कि मिडिल ईस्ट में कुल 18 देश हैं और आज यह सब एक-दूसरे के दुश्मन बने हुए हैं। उस पर तुर्रा यह है इन देशों के बीच शांति बहाल होने की भी दूर-दूर तक कोई उम्मीद नहीं दिखती। इजरायल को ईरान पसंद नहीं है, इराक को सीरिया नापसंद है, तुर्की-सीरिया में तनातनी है, इजरायल-तुर्की में भी अनबन है, फिलीस्तीन-इजरायल की दुश्मनी जग-जाहिर है तो कुवैत-इराक में भी नफरत का रिश्ता है। ओमान, जॉर्डन और लेबनान समान रूप से आतंकवाद के शिकार हैं और फिर भी एक-दूसरे की आंखों की किरकिरी बने हुए हैं। जिस धमाके ने बेरुत को तहस-नहस कर दिया वो 2700 टन अमोनियम नाइट्रेट का नतीजा था। इजरायल ने अपने हेफा बंदरगाह पर ऐसा ही 1200 टन अमोनियम नाइट्रेट स्टॉक कर रखा है। विस्फोटक हथियारों का इस तरह का जखीरा दुनिया की शांति के लिए बड़ा खतरा है और यह खतरा मिडिल ईस्ट में जगह-जगह पसरा है।

दरअसल हिजबुल्लाह कंगाल हो रहे लेबनान की सत्ता भी है।

इस गिनती में ईरान को कैसे भूल सकते हैं जो अपने परमाणु कार्यक्रम के कारण आज दुनिया के लिए उत्तर कोरिया से कम खतरनाक नहीं है। ईरान इस मामले में भी बदनाम है कि वो हिजबुल्लाह को हथियारों की सप्लाई कर उसके जरिए दुनिया भर में आतंक का पैगाम भेजता है। हिजबुल्लाह के ईरान कनेक्शन और लेबनान में उसकी ताकतवर मौजूदगी को अमेरिका अपनी राष्ट्रीय सुरक्षा और विदेश नीति के लिए खतरा समझता है। इसी लिए उसने जॉर्ज बुश के जमाने की 13 साल पुरानी नीति दोबारा जिंदा करते हुए पिछले सप्ताह ही लेबनान के संदर्भ में एक साल की नेशनल इमरजेंसी लागू कर दी है।

यह अजीबोगरीब संयोग है कि जो देश दुनिया और खासकर अमेरिका के लिए खतरा बन जाता है, वो चीन की नजरों में नगीना हो जाता है।

उत्तरी कोरिया की ही तरह ईरान भी आजकल चीन की आंखों का तारा बना हुआ है। चीन ने ईरान में निवेश, सुरक्षा और मिलिट्री ट्रेनिंग के साथ-साथ हथियारों की टेक्नोलॉजी के विकास और खुफिया जानकारी साझा करने को लेकर बड़ा समझौता किया है। चीन इसमें अपने दो फायदे देख रहा है। पहला अपनी विस्तारवादी दखल को बढ़ाने के लिए उसे मिडिल ईस्ट जैसा क्षेत्र और ईरान जैसा देश मिल रहा है। दूसरा इस कदम से वो ईरान को आर्थिक प्रतिबंधों में जकड़ने की अमेरिका की योजना को पलीता लगा रहा है। ऐसे वक्त में जब मिडिल ईस्ट में तनाव अपने चरम पर है, तब अमेरिका और चीन की मौजूदगी वहां आग में घी डालने का ही काम कर रही है।

माना जा रहा है कि यह सारी तैयारी दक्षिण चीन सागर में तैनात अमेरिकी बेड़े को निशाना बनाने की है।

दरअसल भूमध्य सागर यानी एशिया की पश्चिमी समुद्री सीमा, जो कई मिडिल ईस्ट देशों का किनारा भी है, वहां चल रहे तनाव को अलगाव में नहीं देखा जा सकता। इसके तार एशिया के पूर्वी समुद्री इलाके यानी भूमध्य सागर के दूसरी ओर स्थित प्रशांत महासागर में चल रहे अमेरिका और चीन के झगड़े से भी जुड़ते हैं, जिसका एक हिस्सा दक्षिण चीन सागर भी है। हालांकि यह सागर सात देशों से घिरा हुआ है, लेकिन चीन इस पर अपना एकछत्र राज जमाना चाहता है जिससे अब वहां भी जंग के हालात बन गए हैं। चीन ने यहां हाल में जोरदार युद्धाभ्यास किया है जिसमें उसके सुखोई विमान 10 घंटे तक आसमान से रहे। पिछले महीने ही चीन के लड़ाकू विमानों ने रात में लंबी दूरी तक बम बरसाने का अभ्यास किया था। माना जा रहा है कि यह सारी तैयारी दक्षिण चीन सागर में तैनात अमेरिकी बेड़े को निशाना बनाने की है। इसके साथ ही ताइवान पर कब्जा जमाने के लिए उसने युद्धाभ्यास के नाम पर हजारों सैनिक उतार दिए हैं, जिसके जवाब में ताइवान ने भी अपने मरीन कमांडोज की एक कंपनी तैनात कर दी है। यानी दक्षिण चीन सागर में अमेरिका के बाद अब ताइवान भी चीन के आमने-सामने आ गया है। खेमेबाजी साफ है–एक तरफ अमेरिका है जिसे चीन, उत्तरी कोरिया, ईरान, पाकिस्तान और तुर्की जैसे देश फूटी आंख नहीं सुहाते हैं,

तो दूसरी तरफ चीन है जो अमेरिका ही नहीं भारत, जापान, ऑस्ट्रेलिया और ताइवान समेत पूरी दुनिया के लिए खतरा बन चुका है। चीन के खिलाफ एकजुट होने की ऑस्ट्रेलियाई प्रधानमंत्री की गुहार का संदर्भ इसी खतरे से जुड़ता है। इस खतरे को लेकर दुनिया भारत की ओर भी बड़ी उम्मीद से देख रही है। पिछले आधे दशक में जिस तरह दुनिया में भारत का प्रभुत्व बढ़ा है, उसके बाद कई देश भारत से इस तनाव को दूर करने की गुहार लगाते रहे हैं। प्रधानमंत्री नरेन्द्र मोदी की अगुवाई में भारत ने इस दिशा में कई सार्थक पहलें भी की हैं, लेकिन चीन और पाकिस्तान जैसे पड़ोसियों की पीठ पर वार करने की नीति ने भारत को भी अपनी सुरक्षा पर गंभीरता से विचार करने के लिए मजबूर किया है। मोदी सरकार बेहद मजबूती से यह संदेश स्थापित करने में कामयाब हुई है कि बुद्ध का देश विरोधियों को सबक सिखाने के लिए युद्ध करने से भी पीछे नहीं हटेगा।

हकीकत यह है कि युद्ध शुरू हो चुका है। दुनिया बारूद के ढेर पर बैठी है।

ऐसे हालात में जब सुलह-सफाई का दौर बीत चुका है तब तीसरे विश्व युद्ध की शुरुआत का अंदेशा बहुत पुरानी बात लगने लगा है। हकीकत यह है कि युद्ध शुरू हो चुका है। दुनिया बारूद के ढेर पर बैठी है, बेरुत जैसी घटनाएं युद्ध का वार्म अप हैं, रीयल एक्शन के लिए शायद एक बड़े धमाके का इंतजार है।

(राष्ट्रीय सहारा, 9 अगस्त, 2020)

77

आत्मनिर्भरता की अंगड़ाई आजादी की दूसरी लड़ाई

घरेलू मोर्चे के साथ ही अंतरराष्ट्रीय बिरादरी में भी भारत बड़ा बदलाव देख रहा है । प्रधानमंत्री के तौर पर सबसे ज्यादा विदेश यात्रा नरेन्द्र मोदी ने की है। इसका असर सुरक्षा परिषद में भारत के लिए उठ रही आवाज में दिखा है। अनुच्छेद 370 हटाने के मसले पर भारत विरोधी कोई प्रस्ताव अंतरराष्ट्रीय पटल पर ला पाने में पाकिस्तान नाकाम रहा। पाकिस्तान के आतंकी संगठनों और आतंकियों पर वैश्विक प्रतिबंध लगाने में मिली सफलता भी भारत के लिए बड़ी कामयाबी रही। गलवान घाटी में चीन से संघर्ष के बाद किसी भी देश ने खुलकर चीन का साथ नहीं दिया तो यह भी भारतीय विदेश नीति की सफलता है।

आजादी का संसार कल्पनाओं की ही तरह अनंत होता है। इस मायने में यह विस्तार इतना व्यापक है कि हर शख्स के लिए इस एक शब्द का अर्थ अलग-अलग हो सकता है। एक देश के तौर पर भी आजादी से आशय केवल अंग्रेजों की दासता से मुक्ति तक सीमित रख कर नहीं देखा जा सकता। इसीलिए आजादी के अहसास के लिए खुली हवा में उड़ने की इच्छाशक्ति और तत्परता दोनों जरूरी है। इस दिशा में बीते 73 साल में कई प्रयास हुए हैं, जो बीतते समय के साथ-साथ और तेज होते गए हैं। भारत अब जिस तरह विश्वगुरु बनने की ओर कदम बढ़ा रहा है, उसमें आजादी के यथोचित अहसास वाली इच्छाशक्ति भी दिख रही है और तत्परता भी झलक रही है।

खासकर सेवा और लोक-कल्याण के लिए मोदी सरकार ने अभूतपूर्व काम किया है।

इस तारतम्य में सदी का दूसरा दशक प्रधानमंत्री नरेन्द्र मोदी के नाम हो चुका है। कई बड़े फैसले, इन फैसलों से जुड़े बड़े काम और इन कामों के युगांतरकारी परिणामों की धूम अगले कई दशक तक देश को प्रभावित करती रहेगी। खासकर सेवा और लोककल्याण के लिए मोदी सरकार ने अभूतपूर्व काम किया है। जनधन खाते, आयुष्मान योजना, असंगठित मजदूरों को पेंशन, हर गांव-हर घर बिजली, सबको आवास, किसानों को आत्मनिर्भर बनाने के लिए पहल, स्वच्छता अभियान, हर घर नल जैसे अनगिनत काम हैं जिनमें आम लोगों की जरूरतें पूरी करने की पहल भी है और समाज में बदलाव का विजन भी हैं।

इसी तरह राजनीतिक मोर्चे पर भी मोदी सरकार के फैसलों का असर लम्बे समय तक रहने वाला है। तीन तलाक की 'विदाई' से क्या मुस्लिम समुदाय अछूता रह सकता है? क्या अनुच्छेद 370 खत्म होने से जम्मू-लद्दाख में महसूस हो रही आजादी भुलाई जा सकती है? कश्मीर भी अगर शांति की राह पर चला, तो वहां भी विकास के रास्ते स्वयं निकल आएंगे। इसी तरह राम मंदिर के निर्माण की लड़ाई को संपत्ति विवाद से लेकर आस्था के दावे में बदल देना मोदी सरकार का मास्ट्ररस्ट्रोक ही कहा जाएगा। इसकी परिणति राम मंदिर के शिलान्यास के तौर पर हुई है।

करीब 40 करोड़ आबादी के जनधन खाते खुलवाने की 'दूरदृष्टि' को देश ने कोरोना काल में अच्छी तरह समझ लिया है। आयुष्मान योजना के जरिए जिस तरह सस्ती स्वास्थ्य सेवाएं सुनिश्चित की गई हैं, वो भी 50 करोड़ भारतीयों के लिए किसी चमत्कार से कम नहीं है। प्रधानमंत्री श्रम योगी मान धन योजना के तहत 42 करोड़ से ज्यादा असंगठित मजदूरों को मिल रही पेंशन सामाजिक सुरक्षा की अद्भुत पहल है। देश के हर गांव में बिजली पहुंचाने का काम भी इसी सरकार के कार्यकाल में पूरा हुआ है। जिस तरह सरकार ने 2014 से 2019 के बीच 1.25 करोड़ से अधिक घर बनाए हैं, उसे देखते हुए साल 2022 तक हाउसिंग फॉर ऑल का सपना भी तेज रफ्तार से सच होता दिख रहा है। किसानों के लिए सालाना 87 हजार करोड़ रुपये की योजना ने तो अन्नदाता के जीवन में बड़ा बदलाव ला ही दिया है।

करीब 40 करोड़ आबादी के जनधन खाते खुलवाने की 'दूरदृष्टि' को देश ने कोरोना काल में अच्छी तरह समझ लिया है।

रोजगार दुनिया का संकट है। भारत भी इससे अछूता नहीं है। मगर, देश में व्यापक सुधार के लिए कृषि, उद्योग, आईटी जैसे क्षेत्रों समेत बुनियादी संरचना के क्षेत्र में जो बड़े कदम मोदी सरकार ने उठाए हैं उससे रोजगार की संभावनाएं बनी हैं। बेशक कोरोना काल ने इन संभावनाओं को जबरदस्त चोट पहुंचाई है, फिर भी स्वरोजगार के लिए युवाओं को अपने पैरों पर खड़ा करने की नीति ने उम्मीद को जिन्दा रखा है। कह सकते हैं कि संकट के इस दौर में जन-धन योजना वाली दूरदर्शिता मुद्रा लोन की पहचान भी बनी है।

गौर करने वाली बात है कि यह पहचान ऐसे समय में भी कायम रही है जब दुनिया भर में उद्योग-धंधे चौपट हुए हैं। कई कंपनियों ने खुद को दिवालिया घोषित किया है तो कई इसका इंतजार कर रहे हैं। श्रमिकों की छंटनी, सैलरी में कमी तो आम बात है। अमेरिकी कंपनी ब्रुक्स ब्रदर्स दिवालिया हो चुकी है जिसके बनाए कपड़े 40 राष्ट्रपति पहन चुके हैं। अब्राहम लिंकन भी हत्या के वक्त इसी कंपनी के कपड़े पहने हुए थे। जे क्रू, नीमैन मार्कस, जेसी पेनी जैसी नामचीन अमेरिकी रीटेल कंपनियां दिवालिया हो चुकी हैं, लेकिन विक्टोरिया सीक्रेट ने जब खुद को दिवालिया घोषित किया,

तो दुनिया ने दांतों तले उंगलियां दबा लीं। जारा, स्टारबक्स, चैनल, हर्मिज, रॉलेक्स, रेनो, नाइकी, स्विगी जैसे इंटरनेशनल ब्रांड भी बड़े पैमाने पर अपना कारोबार समेटने के लिए मजबूर हुए हैं। साफ है कि बाजार में मांग नहीं है और मांग नहीं है तो बाजार गुलजार नहीं हैं। लिहाजा उत्पादन ठप हुआ जा रहा है और रोज का खर्च निकालना दूभर हो गया है। 12 साल की मेहनत केवल 6 हफ्तों में बर्बाद हो गई - हॉस्पिटैलिटी सेक्टर में बड़ी दखल रखने वाले एयरबीएनबी के सीईओ ब्रायन चेस्की का यह बयान कमोबेश समूचे कारोबारी जगत की कहानी है।

रोजगार दुनिया का संकट है। भारत भी इससे अछूता नहीं है।

सीआईआई का एक सीईओ सर्वे बताता है कि 52 फीसदी नौकरियां खत्म हो गई हैं। हालांकि अनलॉक के दौर में बेरोजगारी में कमी आई है। अप्रैल-मई में जहां 23.2 फीसदी के स्तर पर बेरोजगारी पहुंच चुकी थी, वहीं जून में यह 11 फीसदी के स्तर पर आ गई। इतनी तेज रिकवरी के पीछे प्रधानमंत्री नरेन्द्र मोदी के आत्मनिर्भर भारत की सोच और 20 लाख करोड़ रुपये के कोरोना पैकेज का प्रभाव माना जा रहा है।

हालांकि इस सबके बावजूद अर्थव्यवस्था का सिकुड़ना आने वाले कुछ समय के लिए चुनौती बना रहेगा। माना जा रहा है कि जीडीपी नकारात्मक 4 से 5 फीसदी हो सकती है। चीन के साथ तनाव के बीच इस अवसर को भारत व्यापार संतुलन की चिंता से जोड़ने में जुटा है। इसका असर तत्काल अर्थव्यवस्था पर होगा, लेकिन भारत आत्मनिर्भर होने की ओर कदम बढ़ाएगा, यह भी तय है। भारत के लिए विदेशी व्यापार में चीन से कारोबार 10.1 फीसदी है जबकि चीन के लिए विदेशी व्यापार में भारत से कारोबार महज 2.1 फीसदी है। ऐसे में यह कारोबार पूरी तरह से खत्म करना दोनों में किसी देश के हित में नहीं है, लेकिन ऐप पर प्रतिबंध की दो-दो घोषणाएं और कई क्षेत्रों से चीनी कंपनियों के हाथ से काम छीन लेने जैसे फैसले भी हो रहे हैं। भारत के लिए जरूरी है कि चीन पर अपनी निर्भरता को कम करते हुए उसकी भरपाई आत्मनिर्भरता से करे। प्रधानमंत्री ने इसी दिशा में देश को आगे बढ़ाने का फैसला कर लिया है।

घरेलू मोर्चे के साथ ही अंतरराष्ट्रीय बिरादरी में भी भारत बड़ा बदलाव देख रहा है । प्रधानमंत्री के तौर पर सबसे ज्यादा विदेश यात्रा नरेन्द्र मोदी ने की है। इसका असर सुरक्षा परिषद में भारत के लिए उठ रही आवाज में दिखा है। अनुच्छेद 370 हटाने के मसले पर भारत विरोधी कोई प्रस्ताव अंतरराष्ट्रीय पटल पर ला पाने में पाकिस्तान नाकाम रहा। पाकिस्तान के आतंकी संगठनों और आतंकियों पर वैश्विक प्रतिबंध लगाने में मिली सफलता भी भारत के लिए बड़ी कामयाबी रही। गलवान घाटी में चीन से संघर्ष के बाद किसी भी देश ने खुलकर चीन का साथ नहीं दिया तो यह भी भारतीय विदेश नीति की सफलता है।

व्यक्तिगत तौर पर प्रधानमंत्री नरेन्द्र मोदी के लिए यह बड़ी उपलब्धि है कि अमेरिकी राष्ट्रपति हाउडी मोदी और नमस्ते ट्रंप जैसे कार्यक्रम में शरीक हुए। गणतंत्र दिवस पर मेहमान बनने से डोनाल्ड ट्रंप के इनकार के बाद इन आयोजनों का महत्त्व और बढ़ जाता है। इसका महत्त्व इसलिए भी ज्यादा है, क्योंकि कभी यही अमेरिका नरेन्द्र मोदी को वीजा देने से इनकार किया करता था। कोरोना काल में हाइड्रॉक्सीक्लोरोक्वीन के लिए जिस तरह से अमेरिकी राष्ट्रपति अधीर हो रहे थे, तब मदद का हाथ बढ़ाकर पीएम मोदी ने देश की साख बढ़ाई थी। कोरोना काल में सार्क देशों के बीच वीडियो कॉन्फ्रेंसिंग हो या भारत की पहल पर दुनिया के प्रमुख देशों के प्रमुखों के बीच बातचीत, नरेन्द्र मोदी की अगुवाई में भारत ने नेतृत्वकारी भूमिका निभाई।

नई नीति से भारत को शिक्षा का ग्लोबल हब बनाने का ऐलान इसी भरोसे की ऊंची छलांग है।

प्रधानमंत्री की यही भूमिका देश के भविष्य से जुड़े करोड़ों देशवासियों के भरोसे को नई मजबूती दे रही है। साल 2024 तक अर्थव्यवस्था को 5 ट्रिलियन डॉलर तक पहुंचाना, साल 2022 तक किसानों की आमदनी दोगुनी करना, अगले चार साल में घर-घर पीने का पानी पहुंचाना, रक्षा और मैन्युफैक्चरिंग में आत्मनिर्भरता का लक्ष्य साधना, नई नीति से भारत को शिक्षा का ग्लोबल हब बनाने का ऐलान इसी भरोसे की ऊंची छलांग है।

(राष्ट्रीय सहारा, 15 अगस्त, 2020)

78

कोरोना के खौफ से कब मिलेगी आजादी?

बाकी दुनिया में रूस वैक्सीन बना लेने का दावा कर रहा है। उसकी स्पूतनिक वैक्सीन आ चुकी है, मगर इसकी 15 लाख खुराक बनने में भी एक साल का वक्त लग जाएगा। किसी को भी इस वैक्सीन के दूसरे और तीसरे ट्रायल की खबर नहीं लग सकी, इसलिए इसके परफॉर्मेंस को लेकर दुनिया भर में अविश्वास का माहौल है। इसके बावजूद भारत की इस पर भी नजर है, क्योंकि अगर यह सफल रहती है तो हमारे पास भी ऐसी वैक्सीन को बनाने की पर्याप्त क्षमता है।

दुनिया का सबसे बड़ा लोकतंत्र हमारा देश आजादी के 74वें वर्ष में प्रवेश कर गया है। जश्न-ए-आजादी के सबसे बड़े गवाह लाल किले पर जब प्रधानमंत्री नरेन्द्र मोदी ने तिरंगा फहराया, तो दुनिया को हमारी बुनियाद के और मजबूत होने का अहसास हुआ। सालों-साल से इसी बुनियाद के दम पर हिन्दुस्तान लाल किले की प्राचीर से सफलता के आसमान में ऊंची उड़ान का पैगाम देता आया है। पैगाम इस बार भी वही था, बस अंदाज जरा हट कर था। इस बार देश ने कोरोना संकट के बीच आजादी की नई सुबह का स्वागत किया।

कोरोना के साये में मना यह स्वतंत्रता दिवस चिरस्मरणीय रहेगा। कई छोटी-बड़ी हस्तियों के साथ हजारों लोग कोरोना वायरस की चपेट में आने की वजह से इस समारोह का हिस्सा नहीं बन सके। आजाद भारत में ऐसा पहली बार हुआ है। और भी बहुत कुछ ऐसा है, जो इससे पहले न कभी देखा, न कभी सुना गया। पिछले स्वतंत्रता दिवस पर करोड़ों नौकरियां थी, एक साल बाद उनमें से कुछ करोड़ नौकरियां जा चुकी हैं। तब सैलरी में इंक्रीमेंट लगने की आस थी, आज कट लगने से कर्मचारी उदास हैं। तब कारोबार शबाब पर था, आज कारोबारी दबाव में हैं। आर्थिक गतिविधियां सुधरने को बेताब हैं, लेकिन कोरोना का 'ताप' भी बरकरार है। 74वें स्वाधीनता दिवस का सबसे बड़ा सवाल भी यही है, आखिर कब मिलेगी कोरोना के खौफ से आजादी?

कोरोना के साये में मना यह स्वतंत्रता दिवस चिरस्मरणीय रहेगा।

पहले कुछ आंकड़े देख लें, फिर समस्या की जड़ को नए सिर से पकड़ें। भारत में 2 करोड़ 76 लाख से ज्यादा आबादी की कोविड-19 टेस्टिंग हो चुकी है। दैनिक टेस्टिंग साढ़े 8 लाख के आस-पास है। संक्रमण से ठीक हो जाने वालों की तादाद साढ़े 17 लाख के पार है यानी रिकवरी की दर 71 फीसद से ज्यादा है, लेकिन मृत्यु दर भी 1.95 फीसद है। आंकड़ों का ये जाल ना तो कोई राह दिखाता है, ना सुकून देता है, क्योंकि आम आदमी को जो एक गिनती समझ आती है, वो है उसके आसपास संक्रमित हो रहे लोगों की संख्या में रोज हो रहा इजाफा। यह आंकड़ा अब 60 हजार को पार कर चुका है। ठीक होने वालों की संख्या बीमारी को पछाड़ना तो दूर, संक्रमण के

ग्राफ को समतल भी नहीं कर पा रही है। कोरोना की दस्तक के छह महीने बाद देश अब इस ग्राफ में ढलान का इंतजार ही कर रहा है।

सरकार हाथ खड़े कर चुकी है, राज्य सरकारें बेबस हैं। 21 दिन में कोरोना से लड़ाई जीतने का प्रण 24 मार्च को लिया गया था, अब वो बात अब कहीं गुम हो गई है। 15 अगस्त को कोरोना की बढ़ती धारा 144वें दिन में प्रवेश कर गई। इस दौरान संक्रमितों के लिहाज से सात राज्य लखपति बन चुके हैं। महाराष्ट्र में आंकड़ा हाफ मिलियन है, तो तमिलनाडु में 3 लाख से ज्यादा। आन्ध्र और कर्नाटक में संक्रमण 2-2 लाख लोगों तक पहुंच चुका है। दिल्ली ने भी डेढ़ लाख की लकीर पार कर ली है, जबकि उत्तर प्रदेश और पश्चिम बंगाल उसे कड़ी टक्कर दे रहे हैं। एक लाख की दहलीज पर खड़े बिहार के साथ ही छह ऐसे दूसरे राज्य हैं, जहां कोरोना संक्रमण 50 हजार से आगे निकल गया है। सिक्किम और मिजोरम ही दो ऐसे राज्य बचे हैं, जहां कोरोना के मरीज अभी सैकड़ों में ही हैं।

कोरोना की दस्तक के छह महीने बाद देश अब इस ग्राफ में ढलान का इंतजार ही कर रहा है।

कोरोना से पीड़ित लाखों लोग और इसकी आशंका में जी रहे करोड़ों लोगों के लिए वैक्सीन आने तक दो गज की दूरी और प्रतिरोधक क्षमता बढ़ाने का प्रयास ही जीने का मूल मंत्र बना हुआ है। वैसे भारत में वैक्सीन बनाने की तैयारियां जोरों पर चल रही हैं। दूसरे और तीसरे चरण का क्लीनिकल ट्रायल होना बाकी है। फिलहाल ऑक्सफोर्ड यूनिवर्सिटी-एस्ट्रा जेनेका कोविड-19 की वैक्सीन कोवीशील्ड (COVISHIELD) के दूसरे और तीसरे चरण के ह्यूमन क्लीनिकल ट्रायल की अनुमति दी गई है। दवा कंपनी ने भी उम्मीद जताई है कि 2020 के अंत तक वह पहले और दूसरे चरण का परीक्षण कर लेगी। लेकिन वैक्सीन फिर भी हमें इस साल नसीब नहीं होगी, क्योंकि इसका तीसरा ट्रायल अगले साल मार्च-अप्रैल में ही हो सकेगा।

बाकी दुनिया में रूस वैक्सीन बना लेने का दावा कर रहा है। उसकी स्पूतनिक वैक्सीन आ चुकी है, मगर इसकी 15 लाख खुराक बनने में भी एक साल का वक्त लग जाएगा। किसी को भी इस वैक्सीन के दूसरे और तीसरे ट्रायल की खबर नहीं लग सकी, इसलिए इसके परफॉर्मेंस को लेकर

दुनिया भर में अविश्वास का माहौल है। इसके बावजूद भारत की इस पर भी नजर है, क्योंकि अगर यह सफल रहती है तो हमारे पास भी ऐसी वैक्सीन को बनाने की पर्याप्त क्षमता है।

वैक्सीन की सबसे ज्यादा जरूरत तो अमेरिका को है, जहां सबसे ज्यादा 1 लाख 70 हजार से अधिक लोगों की मौत हो चुकी है। खुद की रिसर्च के अलावा अमेरिका ने जर्मनी की एक दवा कंपनी के साथ वैक्सीन बन जाने की स्थिति में उसकी सप्लाई में सर्वोच्च वरीयता का करार भी कर रखा है।

36 देश ऐसे हैं जहां मौत का आंकड़ा 100 से ज्यादा है मगर 500 से कम है।

अमेरिका, ब्राजील और मैक्सिको के अलावा भारत में भी कोरोना से मौत का आंकड़ा 50 हजार के आस-पास पहुंच चुका है। दुनिया में 11 देश ऐसे हैं जहां यह आंकड़ा 50 हजार से कम, लेकिन 10 हजार से ज्यादा है। बत्तीस देशों में 10 हजार से कम, लेकिन एक हजार से ज्यादा मौत हुई है। इसी तरह 16 देशों में 500 से हजार के बीच कोरोना से मौत हुई है। 36 देश ऐसे हैं जहां मौत का आंकड़ा 100 से ज्यादा है मगर 500 से कम है।

बगैर वैक्सीन के कोरोना से बचाव का जो रास्ता विश्व स्वास्थ्य संगठन ने बता रखा है वह है टेस्टिंग, ट्रेसिंग और ट्रीटमेंट। संख्या के नजरिए से भारत ने अब तक करीब 3 करोड़ की टेस्टिंग कर ली है फिर भी वह चीन के 9.04 करोड़, अमेरिका के 6.85 करोड़ और रूस के 3.1 करोड़ से कम है। भारत में प्रति 10 लाख लोगों पर महज 20,045 लोगों की टेस्टिंग हुई है। इस हिसाब से दुनिया में भारत का नम्बर 126वां है। हालांकि, रैपिड एंटीजेन टेस्ट शुरू होने के बाद टेस्टिंग की रफ्तार तेजी से बढ़ी भी है। टेस्टिंग तेज हुई है, तो कोरोना के मामले भी तेजी से बढ़े हैं। रास्ता भी यही है। टेस्टिंग, ट्रेसिंग और ट्रीटमेंट के बगैर कोरोना को हराया नहीं जा सकता।

कोरोना के कारण ही देश दुनिया के सबसे सख्त लॉकडाउन में गया। इस वजह से देश की आर्थिक गतिविधियां रुक गईं। कोरोना काल में बेरोजगारी 27 फीसदी तक पहुंच गई। करोड़ों लोगों की नौकरियां गईं। जिनकी बच भी गई, उनकी सैलरी कट गई। इसने नौकरी-पेशा से लेकर स्वरोजगार करने वालों और दिहाड़ी मजदूरों तक का बजट बिगाड़ दिया है।

IANS के सर्वे ने बताया है कि लॉकडाउन में 23.97 फीसद लोगों की नौकरी चली गई। काम छूटने के बाद लाखों प्रवासी मजदूरों को पैदल अपने घर की ओर रुख करना पड़ा। इन सबके बावजूद अनलॉक शुरू हुआ और अब देश में इसका तीसरा चरण चल रहा है। लेकिन बाजार में रौनक नहीं लौट रही है तो वजह यही है कि कोरोना का खौफ कम होने का नाम नहीं ले रहा है। आजादी के जश्न के बीच यही प्रश्न सबको सता रहा है - कोरोना के खौफ से कब मिलेगी आजादी?

(राष्ट्रीय सहारा, 16 अगस्त, 2020)

79

बदल गया जम्मू-कश्मीर, लोकतंत्र की बेजोड़ तस्वीर

जम्मू-कश्मीर को बीते एक साल के संदर्भ में देखें तो घड़ी की सुई ने अभी 30 डिग्री से 45 डिग्री तक की दूरी भी तय नहीं की है। मगर, जो दूरी तय हुई है वह बहुत बड़ी उपलब्धि है और ऐतिहासिक भी। इसी परिप्रेक्ष्य में जम्मू-कश्मीर में सामान्य स्थिति बहाल होने की उम्मीद जगती है। जो प्रतिबंध लगाए गए हैं, उसमें ढील की उम्मीद बनती है। ऐसे में सवाल यह है कि क्या जम्मू-कश्मीर में लोकतांत्रिक प्रक्रिया शुरू हो पाएगी?

धरती की जन्नत की फिजा बदल गई है। धमाकों के शोर और इंसानी जिस्म से बहते खून से सुर्ख हो चुकी खूबसूरत वादियों की रौनक लौटने लगी है। अनुच्छेद 370 से आजाद होकर हिन्दुस्तान के साथ आत्मसात हुए जम्मू-कश्मीर में साल भर से ज्यादा का वक्त हो चला है। इस दरम्यान आतंकी हिंसा, पत्थरबाजी, आगजनी, बंद जैसी घटनाओं में अप्रत्याशित कमी आई है तो 4जी इंटरनेट को छोड़कर बाकी तमाम तरह के प्रतिबंध लगभग हट चुके हैं। हालांकि आतंकियों के सफाए की चुनौती अभी बनी हुई है, मगर इस बीच विकास की राह पर जम्मू-कश्मीर चल पड़ा है। हर क्षेत्र में बदलाव अब दिखने लगा है।

जम्मू-कश्मीर में 5 अगस्त से पहले के एक साल और बाद के एक साल को अगर लोकतांत्रिक प्रक्रिया बहाल करने के नजरिये से देखें तो घड़ी की सुई घूम कर वहीं पहुंचती हुई नजर आ रही है। मगर, जम्मू-कश्मीर का मसला सिर्फ लोकतंत्र की बहाली या राष्ट्रपति शासन तक सीमित नहीं है। जम्मू, कश्मीर और लद्दाख के अलग-अलग क्षेत्रों में कश्मीर की दबंगई का मुद्दा भी रहा है जिस पर कभी बात नहीं हुई। सबसे बड़ा भौगोलिक क्षेत्र होकर लद्दाख और सबसे अधिक जनसंख्या वाला होकर जम्मू उपेक्षित रहा। कश्मीर की प्रभुत्ववादी प्रवृत्ति का साथ देने वाली देशी राजनीति और उसके विदेशी, आतंकी और धार्मिक कनेक्शन ने पूरे जम्मू-कश्मीर प्रांत को एक समस्या बना दिया। सवाल ये है कि 5 अगस्त के बाद एक समस्या के तौर पर जम्मू-कश्मीर कितना सुलझा हुआ दिख रहा है?

अनुच्छेद 370 से आजाद होकर हिन्दुस्तान के साथ आत्मसात हुए जम्मू-कश्मीर में साल भर से ज्यादा का वक्त हो चला है।

जम्मू-कश्मीर को बीते एक साल के संदर्भ में देखें तो घड़ी की सुई ने अभी 30 डिग्री से 45 डिग्री तक की दूरी भी तय नहीं की है। मगर, जो दूरी तय हुई है वह बहुत बड़ी उपलब्धि है और ऐतिहासिक भी। इसी परिप्रेक्ष्य में जम्मू-कश्मीर में सामान्य स्थिति बहाल होने की उम्मीद जगती है। जो प्रतिबंध लगाए गए हैं, उसमें ढील की उम्मीद बनती है। ऐसे में सवाल यह है कि क्या जम्मू-कश्मीर में लोकतांत्रिक प्रक्रिया शुरू हो पाएगी?

जम्मू-कश्मीर को लोकतांत्रिक तरीके से चुनी हुई सरकार मिले, इसमें कोई बाधा नजर नहीं आ रही है। सरकार मंशा दिखा रही है। प्रधानमंत्री नरेन्द्र मोदी ने संकेत दिया है कि परिसीमन की जारी प्रक्रिया के पूरा होते ही जम्मू-कश्मीर में लोकतंत्र को बहाल कर दिया जाएगा। उपराज्यपाल के तौर पर मनोज सिन्हा की नियुक्ति से इसके आसार बढ़ गए हैं। मनोज सिन्हा को राजनीतिक रूप से सुलझा हुआ, सबको साथ लेकर चलने वाला, शांत और गंभीर प्रकृति का साफ-सुथरी छवि वाला राजनीतिज्ञ माना जाता है।

बहुत संभव है कि जम्मू-कश्मीर में पहले स्थानीय निकायों के चुनाव हों। इससे लोकतांत्रिक तरीके से चुना हुआ नया नेतृत्व सामने आएगा। चुनाव में जनभागीदारी को सुनिश्चित करना जरूरी है। इसके लिए विकास की प्रक्रिया से आम लोगों को जोड़ना होगा। लोग तब जुड़ेंगे जब विकास हो और उस विकास में लोगों की भागीदारी हो। यह सोच जम्मू-कश्मीर और लद्दाख दोनों पर लागू होती है।

प्रधानमंत्री नरेन्द्र मोदी ने संकेत दिया है कि परिसीमन की जारी प्रक्रिया पूरी होते ही जम्मू-कश्मीर में लोकतंत्र को बहाल कर दिया जाएगा।

जम्मू-कश्मीर में अनुच्छेद 370 के हटते ही सरकारी कर्मचारियों को सबसे बड़ा फायदा यह हुआ कि उन्हें 7वें वेतनमान का लाभ मिलने लगा। केन्द्रीय कर्मचारियों की तरह एलटीसी, बच्चों की शिक्षा का भत्ता और हॉस्टल सब्सिडी जैसी सुविधाएं मिलने लगी। पुलिसकर्मियों को भी कई भत्ते और राशन दिए गए हैं। कुछेक अन्य उपलब्धियों पर भी गौर करते हैं जो सिर्फ और सिर्फ अनुच्छेद 370 के हटने की वजह से संभव हो सकीं-

- पाकिस्तान से आए 20 हजार से ज्यादा शरणार्थियों को नागरिकता दी जा चुकी है। हर परिवार को 5.5 लाख की मदद भी।
- 10 हजार सफाई कर्मचारियों के पास अब वैध डोमिसाइल हैं और अब एक नागरिक के सभी अधिकार और सुविधाएं उन्हें प्राप्त हैं।
- 10 हजार नियुक्तियों की प्रक्रिया जम्मू-कश्मीर सरकार ने शुरू की है। 25 हजार अतिरिक्त नौकरियां आने वाली हैं। इनमें डॉक्टर से लेकर जूनियर पदों की रिक्तियां शामिल हैं।
- नौकरियों में ऐसे लोगों को प्राथमिकता दी जा रही है जो विधवा हैं या फिर ऐसे परिवार से हैं जिसका कोई सदस्य सरकारी नौकरी में नहीं है। अस्थायी श्रमिकों के लिए 5 साल की छूट भी दी जा रही है।

▶ पहाड़ी और आर्थिक रूप से कमजोर लोगों के लिए क्रमशः 4 प्रतिशत और 10 प्रतिशत आरक्षण देने की भी घोषणा हो चुकी है। इससे 70 हजार परिवारों को फायदा होगा।

इतना अवश्य है कि बीते एक साल में जम्मू-कश्मीर को लेकर पाकिस्तान बेचैन रहा है। चीन ने भी खुलकर साथ दिया है। लद्दाख में सीमा पर तनाव के बाद चीन थोड़ा और मुखर होकर पाकिस्तान के साथ खड़ा हो गया है। फिर भी अंतरराष्ट्रीय स्तर पर संयुक्त राष्ट्र या फिर इस्लामिक देशों में भी जम्मू-कश्मीर को लेकर कोई प्रस्ताव पास कराने में पाकिस्तान विफल रहा। हाल में यूएई ने जिस तरीके से पाकिस्तान से मुंह मोड़ा है वह पाकिस्तान को करारा तमाचा है। जम्मू-कश्मीर के मुद्दे पर यह दूरी बनी है। यह बात भारत के लिए अधिक महत्त्वपूर्ण है।

हाल में यूएई ने जिस तरीके से पाकिस्तान से मुंह मोड़ा है वह पाकिस्तान को करारा तमाचा है।

कश्मीर में अवाम को भड़काने की कोशिश भी सफल नहीं हो सकी। यहां तक कि पाक अधिकृत कश्मीर में भी पाकिस्तानी प्रधानमंत्री इमरान खान की भड़काने की कार्रवाई परवान नहीं चढ़ सकी। बीते साल 2019 में 1 जनवरी से 15 जुलाई के बीच 188 आतंकी घटनाएं हुई थीं, जो इस साल इसी अवधि में 120 पर सिमट गईं हैं। इस दौरान बीते साल 126 आतंकी मारे गए थे, इस साल 10 ज्यादा यानी 136 आतंकी मारे गए हैं। ग्रेनेड हमले 51 से घटकर 21 रह गए हैं। पत्थरबाजी की घटनाएं 2018 में इसी अवधि में 532 थीं, 2019 में 389 हुईं और अब 102 रह गई हैं। इसके अलावा हिज्बुल कमांडर रियाज नाइकू, लश्कर आतंकी हैदर, जैश आतंकी कारी यासिर, अंसार गजावतुल और हिन्द का आतंकी बुरहान कोका मार गिराया गया है।

जम्मू-कश्मीर में कई मोर्चों पर एक साथ काम करना पड़ा है। उपद्रवी ताकतों पर अंकुश रखना, विदेशी ताकत को हस्तक्षेप से रोके रखना, आतंकियों को देश और विदेश से मिल रही मदद रोकना और इन सबके बीच विकास के काम में गति बनाए रखना। हालांकि विकास कार्यों की बहुत अधिक चर्चा देश और दुनिया में नहीं हुई है, फिर भी अगर उन पर एक नजर डालें तो सरकार की नीति-रणनीति साफ हो जाती है।

- दुनिया का सबसे ऊंचा रेलवे ब्रिज चेनाब नदी पर बन रहा है।
- दिसंबर 2022 तक कश्मीर के कई शहर ट्रेन से जुड़ जाएंगे। उधमपुर-कटरा सेक्शन, बनिहाल-क्वाजीगंद सेक्शन और क्वाजीगंद-बारामुला सेक्शन तैयार हो चुका है।
- शाहपुर-कंडी में 5 दशक से लंबित बिजली और सिंचाई प्रोजेक्ट पर काम शुरू हो चुका है। श्रीनगर और जम्मू के बीच मेट्रो रेल का काम भी प्रगति पर है।

पाक अधिकृत कश्मीर समेत पूरे जम्मू-कश्मीर को देखने का नजरिया बदला है।

- बिजली के क्षेत्र में भी सुधार हुए हैं। विभाग को पांच स्वायत्त कॉरपोरेशन में बांट दिया गया है ताकि उपभोक्ताओं का अधिक ख्याल रखा जा सके और राजस्व भी बढ़े।
- भूमि की रजिस्ट्रेशन प्रक्रिया में सुधार के बाद जम्मू-कश्मीर को स्टांप ड्यूटी और रजिस्ट्रेशन फी से 100 करोड़ से भी ज्यादा की अतिरिक्त कमाई हुई है।
- अब नगर निगम 5 करोड़ तक के प्रोजेक्ट पर खुद निर्णय ले रहा है। उदाहरण के लिए पारदर्शी ई-टेंडरिंग को अनिवार्य कर दिया गया है।

केन्द्र सरकार ने जम्मू-कश्मीर में परंपरागत नीति पलट कर देशी राजनीति की परंपरा को तोड़ा है। संविधान की व्याख्या नए सिरे से कर डाली है जिस वजह से अनुच्छेद 370 का विलोपन संभव हो पाया। पाक अधिकृत कश्मीर समेत पूरे जम्मू-कश्मीर को देखने का नजरिया बदला है। जम्मू-कश्मीर को अल्पसंख्यक राज्य के रूप में देखा जाता था। बीजेपी सरकार ने अल्पसंख्यक राज्य के भीतर अल्पसंख्यकों की बेचैनी की ओर दुनिया का ध्यान दिलाया और उसे खत्म करने की कोशिश की। जम्मू-कश्मीर में कश्मीरी ही राज करते रहे थे, फिर भी कश्मीरी खुद को पीड़ित के तौर पर पेश करते रहे। इस सोच को बदलने की पहल की गई है और सोच में इस बदलाव को देश का भरपूर साथ मिला है। जम्मू और लद्दाख की जनता भी खुश है। इन सबके बीच कश्मीर में जो बेचैनी है उसे विकास का रास्ता ही शांत कर सकता है।

(राष्ट्रीय सहारा, 22 अगस्त, 2020)

80

सच को सामने लाने निकली सीबीआई

पेचीदा मामलों को ही हल करने में तो सीबीआई को महारत हासिल है। अतीत की कुछ घटनाएं सीबीआई की कार्यकुशलता पर जनमानस के भरोसे को मजबूत करती हैं। सितम्बर 2011 में राजस्थान की भंवरी देवी की हत्या का मामला हो, या फिर साल 2017 में गुरुग्राम के रेयान इंटरनेशनल स्कूल का प्रद्युम्न हत्याकांड मामला, सीबीआई ने जिस तरीके से तह में जाकर दोनों मामले को सुलझाया, वो इस जांच एजेंसी की कार्यक्षमता और दक्षता को दर्शाता है।

सीबीआई है तो सच है और सच की उम्मीद है। देश की सबसे बड़ी जांच एजेंसी को लेकर जनमानस में बनी ये धारणा निराधार नहीं है। सीबीआई की साख बनने और लोगों के मन में इस धारणा के मजबूत होने के पीछे इस जांच एजेंसी की वर्षों की कड़ी मेहनत है और पेचीदा मामलों से जूझने का जुनून है, लेकिन सीबीआई को लेकर राजनीतिक टिप्पणियां भी लगातार सामने आती रही हैं। विपक्ष सत्ताधारी दल पर इस जांच एजेंसी के राजनीतिक इस्तेमाल का आरोप लगाता रहा है, लेकिन सच ये भी है कि जब भी किसी पेचीदा मामले की तह तक जाने के सारे रास्ते बंद हुए, तब इसी जांच एजेंसी ने अंधेरे में उम्मीद की लौ भी जलाई है। अपने गठन के बाद से ही इस जांच एजेंसी ने बेहतरीन उपलब्धियों का एक लंबा सफर तय किया है। यही वजह है कि जब बॉलीवुड एक्टर सुशांत सिंह राजपूत मौत मामले में निष्पक्ष जांच की मांग उठी, तो सबकी जुबान पर एक नाम था और नाम था केंद्रीय अन्वेषण ब्यूरो यानी सीबीआई।

सीबीआई को लेकर राजनीतिक टिप्पणियां भी लगातार सामने आती रही हैं।

बॉलीवुड एक्टर सुशांत सिंह राजपूत की की मौत का मामला देश का सबसे हाइप्रोफाइल केस बन गया है। 14 जून को आई सुशांत की मौत की खबर से पूरा देश सन्न रह गया। प्रथम द्दष्टया ये मामला खुदकुशी का ही लगा। सुशांत की मौत की खबर सुनते ही मुंबई पुलिस भी हरकत में आई। सबसे पहले मुंबई के कूपर अस्पताल में सुशांत का पोस्टमॉर्टम कराया गया और फिर अंतिम संस्कार। मामला रफा दफा होता नजर आया, लेकिन अचानक इस मामले में इतने सारे संदेहात्मक बिंदु सामने आए कि देखते ही देखते इस मामले ने तूल पकड़ लिया। मुंबई पुलिस ने बिना केस दर्ज किए खुदकुशी के नजरिए से इस मामले की जांच शुरू कर दी। जाहिर है जब पुलिस ही मान ले कि ये खुदकुशी है और इसमें किसी तरह की कोई साजिश नहीं है, तो फिर जांच कैसी? लेकिन जैसे ही सुशांत के परिवार ने कुछ सवाल उठाते हुए, सुशांत की गर्लफ्रेंड रही रिया चक्रवर्ती और उसके परिवार के खिलाफ पटना में केस दर्ज कराया, मामला गंभीर हो उठा। शुरुआत में ये मामला मुंबई पुलिस बनाम बिहार पुलिस का

होता दिखा, लेकिन आखिरकार सुप्रीम कोर्ट के निर्देश पर इस मामले की तहकीकात सीबीआई को सौंप दी गई।

सुशांत सिंह केस हाथ में आते ही सीबीआई की टीम ने जिस तत्परता से अपना काम शुरू किया है, उससे सुशांत को न्याय मिलने की उम्मीदें जग गई हैं। सीबीआई को भी इस केस की पेचीदगियों का इल्म था, लिहाजा देश की सबसे बड़ी जांच एजेंसी ने उसी हिसाब से टीमें गठित की। सुशांत मामले की जांच करने वाली सीबीआई की 16 सदस्यीय टीम में हर किसी का काम बांट दिया गया है। मसलन वीडियो और तस्वीरों की जांच करना, पोस्टमॉर्टम रिपोर्ट की स्टडी और फॉरेंसिक एक्सपर्ट्स की राय लेना, चश्मदीदों के बयान का मुआयना करना, सीन ऑफ क्राइम को रिक्रिएट करना, साथ ही केस से जुड़े अहम लोगों से पूछताछ करना। तेजतर्रार पुलिस अफसरों की ये टीम आईपीएस अधिकारी मनोज शशिधर के नेतृत्व में काम कर रही है। जांच के पहले ही दिन कई ऐसी बातें सामने आई, जिससे लोगों को सुशांत के खुदकुशी करने की बात पर शक गहराने लगा है। साथ ही इस पूरे मामले में कई हाईप्रोफाइल लोगों के भी शामिल होने की आशंका जताई जा रही है। ऐसे में सीबीआई पर बड़ी जिम्मेदारी आन पड़ी है। मुंबई पुलिस अगर चाहती तो ये मामला सुलझा सकती थी, लेकिन उसने पूरे मामले में अब तक जो हीलाहवाली की है, उससे देश में स्कॉटलैंड यार्ड पुलिस के समकक्ष मानी जाने वाली मुंबई पुलिस की प्रतिष्ठा निःसंदेह धूमिल हुई है। घटना के दो महीने से ज्यादा वक्त बीत जाने के बाद हालांकि कई अहम सबूत नष्ट हो चुके होंगे, या फिर नष्ट किए जा चुके होंगे। ऐसे में सीबीआई को इस केस को सुलझाने के लिए काफी मशक्कत करनी होगी। हालांकि सीबीआई ने पहले दिन से ही कड़ियों को जोड़ना शुरू कर दिया है। सीबीआई के पहले दिन की जांच में जो बातें अब तक निकलकर सामने आई है, उससे इतना तो साफ है कि ये मामला उतना आसान नहीं है, जितना समझा जा रहा था। जांच के पहले दिन सीबीआई की टीम ने बांद्रा पुलिस स्टेशन जाकर सुशांत केस

सुशांत मामले की जांच करने वाली सीबीआई की 16 सदस्यीय टीम में हर किसी का काम बांट दिया गया है।

से जुड़े सारे दस्तावेज ले लिए हैं। साथ ही इस केस में अब तक दर्ज किए गए बयानों, पोस्टमॉर्टम रिपोर्ट, जुटाए गए तमाम सबूत, फॉरेंसिक सबूत का हैंडओवर लिया गया है। इसके अलावा सुशांत के घर के सीसीटीवी फुटेज भी जब्त कर लिए गए हैं। उधर सीबीआई की एक टीम मामले से जुड़े लोगों से पूछताछ भी शुरू कर चुकी है, लेकिन इन सबके बीच सबसे बड़ा सवाल सुशांत के पोस्टमार्टम रिपोर्ट को लेकर सामने आ रहा है। जांच एजेंसी को शक है कि या तो पोस्टमार्टम ठीक से नहीं हुआ या फिर रिपोर्ट में कहीं-न-कहीं कोई गड़बड़ी है, क्योंकि पोस्टमॉर्टम रिपोर्ट में मौत के समय जैसी अहम जानकारी का उल्लेख ही नहीं किया गया है।

जांच एजेंसी को शक है कि या तो पोस्टमार्टम ठीक से नहीं हुआ।

सीबीआई ने सुशांत की पोस्टमॉर्टम रिपोर्ट की जांच के लिए देश के जाने-माने फॉरेंसिक एक्सपर्ट और एम्स के डॉक्टर सुधीर गुप्ता को नियुक्त किया है। उन्होंने भी सुशांत की पोस्टमॉर्टम रिपोर्ट पर सवाल उठाए हैं। ऐसे में तमाम चुनौतियों के बावजूद अगर सीबीआई केस से जुड़े तमाम उलझी कड़ियों को जोड़ने में कामयाब हो जाती है तो असली गुनहगार सलाखों के पीछे होंगे। चूंकि सीबीआई को मामले की जांच करने का जिम्मा घटना के दो महीने बाद मिला है, ऐसे में इसकी तह तक जाने की राह थोड़ी कठिन जरूर है, लेकिन पेचीदा मामलों को ही हल करने में तो सीबीआई को महारत हासिल है। अतीत की कुछ घटनाएं सीबीआई की कार्यकुशलता पर जनमानस के भरोसे को मजबूत करती हैं। सितम्बर 2011 में राजस्थान की भंवरी देवी की हत्या का मामला हो, या फिर साल 2017 में गुरुग्राम के रेयान इंटरनेशनल स्कूल का प्रद्युम्न हत्याकांड मामला, सीबीआई ने जिस तरीके से तह में जाकर दोनों मामले को सुलझाया, वो इस जांच एजेंसी की कार्यक्षमता और दक्षता को दर्शाता है। भंवरी देवी हत्या मामले में सीबीआई ने चर्चित सीडी की जांच के दौरान मिले एक ऑडियो क्लिप से मुजरिमों तक पहुंचने का रास्ता ढूंढ़ निकाला था। तो वहीं प्रद्युम्न हत्या मामले को महज 8 सेकेंड की वीडियो फुटेज से सुलझा दिया। और असली दोषी को सलाखों को पीछे पहुंचा दिया। इसी तरह साल 2012 में इंद्राणी मुखर्जी-पीटर मुखर्जी की बेटी शीना बोरा की रायगढ़

के जंगलों में लाश मिली थी। मामले में कोई साक्ष्य मौजूद नहीं था, बावजूद इसके सीबीआई ने उपलब्ध तथ्यों को बारीकी से जोड़ते हुए कातिल को अपने गिरफ्त में ले लिया।

साल 2006 में निठारी कांड, 1992 का सिस्टर अभया मर्डर केस और 1996 का प्रियदर्शिनी मट्टू केस के अलावा घोटालों से जुड़े कई ऐसे मामले थे, जिसकी तह तक जाने में सीबीआई कामयाब रही। सत्यम कंप्यूटर के मालिक रामलिंगा राजू का हजारों-करोड़ों का घपला सीबीआई की जांच से ही सामने आ पाया। ये सीबीआई अधिकारियों की अथक मेनहत का ही नतीजा है कि भारतीय बैंकों को चपत लगाकर लंदन भागे कारोबारी विजय माल्या भारत लौटने के लिए दिन गिन रहे हैं। तमाम बेहतरीन उपलब्धियों के बावजूद ऐसा नहीं है कि देश की इस प्रमुख जांच एजेंसी के दामन पर विवादों के दाग न लगे हों। सबसे बड़ा आरोप तो इस संस्था के अधिकार और निष्पक्षता को लेकर सामने आता रहा है। इसी आरोप के तहत इस जांच एजेंसी को सरकार के इशारे पर काम करने वाली संस्था कहा जाता रहा है। अदालत की कार्यवाहियों में इस एजेंसी की कार्यक्षमता और इंवेस्टिगेशन रिपोर्ट्स को लेकर लगातार टिप्पणियां होती रही हैं कि उत्कृष्ट संसाधनों से लैस इस संस्था की निष्पक्ष जांच और राजनीतिक दबाव में की गई जांच में एक बड़ा गैप है, लेकिन इन आरोपों के बावजूद इंवेस्टिगेशन में साइंटिफिक अप्रोच और आधुनिक तकनीक का कौशलपूर्ण इस्तेमाल इस संस्था को दुनिया की बेहतरीन जांच एजेंसियों की कतार में खड़ा करता है।

> *सबसे बड़ा आरोप तो इस संस्था के अधिकार और निष्पक्षता को लेकर सामने आता रहा है।*

(राष्ट्रीय सहारा, 23 अगस्त, 2020)

81

ट्रिपल का ट्रबल

आर्थिक मामलों के एक्सपर्ट मौजूदा हालात में सरकार को रहीम के दोहे 'एकै साधे सब सधै, सब साधे सब जाय' से प्रेरणा लेने की सलाह दे रहे हैं। रास्ता है अर्थव्यवस्था को मजबूत करना, क्योंकि ऐसा होने से ही बहुत सारी समस्याएं खुद-ब-खुद खत्म हो जाएंगी। बेशक इस दिशा में काफी काम हुआ है। बैंकों और वित्तीय संस्थानों के जरिए बाजार में वित्तीय तरलता लाने की सरकार की कोशिशें इकोनॉमी के लिए मददगार रही हैं। साथ ही आरबीआई की रेगुलेटरी पॉलिसी से भी इकोनॉमी को संजीवनी मिली है।

स्वतंत्र भारत के इतिहास में ऐसे अवसर विरले ही होंगे, जब देश को सामरिक, स्वास्थ्य और आर्थिक मोर्चे पर एक समय में एक साथ लड़ाई लड़नी पड़ी हो। संभव है कि यह शायद पहला मौका ही हो, जब देश का ऐसे चुनौतीपूर्ण समय से सामना हुआ हो। एक तरफ देश के अंदर कोरोना महामारी और इससे जनित आर्थिक दुश्वारी हर खास-ओ-आम को परेशान कर रही है, तो दूसरी तरफ चालबाज चीन की विस्तारवादी सोच सरहद पर देश की सुरक्षा का इम्तिहान ले रही है। इस लिहाज से सितंबर का पहला हफ्ता बेहद चुनौतीपूर्ण साबित हुआ है, जब पहली तिमाही में आर्थिक तरक्की का ग्राफ गोता लगाते हुए सबसे बुरे अंदेशे से भी नीचे चला गया है, तो कोरोना पीड़ितों का ग्राफ हर तर्क और कसौटी को गलत साबित करते हुए रोज नए शिखर को पार कर रहा है। इस सबके बीच सरकार के सख्त रुख के बावजूद चीन की चालबाजियां बेलगाम जारी हैं।

कोरोना पर पूरी दुनिया में विलेन बना चीन लंबे समय से अपने देशवासियों के बीच छवि सुधारने में लगा है।

सरसरी तौर पर तीनों चुनौतियां अलग-अलग दिखती हैं, लेकिन हकीकत में सबका सिरा एक-दूसरे से जुड़ा हुआ है। तीनों परिस्थितियों के केन्द्र में चीन की प्रत्यक्ष या परोक्ष मौजूदगी है। इसे डिकोड करना कोई मुश्किल काम नहीं है। कोरोना पर पूरी दुनिया में विलेन बना चीन लंबे समय से अपने देशवासियों के बीच छवि सुधारने में लगा है। चीनी सरकार की समझ है कि लद्दाख के मुद्दे पर युद्ध की भावनाएं भड़काकर चीन की जनता का ध्यान भटकाया जा सकता है। इससे शी जिनपिंग के खिलाफ घर में खुलेआम दिख रहे असंतोष पर भी काबू पाया जा सकता है। कोरोना काल में जीडीपी को सकारात्मक दिखाना भी इसी नकारात्मक साजिश का प्रतिफल बताया जा रहा है।

ऐसे में जिनपिंग का एलएसी पर जंग का माहौल बनाना अपने देश में महानायक बनने की महत्त्वाकांक्षा से ज्यादा कुछ नहीं है। यह और बात है कि चीन की हर साजिश का भारत पदार्फाश भी कर रहा है और करारा जवाब भी दे रहा है। माकूल सैन्य पलटवार के साथ ही भारत चीन के आर्थिक हितों पर भी चोट कर रहा है। कई करार रद्द करने के साथ ही करीब-करीब 250

चीन ऐप पर लगी पाबंदी के बाद चीन की बौखलाहट बता रही है कि मोदी सरकार के तीर बिल्कुल सही निशाने पर लग रहे हैं।

लेकिन चीन को दर्द देने से ही हमारा मर्ज दूर नहीं हो पाएगा। देश के अंदर चीन से आई कोरोना की चुनौती हर दिन के साथ गहरी होती जा रही है। इस हफ्ते दुनिया में कोरोना के सबसे ज्यादा नए मरीज मिलने के साथ ही भारत में सक्रिय मरीजों की संख्या भी तेजी से बढ़ी है। लगता है हमसे आगे केवल अमेरिका ही रह जाएगा, क्योंकि ब्राजील को हम आनेवाले एक-दो दिन में ही पीछे छोड़ देंगे। पूरे एशिया में आधे से ज्यादा कोरोना मरीज भारत में हैं। यह स्थिति पॉजिटिव कतई नहीं है, क्योंकि संक्रमण पर लगाम लगने से ही सक्रिय मरीजों की संख्या पर भी अंकुश लगेगा। वैक्सीन फिलहाल दूर की कौड़ी लग रही है, क्योंकि रूस को छोड़कर दूसरे देशों में वह अब भी ट्रायल की प्रक्रियाओं में ही उलझी हुई है।

चीन को दर्द देने से ही हमारा मर्ज दूर नहीं हो पाएगा।

केन्द्र सरकार के संस्थान रोग नियंत्रण केन्द्र यानी एनसीडीसी का ताजा शोध भी कोरोना के जल्द खात्मे का कोई संकेत नहीं दे रहा है। एनसीडीसी का कहना है कि कोरोना वायरस से लड़ने वाले एंटीबॉडी पर आंख बंद कर भरोसा करना गलत होगा। दरअसल कोरोना पीड़ित कई मरीजों की केस स्टडी बता रही है कि एंटीबॉडी का असर सीमित समय तक ही रहता है, इसलिए सावधानी हटते ही दोबारा इसकी चपेट में आने की आशंका बनी रहती है। कई देशों में कोरोना की दूसरी लहर शायद इसी का नतीजा हो। तमाम आशंकाओं के बीच फिलहाल राहत की बात केवल यही दिखती है कि कुल संक्रमित मरीजों की तुलना में भारत में मौत का अनुपात कई देशों से कम है।

मौत के मामले में पीछे रहना यकीनन राहत की बात है, लेकिन अर्थव्यवस्था के मोर्चे पर पिछड़ना आफत ही कहा जाएगा। भारत की अर्थव्यवस्था में डबल डिजिट का बैक गेयर लग चुका है। ताजा तिमाही की रिपोर्ट है कि जीडीपी ग्रोथ माइनस 23.9 फीसद रही है। अब तक भारत में सिर्फ दो मौके आए हैं, जब अर्थव्यवस्था नकारात्मक हुई है - पहली बार 1965 में और दूसरी बार 1979 में। मगर, तब भी अर्थव्यवस्था ने ऐसा गोता कभी नहीं लगाया।

मांग से लेकर उत्पादन तक में सुस्ती है और अगर अगली तिमाही नहीं सुधरी तो देश आधिकारिक रूप से एक अभूतपूर्व मंदी के दौर में चला जाएगा।

इससे पहले देश में जब भी मंदी आई, उसकी जिम्मेदार तीन वजहों में से कोई एक वजह जरूर रही - खराब मॉनसून, कच्चे तेल का महंगा होना या फिर दोनों स्थितियां का एक साथ बनना। 2020 की मंदी का इन परंपरागत कारणों से कोई लेना-देना नहीं है। तो क्या यह सिर्फ 'एक्ट ऑफ गॉड' है, जैसा कि वित्तमंत्री निर्मला सीतारमन कह रही हैं? अगर वर्तमान आर्थिक दुर्दशा केवल इसी वजह से होती तो 2015 में 8 फीसद की वृद्धि वाली विकास दर 2019 में 4.2 फीसद के स्तर तक नहीं लुढ़कती। बेशक, जीडीपी के इतने निचले स्तर तक पहुंचने में कोरोना एक वजह है, लेकिन यह भी हकीकत है कि अर्थव्यवस्था का आकार तो नोटबंदी और जीएसटी लागू होने के बाद से ही सिमटने लगा था।

जीडीपी के इतने निचले स्तर तक पहुंचने में कोरोना एक वजह है।

तिमाही नतीजे ने मोदी सरकार के 20 लाख करोड़ रुपये के स्टिमुलस पैकेज और आत्मनिर्भरता के नारे को भी बेअसर कर दिया है। वास्तव में अगर पैकेज कारगर होता, तो तिमाही का नतीजा इस स्तर तक नकारात्मक नहीं होता। इसकी बड़ी वजह यह भी है कि पैकेज की रकम का बड़ा हिस्सा पहले ही लागू हो चुका था। नई घोषणा में एमएसएमई सेक्टर के लिए दो लाख करोड़ रुपये की पेशकश को इकोनॉमी के लिए रामबाण बताया गया, लेकिन सच यह है कि यह सेक्टर अब कोई नया लोन लेने की हिम्मत भी हार चुका है।

आर्थिक मोर्चे पर अच्छी खबरें कम हैं, लेकिन अच्छाई यह है कि हमारी अर्थव्यवस्था की बुनियाद रहा कृषि सेक्टर अब भी मजबूत बना हुआ है। कोरोना काल में भी देश की कृषि केवल बची ही नहीं रही, बल्कि 3.4 फीसद विकास दर के साथ उसमें ग्रोथ के आसार भी दिख रहे हैं। यह बड़ी बात है, क्योंकि बाकी सभी सेक्टर में विकास दर नकारात्मक है। हालांकि अगस्त महीने का परचेजिंग मैनेजर्स इंडेक्स यानी पीएमआई का आंकड़ा जरूर संकेत दे रहा है कि देश में आर्थिक गतिविधियों का विस्तार हो रहा है।

जीएसटी कलेक्शन, पेट्रोल की खपत, पीक पावर डिमांड जैसे इंडेक्स भी धीमी सही पर रिकवरी का इशारा कर रहे हैं।

तो फिर रिकवरी को रफ्तार देने का रास्ता क्या होना चाहिए? आर्थिक मामलों के एक्सपर्ट मौजूदा हालात में सरकार को रहीम के दोहे 'एकै साधे सब सधै, सब साधे सब जाय' से प्रेरणा लेने की सलाह दे रहे हैं। रास्ता है अर्थव्यवस्था को मजबूत करना, क्योंकि ऐसा होने से ही बहुत सारी समस्याएं खुद-ब-खुद खत्म हो जाएंगी। बेशक इस दिशा में काफी काम हुआ है। बैंकों और वित्तीय संस्थानों के जरिए बाजार में वित्तीय तरलता लाने की सरकार की कोशिशें इकोनॉमी के लिए मददगार रही हैं। साथ ही आरबीआई की रेगुलेटरी पॉलिसी से भी इकोनॉमी को संजीवनी मिली है। लेकिन इतना सब कुछ करने के बाद भी इकोनॉमी की गाड़ी सरकार की उम्मीद के मुताबिक रफ्तार नहीं पकड़ सकी। विशेषज्ञों की राय में यह काम होगा आम लोगों की क्रयशक्ति बढ़ाने से। उनके हाथों में नकद पहुंचाने होंगे। ऐसा करके ही मांग को पैदा किया जा सकता है। एक बार जब मांग बढ़ने लगेगी तो उत्पादन सेक्टर भी संभलने लग जाएगा। एक और उपाय है जिसे मंदी में कांग्रेस की सरकारें रामबाण की तरह इस्तेमाल करती रही हैं। वह है रुपये छाप लेना। छापे गए रुपये को गरीबों तक पहुंचा कर आम लोगों की क्रयशक्ति बढ़ाई जाती है और अर्थव्यवस्था में जान फूंकी जाती है। इस नुस्खे पर एक बार फिर देश चल सकता है, बशर्ते पीएम मोदी इस राह पर चलने का फैसला करें।

हमारी अर्थव्यवस्था की बुनियाद रहा कृषि सेक्टर अब भी मजबूत बना हुआ है।

(राष्ट्रीय सहारा, 5 सितंबर, 2020)

82

बात से ही बनेगी 'बात'

चीन भी इस बात को समझ रहा है कि उसकी हठधर्मिता से शुरू हुआ अशांति का यह दौर जितना लंबा खिंचेगा, उसे इसका उतना ही बड़ा खमियाजा भुगतना पड़ेगा। नुकसान को लेकर भारत की भी अपनी चिंताएं हैं। चीन और पाकिस्तान से टकराव एक ही सिक्के के दो पहलू नहीं हैं, बल्कि दो बिल्कुल अलग-अलग सिक्के हैं। इसीलिए पाकिस्तान पर बयानों के हमले में हमारा सरकारी तंत्र भले ही बेलगाम हो जाए, लेकिन चीन पर प्रधानमंत्री के स्तर से भी हुआ पलटवार उसका नाम लिए बगैर किया जाता है।

लद्दाख की घाटियों को अब भी उन हवाओं का इंतजार है, जो गलवान में शांति का पैगाम लेकर आए। चार महीने पहले जब एलएसी के इस हिस्से पर विवाद की शुरुआत हुई थी, तब ऐसा लगा नहीं था कि इस बार बात इतनी लंबी और इतनी आगे चली जाएगी। 1962 की लड़ाई के बाद यह पहला मौका है जब गलवान घाटी को लेकर विवाद इतनी दूर तक चला गया है। कई दौर की बातचीत और सैन्य टुकड़ियों की मोर्चाबंदी के बीच हमारी ओर से प्रधानमंत्री नरेन्द्र मोदी से लेकर रक्षामंत्री राजनाथ सिंह और सेना अध्यक्ष जनरल मनोज मुकुंद नरवणे तक सरहद का दौरा कर आए हैं, लेकिन विवाद खत्म होने का नाम नहीं ले रहा है। उल्टे इसको लेकर दुनिया-भर में नए सिरे से गोलबंदी शुरू हो गई है। अब ऐसी खबरें आ रही हैं कि रूस इस विवाद को खत्म करने के लिए पहल कर रहा है। मॉस्को में शंघाई सहयोग संगठन की बैठक के दौरान राजनाथ सिंह से चीन के रक्षामंत्री की मुलाकात रूस की इसी पहल से जुड़ी कड़ी बताई जा रही है।

1962 की लड़ाई के बाद यह पहला मौका है जब गलवान घाटी को लेकर विवाद इतनी दूर तक चला गया है।

यह मुलाकात दो घंटे से भी ज्यादा चली तो जाहिर तौर पर इसमें गलवान में दोबारा शांति बहाल करने पर विस्तार से ही बात हुई होगी। लेकिन इसके साथ ही जो बात गौर करने वाली है, वो है मुलाकात से पहले चीन को हमारे रक्षामंत्री से मिली नसीहत। राजनाथ सिंह ने ठीक ही कहा है कि क्षेत्रीय स्थिरता की किसी भी शुरुआत को सफल बनाने के लिए आक्रामक तेवर का खत्म होना जरूरी है। चीन भी इस बात को समझ रहा है कि उसकी हठधर्मिता से शुरू हुआ अशांति का यह दौर जितना लंबा खिंचेगा, उसे इसका उतना ही बड़ा खमियाजा भुगतना पड़ेगा। नुकसान को लेकर भारत की भी अपनी चिंताएं हैं। चीन और पाकिस्तान से टकराव एक ही सिक्के के दो पहलू नहीं हैं, बल्कि दो बिल्कुल अलग-अलग सिक्के हैं। इसीलिए पाकिस्तान पर बयानों के हमले में हमारा सरकारी तंत्र भले ही बेलगाम हो जाए, लेकिन चीन पर प्रधानमंत्री के स्तर से भी हुआ पलटवार उसका नाम लिए बगैर किया जाता है। एशिया की दो सबसे बड़ी शक्तियां होने के साथ ही दोनों देश एक-दूसरे के बड़े व्यापारिक और आर्थिक साझेदार भी हैं।

भारत की ओर से तीन चरणों में 200 से ज्यादा ऐप बैन किए जाने पर चीन की बौखलाहट दोनों देशों के बीच बड़ी गहराई से जुड़े आपसी हितों की तस्दीक करती है। 2018-19 के कारोबारी साल में भारत ने केवल कंप्यूटर के 92 फीसद, मोटरसाइकिल के 85 फीसद और टीवी के 82 फीसद पार्ट्स चीन से आयात किए थे। यह तो केवल एक बानगी है। सरकारी आंकड़े बताते हैं कि आपसी व्यापार में चीन का निर्यात हमसे चार गुना अधिक है। साल 2019 में ही चीन ने हमें 70.32 बिलियन डॉलर का सामान बेचा, जबकि भारत से उसने केवल 16.75 बिलियन डॉलर की खरीदी की।

हम उसका सामान लेना बंद भी कर दें तो उसका नुकसान मामूली ही होगा।

ऊपरी तौर पर लगता है कि ऐप के बाद अगर इस निर्यात पर भी बैन की तलवार लटकती है, तो चीन के लिए इस नुकसान की भरपाई आसान नहीं होगी। लेकिन हकीकत थोड़ी अलग है। चीन इतना बड़ा ग्लोबल सप्लायर बन चुका है कि भारत को किया गया निर्यात उसके वैश्विक निर्यात का केवल तीन फीसद है। चीन हमसे कई गुना ज्यादा निर्यात अमेरिका, हांगकांग, जापान, दक्षिण कोरिया, वियतनाम और जर्मनी जैसे देशों को करता है। इसलिए भारत उसके लिए कोई बड़ा बाजार नहीं है और अगर हम उसका सामान लेना बंद भी कर दें तो उसका नुकसान मामूली ही होगा। उल्टा हमारा नुकसान ज्यादा है। एक तो हमें चीन को होने वाले पांच फीसद निर्यात और 14 फीसद आयात से हाथ धोना पड़ेगा, दूसरा चीन के सस्ते उत्पाद खरीदने की लत को बदलकर अमेरिका या दूसरे देशों के महंगे सामान खरीदने की आदत डालनी होगी। ऐसा कम-से-कम तब तक तो करना ही पड़ेगा जब तक हम चीन की तरह मैन्युफैक्चरिंग में आत्मनिर्भर नहीं हो जाते। इसके बावजूद यह तथ्य नहीं नकारा जा सकता कि दोनों देशों की इकोनॉमी एक-दूसरे की प्रतिद्वंदी नहीं, बल्कि पूरक है।

तो फिर भारत से सीमा विवाद भड़काकर चीन जानबूझकर आग से क्यों खेल रहा है? सवाल का जवाब सीधा नहीं है। इसमें सुपर पावर बनने की जिनपिंग की महत्त्वाकांक्षा से लेकर लड़खड़ाती अर्थव्यवस्था पर बढ़ता घरेलू असंतोष और कोरोना के कारण हो रही अंतरराष्ट्रीय किरकिरी से ध्यान

भटकाने की कोशिश के साथ ही चीन की विस्तारवादी सोच का घालमेल भी दिखाई देता है। भले ही चीन आज भारत से सदियों पुराने शांतिपूर्वक संबंधों का हवाला दे रहा है, बेशक भारत को भरोसा दिला रहा है कि वो हमारे लिए विस्तारवादी खतरा नहीं है, लेकिन हकीकत क्या है, यह दुनिया के इतिहास और एशिया के भूगोल में दर्ज है। अक्साई चिन से शुरू करें, तो गलवान घाटी के तजुर्बे में कुछ भी नयापन नहीं दिखता। बाकी पड़ोसियों के लिए भी चीन सिरदर्द ही साबित हुआ है। वैसे तो चीन की सीमा 14 देशों से लगती है, लेकिन जमीन और समुद्री सीमाओं पर उसके दावों से 23 देश परेशान हैं। पूर्वी तुर्किस्तान, तिब्बत, मंगोलिया, हांगकांग, मकाऊ और रूस की जमीनी सीमाओं और ताइवान, ब्रुनेई, इंडोनेशिया, मलेशिया, फिलीपींस, वियतनाम, सिंगापुर, जापान से समुद्री सीमाओं को लेकर चीन का हमेशा विवाद रहा है। भारत के साथ भी चीन भौगोलिक परिस्थितियों के कारण पड़ोसी नहीं बना है, बल्कि 1951 में तिब्बत को हथिया कर वो भारत के पड़ोस में आ बैठा है। कई रिपोर्ट्स इस बात की पुष्टि करती हैं कि पिछले सात दशक में चीन दूसरे देशों की 41 लाख वर्ग किलोमीटर जमीन हथिया चुका है। यह मौजूदा चीन का 43 फीसद हिस्सा है। मतलब ये कि अपनी हड़प-नीति से चीन ने अपने आकार को लगभग दोगुना कर लिया है।

> *अपनी हड़प-नीति से चीन ने अपने आकार को लगभग दोगुना कर लिया है।*

बहरहाल, गलवान के ताजे मर्ज का इलाज पुराने जख्मों पर नमक छिड़ककर नहीं हो सकेगा, बल्कि इन जख्मों की टीस को सबक बनाने से ही होगा। दोनों पक्षों को यह भी ध्यान रखना होगा कि दुनिया भर में जहां भी और जब भी युद्ध हुए हैं, उनका निपटारा जंग के मैदान पर नहीं, बल्कि बातचीत की टेबल पर ही हुआ है। चीन से हमारा सीमा विवाद छह दशक पुराना है और उसका निपटारा भी इस बात को ध्यान में रखकर ही करना होगा। इस लिहाज से रूस में चीनी पक्ष की ओर से बातचीत की पेशकश को किसी एक पक्ष की ताकत कम होने या दूसरे की बढ़ जाने के नजरिये से देखने के बजाय देर से ही सही पर एक सार्थक पहल के तौर पर देखा जाना ज्यादा उचित होगा।

(राष्ट्रीय सहारा, 6 सितंबर, 2020)

83

हिंदी की पहेली, कैसे बने 'सहेली'?

हिंदी दिवस की तारीख 14 सितंबर फिर करीब आ चुकी है और सवाल इस बात का है कि क्या हम एक बार इस दिवस को मनाने के आडंबर में हिंदी के बहाने अपने-अपने नंबर बढ़ाने का ही काम करेंगे। ऐतिहासिक रूप से तो अपनी मातृभाषा के लिए यह 'जिम्मेदारी' हम साल 1953 से ही निभाते आ रहे हैं, जब राष्ट्रभाषा प्रचार समिति, वर्धा ने पहले-पहले तत्कालीन सरकार से हिंदी दिवस मनाने का अनुरोध किया था।

पिछले साल सितंबर के ही महीने में देश के गृहमंत्री अमित शाह का एक ट्वीट पूरे देश में चर्चा और कुछ राज्यों में चिंता का विषय बना था। मौका हिंदी दिवस का था और ट्वीट हिंदी भाषा को लेकर था। इस ट्वीट के साथ ही अमित शाह ने कुछ और ट्वीट भी किए, जिसमें पूरे देश की एक भाषा होने की जरूरत और देश के लोगों से अपनी मातृभाषा हिंदी का प्रयोग बढ़ाने की अपील थी। इससे एक राष्ट्र, एक भाषा के उस सपने के सच होने के कयास लगने लगे, जिसका जिक्र अपने घोषणा पत्र में करते हुए बीजेपी ने सत्ता में वापसी की थी। एक महीने पहले ही मोदी सरकार ने जम्मू-कश्मीर से अनुच्छेद 370 हटा कर अपने घोषणापत्र का एक और महत्त्वपूर्ण वादा पूरा किया था। लिहाजा सरकार से अपेक्षाएं आसमान छू रही थीं और अमित शाह के इन ट्वीट के बाद देखते-ही-देखते ट्विटर पर हैशटेग 'वन लैंग्वेज' ट्रेंड करने लगा। देश के हिंदी बेल्ट में इसका जश्न शुरू हुआ, तो गैर-हिंदी राज्यों से विरोध की आवाजें भी सुनाई पड़ीं - खासकर दक्षिण के राज्यों से, जहां बीजेपी के ही कद्दावर नेता और कर्नाटक के मुख्यमंत्री बीएस येदियुरप्पा कन्नड़ भाषा के समर्थन में ऐसे उतरे कि पारंपरिक रूप से हिंदी के सबसे मुखर आलोचक राज्य तमिलनाडु का विरोध भी उसके सामने फीका पड़ गया। बहरहाल, कुछ दिनों बाद अमित शाह की ही सफाई से मामला ठंडा पड़ गया। अमित शाह ने स्पष्ट किया कि उनकी मंशा हिंदी को थोपे जाने की नहीं थी, बल्कि उन्होंने उसे एक भाषा के तौर पर सीखने भर की अपील की थी।

मौका हिंदी दिवस का था और ट्वीट हिंदी भाषा को लेकर था।

कुछ दिनों पहले ही नई शिक्षा नीति को जारी करने के मौके पर भी सरकार को ऐसी ही सफाई देनी पड़ी थी। बेशक इस नीति के जरिए देश भर में मातृभाषा में शिक्षा देने पर अर्थवान चर्चा तो हुई, लेकिन दक्षिण के 'खिलाफत आंदोलन' से मजबूर सरकार को एक बार फिर 'हिंदी को जबरन नहीं थोपे जाने वाली' सफाई देनी पड़ी।

इन घटनाओं का जिक्र इसलिए जरूरी है, क्योंकि हिंदी दिवस की तारीख 14 सितंबर फिर करीब आ चुकी है और सवाल इस बात का है कि क्या हम एक बार इस दिवस को मनाने के आडंबर में हिंदी के बहाने अपने-अपने

नंबर बढ़ाने का ही काम करेंगे? ऐतिहासिक रूप से तो अपनी मातृभाषा के लिए यह 'जिम्मेदारी' हम साल 1953 से ही निभाते आ रहे हैं, जब राष्ट्रभाषा प्रचार समिति, वर्धा ने पहले-पहले तत्कालीन सरकार से हिंदी दिवस मनाने का अनुरोध किया था। हिंदी को उसका यथोचित सम्मान दिलाने के लिए बापू तो इससे 16 साल पहले ही सक्रिय हो गए थे। साल 1937 में वर्धा के ही मारवाड़ी विद्यालय में शिक्षा पर एक राष्ट्रीय सम्मेलन हुआ था, जिसमें बापू ने जोर देकर कहा था कि शिक्षा और कौशल निर्माण के लिए मातृभाषा से मजबूत कोई दूसरा माध्यम नहीं हो सकता। बापू की उस सीख के 83 साल बाद भी हमारी मातृभाषा राजभाषा और राष्ट्रभाषा के दो-राहे पर खड़ी है।

प्रधानमंत्री नरेन्द्र मोदी ने हिंदी के 'ब्रांड एम्बेसडर' बनकर मोर्चा संभाला है।

यह हाल तब है जब देश की सरकार की ओर से पिछले करीब 6-7 साल से हिंदी के 'अच्छे दिन' लाने की कई गंभीर कोशिशें हुई हैं और खुद प्रधानमंत्री नरेन्द्र मोदी ने हिंदी के 'ब्रांड एम्बेसडर' बनकर मोर्चा संभाला है। प्रधानमंत्री की कुर्सी संभालने के साथ ही नरेन्द्र मोदी का वो प्रण कौन भूल सकता है कि विदेशी मेहमान भारत आए या वो खुद विदेश जाएं, उनकी ओर से संवाद की भाषा हिंदी ही रहेगी। यह प्रतिज्ञा इतनी ईमानदारी से निभाई गई है कि अमेरिकी राष्ट्रपति डोनल्ड ट्रंप हों या इजराइल के प्रधानमंत्री बेंजामिन नेतन्याहू, स्वीडन से लेकर नीदरलैंड तक के राष्ट्रप्रमुख भारत आने या प्रधानमंत्री के उनके देश पहुंचने से पहले हिंदी में ट्वीट करना नहीं भूलते। वैसे तो प्रधानमंत्री की मातृभाषा गुजराती है, इसके बावजूद हिंदी की महिमा का बखान करते हुए वो कई अवसर पर कहते सुने गए हैं कि अगर उन्हें हिंदी नहीं आती, तो वो सवा सौ करोड़ आबादी वाले इस देश के लोगों से इतने करीब से कभी नहीं जुड़ पाते। ऐसी 'हिंदीवादी सरकार' की सोच का असर यह हुआ है कि आज एप्पल, माइक्रोसॉफ्ट और गूगल जैसी बड़ी अंतरराष्ट्रीय कंपनियां भी हिन्दी में निवेश कर रही हैं ताकि लोग अपनी भाषा में तकनीक का इस्तेमाल कर सकें।

इसके बावजूद हिंदी पर झगड़े-सुलह का यह 'खेल' आज भी भाषा की 'कश्मीर समस्या' बना हुआ है, जहां विवाद सुलझाने की कोई भी पहल

विरोध की नई सरहदें खींचने की वजह बन जाती हैं। यह 'परंपरा' साल 1965 से चली आ रही है, जब तत्कालीन सरकार ने देश में पहली बार हिंदी को राजभाषा बनाने की कोशिश की थी। इसकी प्रतिक्रिया में दक्षिण भारत से विरोध की ऐसी चिंगारी उठी थी कि उस साल के गणतंत्र दिवस का आयोजन तक उसके असर से नहीं बच पाया था। इस आंदोलन का चरम ऐसा था कि एक विदेशी भाषा होने के बावजूद अंग्रेजी देश की संपर्क भाषा बनी रही और उसकी जगह हिंदी को प्रतिष्ठित करने का फैसला सरकार को वापस लेना पड़ा।

दशकों बाद यह सवाल जस-का-तस है कि आजाद देश में भी हिंदी की चुनौतियां क्यों बरकरार हैं और क्यों देश की जनता को आज भी अंग्रेजी की गुलामी स्वीकार है? बाजार की वर्चस्ववादी ताकतों का साथ इसका दूसरा पहलू है। लेकिन अंग्रेजी भाषा का संकट केवल हिंदी को परेशान नहीं करता है, कई क्षेत्रीय भाषाओं और बोलियों का दायरा भी इसके असर से सीमित हुआ है। लेकिन असल समस्या शायद कहीं और है। दरअसल अंग्रेजी के खिलाफ इस 'युद्ध' में अंदर-ही-अंदर कई छोटी लड़ाइयां भी चल रही हैं। जब देश में त्रि-भाषा फॉर्मूला अपनाया गया, तो हिंदीभाषी राज्यों ने तीसरी भाषा के तौर पर किसी क्षेत्रीय भाषा को अपनाने के बजाय संस्कृत को तरजीह देना बेहतर समझा। इस 'एकतरफा' दूरी का असर यह हुआ कि हिंदी क्षेत्रीय भाषाओं के अस्तित्व के लिए अंग्रेजी से बड़ा खतरा बन गई - यह कितना सही है इस पर बहस हो सकती है, लेकिन गैर-हिंदी राज्यों में इस पर कोई संदेह नहीं दिखता। वैसे एक दिलचस्प तथ्य यह भी है कि जिस तमिलनाडु के एक प्रमुख राजनीतिक दल की बुनियाद ही हिंदी विरोध के कारण पड़ी, उसी राज्य के लोग अब इस वजह से हिंदी सीखना-पढ़ना चाह रहे हैं कि शायद उसके कारण ही उत्तर भारत में उनकी रोजी-रोटी का इंतजाम हो जाए। बहरहाल यह अपवाद हो सकता है, लेकिन इससे भी इनकार नहीं किया जा सकता कि क्षेत्रीय भाषाओं से गैर वाला भाव धीरे-धीरे हिंदी से बैर की वजह बनता गया। इस पहेली का सार यह है कि हिंदी कभी क्षेत्रीय भाषाओं की 'सहेली' नहीं बन पाई।

अंग्रेजी देश की संपर्क भाषा बनी रही और उसकी जगह हिंदी को प्रतिष्ठित करने का फैसला सरकार को वापस लेना पड़ा।

सवाल हिंदी को व्यावहारिक बनाने का भी है। इसके लिए हिंदी को सरकारी काम-काज में इस्तेमाल होने वाली 'राजभाषा' के शिकंजे से बाहर निकलकर जन-जन को समझ में आने वाला 'हिंदुस्तानी' बनना पड़ेगा। इसमें सोशल मीडिया वाली हिंदी, मुंबइया फिल्मों वाली हिंदी, गंगा-जमुनी तहजीब वाली हिंदी के साथ ही सरल भाषा में आधुनिक विषयों की तालीम देने वाली हिंदी को भी शामिल करना होगा। मोटे तौर पर हिंदी को पारंपरिक और आधुनिक भारत के बीच की कड़ी बनना होगा, जैसा पैदाइश से बंगाली और दिल से हिंदुस्तानी रहे पूर्व राष्ट्रपति प्रणब मुखर्जी इसे बनते देखना चाहते थे।

इसीलिए हिंदी की स्वीकार्यता को नए संदर्भों में देखे जाने की जरूरत है। कब तक हम देश के मन की बात को दुनिया तक पहुंचाने के लिए एक विदेशी भाषा के आसरे रहेंगे। पिछले कुछ वर्षों में जिस तरह अंतरराष्ट्रीय स्तर पर हमारी साख तेजी से बढ़ी है, उसके बाद तो एक स्वदेशी राष्ट्रभाषा का होना और जरूरी हो गया है। जब हम एक संविधान, एक विधान, एक ध्वज, एक मुद्रा पर सहमत हो सकते हैं, तो हिंदी से जुड़े शक-शुब्हे दूर कर एक-मन से देश की भाषा पर एक-राय क्यों नहीं बना सकते?

(राष्ट्रीय सहारा, 12 सितंबर, 2020)

84

चीन की 'आग' से बढ़ रहा विवाद

गलवान का घटनाक्रम पिछले विवादों से इस मायने में भी अलग है कि यह किसी एक क्षेत्र तक सीमित नहीं है, बल्कि पूर्वी लद्दाख की सीमा पर कई मोर्चों तक फैला हुआ है। इसके विस्तार को देखकर यह समझ आता है कि यह चौकियों पर तैनात सैनिकों की सामान्य झड़प नहीं, बल्कि चीनी सरकार में उच्च स्तर पर बनाई गई योजना का हिस्सा है। इसलिए उच्च स्तर से हरी झंडी नहीं मिलने तक विवाद भी सुलगता रहेगा।

गलवान घाटी से आखिरकार 'युद्ध विराम' की खबर आ ही गई। गुरुवार को विदेश मंत्री एस जयशंकर की अपने चीनी समकक्ष से मुलाकात के बाद दोनों देश एलएसी पर चल रहे तनाव को कम करने के लिए सहमत हो गए। हालांकि अभी यह स्पष्ट नहीं है कि यह सहमति केवल सैद्धांतिक है या फिर इसका कोई रोडमैप भी तैयार किया गया है। इस फर्क को समझना इसलिए जरूरी है कि सैद्धांतिक सहमति की कैसी 'दुर्गति' होती है, उसे हमने हाल के दिनों में कई अवसरों पर देखा है। बताया जा रहा है कि इस सहमति का आधार बना है एक पांच-सूत्रीय फॉर्मूला जिसके अधिकतर प्रावधान दिलचस्प रूप से छह दशक पहले हुए पंचशील समझौते से काफी मेल खाते हैं। आशय यह है कि इसमें ऐसा कुछ नया नहीं है, जो द्विपक्षीय इतिहास को बदल सके। वैसे इतिहास का एक स्याह पक्ष यह भी है कि 1954 के उस समझौते पर चीन का धीरज केवल आठ साल में ही टूट गया और 1962 में उसने धोखे से हमारी पीठ में ही खंजर घोंप दिया।

राष्ट्रीय सुरक्षा सलाहकार अजीत डोवाल ने चीन के इन्हीं विदेश मंत्री के साथ एक आपात बैठक की थी।

'62 की क्या बात करें, पिछले साल ही प्रधानमंत्री नरेन्द्र मोदी और चीनी राष्ट्रपति शी जिनपिंग की मुलाकात के बाद संकल्प लिया गया था कि दोनों देशों के आपसी मतभेदों को किसी नए विवाद में बदलने नहीं दिया जाएगा। इतना पीछे भी जाने की जरूरत नहीं है। दो महीने पहले ही हमारे राष्ट्रीय सुरक्षा सलाहकार अजीत डोवाल ने चीन के इन्हीं विदेश मंत्री के साथ एक आपात बैठक की थी। तब भी दोनों ओर से सीमा पर तनाव कम होने का भरोसा दिलाया गया था, लेकिन हुआ यह कि अब रक्षामंत्री से लेकर विदेश मंत्री तक को मोर्चा संभालना पड़ा है।

शायद यह पुराने तजुर्बों का ही असर है कि चार महीने से चले आ रहे विवाद में सुलह की नई खिड़की खुलने के बावजूद कोई इसे आपसी रिश्तों में ताजा हवा के झोंके की तरह नहीं देख रहा है। वैसे भी इसमें हमारे नजरिए से महत्त्वपूर्ण–अप्रैल महीने से पहले वाली यथास्थिति को बहाल करने का कोई जिक्र नहीं है। तो क्या इसका मतलब यह लगाया जाए कि दोनों ओर से जो सैनिक जहां बैठे हैं, वो फिलहाल वहीं जमे रहेंगे। जिन बातों पर सहमति

बनी भी है उसे लेकर कोई तय समय सीमा भी दिखाई नहीं पड़ रही है। तो ऐसे में विवाद कैसे और कब सुलझेगा, यह तय नहीं है।

ऐसे में इस बैठक से हमें ऐसा क्या हासिल हुआ, जो रक्षामंत्री की बैठक में छूट गया था? जिस समय मास्को में दोनों विदेश मंत्री मिल रहे थे, तभी एलएसी पर ब्रिगेडियर स्तर की बातचीत भी हुई। लेफ्टिनेंट जनरल या कोर कमांडर स्तर पर भी कई दौर की बातचीत हो चुकी है। लेकिन विवाद जस-का-तस है। भारत के लिहाज से हम इसे एक कूटनीतिक जीत जरूर कह सकते हैं कि हमारे सैन्य और राजनीतिक नेतृत्व की सतत कोशिशों से हम लगातार आक्रामक बने हुए चीन को बातचीत की टेबल पर लाने में कामयाब रहे हैं। रक्षामंत्री वाली मुलाकात के मामले में तो पहल खुद चीन की तरफ से ही हुई थी। लेकिन इन सब बातों की अहमियत इस बात पर आकर सीमित हो जाती है कि चीन बार-बार जुबान देने के बावजूद अपने सैनिकों को पीछे नहीं हटा रहा है। पीएलए एक मोर्चा बंद करती है, उससे पहले दूसरा नया मोर्चो खोल लेती है। इस सबके बीच सुलह कैसे होगी, यह बड़ा सवाल है। तमाम स्तर की बातचीत के बाद अब आखिरी रास्ता दोनों देशों के राष्ट्राध्यक्षों की मुलाकात का ही बचा है। चीन के सरकारी मुखपत्र ग्लोबल टाइम्स ने विदेश मंत्रियों की बैठक पर अपनी रिपोर्ट में इसका इशारा भी किया है कि उनके राष्ट्रपति शी जिनपिंग और हमारे प्रधानमंत्री नरेन्द्र मोदी के साथ बैठे बगैर यह विवाद खत्म नहीं होगा।

लेफ्टिनेंट जनरल या कोर कमांडर स्तर पर भी कई दौर की बातचीत हो चुकी है।

तनाव बरकरार रखने के पीछे चीन की मंशा बेहद साफ है। दरअसल चीन इस वक्त न केवल अपनी सीमाओं का विस्तार कर रहा है, बल्कि इस क्षेत्र में अपने सैन्य और आर्थिक दबदबे को बढ़ाने की भी साजिश रच रहा है। दक्षिण चीन सागर में उसकी आक्रामक गतिविधियां और अमेरिका और जापान के साथ विवाद इसकी एक बानगी भर है। लेकिन इस सबके बीच भारत का अमेरिका के करीब जाना और हाउडी मोदी और नमस्ते ट्रंप जैसे आयोजनों ने चीन की सोच में भारत को लेकर खोट को बढ़ा दिया है। चीन भारत को अपने पड़ोस में अमेरिका के प्रॉक्सी की नजर से देखता है।

हिंद महासागर में हाल में अमेरिका के साथ हुए भारत के उच्चस्तरीय नौसैनिक अभ्यास को भी चीन ने खुद के लिए चुनौती समझा है। दरअसल हिंद महासागर का चीन के लिए रणनीतिक के साथ ही बड़ा कारोबारी महत्त्व भी है। चीन की 80 फीसद तेल की जरूरत मलक्का की खाड़ी के रास्ते से पूरी होती है, जो दक्षिण चीन सागर को हिंद महासागर से जोड़ती है। चीन चाहता है कि यह मार्ग हमेशा खुला रहे ताकि इस क्षेत्र में उसकी गतिविधियां निर्बाध रूप से जारी रहें, लेकिन रणनीतिक जरूरत को देखते हुए भारत जब चाहे, तब इस क्षेत्र में उसकी आवाजाही में अड़ंगा डाल सकता है। जाहिर तौर पर ऐसे हालात में भारत-अमेरिका के संयुक्त नौसेनिक अभ्यास को लेकर चीन में घबराहट है। इसलिए इस आशंका को भी खारिज नहीं किया जा सकता कि एलएसी पर झगड़ा बढ़ा तो समुद्र में भी आग लग सकती है।

हिंद महासागर का चीन के लिए रणनीतिक के साथ ही बड़ा कारोबारी महत्त्व भी है।

गलवान का घटनाक्रम पिछले विवादों से इस मायने में भी अलग है कि यह किसी एक क्षेत्र तक सीमित नहीं है, बल्कि पूर्वी लद्दाख की सीमा पर कई मोर्चों तक फैला हुआ है। इसके विस्तार को देखकर यह समझ आता है कि यह चौकियों पर तैनात सैनिकों की सामान्य झड़प नहीं, बल्कि चीनी सरकार में उच्च स्तर पर बनाई गई योजना का हिस्सा है। इसलिए उच्च स्तर से हरी झंडी नहीं मिलने तक विवाद भी सुलगता रहेगा। इसकी तमाम वजहों में एक वजह पिछले साल अनुच्छेद 370 हटाने का भारत सरकार को वो फैसला भी है, जिसने जम्मू-कश्मीर के विशेष दर्जे को खत्म करते हुए उसे जम्मू-कश्मीर और लद्दाख के दो केंद्र शासित प्रदेशों में बदल दिया है। भारत के इस फैसले से एलएसी पर अपनी ताकत बढ़ाने की चीन की योजनाओं को झटका लगा है जिसका नतीजा पूर्वी लद्दाख की सीमा पर उसकी बढ़ी हुई आक्रामकता में दिखता है।

दरअसल भारत दरबुक-श्योक और दौलतबेग-ओल्डी को जोड़ने के लिए जो फीडर रोड बना रहा है, उसने चीन की नींद उड़ा रखी है। माना जा रहा है कि इस सड़क के बन जाने से भारत के लिए न केवल एलएसी पर तैनात अपने सैनिकों तक रसद और सैन्य सामग्री पहुंचाना आसान हो जाएगा,

बल्कि इससे भारत को गलवान घाटी और अक्साई चिन में रणनीतिक बढ़त भी हासिल हो जाएगी। पीओके से सटा यह इलाका चीन-पाकिस्तान इकोनॉमिक कॉरिडोर के भी काफी करीब है। चीन को अंदेशा है कि इस इलाके तक भारत की पहुंच बन जाने से इस कॉरिडोर में उसे अपनी आर्थिक गतिविधियों को लेकर समझौतावादी रुख अपनाना पड़ सकता है, जिससे उसके महत्त्वाकांक्षी बेल्ट एंड रोड इनीशिएटिव को झटका लग सकता है। इसके साथ ही 1962 में हथियाए गए अक्साई चिन के भविष्य को लेकर भी चीन में घबराहट है।

1962 में हथियाए गए अक्साई चिन के भविष्य को लेकर भी चीन में घबराहट है।

हालांकि दांव पर इतना कुछ लगने के बावजूद इन आशंकाओं में दम नहीं दिखता कि विवाद युद्ध की शक्ल लेगा। इसका एक पहलू और भी है। हांगकांग और अमेरिका से मिल रही आर्थिक चुनौतियों के मसले को सुलझाने के मुकाबले एलएसी पर तनाव को बनाए रखना चीन को ज्यादा फायदेमंद सौदा दिख रहा है। वैसे भी अक्टूबर में चीन में सेंट्रल कमेटी की बैठक होनी है। एलएसी पर तनाव की आड़ में शी जिनपिंग देश में राष्ट्रवादी भावनाएं भड़काकर अपनी स्थिति मजबूत बनाए रखना चाहेंगे। लेकिन वो युद्ध का जोखिम किसी भी कीमत पर नहीं उठाना चाहेंगे, क्योंकि जंग के मैदान में जरा भी ऊंच-नीच उनकी कुर्सी को हिला सकती है। इस बीच अगर प्रधानमंत्री नरेन्द्र मोदी से उनकी मुलाकात होती है और सुलह की कोई सड़क तैयार होती है, तो यह जिनपिंग के लिए अपनी जनता के साथ ही दुनिया के सामने भी अपनी छवि चमकाने का बेहतरीन मौका बन सकता है।

(राष्ट्रीय सहारा, 13 सितंबर, 2020)

85

विश्वसनीयता बहाली की चुनौती

सरकार की ओर से नियमन की कोई शुरुआत बिल्ली भगाने के लिए हाथी पालने जैसी बात हो सकती है। बापू ने इसका इशारा वर्षों पूर्व कर दिया था। बापू का कहना था कि कलम की निरंकुशता खतरनाक हो सकती है, लेकिन उस पर व्यवस्था का अंकुश और ज्यादा खतरनाक है। ऐसे में सेल्फ रेगुलेशन ही विकल्प हो सकता है, लेकिन इसके लिए इच्छाशक्ति के साथ मीडियाकर्मियों और उनके मालिकों तक में आमूलचूल बदलाव की जरूरत पड़ेगी।

खींचो न कमानों को, न तलवार निकालो, जब तोप मुकाबिल हो तो अखबार निकालो । अकबर इलाहाबादी का यह शेर आजादी के तरानों के बीच बड़े अदब के साथ पढ़ा-सुना जाता था। लेकिन जो शेर गुलामी के दौर में मीडिया से आवाम की अपेक्षाओं का आइना बना था, अफसोस की बात है कि आज वही मीडिया समाज के अक्स को दिखाने की अपनी जिम्मेदारी से दूर होता जा रहा है। बेशक इमरजेंसी के काले दौर को छोड़ दिया जाए, तो आजाद भारत में भी मीडिया लंबे समय तक उस पहचान पर खरा उतरता रहा, लेकिन यह भी सच है कि बदलते वक्त की जंग ने मीडिया से जुड़े भरोसे को बदरंग किया है।

जमाने को कटघरे में खड़ा करने वाला मीडिया आज खुद जनता की अदालत में खड़ा है।

जमाने को कटघरे में खड़ा करने वाला मीडिया आज खुद जनता की अदालत में खड़ा है। सबसे बड़ा आरोप उसकी सबसे बड़ी पहचान को लेकर ही लग रहा है। वो यह कि मीडिया अब जनता की कीमत पर सरकारों के सरोकारों की चिंता में उलझ गया है। कहा जाने लगा है कि कभी समाज का वॉचडॉग रहा मीडिया अब ऐसा घोड़ा बन गया है, जिसके लिए टीआरपी की रेस में जीत और सत्ता से प्रीत ही 'कामयाबी' की रीत बन गई है। मीडिया की भूमिका में यह बदलाव रातों-रात नहीं आया है, गिरावट का दौर पिछले चार-पांच दशकों से जारी है।

इसी तरह इस बात से भी इनकार नहीं किया जा सकता कि भले ही मीडिया से हमेशा अपेक्षा रही हो कि वो वहीं खबरें दिखाए जिनसे लोगों का सरोकार हो, लेकिन मीडिया के कर्तव्य कभी निर्धारित नहीं थे। यह कौन तय करेगा कि देश के लिए एक अभिनेता की मौत का 'सच' जानना ज्यादा जरूरी है या करोड़ों बेरोजगारों की रोजी-रोटी से जुड़े 'झूठ' का पदार्फाश जरूरी है, एक अभिनेत्री पर रोज बदलते सवाल जानना जरूरी है या देश की जीडीपी का हाल ज्यादा जरूरी है, एक दूसरी अभिनेत्री के रोज 'अपसेट' होने की वजह जानना जरूरी है या सीमा पर देश की सुरक्षा का अपडेट जरूरी है।

यह मान लेना नादानी होगा कि मीडिया को इस बात का अहसास नहीं कि जनता का सरोकार किन खबरों से है। फिर सवाल है कि आखिर मीडिया की वरीयता में जनता के सरोकार क्यों पीछे छूटते जा रहे हैं?

जिन खबरों से आम जनता का कोई फायदा नहीं, गिनती के लोगों को छोड़कर किसी का लेना-देना नहीं, आखिर उन खबरों को देखता कौन है? या फिर क्या जनता को उसके सरोकार से जुड़े सवालों से दूर करने के लिए ऐसी खबरें जान-बूझकर दिखायी जाती हैं?

इस प्रक्रिया को पोस्ट टूथ शब्द से समझा जा सकता है जिसमें तथ्यों को तोड़-मरोड़ कर पेश किया जाता है। इसमें अलग-अलग संस्थाएं, राजनीतिक दल, इन दलों के नेता, प्रवक्ता गलत तथ्यों को सामने रखकर बार-बार इतना दोहराते हैं कि झूठ भी सच लगने लगता है। समाज के एक वर्ग की मान्यता है कि मीडिया की साख पर दाग लगने की बड़ी वजह यह भी है कि वह भी लोगों को झूठ पर यकीन दिलाने के खेल में शामिल हो गया है।

जनरल (रिटायर्ड) वीके सिंह जब मोदी 1.0 में विदेश राज्यमंत्री हुआ करते थे, तब इसी तरह की पत्रकारिता के लिए उन्होंने प्रेस्टीट्यूट शब्द का इस्तेमाल तक कर दिया था। हालांकि बाद में उन्होंने इस पर सफाई भी दी, लेकिन इसके बावजूद मीडिया के निष्पक्ष रहने की जिम्मेदारी पर लगा सवाल दूर नहीं हो पाया।

मीडिया की साख पर दाग लगने की बड़ी वजह यह भी है कि वह भी लोगों को झूठ पर यकीन दिलाने के खेल में शामिल हो गया है।

सच बेशक जांच का विषय हो सकता है, लेकिन इस बात से इनकार नहीं किया जा सकता कि समाचार चैनलों पर अब जनता का सरोकार खबरों के साथ-साथ प्राइम टाइम बहस से भी दूर होता जा रहा है। बहस का गिरता स्तर चिंता का एक और विषय बन चुका है। तर्क की जगह हो-हल्ला, मर्यादित विवाद के बजाए शोर-शराबा और तथ्यों की जगह एक-दूसरे पर कीचड़ उछालना इन समाचार चैनलों की बहस की पहचान बन गई है। बहस मॉडरेट करने वाले कई एंकर भी एक ही विचारधारा के समर्थन वाली राजनीतिक हेजिमनी के शिकार लगते हैं। इन पर मिसइन्फॉर्मेशन से लेकर पक्षपात और एजेंडा चलाने तक के आरोप लग चुके हैं। क्या यह काबिलियत की कमी है या फिर दरअसल यही नए दौर की 'काबिलियत' है? देश की सबसे बड़ी अदालत ने भी इस बात पर चिंता जाहिर की है। सुप्रीम कोर्ट ने इसी हफ्ते

एक सुनवाई में कहा है कि चैनलों पर डिबेट में सिर्फ एंकर ही बोलते रहते हैं और स्पीकर को म्यूट कर दिया जाता है।

तो इसका इलाज क्या है? वैसे सुप्रीम कोर्ट ने नियमन का रास्ता सुझाया है। हालांकि प्रिंट मीडिया के लिए प्रेस काउंसिल ऑफ इंडिया और इलेक्ट्रॉनिक मीडिया के लिए न्यूज ब्रॉडकास्टिंग स्टैंडड्र्स अथॉरिटी तो पहले से ही अस्तित्व में है। डिजिटल मीडिया के लिए जरूर फिलहाल कोई नियामक संस्था नहीं है। लेकिन जो नियामक संस्थाएं हैं भी, उनका - जैसा कि सुप्रीम कोर्ट ने भी जानना चाहा है - कि लेटर हेड के अलावा भी कोई अस्तित्व है क्या? सरकार की ओर से नियमन की कोई शुरुआत बिल्ली भगाने के लिए हाथी पालने जैसी बात हो सकती है। बापू ने इसका इशारा वर्षों पूर्व कर दिया था। बापू का कहना था कि कलम की निरंकुशता खतरनाक हो सकती है, लेकिन उस पर व्यवस्था का अंकुश और ज्यादा खतरनाक है। ऐसे में सेल्फ रेगुलेशन ही विकल्प हो सकता है, लेकिन इसके लिए इच्छाशक्ति के साथ मीडियाकर्मियों और उनके मालिकों तक में आमूलचूल बदलाव की जरूरत पड़ेगी। वैसे रिपॉर्टर्स विदाउट बॉर्डर्स की तीन साल पहले आई रिपोर्ट में इस बात का जिक्र मिलता है कि आलोचनाओं से बचने के लिए भारतीय मीडिया का एक वर्ग सेल्फ सेंशरशिप लागू कर रहा है।

मीडिया की पहल से कई खुलासे हुए हैं, भ्रष्ट सरकारें बेनकाब हुईं हैं, कानून में संशोधन हुए हैं, समाज में बदलाव आया है।

क्या इससे मीडिया की विश्वसनीयता को हुई क्षति की भरपाई हो सकेगी? जरूर हो सकती है। ऐसा नहीं है कि मीडिया सिर्फ पक्षपात या एजेंडा ही चला रहा है। मीडिया की पहल से कई खुलासे हुए हैं, भ्रष्ट सरकारें बेनकाब हुईं हैं, कानून में संशोधन हुए हैं, समाज में बदलाव आया है। लिस्ट काफी लंबी है और देश को इसका संज्ञान भी है।

लेकिन आज के दौर में चुनौती केवल मीडिया के निष्पक्ष बने रहने और जनता के सरोकार से जुड़े रहने भर की नहीं है। सोशल मीडिया के अनुभवों से यह कहा जा सकता है कि जनता अब खुद ही पुलिस की तरह जांच

करने लगी है और खुद ही फैसला सुनाने लगी है। यानी सोशल प्लेटफॉर्म पर जनता खुद आज की मीडिया बन गई है। कोई नियामक संस्था नहीं होने से सोशल मीडिया पर आभासी अराजकता का राज है जिसे ट्रेंडिंग और ट्रॉलिंग जैसे अमोघ शस्त्र और धार दे रहे हैं। सर्वशक्तिशाली होने का यह अहसास किसी भी लोकतंत्र के लिए शुभ संकेत नहीं हैं।

(राष्ट्रीय सहारा, 19 सितंबर, 2020)

86

अन्नदाता की 'आजादी' का नया आंदोलन

यह समझना कठिन नहीं है कि पूंजी और वैज्ञानिक जानकारी में सुधार उत्पादन बढ़ाने में सहायक होगा। ऐसा होने पर साल 2022 तक किसानों की आय दोगुनी करने का मोदी सरकार का बड़ा मिशन भी पूरा हो सकेगा। यह संयोग नहीं कि इस लक्ष्य के लिए प्रधानमंत्री ने आजादी के 75वें साल को चुना है। आजादी से किसानों का करीब का रिश्ता है। फरवरी 1916 में काशी हिंदू विश्वविद्यालय के उद्घाटन समारोह में बापू ने कहा था कि आजादी वकील, डॉक्टर या संपन्न जमींदारों के कारण नहीं, बल्कि किसानों के योगदान से संभव होगी।

मोदी सरकार ने देश के किसानों की दशा और दिशा बदलने के अपने लक्ष्य की ओर एक कदम और बढ़ा दिया है। लोकसभा में इस हफ्ते किसान कल्याण से जुड़े तीन विधेयक - कृषक उत्पाद व्यापार एवं वाणिज्य (संवर्धन एवं सरलीकरण) 2020, कृषक (सशक्तिकरण एवं संरक्षण) अनुबंध विधेयक 2020 और आवश्यक वस्तु (संशोधन) विधेयक पारित हो गए। यह तीनों विधेयक अब उन अध्यादेशों की जगह लेंगे जिन्हें सरकार लॉकडाउन के दौरान लेकर आई थी। सरकार का सोचना है कि यह तीनों विधेयक मिलकर किसानों के जीवनस्तर में क्रांतिकारी बदलाव लाएंगे और इससे किसानों की आय को दोगुना करने का लक्ष्य पूरा करने में आसानी होगी। हालांकि गैर-एनडीए दलों और पंजाब-हरियाणा जैसे प्रमुख अनाज उत्पादक प्रदेशों में सरकार की इस सोच को शंका से देखा जा रहा है।

सरकार का सोचना है कि यह तीनों विधेयक मिलकर किसानों के जीवनस्तर में क्रांतिकारी बदलाव लाएंगे।

तकनीकी शब्दावली से इतर आसान भाषा में समझकर देखते हैं कि इन विधेयकों को लेकर सरकार के दावे और विरोधियों की शंकाएं केवल समझ का फेर है या फिर यह वाकई खेती-किसानी की जमीनी हकीकत है। सरकार दावा कर रही है कि अब किसान अपनी मर्जी का मालिक होगा यानी वो मंडियों और बिचौलियों के जाल से निकलकर अपनी फसल को अपनी पसंद के व्यापारियों या कंपनियों को बेच सकेगा। इस खरीद-बिक्री पर किसानों को अब मंडियों में कोई शुल्क भी नहीं देना होगा। नए जमाने की जरूरत को देखते हुए आलू-प्याज, अनाज, दलहन को आवश्यक वस्तु के 65 साल पुराने अधिनियम से मुक्त कर दिया गया है। इससे किसानों को सरकारी दखल से मुक्ति मिलेगी और विदेशी निवेश को बढ़ावा मिलने से कोल्ड-स्टोरेज सुविधाओं का विस्तार और देशव्यापी बाजार का रास्ता खुल सकेगा। पहले से तय मूल्य पर उपज की बिक्री होने से किसानों को बिचौलिए के जाल से छुटकारा और आखिरकार खेतों में बहे अपने पसीने के वाजिब दाम मिल सकेंगे।

कानून बनने पर यह विधेयक उन छोटे किसानों के लिए बहुत बड़ी राहत बन सकते हैं जिन्हें छोटी जोत होने की वजह से बड़े निवेशक नहीं मिलते। देश के कुल किसानों में से 86 फीसद लघु और सीमांत किसान हैं। नए विधेयक की राह आसान होने से इन किसानों तक पहुंचने वाले निजी निवेश की राह भी आसान हो जाएगी। केवल यही एक आंकड़ा यह समझने के लिए काफी है कि कृषि क्षेत्र में इन नए विधेयकों का कितना बड़ा सकारात्मक असर दिखाई देने वाला है। आम तौर पर छोटे किसानों की उपज इतनी कम होती है कि उसे मंडियों तक ले जाना फायदे का सौदा नहीं होता। बिचौलिए इस मजबूरी का फायदा उठाकर दशकों से छोटे किसानों का शोषण करते आए हैं। लेकिन नई व्यवस्था आने से अब निजी कंपनियां छोटे किसानों के खलिहानों तक पहुंच सकेंगी। इससे उत्पादन से निर्यात तक के रास्ते आसान हो सकेंगे और छोटे किसानों को शोषण की जगह अपने परिवारों का उचित 'पोषण' करने का सपना सच हो सकेगा।

> *देश के कुल किसानों में से 86 फीसद लघु और सीमांत किसान हैं।*

यह तमाम बदलाव उन्हीं सपनों को सच करने की कोशिश हैं, जिसके लिए हमारे किसान दशकों से संघर्ष कर रहे हैं। फिर इस पर शंकाएं क्यों? विपक्ष को लगता है कि नए बदलाव की आड़ लेकर सरकार एमएसपी की व्यवस्था खत्म कर देगी। जबकि हकीकत कुछ और है। सरकार ने साफ किया है कि वो सरकारी खरीद की व्यवस्था खत्म नहीं कर रही है बल्कि फसल बेचने के लिए किसानों को बेहतर विकल्प दे रही है। इसी तरह कमीशन एजेंटों को नए कानून से कमीशन बंद होने का डर परेशान कर रहा है। पंजाब-हरियाणा में इसे लेकर विरोध इसलिए ज्यादा दिख रहा है, क्योंकि अकेले पंजाब में 28,000 से ज्यादा कमीशन एजेंट हैं, दूसरा यहां के अधिकतम गेहूं-चावल की सरकारी खरीद एफसीआई के जरिए होती है। सरकार का कहना है कि इन राज्यों के किसानों को भ्रमित किया जा रहा है कि अब एफसीआई उनका गेहूं-चावल नहीं खरीदेगी जिससे उन्हें एमएसपी से हाथ धोना पड़ेगा।

इन्हीं कोशिशों को देखते हुए प्रधानमंत्री नरेन्द्र मोदी ने विरोधियों पर खुलेआम झूठ बोलने और भ्रम फैलाने की बात कही है।

विरोधियों को मुखरता से जवाब देते हुए प्रधानमंत्री ने उम्मीद जताई है कि दशकों से किसानों से झूठ बोलने वाले अब उन्हें और नहीं छल सकेंगे, क्योंकि नए विधेयक अब किसानों के रक्षा कवच का काम करेंगे। बेशक प्रधानमंत्री के हमलों का कलेवर सियासी लग सकता है, लेकिन यह भी सच है कि कांग्रेस ने भी 2019 के अपने चुनाव घोषणा पत्र में तीनों ही बिल को शामिल किया था। इसलिए जब सरकार भी उसी नीति पर काम कर रही है, तो कांग्रेस का विरोध किसान-हित में कम, बल्कि उन्हें राजनीतिक मोहरा बनाने की कोशिश ज्यादा दिखता है।

कांग्रेस का विरोध किसान-हित में कम, बल्कि उन्हें राजनीतिक मोहरा बनाने की कोशिश ज्यादा दिखता है।

सियासी वजहों से बीजेपी की सबसे पुरानी सहयोगी शिरोमणि अकाली दल के कोटे से मंत्री हरसिमरत कौर के इस्तीफे को भी इसीलिए ज्यादा गंभीरता से नहीं लिया जा रहा है। पिछले महीने तक अकाली दल अध्यादेश का समर्थन कर रहा था, लेकिन पंजाब में किसान आंदोलन उग्र हो गया, तो अकाली दल को राज्य में डेढ़ साल बाद होने वाले चुनाव में वोट बैंक खिसकने का खतरा दिखने लगा। हरसिमरत कौर का इस्तीफा इसलिए भी डैमेज कंट्रोल ज्यादा दिखता है, क्योंकि उनकी पार्टी ने गठबंधन तोड़ने या सरकार से समर्थन वापस लेने का फैसला टाला हुआ है।

इसकी बड़ी वजह यह है कि चाहे 'रुठे' सहयोगी हों या 'हमलावर' विपक्ष, विरोध का सुर इसलिए ज्यादा ऊंचा नहीं लग पाता, क्योंकि दोनों ही जानते हैं कि मौजूदा सरकार ने अपने दोनों कार्यकाल में किसानों के लिए काफी काम किए हैं। सरकार ने स्वामीनाथन आयोग की सिफारिशों के मुताबिक धान, गेहूं, मूंगफली जैसी उपज का एमएसपी कृषि लागत मूल्य से डेढ़ गुना तक किया है। कृषि क्षेत्र को बढ़ावा देने की सरकार की कोशिशों से ही दलहन और तिलहन फसलों की रिकॉर्ड खरीदारी संभव हो पाई है। कोरोना काल में गिरती अर्थव्यवस्था के बीच सबसे पहले बाउंस बैक करने वाला सेक्टर भी कृषि ही था। दस साल पहले कृषि का जो कुल बजट 12 हजार करोड़ रुपये हुआ करता था, वो अब बढ़कर 1.34 लाख करोड़ रुपये तक पहुंच चुका है।

नए कानूनों के तहत निजी निवेशकों के आने से कृषि क्षेत्र में पूंजी का स्तर और सुधरेगा।

यह समझना कठिन नहीं है कि पूंजी और वैज्ञानिक जानकारी में सुधार उत्पादन बढ़ाने में सहायक होगा। ऐसा होने पर साल 2022 तक किसानों की आय दोगुनी करने का मोदी सरकार का बड़ा मिशन भी पूरा हो सकेगा। यह संयोग नहीं कि इस लक्ष्य के लिए प्रधानमंत्री ने आजादी के 75वें साल को चुना है। आजादी से किसानों का करीब का रिश्ता है। फरवरी 1916 में काशी हिंदू विश्वविद्यालय के उद्घाटन समारोह में बापू ने कहा था कि आजादी वकील, डॉक्टर या संपन्न जमींदारों के कारण नहीं, बल्कि किसानों के योगदान से संभव होगी। आजादी के लिए बापू का पहला आंदोलन भी चंपारण के किसानों को अंग्रेजों के जुल्म और अन्याय से आजाद करने के लिए ही था। सरकार को उम्मीद है कि आज के दौर में किसानों को बिचौलियों से आजाद करने का वही काम नए विधेयक कर सकते हैं। शायद इसीलिए प्रधानमंत्री ने कहा भी है 21वीं सदी में भारत का किसान बंधनों में नहीं, खुलकर खेती करेगा, जहां मन आएगा अपनी उपज बेचेगा और अपनी आय भी बढ़ाएगा।'

प्रधानमंत्री ने कहा भी है 21वीं सदी में भारत का किसान बंधनों में नहीं, खुलकर खेती करेगा, जहां मन आएगा अपनी उपज बेचेगा और अपनी आय भी बढ़ाएगा।

(राष्ट्रीय सहारा, 20 सितंबर, 2020)

87

कृषि सुधार रखेंगे नई हरित क्रांति की बुनियाद

जब सरकार के लाए नए कृषि सुधार उत्पादन और मूल्य दोनों से जुड़े जोखिमों को दूर करने वाले हैं तो इसका विरोध क्यों हो रहा है? खिलाफत की आवाज में सबसे ज्यादा तीखापन एमएसपी को लेकर है। विरोधियों को लगता है कि नए विधेयक लाकर सरकार एमएसपी से पल्ला छुड़ा रही है और फसल के दाम पूरी तरह से कॉरपोरेट के हवाले करने जा रही है। सदन के दोनों सदनों से विधेयक पास हो जाने के बाद मोदी सरकार ने गेहूं, धान, दाल, सरसों और मूंगफली का एमएसपी बढ़ाकर इस मोर्चे पर विरोधियों को जवाब दे दिया है। सरकार का पक्ष यह है कि नए कानून से एमएसपी की पुरानी व्यवस्था में कोई बदलाव नहीं आएगा, बल्कि किसानों को मनमाफिक दामों पर फसल बेचने का एक और विकल्प मिल जाएगा।

देश का अन्नदाता एक बार फिर चर्चा में है। लेकिन इस बार वजह बिल्कुल अलग है, क्योंकि चर्चा का विषय उसकी बेहाली, परेशानी और मजबूरी नहीं, बल्कि इस कुचक्र से बाहर निकलने की वह क्रांतिकारी सोच है, जिसने उनके भविष्य को उम्मीदों से भर दिया है। इस सोच के मूल में हैं मोदी सरकार के वह तीन विधेयक, जो कृषि क्षेत्र में आमूलचूल बदलाव के प्रेरक बन सकते हैं।

कुल मिलाकर किसानों की बेहाली जस-की-तस बनी रही है।

कृषि प्रधान देश होने के बावजूद इस बात से इनकार नहीं किया जा सकता कि हमारे किसानों को परेशानियां पीढ़ी-दर-पीढ़ी विरासत में मिलती आई हैं। सरकारें आईं-गईं, किसानों का हाल बदलने की बड़ी-बड़ी बातें हुईं, अधूरे वादों के बीच कुछ दावे सच भी हुए लेकिन देश के करोड़ों परिवारों को भरपेट सुलाने वालों के बच्चे पेट काटकर ही जीते रहे और भारत को 'अच्छे खान-पान वाले देश' की पहचान देने वाला किसान परिवार अच्छा ओढ़ने-बिछाने तक के लिए तरसता रहा। बेशक 21वीं सदी में हुई तरक्की के कुछ छींटे खेती-किसानी पर भी गिरे, लेकिन कुल मिलाकर किसानों की बेहाली जस-की-तस बनी रही है।

इस लिहाज से मौजूदा दशक बदलाव का समय कहा जा सकता है, जिसमें किसानों की हालत सुधारने के लिए पहले से कहीं ज्यादा गंभीर प्रयास हुए हैं। इसमें किसानों को लेकर केन्द्र की नरेन्द्र मोदी सरकार की सद्इच्छा का बड़ा हाथ रहा है। विरोधी भी इस बात से इनकार नहीं कर पाते कि मोदी सरकार अपने पहले कार्यकाल से ही किसानों की समस्याओं की दशकों पुरानी चक्की से छुटकारा दिलाने के लिए कमर कसे हुए है। किसानों की आय दोगुना करना सरकार का सबसे बड़ा सपना है और इस लक्ष्य की प्राप्ति के लिए लगातार कदम उठाए गए हैं।

हालिया तीनों विधेयक भी कृषि सुधार की उसी श्रृंखला का सकारात्मक विस्तार है। सवाल उठता है कि इनके कानून बन जाने से क्या खेती-किसानी वाकई बदल जाएगी? क्या किसानों की आमदनी वाकई कभी दोगुनी हो पाएगी? क्या वाकई भारत के किसान भी 'अच्छे दिनों' के लाभार्थी हो पाएंगे? दरअसल इन सभी सवालों के जवाब उम्मीद से भरी उस चमचमाती इमारत

की तरह हैं, जो उत्पादन बढ़ाकर किसानों को आर्थिक मजबूती देने और कृषि क्षेत्र का विकास सुनिश्चित करने की मजबूत बुनियाद पर खड़ी है। नए विधेयक किसानों को मिले ऐसे शक्तिशाली पंख हैं, जो उन्हें बिचौलियों के बिछाए जाल से बचने और स्थानीय मंडियों तक सीमित अपनी परवाज को नए बाजार तक ले जाने की ताकत दे सकते हैं।

कृषि क्षेत्र में बुनियादी ढांचे की कमी, स्थानीय बिचौलियों की दादागीरी और मूल्यों में पारदर्शिता के अभाव से किसानों को पग-पग पर मुश्किलों का सामना करना पड़ता था। बड़े किसान और छोटे किसान का फर्क अन्याय और अपमान के दायरे को और बढ़ा देता था। 2015-16 में हुई कृषि गणना बताती है कि देश के 86 फीसदी किसानों के पास दो हेक्टेयर से भी छोटी जोत हैं। ये वो किसान हैं जिनकी उपज इतनी कम होती है कि किसी-किसी सीजन में उनके लिए अपनी फसल को स्थानीय मंडी तक ले जाकर बेचना भी कमाई से ज्यादा खर्चीला हो जाता है। एक देश, एक बाजार का सपना ऐसे ही किसानों को केन्द्र में रखकर गढ़ा-बुना गया है। अब इसके सच होने से देश के एक-एक किसान को फसल बेचने के एक समान अवसर मिलेंगे जिससे खेती-किसानी में बड़े-छोटे का फर्क भी मिट जाएगा। खासकर नगदी उपज और एग्रो इंडस्ट्री की जरूरत के हिसाब से फसल उगा कर कॉरपोरेट के साथ मिलकर चुनिंदा राज्यों के बड़े किसान जो फायदा उठाया करते थे, अब उस क्षेत्र में पूरे देश के छोटे किसान भी अपनी पहुंच बना सकेंगे।

बड़े किसान और छोटे किसान का फर्क अन्याय और अपमान के दायरे को और बढ़ा देता था।

तो जब सरकार के लाए नए कृषि सुधार उत्पादन और मूल्य दोनों से जुड़े जोखिमों को दूर करने वाले हैं तो इसका विरोध क्यों हो रहा है? खिलाफत की आवाज में सबसे ज्यादा तीखापन एमएसपी को लेकर है। विरोधियों को लगता है कि नए विधेयक लाकर सरकार एमएसपी से पल्ला छुड़ा रही है और फसल के दाम पूरी तरह से कॉरपोरेट के हवाले करने जा रही है। सदन के दोनों सदनों से विधेयक पास हो जाने के बाद मोदी सरकार ने गेहूं, धान, दाल, सरसों और मूंगफली का एमएसपी बढ़ाकर इस मोर्चे पर विरोधियों को

जवाब दे दिया है। सरकार का पक्ष यह है कि नए कानून से एमएसपी की पुरानी व्यवस्था में कोई बदलाव नहीं आएगा, बल्कि किसानों को मनमाफिक दामों पर फसल बेचने का एक और विकल्प मिल जाएगा। हालांकि सरकार के सामने एमएसपी का फायदा ज्यादा-से-ज्यादा किसानों तक पहुंचाने की चुनौती जरूर रहेगी। एफसीआई की कार्यप्रणाली में सुधार के लिए बनी शांता कुमार समिति की रिपोर्ट के मुताबिक हमारे देश में सिर्फ.6 फीसदी किसान ही एमएसपी पर अपनी फसल बेच पाते हैं। वैसे इस दिशा में भी पिछले दिनों में काफी काम हुआ है। मोदी सरकार अब तक यूपीए सरकार से दोगुने एमएसपी का भुगतान कर चुकी है। 2014-15 में एमएसपी के हिसाब से 3,76,359.25 करोड़ रुपये अनाज की खरीद में खर्च किए गए, जो 2014-19 के बीच बढ़कर 6,97,645.53 करोड़ रुपये हो गया यानी 85 फीसद की बढ़ोतरी।

> *हां, मंडियों पर आढ़तियों ने जो शिकंजा कसा हुआ था, वो अब जरूर टूट जाएगा।*

पंजाब-हरियाणा और पश्चिमी यूपी में चल रहे विरोध में मंडी सिस्टम खत्म होने की आशंका को भी आवाज मिली है। यह भी तर्कसंगत नहीं लगता, क्योंकि खाद्य सुरक्षा कानून के तहत करीब 80 करोड़ देशवासियों को जिस राशन की आपूर्ति होती है, वह सरकार किसानों से ही खरीदती है। इस राशन को रोके जाने को लेकर कोई बात नहीं है यानी आगे चलकर भी यह व्यवस्था कायम रहनी है, तो जब सरकार किसानों से उनकी फसल खरीदती रहेगी तो मंडियां भी पूर्व की तरह ही कामकाज करती रहेंगी। हां, मंडियों पर आढ़तियों ने जो शिकंजा कसा हुआ था, वो अब जरूर टूट जाएगा।

निजी निवेश को दो नजरियों से देखा जा रहा है। एक नजरिया है खेती-किसानी में बहुत ज्यादा पैसे का आना जिससे स्टोरेज, परिवहन और एग्रो इंडस्ट्री लगाने का रास्ता खुलता है और जिसके प्राथमिक लाभार्थी किसान ही होंगे। दूसरा नजरिया समूचे कृषि क्षेत्र को कॉरपोरेट के हवाले कर देने का है। हालांकि इस बात में कोई दो-राय नहीं कि खुला बाजार और नया निवेश किसानों की जिंदगी बदल देगा, लेकिन इसमें हमारी खेती-किसानी का तौर-तरीका भी बदल सकता है। अब तक फसल के बाजार में आने के बाद उसकी कीमतें तय होती रही हैं, लेकिन नए बदलाव के बाद फसल बोने से

पहले ही कीमतें निर्धारित होने का खेल शुरू हो सकता है। सबसे बड़ा खतरा छोटे किसानों को लेकर है, जिन्हें ज्यादा दाम का झुनझुना दिखाकर स्थानीय रिवाज की जगह कॉरपोरेट का मिजाज देखकर फसल बोने के लिए मजबूर किया जा सकता है। उत्पादन बढ़ाने के लिए रासायनिक खादों का इस्तेमाल बढ़ाना स्थानीय मिट्टी की उर्वरा शक्ति के लिए घातक साबित हो सकता है। उम्मीद की जानी चाहिए कि विधेयक तैयार करते समय इन बातों का ख्याल रखा गया होगा और सरकार के स्तर पर जरूर कुछ तैयारी की गई होगी।

बहरहाल यह सब तो भविष्य में स्पष्ट हो सकेगा लेकिन फिलहाल तो उत्पादन की भारी गुंजाइश साफ-साफ दिखाई पड़ रही है। अपने पड़ोसी चीन से ही तुलना कर लें, तो बात और स्पष्ट हो जाती है। चीन की प्रति हेक्टेयर उपज 5,332 किलोग्राम की है, जबकि भारत में यह आंकड़ा 1,909 किलोग्राम तक ही पहुंचा है। संसाधनों की कमी और सिस्टम की उदासी के साथ-साथ खेती-किसानी में अवसरों की निराशाजनक तस्वीर भी इसकी वजह है। एनएसएसओ का ही एक सर्वे कहता है कि कल रोजी-रोटी का दूसरा जरिया मिल जाए, तो देश के 45 फीसद किसान आज खेती छोड़ दें। ऐसे में नई पीढ़ी को खेती से जोड़ना और फिर किसानी में रोके रखने को महज चुनौतीपूर्ण कहना इस चुनौती को ही कम करके आंकने जैसा होगा। शायद इसीलिए हरित क्रांति के छठवें दशक में पहुंच जाने के बावजूद भूख के विरुद्ध हमारा युद्ध खत्म नहीं हो पाया है। इस पर गंभीर चिंतन इसलिए जरूरी है कि साल 2050 तक हमारी आबादी 1.75 अरब तक पहुंच जाएगी। उस मान से प्रति व्यक्ति कृषि भूमि घटकर 0.089 हेक्टेयर रह जाएगी, जबकि खाद्यान्न की जरूरत दोगुनी हो जाएगी। यानी देश को एक दूसरी हरित क्रांति की जरूरत है जिसका लक्ष्य केवल उत्पादकता ही नहीं, बल्कि नए अवसरों का सृजन कर आमदनी बढ़ाने का भी होना चाहिए। इस लिहाज से कृषि सुधारों को देर होने से पहले ही सही दिशा में उठाया गया दुरुस्त कदम कहा जाना चाहिए।

गंभीर चिंतन इसलिए जरूरी है कि साल 2050 तक हमारी आबादी 1.75 अरब तक पहुंच जाएगी।

(राष्ट्रीय सहारा, 26 सितंबर, 2020)

88

गठबंधन बरकरार तो बिहार में 'बहार'

जेडी (यू) और बीजेपी ऊपर से भले साथ दिखते हों, भले बीजेपी नीतीश को मुख्यमंत्री पद का चेहरा बता रही हो, लेकिन दोनों के आपसी रिश्ते कभी सहज नहीं दिखे हैं। अनुच्छेद 370, राम मंदिर और नागरिकता कानून जैसे मुद्दों पर दोनों के बुनियादी मतभेद हैं और नीतीश कई मौकों पर विचारधारा से समझौता नहीं करने की बात कह चुके हैं। ऐसे में बीजेपी भी चाहेगी कि बिहार में चिराग का दबदबा बढ़े, जिससे उन्हें नीतीश पर नकेल की तरह इस्तेमाल किया जा सके।

तारीखों के ऐलान के साथ ही बिहार में विधानसभा चुनाव का औपचारिक शंखनाद हो गया है। कोरोना संक्रमण के कारण चुनाव के फलित होने को लेकर जो संदेह था, वो इस ऐलान के साथ अब दूर हो गया है। सब ठीक रहा तो तीन चरणों का चुनाव अक्टूबर के आखिरी हफ्ते से शुरू होकर नवम्बर के पहले सात दिन में पूरा हो जाएगा और 10 नवम्बर तक जनादेश भी सामने आ जाएगा।

मुख्य चुनाव आयुक्त ने दुनिया के 70 देशों में चुनाव टलने का हवाला देते हुए बिहार चुनाव के संचालन को बेशक न्यू नॉर्मल बताया हो, लेकिन जमीनी हकीकत यह है कि देश की सबसे दिलचस्प सियासी महाभारत में गठबंधनों की तस्वीर बनने-बिगड़ने के अलावा कुछ भी नया नहीं दिख रहा है। चुनावी सीजन में पाला बदलने का खेल पहले ही शुरू हो गया था, अब चुनावी कार्यक्रम पर मुहर लगने के बाद 'भगदड़' और तेज होने की संभावना है।

> *अब चुनावी कार्यक्रम पर मुहर लगने के बाद 'भगदड़' और तेज होने की संभावना है।*

मुख्यमंत्री नीतीश कुमार पुराने मतभेद भुलाकर अपनी पुरानी छवि और पुराने सहयोगी के साथ फिलहाल मजबूती से एक पाले में खड़े दिख रहे हैं। साल 2015 में प्रधानमंत्री के 'डीएनए' वाले तंज को लेकर नीतीश को अब कोई रंज नहीं है। लिहाजा सुशासन बाबू और बीजेपी इस बार फिर साथ हैं, लेकिन लोक जनशक्ति पार्टी के नेतृत्व की 'महत्त्वाकांक्षा' ने एनडीए के सामने चिराग तले अंधेरा वाले हालात खड़े कर दिए हैं। इसकी एक वजह यह मानी जा रही है कि पिछले तीन दशकों से हर केंद्र सरकार में मंत्री रहे रामविलास पासवान अपने बेटे चिराग पासवान के लिए इसी तरह का 'स्थायित्व' बिहार में तलाश रहे हैं। बेटे को पार्टी की गद्दी सौंपने के बाद अब वो उसे बिहार की सत्ता का किंग बनाने की हसरत पाले बैठे हैं, किंग नहीं तो कम-से-कम किंगमेकर ही बन जाए। पासवान जानते हैं कि 25-30 सीटों पर चुनाव लड़कर तो यह सपना पूरा होने से रहा, इसके लिए राज्य में एलजेपी की जमीन को और विस्तार की जरूरत पड़ेगी, लेकिन नीतीश भी राजनीति के

पुराने चावल हैं और पासवान की चाल को पहले ही ताड़ चुके हैं। इसीलिए वो भी एलजेपी को ज्यादा सीटें नहीं देने की जिद पर अड़े हैं।

रही बात बीजेपी की, तो इस विवाद पर उसकी चुप्पी में भी कई थ्योरी काम कर रही हैं। जेडी (यू) और बीजेपी ऊपर से भले साथ दिखते हों, भले बीजेपी नीतीश को मुख्यमंत्री पद का चेहरा बता रही हो, लेकिन दोनों के आपसी रिश्ते कभी सहज नहीं दिखे हैं। अनुच्छेद 370, राम मंदिर और नागरिकता कानून जैसे मुद्दों पर दोनों के बुनियादी मतभेद हैं और नीतीश कई मौकों पर विचारधारा से समझौता नहीं करने की बात कह चुके हैं। ऐसे में बीजेपी भी चाहेगी कि बिहार में चिराग का दबदबा बढ़े, जिससे उन्हें नीतीश पर नकेल की तरह इस्तेमाल किया जा सके। इसमें कोई दो राय नहीं कि हाल के दिनों में चिराग की राजनीतिक हैसियत में खासा इजाफा हुआ है। उन्होंने एलजेपी को नई पहचान देने काम का किया है। उनके पिता के जमाने में एलजेपी को केवल दलितों की पार्टी कहा जाता था, लेकिन प्रादेशिक से लेकर राष्ट्रीय मुद्दों पर बेबाक राय रखकर चिराग तेज-तर्रार युवा नेता बनकर उभरे हैं। इस मामले में वो तेजस्वी पर बीस पड़ते हैं, लेकिन चिराग इससे संतुष्ट नहीं हैं, वो नीतीश से भी आगे जाना चाहते हैं। ऐसी सूचनाएं हैं कि इसके लिए चिराग उसी रणनीति पर काम कर रहे हैं, जिस पर 15 साल पहले उनके पिता चले थे।

जूनियर पासवान को यह चुनाव उस 'गलती' की भरपाई का मौका दिख रहा है।

2005 के विधानसभा चुनाव में दलित, मुस्लिम और अगड़े भूमिहारों का समीकरण बनाकर एलजेपी ने 29 सीटें जीत कर सत्ता की चाबी भी हासिल कर ली थी, लेकिन मुस्लिम मुख्यमंत्री बनाने की जिद पर अड़े रहकर सीनियर पासवान ने तब मौका गंवा दिया था। जूनियर पासवान को यह चुनाव उस 'गलती' की भरपाई का मौका दिख रहा है। एलजेपी की योजना है कि वो बिहार में 143 सीटों पर चुनाव लड़े और ये सभी वो सीटें होंगी जिन पर जेडीयू का प्रत्याशी खड़ा होगा। यानी एलजेपी बीजेपी के खिलाफ अपना उम्मीदवार नहीं उतारेगी। ऐसी सूरत में जो नुकसान होगा वह जेडीयू का होगा और बीजेपी को 'छोटे भाई' वाली मजबूरी से छुटकारा मिल जाएगा।

दूसरी तरफ नीतीश भी एक्टिव हैं। एलजेपी के मोल-भाव को सीमित रखने के साथ ही उसके एनडीए छोड़ने तक की सूरत के लिए डैमेज कंट्रोल की उन्होंने पहले से ही तैयारी कर ली है। दलित नेता और मुख्यमंत्री रह चुके जीतनराम मांझी की एनडीए में एंट्री करवाकर नीतीश ने एक तीर से दो शिकार किए हैं। मुख्यमंत्री की कुर्सी पर दावा ठोक रहे दो युवा नेताओं चिराग पासवान और तेजस्वी यादव की राह में उन्होंने एक चाल से सियासी भूचाल ला दिया है। आने वाले दिनों में नीतीश की इस टीम में उपेन्द्र कुशवाहा भी नये किरदार के तौर पर दिखाई दें, तो हैरानी नहीं होनी चाहिए।

आने वाले दिनों में नीतीश की इस टीम में उपेन्द्र कुशवाहा भी नये किरदार के तौर पर दिखाई दें, तो हैरानी नहीं होनी चाहिए।

ऐसे में चिराग पासवान 'अभी नहीं, तो कभी नहीं' वाली जिद को कितना आगे लेकर जा पाएंगे, यह देखने वाली बात होगी, लेकिन तेजस्वी यादव के सामने तो इस चुनाव में अस्तित्व का संकट है। कांग्रेस को छोड़ दिया जाए, तो महागठबंधन में शामिल दूसरे दल ही उन्हें नेता मानने को तैयार नहीं हैं। तेजस्वी की छवि ऐसे नेता की बनती जा रही है, जो बिहार की जनता की लड़ाई जमीन पर नहीं, बल्कि ट्विटर पर लड़ता है। चुनाव की तारीखों का ऐलान होते ही लालू ने भी 'उठो बिहारी, करो तैयारी' जैसा नारा देकर तेजस्वी को एक तरह से प्रदेश की जनता से जुड़ने की जरूरत ही समझाई है, लेकिन खुद तेजस्वी की तैयारी काफी पिछड़ी दिख रही है। महागठबंधन में चार-पांच दल हैं और चुनावी अधिसूचना जारी हो जाने के बाद भी 'कॉमन मिनिमम प्रोग्राम' का कहीं पता नहीं है। खोई हुई सियासी जमीन तलाश रहे मांझी जैसे तपे-तपाए नेता तेजस्वी पर मनमर्जी का आरोप लगाकर पहले ही एनडीए का हाथ थाम चुके हैं। उपेन्द्र कुशवाहा भी उसी राह पर हैं। अपने आखिरी दिनों में रघुवंश प्रसाद सिंह जैसे वरिष्ठ और संकटमोचक नेता का पार्टी से मोहभंग हो गया था और उन्हें मनाने के लिए लालू प्रसाद यादव तक को दखल देना पड़ा था। रघुवंश प्रसाद सिंह का मामला भी अपवाद ही कहा जाएगा, क्योंकि तेजस्वी ने कभी बड़े नेताओं के महागठबंधन में बने रहने पर कोई खास उत्साह नहीं दिखाया। दरअसल, लोक सभा चुनाव में मांझी और कुशवाहा भी अपने-अपने समाज का वोट

यूपीए में ट्रांसफर नहीं करवा पाए थे। तेजस्वी की नजर में इनकी अहमियत तभी से कम होने लगी थी। तेजस्वी को लगता है कि अगर कुशवाहा भी साथ छोड़ते हैं तो पूर्व स्पीकर उदय नारायण चौधरी और पूर्व मंत्री श्याम रजक जैसे दलित नेताओं के आरजेडी में आने से इसकी भरपाई हो जाएगी। आरजेडी के अलावा तेजस्वी के तरकश में अब कांग्रेस का ही तीर दिखाई दे रहा है, लेकिन आज की कांग्रेस उस कांग्रेस की परछाई भी नहीं है, जो तीन दशक पहले तक राज्य का मुख्य विपक्षी दल हुआ करती थी। बिहार की जनता में पैठ की बात तो दूर, महागठबंधन में ही उसकी हैसियत पिछलग्गू पार्टी की हो गई है। इसको लेकर राज्य इकाई के बड़े नेताओं में खासी छटपटाहट भी दिख रही है।

बिहार की जनता में पैठ की बात तो दूर, महागठबंधन में ही उसकी हैसियत पिछलग्गू पार्टी की हो गई है।

यह नेता छोटे दलों के साथ संपर्क में हैं और अगर महागठबंधन में बात नहीं बनी तो यह कांग्रेस छोड़कर नया मोर्चा भी खड़ा कर सकते हैं, जो चुनाव में महागठबंधन को ही नुकसान पहुंचाएगा। ऐसे में भविष्य में सफलता सुनिश्चित करने के लिए इतिहास से सबक लेने में कोई बुराई नहीं। बिहार में आखिरी बार साल 1990 में किसी एक पार्टी की पूर्ण बहुमत वाली सरकार बनी थी। उसके बाद के चुनावों में गठबंधन ही सत्ता का सहारा बना है। साल 2005 से यह ट्रेंड रहा है कि जेडी (यू), आरजेडी और बीजेपी में से दो दल के साथ आने पर ही सत्ता का सफर पूरा हो पाया है। साल 2020 में भी यह ट्रेंड बरकरार रहने के ही आसार दिख रहे हैं, लेकिन सत्ता तक पहुंचने से पहले दोनों ओर चुनौती गठबंधन को साथ रखने की होगी।

(राष्ट्रीय सहारा, 27 सितंबर, 2020)

89

बदलती दुनिया, बदलेगा यूएनओ

संयुक्त राष्ट्र की भूमिका में बदलाव की मांग उठाकर प्रधानमंत्री मोदी ने एक तरह से दुनिया के 'मन की बात' को ही जुबान दी है। फिर मांग बिल्कुल वाजिब भी है। 75 साल पहले जब संयुक्त राष्ट्र की अवधारणा साकार हुई थी, तब मुद्दे कुछ और थे, जरूरतें अलग थीं। अर्थव्यवस्था बर्बाद हो गई थी और उपनिवेशवाद का खात्मा हो रहा था। दूसरे विश्व युद्ध में विजय का वरण करने वाले मित्र राष्ट्र 'लहूलुहान' दुनिया का नया चेहरा तराशने में लगे थे।

संयुक्त राष्ट्र संघ को दुनिया की सबसे बड़ी पंचायत कहा जाता है। वैश्विक संगठनों के लिहाज से यह दुनिया की सबसे 'उम्रदराज' संस्था भी है। कोई भी दूसरा अंतरराष्ट्रीय संगठन, संयुक्त राष्ट्र की तरह अपने 'जीवन के 75 बसंत' नहीं देख पाया है। दूसरे संगठनों के लिए संयुक्त राष्ट्र की यह 'उपलब्धि' बेशक निराशा की बात हो सकती है, लेकिन एक हकीकत यह भी है कि अब उपलब्धि के नाम पर खुद संयुक्त राष्ट्र भी 'निराशा का खजाना' ही साबित हो रहा है।

कोई भी दूसरा अंतरराष्ट्रीय संगठन, संयुक्त राष्ट्र की तरह अपने 'जीवन के 75 बसंत' नहीं देख पाया है।

प्लेटिनम जुबली मना रही पंचायत अब खुद से की जाने वाली अपेक्षाओं पर खरी नहीं उतर पा रही है। इसीलिए अब इसके स्वरूप में बदलाव की मांग जोर-शोर से उठने लगी है। संयुक्त राष्ट्र महासभा के वार्षिक सत्र में प्रधानमंत्री नरेन्द्र मोदी के संबोधन ने इस मांग को नई धार, नई रफ्तार देने का काम किया है।

कोरोना काल में प्रधानमंत्री ने वर्चुअल तरीके से महासभा को संबोधित किया और दुनिया को 'पंचायत के पुनरुद्धार' की जरूरत समझाई। संयोग से जिस कोरोना की वजह से संयुक्त राष्ट्र को अपने सालाना जलसे का स्वरूप बदलना पड़ा, वही कोरोना उसके कलेवर में बदलाव की मांग का 'दूत' बना है। पिछले 8-9 महीने से समूची मानवता कोरोना महामारी से जूझ रही है, लेकिन संयुक्त राष्ट्र के सबसे बड़े समर्थक भी उसके रिस्पॉन्स से निराश हैं। ऐसे हालात में संयुक्त राष्ट्र की भूमिका में बदलाव की मांग उठाकर प्रधानमंत्री मोदी ने एक तरह से दुनिया के 'मन की बात' को ही ज़ुबान दी है।

फिर मांग बिल्कुल वाजिब भी है। 75 साल पहले जब संयुक्त राष्ट्र की अवधारणा साकार हुई थी, तब मुद्दे कुछ और थे, जरूरतें अलग थीं। अर्थव्यवस्था बर्बाद हो गई थी और उपनिवेशवाद का खात्मा हो रहा था। दूसरे विश्व युद्ध में विजय का वरण करने वाले मित्र राष्ट्र 'लहूलुहान' दुनिया का नया चेहरा तराशने में लगे थे। इसलिए यह कोई अचरज की बात नहीं है कि ऐसे माहौल में संयुक्त राष्ट्र का जो चार्टर तैयार हुआ वो विजेता देशों के वर्चस्व का दस्तावेज बनकर रह गया। जनरल असेंबली में बहुसंख्यकों की

हिस्सेदारी की आड़ में सुरक्षा परिषद में गैर-बराबरी की साजिश को सैद्धांतिक जामा पहनाया गया। इसीलिए आमसभा तो सभी देशों के लिए खोल दी गई, लेकिन बड़े फैसलों का अधिकार वीटो से लैस पांच शक्तिशाली 'मित्र-देशों' वाली सुरक्षा परिषद तक सीमित कर दिया गया।

सात दशक के बाद संयुक्त राष्ट्र आज भी पांच देशों की जेबी संस्था वाली उस पहचान को सलीब की तरह अपनी गर्दन पर ढो रहा है। इसका असर उसकी कार्यप्रणाली पर साफ दिखाई देता है जिसमें छोटे और कमजोर देशों के हितों की ज्यादातर अनदेखी हुई है। बेशक इस दौरान संयुक्त राष्ट्र के खाते में गरीबी, भुखमरी, शरणार्थियों, मानवाधिकार और जलवायु परिवर्तन के क्षेत्र में किए गए कई अच्छे काम जुड़े हैं, लेकिन विफलताओं की सूची इतनी लंबी है कि उसने संयुक्त राष्ट्र को गुलदस्ता संगठन बनाकर रख दिया है। फिलिस्तीन-इजरायल के संघर्ष से लेकर हिंद-चीन के मुक्ति संग्राम में अमेरिका और रूस के दखल के कारण संयुक्त राष्ट्र कोई सार्थक हस्तक्षेप नहीं कर पाया। पाकिस्तान के साथ हमारे विवाद को सुलझाने में भी संयुक्त राष्ट्र कोई पहल नहीं कर पाया है। जैश-ए-मोहम्मद जैसे आतंकवादी संगठन के मुखिया मसूद अजहर पर प्रतिबंध लगाने के प्रस्ताव को चीन ने अपनी वीटो वाली ताकत से 9 साल तक रोके रखा, लेकिन इसके खतरे को जानते-बूझते भी संयुक्त राष्ट्र चीन पर कोई दबाव नहीं बना पाया। रवांडा, डारफर और म्यांमार के नरसंहार हो या 2003 में इराक पर अमेरिका की चढ़ाई या फिर इसके एक दशक बाद क्रीमिया पर रूस के कब्जे की कार्रवाई, संयुक्त राष्ट्र इनमें से किसी भी घटना को रोकने में नाकाम रहा है। सीरिया, लेबनान, अफगानिस्तान में तो उसकी हालत एक लाचार दर्शक जैसी हो गई थी।

सच तो यह है कि सुरक्षा परिषद ने साल 1991 के खाड़ी युद्ध के बाद पिछले तीन दशकों में कोई बड़ा अंतरराष्ट्रीय मसला नहीं सुलझाया है।

सच तो यह है कि सुरक्षा परिषद ने साल 1991 के खाड़ी युद्ध के बाद पिछले तीन दशकों में कोई बड़ा अंतरराष्ट्रीय मसला नहीं सुलझाया है। सुरक्षा परिषद केवल अमेरिका, रूस और चीन के बीच ताकत दिखाने का ऐसा अखाड़ा बन कर रह गई है, जहां तीनों देश वीटो के दम पर एक-दूसरे को नीचा दिखाने में जुटे रहते हैं।

इन्हीं सबके चलते सुरक्षा परिषद में 1993 से ही सुधार की मांग उठ रही है। साल 1945 में जब 'वी द पीपुल' के नाम पर संयुक्त राष्ट्र का चार्टर तैयार हुआ था, तब से दुनिया की आबादी आज तीन गुना हो चुकी है। तब सुरक्षा परिषद में 5 स्थाई और 6 अस्थाई सदस्य देशों के अलावा कुल 51 सदस्य देश शामिल थे। यानी हर पांच सदस्य देशों पर एक परिषद सदस्य देश होता था। इसी तरह जनरल असेंबली के 10 देशों पर परिषद का एक स्थाई देश हुआ करता था। आज जनरल असेंबली की सदस्यता भी पांच गुना तक बढ़ गई है। बेशक सुरक्षा परिषद में इसी अनुपात में सदस्यों की संख्या बढ़ाना संभव नहीं है, लेकिन जिस तरह दुनिया अब बहुध्रुवीय हो गई है, उसे देखते हुए और संयुक्त राष्ट्र को ज्यादा आवाज सुनने वाला बहुमुखी मंच बनाने के लिए इस संख्या में इजाफा जरूरी हो गया है। यह क्या कम हैरानी की बात है कि आज सुरक्षा परिषद का 75 फीसद काम अफ्रीका से जुड़ा है, लेकिन इसमें अफ्रीकन महाद्वीप का प्रतिनिधित्व करने वाला देश शामिल नहीं है।

आज जनरल असेंबली की सदस्यता भी पांच गुना तक बढ़ गई है।

आज दुनिया के कई देशों की ओर से बनाए जा रहे छोटे-छोटे समूह भी एक तरह से सुरक्षा परिषद की निराशाजनक भूमिका पर टिप्पणी ही हैं। इसमें सबसे प्रमुख भारत, ब्राजील, जर्मनी और जापान से मिलकर बना जी-4 है जिसकी नींव ही सुरक्षा परिषद के बुनियादी ढांचे में बदलाव को लेकर रखी गई है। इसी तरह इटली की अगुवाई में 'यूनाइटिंग फॉर कन्सेंसस', एशिया-अफ्रीका-लैटिन अमेरिका के 42 देशों वाला 'एल-69 ग्रुप', सिंगापुर-स्वीट्जरलैंड-कोस्टारिका का समूह 'स्मॉल 5' है जो सुरक्षा परिषद में बदलाव की मांग कर रहे हैं।

खासकर भारत समेत जी-4 में शामिल दूसरे देशों को सुरक्षा परिषद में शामिल किए बिना इसकी प्रासंगिकता की कल्पना भी अधूरी लगती है। सुरक्षा परिषद में स्थाई सीट हासिल करने का भारत का सपना संयुक्त राष्ट्र की नींव पड़ने जितना ही पुराना है। महात्मा गांधी मानते थे कि अविभाजित भारत को वीटो की ताकत रखने वाले देश की तरह सुरक्षा परिषद का हिस्सा बनना चाहिए। वैसे भी जिस संगठन को बनाने और उसके लक्ष्य को साधने में भारत

का कदम-कदम पर योगदान रहा हो, उसकी निर्णय-प्रक्रिया से भारत को इतने लंबे समय तक बाहर रखना कहीं से तर्कसंगत नहीं लगता। ऐसे कई तथ्य हैं जो सुरक्षा परिषद में भारत की स्थाई सदस्यता के दावे को मजबूत बनाते हैं। भारत में दुनिया का सबसे बड़ा लोकतंत्र है, जनसंख्या में हमारा नंबर दूसरा है और दुनिया की 18 फीसद आबादी भारत में रहती है। समृद्धि के लिहाज से वैश्विक अर्थव्यवस्था में हमारी खास हिस्सेदारी है, तो शांति के मोर्चे पर संयुक्त राष्ट्र के मिशन में भारत का योगदान तीसरे नंबर पर आता है। इस मिशन में सुरक्षा परिषद के पांचों स्थाई देशों के जितने सैनिक शामिल हैं, उनसे कहीं ज्यादा सैनिक अकेले भारत के हैं। ऐसे आत्मनिर्भर और मानवता को सहेजने वाले भारत की दावेदारी को नकारना संयुक्त राष्ट्र का ही दुर्भाग्य कहा जा सकता है। आठवीं बार भी सुरक्षा परिषद का अस्थाई सदस्य बनाने से इसकी भरपाई नहीं हो सकती।

जनसंख्या में हमारा नंबर दूसरा है और दुनिया की 18 फीसद आबादी भारत में रहती है।

जी-4 में शामिल दूसरे देशों के साथ भी संयुक्त राष्ट्र का यही बर्ताव रहा है। जापान संयुक्त राष्ट्र के बजट में दूसरा सबसे बड़ा हिस्सेदार है, जबकि जर्मनी का नंबर तीसरा है। ब्राजील बड़े क्षेत्रफल के साथ ही आबादी और अर्थव्यवस्था के मामले में भी लैटिन अमेरिका का प्रतिनिधि राष्ट्र है। इसके बावजूद सुरक्षा परिषद में इनकी दावेदारी को कभी गंभीरता से नहीं लिया गया।

बहरहाल, संयुक्त राष्ट्र को इस जड़ता से मुक्त करने का बीड़ा अब प्रधानमंत्री मोदी ने उठाया है। उन्होंने साफ शब्दों में कहा है कि सब कुछ बदल जाए और संयुक्त राष्ट्र नहीं बदलेगा वाली नीति नहीं चल पाएगी। दुनिया भर से इसके समर्थन में जिस तरह आवाजें उठी हैं, उसे दबाना अब 75 पार कर चुके संयुक्त राष्ट्र के लिए आसान नहीं होगा। बदलती दुनिया की बदलती जरूरत के हिसाब से संयुक्त राष्ट्र को बदलना ही होगा। संयुक्त राष्ट्र की 75वीं वर्षगांठ पर दुनिया यही उम्मीद कर सकती है कि उसके गरिमामय इतिहास का भविष्य भी गौरवशाली होगा।

(राष्ट्रीय सहारा, 3 अक्टूबर, 2020)

90

छोटी जंग, बड़ा खतरा

1990 के बाद ऐसा पहली बार हुआ है कि विवादित क्षेत्र में रह रहे नागरिकों को निशाना बनाया जा रहा है। अजरबैजान का रुख पिछली लड़ाइयों से अलग है और उसने आर्मेनिया की बातचीत की पेशकश ठुकरा दी है। तुर्की समेत दूसरे देशों की खेमेबंदी भी कभी इतनी खुलकर सामने नहीं आई। इसलिए विवाद सुलझने के बजाय सुलगता जा रहा है। बड़ा सवाल शायद यह भी होगा कि जब पूरी दुनिया ही आग में कूद जाएगी तो आग बुझाने का काम करेगा कौन?

मध्य एशिया में लगी चिंगारी बड़ी आग का संकेत दे रही है। आर्मेनिया और अजरबैजान के बीच जारी खूनी जंग अब दूसरे हफ्ते में प्रवेश कर रही है। नागोर्नो-काराबाख को लेकर दोनों देश पहले भी भिड़ते रहे हैं, लेकिन हाल के दिनों में लड़ाई कभी इतनी लंबी नहीं चली है। नागोर्नो-काराबाख दक्षिण कॉकेशस का एक पहाड़ी इलाका है, जिस पर कब्जे को लेकर दोनों देशों का दशकों पुराना विवाद है, लेकिन कभी किसी ने यह नहीं सोचा था कि जमीन के एक टुकड़े को लेकर चल रही दो देशों की लड़ाई, आगे चलकर दुनिया के कई देशों को एक-दूसरे पर चढ़ाई का मौका भी दे देगी।

आर्मेनिया और अजरबैजान को विभाजित करने वाली लाइन ऑफ कॉन्टैक्ट पर 27 सितम्बर से लड़ाई जारी है। सैन्य झड़प में अब तक 100 से ज्यादा नागरिक और आर्मेनियाई सैनिक मारे जा चुके हैं। आर्मेनिया ने भी अजरबैजान को भारी नुकसान पहुंचाने का दावा किया है, लेकिन अजरबैजान ने अपने देश के हताहत नागरिकों और सैनिकों की संख्या जारी नहीं की है। ऐसी खबरें हैं कि इस बार हमले की शुरुआत अजरबैजान की ओर से ही हुई है। इसका मकसद अलगाववादियों के कब्जे वाले कुछ हिस्से छुड़ाने को बताया जा रहा था। इस बार की झड़प में अलग बात यह है कि पहली बार दोनों देशों ने अपने यहां मार्शल लॉ लगाया है। आर्मेनिया, नागोर्नो-काराबाख और अजरबैजान-तीनों जगह सैनिकों की कमी पड़ने पर पुरुष नागरिकों को भी मोर्चे पर झोंक दिया गया है। अजरबैजान का कहना है कि अपनी सीमाओं के पास सिक्योरिटी जोन बनाने के लिए रूस आर्मेनिया को सीधे मदद कर रहा है। इस लड़ाई में दुनिया की दिलचस्पी की अब तक दो वजह सामने आई हैं। पहला तो यह कि जहां लड़ाई छिड़ी है, उस इलाके से कच्चे तेल और प्राकृतिक गैस की पाइपलाइन निकलती है, जिनसे होने वाली सप्लाई का बड़ा हिस्सा यूरोपियन यूनियन को जाता है। दूसरी वजह के मायने ज्यादा व्यापक हो सकते हैं। ईसाई बहुल आर्मेनिया और मुस्लिम बहुल अजरबैजान का विवाद धार्मिक खेमेबंदी में बदलता जा रहा है। फ्रांस खुलकर आर्मेनिया के समर्थन में आ गया है और अगर जंग लंबी चली तो सैन्य

अजरबैजान ने अपने देश के हताहत नागरिकों और सैनिकों की संख्या जारी नहीं की है।

समझौते की वजह से रूस भी आर्मेनिया को मदद कर सकता है। फिलहाल तो रूस इस विवाद में संतुलन की राजनीति कर रहा है, क्योंकि वो अजरबैजान को भी हथियार देता है। दूसरी तरफ तुर्की और पाकिस्तान अजरबैजान के साथ खड़े हैं। अपुष्ट खबरें हैं कि आईएसआई और तुर्की ने अजरबैजान में किराये के लड़ाके उतार दिए हैं। पाकिस्तान को तो अजरबैजान से नया-नया प्यार हुआ है, लेकिन तुर्की अजरबैजान का पुराना यार है। उसने 1993 से ही आर्मेनिया से लगी अपनी सभी सीमाओं को सील किया हुआ है। इस बार तो तुर्की ने अजरबैजान को हर हाल में बिना शर्त समर्थन का ऐलान किया है। अजरबैजान को हथियार सप्लाई करने के आरोपों के बाद इजराइल भी संदेह के घेरे में आ गया है। इस जानकारी को पुख्ता करने के लिए आर्मेनिया ने इजराइल से अपने राजदूत को तलब भी किया था। हालांकि आर्मेनिया ने अब तक ना तो इस खबर की पुष्टि की है, ना ही खंडन किया है। तुर्की और रूस सीरिया और लीबिया में चल रहे गृहयुद्ध में भी अलग-अलग पक्षों को समर्थन देने के कारण आमने-सामने हैं। अजरबैजान को तुर्की का समर्थन नागोर्नो-काराबाख में रूस के प्रभुत्व की काट की तरह भी देखा जा रहा है। फ्रांस के राष्ट्रपति इमैन्युल मैक्रों ने तुर्की के रुख पर चिंता जताते हुए कहा है कि विवादित क्षेत्र में चली हर गोली युद्ध की बोली बोल रही है। फ्रांस इस विवाद को सुलझाने के लिए बने ऑर्गनाइजेशन फॉर सिक्योरिटी एंड को-ऑपरेशन इन यूरोप (Europe) मिंस्क ग्रुप का सदस्य है। फ्रांस में आर्मेनियाई मूल के नागरिकों की संख्या भी हजारों में है, लेकिन फ्रांस ने भी आर्मेनिया को मदद का भरोसा देकर आग में घी डालने का ही काम किया है। पड़ोसी देशों ईरान, जॉर्जिया और कतर ने जरूर मध्यस्थता की पेशकश की है, क्योंकि उनके लिए गैस और तेल की पाइपलाइन की सुरक्षा का बड़ा आर्थिक महत्त्व है। 75वें साल में प्रवेश कर चुके संयुक्त राष्ट्र की प्रासंगिकता इस तनाव से फिर सवालों में घिर गई है। पहले तो सुरक्षा परिषद की नींद हालात बिगड़ने के दो दिन बाद टूटी और फिर अपनी ओर से कोई सक्रिय पहल करने के बजाय उसने मिंस्क समूह

पाकिस्तान को तो अजरबैजान से नया-नया प्यार हुआ है, लेकिन तुर्की अजरबैजान का पुराना यार है।

को उसका फर्ज याद दिलाकर अपना पल्ला झाड़ लिया। अजरबैजान और आर्मेनिया के झगड़े का भविष्य खतरनाक ही नहीं है, बल्कि इसका इतिहास भी खूनी रहा है।

साल 1922 में जब सोवियत रूस का गठन हुआ, तो अजरबैजान और आर्मेनिया दोनों को उसमें मिला दिया गया। उस समय दोनों के बीच रिश्ते सामान्य थे। यहां तक कि नागोर्नो-काराबाख को लेकर भी दोनों में कोई विवाद नहीं था। हालांकि आपसी झड़प की छिटपुट घटनाएं तब भी होती थीं, जैसे 1948 और 1964 में आर्मेनिया में हुआ जनविद्रोह, जिसके कारण अजैरियों का बड़े पैमाने पर पलायन भी हुआ था, लेकिन कड़ी सोवियत सेंसरशिप के कारण ऐसी घटनाएं दुनिया के सामने नहीं आ पाई। विवाद की शुरुआत अस्सी के दशक के आखिरी वर्षों में हुई जब सोवियत संघ का विघटन शुरू हुआ। साल 1988 में आर्मेनिया की स्थानीय संसद ने नागोर्नो-काराबाख को आर्मेनिया को स्थानांतरित करने के पक्ष में वोट किया, लेकिन तत्कालीन सोवियत सत्ता ने इस रायशुमारी को मान्यता देने से इनकार कर दिया। इसके बाद नागोर्नो-काराबाख का मसला सुलगता रहा।

75वें साल में प्रवेश कर चुके संयुक्त राष्ट्र की प्रासंगिकता इस तनाव से फिर सवालों में घिर गई है।

साल 1994 में जब रूस ने दोनों देशों के बीच सीजफायर करवाया, तब तक आर्मेनिया के अलगाववादियों का नागोर्नो-काराबाख पर कब्जा हो चुका था। अनुमान है कि 1988 से 1994 के बीच तनाव के दौर में दोनों ओर से करीब 30 हजार लोग मारे गए और 10 लाख से ज्यादा विस्थापित हुए। जिस नागोर्नो-काराबाख को लेकर झगड़ा चल रहा है, वो पश्चिम एशिया और पूर्वी यूरोप के बीच फैला एक पहाड़ी इलाका है। यहां ज्यादातर आर्मेनियाई मूल के लोग रहते हैं, फिर भी यह सोवियत काल से ही अजरबैजान का हिस्सा रहा है। अंतरराष्ट्रीय समुदाय भी इसे अजरबैजान के हिस्से के तौर पर ही मान्यता देता है, लेकिन इसके ज्यादातर हिस्से पर आर्मेनियाई अलगाववादियों का नियंत्रण है, जिन्होंने इस इलाके को नागोर्नो-काराबाख ऑटोनॉमस ओब्लास्ट के नाम से स्वतंत्र गणतंत्र घोषित कर रखा है। हालांकि बाकी दुनिया की तरह आर्मेनियाई सरकार भी इसे मान्यता नहीं देती, लेकिन अलगाववादियों को

उसका राजनैतिक और सैन्य समर्थन हासिल है। फ्रांस, रूस और अमेरिका की अध्यक्षता वाला मिंस्क ग्रुप दोनों देशों के बीच वर्षों से शांति बहाल करने की कोशिश कर रहा है। दोनों देशों के रिश्ते इतने तल्ख हैं कि आर्मेनिया का कोई नागरिक अजरबैजान नहीं आ सकता। इतना ही नहीं, किसी दूसरे देश में रहने वाले आर्मेनियाई मूल के व्यक्ति के भी अजरबैजान में आने पर पाबंदी है। यहां तक कि अगर किसी शख्स के पासपोर्ट में नागोर्नो-काराबाख की यात्रा का कोई जिक्र भी होता है, तो उसे एयरपोर्ट से ही बैरंग वापस भेज दिया जाता है। इस बार कुछ ऐसा ही हाल दुनिया भर से आ रही शांति की अपीलों का हो रहा है।

किसी शख्स के पासपोर्ट में नागोर्नो-काराबाख की यात्रा का कोई जिक्र भी होता है, तो उसे एयरपोर्ट से ही बैरंग वापस भेज दिया जाता है।

सीजफायर की अपीलें अनसुनी की जा रहीं हैं। तो यह लड़ाई किस ओर जा रही है? इस बार दोनों पक्षों की लंबी लड़ाई की तैयारी दिख रही है और जमीनी हालात बड़े खतरे का इशारा कर रहे हैं। अब तक दोनों देशों के बीच लड़ाई होती थी तो दो-एक दिन चलकर थम जाती थी, लेकिन इस बार ऐसा नहीं हुआ है। 1990 के बाद ऐसा पहली बार हुआ है कि विवादित क्षेत्र में रह रहे नागरिकों को निशाना बनाया जा रहा है। अजरबैजान का रुख पिछली लड़ाइयों से अलग है और उसने आर्मेनिया की बातचीत की पेशकश ठुकरा दी है। तुर्की समेत दूसरे देशों की खेमेबंदी भी कभी इतनी खुलकर सामने नहीं आई। इसलिए विवाद सुलझने के बजाय सुलगता जा रहा है। बड़ा सवाल शायद यह भी होगा कि जब पूरी दुनिया ही आग में कूद जाएगी तो आग बुझाने का काम करेगा कौन?

(राष्ट्रीय सहारा, 4 अक्टूबर, 2020)

91

बलात्कार जाति और राजनीति

इस बात से भी इनकार नहीं किया जा सकता है कि तमाम तरक्की के बावजूद जातिगत भेदभाव आज के समाज में भी मौजूद हैं। अगड़ी जातियों की दबंगई और पिछड़ी जातियों का शोषण हमारे समाज के अंदर निहित एक गंभीर मुद्दा है। इसलिए दुष्कर्म ही नहीं, हिंसा के हर कर्म का एक जातिगत एंगल निकल ही आता है। आंकड़े भी बताते हैं कि भारत में बलात्कार की एक वजह जाति भी है। साल 2019 में 32 हजार से ज्यादा रेप की वारदातें हुई, इसमें 11 फीसदी मामलों में पीड़ित दलित जाति से थी। इसमें भी एक-तिहाई मामले केवल उत्तर प्रदेश और राजस्थान से थे। देश में पिछले दस साल में बलात्कार के मामले 31 फीसद तक बढ़े हैं। यह तमाम आंकड़े एनसीआरबी के हैं।

देश में बलात्कार को लेकर फिर से गंभीर बहस चल रही है। हाथरस की घटना पर पूरे देश में गुस्सा है। यह गुस्सा सड़क-चौराहों की चचाओं से लेकर मीडिया की बहसों तक में फूटा है। जाहिर तौर पर किसी भी संवेदनशील शासक की तरह मौजूदा सरकार भी दबाव में है। इस बीच कुछ ऐसे प्रश्न उभरे हैं, जिनके कारण यह विषय और भी प्रासंगिक हो गया है। पीड़ित परिवार के लिए लामबंद समूह का आरोप है कि उसे दलित होने के कारण प्रताड़ित किया जा रहा है, जबकि अगड़ी जातियों का पक्ष है कि आरोपियों को गलत फंसाया जा रहा है। इस सबके बीच पीड़िता के साथ आरोपियों की बर्बरता, पीड़ित परिवार के साथ प्रशासन की संवेदनहीनता, सांप्रदायिक दंगे भड़काने की साजिश जैसे सवाल अपनी जगह बरकरार हैं। देश में पहले से मौजूद कानून और सजा के प्रावधानों के बावजूद दुष्कर्म की हैवानियत के नहीं रुकने से यह विषय पहले से ही जटिल था, उस पर जाति की राजनीति ने इसे और पेचीदा बना दिया है।

हाथरस की घटना पर पूरे देश में गुस्सा है।

दरअसल, हाथरस मामले में जो सवाल उठ रहे हैं, उनका लब्बोलुआब कुछ ऐसा ही है - पीड़िता अगर अगड़ी जाति से होती, तब भी क्या प्रशासन से लेकर मीडिया तक का रवैया ऐसा ही होता? जांच तो छोड़िए, क्या एफआईआर जैसी बुनियादी शुरुआत को भी एक हफ्ते से ज्यादा समय तक टाला जा सकता था? क्या पीड़िता के शव को अंतिम संस्कार के नाम पर रातों-रात इस तरह आग के हवाले कर दिया जाता? समाज ही क्यों, हमारा संविधान और वहां से निकले कानून के आधार पर आए कई फैसलों से भी इस बात का इशारा मिलता है कि उच्च जाति के दबंग जातिगत बैर और कई बार बदला लेने भर की नीयत से इस तरह का घिनौना कृत्य करते रहे हैं। शायद इसीलिए अनुसूचित जाति और जनजाति की लड़कियों के साथ होने वाले अपराधों को अलग गिना जाता है।

तो इस बात पर हैरत नहीं होनी चाहिए कि जिस मामले में प्राथमिकता पीड़ित परिवार को जल्द-से-जल्द इंसाफ और आरोपियों को कड़ी-से-कड़ी सजा दिलाने की होनी चाहिए, वहां बहस इस बात पर हो रही है कि क्या

बलात्कारियों की भी कोई जाति होती है। जैसे आतंकियों का कोई धर्म नहीं होता, वैसे ही बलात्कारियों को किसी जाति में कैसे समेटा जा सकता है? हां, रिएक्ट करने के लिए हमारा समाज पीड़िता की जाति जरूर तलाशता रहा है।

यहां इस बात से भी इनकार नहीं किया जा सकता है कि तमाम तरक्की के बावजूद जातिगत भेदभाव आज के समाज में भी मौजूद हैं। अगड़ी जातियों की दबंगई और पिछड़ी जातियों का शोषण हमारे समाज के अंदर निहित एक गंभीर मुद्दा है। इसलिए दुष्कर्म ही नहीं, हिंसा के हर कर्म का एक जातिगत एंगल निकल ही आता है। आंकड़े भी बताते हैं कि भारत में बलात्कार की एक वजह जाति भी है। साल 2019 में 32 हजार से ज्यादा रेप की वारदातें हुई, इसमें 11 फीसदी मामलों में पीड़ित दलित जाति से थी। इसमें भी एक-तिहाई मामले केवल उत्तर प्रदेश और राजस्थान से थे। देश में पिछले दस साल में बलात्कार के मामले 31 फीसद तक बढ़े हैं। यह तमाम आंकड़े एनसीआरबी के हैं। यह हाल तब है जब भारत ही नहीं, दुनिया भर में बलात्कार सबसे कम दर्ज होने वाला अपराध है। इसकी एक वजह यह भी है कि अदालत में बलात्कार हुआ है यह साबित करने की जिम्मेदारी पीड़ित पक्ष के ऊपर होती है।

जैसे आतंकियों का कोई धर्म नहीं होता, वैसे ही बलात्कारियों को किसी जाति में कैसे समेटा जा सकता है?

याद कीजिए भंवरी देवी का केस। 30 साल पुराने इस केस को कानून के गलियारों में नजीर कहा जाता है। सुप्रीम कोर्ट ने खुद कार्यस्थल पर होने वाली यौन हिंसा का संज्ञान लिया था, विशाखा गाइडलाइंस तक बनीं यानी सब कुछ तो हुआ, बस न्याय को छोड़कर। निचली अदालत ने तो आरोपी को अगड़ी जाति का मानकर इसलिए बख्श दिया कि उसके लिए निचली जाति की महिला को हाथ लगाना भी पाप है। अपनी याददाश्त का इतना कड़ा इम्तिहान लेने की भी जरूरत नहीं। निर्भया मामला तो ज्यादा पुराना नहीं है। तब तो सड़क से लेकर संसद तक मुहिम चली थी, सरकार सख्त कानून भी लाई। लेकिन उससे क्या हुआ? निर्भया कांड के समय हर दिन 69 बलात्कार होते थे, अब 88 हो रहे हैं।

तो क्या यह केवल कानून की असफलता है या समाज भी इसके लिए जिम्मेदार है? आखिर हाथरस जैसा उबाल रोज क्यों नहीं आता? बदायूं, उन्नाव, कठुआ या हैदराबाद तक ही सिमट कर क्यों रह जाता है? बलात्कार के कुछ पिछले चर्चित मामलों को देखा जाए, तो पीड़िता की जाति और उसकी सामाजिक-आर्थिक हैसियत समाज की प्रतिक्रिया का बड़ा आधार बनी है। लेकिन इस प्रतिक्रिया का मकसद केवल पीड़िता या उसके परिवार के घावों पर मरहम लगाना ही नहीं, कुछ और भी होता है। राजनीतिक दल भी इस तरह के मामलों में तभी हाथ डालते रहे हैं, जब उन्हें इसमें फायदा दिखता है। बात-बात पर ट्वीट करने वाले मंत्री, सांसद, विधायक और नेता भी बोलने या चुप रहने के फायदे नाप-तौल कर ही रिएक्ट करते हैं। हाथरस भी इस मामले में कोई अपवाद नहीं है। पीड़िता से लेकर आरोपियों तक की जाति पहचानी जा चुकी है और सत्ता से लेकर विपक्ष अपने-अपने सियासी नफे-नुकसान के मुताबिक प्रतिक्रिया दे रहा है। यह जानते-बूझते हुए कि इस तरह की प्रतिक्रिया सामाजिक दरार को और चौड़ा कर सकती है।

> *आखिर हाथरस जैसा उबाल रोज क्यों नहीं आता? बदायूं, उन्नाव, कठुआ या हैदराबाद तक ही सिमट कर क्यों रह जाता है?*

तो आखिर चूक कहां हो गई? दुष्कर्म के मामलों में कमी आए, इसके लिए शासन से समाज तक क्या-क्या किया जा सकता है? हाथरस मामले को ही लें, तो इसे किस तरह हैंडल किया जाना चाहिए? बदलाव के लिहाज से संभावनाएं अपार हैं और इसके लिए शासन से लेकर समाज के हर स्तर पर सुधार जरूरी है। फौरी तौर पर दोषियों को सार्वजनिक जगहों पर फांसी पर लटकाने या अंग-भंग करने जैसी तालिबानी सजाएं 'लुभावनी' लग सकती हैं, लेकिन यह समस्या का निदान नहीं है। जहां इस तरह के कानून चलन में हैं, वहां भी महिलाओं के लिए कोई आदर्श हालात नहीं हैं। इसके लिए अभी भी लंबी लड़ाई की जरूरत है। प्राथमिकता महिलाओं में सुरक्षा का भाव और आरोपियों में कानून का खौफ जगाने की होनी चाहिए। सबसे पहले तो पुलिस से लेकर डॉक्टर तक प्रशासन के हर तंत्र को संवेदनशील बनाना जरूरी है। इसके लिए हर स्तर पर जवाबदेही सुनिश्चित करनी होगी।

कानूनी प्रक्रिया का नियमित फॉलोअप इस दिशा में बड़ा बदलाव ला सकता है। केवल शासन और प्रशासन ही नहीं, समाज के अलग-अलग तबकों के बीच जागरुकता बढ़ा कर भी ऐसी मनोवृत्ति पर अंकुश लगाया जा सकता है। अच्छा तो यही होता कि तमाम बदलावों की शुरुआत जातिगत सरोकारों और राजनीतिक विकारों से ऊपर उठकर की जाती। मगर आज हम जिस मोड़ पर खड़े हैं वहां तो ये महज एक दूर का सपना ही लगता है।

(राष्ट्रीय सहारा, 10 अक्टूबर, 2020)

92

किसका होगा अमेरिका?

डेमोक्रैट पार्टी के प्रचार अभियान से अब तक यह समझ बनी है कि भारत को आत्मनिर्भर बनाने के प्रधानमंत्री नरेन्द्र मोदी के सपने को पूरा करने में जो बाइडेन मौजूदा सत्ता से ज्यादा मुफीद साबित होंगे। बाइडेन ने आर्थिक सुधार और खुलेपन के साथ ही वैश्विक सप्लाई चेन में भारत की हिस्सेदारी बढ़ाने को लेकर सकारात्मक रुख दिखाया है। एच-1बी और फैमिली वीजा मामले को लेकर भी बाइडेन भारतीय नजरिए से अधिक सहयोगात्मक बातें कर रहे हैं।

दुनिया भर में किसी एक तारीख का दो ही सूरत में बेसब्री से इंतजार होता है—या तो उस तारीख का संबंध किसी आपदा से हो या फिर वह तारीख कोई अवसर लेकर आ रही हो। तीन नवंबर ऐसी ही तारीख है, जिसका प्रत्यक्ष संबंध यूं तो अमेरिका से है, लेकिन परोक्ष रूप से आने वाले चार साल तक पूरी दुनिया उसका असर महसूस करेगी। इस तारीख को अमेरिका को अपना अगला राष्ट्रपति मिलेगा और दुनिया को यह पता चलेगा कि सुपरपावर की सत्ता एक बार फिर मौजूदा राष्ट्रपति रिपब्लिकन नेता डोनाल्ड ट्रंप के पास रहेगी या फिर जो बाइडेन की अगुवाई में डेमोक्रैट चार साल पहले गंवाई सत्ता को दोबारा हासिल कर लेंगे।

तीन नवंबर ऐसी ही तारीख है, इस तारीख को अमेरिका को अपना अगला राष्ट्रपति मिलेगा।

अमेरिका में चुनावी रस्म के मुताबिक प्रेसीडेंशियल डिबेट शुरू हो चुकी है और चुनाव पूर्व सर्वेक्षण भी आने लगे हैं। ज्यादातर सर्वे में अमेरिकी जनता राष्ट्रपति चुनाव को डोनाल्ड ट्रंप से छुटकारा पाने के अवसर के तौर पर देख रही है। इन सर्वे में जो बाइडेन 50 फीसद से ज्यादा वोट प्रतिशत के साथ डोनाल्ड ट्रंप पर 10 प्वॉइंट से ज्यादा बढ़त लेते दिख रहे हैं। साल 2016 में ट्रंप को वोट करने वाले 80 फीसद से ज्यादा लोग उनकी दोबारा वापसी नहीं चाहते। चुनाव में फर्क पैदा करने वाले राज्यों के 75 फीसद वोटरों का कहना है कि ट्रंप अमेरिकी राष्ट्रपति के पद की गरिमा के अनुरूप बर्ताव करने में नाकाम रहे हैं।

चुनावी माहौल के बावजूद गाहे-बगाहे ट्रंप खुद भी इसकी मिसाल देते रहते हैं। पिछले राष्ट्रपति बराक ओबामा को जेल भेजने, पिछली उम्मीदवार हिलेरी क्लिंटन को 'रूसी साजिश वाली थ्योरी' के नतीजे भुगतने जैसे गैर-जिम्मेदाराना बयान ट्रंप की छवि को नुकसान पहुंचा रहे हैं। कोरोना से ठीक होने के बाद ट्रंप ने अपनी पहली मुलाकात में कैबिनेट के वरिष्ठ अधिकारियों को अपने विरोधियों के खिलाफ कोई कानूनी कार्रवाई नहीं करने यानी ट्रंप के मुताबिक 'ठीक से काम न करने' पर सार्वजनिक रूप से फटकार भी लगाई है।

विपक्षियों की ही तरह कई अमेरिकी यह मान रहे हैं कि चुनाव जीतने के लिए ट्रंप इस बार किसी भी स्तर तक जा सकते हैं। कई मौके पर ट्रंप

खुद कह चुके हैं कि इस बार के चुनाव धांधली से जीते जाएंगे और अगर नतीजे उनके खिलाफ गए तो सत्ता हस्तांतरण 'शांतिपूर्ण' नहीं होगा। ऐसी भी आशंका है कि ट्रंप प्रशासन डेमोक्रैटिक गढ़ समझे जाने वाले राज्यों में कानून के अधिकारियों की तैनाती से चुनाव को प्रभावित करने की कोशिश करेगा। अनुमान लगाए जा रहे हैं कि मतदान के बाद उसी रात लाखों पोस्टल बैलेट की गणना से पहले ही ट्रंप अपनी जीत का ऐलान कर सकते हैं। ट्रंप को लेकर 'विश्वास' का स्तर इतना गिर चुका है कि ऐसे भी कयास हैं कि हार टालने के लिए ट्रंप कोरोना महामारी की आड़ लेकर चुनाव को टाल सकते हैं। हालांकि अमेरिका की जटिल चुनावी प्रक्रिया के कारण ट्रंप के लिए अकेले ऐसा फैसला लेना संभव नहीं होगा। यह अमेरिकी कांग्रेस के अधिकार का क्षेत्र है और वैसे भी अमेरिका के 232 साल के इतिहास में ऐसा मौका केवल एक बार साल 1845 में ही आया है जब चुनाव अपने नियत समय पर नहीं हो पाए।

अमेरिका पिछले चार महीनों से कोरोना के मामलों में 'दुनिया का सिरमौर' बना हुआ है।

इसलिए कोरोना के कारण चुनाव टलने की आशंका भले ही विरोधियों का स्टंट साबित हो, लेकिन सच्चाई यही है कि ट्रंप और सत्ता के बीच अगर कोई एक वजह सबसे बड़ी साबित होगी तो वो कोरोना से निपटने में उनकी नाकामी ही होगी। अमेरिका पिछले चार महीनों से कोरोना के मामलों में 'दुनिया का सिरमौर' बना हुआ है। ट्रंप को मिलाकर 78 लाख से ज्यादा अमेरिकी कोरोना संक्रमित हो चुके हैं, जबकि मौत का आंकड़ा दो लाख के पार जा चुका है। पिछले हफ्ते के एक सर्वे में 62 फीसद लोगों ने कहा है कि कोरोना को लेकर ट्रंप की 'हल्की' सोच के कारण अमेरिकी को भारी कीमत चुकानी पड़ी है। टेक्सास, फ्लोरिडा, अरीजोना जैसे कोरोना से सबसे ज्यादा प्रभावित राज्यों में पिछली बार ट्रंप का समर्थन करने वाले 78 फीसद लोग केवल इसी वजह से उन्हें दोबारा वोट नहीं करेंगे।

कोरोना को लेकर रिपब्लिक और डेमोक्रैट शासित राज्यों में बंटवारे की सोच भी ट्रंप को खासा नुकसान पहुंचा रही है। इसके अलावा नस्लभेद,

जलवायु परिवर्तन, अमेरिका फर्स्ट की नीति के कारण बाकी दुनिया खासकर यूरोपीय देशों से बिगड़ते संबंध, चीन को लेकर ढुलमुल रवैया, रूसी राष्ट्रपति पुतिन जैसे 'तानाशाह' को बार-बार अपना रोल मॉडल बताना जैसी कई बातें अमेरिकी वोटरों को ट्रंप से दूर कर रही हैं।

दिलचस्प बात यह है कि अमेरिका में इस तरह का ट्रंप-विरोधी माहौल बनाने में डेमोक्रैट उम्मीदवार जो बाइडेन का कोई खास हाथ नहीं दिख रहा। पांच दशकों से राजनीति में सक्रिय होने के बावजूद आज भी ज्यादातर अमेरिकियों की तरह बाकी दुनिया भी उन्हें बराक ओबामा के उप राष्ट्रपति के तौर पर ही जानती है। लेकिन ट्रंप को मिल रही तमाम चुनौतियों के साथ भारतवंशियों में गहरी पैठ बाइडेन को फायदा पहुंचा रही है।

हाल में हुए एएपीआई सर्वे से पता चल रहा है कि इस बार केवल 28 फीसद भारतवंशी ट्रंप के साथ खड़े हैं।

अमेरिका में इस बार 18 लाख भारतवंशी वोट डालेंगे। फ्लोरिडा, पेंसिलवेनिया और मिशीगन जैसे राज्यों में तो इनके वोट निर्णायक भी साबित हो सकते हैं। इसीलिए ट्रंप और बाइडेन खेमा इन्हें अपने पाले में लाने में जुटा हुआ है। ट्रंप ने इसकी पहचान अपने पिछले चुनाव अभियान में ही कर ली थी, जब उन्होंने हिंदुओं के लिए अपने 'प्यार' का सार्वजनिक इजहार किया था। पिछले एक साल में ट्रंप 'हाउडी मोदी' और 'नमस्ते ट्रंप' जैसे दो बड़े अवसरों पर भारतवंशियों में जबर्दस्त लोकप्रिय भारतीय प्रधानमंत्री नरेन्द्र मोदी के साथ दिखे हैं। अमेरिकी भारतवंशियों से ट्रंप का कोई भी संवाद प्रधानमंत्री मोदी के साथ उनकी दोस्ती के जिक्र के बिना पूरा नहीं होता। यहां तक कि उनके चुनाव प्रचार में वही नारे-स्लोगन सुनाई देते हैं, जो प्रधानमंत्री मोदी के चुनाव अभियान का हिस्सा थे।

लेकिन ट्रंप की यह तमाम कोशिशें भी रंग नहीं जमा पा रही हैं। हाल में हुए एएपीआई सर्वे से पता चल रहा है कि इस बार केवल 28 फीसद भारतवंशी ट्रंप के साथ खड़े हैं, जबकि दो-तिहाई बाइडेन को समर्थन देते दिख रहे हैं। इसकी दो बड़ी वजहें हैं - पहला यह कि भारत को लेकर ट्रंप केवल 'आसमानी' बयानबाजी ही करते रहे हैं, उन्होंने भारत या भारतवंशियों

के लिए कभी कोई 'जमीनी' कोशिश नहीं की है। दूसरी वजह है बाइडेन की भारत-समर्थक नेता की छवि जो आमतौर पर डेमोक्रैट नेताओं की पहचान रही है। भारतीय मां की बेटी कमला हैरिस को उप-राष्ट्रपति पद का उम्मीदवार बनाकर बाइडेन ने इस सोच को और पुख्ता कर लिया है।

भारत-अमेरिका संबंधों में प्रगाढ़ता को लेकर उनकी 14 साल पुरानी भविष्यवाणी भारतवंशियों के बीच काफी चर्चा में है। साल 2006 के एक इंटरव्यू में बाइडेन ने कहा था कि उनका सपना है कि साल 2020 में दोनों देश सबसे निकट के संबंधों वाले देश बनें। इस अंतराल में बाइडेन ने खुद लगातार इस दिशा में कई प्रयास भी किए हैं। 1998 में परमाणु परीक्षण के बाद अमेरिका ने भारत पर कड़े आर्थिक प्रतिबंध लगा दिए थे। बाइडेन ने इन्हें हटाने के लिए साल 2001 में तत्कालीन राष्ट्रपति जॉर्ज बुश को खत लिखा था। साल 2008 में भारत-अमेरिका परमाणु समझौते में उनकी बड़ी भूमिका रही थी। अमेरिकी उपराष्ट्रपति रहते हुए साल 2013 में जब बाइडेन भारत के दौरे पर आए थे, तब भी द्विपक्षीय संबंधों को उन्होंने पीढ़ियों को प्रभावित करने वाली साझेदारी बताया था। हालांकि कश्मीर में धारा 370 हटाने, असम में एनआरसी लगाने जैसे भारत के आंतरिक मुद्दों को लेकर बाइडेन का रुख भारत के लिए अनुकूल नहीं रहा है।

साल 2006 के एक इंटरव्यू में बाइडेन ने कहा था कि उनका सपना है कि साल 2020 में दोनों देश सबसे निकट के संबंधों वाले देश बनें।

लेकिन इतिहास इस तरह के कई वाकयों से मिलकर ही बनता है। हम यह भी कैसे भूल सकते हैं कि 1971 में अमेरिका के रिपब्लिकन राष्ट्रपति रिचर्ड निक्सन न केवल पाकिस्तान के साथ खड़े थे, बल्कि चीन को भी अपने खेमे में लाने की साजिश रच रहे थे। रिपब्लिकन राष्ट्रपति रोनाल्ड रीगन ने भले ही अफगानिस्तान से तत्कालीन सोवियत संघ को बेदखल करने के लिए पाकिस्तानी खुफिया एजेंसी आईएसआई को मजबूत किया हो, लेकिन कश्मीर और पंजाब में उसकी कारगुजारियों की कीमत आज भी भारत चुका रहा है। रिपब्लिकन डोनाल्ड ट्रंप के ही राज में अमेरिका से व्यापारिक मामलों में भारत को मिल रहे फेवर्ड नेशन के फायदे सीमित करने का काम हुआ है।

दूसरी तरफ डेमोक्रैट ओबामा रहे, जो अपने कार्यकाल में दो बार भारत की यात्रा करने वाले प्रथम अमेरिकी राष्ट्रपति बने, जिन्होंने संयुक्त राष्ट्र सुरक्षा परिषद में भारत की सदस्यता के दावे को ताकत दी और भारत के साथ एक अहम रक्षा करार भी किया। उससे पहले के डेमोक्रैट राष्ट्रपति बिल क्लिंटन के दौर में भी भारत-अमेरिकी संबंधों में गर्मजोशी रही थी।

डेमोक्रैट पार्टी के प्रचार अभियान से अब तक यह समझ बनी है कि भारत को आत्मनिर्भर बनाने के प्रधानमंत्री नरेन्द्र मोदी के सपने को पूरा करने में जो बाइडेन मौजूदा सत्ता से ज्यादा मुफीद साबित होंगे। बाइडेन ने आर्थिक सुधार और खुलेपन के साथ ही वैश्विक सप्लाई चेन में भारत की हिस्सेदारी बढ़ाने को लेकर सकारात्मक रुख दिखाया है। एच-1बी और फैमिली वीजा मामले को लेकर भी बाइडेन भारतीय नजरिए से अधिक सहयोगात्मक बातें कर रहे हैं। भारतीय नजरिए से महत्त्वपूर्ण चीन और पाकिस्तान के मसले पर सत्ता बदलने पर भी अमेरिका भले अपनी नीतियों में ज्यादा बदलाव न ला सके, फिर भी वे ट्रंप के मुकाबले ज्यादा भरोसेमंद साथी साबित हो सकते हैं।

(राष्ट्रीय सहारा, 11 अक्टूबर, 2020)

93

सत्ता समीकरण में ट्विस्ट

अगर सीट जीतने की रेस में जेडीयू पिछड़ जाती है और बीजेपी को मामूली बढ़त भी मिलती है तो बिहार में महाराष्ट्र पार्ट-2 भी देखने को मिल सकता है। दिलचस्प बात यह है कि इसे दोनों में से कोई भी दल अंजाम दे सकता है। एलजेपी अगर ठीक-ठाक सीटें जीत लेती है तो वो बीजेपी के लिए एक विकल्प साबित हो सकती है। दूसरी तरफ नीतीश 'नतीजे पलटने पर साथी बदलने' वाली तरकीब के कायल रहे हैं और 'सियासी समरसता' के लिए इसे एक बार फिर आजमा सकते हैं।

बिहार में इन दिनों चुनाव की बहार है। सियासी समर में बाहर से तो छोटे-से-छोटे नेता की जुबान पर जीत की हुंकार है, लेकिन अंदर ही अंदर बड़े से बड़े नेता भी हार के खतरे से बेपरवाह नहीं हैं। यह भी दिलचस्पी का विषय है कि नतीजों से पहले ही सत्ता की कुर्सी पर 'मालिकाना हक' जता रहा कोई भी बड़ा राजनीतिक दल अकेले दम पर चुनाव लड़ने की हिम्मत नहीं दिखा पा रहा है। साल 2000 से मुख्यमंत्री निवास से अंदर-बाहर हो रहे और अलग-अलग वजहों से छह बार बिहार के मुख्यमंत्री रह चुके नीतीश कुमार की जेडीयू भी इसकी अपवाद नहीं है।

पिछले विधानसभा चुनाव में अकेले एक-तिहाई सीट जीतने वाले लालू प्रसाद यादव के राष्ट्रीय जनता दल को भी तेजस्वी की अगुवाई में 'सियासी तेज' दोहराने का भरोसा नहीं है। यहां तक कि एक साल पहले ही लोकसभा चुनाव में 100 फीसद स्ट्राइक रेट दे चुकी बीजेपी तक नीतीश को मुख्यमंत्री पद का चेहरा बताने और जेडीयू का जूनियर पार्टनर वाला 'कड़वा घूंट' पीने के लिए मजबूर है।

> *बाकी के गठबंधन कांटे के मुकाबले वाली सीटों पर ही इन दोनों की आंखों में खटकेंगे।*

जीत को लेकर राज्य के तीन सबसे बड़े दलों में 'कॉन्फिडेंस' की इस कमी का नतीजा यह निकला है कि कुल मिलाकर छह गठबंधन चुनावी मैदान में उतर गए हैं। हालांकि मुख्य मुकाबला एनडीए और महागठबंधन के बीच ही होना है। बाकी के गठबंधन कांटे के मुकाबले वाली सीटों पर ही इन दोनों की आंखों में खटकेंगे। दोनों बड़े गठबंधनों की बात करें, तो महागठबंधन के पास प्रधानमंत्री नरेन्द्र मोदी और मुख्यमंत्री नीतीश कुमार की जोड़ी का कोई तोड़ नहीं दिखता। चुनावी मौसम में महागठबंधन में मची भगदड़ ने पहले से ही अकेले पड़े तेजस्वी यादव की तबीयत को और नाराज कर दिया है। ऐसे में फिलहाल तो सियासी रेस में एनडीए को महागठबंधन पर बढ़त साफ दिखाई देती है। लेकिन यह बढ़त सीटों में भी बदलेगी, यह नतीजों से ही पता चलेगा।

वैसे भी इस बार सत्ता के समीकरण में ट्विस्ट आ गया है। बिहार में जेडीयू, बीजेपी और आरजेडी तीन बड़े दल हैं। पिछले डेढ़ दशक से इनमें से किन्ही भी दो दलों के साथ आए बगैर सरकार नहीं बन पाई है। लेकिन इस बार रामविलास पासवान की लोक जनशक्ति पार्टी बिहार की सियासत का

चौथा कोण बन गई है। पासवान के बेटे चिराग पहले से ही जेडीयू के खिलाफ मोर्चा खोले बैठे थे। फिर एलजेपी के एनडीए से बाहर रहकर चुनाव लड़ने के उनके फैसले नें चुनावी जंग में 'बगावत' का रंग घोल दिया। इस सबके बीच रामविलास पासवान के अचानक निधन ने एलजेपी के चुनावी पलड़े को 'वजनदार' बना दिया है। इसका सबसे ज्यादा नुकसान जेडीयू को उठाना पड़ सकता है। हाजीपुर, जमुई, खगड़िया जैसे कम-से-कम पांच जिले ऐसे हैं जहां दलित वोटर निर्णायक भूमिका में होते हैं। सीनियर पासवान के निधन से यहां अगर सहानुभूति की लहर बनी तो वो एलजेपी को चुनाव बाद सौदेबाजी की संजीवनी दे सकती है। हालांकि चिराग ने अपनी पिता के निधन से पहले ही इसकी गुंजाइश छोड़ रखी थी। जेडीयू के खिलाफ खुलकर मोर्चा खोलने के बावजूद चिराग ने बीजेपी और खासकर प्रधानमंत्री मोदी की शान में अब तक कोई गुस्ताखी नहीं की है। बेशक उन्होंने जेडीयू के साथ ही बीजेपी से आए बागियों पर भी खुलेआम दांव लगाया है, लेकिन जिस तरह वो जेडीयू के खिलाफ हर सीट पर एलजेपी प्रत्याशी उतार रहे हैं, उस लिहाज से बीजेपी के खिलाफ वैसी आक्रामकता दिखाई नहीं दी है।

रामविलास पासवान के अचानक निधन ने एलजेपी के चुनावी पलड़े को 'वजनदार' बना दिया है।

चिराग के इस 'दांव' से बिहार का दंगल उलझ-सा गया है। इससे बीजेपी और जेडीयू दोनों के लिए स्थितियां असहज हो गईं हैं। विरोधी दल प्रदेश की जनता के साथ ही जेडीयू समर्थकों के बीच जाकर इस बात का प्रचार कर रहे हैं कि चिराग को 'हवा' देकर बीजेपी बरसों से मुख्यमंत्री बनाने के अपने मंसूबे को रोशन कर रही है। हालांकि बीजेपी ने खुलकर इसे नकारा है और साफ किया है कि एलजेपी अब एनडीए का हिस्सा नहीं है। लेकिन जेडीयू समर्थकों के लिए जो मायने रखती है, वो है अपने नेता नीतीश कुमार की राय जो फिलहाल अब तक सामने नहीं आई है। ऐसे में गठबंधन के तहत बीजेपी के हिस्से में आई सीटों पर जेडीयू समर्थकों के सामने धर्मसंकट खड़ा हो गया है। ऐसे वोटर अगर चुनाव में बीजेपी के बजाय महागठबंधन

प्रत्याशी के पक्ष में मतदान कर आए तो बीजेपी की सारी मेहनत पर पानी फिर सकता है। हालांकि वोटिंग से पहले का एक ओपिनियन पोल जरूर बीजेपी को राहत दे रहा होगा। इस पोल में बीजेपी 85 सीटों के साथ न केवल सबसे बड़ी पार्टी बनती दिख रही है, बल्कि अकेले दम पर महागठबंधन पर भी भारी पड़ सकती है। इस पोल में महागठबंधन को 80, जेडीयू को 70 और एनडीए को 160 सीटें दी गई हैं।

बिहार में कहावत आम हो गई है कि बाढ़ और सुखाड़ के अलावा कुछ नहीं बचा जिससे रोजगार की संभावना हो।

नतीजे बेशक कुछ भी आएं, लेकिन पिछले 15 साल के कथित 'सुशासन' ने नीतीश कुमार की सियासी राह को आसान करने के बजाय मुश्किल ही बनाया है। बिगड़ती कानून-व्यवस्था, बाढ़ और स्वास्थ्य के मोर्चों पर जनता तक सुविधाएं पहुंचाने में लापरवाही, घोटालों में जेडीयू के करीबियों की कथित हिस्सेदारी जैसी कई बातें हैं जिससे सरकार की छवि दागदार हुई है। प्राथमिक स्वास्थ्य केन्द्रों, सड़क जैसे क्षेत्रों में आया बदलाव भी राज्य शासन की कोशिशों से नहीं, बल्कि केन्द्र सरकार की योजनाओं से आया है। नीतीश राज्य में लगातार बड़े निवेश लाने में नाकाम रहे हैं जिससे औद्योगिक क्षेत्र में भी सुधार की उम्मीद दम तोड़ रही है। काम-धंधे को लेकर हालात ऐसे हैं कि बिहार में कहावत आम हो गई है कि बाढ़ और सुखाड़ के अलावा कुछ नहीं बचा जिससे रोजगार की संभावना हो।

सेंटर फॉर मॉनिटरिंग इंडियन इकोनॉमी यानी सीएमआईई का सर्वे बताता है कि इस साल अप्रैल में बिहार में बेरोजगारी की दर 46.6 फीसद थी। यह ठीक वही समय है जब दो जून की रोटी की उम्मीद में कोरोना से परेशान राज्य का मजदूर देश की सड़क पर धक्के खाते हुए अपने घर लौट रहा था। संसद में सरकार की ओर से जानकारी दी गई कि लॉकडाउन में 50 लाख के करीब प्रवासी मजबूर बिहार लौटे। नीतीश बेशक इस बार के घोषणापत्र में बिहार को रोजगार हब बनाने का दावा कर रहे हों, लेकिन हकीकत यही है कि लॉकडाउन में लौटे बिहार के मजदूरों के सम्मानजनक पुनर्वास में उनकी सरकार पिछड़ी ही रही। उल्टे प्रवासियों से ट्रेन का भाड़ा वसूल कर राज्य

सरकार ने उनके जख्मों पर नमक छिड़कने का काम किया। बेहतर भविष्य की उम्मीद में राजस्थान के कोटा गए प्रदेश के बच्चों को सुरक्षित निकालने में भी सरकार की ओर से खासी हीला-हवाली दिखी। खैर, बच्चे तो जैसे-तैसे घर लौट आए लेकिन अब मजदूर अपनी सरकार से नाउम्मीद होकर दूसरे राज्यों में जाने लगे हैं। लेकिन लाखों मजदूर अभी भी बिहार में ही हैं। वो बेरोजगार हैं और वोटर भी। आम तौर पर रोजगार की वजह से ये मजदूर चुनाव के वक्त प्रदेश से बाहर होने के कारण वोट नहीं डाल पाते थे। इस बार वो वोट डालेंगे और उनके वोट की ताकत से ऊंट किसी भी करवट बैठ सकता है।

हकीकत यही है कि लॉकडाउन में लौटे बिहार के मजदूरों के सम्मानजनक पुनर्वास में उनकी सरकार पिछड़ी ही रही।

लेकिन अगर जेडीयू के लिए नतीजे ओपनियन पोल से बेहतर भी आते हैं, तो भी उसके समर्थक चैन की सांस ले पाएंगे यह दावे से नहीं कहा जा सकता। अगर सीट जीतने की रेस में जेडीयू पिछड़ जाती है और बीजेपी को मामूली बढ़त भी मिलती है तो बिहार में महाराष्ट्र पार्ट-2 भी देखने को मिल सकता है। दिलचस्प बात यह है कि इसे दोनों में से कोई भी दल अंजाम दे सकता है। एलजेपी अगर ठीक-ठाक सीटें जीत लेती है तो वो बीजेपी के लिए एक विकल्प साबित हो सकती है। दूसरी तरफ नीतीश 'नतीजे पलटने पर साथी बदलने' वाली तरकीब के कायल रहे हैं और 'सियासी समरसता' के लिए इसे एक बार फिर आजमा सकते हैं।

अगर वाकई ऐसा कुछ होता है, तो राष्ट्रीय राजनीति पर इसका दूरगामी असर पड़ेगा। सियासी घटनाक्रम साबित करते हैं कि बीजेपी को गठबंधन में लंबे समय तक जूनियर पार्टनर बने रहना गंवारा नहीं होता। अकाली दल और शिवसेना से दो दशकों से ज्यादा पुराना रिश्ता इसकी भेंट चढ़ चुका है। बीजेपी-जेडीयू की डोर का भी वही ठौर होगा, यह कुछ दिनों में साफ हो जाएगा। वैसे वाईआरएस से बीजेपी की बढ़ती नजदीकियों को संभावित नुकसान की एडवांस भरपाई के चश्मे से देखा जाने लगा है।

बहरहाल, राजनीतिक दलों के लिए चुनाव नफे-नुकसान का खेल हो सकता है, लेकिन लोकतंत्र हमेशा इसे अपने मजबूत होने की सीढ़ी के तौर पर देखता है। बिहार चुनाव की अहमियत इस लिहाज से भी बढ़ जाती है कि कोरोना काल में यह पहला चुनाव है। इसका सफल आयोजन और मतदाताओं की अधिकतम भागीदारी उन राज्यों के लिए मिसाल बनेगी जहां आने वाले दिनों में चुनाव होना है।

(राष्ट्रीय सहारा, 17 अक्टूबर, 2020)

94

जंग से घबराकर या विश्व युद्ध की आहट?

अमेरिका की तुलना में क्षेत्रीय स्थिरता की ज्यादा अहमियत है। अजरबैजान और आर्मेनिया दोनों रूसी हथियारों के खरीदार हैं। अजरबैजान की तुलना में आर्मेनिया रूस पर ज्यादा निर्भर है, लेकिन दोनों ही देशों के रूस से अच्छे संबंध हैं। इसी वजह से रूस दोनों के बीच सुलह करवाने में भी कामयाब हो गया था। ये और बात है कि जब तक दुनिया को इस सुलह की खबर मिली, तब तक कलह दोबारा शुरू भी हो गई। इसके बावजूद रूस ने अभी तक दोनों देशों के राजनीतिक या सैन्य नेतृत्व की एक भी बैठक नहीं बुलाई है।

आर्मेनिया और अजरबैजान का झगड़ा अब चौथे हफ्ते तक खिंच गया है। दक्षिण कॉकेशस में 4,400 वर्ग किलोमीटर में फैला नागोर्नो-काराबाख पिछले 22 दिनों से जंग का मैदान बना हुआ है। इस पहाड़ी इलाके पर कब्जे के लिए दोनों देश एक-दूसरे पर जमकर गोले बरसा रहे हैं। तीन हफ्ते चुप रहने के बाद रूस ने पिछले शनिवार को 'पड़ोसी धर्म' निभाया, दोनों देशों के प्रतिनिधियों को 10 घंटे से भी ज्यादा समय तक एक साथ बैठाया, युद्ध रोकने के लिए समझौता करवाया, लेकिन यह समझौता 10 घंटे भी नहीं टिक पाया।

पिछले महीने की 27 तारीख से शुरू हुई दोनों देशों लड़ाई सदी के सबसे बड़े संघर्ष में बदल चुकी है। दोनों देशों का दुस्साहस खतरे को और बढ़ा रहा है। आर्मेनिया ने युद्ध विराम तोड़ा, तो बदले में अजरबैजान ने उस पर मिसाइल हमला कर दिया। आशंका है कि यह हमला इस जंग का टर्निंग प्वॉइंट और जंग में रूस का एंट्री प्वॉइंट बन सकता है, क्योंकि यह पहला मौका है जब अजरबैजान ने आर्मेनिया के इलाके को अपना निशाना बनाया है। अब तक उसकी तोपें नागोर्नो-काराबाख पर ही बमों की बारिश कर रहीं थी। रूस और आर्मेनिया कलेक्टिव सिक्योरिटी ट्रीटी ऑर्गनाइजेशन यानी सीएसटीओ के सदस्य हैं। यह जुगलबंदी इस बात की बुनियाद है कि अगर अजरबैजान आर्मेनिया पर हमला करेगा तो रूस उसकी सुरक्षा करेगा। इस लिहाज से यह पैक्ट आर्मेनिया को एक तरह से अजरबैजान के खिलाफ मिला रूस का कवच है। इसलिए अगर रूस औपचारिक रूप से इस जंग में शामिल होता है तो इसके व्यापक अंतरराष्ट्रीय और राजनीतिक परिणाम संभव हैं।

यह जुगलबंदी इस बात की बुनियाद है कि अगर अजरबैजान आर्मेनिया पर हमला करेगा तो रूस उसकी सुरक्षा करेगा।

इस लड़ाई को लेकर धीरे-धीरे ही सही, दुनिया का दो ध्रुवों में बंटना पहले से शुरू हो चुका है। रूस का लड़ाई में कूदना खेमेबाजी की रफ्तार को तेज करेगा, क्योंकि रूस आर्मेनिया का 'शुभचिंतक' होने के साथ ही फ्रांस और अमेरिका के साथ मिलाकर बने उस मिंस्क ग्रुप का संयुक्त अध्यक्ष भी है,

जो पिछले 90 साल से इस विवाद में बीच का रास्ता निकालने में नाकाम रहा है। इसमें फ्रांस तो खुलकर अजरबैजान की आलोचना कर रहा है, लेकिन अमेरिका फिलहाल राष्ट्रपति चुनाव में व्यस्त है और बैठे-बिठाए नई मुसीबत मोल लेने के लिए तैयार नहीं दिख रहा है। रूस अभी भी संतुलन वाली राजनीति पर ही डटा हुआ है, क्योंकि उसके लिए फ्रांस और अमेरिका की तुलना में क्षेत्रीय स्थिरता की ज्यादा अहमियत है। अजरबैजान और आर्मेनिया दोनों रूसी हथियारों के खरीदार हैं। अजरबैजान की तुलना में आर्मेनिया रूस पर ज्यादा निर्भर है, लेकिन दोनों ही देशों के रूस से अच्छे संबंध हैं। इसी वजह से रूस दोनों के बीच सुलह करवाने में भी कामयाब हो गया था। ये और बात है कि जब तक दुनिया को इस सुलह की खबर मिली, तब तक कलह दोबारा शुरू भी हो गई। इसके बावजूद रूस ने अभी तक दोनों देशों के राजनीतिक या सैन्य नेतृत्व की एक भी बैठक नहीं बुलाई है।

दशकों से उसने आर्मेनिया से जुड़ने वाली अपनी सीमाओं को सील कर रखा है।

इस झगड़े में तुर्की का रुख दुनिया को हैरान भले नहीं कर रहा हो, लेकिन परेशान जरूर कर रहा है। तुर्की की अजरबैजान से सांस्कृतिक निकटता रही है और वो खुलकर उसका समर्थन भी कर रहा है। दशकों से उसने आर्मेनिया से जुड़ने वाली अपनी सीमाओं को सील कर रखा है। इस बार उस पर सीरिया से भाड़े के चार हजार से ज्यादा सैनिकों को अजरबैजान के पक्ष में 'जिहाद' के लिए भेजने के आरोप भी लग रहे हैं। युद्ध विराम को लेकर भी तुर्की की सोच वही है जो अजरबैजान की है। मतलब युद्ध विराम तभी संभव है जब आर्मेनिया विवादित इलाके से अपना कब्जा छोड़े। दिलचस्प बात यह है कि तुर्की से गोली का रिश्ता रखने वाला इजरायल भी इस जंग में उसी की बोली बोल रहा है। एक देश में सुन्नी और दूसरे में यहूदियों की बहुतायत है और दोनों अजरबैजान का साथ ही नहीं दे रहे हैं, बल्कि हथियारों की मदद से उसका हाथ भी मजबूत कर रहे हैं। इससे अजरबैजान का पलड़ा कितना भारी होगा यह तो पता नहीं, लेकिन इजरायल की सैन्य और सुरक्षा एजेंसियों की तिजोरी जरूर भारी हो रही है।

सबसे हैरान करने वाला रुख ईरान का है जो अब तक न्यूट्रल बना हुआ है। इसकी बड़ी वजह ईरान की आंतरिक मजबूरियां हैं। 19वीं सदी की शुरुआत तक जॉर्जिया, आर्मेनिया और आज का अजरबैजान - जो उस समय अर्रान के नाम से जाना जाता था - इन सभी पर ईरान का नियंत्रण था। बाद में रूस से दो युद्ध हार जाने के बाद यह तमाम इलाका ईरान के हाथ से निकल गया। लेकिन इनकी बड़ी तादाद आज भी ईरान में रहती है। इसलिए ईरान के सामने अगर एक तरफ अजरबैजान से सभ्यता में साम्यता और शिया समुदाय की बहुलता का सवाल है, तो दूसरी तरफ उसे प्रवासी आबादी के कारण अमेरिका जैसे पश्चिमी देशों में आर्मेनिया की मजबूत पैठ का ख्याल भी है। अमेरिकी प्रतिबंधों के कारण खस्ताहाल अर्थव्यवस्था और दमनकारी नीतियों से देशव्यापी असंतोष के बीच, ईरान अपनी जनता के बीच नाराजगी का एक और मोर्चा खोलने का जोखिम नहीं उठाना चाहता।

सबसे बड़ा सवाल इस बात का है कि इस विवाद में भारत किसके साथ है?

सबसे बड़ा सवाल इस बात का है कि इस विवाद में भारत किसके साथ है? आर्मेनिया के साथ साल 1995 से हमारी एक दोस्ताना संधि चली आ रही है, जो हमें अजरबैजान को मिलिट्री या किसी भी तरह का दूसरा सहयोग करने से रोकती है। लेकिन दूसरी तरफ भारत सरकार ने ओएनजीसी और ओवीएल के जरिए अजरबैजान में तेल प्रोजेक्ट पर भारी-भरकम निवेश किया हुआ है। अजरबैजान की अहमियत हमारे लिए इसलिए भी है, क्योंकि वो उस अंतरराष्ट्रीय नॉर्थ-साउथ ट्रांसपोर्ट कॉरिडोर पर स्थित है जो भारत को मध्य एशिया के रास्ते रूस से जोड़ता है। कश्मीर का मामला दोनों देशों से हमारे रिश्ते में एक अलग तरह की उलझन पैदा करता है। कश्मीर पर आर्मेनिया हमारे पक्ष का खुलकर समर्थन करता है, जबकि अजरबैजान न केवल हमारे विरोध में है, बल्कि पाकिस्तान के नजरिए को सही भी ठहराता है। इस लिहाज से हमारे लिए अजरबैजान के साथ नहीं खड़े दिखने की पुख्ता वजह है। लेकिन पेंच तब फंसता है जब बात क्षेत्रीय अखंडता की आती है। नागोर्नो-कराबाख में भले ही आर्मेनियाई मूल के

लोगों की बहुतायत हो, लेकिन आधिकारिक रूप से वो अजरबैजान का ही हिस्सा है। भारत अगर उसकी कार्रवाई का विरोध करता है, तो इसका असर कश्मीर में दिख सकता है, जहां पाकिस्तान इस बहाने भारत को घेर सकता है। इसलिए इस मामले में भारत का रुख अब तक निरपेक्ष रहा है, जो ठीक भी दिखता है।

इस मामले में भारत का रुख अब तक निरपेक्ष रहा है, जो ठीक भी दिखता है।

भारत से नागोर्नो-काराबाख की दूरी कुछ 3,750 किलोमीटर की है, इसलिए भारत इस जंग से अब तक अप्रभावित है, लेकिन जंग के मैदान से केवल 16 किलोमीटर दूर पाइपलाइनों में तेल का वो जखीरा मौजूद है, जो तुर्की के साथ-साथ यूरोप के कई देशों की जरूरत का सबसे जरूरी सामान है। इस वजह से भी हमलों के बढ़ते दायरे के बीच जिस तरह खेमेबाजी का दायरा बढ़ रहा है, उससे यह सवाल तो उठ ही रहा है कि दुनिया कहीं तीसरे विश्व युद्ध की ओर तो नहीं बढ़ चली है। यह भी दिलचस्प संयोग है कि इस समय के सूरतेहाल पहले विश्व युद्ध की परिस्थितियों से मेल भी खा रहे हैं। साल 1915 में आर्मेनिया की करीब 30 लाख ईसाई आबादी ने जर्मनी की अगुवाई वाली सेंट्रल फोर्स के बजाय मित्र देशों की सेना का साथ दिया था। आर्मेनिया को इसकी भारी कीमत चुकानी पड़ी थी। मुस्लिम राष्ट्र तुर्की ने आर्मेनिया में भीषण नरसंहार को अंजाम देते हुए आजादी के परवाने बने 400 ईसाई विचारकों को मौत के घाट उतार दिया था। साल 2020 में तुर्की और आर्मेनिया एक बार फिर अहम किरादार में हैं। अब बाकी दुनिया को तय करना है कि वो मानवता की 'तबाही' का दुस्साहस करे या फिर शांति की स्थापना का संयम दिखाए।

(राष्ट्रीय सहारा, 18 अक्टूबर, 2020)

95

चुनाव में किसकी बचेगी, किसकी डूबेगी नाव?

एक तरफ बंद कमरों में राजनीतिक भूमिकाएं बदलने को लेकर मंथन चल रहा है, तो दूसरी तरफ चौक-चौराहों पर चर्चा नेताओं के दल बदलने को लेकर भी हो रही है। बिहार में कुल छह गठबंधन चुनाव मैदान में हैं, लेकिन हर गठबंधन की तस्वीर पिछले चुनाव के मुकाबले बदली हुई है। चुनाव ने पार्टी और विचारधारा को गौण कर दिया है। टिकट कटने या नहीं मिलने पर नेता दूसरी पार्टी से चुनाव लड़ाने की घोषणा में जरा भी देर नहीं कर रहे हैं। क्या जेडीयू, क्या बीजेपी, क्या आरजेडी और क्या कांग्रेस हर पार्टी का एक-सा हाल है।

देश में इन दिनों लोकतंत्र का 'त्यौहारी सीजन' चल रहा है। हिंदी बेल्ट में राजनीतिक रूप से समृद्ध दो प्रमुख प्रदेश - बिहार और मध्य प्रदेश - में चुनावी बयार बह रही है। चुनाव भले ही प्रदेश स्तर के हों, लेकिन इनके नतीजे राष्ट्रीय स्तर पर अपना असर छोड़ेंगे। देश में अरसे बाद आई पूर्ण बहुमत वाली मजबूत सरकार और दुनिया के सबसे बड़े राजनीतिक दल बीजेपी, दोनों के लिए यह चुनाव बड़े बदलाव की वजह बन सकते हैं। खासकर बिहार के लिहाज से देखें, तो बीजेपी ने साफ कर दिया है कि बहुमत मिलने पर बड़ी पार्टी और छोटी पार्टी के झगड़े से ऊपर उठकर वो नीतीश कुमार की ताजपोशी करना चाहेगी।

शिवसेना, अकाली दल के बाद इस चुनाव के लिए एलजेपी भी एनडीए से बाहर निकल गई है।

राजनीति में हर बात के कई मायने होते हैं, इसलिए इस बयान पर यह सोच भी बन रही है कि बीजेपी चुनाव में जेडीयू के समर्थक वोट भी अपने खाते में डाल लेना चाहती है और बाद में नतीजे देखकर गठबंधन से बाहर भी संभावना तलाश सकती है। लेकिन क्योंकि यह बयान पार्टी के राष्ट्रीय नेतृत्व की ओर से आया है, इसलिए इस पर भरोसा कर फिलहाल इसे नीतीश कुमार को बीजेपी से मिली एक और लाइफलाइन माना जा सकता है। वैसे इस बयान के और भी अर्थ लगाए जा रहे हैं। एनडीए गठबंधन साथियों के दरकते भरोसे का शिकार होता जा रहा है, एक-के-बाद-एक साथी उससे छिटकते जा रहे हैं। शिवसेना, अकाली दल के बाद इस चुनाव के लिए एलजेपी भी एनडीए से बाहर निकल गई है। ऐसे में प्रादेशिक सहयोगी ही सही, जेडीयू से बीज़ेपी का छिटकना भविष्य में दूसरे दलों से गठबंधन की बुनियाद में 'अविश्वास की दीमक' वाला काम कर सकता है। हालांकि यह सवाल तब भी बरकरार रहेगा कि बीजेपी का कैडर बिहार में कितने लंबे वक्त तक छोटे भाई वाली 'हैसियत' सहन करता रहेगा। व्यक्तिगत स्तर पर भी क्या सत्तर के करीब पहुंच रहे सुशील मोदी तीन दशक की राजनीति के बाद प्रादेशिक नेता और उस पर भी उपमुख्यमंत्री बने रहने में संतुष्ट रहेंगे या फिर उनके लिए केन्द्र में नई भूमिका तलाशी जाएगी।

दूसरे चुनावी राज्य मध्य प्रदेश में हालात बिल्कुल उलट हैं। सुशील मोदी को भले अब तक एक बार भी सीएम पद नहीं मिल पाया है, मध्य प्रदेश में पार्टी का चेहरा बने शिवराज सिंह चौहान चौथी बार इस कुर्सी की शोभा बढ़ा रहे हैं। लेकिन यह चौथी पारी कितने वक्त तक जारी रहेगी यह लाख-टके का सवाल है। मध्य प्रदेश में उपचुनाव का इम्तिहान भले ही विधानसभा की दस फीसद से कुछ ज्यादा सीटों का हो, लेकिन सरकार सौ-फीसद इनके नतीजों पर टिकी है। जिस राज्य में पिछले 16 साल में 30 सीटों पर उपचुनाव हुए हों, वहां एक साथ 28 सीटों पर चुनाव को सामान्य घटना नहीं माना जा सकता। कभी कट्टर कांग्रेसी रहे ज्योतिरादित्य सिंधिया से पाला बदलवाने का पांसा उल्टा पड़ने की उम्मीद भले कम हो, लेकिन कयास यही है कि जीत की सूरत में भी प्रदेश सरकार की तस्वीर बदलना तय है और इसकी शुरुआत शिवराज को केन्द्र में बुलाकर हो सकती है। सिंधिया इसकी अगली कड़ी बन सकते हैं। फैसला बेशक एक-सा दिखे, लेकिन दोनों के लिए इसके मायने बिल्कुल अलग होंगे। शिवराज इसे मन मारकर मंजूर करेंगे, जबकि सिंधिया के लिए यह मन की मुराद पूरी होने जैसा होगा। वैसे भी सिंधिया के रहने तक ग्वालियर-चंबल क्षेत्र में कांग्रेस की राजनीति महल तक सिमटी हुई थी, लेकिन बीजेपी में हालात कुछ और हैं। केन्द्रीय मंत्री नरेन्द्र सिंह तोमर, जयभान सिंह पवैया, नरोत्तम मिश्रा, प्रभात झा, प्रदेश अध्यक्ष वीडी शर्मा जैसे धाकड़ नेताओं की मौजूदगी में इस क्षेत्र की राजनीति में सिंधिया का दखल उनके कांग्रेसी दिनों की तरह सहज स्वीकार्य नहीं होगा। इसलिए सिंधिया भी दो-नाव पर चलने के बजाय केन्द्र की राजनीति करना ज्यादा पसंद करेंगे।

सिंधिया इसकी अगली कड़ी बन सकते हैं।

एक तरफ बंद कमरों में राजनीतिक भूमिकाएं बदलने को लेकर मंथन चल रहा है, तो दूसरी तरफ चौक-चौराहों पर चर्चा नेताओं के दल बदलने को लेकर भी हो रही है। बिहार में कुल छह गठबंधन चुनाव मैदान में हैं, लेकिन हर गठबंधन की तस्वीर पिछले चुनाव के मुकाबले बदली हुई है। चुनाव ने पार्टी और विचारधारा को गौण कर दिया है। टिकट कटने या नहीं मिलने पर

नेता दूसरी पार्टी से चुनाव लड़ाने की घोषणा में जरा भी देर नहीं कर रहे हैं। क्या जेडीयू, क्या बीजेपी, क्या आरजेडी और क्या कांग्रेस हर पार्टी का एक-सा हाल है। ऐसा पिछले चुनावों में भी होता रहा है, लेकिन इस बार का नजारा निराला है। पिछली बार साथ मिलकर लड़े जेडीयू और आरजेडी इस बार आमने-सामने हैं। बीजेपी के खिलाफ लड़ी जेडीयू इस बार उसके साथ है। एनडीए में जेडीयू बड़ा भाई है, तो महागठबंधन में कांग्रेस और वामपंथी आरजेडी की अगुवाई में लड़ रहे हैं। चुनाव का ऐलान होने से पहले उपेन्द्र कुशवाहा की राष्ट्रीय लोक समता पार्टी यानी आरएलएसपी, पूर्व मुख्यमंत्री जीतन राम मांझी की हिन्दुस्तानी आवाम मोर्चा यानी हम और मुकेश सहनी की विकासशील इंसान पार्टी यानी वीआईपी महागठबंधन के साथ थीं। को-ऑर्डिनेशन कमेटी के नाम पर सबसे पहले मांझी ने साथ छोड़ा, फिर आरएलएसपी महागठबंधन से अलग हो गई। एक भी सीट नहीं मिलने से 'मामूली' साबित होने का अपमान लेकर वीआईपी भी महागठबंधन से बाहर हो गई। दलबदल के बाद मांझी की सियासी नाव एनडीए के किनारे जाकर लगी, उपेन्द्र कुशवाहा ने बीएसपी से हाथ मिला लिया, लेकिन वीआईपी को कोई ठौर नहीं मिल पाया। चुनाव बाद विपक्षियों से सौदेबाजी की आशंका के कारण आरजेडी ने भी इन्हें मनाने की कोई कोशिश नहीं की। इस सबके बीच एनडीए की तस्वीर उलझ गई है, जहां गठबंधन के अंदर भी गठबंधन दिख रहे हैं। मांझी आए तो उन्होंने बताया कि उनका गठबंधन तो जेडीयू से है। एनडीए छोड़ने से पहले तक चिराग पासवान कहते रहे कि वो जेडीयू के खिलाफ, लेकिन बीजेपी के साथ हैं।

एनडीए में जेडीयू बड़ा भाई है, तो महागठबंधन में कांग्रेस और वामपंथी आरजेडी की अगुवाई में लड़ रहे हैं।

खैर, बिहार में तो सारी कवायद चुनाव बाद सरकार बनाने को लेकर चल रही है, लेकिन मध्य प्रदेश का खेल बिल्कुल अलग है। वहां 25 विधायकों ने अपने नेता की 'महत्त्वाकांक्षा' पूरी करने के लिए जनमत से ही दूरी बना ली। अब ये विधायक उसी पार्टी के खिलाफ ताल ठोक रहे हैं जिसके टिकट पर वह 15 महीने पहले चुनाव जीतकर आए थे। सत्ता के खेल में लोकतंत्र

का चीरहरण करने में कांग्रेस भी पीछे नहीं रही। कई सीटों पर कांग्रेस ने भी बीजेपी से दलबदल कर आए उन्हीं असंतुष्टों को टिकट थमा दिया, जिनके खिलाफ उसके प्रत्याशियों ने पिछला चुनाव जीता था।

जाहिर है दलबदल की इस कसरत में सत्ता का 'अमृत' पीने की हसरत है, लेकिन यह भी नहीं भूलना चाहिए कि इस 'दलदल' के दूसरी तरफ एक जोखिम भरा कल भी है। बिहार में तो यह आशंका बहुत मजबूती से हकीकत बनती दिख रही है। वहां जीतन राम मांझी की हम, उपेन्द्र कुशवाहा की आरएलएसपी, मुकेश सहनी की वीआईपी, पप्पू यादव की जन अधिकार पार्टी जैसे छोटे दल भले खुद को किंगमेकर कह रहे हों, लेकिन हाल के चुनाव में इनके सिमटते आधार पर माना यही जा रहा है कि यह चुनाव इनका आखिरी चुनाव भी हो सकता है। आरएलएसपी ने लोकसभा चुनाव में पांच सीटों पर चुनाव लड़ा था, उसके मुखिया उपेन्द्र कुशवाहा खुद दो सीटों से चुनाव लड़े थे, लेकिन पार्टी का खाता नहीं खुला। मुकेश सहनी की पार्टी वीआईइपी ने तीन सीटों पर उम्मीदवार उतारे, तीनों हार गए। 150 सीटों पर लड़ रही पप्पू यादव की जन अधिकार पार्टी को साल 2015 के विधानसभा चुनाव में 1.4 फीसदी वोट मिले, लेकिन सीट एक भी नहीं मिली। लोकसभा चुनाव में भी पप्पू यादव मधेपुरा सीट पर तीसरे नंबर पर रहे। पांच साल पहले बने मांझी के मोर्चे ने साल 2015 के विधानसभा चुनाव में एनडीए में रहते हुए 20 सीटों पर चुनाव लड़ा, जिसमें जीते तो सिर्फ मांझी। लोकसभा चुनाव में हालत और बुरी हो गई, दलबदल कर महागठबंधन के साथ तीन सीटों पर लड़े, खाता खुलना तो दूर, इस बार मांझी भी हार गए। समाजवादी जनता दल के साथ यूनाइटेड डेमोक्रेटिक सेक्युलर अलायंस बनाकर मैदान में कूदे एआईएमआईएम प्रमुख असदुद्दीन ओवैसी की हैसियत भी इस बार राजनीतिक तौर नापी जाएगी। साल 2015 में ओवैसी ने सीमांचल की 6 सीटों पर उम्मीदवार उतारे थे, लेकिन महागठबंधन की आंधी में सबके पैर उखड़ गए थे।

जाहिर है दलबदल की इस कसरत में सत्ता का 'अमृत' पीने की हसरत है।

बड़े दलों की बात करें, तो उनके लिए पिछले चुनाव से केवल वक्त ही पांच साल आगे नहीं बढ़ा है, बल्कि चुनौतियां भी बड़ी हो गईं हैं। कोरोना काल के पहले इम्तिहान के साथ ही यह चुनाव अगले साल देश के चार राज्यों में होने वाले चुनाव पर भी असर डालेंगे। इन चार राज्यों में केरल, असम और तमिलनाडु के अलावा पश्चिम बंगाल भी है, जहां इस बार तृणमूल और बीजेपी के बीच आर-पार की लड़ाई दिखेगी। 10 नवंबर का दिन इस लिहाज से भारतीय राजनीति के लिए बेहद खास रहने वाला है।

(राष्ट्रीय सहारा, 24 अक्टूबर, 2020)

96

इस आतंक पर 'विजयदशमी' कब ?

दुर्भाग्य से इस हकीकत को भी नहीं झुठलाया जा सकता कि ज्यादातर मामलों में धर्म और आतंक का कनेक्शन भी नजर आता है। इस्लामिक स्टेट, अल कायदा, जैश, लश्कर, बोको हराम उन बीसियों संगठनों में शुमार हैं जो आज दुनिया भर में आतंक की पहचान बने हुए हैं। जितना इनका एक खास विचारधारा से जुड़ाव स्पष्ट है, उतना ही यह भी साफ है कि इनसे वैश्विक शांति को ही नहीं, इस्लाम को भी खतरा है। इस्लामिक स्टेट ने मुस्लिम देशों का ही क्या हाल कर रखा है, यह किसी से छिपा नहीं है। ईरान, इराक, अफगानिस्तान, पाकिस्तान सब आतंकी संगठनों के जुल्मों से त्रस्त हैं।

फ्रांस एक बार फिर गलत वजहों से सुर्खियों में है। 'सिटी ऑफ लव' कहलाने वाली फ्रांस की राजधानी पेरिस आज नफरत की आग में सुलग रही है। इसकी तात्कालिक वजह बनी है 18 साल के एक शख्स के हाथों एक अध्यापक की हत्या। इंसान जब इंसान का कत्ल कर दे, एक ऐसे व्यक्ति का सिर कलम कर असमय काल के गाल में धकेल दे जो ज्ञान की रौशनी फैलाकर छात्रों के उज्ज्वल भविष्य का मार्ग प्रशस्त करता है, तो सभ्य समाज का गुस्सा फूटना वाजिब लगता है। इस बर्बरता को अंजाम दिया है चेचन मूल के एक 18 साल के लड़के ने जिसे स्कूली शिक्षक के मुंह से निकला शार्ली एब्दो का जिक्र इतना नागवार गुजरा कि उसने उस मुंह को ही धड़ से अलग कर दिया। इस घटनाक्रम में सामने आया चेहरा भले ही बाली उमर के लड़के का हो, लेकिन फ्रांसीसी सरकार उसे 'मोहरा' मानकर ही चल रही है। सरकार के लिए तत्काल राहत की बात ये रही कि शिक्षक की नृशंस हत्या के चंद घंटे बाद ही पुलिस ने कातिल को मार गिराया। इसके अलावा पुलिस उन चालीस संदिग्ध ठिकानों पर छापेमारी कर चुकी है, जहां साजिश के तहत कातिल को मदद कर रहे दर्जन भर संदिग्ध उसके हाथ लगे हैं। षडयंत्र में शामिल दूसरे कसूरवारों की तलाश में एक मस्जिद भी घेरे में आ गई है जिसके बारे में पुलिस का दावा है कि वारदात से पहले वहां से फेसबुक पर एक वीडियो साझा हुआ था जिसमें शिक्षक के स्कूल के बारे में तफ्सील से बताया गया था।

'सिटी ऑफ लव' कहलाने वाली फ्रांस की राजधानी पेरिस आज नफरत की आग में सुलग रही है।

आतंकी संगठन इस्लामिक स्टेट के अंदाज में हुई हत्या और उसका मस्जिद से कथित कनेक्शन सामने आते ही फ्रांस के राष्ट्रपति ने भी इसे 'इस्लामिक आतंकवाद' का नाम देने में देर नहीं लगाई। इसके बाद अब पूरी दुनिया में इस्लाम को लेकर पुरानी बहस नए सिरे से फिर शुरू हो गई है। इस बहस का एक सिरा साल 2015 से जाकर जुड़ता है जब शार्ली एब्दो पत्रिका ने पैगंबर मोहम्मद का कार्टून छापने की 'गुस्ताखी' की थी। चरमपंथी तबके को अभिव्यक्ति की यह स्वतंत्रता रास नहीं आई और पत्रिका से जुड़े कुछ

मशहूर कार्टूनिस्टों समेत 12 लोग मार दिए गए। इस घटना के बाद अकेले फ्रांस में ही ऐसा कोई साल नहीं गुजरा जब वहां चरमपंथी घटना नहीं हुई हो। नवंबर 2015 में पेरिस और उपनगर डेनिस में सीरियल आतंकी अटैक हुए जिसमें 130 लोग मारे गए, अगले साल मैग्ननविले में एक पुलिस कमांडर और उसके सहयोगी पर हमला हुआ, फिर नाइस में जिहादियों ने 86 लोगों को लॉरी से कुचल दिया। हर घटना का तार किसी-न-किसी रूप में शार्ली एब्दो से जुड़ा।

यूरोप समेत दुनिया भर में मुख्यधारा के मुस्लिम संगठनों की ओर से हर घटना की निंदा हुई। इन सबके बीच यह बात भी स्थापित करने की कोशिश हुई कि चूंकि इस्लामिक परंपरा में अल्लाह या पैगंबर की तस्वीर दिखाने का ही निषेध है, तो उनके खिलाफ बयान या कार्टून छापने जैसी 'हरकत' भी मंजूर नहीं की जा सकती। लेकिन क्या इसका 'बदला' केवल हत्या से ही पूरा हो सकता है? धर्म, राष्ट्र या विचारधारा कोई भी हो, हिंसा की किसी भी घटना को सभ्य समाज में जायज कैसे ठहराया जा सकता है? हाल के दिनों में ऐसी घटनाओं की लहर देखकर अब धर्म की उदारवादी व्याख्या करने वाले भी भविष्य में कट्टरपंथ की भयावहता को लेकर बंटने लगे हैं। हालांकि इनका एक खेमा अब भी इस दलील पर मजबूती से टिका है कि आतंक की घटनाओं पर धर्म का लेबल नहीं लगाया जाना चाहिए। बात सही भी है। इसे लेकर कम-से-कम दो दलीलें तो ऐसी हैं ही, जिन्हें आसानी से खारिज नहीं किया जा सकता। पहली यह कि कई मामलों में अपनी नाकामी छिपाने के लिए सियासी नेतृत्व समाज के एक खास तबके को बलि का बकरा बना देता है। अमेरिका, रूस, चीन और यहां तक कि फ्रांस भी इसका अपवाद नहीं है। फिर मुस्लिम देशों की अपनी राजनीतिक विफलताएं हैं जिनसे धर्म की आड़ लेकर पल्ला झाड़ लिया जाता है। अधिकतर मुस्लिम देशों में सत्ता पर एकाधिकार और लंबे समय से चला आ रहा पिछड़ापन बरकरार है। यहां आजाद ख्याली पर बंदिश

धर्म, राष्ट्र या विचारधारा कोई भी हो, हिंसा की किसी भी घटना को सभ्य समाज में जायज कैसे ठहराया जा सकता है?

लगाने वाले कानूनों का चलन है, जो इस्लाम के मुताबिक नहीं बल्कि सत्ता नशीनों की मर्जी का नतीजा है।

बेशक इन दलीलों में दम हो, लेकिन दुर्भाग्य से इस हकीकत को भी नहीं झुठलाया जा सकता कि ज्यादातर मामलों में धर्म और आतंक का कनेक्शन भी नजर आता है। इस्लामिक स्टेट, अल कायदा, जैश, लश्कर, बोको हराम उन बीसियों संगठनों में शुमार हैं जो आज दुनिया भर में आतंक की पहचान बने हुए हैं। जितना इनका एक खास विचारधारा से जुड़ाव स्पष्ट है, उतना ही यह भी साफ है कि इनसे वैश्विक शांति को ही नहीं, इस्लाम को भी खतरा है। इस्लामिक स्टेट ने मुस्लिम देशों का ही क्या हाल कर रखा है, यह किसी से छिपा नहीं है। ईरान, इराक, अफगानिस्तान, पाकिस्तान सब आतंकी संगठनों के जुल्मों से त्रस्त हैं। चरमपंथियों में जिहाद का यह जुनून ही मुसलमानों को दूसरे देशों में नफरत का शिकार बना रहा है। अमेरिका में छह देशों के मुस्लिम नागरिकों का प्रवेश वर्जित है, तो फ्रांस, जर्मनी, ब्रिटेन जैसे यूरोप के बड़े देशों में बढ़ती मुस्लिम आबादी को लेकर आए-दिन सड़कों पर हिंसा का तमाशा होता है। जर्मनी में तो राष्ट्रवादियों ने बाकायदा पैट्रियॉटिक यूरोपियन्स अगेन्स्ट द इस्लामाइजेशन ऑफ द वेस्ट यानी 'पेगिडा' नाम का एक संगठन बनाया हुआ है, जो वहां मुस्लिम शरणार्थियों की बढ़ती तादाद के विरोध में अक्सर सड़कों पर दिखाई दे जाता है। फ्रांस भी एक ऐसा कानून लाने की तैयारी में है जिससे विदेश के इमाम फ्रांस की मस्जिदों में इमामत नहीं कर सकेंगे और छोटे बच्चों को घरों में इस्लामी शिक्षा नहीं दी जा सकेगी।

कैसे दुनिया भर में सिर उठा रहे इस आतंक रूपी रावण पर 'विजयदशमी' मनाई जाए?

यह तमाम प्रयास 15वीं से 17वीं सदी के बीच हुए उस पुनर्जागरण आंदोलन की याद दिलाते हैं जिसका केन्द्र यूरोप बना था और कम-ज्यादा मात्रा में इसका असर दुनिया के बाकी हिस्सों तक भी पहुंचा था। इसके तमाम लक्ष्यों में से एक लक्ष्य धार्मिक प्रगति का भी था। करीब चार सदी बाद धर्म एक बार फिर दुनिया भर में बहस का विषय बन गया है, संयोग से यूरोप इसका केन्द्र भी है लेकिन लक्ष्य इस बार उतना साफ नहीं दिख रहा।

उलझन इस बात की है कि धार्मिक फोबिया का शिकार हुए बिना धर्म के नाम पर हो रही हिंसा से कैसे निबटा जाए? कैसे दुनिया भर में सिर उठा रहे इस आतंक रूपी रावण पर 'विजयदशमी' मनाई जाए? सवाल मुश्किल जरूर है, लेकिन जवाब इसलिए जरूरी है, क्योंकि अगर आज यह चिंगारी नहीं बुझी तो कल इसकी आग में पूरी दुनिया का जलना तय है।

(राष्ट्रीय सहारा, 25 अक्टूबर, 2020)

97

बिहार चुनाव : पहला दौर, किसका जोर ?

दिलचस्प बात यह है कि जातीय गोलबंदी के लिए बदनाम बिहार चुनावों में पहली बार नीतिगत मुद्दों पर बात कर रहा है। बिहार की गिनती राजनीतिक लिहाज से देश के चैतन्य प्रदेशों की पहली पंक्ति में की जाती है। इस नजरिए से यह बदलाव यकीनन स्वागतयोग्य है। बिजली-सड़क जैसे मुद्दे अपनी जगह हैं, लेकिन रोजगार और पलायन मुख्य रूप से विमर्श का केन्द्र बन गया है। इस मोर्चे पर एनडीए का किला थोड़ा कमजोर दिख रहा है। इसकी काट के लिए मुख्यमंत्री नीतीश कुमार से लेकर प्रधानमंत्री नरेन्द्र मोदी तक पूरा एनडीए बिहार की जनता को लालू के जंगलराज की याद दिलाने में जुटा हुआ है।

बिहार में विधानसभा चुनाव 2020 का पहला राउंड पूरा हो गया है। बुधवार को 16 जिलों की 71 विधानसभा सीटों पर शांति से मतदान हुआ। कुल 53.54 फीसद मतदान की पुष्टि की गई है, जो पिछले चुनाव की तुलना में तीन फीसद ज्यादा है। परिस्थितियां सामान्य होतीं तो यह बढ़ोतरी 'सांत्वना पुरस्कार' वाला दर्जा पाती, लेकिन कोरोना काल और उस पर भी कुछ क्षेत्रों पर नक्सल प्रभाव होने से यहां लोकतांत्रिक प्रक्रिया को पूरा करवाना संवेदनशील मामला था। इसीलिए मतदान में तीन फीसद के इस 'उछाल' को उल्लेखनीय कहना ज्यादा न्यायसंगत होगा। जिन 71 सीटों पर वोट डाले गए, उनमें से 35 को प्रशासन ने संवेदनशील माना था, इनमें भी चार तो अति-संवेदनशील थे। फिर भी उत्साह के बीच मतदान शांति से निबट गया। यह बिहार के उन मतदाताओं के जज्बे की वजह से संभव हआ, जिन्होंने सरकार के सुरक्षा इंतजामों पर भरोसा दिखाते हुए बढ़-चढ़कर मतदान किया। इस राउंड के खत्म होने के साथ ही बिहार विधानसभा की लगभग एक-तिहाई तस्वीर का फैसला अब ईवीएम में कैद हो गया है।

> *परिस्थितियां सामान्य होतीं तो यह बढ़ोतरी 'सांत्वना पुरस्कार' वाला दर्जा पाती।*

जितना पुराना इतिहास चुनावों का है, उतनी ही पुरानी मतदान खत्म होने के बाद जीत के दावों की हमारी परिपाटी भी है। बिहार उसका अपवाद नहीं है। बीजेपी इसे शांति, विकास और स्थायित्व के लिए मतदान बता रही है और एनडीए के पक्ष में दो-तिहाई सीटों का दावा कर रही है। चुनाव से ठीक पहले पाला बदलने वाले जीतनराम मांझी तो 20-20 के 'पहले ओवर' में ही एनडीए की हाफ-सेंचुरी लगने का दम भर रहे हैं। दूसरी तरफ चिराग पासवान भी हैं, जिनकी लोक जनशक्ति पार्टी ठीक चुनाव से पहले गठबंधन से बाहर हुई थी। चिराग को अभी से जेडीयू के आंगन में अंधेरा और 10 नवंबर को नीतीश कुमार से 'छुटकारा' दिखाई देने लगा है। महागठबंधन के मुखिया तेजस्वी यादव भी दावा कर रहे हैं कि बिहार की जनता सत्ता परिवर्तन का मन बना चुकी है। यानी जिसकी जैसी डफली, उसका वैसा राग। सामान्य तौर पर अधिक मतदान को मौजूदा सत्ता को बदल देने का जनादेश समझ

लिया जाता है, लेकिन हमने कई बार इसे सरकार के पक्ष में जाते भी देखा है। इसलिए राजनीतिक दल दावे कितने भी कर लें, ऊंट उसी करवट बैठेगा जिस ओर का इशारा जनता ने किया है।

वैसे जनता का मूड भांपने के लिए हुए लगभग सभी चुनाव-पूर्व सर्वेक्षणों ने कड़ी टक्कर में एनडीए को महागठबंधन पर बढ़त मिलने का अनुमान लगाया है। ज्यादातर ओपिनियन पोल के मुताबिक एनडीए 38 फीसद और महागठबंधन 32 फीसद वोट शेयर हासिल कर सकता है। इसका सीटों में औसत अनुवाद एनडीए के लिए 140 और महागठबंधन को 95 सीटें मिलता दिखा रहा है। कोई भी ओपिनियन पोल लोक जनशक्ति पार्टी के 'चिराग' से किंगमेकर वाला जिन्न निकलने की उम्मीद नहीं कर रहा है। यहां भी परंपरा के मुताबिक सभी दल अनुमानों को झुठला रहे हैं। एनडीए दो-तिहाई बहुमत का दावा कर रहा है, तो महागठबंधन अबकी बार, बिहार में पक्की सरकार का नारा बुलंद कर रहा है। चिराग पासवान को लग रहा है कि वो प्रधानमंत्री नरेन्द्र मोदी का 'हनुमान' बनकर सत्ता की जो संजीवनी लेकर आएंगे, वो बीजेपी का तो बेड़ा पार लगाएगी लेकिन नीतीश की सियासी नाव को मझधार में छोड़ देगी।

राजनीतिक दल दावे कितने भी कर लें, ऊंट उसी करवट बैठेगा जिस ओर का इशारा जनता ने किया है।

चिराग फैक्टर मतदान के दौरान और नतीजे आने के बाद कितना असरकारी होगा, यह समय बताएगा, लेकिन फिलहाल तो दोनों मुख्य पक्ष को लग रहा है कि उन्होंने सत्ता की तरफ पहला कदम बढ़ा दिया है। इस 'खुशफहमी' की वजह पहले चरण में महिलाओं और युवाओं की बड़ी भागीदारी को माना जा रहा है। राज्य में पिछले तीन वर्ष के कार्यकाल और केन्द्र में इसके दोगुने कार्यकाल के दौरान एनडीए महिला मतदाताओं को खुश रखने में कामयाब रही है, जबकि तेजस्वी के कारण बिहार में इस बार युवाओं के बीच महागठबंधन का बोलबाला दिख रहा है। इस लिहाज से एनडीए शराबबंदी और महागठबंधन रोजगार के मुद्दे में अपनी उम्मीदें तलाश रहे हैं।

दिलचस्प बात यह है कि जातीय गोलबंदी के लिए बदनाम बिहार चुनावों में पहली बार नीतिगत मुद्दों पर बात कर रहा है। बिहार की गिनती राजनीतिक

लिहाज से देश के चैतन्य प्रदेशों की पहली पंक्ति में की जाती है। इस नजरिए से यह बदलाव यकीनन स्वागतयोग्य है। बिजली-सड़क जैसे मुद्दे अपनी जगह हैं, लेकिन रोजगार और पलायन मुख्य रूप से विमर्श का केन्द्र बन गया है। इस मोर्चे पर एनडीए का किला थोड़ा कमजोर दिख रहा है। इसकी काट के लिए मुख्यमंत्री नीतीश कुमार से लेकर प्रधानमंत्री नरेन्द्र मोदी तक पूरा एनडीए बिहार की जनता को लालू के जंगलराज की याद दिलाने में जुटा हुआ है। मध्यम-आयु वर्ग और बुजुर्ग मतदाताओं तक तो यह बात पहुंच रही है, लेकिन भविष्य के बड़े सपने देख रही बिहार की युवा पीढ़ी 15 साल पुराने फ्लैशबैक से खुद को कनेक्ट नहीं कर पा रही है। उसने तो नीतीश के 15 साल के कार्यकाल में अच्छी शिक्षा, उचित रोजगार और समृद्ध जीवन की अपनी आकांक्षाओं की धुंधली तस्वीर ही देखी है। एनडीए इस मुद्दे पर पहले से बैकफुट पर है, उस पर सरकार के आला ओहदों पर बैठे नेताओं के अजीबोगरीब बयान चुनौती को और मुश्किल बना रहे हैं। सूबे के मुख्यमंत्री ने बिहार में बेरोजगारी के लिए समुद्र के नहीं होने की दलील दी है, तो उपमुख्यमंत्री को अब उद्योग-धंधों का जाल बिछाना तो याद आ रहा है, लेकिन इस सवाल का जवाब नहीं सूझ रहा कि सरकार में रहते हुए अब तक ऐसा करने से उन्हें कौन रोक रहा था? ऐसे में तेजस्वी के 10 लाख सरकारी नौकरी के वादे बनाम बीजेपी के 19 लाख रोजगार के दावे में पलड़ा किसकी ओर झुकेगा यह नतीजों से ही तय होगा। रोजगार जैसे मुद्दे के केन्द्र में आने से युवा नेतृत्व की चर्चा ने भी जोर पकड़ा है। इस बात से इनकार नहीं किया जा सकता कि इस वजह से भी बिहार के युवाओं में नीतीश कुमार और सुशील मोदी की तुलना में तेजस्वी और चिराग की अपील ज्यादा दिख रही है। ऐसे में एनडीए को प्रदेश की बेहतर जीडीपी, केन्द्र और राज्य की विकासपरक योजनाएं और सबसे ऊपर प्रधानमंत्री नरेन्द्र मोदी की देश में सर्वव्यापी लोकप्रियता का ही सहारा है।

नीतीश के 15 साल के कार्यकाल में अच्छी शिक्षा, उचित रोजगार और समृद्ध जीवन की अपनी आकांक्षाओं की धुंधली तस्वीर ही देखी है।

एक बड़ा सवाल गठबंधन की विश्वसनीयता को लेकर भी है, जो पहले चरण का चुनाव निबटने के बावजूद बरकरार है। पिछले विधानसभा चुनाव

में जब बिहार की जनता वोट डालने के लिए अपने घरों से निकली थी, तब जेडीयू-आरजेडी-कांग्रेस एक तरफ थे और बीजेपी-एलजेपी दूसरी तरफ। इस बार आरजेडी-कांग्रेस तो साथ-साथ हैं, लेकिन जेडीयू पाला बदलकर बीजेपी का हाथ थाम चुकी है और एलजेपी सैद्धांतिक रूप से अलग-थलग है। संभवतः देश के चुनाव में पहली बार गठबंधन के अंदर भी उप-गठबंधन हुए हैं। इसके तहत मांझी के हिंदुस्तानी आवाम मोर्चे यानी हम का जेडीयू के साथ और विकासशील इंसान पार्टी यानी वीआईपी का बीजेपी के साथ उपगठबंधन है। इसका मतलब क्या यह लगाया जाए कि जेडीयू को 'वीआईपी' और बीजेपी को 'हम' मंजूर नहीं है। इस सबके बीच ऐसे कयास भी लग रहे हैं कि विरोधियों को 'आउट' करने के लिए बीजेपी की बॉलिंग पर फील्डिंग दरअसल चिराग कर रहे हैं। इस धारणा को तीन बातों से बल मिल रहा है - बीजेपी के कई नेता पार्टी से 'बगावत' कर एलजेपी के टिकट पर चुनाव लड़ रहे हैं, दूसरा केन्द्र में एलजेपी को अब तक एनडीए से बाहर नहीं निकाला गया है और तीसरा चिराग पर बीजेपी अध्यक्ष जेपी नड्डा को छोड़कर बड़े नेताओं की चुप्पी।

संभवतः देश के चुनाव में पहली बार गठबंधन के अंदर भी उप-गठबंधन हुए हैं।

सियासी दलों के बीच पसरे ऐसे अविश्वास ने बिहार की जनता को इस उलझन में डाला हुआ है कि कहीं नतीजे आने के बाद कुछ दल सत्ता के लिए दलबदल कर नया गठजोड़ न बना लें। वैसे लोकतंत्र का ऐसा इम्तिहान न देश के लिए नया है, न बिहार के लिए, बस इस बार इसका अंदाज थोड़ा निराला है।

(राष्ट्रीय सहारा, 31 अक्टूबर, 2020)

98

पुराने सहयोगी, नई शुरुआत

निश्चित रूप से प्रधानमंत्री नरेन्द्र मोदी और अमेरिकी राष्ट्रपति डोनाल्ड ट्रंप की मित्रता और सार्वजनिक मंचों पर इसकी खुलकर अभिव्यक्ति ने पिछले चार वर्षों में भारत-अमेरिकी संबंधों को एक नया आयाम दिया है। पिछले साल सितंबर में 'हाउडी मोदी' के मौके पर तो ट्रंप ने प्रधानमंत्री मोदी को अमेरिका का 'सबसे करीबी और सर्वश्रेष्ठ दोस्त' तक कहा था। इस साल फरवरी में अहमदाबाद में 'नमस्ते ट्रंप' के दौरान भी दोनों नेताओं के बीच जबर्दस्त केमिस्ट्री देखने को मिली थी। लेकिन अब यह भी दिखाई दे रहा है कि जैसे-जैसे अमेरिकी राष्ट्रपति चुनाव की तारीख करीब आ रही है, भारत बेहद सधे अंदाज में खुद को निरपेक्ष दिखाने में कामयाब हो रहा है।

बिहार विधानसभा चुनाव के पहले चरण और पुलवामा पर पाकिस्तान के नापाक खुलासे के साथ ही बीते हफ्ते में एक और खबर खासी चर्चा में रही। यह थी अमेरिका के विदेश मंत्री माइक पोम्पियो और रक्षा मंत्री मार्क एस्पर की भारत यात्रा से जुड़ी खबर। बेशक कई अहम रणनीतिक करार की वजह से 26 घंटे की इस यात्रा को दोनों ओर से काफी तवज्जो दी गई, लेकिन इसके सुर्खियां बनने की यही अकेली वजह नहीं थी। दरअसल अमेरिका में अगले हफ्ते राष्ट्रपति चुनाव होने हैं। अभी कोई नहीं जानता कि अमेरिकी जनता जीत का सेहरा किसके सिर बांधेगी?

राष्ट्रपति डोनाल्ड ट्रंप जीतेंगे या फिर डेमोक्रैट जो बाइडेन को व्हाइट हाउस का टिकट मिलेगा?

एक बार फिर मौजूदा राष्ट्रपति डोनाल्ड ट्रंप जीतेंगे या फिर डेमोक्रैट जो बाइडेन को व्हाइट हाउस का टिकट मिलेगा? इस चुनाव का एक अहम पहलू यह भी है अमेरिकी भले अपने एक वोट से राष्ट्रपति चुनते हों, वो एक ऐसे नेता का भी चुनाव करते हैं जिसकी सोच अगले चार साल के लिए पूरी दुनिया पर अपना असर डालती है। ऐसे अनिश्चित भविष्य के बावजूद अमेरिका से रणनीतिक बातचीत का मंतव्य आखिर क्या हो सकता है?

बातचीत जारी रखने के पीछे आम समझ इस बात की ओर ले जाती है कि शायद डोनाल्ड ट्रंप दोबारा सत्ता में वापसी करने जा रहे हों। लेकिन अमेरिका की सियासी फिजा तो कुछ और ही इशारा कर रही है। चुनाव पूर्व सर्वेक्षण भी बाइडेन की ही बढ़त दिखा रहे हैं। ऐसे में कहीं वार्ता जारी रखना हमारी रणनीतिक भूल तो नहीं है? आमतौर पर ऐसे मौके पर इंतजार करने की परिपाटी रही है। वैसे भी पिछले चार साल में भले ही भारत-अमेरिकी संबंधों ने नई ऊंचाइयां देखी हों, इसके बावजूद विदेशी और रणनीतिक नजरिए से भारत अभी भी अमेरिका की प्राथमिकता वाले देशों में शामिल नहीं हो पाया है। फिर हमारे नजरिए में यह बदलाव क्यों? दरअसल, द्विपक्षीय संबंधों की गुत्थियां कई बार आपसी जरूरत को देखते हुए भी सुलझाई जाती हैं। ऐसे मौकों पर दूरगामी समाधान के लिए तात्कालिक जटिलताओं को दरकिनार भी कर दिया जाता है। अमेरिका के 'संक्रांति काल' में भारत से उसकी वार्ता

जारी रखने के पीछे यही प्रक्रिया काम कर रही है और इसकी वजह बना है चीन जो आज अमेरिका के साथ ही भारत के लिए भी लगातार चुनौतियां खड़ी कर रहा है।

शीत युद्ध के दौरान रूस अमेरिका का सबसे बड़ा प्रतिद्वंद्वी हुआ करता था, आज वो जगह चीन ने ले ली है। इसी तरह कुछ दशक से जिस तरह पाकिस्तान हमारा सबसे बड़ा दुश्मन हुआ करता था, वहां अब चीन आकर खड़ा हो गया है। रूस अब चीन का सहयोगी है और पाकिस्तान तो अपने अस्तित्व के लिए अब पूरी तरह चीन के रहमो-करम पर है। भारत और अमेरिका ही क्यों, चीन तो आज ब्रिटेन समेत समूचे यूरोप और जापान, ऑस्ट्रेलिया जैसे बड़े लोकतंत्रों तक के लिए खतरा बन गया है। हमारी तुलना में अमेरिका के लिए यह ज्यादा बड़ी मुसीबत है क्योंकि, इससे उसके सामरिक ही नहीं, व्यापारिक हित भी डांवाडोल हो रहे हैं। कारोबारी नजरिए से मध्य एशिया से लेकर इंडो-पैसिफिक तक का क्षेत्र अमेरिका की लाइफ लाइन का काम करता है। तेल समेत उसकी कई जरूरतों की आपूर्ति इसी क्षेत्र से होती है। इस लिहाज से यहां शांति बनाए रखना अमेरिका की सर्वोच्च प्राथमिकता है, जिसके लिए उसने यहां समुद्री बेड़े तैनात कर रखे हैं। निगरानी के इस काम पर अमेरिका भारी-भरकम खर्च करता रहा है, लेकिन कोरोना काल में बदहाल अर्थव्यवस्था के बीच अमेरिका इस खर्च को कम करना चाहता है। इस क्षेत्र में चीन का बढ़ता दखल पहले से ही अमेरिका को परेशान करता रहा है। इसकी काट के लिए जापान और ऑस्ट्रेलिया के साथ ही भारत की अहमियत काफी बढ़ जाती है। हिंद महासागर में वैसे भी भारत एक बड़ी ताकत है और चीन को साधने के लिए अमेरिका भारत को अत्याधुनिक हथियार देकर और भी ताकतवर बना सकता है। हथियार सप्लाई करने में उसका आर्थिक फायदा भी है। भारत के नजरिए से यह सहयोग इसलिए महत्त्वपूर्ण हो जाता है, क्योंकि यह न केवल उसकी ग्लोबल हैसियत को बढ़ाने का काम करेगा, बल्कि चीन को सीमा पर नियंत्रित रखने और पाकिस्तान की ओर से निश्चिंत हो जाने की सुविधा देगा।

कारोबारी नजरिए से मध्य एशिया से लेकर इंडो-पैसिफिक तक का क्षेत्र अमेरिका की लाइफ लाइन का काम करता है।

इसलिए वार्ताओं के ताजे दौर को अमेरिकी चुनाव के नतीजों से जोड़कर नहीं देखा जाना चाहिए, क्योंकि यह सहयोग तात्कालिक नहीं बल्कि दूरगामी लगता है। भारत की ओर से लगातार कहा भी गया है कि यह राजनयिक दौरा था, राजनीतिक नहीं। यह पहला मौका नहीं है जब भारत ने अमेरिका के संदर्भ में किसी एक पक्ष के समर्थन में खड़े दिखने की चर्चाओं पर अपना विरोध दर्ज करवाया है। अमेरिकी मीडिया में ऐसी खबरें हैं कि पिछले महीने ही बीजेपी ने अमेरिका में अपने सहयोगी संगठनों को प्रचार में पार्टी का बैनर इस्तेमाल करने से बचने को कहा था, क्योंकि इसमें दोनों देशों के रणनीतिक संबंध प्रभावित होने का खतरा है। यह सर्वविदित है कि बीजेपी की अमेरिकन इकाई की छवि ट्रंप-समर्थक वाली रही है। इसलिए ऐसे वक्त में जबकि चुनाव पूर्व सर्वेक्षणों में जो बाइडेन के चुनाव जीतने की संभावना अधिक बताई जा रही है, यह छवि नए संबंधों की शुरुआत को प्रभावित कर सकती है। वैसे भी अमेरिकी राजनीति को लेकर भारत पारंपरिक रूप से निरपेक्ष रहता आया है और मौजूदा सरकार भी उस परंपरा के अनुरूप ही आगे बढ़ना चाहती है।

भारत की ओर से लगातार कहा भी गया है कि यह राजनयिक दौरा था, राजनीतिक नहीं।

निश्चित रूप से प्रधानमंत्री नरेन्द्र मोदी और अमेरिकी राष्ट्रपति डोनाल्ड ट्रंप की मित्रता और सार्वजनिक मंचों पर इसकी खुलकर अभिव्यक्ति ने पिछले चार वर्षों में भारत-अमेरिकी संबंधों को एक नया आयाम दिया है। पिछले साल सितंबर में 'हाउडी मोदी' के मौके पर तो ट्रंप ने प्रधानमंत्री मोदी को अमेरिका का 'सबसे करीबी और सर्वश्रेष्ठ दोस्त' तक कहा था। इस साल फरवरी में अहमदाबाद में 'नमस्ते ट्रंप' के दौरान भी दोनों नेताओं के बीच जबर्दस्त केमिस्ट्री देखने को मिली थी। लेकिन अब यह भी दिखाई दे रहा है कि जैसे-जैसे अमेरिकी राष्ट्रपति चुनाव की तारीख करीब आ रही है, भारत बेहद सधे अंदाज में खुद को निरपेक्ष दिखाने में कामयाब हो रहा है। अमेरिका में इस सदी के पहले चार चुनावों में बारी-बारी से डेमोक्रैट और रिपब्लिक राष्ट्रपति चुने गए हैं। भारत में भी इस दौरान क्रमशः कांग्रेस की अगुवाई वाले यूपीए और बीजेपी के नेतृत्व में एनडीए ने सत्ता संभाली है।

लेकिन इस दौरान दोनों देशों के संबंध लगातार मजबूत होते रहे हैं। भारत द्विपक्षीय संबंधों को इसी तरह आगे बढ़ाने को इच्छुक है।

शायद इसलिए भारत उन चुनिंदा देशों में शामिल रहेगा जिन पर इस बात का ज्यादा फर्क नहीं पड़ता कि व्हाइट हाउस में पहुंचने वाला राष्ट्रपति रिपब्लिकन होता है या डेमोक्रैट। इसके बजाय भारत इस बात को ज्यादा तरजीह देगा कि जो भी राष्ट्रपति आए, वो चीन और पाकिस्तान के मसले पर कड़ा रुख अपनाए और साथ ही रूस-ईरान जैसे देशों से भारत के संबंधों को अमेरिकी नजरिए से प्रभावित करने की कोशिश न करे। इसलिए वार्ताओं के इस दौर को चुनाव के नतीजे के बजाय दो पुराने सहयोगियों के बीच लंबे रणनीतिक सहयोग को जारी रखने के फैसले के तौर पर देखना ज्यादा उचित होगा।

(राष्ट्रीय सहारा, 1 नवंबर, 2020)

99

इस्लामोफोबिया थोड़ी हकीकत, ज्यादा फसाना

इस्लामोफोबिया यानी इस्लाम से डर, जिसे केवल पिछले करीब डेढ़ दशक में ही दुनिया का सबसे बड़ा संकट माना जाने लगा है। इसका हल्ला मचाने वाले इसे इस्लाम पर हमला करार देते हैं, जबकि विरोधी इसे कट्टरपंथ से लड़ाई का नाम देते हैं। एक पक्ष इस्लाम को खुद में समस्या बताता है, तो दूसरा इसके राजनीतिक स्वरूप को समस्या का जिम्मेदार मानता है। ऐसे तमाम विरोधाभास के बीच बहस का एक सिरा यह भी है कि क्या कट्टरता इस्लाम के मूल में ही है या फिर इसके बाहरी कारक हैं?

फ्रांस में पैगंबर मोहम्मद के कार्टून से जुड़ा घटनाक्रम न केवल अप्रत्याशित है, बल्कि इक्कीसवीं सदी में भी धर्म के नाम पर दुनिया के दो-फाड़ हो जाने जैसे 'पिछड़ेपन' का बायस भी है। फ्रांसीसी राष्ट्रपति के बयान और मानव हत्या को धर्म के नाम पर जायज ठहराने के फरमान ने इस्लाम के कट्टर पक्ष को फिर बहस का मुद्दा बना दिया है। सतर्क हो जाने वाली बात यह है कि इस बार की बहस की आग में नफरत का घी डालने का काम मुल्ला-मौलवियों, आतंकी संगठनों या इस्लाम के कम पढ़े-लिखे अनुयायी नहीं, बल्कि वो तबका कर रहा है जो पढ़ा-लिखा है, साधन-संपन्न है और कई जगह तो अपने देश का हुक्मरान तक है। पाकिस्तान, मलेशिया, ईरान, मोरक्को, बांग्लादेश जैसे कम-से-कम 50 मुस्लिम देशों का शीर्ष नेतृत्व इस मसले पर भड़काने वाली एक जैसी बोली बोल रहा है। मुस्लिम देशों का अगुवा बनने की कोशिश कर रहे तुर्की ने तो बाकी दुनिया के विरोध को इस्लाम के विरुद्ध धर्मयुद्ध या इस्लामोफोबिया को बढ़ावा देने की कोशिश बताकर बहस को एक नया रंग दे दिया है।

पाकिस्तान, मलेशिया, ईरान, मोरक्को, बांग्लादेश जैसे कम-से-कम 50 मुस्लिम देशों का शीर्ष नेतृत्व इस मसले पर भड़काने वाली एक जैसी बोली बोल रहा है।

इस्लामोफोबिया यानी इस्लाम से डर, जिसे केवल पिछले करीब डेढ़ दशक में ही दुनिया का सबसे बड़ा संकट माना जाने लगा है। इसका हल्ला मचाने वाले इसे इस्लाम पर हमला करार देते हैं, जबकि विरोधी इसे कट्टरपंथ से लड़ाई का नाम देते हैं। एक पक्ष इस्लाम को खुद में समस्या बताता है, तो दूसरा इसके राजनीतिक स्वरूप को समस्या का जिम्मेदार मानता है। ऐसे तमाम विरोधाभास के बीच बहस का एक सिरा यह भी है कि क्या कट्टरता इस्लाम के मूल में ही है या फिर इसके बाहरी कारक हैं? यही सिरा इस बहस को इस्लाम के धर्मग्रंथ कुरान की व्याख्या तक लेकर आता है। किसी भी दूसरे धर्मग्रंथ की तरह कुरान भी लोगों को लड़ने की नहीं, बल्कि आपसी प्यार और मेलजोल बढ़ाने की ही सीख देती है। लेकिन मुल्ला-मौलवियों के एक वर्ग ने जेहाद के नाम पर इसका इस्तेमाल कट्टरपंथ और आतंक को बढ़ाने में किया।

बदलते समय और बदलती दुनिया के हिसाब से जब-जब इसमें बदलाव की बात आई, तब-तब इन तथाकथित मौलवियों ने ऐसी कोशिशों को खारिज कर दिया। नतीजतन कुरान एक ही वक्त में अलग-अलग नजरिए के कारण सुधारवादियों और कट्टरपंथियों दोनों की प्रेरणा का स्रोत बन गई। अमेरिका में 9/11 की घटना ऐसे ही जेहाद की शुरुआत थी, जो आधुनिक रूप में अब यूरोप में अपने पैर पसार रहा है।

आखिर क्या वजह है कि यूरोप जैसा सहिष्णुतावादी समाज भी आज कट्टरपंथ के निशाने पर आ गया है? मौजूदा दौर में यह जानकारी हैरत में डाल सकती है कि साल 2001 से साल 2011 के बीच केवल दस साल में ब्रिटेन में एक लाख से ज्यादा लोगों ने इस्लाम को अपनाया था। इनमें तीन-चौथाई संख्या कामकाजी महिलाओं की थी जिन्होंने कुरान में महिलाओं की इज्जत, परिवार-समाज की जिम्मेदारी उठाने जैसी शिक्षाओं के माध्यम से जिंदगी को बेहतर मकसद देने के लिए अपना मूल धर्म बदला। पश्चिम में जीवन के यह मूल्य कबके अपनी सार्थकता गंवा चुके हैं। लेकिन तस्वीर का दूसरा पहलू यह भी है कि धर्म परिवर्तन करने वाले ब्रिटिश नागरिकों में से लगभग 50 फीसद जल्द ही वापस अपने मूल धर्म में लौट भी आए। क्या इस फैसले का कट्टरपंथ से कुछ लेना-देना था? क्या लिखने-पढने और बोलने-सोचने की आजादी पर बंदिशें इसकी वजह बनीं? बहरहाल, पेरिस में स्कूल टीचर का सिर कलम करने के बाद नीस शहर का एक चर्च भी कट्टरपंथ के हमले का शिकार बना। पिछले कुछ वर्षों में फ्रांस ऐसे बीसियों हमलों का गवाह बना है। एक बड़ा तबका इसके लिए वहां रहने वाली बड़ी मुस्लिम आबादी को 'जिम्मेदार' मानता है। वैसे अपेक्षाकृत कम मुस्लिम आबादी वाले लंदन, ब्रुसेल्स समेत यूरोप के कुछ बड़े शहर भी इसके अपवाद नहीं रहे। लेकिन ऑस्ट्रिया के विएना में हुई गोलीबारी कान खड़े करने वाली घटना है जो बताती है कि यूरोप का कोई भी हिस्सा कट्टरपंथ के रडार से बाहर नहीं है।

पश्चिम में जीवन के यह मूल्य कबके अपनी सार्थकता गंवा चुके हैं।

केवल यूरोप ही क्यों, इस्लाम का कट्टर स्वरूप आज पूरे वैश्विक समाज के लिए खतरा बन गया है। यह स्वरूप इतनी भयावह शक्ल अख्तियार कर

चुका है कि पैगंबर पर कही गई छोटी-से-छोटी बात भी खून की नदियां बहाने का जरिया बन जाती हैं। खुलेआम घातक हथियार लेकर घूमने वाले इन 'आतंकी एजेंटों' के लिए अभिव्यक्ति की आजादी के मायने वो नहीं हैं, जिसे सभ्य समाज में मान्यता मिली हुई है। तुर्की और मलेशिया जैसे देशों की प्रतिक्रिया तो खुले तौर पर धार्मिक ध्रुवीकरण का इशारा कर रही हैं। तुर्की तो पहले से ही आर्मेनिया-अजरबैजान संघर्ष को इस ध्रुवीकरण के 'लॉन्च पैड' की तरह इस्तेमाल कर रहा है। इस ध्रुवीकरण का दबाव इतना ज्यादा है कि कई जिम्मेदार इस्लामिक संगठनों के लिए भी इस खेमेबंदी से निरपेक्ष रहना मुश्किल हो गया है। आखिर इस मामले में 57 देशों के इस्लामिक संगठन ने क्या किया? क्या अभिव्यक्ति की आजादी के नाम पर, ईशनिंदा पर सवाल उठाकर इस संगठन ने फ्रांस के बवाल को भड़काने का ही काम नहीं किया? हालांकि मौजूदा हालात के लिए केवल कट्टरवाद पर ठीकरा फोड़ देना भी सही नहीं होगा। जिन देशों में ऐसी घटनाएं बढ़ी हैं, वहां का राजनीतिक स्वरूप भी कम-ज्यादा मात्रा में इसका कसूरवार है। इन देशों का सियासी नेतृत्व अपनी नाकामी छिपाने के लिए समाज के एक खास तबके को बलि का बकरा बनाता रहा है। अमेरिका, रूस, चीन और फ्रांस समेत कई देश इस 'खेल' में शामिल रहे हैं। अमेरिका में छह देशों के मुस्लिम नागरिकों का प्रवेश वर्जित है, तो जर्मनी में पैट्रियॉटिक यूरोपियन्स अगेन्स्ट द इस्लामाइजेशन ऑफ द वेस्ट यानी 'पैगिडा' नाम का एक संगठन दर-बदर कर दिए मुस्लिम शरणार्थियों को अपने देश में आने का विरोध करता है। पिछले कुछ वर्षों में पॉलैंड भी इसी राह पर बढ़ चला है। फ्रांस भी एक ऐसा कानून लाने की तैयारी में है जिससे विदेश के इमाम फ्रांस की मस्जिदों में इमामत नहीं कर सकेंगे और छोटे बच्चों को घरों में इस्लामी शिक्षा नहीं दी जा सकेगी। इस सबके बीच कट्टरपंथ को उकसाने वाली घटनाओं का भी अपना वजूद है। अभिव्यक्ति की आजादी की कसौटी पर टीचर का सिर कलम करना गलत है तो फ्रांस की सभी सरकारी इमारतों पर पैगंबर मोहम्मद पर बनाया गया अपमानजनक कार्टून लगाना

आखिर इस मामले में 57 देशों के इस्लामिक संगठन ने क्या किया?

भी जायज नहीं ठहराया जा सकता। इस मामले में खास तौर पर फ्रांस का रवैया दूसरी वजहों से भी मुस्लिम समुदाय के निशाने पर आता रहा है। फ्रांस में मुसलमानों को समाज का हिस्सा नहीं, बल्कि 'काउंटर सोसायटी' कहा जाता है। साल 2004 में हिजाब सबसे पहले वहीं बैन हुआ। अब इस्लाम के खिलाफ राष्ट्रपति मैक्रों के आक्रामक तेवरों को वहां 2022 में होने जा रहे चुनावों से जोड़ कर देखा जा रहा है।

जाहिर है अगर हम 'ताली के दो-हाथ से ही बजने' वाली सच्चाई से मुंह मोड़ लेंगे तो समस्या का इलाज भी नहीं कर पाएंगे। इस लिहाज से वैश्विक खेमेबंदी में भारत की नीति एक जिम्मेदार देश की रही है। धर्म की गलत व्याख्या से प्रेरित आतंक की घटनाओं पर भारत ने हमेशा कठोर रुख अपनाया है, लेकिन दूसरे कई पश्चिमी देशों की तरह केवल इसी आधार पर एक धार्मिक विचारधारा को अलग-थलग नहीं किया बल्कि उसे समाज के एक अविभाज्य हिस्से की तरह अंगीकार किया है। फ्रांस के मामले में भारत सरकार की सधी प्रतिक्रिया इसी सोच का प्रतिफल है। वैसे कट्टरपंथी चाहे तो इस मामले में हिंदू धर्म से सीख ले सकते हैं, जहां बाल-विवाह, सती और दहेज प्रथा जैसी कुरीतियों से मुक्ति को धर्म के खिलाफ युद्ध नहीं, बल्कि समाज को 'शुद्ध' करने के नजरिए से देखा गया।

अगर हम 'ताली के दो-हाथ से ही बजने' वाली सच्चाई से मुंह मोड़ लेंगे तो समस्या का इलाज भी नहीं कर पाएंगे।

उम्मीद की जानी चाहिए कि धर्म से जुड़े इस विवाद का हल भी धर्म से ही निकल आएगा। लेकिन इसके लिए जरूरी होगा कि इस्लाम धर्म के समझदार लोग आगे आकर बढ़ती कट्टरता के खिलाफ पहल करें। ऐसे में साल 2015 में पेरिस हमले के बाद तत्कालीन अमेरिकी राष्ट्रपति बराक ओबामा का बयान याद आता है जिसमें उन्होंने इस बात पर चिंता जताई थी कि आतंकवाद को लेकर इस्लाम के अंदर से जैसा विरोध सामने आना चाहिए, वैसा आ नहीं रहा है। इस बयान के पांच साल बाद बदले संदर्भ में ही सही, यूएई की प्रतिक्रिया स्वागत-योग्य है। वहां के विदेश मंत्री से लेकर क्राउन प्रिंस तक ने कट्टरपंथी विचारधारा को शांति, सहिष्णुता और प्यार का

पाठ पढ़ाने वाले इस्लाम धर्म के मूल्यों के खिलाफ बताया है और मुसलमानों को अपनी सोच में बदलाव लाकर पश्चिमी समाज के अनुकूल ढलने की नसीहत दी है। बेशक यह बदलाव आसान नहीं होगा, लेकिन यकीन मानिए अगर इस काम के लिए एक हाथ भी आगे बढ़ा, तो उस हाथ को थामने के लिए पूरी दुनिया में कई हाथ एक साथ उठ जाएंगे।

(राष्ट्रीय सहारा, 7 नवंबर, 2020)

100

अमेरिका में तकरार, भारत में इंतजार

प्रधानमंत्री नरेन्द्र मोदी के साथ गर्मजोशी से भरे रिश्ते के कारण ट्रंप का शासनकाल विदेश नीति के लिहाज से तो भारत के लिए काफी बेहतर साबित हुआ, लेकिन आर्थिक मोर्चे पर हमारी अपेक्षाओं के मुताबिक नहीं रहा था। बाइडेन के आने से कारोबार और इमीग्रेशन जैसे मसलों पर ज्यादा संतुलन देखने को मिल सकता है, लेकिन चीन और पाकिस्तान पर ट्रंप के सख्त तेवर अब शायद इतिहास की बात बन जाएं। नए दौर में हर कोई यह जानता है कि दो देशों के बीच हर साझेदारी का दायरा और उद्देश्य निश्चित होता है।

अमेरिका में इतिहास बीस साल बाद एक बार फिर खुद को दोहरा रहा है। चुनावी नतीजे आने के बाद भी दुनिया के सबसे पुराने लोकतंत्र को अपने नए राष्ट्रपति का पता लगाने के लिए अदालत का मुंह देखना पड़ रहा है। मतगणना के पांच दिन बीत जाने के बाद भी अमेरिकी जनता को यह पता नहीं चल रहा है कि उनके भविष्य की डोर किसके हाथ में रहेगी? राष्ट्रपति पद की रेस निवर्तमान राष्ट्रपति डोनाल्ड ट्रंप जीतेंगे या ताज जो बाइडेन के सिर सजेगा?

देश के मुखिया को लेकर ऐसा सस्पेंस साल 2000 में भी दिखा था जब अमेरिका की सुप्रीम कोर्ट ने रिपब्लिकन उम्मीदवार जॉर्ज बुश के पक्ष में फैसला सुनाते हुए फ्लोरिडा में दोबारा काउंटिंग करने पर रोक लगा दी थी। तब तो कोर्ट ने इस फैसले के जरिए जॉर्ज बुश के राष्ट्रपति बनने का रास्ता साफ कर दिया था, लेकिन इस बार पेंच कुछ ज्यादा गहरा फंस गया लगता है। मामला अभी सुप्रीम कोर्ट नहीं पहुंचा है और विवाद का राज्य स्तर पर निबटारा किया जा रहा है। हालांकि जनता की अदालत में पिछड़ने के बाद ट्रंप को कानूनी लड़ाई में भी झटके लग रहे हैं। मिशिगन-जॉर्जिया जैसे स्विंग स्टेट्स में चुनावी प्रक्रिया को लेकर दायर उनकी याचिका खारिज हो गई है, लेकिन ट्रंप आसानी से हथियार डालने के मूड में नहीं लग रहे हैं। ऐसे में आधिकारिक नतीजा सामने आने में कई दिन और लग सकते हैं। ट्रंप काफी पहले से ही मुकदमेबाजी के संकेत दे रहे थे। इस मायने में उन्होंने राष्ट्रपति पद और अपने कारोबार में कोई फर्क नहीं रखा है जहां वो अपने विरोधियों को अदालती कार्यवाही में उलझाने के लिए 'मशहूर' रहे हैं। तय दिख रही हार से ट्रंप इतने हताश हो चुके हैं कि वो अब जो बाइडेन पर चुनाव जीतने के लिए धोखाधड़ी के आरोप तो लगा रहे हैं, लेकिन इसका कोई सबूत नहीं दे रहे हैं। इस रवैये से नाराज अमेरिका में अब बहुत से लोग कह रहे हैं कि ट्रंप जीते या हारे, उन्होंने अमेरिकी लोकतंत्र के महान इतिहास पर सवाल खड़ा कर चुनाव का मूड खराब कर दिया है।

मामला अभी सुप्रीम कोर्ट नहीं पहुंचा है और विवाद का राज्य स्तर पर निबटारा किया जा रहा है।

इस सबके बाद भी ट्रंप की इस बात के लिए तारीफ करनी होगी कि अपने आक्रामक चुनाव प्रचार से उन्होंने एकतरफा दिख रहे मुकाबले को भी कांटे की टक्कर में बदल दिया। खासकर कोरोना से मुकाबले में ट्रंप जिस तरह नाकाम रहे और बाद में तो वो खुद भी जिससे संक्रमित हो गए थे। इसके बावजूद जो नतीजे आए हैं, उसका अमेरिका के बड़े-से-बड़े राजनीतिक भविष्यवक्ताओं को भी अनुमान नहीं रहा होगा। बेशक जो बाइडेन ने अमेरिकी इतिहास में सबसे ज्यादा वोट हासिल करने का रिकॉर्ड बनाया हो, लेकिन ट्रंप को भी इस बार पिछले चुनाव से 50 लाख ज्यादा वोट मिले हैं। इस लोकप्रियता को केवल यह कह कर खारिज नहीं किया जा सकता कि आधे से ज्यादा अमेरिका रंगभेदी हो चुका है, क्योंकि इस बार ट्रंप का समर्थन करने वालों में अफ्रीकन और हिस्पैनिक-अमेरिकन बड़ी संख्या में शामिल हैं। इसकी बड़ी वजह अर्थव्यवस्था को संभाले रखने की ट्रंप की काबिलियत को माना जा रहा है। ओपिनियन पोल में 61 फीसद अमेरिकियों ने माना था कि आर्थिक मोर्चे पर उनका देश पिछले तीन साल में आगे बढ़ा है और यह ट्रंप की वजह से संभव हुआ है।

इसकी बड़ी वजह अर्थव्यवस्था को संभाले रखने की ट्रंप की काबिलियत को माना जा रहा है।

बहरहाल, राष्ट्रपति पद की रेस कोई भी जीते, चुनाव में हुए इतने करीबी मुकाबले ने यह साफ कर दिया है कि आज का अमेरिकन समाज पूरी तरह से बंट चुका है। हालांकि अमेरिका की विदेश नीति फिलहाल तो उसके घरेलू मतभेदों से अप्रभावित ही रहेगी और इंडो-पैसिफिक और चीन, जैसे भारत की दिलचस्पी के मामलों में इसका कोई तात्कालिक प्रभाव भी नहीं दिखेगा, लेकिन दीर्घकालीन अवधि में अमेरिका अगर कमजोर पड़ा तो भारत जैसे उसके सहयोगियों के हित प्रभावित हो सकते हैं। पिछली बार कड़े मुकाबले में मिली जीत के बाद जॉर्ज बुश के प्रशासन में हमने ऐसा होते हुए देखा था, लेकिन तब इसका असर ज्यादा महसूस नहीं हुआ था, क्योंकि तब का अमेरिका आज के मुकाबले कहीं ज्यादा मजबूत था। तब इराक और अफगानिस्तान के साथ ही भारत के साथ न्यूक्लियर डील को लेकर भी बुश को अमेरिका

में ही जबर्दस्त विरोध का सामना करना पड़ा था। 2020 के अमेरिका के सामने ठीक वैसे ही हालात हैं, लेकिन आज बादशाहत को मिल रही चुनौती के कारण उसकी गलती करने की गुंजाइश बेहद कम हो गई है।

इस लिहाज से अमेरिका का नतीजा भारत के लिए महत्त्वपूर्ण बन जाता है। दरअसल, आर्थिक, रणनीतिक और सामाजिक मोर्चे पर अमेरिका से भारत के संबंध किसी भी दूसरे देश के मुकाबले ज्यादा मायने रखते हैं। अमेरिका में भारतीय डायस्पोरा ने एक अहम जगह बनाई है और भले ही उनकी राजनीतिक वरीयताओं में भिन्नता दिखती हो, लेकिन वो सभी इस बात पर एकमत हैं कि उनकी जन्मभूमि और कर्मभूमि के रिश्ते प्रगाढ़ होने चाहिए। आपसी दोस्ती के बीच चीन जैसे साझा दुश्मन भी दोनों देशों के रिश्तों में करीबी को जरूरी बनाते हैं। यकीनन, चीन को लेकर बाइडेन की सोच डोनाल्ड ट्रंप से अलग नहीं है, लेकिन उससे निपटने की नीति अलग बताई जा रही है। ट्रंप के आक्रामक तेवरों के बजाय बाइडेन चीन को लेकर मध्य मार्ग अपना सकते हैं, जिसमें एक ही समय में चीन से बातचीत भी जारी रहे और उसे बेलगाम भी न होने दिया जाए। जाहिर है अमेरिका की मदद चाहिए, तो भारत को भी इस बदलाव के मुताबिक चीन से अपने रिश्ते को अनुकूल बनाना होगा। इसमें कोई शक नहीं कि एलएसी पर इंफ्रास्ट्रक्चर के लिहाज से हमारी सेना की तैयारी 1962 की तुलना में आज काफी बेहतर है, लेकिन चीन को मात देने के लिए इसे और पुख्ता करने की जरूरत है। चीन अपनी सेना पर हमसे न सिर्फ चार गुना ज्यादा खर्च कर रहा है, बल्कि एशिया की सभी बड़ी ताकतों को मिला लिया जाए तब भी अकेले चीन का सैन्य खर्च सब पर भारी पड़ता है। यहां संतुलन साधने के लिए भारत को अमेरिका से खुफिया मदद के साथ ही राजनायिक सहयोग की भी जरूरत पड़ेगी। फिलहाल भारत के सामने दो विकल्प दिखाई देते हैं—चीन के साथ पारस्परिक हित के मामलों में सहयोग और विवादित मसलों पर विरोध जारी रखा जाए या फिर क्वॉड और एशियन नाटो जैसे गठबंधन के जरिए आर्थिक,

आपसी दोस्ती के बीच चीन जैसे साझा दुश्मन भी दोनों देशों के रिश्तों में करीबी को जरूरी बनाते हैं।

राजनयिक और सैन्य मोर्चे पर चीन से संतुलन साधने की कोशिश की जाए। कई एशियाई देश चीन की दादागीरी को मंजूर करने की राह पर भी बढ़ सकते हैं, लेकिन भारत को यह किसी कीमत पर मंजूर नहीं होगा।

द्विपक्षीय संबंधों से जुड़े दूसरे मसलों पर तस्वीर भी धीरे-धीरे साफ होगी। प्रधानमंत्री नरेन्द्र मोदी के साथ गर्मजोशी से भरे रिश्ते के कारण ट्रंप का शासनकाल विदेश नीति के लिहाज से तो भारत के लिए काफी बेहतर साबित हुआ, लेकिन आर्थिक मोर्चे पर हमारी अपेक्षाओं के मुताबिक नहीं रहा था। बाइडेन के आने से कारोबार और इमीग्रेशन जैसे मसलों पर ज्यादा संतुलन देखने को मिल सकता है, लेकिन चीन और पाकिस्तान पर ट्रंप के सख्त तेवर अब शायद इतिहास की बात बन जाएं। नए दौर में हर कोई यह जानता है कि दो देशों के बीच हर साझेदारी का दायरा और उद्देश्य निश्चित होता है। इसलिए भले ही कश्मीर, पाकिस्तान, अफगानिस्तान और यहां तक कि घरेलू मसलों पर भी अमेरिका की राय भारत को असहज करे, लेकिन चीन से मुकाबले के लिए हमें इन भिन्नताओं को दरकिनार करना होगा। दोनों पक्षों को यह ध्यान रखना होगा कि दुनिया को चीन के विस्तारवादी जुनून से बचाने के लिए दोनों को एक-दूसरे से बेहतर सहयोगी नहीं मिलेगा।

भारत के नजरिए से इसमें दो बातें देखने वाली होगी-पहला यह कि क्या अमेरिका में चीन का सामना करने की ताकत बची है और दूसरी जो ज्यादा महत्त्वपूर्ण होगी कि अमेरिका ऐसा करने के लिए इच्छुक है भी या नहीं? इसके लिए जरूरी है कि व्हाइट हाउस में चाहे कोई भी आए, अमेरिका के साथ भारत की साझेदारी उससे किसी तरह प्रभावित ना हो।

(राष्ट्रीय सहारा, 8 नवंबर, 2020)

101

लोकतंत्र की 'दिवाली'

राजनीतिक दलों के नजरिए में आए इस सकारात्मक बदलाव के बीच चुनाव आयोग की पहल भी कारगर रही। कोरोना काल में बिहार जैसे बड़े राज्य में चुनाव का आयोजन आसान नहीं था, लेकिन चुनाव आयोग न केवल अपनी जिम्मेदारी पर खरा उतरा, बल्कि लोकतंत्र के उत्सव में जनता की भागीदारी बढ़ाने की उसकी कोशिशें भी कामयाब रहीं।

नवंबर का महीना लोकतंत्र के लिहाज से दो वजहों से खास बन गया है। इसी एक महीने में दुनिया के दो महान लोकतंत्र शासन प्रणाली के उस इम्तिहान से गुजरे हैं, जिसे आधुनिक दौर में मानव शक्ति की सबसे पुरजोर अभिव्यक्ति माना गया है। दुनिया के सबसे पुराने लोकतंत्र अमेरिका में तो खैर इम्तिहान समूची शासन व्यवस्था का था, लेकिन सबसे बड़े लोकतंत्र भारत में सियासी नजरिए से देश के सबसे उर्वर प्रदेश बिहार का भविष्य दांव पर था। नतीजे पहले आने के बाद भी अमेरिका कानूनी लड़ाई में उलझा है, जबकि बिहार में कांटे के मुकाबले के बावजूद कोई उलझन नहीं है और एनडीए स्पष्ट बहुमत लेकर दोबारा सत्ता संभालने जा रहा है। अमेरिका में भले ही निवर्तमान राष्ट्रपति का 'ट्रंप कार्ड' जाया हो गया, लेकिन बिहार में मोदी मैजिक ने फिर से करिश्मा कर दिखाया।

अमेरिका में भले ही निवर्तमान राष्ट्रपति का 'ट्रंप कार्ड' जाया हो गया, लेकिन बिहार में मोदी मैजिक ने फिर से करिश्मा कर दिखाया।

प्रधानमंत्री नरेन्द्र मोदी की अगुवाई में बीजेपी ने महज 110 सीटों पर चुनाव लड़कर 74 सीटें जीत लीं, जबकि एनडीए की कमान थामने वाले नीतीश कुमार अपनी पार्टी जेडीयू को केवल 43 सीटें दिला पाए, जो चुनावी इतिहास में जेडीयू का अब तक का सबसे खराब प्रदर्शन है। लेकिन नीतीश से नाराजगी को भी ब्रांड मोदी ने खत्म कर दिया। इस नजरिए से देखें तो यह प्रधानमंत्री की जीत और नीतीश कुमार की हार ज्यादा दिखती है, क्योंकि एनडीए में बीजेपी अब बड़ा दल बन गई है। सभाओं में उमडती भीड़ को देखकर आरजेडी के मुखिया तेजस्वी यादव को यकीन हो गया था कि बिहार में अबकी बार, महागठबंधन की सरकार का उनका सपना सच हो जाएगा, लेकिन प्रधानमंत्री नरेन्द्र मोदी के मैदान में उतरते ही बाजी पलट गई। प्रधानमंत्री की 12 रैलियों से सुशासन के विश्वास का जो मरहम दसों दिशाओं में फैला, उसने कोरोना, बेरोजगारी, आर्थिक तंगी और 15 साल की एंटी इनकंबेसी के दर्द का काम-तमाम कर दिया। चुनावी रैलियों में प्रधानमंत्री ने जिस तरह 15 साल पुराने जंगलराज का मुद्दा उठाया, उसने बिहार की जनता के सामने

महागठबंधन के परिवारवाद और एनडीए के विकासवाद का फर्क स्पष्ट करने का काम किया। केन्द्र की योजनाओं और कोरोना काल में प्रवासी मजदूरों की भरपूर मदद को जब उन्होंने विपक्ष के अहंकार की हार और एनडीए के परिश्रम की जीत के साथ जोड़ा, तो बाकी देश की तरह बिहार की जनता से भी उनका भरोसे वाला रिश्ता मजबूत होता चला गया।

मोदी-युग में जम्मू-कश्मीर में गठबंधन सरकार बनाने और त्रिपुरा समेत उत्तर-पूर्व के कई राज्यों में खाता खोलने के बाद बिहार और पश्चिम बंगाल में जनाधार बढ़ाने को बीजेपी ने प्रतिष्ठा का विषय बना रखा था। बिहार में लक्ष्य पूरा होने के बाद अब बीजेपी की नजर पश्चिम बंगाल पर रहेगी जहां अगले साल चुनाव होने हैं। वहां बीजेपी ने अभी से दो-तिहाई बहुमत हासिल करने का दावा ठोक दिया है। हालांकि बंगाल में बीजेपी के विधायकों की संख्या दस से भी कम है, लेकिन बिहार की जीत यकीनन वहां पार्टी कैडर का मनोबल बढ़ाएगी।

> *प्रधानमंत्री की 12 रैलियों से सुशासन के विश्वास का जो मरहम दसों दिशाओं में फैला, उसने कोरोना, बेरोजगारी, आर्थिक तंगी और 15 साल की एंटी इनकंबेसी के दर्द का काम-तमाम कर दिया।*

बेशक बिहार में ऐतिहासिक प्रदर्शन के बावजूद बीजेपी का केन्द्रीय नेतृत्व नीतीश कुमार को ही मुख्यमंत्री बनाने का अपना वादा दोहरा रहा है, लेकिन प्रदेश स्तर पर अब पार्टी के अपने मुख्यमंत्री की मांग भी उठने लगी है। कुछ समय पहले तक प्रदेश अध्यक्ष रहे केन्द्रीय गृह राज्य मंत्री नित्यानंद राय का नाम इस रेस में सबसे आगे है। प्रदेश में आरजेडी की सियासी जमीन कमजोर करने के लिए बीजेपी ने महिलाओं और अति पिछड़े वर्ग में अपनी पैठ बनाने और महादलित समुदाय तक केन्द्रीय योजनाओं का लाभ पहुंचाने की जिस नीति को सफलतापूर्वक अंजाम दिया, उसमें नित्यानंद राय की बड़ी भूमिका रही है। नित्यानंद राय के इस सांगठनिक कौशल को देखते हुए बीजेपी ने उन्हें इस चुनाव में 70 सदस्यों वाली इलेक्शन स्टीयरिंग कमेटी का अध्यक्ष और सह-संयोजक बनाया था।

बहरहाल गेंद फिलहाल तो नीतीश कुमार के ही पाले में है, जिनके सामने चुनाव प्रचार में सरकार पर लगे शराबबंदी की विफलता, घूसखोरी, बदहाल

स्वास्थ्य-शिक्षा व्यवस्था और बेरोजगारी के दाग धोने की बड़ी चुनौती खड़ी है। एनडीए के लिए नीतीश भले ही केन्द्र में जरूरी और बिहार में मजबूरी हों, लेकिन गठबंधन में उनकी हैसियत अब छोटे भाई की ही होगी। ऐसे में चुनाव के आखिरी दौर में उनकी 'अंत भला तो सब भला' वाली गुहार पर भले ही बिहार की जनता ने एतबार कर लिया हो, लेकिन उसको सच करने के लिए नीतीश कुमार को अब बीजेपी के भी आसरे रहना होगा। इस काम में नीतीश कुमार के सामने मुश्किल केवल बीजेपी को साधने की ही नहीं, अपनी पार्टी के उस नाराज खेमे को मनाने की भी होगी जो मानता है कि चिराग पासवान और असदुद्दीन ओवैसी जैसे नेताओं से बीजेपी का 'चुनावी तालमेल' था जिसने महागठबंधन ही नहीं, जेडीयू का भी खेल खराब किया है। इस खेमे का मानना है कि इन नेताओं ने जेडीयू को नुकसान पहुंचाया, नहीं तो वह आसानी से 55-60 सीटों के आंकड़े तक पहुंच जाती जिससे न केवल एंटी इनकंबेसी का नैरेटिव धराशाई हो जाता, बल्कि सत्ता की भागीदारी में भी उसका कद यूं बौना नहीं होता।

एनडीए के लिए नीतीश भले ही केन्द्र में जरूरी और बिहार में मजबूरी हों, लेकिन गठबंधन में उनकी हैसियत अब छोटे भाई की ही होगी।

यह भी बहुत दिलचस्प है कि जेडीयू में इतनी कड़वाहाट अपने मुख्य विपक्षी तेजस्वी यादव को लेकर नहीं दिख रही है, जिनका आरजेडी एक वक्त में नीतीश की पार्टी का बिग ब्रदर हुआ करता था और जो इस चुनाव में सही मायनों में बिग विनर बन कर सामने आए हैं। अपने पिता लालू प्रसाद यादव की सियासी अनुपस्थिति में नरेन्द्र मोदी-नीतीश कुमार जैसी धाकड़ जोड़ी के सामने अपने पहले इम्तिहान में भी तेजस्वी जिस तरह आरजेडी को सबसे बड़ा दल बनाए रखने में कामयाब रहे हैं, वो सियासत में उनके सुनहरे भविष्य का इशारा कर रहा है। बिहार के सबसे युवा मुख्यमंत्री बनने का उनका सपना साकार भी हो गया होता, अगर महागठबंधन में उनके सहयोगी कांग्रेस ने खराब प्रदर्शन न किया होता। पिछली बार के मुकाबले ज्यादा सीटों पर लड़ने के बाद भी कांग्रेस को इस बार आठ सीटों का नुकसान हुआ है। गठबंधन राजनीति के दौर में नेतृत्व तो दूर की बात है,

कांग्रेस एक-के-बाद-एक राज्यों में जिस तरह अपने सहयोगियों के लिए ही बोझ साबित हो रही है, उससे लगता नहीं कि कांग्रेस लीडरशिप कोई सबक ले रही है।

वैसे सबक के तौर पर बिहार चुनाव जन सरोकार के मुद्दों के चुनाव के रूप में भी याद किया जाएगा। बेशक 10 लाख सरकारी नौकरी देने का तेजस्वी यादव का वादा सरकार बनाने का दावा पेश करने का जरिया नहीं बन पाया, लेकिन इसने बेरोजगारी से त्रस्त युवाओं को राष्ट्रीय चर्चा का विषय जरूर बना दिया। नीतीश कुमार भले ही इसका माखौल उड़ाते रहे, लेकिन उनकी ही सहयोगी बीजेपी ने भी 19 लाख रोजगार के अवसरों को अपने घोषणापत्र में जगह देकर इस चर्चा को व्यापक स्वरूप दे दिया। रोजगार के अलावा भी चुनावी नारों में महंगाई, पढ़ाई, सिंचाई और दवाई का शोर खूब सुनाई दिया।

पिछली बार के मुकाबले ज्यादा सीटों पर लड़ने के बाद भी कांग्रेस को इस बार आठ सीटों का नुकसान हुआ है।

राजनीतिक दलों के नजरिए में आए इस सकारात्मक बदलाव के बीच चुनाव आयोग की पहल भी कारगर रही। कोरोना काल में बिहार जैसे बड़े राज्य में चुनाव का आयोजन आसान नहीं था, लेकिन चुनाव आयोग न केवल अपनी जिम्मेदारी पर खरा उतरा, बल्कि लोकतंत्र के उत्सव में जनता की भागीदारी बढ़ाने की उसकी कोशिशें भी कामयाब रहीं।

(राष्ट्रीय सहारा, 14 नवंबर, 2020)

102

भारत से सबक ले अमेरिका

ट्रंप भी इस वाकये को नहीं भूले होंगे। इसके बावजूद अदालती लड़ाई के लिए उनके अड़े रहना राजनीतिक विश्लेषकों के लिए पहेली बनता जा रहा है। यह मान लेना कि ट्रंप खुद पर लगे कथित घोटालों के आरोपों में सजा से बचने के लिए ऐसा कर रहे हैं, गले नहीं उतरता। ट्रंप पर टैक्स चोरी से लेकर चुनाव में धोखाधड़ी के आरोप लगे हैं। उन पर बैंकों का 30 करोड़ डॉलर का कर्ज चढ़ा हुआ है। ट्रंप जब तक राष्ट्रपति रहेंगे तब तक अमेरिकी संविधान के अनुसार उनके खिलाफ अदालत में आरोप पेश नहीं हो सकेंगे।

अमेरिका दुनिया का सबसे पुराना लोकतंत्र है। 'प्राचीनता' के अलावा भी इस लोकतंत्र से महानता के कई किस्से जुड़े हैं, जिन्होंने जनता के शासन को अमेरिका में प्रासंगिक बनाया हुआ था। यह 'था' आपके मन-मानस में अटक सकता है, लेकिन हकीकत यही है कि लोकतंत्र अपनाने के 216 साल बाद आज अमेरिका के सामने जनता का, जनता के लिए, जनता द्वारा शासन वाला अब्राहम लिंकन का पाठ दोहराने की नौबत आन पड़ी है। और इसका जिम्मेदार अमेरिका के निवर्तमान राष्ट्रपति डोनाल्ड ट्रंप को माना जा रहा है, जो अपने खिलाफ जनादेश आने के बावजूद अमेरिका के महान लोकतांत्रिक परंपरा वाले परिचय को मिथक साबित करने में जुटे हुए हैं।

राष्ट्रपति चुनाव में मिली हार को ट्रंप पचा नहीं पा रहे हैं और बिना कोई सबूत पेश किए नव-निर्वाचित राष्ट्रपति जो बाइडेन पर चुनाव में धांधली कर जीतने का आरोप लगा रहे हैं। अमेरिकी मीडिया में ऐसी अटकलें हैं कि चुनाव परिणाम बदलने के लिए ट्रंप तख्तापलट की हद तक जा सकते हैं। इन अटकलों को हवा मिली है ट्रंप की भतीजी मैरी ट्रंप के ट्वीट से जिसमें उन्होंने बाइडेन की जीत को 'वैध और निर्णायक' बताया है और अमेरिकी जनता को ट्रंप के उस 'दुस्साहस' से सतर्क रहने को कहा है, जो अमेरिकी इतिहास में आज तक नहीं हुआ। मैरी का ट्वीट अनायास ही ट्रंप प्रशासन के उस फैसले से जुड़ता दिख रहा है, जिसके तहत पेंटागन के वरिष्ठ अधिकारियों को हटाकर उनकी जगह ट्रंप के वफादारों को अहम जिम्मेदारी सौंपी जा रही है। विदाई से पहले हो रहे इन प्रशासनिक बदलावों ने व्हाइट हाउस से जुड़े अधिकारियों के कान खड़े कर दिए हैं। यहां तक कि अमेरिका के रक्षा मंत्री मार्क एस्पर की भी छुट्टी कर दी गई है। एस्पर राष्ट्रपति चुनाव से कुछ दिन पहले ही भारत आए थे और डिफेंस सेक्रेटरी की हैसियत से उन्होंने कई अहम द्विपक्षीय करार को हरी झंडी भी दिखाई थी। एस्पर के साथ ही भारत आए निवर्तमान विदेश मंत्री माइक पोम्पियो तो यहां तक दावा कर रहे हैं कि ट्रंप जल्द ही अपनी दूसरी

अमेरिकी जनता को ट्रंप के उस 'दुस्साहस' से सतर्क रहने को कहा है, जो अमेरिकी इतिहास में आज तक नहीं हुआ।

पारी की शुरुआत करने जा रहे हैं। पोम्पियो को ट्रंप प्रशासन में नंबर दो का दर्जा हासिल मिला हुआ है, इसलिए उनका दावा ट्रंप के किसी बड़े कदम का इशारा भी हो सकता है। चुनाव नतीजों से ट्रंप खेमा कितना अप्रभावित है, इसकी बानगी दिखाने के लिए पोम्पियो सात देशों की यात्रा पर निकल गए हैं।

ट्रंप और उनके रिपब्लिकन साथियों की इसी 'हठधर्मिता' से अमेरिका में लोकतंत्र कटघरे में खड़ा है। देश के पास दो ही विकल्प दिख रहे हैं—ट्रंप लोकतंत्र की गरिमा का सम्मान करते हुए जनादेश को शिरोधार्य करें या फिर वही लोकतंत्र अपनी परंपरा का निर्वाह करते हुए ट्रंप को बाय-बाय करे। लेकिन ट्रंप जिस विकल्प पर काम कर रहे हैं, वो इन दोनों में शामिल नहीं है और वो विकल्प है कानूनी कार्रवाई का। जो सूरतेहाल हैं, उसमे यह दांव ठीक वैसा ही लगता है जैसे एक झूठ को बार-बार बोलो और इतनी बार बोलो कि वो सच लगने लगे। लेकिन क्या यह दांव बाइडेन को चित्त कर पाएगा? अमेरिका का चुनावी इतिहास तो ऐसा बिल्कुल नहीं कहता। बीस साल पहले रिपब्लिकन उम्मीदवार जॉर्ज बुश और डेमोक्रेट अल गोर की चुनावी लड़ाई भी अदालत की चौखट तक पहुंची थी। राष्ट्रपति पद की कुर्सी का पूरा दारोमदार फ्लोरिडा पर टिका था, जहां बुश को केवल 500 से कुछ ज्यादा वोटों की बढ़त मिली थी। पुनर्मतगणना के लिए दोनों पक्ष अदालत पहुंचे, लेकिन कोर्ट ने अपील खारिज करते हुए व्हाइट हाउस के लिए बुश का रास्ता साफ कर दिया। लेकिन ट्रंप अदालत के जरिए जिस 'इंसाफ' का गुब्बारा फुलाना चाह रहे हैं, उसकी हवा पहले ही निकल चुकी है। अदालत से अपने पक्ष में फैसला लेने के लिए ट्रंप को न केवल पेंसिलवेनिया में 40 हजार वोट की भरपाई करनी है, बल्कि उन्हें नेवादा, जॉर्जिया, अरिजोना और विस्कोंसिन में भी वोटों की खाई को पाटना होगा। एक से ज्यादा राज्यों में इतने बड़े फासले के बावजूद सुप्रीम कोर्ट नतीजा पलट देगा, इसकी उम्मीद ट्रंप के अलावा शायद ही कोई लगा सकता है। इसके बावजूद कोर्ट फिर से वोटों की गिनती का फैसला सुना भी दे, तो भी ट्रंप की मुराद पूरी होना नामुमकिन दिखता है। वैसे भी पुनर्मतगणना से

ट्रंप अदालत के जरिए जिस 'इंसाफ' का गुब्बारा फुलाना चाह रहे हैं, उसकी हवा पहले ही निकल चुकी है।

नतीजा यदा-कदा ही बदलता है। पिछले चुनाव में ही विस्कोंसिन का तजुर्बा अभी पुराना नहीं पड़ा है, जब हिलेरी क्लिंटन की अपील पर हुई पुनर्मतगणना में ट्रंप की बढ़त घटने के बजाय 161 वोटों से बढ़ गई थी।

जाहिर है ट्रंप भी इस वाकये को नहीं भूले होंगे। इसके बावजूद अदालती लड़ाई के लिए उनके अड़े रहना राजनीतिक विश्लेषकों के लिए पहेली बनता जा रहा है। यह मान लेना कि ट्रंप खुद पर लगे कथित घोटालों के आरोपों में सजा से बचने के लिए ऐसा कर रहे हैं, गले नहीं उतरता। ट्रंप पर टैक्स चोरी से लेकर चुनाव में धोखाधड़ी के आरोप लगे हैं। उन पर बैंकों का 30 करोड़ डॉलर का कर्ज चढ़ा हुआ है। ट्रंप जब तक राष्ट्रपति रहेंगे तब तक अमेरिकी संविधान के अनुसार उनके खिलाफ अदालत में आरोप पेश नहीं हो सकेंगे। ज्यादा-से-ज्यादा संसद की मंजूरी से उनके खिलाफ महाभियोग चलाया जा सकता है। लेकिन राष्ट्रपति पद से हटने के बाद अमेरिकी संविधान की ढाल भी हट जाएगी और हो सकता है ट्रंप को जेल की हवा भी खानी पड़े। अगर ट्रंप अदालत का रुख नहीं करते हैं, तो उन्हें 20 जनवरी के बाद व्हाइट हाउस खाली करना होगा।

अमेरिका में लोकतंत्र के पैराकारों की नई उम्मीद बनी हुई है।

20 जनवरी की यही डेडलाइन अब अमेरिका में लोकतंत्र के पैराकारों की नई उम्मीद बनी हुई है। दरअसल अमेरिकी चुनाव प्रणाली ऐसी है कि नतीजे आने के साथ ही चुनावी प्रक्रिया समाप्त नहीं हो जाती। वहां दिसंबर 14 को अलग-अलग राज्यों में चुनाव जीत चुके उम्मीदवार के समर्थक औपचारिक रूप से अपने नेता के पक्ष में मतदान करेंगे। इलेक्टोरल कॉलेज से आए इन मतों पर नवगठित अमेरिकी कांग्रेस जनवरी 6 को मुहर लगाएगी। जैसी कि उम्मीद है, यह मुहर जो बाइडेन के पक्ष में लगेगी जिसके बाद अमेरिकी संविधान की ओर से तय तारीख 20 जनवरी की दोपहर को उन्हें अमेरिकी के अगले राष्ट्रपति की शपथ दिलवाई जाएगी। इसके बाद भी ट्रंप व्हाइट हाउस खाली नहीं करते तो उन्हें 'घुसपैठिया' करार कर दिया जाएगा।

लेकिन नतीजे आने के बाद से अमेरिकी संविधान को चुनौती दे रहे ट्रंप को इसके लिए कौन तैयार करेगा? अमेरिकी जनता में यह उत्सुकता है कि क्या इसके लिए मिलिट्री बुलाई जाएगी? वही मिलिट्री जिसके दम पर ट्रंप तख्तापलट की योजना बना रहे हैं। बदलते वक्त में दुनिया के सबसे पुराने लोकतंत्र की इससे दिलचस्प व्याख्या क्या हो सकती है? वैसे अमेरिका इस मामले में दुनिया के सबसे बड़े लोकतंत्र से सबक ले सकता है, जहां बिहार में इतने कांटे के मुकाबले के बाद भी सत्ता का हस्तांतरण लोकतंत्र की महान परंपराओं के मुताबिक ही होने जा रहा है।

(राष्ट्रीय सहारा, 15 नवंबर, 2020)

103

कैसा होगा बाइडेन का अमेरिका ?

अमेरिकी सत्ता में डेमोक्रैट की वापसी वैश्विक मंच पर जरूर वैचारिक बदलाव की वजह बनेगी। आने वाले दिनों में दुनिया का सामना एक बदले हुए अमेरिका से हो सकता है। बाइडेन दक्षिण चीन सागर, इजराइल-फिलीस्तीन, उत्तरी कोरिया जैसे विवादास्पद मुद्दों और रूस पर पाबंदियां जैसे मसलों से भले छेड़छाड़ न करें, लेकिन इस बात की बहुत संभावना है कि उनकी कमान में अमेरिका दूसरे देशों से रिश्तों में ट्रंप काल की आक्रामकता को छोड़कर ज्यादा संतुलित रवैया अपनाए। इसकी शुरुआत कारोबारी रिश्तों में बदलाव से हो सकती है, जहां शुल्क वसूलने में ट्रंप ने दोस्त और दुश्मन का फर्क ही खत्म कर दिया था।

अमेरिका में सत्ता बदले एक पखवाड़े से कुछ ज्यादा वक्त बीत चुका है और धीरे-धीरे ही सही इस बदलाव का असर अब दिखने लगा है। कानूनी लड़ाई के जरिए डोनाल्ड ट्रंप भले ही सत्ता हस्तांतरण की प्रक्रिया को लंबे समय तक टालने के उपक्रम में जुटे हों, लेकिन सच यही है कि नए शासन में उनके दौर के कई फैसलों को खुर्दबीन वाली बारीकी से जांचने-परखने का काम शुरू हो गया है। अमेरिका में रहकर पढ़ाई कर रहे भारतीय छात्रों के लिए दिखी नई सरकार की 'दरियादिली' इसी प्रक्रिया का हिस्सा है, वरना तो खुद को 'भारत का सबसे बड़ा दोस्त' बताने वाले ट्रंप ने चुनाव में उतरने से पहले कई देशों के स्टूडेंट्स की तरह भारतीय छात्रों को भी वापसी का टिकट पकड़ाने का इंतजाम कर दिया था। नई सरकार ने न केवल भारतीय छात्रों को उनकी दिक्कतें दूर करने का भरोसा दिलाया है, बल्कि अन्य भारतीय छात्रों को अमेरिका आने के लिए प्रोत्साहित करने की योजना का भी खुलासा किया है।

नई सरकार ने न केवल भारतीय छात्रों को उनकी दिक्कतें दूर करने का भरोसा दिलाया है, बल्कि अन्य भारतीय छात्रों को अमेरिका आने के लिए प्रोत्साहित करने की योजना का भी खुलासा किया है।

यकीनन हाल के दिनों में भारत-अमेरिकी द्विपक्षीय संबंधों के विस्तार को देखते हुए इस पहल की अहमियत कम लग सकती है, लेकिन इससे आने वाले दिनों को लेकर जो संकेत मिल रहे हैं, वो निश्चित रूप से बेहद अहम हैं। मोदी-ट्रंप युग में दोनों देशों के रिश्ते जिन ऐतिहासिक ऊंचाइयों तक पहुंचे थे, उसके बाद इस 'सत्ता पलट' के कारण दोनों देशों की दोस्ती को लेकर कुछ आशंकाएं जताई जा रहीं थीं। लेकिन प्रधानमंत्री नरेन्द्र मोदी के बधाई संदेश के बाद टीम बाइडेन की ओर से जिस तरह संबंधों को और प्रगाढ़ करने और विस्तार देने वाला बयान जारी हुआ, उसने इन आशंकाओं को काफी हद तक दूर कर दिया है। इसमें कोई दो-राय नहीं कि सत्ता बदलाव से दोनों देशों के बीच आर्थिक कारोबार बढ़ेगा, आईटी सेक्टर के लिए अमेरिकी बाजार और खुलेगा और इमीग्रेशन के पेंच थोड़े ढीले होंगे। सामरिक मोर्चे पर भी दोनों देशों की साझेदारी को नया विस्तार मिल सकता है। इसी तरह सुरक्षा परिषद में स्थायी सीट के लिए भारत की दावेदारी को अमेरिकी समर्थन आगे

भी मिलता रहेगा। कश्मीर, मानवाधिकार, धारा 370, सीएए जैसे आंतरिक मसलों पर भी बाइडेन और उनकी टीम का रुख हमें पता है और इसे लेकर भी कोई शंका नहीं कि अगले चार साल तक इन मुद्दों पर अमेरिका के सामने मोदी सरकार का राजनीतिक कौशल दांव पर रहने वाला है।

लेकिन जो सवाल इन सबसे अहम है, वो यह है कि क्या सत्ता बदलने से चीन और पाकिस्तान को लेकर अमेरिकी समीकरण भी बदल जाएंगे? इस सवाल का चीन वाले हिस्से का जवाब काफी हद तक 'हां' और पाकिस्तान वाले हिस्से का जवाब तो पूरी तरह 'ना' दिखता है। बाइडेन ही नहीं, बीसवीं सदी में उनके लगभग सभी डेमोक्रैट 'पूर्वजों' का चीन को लेकर रवैया ट्रंप जैसा सख्त नहीं रहा है। इसलिए इस बात के बहुत आसार हैं कि ट्रेड वॉर के तनाव को कम करने की 'सौदेबाजी' में बाइडेन सरकार चीन की पैरवी करते हुए भारत पर तल्खी कम करने का दबाव बनाते दिखें। हालांकि भारत की 'मजबूत' सरकार के सामने अमेरिका की 'आर्थिक मजबूरी' कितना टिक पाएगी, यह देखने वाली बात होगी। रही बात पाकिस्तान की, तो उसका राजनीतिक 'वनवास' बाइडेन के शासन में भी खत्म होता नहीं दिख रहा। पाकिस्तान को अमेरिका से कितनी तवज्जो मिलती है, वो इसी बात से पता चलता है कि जॉर्ज डब्ल्यू बुश के बाद पिछले 14 साल से किसी भी अमेरिकी राष्ट्रपति ने पाकिस्तान जाने की जरूरत नहीं समझी है। ओबामा और ट्रंप भारत आए, लेकिन लाख मिन्नतों के बावजूद पाकिस्तान नहीं गए। अफगानिस्तान से अमेरिकी फौज की वापसी शुरू होने के बाद से पाकिस्तान अमेरिकी नीति में हाशिए पर है। वैसे भी वैश्विक मंच पर भारत की तुलना में पाकिस्तान की प्रासंगिकता कितनी बची है, यह कोई राज की बात नहीं है। इसके बावजूद पाकिस्तान खुशफहमी पाले बैठा है कि कश्मीर को लेकर बाइडेन की सोच उसे फायदा पहुंचा सकती है।

मोदी-ट्रंप युग में दोनों देशों के रिश्ते जिन ऐतिहासिक ऊंचाइयों तक पहुंचे थे।

पाकिस्तान के लिए बेशक एक और अमेरिकी राष्ट्रपति का शासनकाल 'बेमानी' साबित हो, लेकिन अमेरिकी सत्ता में डेमोक्रैट की वापसी वैश्विक

मंच पर जरूर वैचारिक बदलाव की वजह बनेगी। आने वाले दिनों में दुनिया का सामना एक बदले हुए अमेरिका से हो सकता है। बाइडेन दक्षिण चीन सागर, इजराइल-फिलीस्तीन, उत्तरी कोरिया जैसे विवादास्पद मुद्दों और रूस पर पाबंदियां जैसे मसलों से भले छेड़छाड़ न करें, लेकिन इस बात की बहुत संभावना है कि उनकी कमान में अमेरिका दूसरे देशों से रिश्तों में ट्रंप काल की आक्रामकता को छोड़कर ज्यादा संतुलित रवैया अपनाए। इसकी शुरुआत कारोबारी रिश्तों में बदलाव से हो सकती है, जहां शुल्क वसूलने में ट्रंप ने दोस्त और दुश्मन का फर्क ही खत्म कर दिया था। सामरिक मोर्चे पर भी विदेशी जमीनों पर चल रहे युद्धों से हटने और किसी नई जंग में शामिल नहीं होने का फैसला अब एकतरफा नहीं, बल्कि सहयोगियों की चिंता को ध्यान में रखकर लिया जाएगा। जलवायु परिवर्तन का मुद्दा निश्चित तौर पर एक बार फिर अमेरिका की प्राथमिकता में शामिल होगा। बाइडेन ने चुनाव प्रचार में इसका संकेत दिया था। इस सबके साथ बाइडेन की ओर से संयुक्त राष्ट्र, नाटो और डब्ल्यूएचओ जैसी वैश्विक संस्थाओं से अमेरिका के रिश्तों को दोबारा पटरी पर लाने की पहल भी देखने को मिल सकती है।

जलवायु परिवर्तन का मुद्दा निश्चित तौर पर एक बार फिर अमेरिका की प्राथमिकता में शामिल होगा।

लेकिन क्या यह सब खोई हुई अमेरिकी साख को दोबारा कायम करने के लिए काफी होगा? जिस शख्स की सोच इस मामले में सबसे ज्यादा मायने रखती है, कम-से-कम वह तो मानता है कि ऐसा करना संभव है। बाइडेन ने चुनाव मैदान में उतरने से पहले ही अश्वेत कमला हैरिस को अपनी उपराष्ट्रपति पद की उम्मीदवार बनाकर दुनिया को एक बड़ा संदेश दे दिया था। ब्लैक लाइव्स मैटर अभियान के बीच टीम बाइडेन की इस पहल से प्रवासियों में एक सकारात्मक संदेश स्थापित हुआ है। बाइडेन-हैरिस की जोड़ी से वही कमाल दोहराने की उम्मीद लग रही है, जिसने ओबामा-बाइडेन के आठ साल के शासनकाल में अमेरिका को नई पहचान देने का काम किया था। नतीजों के बीच अजेय बढ़त लेते ही बाइडेन ने इस काम के लिए अमेरिकी लोगों से सहयोग की अपील की थी। ऐसा शायद इसलिए, क्योंकि बाइडेन को भी पता है कि दुनिया में अपने देश की छवि सुधारने से पहले उन्हें देश के अंदर ही

भरोसा बहाल करने वाली बड़ी कसरत करनी होगी। चुनाव के नतीजों से साफ हो गया है कि आज़ का अमेरिकी समाज पूरी तरह बंट चुका है। ट्रंप और उनके समर्थकों ने 'अमेरिका फर्स्ट' का नारा बेशक दिया, लेकिन इसकी भावना को हर मौके पर कुचला। ऐतिहासिक रूप से अमेरिका में यह नारा चालीस के दशक में द्वितीय विश्व युद्ध के दौरान गढ़ा गया था जिसके पीछे सोच यह थी कि स्वतंत्रता की भावना का विस्तार हो और कोई किसी का गुलाम न रहे। लेकिन ट्रंप ने सबसे ज्यादा चोट इसी भावना पर की। ट्रंप के दौर में अमेरिका में देश को बांटने वाले बयान और राजनायिकों, सैन्य और खुफिया सेवा से जुड़े लोगों का अपमान आम हो गया था। ट्रंप जब तक कुर्सी पर रहे तब तक वो दुनिया को व्यावसायिक और सैन्य प्रतिस्पर्धा के ऐसे अखाड़े की तरह देखते रहे, जिसमें अमेरिका का कोई दोस्त नहीं था, बस दूसरे का हक मारकर अपना फायदा देखना था। अमेरिका के पीव रिसर्च सेंटर के एक सर्वे में केवल 22 फीसद लोगों ने यह माना कि ट्रंप वैश्विक मामलों में सही फैसले लेने की काबिलियत रखते हैं। इस मामले में 6 वैश्विक नेताओं में जर्मन चांसलर एंजेला मार्केल, फ्रांस के राष्ट्रपति इमैनुएल मैक्रों और ब्रिटेन के प्रधानमंत्री बोरिस जॉनसन पहले तीन स्थान पर रहे। रूसी राष्ट्रपति व्लादिमीर पुतिन और चीनी राष्ट्रपति शी जिनपिंग तक कमजोर रेटिंग के बावजूद ट्रंप से आगे रहे। कहने की जरूरत नहीं कि छह नेताओं में ट्रंप का नंबर छठा ही रहा। अपनी गलतियों पर पर्दा डालने के लिए ट्रंप अमेरिका के उसी लोकतंत्र को कटघरे में खड़ा करते रहे, जिसे दुनिया आदर्श मानती है। संयोग देखिए कि उसी लोकतंत्र से मिली ताकत के बूते पर अमेरिकी जनता ने ट्रंप को देश की सेवा करने का वो दूसरा मौका ही नहीं दिया जिसकी अमेरिका में पुरानी परंपरा रही है। इसलिए जनादेश अब बाइडेन के पास है, जिनसे अमेरिका में सकारात्मक बदलाव की आस है।

> *ऐतिहासिक रूप से अमेरिका में यह नारा चालीस के दशक में द्वितीय विश्व युद्ध के दौरान गढ़ा गया था।*

(राष्ट्रीय सहारा, 21 नवंबर, 2020)

104

गुपकार : कश्मीर से 'वफा' या सियासी शिगूफा ?

सवाल उठता है कि आखिर गुपकार को नए कश्मीर से डर क्यों लग रहा है? बेशक धारा 370 हट जाने के बाद कश्मीर में अभी भी ऐसे हालात न बने हों कि वहां विकास की गंगा बहने लगी हो, लेकिन इस बात से भी इनकार नहीं किया जा सकता कि केन्द्र की ईमानदार कोशिशों से घाटी की फिजा तेजी से बदल रही है। वहां सुरक्षा के हालात पहले से बेहतर हुए हैं और आतंक की कमर टूटने लगी है। गृह मंत्रालय की एक रिपोर्ट बताती है कि इस एक साल में कश्मीर में आतंकवाद की घटनाओं में 36 फीसद तक की गिरावट आई है।

जम्मू-कश्मीर के नगरोटा में हुए एनकाउंटर में चार आतंकवादियों को ढेर कर सुरक्षा बलों ने अपनी मुस्तैदी का एक और सबूत दिया है। सुरक्षा बलों का हौसला बढ़ाने वाला प्रधानमंत्री नरेन्द्र मोदी का ट्वीट इसी बात का परिचायक भी है। आतंकियों का यह अंजाम भले ही राहत की बात है, लेकिन कश्मीर घाटी में आफत बरपाने का उनका मकसद सुरक्षा बलों के हर-पल चौकस रहने की जरूरत का इशारा भी है। ऐसी खुफिया जानकारी है कि कश्मीर घाटी को दहलाने के लिए वहां 26/11 को दोहराने की साजिश रची गई थी, जिसके लिए सीमा-पार से इन आतंकियों को मोहरा बना कर भेजा गया था। यह वारदात ऐसे समय में हुई है, जब कश्मीर में डीडीसी यानी जिला विकास परिषद के साथ ही पंचायत और स्थानीय निकायों के चुनाव सिर पर हैं और सियासी मंसूबों से बने गुपकार गठबंधन को लेकर स्थानीय राजनीतिक दल कटघरे में खड़े हैं।

ऐसी खुफिया जानकारी है कि कश्मीर घाटी को दहलाने के लिए वहां 26/11 को दोहराने की साजिश रची गई थी।

वैसे गुपकार गठबंधन का औपचारिक नाम पीपुल्स अलायंस फॉर गुपकार डिक्लेरेशन है और इसमें फारूक अब्दुल्ला की नेशनल कॉन्फ्रेंस, महबूबा मुफ्ती की पीडीपी और लेफ्ट को मिलाकर कुल छह दल शामिल हैं जिनका एजेंडा जम्मू-कश्मीर को फिर से धारा 370 और धारा 35ए वाले दौर में ले जाना है। गठबंधन को लगता है कि इस बदलाव से कश्मीरियों की पहचान खत्म कर दी गई है। सियासी फायदे के लिए कांग्रेस ने भी पहले तो गुपकार गठबंधन से हाथ मिला लिया था, लेकिन जब गृह मंत्री अमित शाह ने ट्वीट के जरिए कांग्रेस से कड़े सवाल किए, तब जाकर कांग्रेस लीडरशिप की आंख खुली और उसकी ओर से गठबंधन से पल्ला झाड़ने का फरमान जारी हुआ। लेकिन केन्द्र सरकार की तमाम कवायद और कश्मीर में खुशहाली के एक साल का गवाह बनने के बावजूद गठबंधन अभी भी अपने एजेंडे की बहाली के लिए संघर्ष की जिद पर अड़ा है, जिसके कारण श्रीनगर से लेकर दिल्ली तक सियासी बवाल मचा हुआ है।

सवाल उठता है कि आखिर गुपकार को नए कश्मीर से डर क्यों लग रहा है? बेशक धारा 370 हट जाने के बाद कश्मीर में अभी भी ऐसे हालात न बने हों कि वहां विकास की गंगा बहने लगी हो, लेकिन इस बात से भी इनकार नहीं किया जा सकता कि केन्द्र की ईमानदार कोशिशों से घाटी की फिजा तेजी

से बदल रही है। वहां सुरक्षा के हालात पहले से बेहतर हुए हैं और आतंक की कमर टूटने लगी है। गृह मंत्रालय की एक रिपोर्ट बताती है कि इस एक साल में कश्मीर में आतंकवाद की घटनाओं में 36 फीसद तक की गिरावट आई है। आतंक के खिलाफ लड़ाई में फ्री-हैंड मिलने से सुरक्षा बलों का उत्साह और ताकत दोनों दोगुनी हुई है, जिसके कारण हिज्बुल के कमांडर रियाज नाइकू, लश्कर के कमांडर हैदर, जैश के कमांडर कारी यासिर और अंसार गजवात-उल-हिंद के बुरहान कोका जैसे 136 खूंखार आतंकी ढेर किए गए हैं। नगरोटा का एनकाउंटर इसकी सबसे ताजा कड़ी है। देश के लिए यह भी खुशी की बात है कि आतंकी संगठनों में स्थानीय युवाओं के शामिल होने के मामले भी 40 फीसद तक कम हो गए हैं। सरकारी नौकरियों और स्कूल-कॉलेजों के व्यावसायिक पाठ्यक्रमों में स्थानीय युवाओं के लिए आरक्षण का फैसला इस खुशनुमा बदलाव की बुनियाद बना है। मताधिकार मिलने से राज्य के वंचित लोग दोबारा मुख्यधारा में लौट रहे हैं। इसी तरह बाहरी लोगों को भी राज्य में जमीन खरीदने का अधिकार मिलने से घाटी और देश के बाकी हिस्सों का सामाजिक और भावनात्मक रिश्ता मजबूत हुआ है।

मताधिकार मिलने से राज्य के वंचित लोग दोबारा मुख्यधारा में लौट रहे हैं।

इसके बावजूद गुपकार गठबंधन की एक साल पहले के आतंक और अशांति वाले दौर में जाने की रट देशहित के पैमाने पर तो फिट नहीं बैठती। फारूक अब्दुल्ला की चीन की मदद से धारा 370 बहाल करने वाली धमकी हो या तिरंगे के अपमान वाला महबूबा मुफ्ती का बयान-दोनों ही भोली-भाली जनता को भड़काने और देशद्रोह की हद तक गैर-जिम्मेदाराना बर्ताव की श्रेणी में आते हैं। दरअसल, गठबंधन में शामिल दलों की दुविधा काफी हद तक उन हालात से मेल खाते हैं जो आज बाकी देश में कांग्रेस के सामने हैं। जिस तरह विकास की नई राजनीति के दौर में तुष्टिकरण और गरीबी हटाने के कांग्रेस के नारे बेमानी हो गए हैं, उसी तरह गुपकार गठबंधन के सामने भी नए कश्मीर के मुताबिक अपनी राजनीति में आमूल-चूल बदलाव की चुनौती खड़ी हो गई है। अब तक यह दल कश्मीरियत की पहचान को धारा 370 का हौवा दिखाकर राज्य की चुनावी बाजी जीत लिया करते थे जिसके

दम पर दिल्ली से सौदेबाजी हो जाया करती थी। इसमें भी कोई बुरी बात नहीं होती बशर्ते इससे कश्मीर और कश्मीरियत का भला हुआ होता, लेकिन हकीकत में भला कुछ सियासी घरानों तक ही सीमित रहा। धारा 370 हट जाने के बाद कश्मीर में इसकी प्रासंगिकता को लेकर बनाया गया भ्रम का माहौल धीरे-धीरे छंट रहा है और स्थानीय अवाम इस सवाल पर मुखर हो रही है कि इतने साल तक उसे क्यों छला गया?

डीडीए चुनाव इस लिहाज से अहम साबित हो सकते हैं, क्योंकि इस बहाने अपने अधिकारों के लिए मुखर हो रही राज्य की जनता को अपनी पसंद का प्रतिनिधित्व चुनने का मौका मिल सकेगा। यह भी जाहिर है कि राज्य में विधानसभा स्थगित होने से नई चुनी गई जिला परिषदों के पास बड़ी प्रशासनिक ताकत रहने वाली है। शायद इसीलिए इतने वर्षों तक जमीनी राजनीति से दूर रहे गुपकार गठबंधन में शामिल दलों ने अपनी सियासी जमीन बचाने के लिए सात दशकों के कट्टर विरोध को भी भुला दिया है। यह भी दिलचस्प है कि कुछ समय पहले तक इन्हीं में से कई दल चुनाव का बहिष्कार करने के आतंकी फरमानों के सुर-में-सुर मिलाया करते थे।

अपने अधिकारों के लिए मुखर हो रही राज्य की जनता को अपनी पसंद का प्रतिनिधित्व चुनने का मौका मिल सकेगा।

बहरहाल, पुरानी यादें भुलाकर साथ आए यह दल पुरानी व्यवस्था बहाल कर पाएंगे, यह मुमकिन नहीं दिखता। दो दौर की बैठकों के बाद भी गुपकार गठबंधन अब तक इस पर कोई एक्शन प्लान लेकर सामने नहीं आया है। गुपकार कश्मीर की जिस अलग सांस्कृतिक पहचान को बचाने की बात कर रहा है, उस आधार पर लद्दाख को अपनी अस्मिता छोड़कर कश्मीर के साथ आने के लिए कैसे राजी करेगा, यह भी बड़ा सवाल है। फिर पिछले एक साल में प्रशासनिक स्तर पर जिस तेजी से बदलाव लागू हुए हैं, जिस तरह बाकी राज्य की तरह जम्मू-कश्मीर में भी विकास की राह रोशन हो रही है, उसे देखते हुए बीते समय के अंधकार में लौटना भला कौन-सी समझदारी होगी। ऐसे में चुनाव से पहले गुपकार गठबंधन का एक्शन में आना कश्मीर को बचाने की जगह अपना राजनीतिक वजूद बचाने का शिगूफा ही दिखाई देता है।

(राष्ट्रीय सहारा, 22 नवंबर, 2020)

105

लव जिहाद पर विवाद : फसाद का नया अध्याय

भारतीय संविधान में तो समान नागरिक संहिता को हजार समस्याओं का इलाज माना गया है। संविधान के भाग 4 के अनुच्छेद 44 में नीति-निर्देश है कि समान नागरिक संहिता का कानून लागू करना हमारा लक्ष्य होगा। इतना ही नहीं, हमारी अदालतें भी संविधान के इस निर्देश के पालन को लेकर गंभीर पहल करती रहीं हैं। इसकी सबसे चर्चित मिसाल साल 1985 का मोहम्मद अहमद खान बनाम शाह बानो केस है, जिसमें पांच सदस्यीय संविधान पीठ ने देश में समान नागरिक संहिता लगाने की पैरवी की थी।

बरसों से हम सुनते आए हैं कि प्रेम और युद्ध में सब जायज होता है। परोक्ष रूप से यह कथन इस बात पर मुहर लगाता है कि प्रेम हो या युद्ध, इनका लक्ष्य सवालों से परे होता है। लेकिन दोनों प्रक्रियाओं का यह 'विशेषाधिकार' शायद तभी तक सुरक्षित है, जब तक इनकी राहें अलग-अलग होती हैं। वरना तो जब यह दोनों साथ आते हैं, तो हालात कुछ वैसे ही हो जाते हैं जैसे इस वक्त देश में हैं। प्रेम के अंग्रेजी रूपांतरण 'लव' और युद्ध के अरबी समानार्थी 'जिहाद' को जोड़कर कुछ कट्टरपंथियों ने 'लव जिहाद' का नाम दे दिया है। अब इसी 'लव जिहाद' पर देश में ऐसा संग्राम छिड़ा है, जिसमें सरकार से लेकर समाज तक हर कोई शामिल हो गया है। एक पक्ष इस विवाद को जायज मान रहा है, तो दूसरा नफरतवाद की आग फैलाने का जरिया बता रहा है।

प्रेम के अंग्रेजी रूपांतरण 'लव' और युद्ध के अरबी समानार्थी 'जिहाद' को जोड़कर कुछ कट्टरपंथियों ने 'लव जिहाद' का नाम दे दिया है।

वैसे तो लव जिहाद का विवाद अब एक दशक से भी ज्यादा पुराना हो गया है, लेकिन इस आग में नई चिंगारी भड़कने की वजह बना है हरियाणा के वल्लभगढ़ का निकिता हत्याकांड। हत्याकांड की जांच रिपोर्ट कहती है कि पीड़िता धर्म परिवर्तन और विवाह के लिए तैयार नहीं थी, इसलिए आरोपी मुस्लिम युवक ने उसकी हत्या कर दी। जांच रिपोर्ट का खुलासा हुआ तो पहले सोशल मीडिया पर संग्राम छिड़ा जिसे सियासत ने लपक लिया। लव जिहाद पर सख्त कानून लाने की मांग उठी, तो उत्तर प्रदेश, मध्य प्रदेश, हरियाणा, कर्नाटक और उत्तराखंड की सरकारों ने तुरंत इस पर कमर भी कस ली। हालांकि यह भी दिलचस्प है कि इसी साल फरवरी में खुद केन्द्र सरकार मान चुकी है कि देश में लव जिहाद जैसी किसी अवधारणा का अस्तित्व नहीं है, फिर भी राज्य सरकारों का इस तरफ बढ़ना, उनके अध्यादेश या कानून लाने के ऐलान पर सवाल खड़े कर रहा है।

जाहिर है राज्य सरकारों का अपना संवैधानिक अस्तित्व है, इसलिए उनकी चिंता को खारिज भी नहीं किया जाना चाहिए। लव जिहाद पर नकेल कसने के समर्थकों की पहली और सबसे बड़ी दलील यह है कि यह सोची-समझी

साजिश है, जिसके जरिए हिंदू लड़कियों को प्रेम पाश में फंसाकर शादी के लिए धर्म बदलने पर मजबूर किया जाता है और जब सख्त कानून आएगा तो ऐसी घटनाओं को रोका जा सकेगा। बेशक यह चिंता वाजिब हो सकती है, लेकिन इसे रोकने के लिए जिस तरह आनन-फानन में कदम उठाए जा रहे हैं, वे इसके पीछे की नीयत को कटघरे में खड़ा कर रहे हैं। सवाल उठ रहा है कि केवल कुछ मामलों के आधार पर कोई धारणा बनाकर कानून लाना कितना उचित होगा? उत्तर प्रदेश में जिस दिन कैबिनेट ने लव जिहाद के खिलाफ अध्यादेश को मंजूरी दी, उससे एक दिन पहले ही इलाहाबाद हाई कोर्ट कथित लव जिहाद के एक मामले में पसंद के जीवन साथी के साथ जीने के अधिकार को वयस्कों का मौलिक अधिकार बता चुका था। अदालत ने अपने फैसले में सरकार और समाज तो क्या, परिवारों के हस्तक्षेप को भी गलत बताया। निजी पसंद से विवाह को निजी स्वतंत्रता में निहित बताते हुए देश की अदालतें पहले भी अपने ही उन फैसलों पर अफसोस जता चुकी हैं, जिसमें विवाह के लिए धर्म बदलने को प्रतिबंधित और ऐसे विवाहों को अवैध करार दिया गया था।

अदालत ने अपने फैसले में सरकार और समाज तो क्या, परिवारों के हस्तक्षेप को भी गलत बताया।

तो क्या यह आरोप वाजिब है कि कानून के बहाने धार्मिक कट्टरवाद को हवा दी जा रही है? कानून की बात करने वाली सभी राज्य सरकारों का बीजेपी-शासित होना क्या महज संयोग है? दरअसल सुर्खियों में रहे हादिया मामले के बाद जब एनआईए ने सुप्रीम कोर्ट के निर्देश पर केरल में कथित लव जिहाद के करीब दर्जन भर मामलों की जांच की, तो किसी भी मामले में जबरन धर्म बदलने के आरोप साबित नहीं हो पाए। आज के परिप्रेक्ष्य में आरोप साबित भी हो गए होते, तब भी इसमें न्याय के लिए किसी नए कानून की जरूरत नहीं पड़ती। भारतीय दंड संहिता, दंड प्रकिया संहिता और घरेलू हिंसा से महिलाओं को संरक्षण या स्पेशल मैरिज एक्ट में पहले से ही इस समस्या से निपटने के प्रावधान हैं। खास तौर पर भारतीय दंड संहिता की धारा 493 में स्पष्ट उल्लेख है कि शादी के लिए किसी भी तरह का दबाव, प्रलोभन या दूसरे तरह का कोई भी अवैध तरीका अमल में लाना दंडनीय

अपराध है और इसके लिए दस साल तक की कैद की सजा का प्रावधान है। ऐसे में नए कानून की आवश्यकता को कैसे परिभाषित किया जाए? क्या इसे केवल भ्रमित करने वाली कार्रवाई बताकर खारिज करना उचित होगा? शायद नहीं, क्योंकि नए कानून बनाने की कवायद ने इन कयासों को भी हवा दे दी है कि यह धर्मांतरण निरोधक कानून की जमीन तैयार करने की कसरत भी हो सकती है। देश में पहले भी तीन बार - साल 1954, 1960 और 1979 में इस तरह के प्रयास हो चुके हैं, हालांकि हर बार यह प्रयास असफल ही रहा है। फिलहाल अपने अलग रूप में यह कानून मध्य प्रदेश, छत्तीसगढ़, गुजरात, हिमाचल प्रदेश, उत्तराखंड, झारखंड, ओडिशा और अरुणाचल प्रदेश में धर्म स्वतंत्रता धर्मांतरण निरोधक कानून के नाम से लागू है। इसमें धोखे से बहला-फुसलाकर या जबरन धर्म परिवर्तन करवाना दंडनीय अपराध है और नाबालिग या अनुसूचित जाति-जनजातियों से संबंधित मामलों में कड़ी और ज्यादा अवधि की सजा का प्रावधान है।

ऐसे में नए कानून की आवश्यकता को कैसे परिभाषित किया जाए?

हालांकि लव जिहाद पर चार राज्यों का कानून बनाने का ऐलान स्पष्ट रुप से विवाह के लिए कथित धर्मांतरण पर अंकुश लगाने की तैयारी है। बेशक यह तैयारी सवालों में घिरी दिख रही हो, लेकिन इस सवाल को नजरअंदाज नहीं किया जा सकता कि प्रेम आधारित विवाह में धर्म परिवर्तन कैसे जरूरी हो जाता है? जरूरी है भी, तो एक ही पक्ष अपना धर्म क्यों बदले? अगर मुस्लिम कानूनों में यह वैध शादी की अनिवार्यता है, तो इससे निपटने के लिए नए कानून को अवैध कैसे ठहराया जा सकता है?

क्या समान नागरिक संहिता इन तमाम सवालों का जवाब हो सकती है? भारतीय संविधान में तो समान नागरिक संहिता को हजार समस्याओं का इलाज माना गया है। संविधान के भाग 4 के अनुच्छेद 44 में नीति-निर्देश है कि समान नागरिक संहिता का कानून लागू करना हमारा लक्ष्य होगा। इतना ही नहीं, हमारी अदालतें भी संविधान के इस निर्देश के पालन को लेकर गंभीर पहल करती रहीं हैं। इसकी सबसे चर्चित मिसाल साल 1985 का मोहम्मद अहमद खान बनाम शाह बानो केस है, जिसमें पांच सदस्यीय संविधान पीठ

ने देश में समान नागरिक संहिता लगाने की पैरवी की थी। हालांकि दो साल पहले इसकी व्यावहारिकता को लेकर विधि आयोग की नकारात्मक टिप्पणी के कारण यह मसला ठंडे बस्ते में चला गया था, लेकिन लव जिहाद की आग भड़कने के बाद अब इसे लागू करने की मांग फिर जोर पकड़ सकती है।

बहरहाल, जिन सियासी सवालों की राह संविधान में तलाशी जा रही है, उसकी एक गली समाज से होकर भी गुजरती है। आखिर क्या वजह है कि धार्मिक अविश्वास की इस खाई को समाज भी नहीं पाट पा रहा है। क्या यह चिंता की बात नहीं है कि जिस देश की गंगा-जमुनी तहजीब दुनिया के लिए मिसाल हुआ करती थी, वहां पारस्परिक प्रेम का मसला परस्पर युद्ध में कैसे बदल गया?

(राष्ट्रीय सहारा, 28 नवंबर, 2020)

106

सड़क पर किसान, सियासत का घमासान

विपक्ष कह रहा है कि नए कानून आने के बाद किसानों के पास दिल्ली कूच करने के अलावा कोई रास्ता नहीं बचा था, जबकि सरकार की दलील है कि नए कानून किसानों की आय दोगुनी करने के उसके महत्त्वाकांक्षी लक्ष्य की ओर बढ़ाया गया मजबूत कदम है और इस पर किसानों को ढाल बनाकर विपक्ष केवल सियासी रोटी सेंक रहा है। विपक्ष का सरकार पर हमला सियासी परम्परा भी मान लिया जाए तो भी इस बात से इनकार नहीं किया जा सकता कि प्रधानमंत्री नरेन्द्र मोदी ने देश के कृषि सेक्टर में आमूल-चूल बदलाव की जरूरत को साल 2014 में अपने पहले कार्यकाल में ही भांप लिया था।

देश का किसान एक बार फिर सड़कों पर है। कुछ नए कृषि कानूनों को लेकर वाजिब सवालों की वजह से और कुछ बेजां सियासी आरोपों के कारण। खेत-खलिहान छोड़कर सड़क पर उतरे किसान खास तौर पर पंजाब, हरियाणा और उत्तर प्रदेश के हैं, जो राशन-पानी, पेट्रोल-डीजल के ड्रम और आटा-चक्की तक लेकर दिल्ली पहुंच गए हैं। इशारा इस बात की ओर है कि लड़ाई लंबी भी खिंच जाए, तो मोर्चे से पीछे ना हटना पड़े। किसानों को रोकने के लिए पुलिस वाटर कैनन और आंसू गैस का इस्तेमाल कर रही है, तो बदले में किसान लाठी-डंडों से पुलिस को धमका रहे हैं। किसान जगह-जगह धरने पर बैठ गए हैं और कहने की जरूरत नहीं कि इससे आम जन-जीवन प्रभावित हो रहा है। लेकिन यह स्थिति अपवाद नहीं है, क्योंकि हर धरने में ऐसे ही हालात बनते हैं। इसी तरह ऐसे गंभीर प्रदर्शनों को हाईजैक करने की सियासत भी बरकरार दिख रही है। किसानों को कई सियासी दलों का समर्थन मिल रहा है, लेकिन यह दल अपने बयानों से समस्या को सुलझाने के बजाय और उलझाते जा रहे हैं। इसकी वजह यह हो सकती है कि पंजाब में करीब एक साल बाद चुनाव हैं और कोई सियासी दल किसानों के विरोधी खेमे में नहीं दिखना चाहता।

कहने की जरूरत नहीं कि इससे आम जन-जीवन प्रभावित हो रहा है।

विपक्ष कह रहा है कि नए कानून आने के बाद किसानों के पास दिल्ली कूच करने के अलावा कोई रास्ता नहीं बचा था, जबकि सरकार की दलील है कि नए कानून किसानों की आय दोगुनी करने के उसके महत्त्वाकांक्षी लक्ष्य की ओर बढ़ाया गया मजबूत कदम है और इस पर किसानों को ढाल बनाकर विपक्ष केवल सियासी रोटी सेंक रहा है। विपक्ष का सरकार पर हमला सियासी परम्परा भी मान लिया जाए तो भी इस बात से इनकार नहीं किया जा सकता कि प्रधानमंत्री नरेन्द्र मोदी ने देश के कृषि सेक्टर में आमूल-चूल बदलाव की जरूरत को साल 2014 में अपने पहले कार्यकाल में ही भांप लिया था। कृषि क्षेत्र की बेहतरी के लिए सरकार के प्रयासों का परीक्षण किया जाए, तो यह तीनों कानून उसी सिलसिले की कड़ी दिखते हैं। खास तौर पर कृषि उपज व्यापार एवं वाणिज्य (संवर्धन एवं सरलीकरण) कानून, जो किसानों को बिचौलियों के कुचक्र से निकालकर अपनी मर्जी से फसल बेचने की आजादी देता है। वाकई यह तथ्य हैरानी भरा है कि देश को आजाद हुए

70 साल से ज्यादा का समय बीत गया, लेकिन हमारा किसान आज भी मंडियों का गुलाम बना हुआ है। ग्लोबलाइजेशन की प्रक्रिया को शुरू हुए तीन दशक से ज्यादा समय बीत चुका है, लेकिन देश का किसान अभी तक ऐसा इकलौता उत्पादक बना हुआ है, जिसे अपनी उपज को केवल स्थानीय मंडियों में बेचने के लिए मजबूर किया जाता रहा है। नए कानून से किसान अब अपनी फसल को देश में कहीं भी, और सबसे महत्त्वपूर्ण अपनी मर्जी से किसी को भी बेच सकेंगे। इसी तरह बाकी दोनों कानूनों में भी एक किसानों को व्यापारियों, निर्यातकों और कंपनियों से सीधे जोड़ेगा और दूसरा भंडारण और प्रसंस्करण की क्षमता बढ़ाएगा, जिससे किसानों का भविष्य सुखद बनने की उम्मीद जगती है। इस लिहाज से तो तीनों ही कानून किसानों की आय बढ़ाने की दिशा में उठाए गए क्रांतिकारी कदम दिखते हैं।

> *देश को आजाद हुए 70 साल से ज्यादा का समय बीत गया, लेकिन हमारा किसान आज भी मंडियों का गुलाम बना हुआ है।*

सबसे खास बात सरकार का यह दावा है कि इन कानूनों के तहत भी न्यूनतम समर्थन मूल्य वाली व्यवस्था जारी रहेगी। सरकार हर साल 23 फसलों पर एमएसपी घोषित करती है। किसान इस मोर्चे पर अपनी चिंताओं से पूरी तरह मुक्त हो जाने के लिए एमएसपी को भी कानून के तहत लाने की मांग कर रहे हैं। किसानों को गलत भी नहीं कहा जा सकता, क्योंकि सरकार भी यह जानती होगी कि उसका कोई भी बयान कानून में एमएसपी की गारंटी की बराबरी का विकल्प नहीं हो सकता। सरकार और किसानों के बीच जब भी सीधे संवाद के हालात बनेंगे, तब ही दूध का दूध और पानी का पानी होने की उम्मीद की जा सकती है। वैसे सरकार ने रबी की बुआई से पहले हाल ही में छह फसलों का एमएसपी घोषित कर किसानों का भरोसा बनाए रखने वाला काम किया है। इनमें गेहूं का एमएसपी लागत मूल्य से 106 फीसद ज्यादा रखा गया है, जबकि चना, मसूर, जौ और सरसों के लिए भी 50 से 93 फीसद ज्यादा एमएसपी घोषित किया गया है।

वैसे, आंकड़े बताते हैं कि पिछली यूपीए सरकार के मुकाबले एनडीए के मौजूदा दौर में स्वामीनाथन कमीशन की रिपोर्ट पर ज्यादा काम हुआ है। पिछले छह साल में देश के किसानों को एक लाख करोड़ रुपये से ज्यादा एमएसपी दिया गया है जो एक रिकॉर्ड है। इसी तरह किसानों को ऋण देने के मामले में

भी मोदी सरकार ने खजाना खोलने में कंजूसी नहीं दिखाई है। यूपीए ने जहां किसानों को 20 लाख करोड़ का ऋण दिया, वहीं मौजूदा सरकार 35 लाख करोड़ से ज्यादा का ऋण दे चुकी है। सरकार का दावा है कि किसानों को बेहतर जीवन की गारंटी देना उसका मिशन है और देश में एमएसपी भी रहेगी और किसानों को कहीं भी फसल बेचने की आजादी मिलने वाला प्रधानमंत्री मोदी का बयान इसी मंशा की अभिव्यक्ति दिखता है।

> *इस लिहाज से तो तीनों ही कानून किसानों की आय बढ़ाने की दिशा में उठाए गए क्रांतिकारी कदम दिखते हैं।*

नए कानूनों से किसानों को नहीं, बल्कि कॉरपोरेट को फायदा पहुंचाने की बात भी नजरिए के फर्क वाला मामला लगता है। विपक्ष आरोप लगा रहा है कि सरकार ने देश के फसल चक्र को कॉरपोरेट के पास गिरवी रख दिया है और अब खेत में क्या उगाना है, इसका अधिकार किसान के पास नहीं बल्कि कॉरपोरेट के पास चला गया है। इससे भविष्य की उपज देश की जरूरत के बजाय कॉरपोरेट के फायदे से तय होगी। दूसरी ओर सरकार की दलील है कि किसानों के हित कहीं से प्रभावित नहीं होंगे और नया बदलाव 'फार्म टू फोर्क' व्यवस्था को बढ़ावा देगा। गांवों में निजी निवेश पहुंचेगा, तो बाजार में प्रतिस्पर्धा बढ़ेगी जिससे किसानों को सीधा फायदा मिलेगा। साथ ही जब सप्लाई चेन छोटी होगी, तो किसानों के साथ ही आम उपभोक्ता को भी महंगाई से राहत मिलेगी।

सबसे ज्यादा राहत छोटे किसानों को मिलेगी, जिन्हें अब तक छोटी जोत होने की वजह से बड़े निवेशक नहीं मिलते और उपज इतनी कम होती है कि उसे मंडियों तक ले जाना फायदे का सौदा नहीं होता। बिचौलिए इसी मजबूरी का फायदा उठाकर दशकों से छोटे किसानों का शोषण करते आए हैं। गांव तक निवेश पहुंचने से ऐसे किसानों के लिए उत्पादन से निर्यात तक के रास्ते आसान हो सकेंगे। यहां यह बात याद रखनी होगी कि देश के कुल किसानों में से 86 फीसद इसी लघु और सीमांत श्रेणी में ही आते हैं। केवल इसी एक आंकड़े को देख लें तो यह बात साफ हो जाती है कि नए कानून को लेकर हो रहा घमासान कितना बेमानी है।

(राष्ट्रीय सहारा, 29 नवंबर, 2020)

107

संवाद बनेगा 'खुशहाली' की बुनियाद

कल क्या होगा यह आज तय कर लेना गलत भी हो सकता है, मगर सवाल चूंकि भविष्य का है, तो किसानों की चिंता को खारिज भी नहीं किया जा सकता। लेकिन सरकार के सामने भी व्यावहारिक संकट है। एमएसपी को लेकर फंसे पेंच की एक वजह तो यह समझ आती है कि इसके लिए बजट का एक बड़ा हिस्सा आरक्षित करना होगा, जिससे सरकार पर बड़ा आर्थिक दबाव बन सकता है। अभी फिलहाल 23 फसलों पर एमएसपी दी जाती है।

केन्द्र की मोदी सरकार भारत की खेती और देश के किसानों के लिए पांच दिसंबर की तारीख को सही मायनों में ऐतिहासिक बना सकती है। नए कृषि कानूनों का विरोध कर रहे किसानों से आज सरकार की पांचवें दौर की मुलाकात होनी है। अगर आज बात बन जाती है तो किसानों के लिए तो ये बड़ी राहत होगी ही, देश और सरकार के सिर पर आई आफत भी टल जाएगी। गुरुवार को चौथे दौर की बातचीत में जिस तरह का सहयोगी और लचीला रुख देखने को मिला, वह इस बात का परिचायक है कि किसानों की मांग पर सरकार संजीदगी और पूरी जिम्मेदारी से गौर कर रही है। कुछ मांगों पर तो सरकार ने किसानों की मंशा के अनुरूप बदलाव के स्पष्ट संकेत भी दिए हैं, लेकिन खेतों में लौटने से पहले किसान यह सुनिश्चित कर लेना चाहते हैं कि एमएसपी को वैधानिक बनाने के साथ ही सरकार तीनों नए कानूनों को भी वापस ले ले।

नए कृषि कानूनों का विरोध कर रहे किसानों से आज सरकार की पांचवें दौर की मुलाकात होनी है।

वैसे तो एमएसपी का मसला किसानों की देशव्यापी चिंता है, लेकिन पंजाब और हरियाणा का किसान इस पर ज्यादा मुखर है। एमएसपी को लेकर हर साल भले ही बहुत शोर मचता हो, लेकिन हकीकत यही है कि हमारे देश में केवल छह फीसद किसान इसका फायदा ले पाते हैं। देश के गोदाम भरने वाले पंजाब और हरियाणा के किसान यहां भी सबसे आगे हैं। साल 2016 की नीति आयोग की रिपोर्ट बताती है कि पंजाब का हर एक किसान एमएसपी पर ही फसल बेचता है यानी छह फीसद राष्ट्रीय औसत में पंजाब की हिस्सेदारी 100 फीसद की है। रबी सीजन में गेहूं पर एमएसपी का लाभ लेने वाले 42 फीसद से ज्यादा किसान केवल पंजाब और हरियाणा से थे। खरीफ सीजन में भी यह आंकड़ा 25 फीसद से ज्यादा रहा। मंडियों को लेकर भी सूरतेहाल इसी तरह के हैं। पंजाब में 1,800 से ज्यादा मंडियां हैं और ऐसी व्यवस्था देश में तो क्या, दुनिया में भी शायद ही कहीं हो। जब किसान अपना गेहूं बेचने इन मंडियों में पहुंचता है, तो उससे तीन फीसद बाजार शुल्क और तीन फीसद ग्रामीण विकास शुल्क वसूला जाता है–यानी कुल छह फीसद। धान के मामले में भी यह चार से छह फीसद के बीच है।

किसानों की संख्या और शुल्क की मात्रा का गुणा अच्छे खासे राजस्व में बदल जाता है। नए कानून में इस पर लगाम लग जाएगी। मंडी के कारोबारियों और आढ़तियों को यह बात समझ आ गई है कि जब मंडी के बाहर बिना शुल्क के कारोबार होगा, तो किसान अपनी फसल बेचने मंडियों में क्यों आएंगे? किसानों के आंदोलन को सामने खड़े अस्तित्व के इस संकट से आढ़तिए भी काफी हद तक तड़का लगा रहे हैं।

खरीफ सीजन में भी यह आंकड़ा 25 फीसद से ज्यादा रहा।

कल क्या होगा यह आज तय कर लेना गलत भी हो सकता है, मगर सवाल चूंकि भविष्य का है, तो किसानों की चिंता को खारिज भी नहीं किया जा सकता। लेकिन सरकार के सामने भी व्यावहारिक संकट है। एमएसपी को लेकर फंसे पेंच की एक वजह तो यह समझ आती है कि इसके लिए बजट का एक बड़ा हिस्सा आरक्षित करना होगा, जिससे सरकार पर बड़ा आर्थिक दबाव बन सकता है। अभी फिलहाल 23 फसलों पर एमएसपी दी जाती है। मौजूदा रेट के हिसाब से सरकार सभी फसलें खरीदती है, तो विशेषज्ञों का अनुमान है कि इसका खर्च 17 लाख करोड़ रुपये तक पहुंच सकता है। खाद और खाद्य सब्सिडी के दो लाख करोड़ रुपये अलग से। यानी सब मिलाकर करीब 19 लाख करोड़ रुपये का अतिरिक्त खर्च। इसकी भरपाई कहां से होगी? टैक्स बढ़ाकर? वो भी किया तो मामूली बढ़ोतरी काम नहीं करेगी, कम-से-कम तीन गुना तक टैक्स बढ़ाना पड़ेगा। अगर ऐसा हुआ तो इसका निवेश से लेकर निर्यात तक नकारात्मक असर दिख सकता है। निजी कारोबारियों पर एमएसपी पर खरीद की सख्ती बढ़ेगी, तो वो भी अंतरराष्ट्रीय बाजार में भाव गिरने पर आयात करना शुरू कर सकते हैं, जिससे घरेलू बाजार में उथल-पुथल मच सकती है। तीसरी समस्या भंडारण की है। सरकार सारी फसल खरीद लेगी, तो रखेगी कहां? एमएसपी को लेकर फसल की क्वालिटी भी अक्सर मंडियों में विवाद की वजह बनती है। सबसे पहले यह बात भी समझनी होगी कि जब तक हमारे यहां पीडीएस की व्यवस्था रहेगी, तब तक सरकार को किसान से अनाज खरीदना ही पड़ेगा और यह खरीद एमएसपी पर ही होगी। इसलिए हो सकता है कि नए कानून से एमएसपी के खत्म हो जाने का डर 'गांव में बार-बार सियार' आने वाली अफवाह साबित हो।

बहरहाल, सरकार के पास अब क्या रास्ता बचता है? प्रधानमंत्री नरेन्द्र मोदी से लेकर कृषि मंत्री नरेन्द्र तोमर तक कह चुके हैं कि एमएसपी को छुआ भी नहीं जाएगा, लेकिन किसान कानून खत्म करने के लिए संसद का विशेष सत्र बुलाने की मांग कर रहे हैं। एमएसपी को लेकर जिस तरह का गतिरोध बन गया है, वो दरअसल नजरिए का फर्क है। किसान अपने आज के उत्पादन के मूल्य की गारंटी चाहता है, जबकि सरकार का इरादा भविष्य में फसल के बेहतर मूल्य के लिए सुधार लाने का है। बीच का रास्ता वह हो सकता है जिस पर मध्य प्रदेश सरकार चल रही है। भावांतर योजना के तहत मध्य प्रदेश सरकार किसानों को फसल के बाजार भाव और एमएसपी के बीच के अंतर का भुगतान करती है। हालांकि इस योजना में भी जमीनी दिक्कतें हैं, लेकिन मध्य प्रदेश के अनुभव से केन्द्र इसे दूर कर व्यावहारिक बना सकता है। मध्य प्रदेश में वैसे भी बीजेपी की ही सरकार है और कृषि मंत्री नरेन्द्र तोमर भी उसी राज्य से चुन कर संसद में आते हैं।

दूसरी बड़ी चिंता मंडियों के खत्म हो जाने को लेकर है।

दूसरी बड़ी चिंता मंडियों के खत्म हो जाने को लेकर है। यहां सरकार कानून के जरिए यह सुनिश्चित कर सकती है कि सरकारी खरीद तो अनिवार्य रूप से मंडियों से ही की जाए, जबकि निजी खरीद के लिए खुले बाजार का विकल्प भी इसमें जोड़ दिया जाए, ताकि बेहतर विकल्प चुनने के किसानों के अधिकार में आढ़तियों से लेकर कॉरपोरेट तक किसी तरह का अतिक्रमण न कर सकें।

अमित शाह की वह पहल अब चार दौर की बातचीत की बुनियाद बन चुकी है।

किसान आंदोलन के पिछले दस दिनों का निचोड़ भी यही दिखाता है। किसान अपने उन अधिकारों की बहाली को लेकर सरकार से भरोसा मांग रहे हैं, जो लगता है कि नए कानून आने के बाद से हिल गया है। इस लिहाज से किसानों से बातचीत शुरू करने की गृहमंत्री अमित शाह की पहल स्वागत योग्य होने के साथ ही यह भी बताती है कि सरकार न केवल किसानों की समस्याओं को लेकर संजीदा है, बल्कि इस मुद्दे पर उसने विपक्ष की तमाम गैर-वाजिब बातों के बीच सकारात्मक आलोचना को गंभीरता से लिया है।

अमित शाह की वह पहल अब चार दौर की बातचीत की बुनियाद बन चुकी है। बेशक इन वार्ताओं से अभी अंतिम हल न निकला हो, लेकिन इन्हें बेनतीजा कहकर खारिज करना भी ठीक नहीं होगा। दोनों पक्षों में संवाद की प्रक्रिया का शुरू होना और बरकरार रहना छोटी कामयाबी नहीं, बल्कि आज पांचवें दौर की बातचीत से जुड़ी सुनहरी उम्मीदों का सबसे बड़ा संबल है। उम्मीद की जानी चाहिए कि यह संबल अन्नदाताओं की समस्याओं का हल भी साबित होगा।

(राष्ट्रीय सहारा, 5 दिसंबर, 2020)

108

छोटा चुनाव, बड़ा संदेश

सियासत का यह ट्रेंड बेशक कुछ दलों के लिए कारगर हो, लेकिन क्या यही बात देश के लिए कही जा सकती है? समाज के दो तबकों की विचारधारा की सियासी जंग कहीं लोकतंत्र के लिए खतरा तो नहीं है? क्या यह तथाकथित 'सेक्युलर' दलों के लिए ठहरकर अपनी नीतियों को दुरुस्त करने का वक्त नहीं है? इतने सवालों में एक सवाल और जोड़ लेने में कोई हर्ज नहीं कि क्या आप अब भी हैदराबाद निकाय के चुनाव को छोटा चुनाव कहकर खारिज कर सकते हैं?

नगर निकाय चुनावों को परंपरागत रूप से बुनियादी मुद्दों पर स्थानीय जनता का फैसला माना जाता है। आम तौर पर इसका राज्य या देश तो दूर, संबंधित जिले की राजनीति से भी कोई खास सरोकार जोड़कर नहीं देखा जाता। इस लिहाज से ग्रेटर हैदराबाद नगर निकाय के चुनाव अनूठे कहे जा सकते हैं, क्योंकि इसने एक तरफ पारंपरिक सोच को तोड़ा है, तो दूसरी तरफ सियासी सरोकारों में नई परिभाषा को जोड़ा है।

बीजेपी के लिए भारत की सियासत बरसों से दो ध्रुवों में बंटी दिखी है।

असदुद्दीन ओवैसी के गढ़ में बीजेपी ने 48 वार्ड जीतकर उनकी पार्टी एआईएमआईएम को तीसरे नंबर पर धकेल दिया है। के. चंद्रशेखर राव की पार्टी टीआरएस 55 वार्ड में जीत के साथ पहले नंबर पर काबिज रही, जबकि ओवैसी को 44 वार्ड की जनता का साथ मिला। चार साल पहले 2016 के चुनाव में टीआरएस ने 99 और एआईएमआईएम ने 44 वार्ड जीते थे। तब बीजेपी बड़ी मुश्किल से चार वार्ड में ही जीत पाई थी।

इस बदलाव में तीन-चार ऐसी बड़ी बातें हुई हैं, जिन्हें लेकर यह अनुमान है कि इसके बाद हैदराबाद ही नहीं, बल्कि तेलंगाना समेत दूसरे राज्यों और देश की राजनीति भी बदल सकती है। पहला तो यह कि चार से 48 वार्ड का सफर तय कर क्या बीजेपी ने दक्षिण में अपने लिए एक नई मंजिल का रास्ता खोल लिया है? बीजेपी के लिए भारत की सियासत बरसों से दो ध्रुवों में बंटी दिखी है। उत्तर भारत के हिंदी बेल्ट में जहां उसका खासा प्रभाव दिखता है, वहीं कर्नाटक को छोड़कर शेष दक्षिण राज्य सदैव से उसके साथ 'परदेसियों' जैसा बर्ताव करते रहे हैं। अपने गठन के चौथे दशक में भी बीजेपी का केरल, तमिलनाडु, आंध्र प्रदेश और तेलंगाना में बेहद मामूली प्रभाव है और यहां जो जीत मिलती रही है, वो स्थानीय दलों के साथ गठबंधन के बूते मिलती रही है। लेकिन इस बार बीजेपी ने अपने बूते कुछ करने की ठानी, चुनाव को प्रतिष्ठा की लड़ाई बनाया और एक निकाय चुनाव में गृह मंत्री अमित शाह, बीजेपी अध्यक्ष जेपी नड्डा, उत्तर प्रदेश के मुख्यमंत्री योगी आदित्यनाथ समेत कई बड़े नेताओं की फौज उतार दी। नतीजा सामने है, तेलंगाना में सत्ता भले अभी भी बीजेपी से दूर रहे, लेकिन यह जीत मुख्य विपक्षी दल का ओहदा

हासिल करने की उम्मीद जरूर बन सकती है। तेलंगाना में चंद्रशेखर राव और ओवैसी का गठजोड़ कोई राज़ नहीं है। नया राज्य बनने के बाद चंद्रबाबू की प्रासंगिकता हाशिये पर जा चुकी है, बची कांग्रेस तो बाकी देश की तरह उसका तेलंगाना में भी बुरा हाल है। 2014 में जब तेलंगाना बना, तो कांग्रेस को उम्मीद थी कि नया राज्य बनाने का उसे फायदा मिलेगा, लेकिन जीत का इनाम टीआरएस ले उड़ी। पिछले लोकसभा चुनाव में कांग्रेस भी बीजेपी की ही तरह 21 विधानसभा क्षेत्र में आगे रही, लेकिन इसे 2018 के विधानसभा चुनाव से जोड़ें, तो बीजेपी ने 20 नई सीटों पर बढ़त बनाई, जबकि कांग्रेस केवल दो नई सीटें पर आगे निकल पाई।

तेलंगाना में चंद्रशेखर राव और ओवैसी का गठजोड़ कोई राज़ नहीं है।

नगर निकाय चुनाव में भी प्रचार पूरी तरह से बीजेपी और ओवैसी पर ही केन्द्रित दिखा। इस लिहाज से टीआरएस का हाल भी कांग्रेस जैसा रहा। टीआरएस भले सबसे बड़ी पार्टी बन कर उभरी, लेकिन 99 से गिरकर 55 पर अटकना उसके लिए बड़ा झटका है। नगर निकाय की सत्ता के लिए चंद्रशेखर राव को अब प्रत्यक्ष रूप से ओवैसी के भरोसे रहना होगा।

चार साल पहले एआईएमआईएम की जीत का आंकड़ा 44 था, जो इस बार भी बरकरार रहा। बीजेपी की आंधी भी ओवैसी को अपनी जमीन से नहीं हिला सकी है और यही इस चुनाव की दूसरी बड़ी बात है। बेशक ओवैसी की जीत को मुस्लिम-बहुल इलाकों तक सीमित बताकर तवज्जो के तराजू में उनकी हैसियत को कितना भी कमतर किया जाए, लेकिन अगर यह सच भी है, तो फिर यह मानने में भी गुरेज नहीं करना चाहिए कि ओवैसी इस देश में मुसलमानों की नई उम्मीद बन चुके हैं। पिछले साल विधानसभा चुनाव में दो सीट जीतकर ओवैसी महाराष्ट्र में पहले ही घुसपैठ कर चुके हैं। बिहार में तो महागठबंधन के खेमे में जा रही सत्ता दोबारा एनडीए के पास लौटी तो उसकी वजह भी ओवैसी ही रहे। एआईएमआईएम ने पांच सीटें तो जीती हीं, सीमांचल की कम-से-कम 15 सीटों पर महागठबंधन की हार तय करने का काम किया। इनमें से कुछ सीटें तो ऐसी थीं, जो पिछले डेढ़ दशक से आरजेडी और कांग्रेस की 'वफादार' थीं।

इस जीत के बाद ही ओवैसी का बिहार से एक और कनेक्शन जोड़ कर देखा जा रहा है, जो दरअसल हैदराबाद के नतीजों की दूसरी बड़ी बात को आधार भी देता है। ओवैसी अब बिहार के बड़े मुस्लिम नेता रहे शहाबुद्दीन की जगह को भरते दिख रहे हैं, जो नरसिम्हा राव के प्रधानमंत्रित्व काल के बाद से खाली पड़ी है। सीएए-एनआरसी पर ओवैसी की तकरीरें देश भर के मुसलमानों को उनके करीब लाती है। उन्हें भी जो अब तक 'सेक्यूलर' दलों की छत्रछाया में खुद को सुरक्षित महसूस करते रहे हैं। चुनाव-दर-चुनाव ओवैसी के बढ़ते कदम बता रहे हैं कि बड़ी तादाद में अब ऐसे मुसलमानों की राहें भी ओवैसी की ओर मुड़ चुकी हैं।

तो क्या ओवैसी अपने मजबूत मुस्लिम वोट बैंक के साथ देश की राजनीति में प्रमुख विपक्ष बनने की राह पर भी हैं, जो हैदराबाद चुनाव से निकली तीसरी बड़ी बात का इशारा है। बेशक अभी यह दावा जल्दबाजी हो, लेकिन इसकी परीक्षा के लिए हमें ज्यादा इंतजार नहीं करना होगा। अगले साल पश्चिम बंगाल के चुनाव में इसका मजबूत संकेत मिल भी जाएगा। पश्चिम बंगाल में करीब 30 फीसद मुस्लिम वोटर हैं, जो अब तक ममता की सबसे बड़ी ताकत साबित होते आए हैं। बेशक इस चुनाव में राज्य भर के वोटर तृणमूल पर 'ममता' दिखाना नहीं छोड़ेंगे, लेकिन बिहार के नतीजों के बाद सीमांचल से जुड़े पश्चिम बंगाल के इलाकों में पाला बदलने का खतरा तो बढ़ ही गया है।

यह मानने में भी गुरेज नहीं करना चाहिए कि ओवैसी इस देश में मुसलमानों की नई उम्मीद बन चुके हैं।

पश्चिम बंगाल में ओवैसी ने ममता बनर्जी को हाथ मिलाने का पैगाम भी दिया था, लेकिन ममता ने फिलहाल उसे ठुकरा दिया है। नगर निकाय चुनाव में ओवैसी की इसी तरह की पेशकश पर टीआरएस का रुख भी ऐसा ही रहा था। ममता हो या टीआरएस, साथ आने की पेशकश रखकर ओवैसी दरअसल देश को यह संदेश दे रहे हैं कि वो बीजेपी को टक्कर देने वाली ताकत बनना चाहते हैं। आने वाले दिनों में ओवैसी उत्तर प्रदेश में यही दांव एसपी-बीएसपी पर आजमा सकते हैं, जो अब तक मुख्य विपक्षी दल का दर्जा रखने वाली कांग्रेस को और कमजोर कर सकता है।

हैदराबाद चुनाव की चौथी बड़ी बात यह निकलकर आती है कि ओवैसी की दौड़ जितनी लंबी होगी, बीजेपी का 'सियासी अश्वमेध' भी उतना ही मजबूत होता जाएगा। दरअसल अपनी सियासी जमीन बढ़ाने के लिए ओवैसी हर नए राज्य में उस दल से हाथ मिलाना चाहेंगे, जो बीजेपी के खिलाफ हो। अगर यह रणनीति कामयाब होती है, तो ध्रुवीकरण का सीधा फायदा बीजेपी को मिलेगा। और अगर गठबंधन का दांव काम नहीं करता है, तो भी बीजेपी को इस लिहाज से फायदा होगा कि क्षेत्रीय दलों का मुस्लिम वोट बैंक ओवैसी के साथ जा सकता है, जिससे किसी भी बाकी दल के लिए जीत आसान नहीं रह जाएगी। हैदराबाद में नगर निकाय चुनाव में जो टीआरएस के साथ हुआ, वो दरअसल आने वाले दिनों में विधानसभा और लोकसभा के चुनाव में बाकी क्षेत्रीय दलों के साथ भी हो सकता है।

ओवैसी की दौड़ जितनी लंबी होगी, बीजेपी का 'सियासी अश्वमेध' भी उतना ही मजबूत होता जाएगा।

सियासत का यह ट्रेंड बेशक कुछ दलों के लिए कारगर हो, लेकिन क्या यही बात देश के लिए कही जा सकती है? समाज के दो तबकों की विचारधारा की सियासी जंग कहीं लोकतंत्र के लिए खतरा तो नहीं है? क्या यह तथाकथित 'सेक्युलर' दलों के लिए ठहरकर अपनी नीतियों को दुरुस्त करने का वक्त नहीं है? इतने सवालों में एक सवाल और जोड़ लेने में कोई हर्ज नहीं कि क्या आप अब भी हैदराबाद निकाय के चुनाव को छोटा चुनाव कहकर खारिज कर सकते हैं?

(राष्ट्रीय सहारा, 6 दिसंबर, 2020)

109

किसान, सरकार और समाधान

ऐसा भी नहीं है कि खेती-किसानी के पारंपरिक ढांचे में बदलाव की कोशिश देश में पहली बार हुई हो। यूपीए सरकार के दौरान भी इसी तरह के कृषि सुधार लागू करने पर विचार हुआ था। उससे भी पहले साल 2003 में एनडीए के शासनकाल में कृषि सुधार विधेयक का एक मॉडल मसौदा राज्यों को भेजा गया था। लेकिन राजनीतिक इच्छाशक्ति की कमी रही या कोई और वजह, वो तमाम कोशिशें रंग नहीं ला सकीं। तो क्या मोदी सरकार सिर्फ इसलिए कटघरे में है, क्योंकि उसने कृषि में सुधार को लेकर नई लकीर खींची है?

कृषि कानूनों को लेकर किसानों का आंदोलन अब आर-पार का हो चला है। आंदोलन के तीसरे हफ्ते में अब ऐसा लग रहा है कि किसानों का सब्र जवाब देने लगा है। किसानों ने अगले कुछ दिनों में अलग-अलग तरह से विरोध जताने के कार्यक्रम तय किए हैं और 14 दिसंबर को फिर से राष्ट्रव्यापी बंद बुलाया है। सरकार किसानों की मांगों के हिसाब से कानूनों में बार-बार संशोधन की बात कह रही है, लेकिन किसान संशोधन नहीं, तीनों कानूनों की वापसी को लेकर मैदान में डटे हैं। ऐसे में सरकार से वार्ता के बीच अगले चरण के विरोध की घोषणा को लेकर आंदोलन की व्यावहारिकता पर सवाल भी उठने शुरू हो गए हैं।

पहला सवाल तो यही उठ रहा है कि कृषि कानूनों की वापसी की मांग कितनी व्यावहारिक है?

दिन बीतने के साथ जैसे-जैसे आंदोलन तेज हो रहा है, वैसे ही इन सवालों की फेहरिस्त भी लंबी होती जा रही है। पहला सवाल तो यही उठ रहा है कि कृषि कानूनों की वापसी की मांग कितनी व्यावहारिक है? वो भी तब जब सरकार किसानों की हर शंका के समाधान के लिए तैयार है। एमएसपी, मंडियां, कॉरपोरेट फार्मिंग, यहां तक की पराली, बिजली और सुनवाई को लेकर भी सरकार ने किसानों के हित में कदम खींचने के स्पष्ट संकेत दिए हैं। किसान सबसे ज्यादा जोर जिस एमएसपी पर दे रहे थे, उसका फायदा तो देश के केवल छह फीसद किसानों को ही मिल रहा है, इसके बावजूद सरकार इसे कानून के दायरे में लाने के लिए सैद्धांतिक रूप से सहमत दिख रही है। हालांकि इसमें एक बहुत बड़ा पेंच है, जो आने वाले समय में समूचे कृषि जगत में अफरा-तफरी की वजह बन सकता है। इसके आर्थिक पक्ष पर तो खूब बहस हो रही है, लेकिन यह बात कम ही चर्चा में आई है कि जब कानून बन जाएगा, तब एमएसपी से नीचे फसलों की खरीद अपराध होगा, लेकिन फिर सरकार निजी व्यापारियों को फसल खरीदने के लिए मजबूर भी नहीं कर पाएगी। व्यापारी फसल नहीं खरीदेंगे, तो सरकार पर फसल खरीदने का दबाव पड़ेगा। ऐसे में सरकार की कमाई का बड़ा हिस्सा फसल खरीदने पर खर्च होगा, जिसका असर विकास की दूसरी योजनाओं पर पड़ेगा। एमएसपी को लेकर सरकार से दो-दो हाथ करने पर आमादा किसान भी जानते हैं

कि कानून बन जाने पर भी 40 फीसद से ज्यादा किसानों के लिए खाद पर सब्सिडी, किसान सम्मान निधि जैसी दूसरी रियायतों की जरूरत पड़ती रहेगी।

यह भी दिलचस्प विषय है कि जो विपक्षी दल आज आंदोलन के हिमायती बने हुए हैं, अपने कार्यकाल में वो खुद इन सुधारों पर अमल करने की तैयारी कर रहे थे। इस लिहाज से कांग्रेस, एनसीपी से लेकर आम आदमी पार्टी सभी कटघरे में हैं। देश के सियासी दलों का विरोध तो फिर भी घरेलू राजनीति की मजबूरी समझा जा सकता है, लेकिन इस विषय में ब्रिटेन और कनाडा के प्रधानमंत्रियों की टिप्पणियां आपत्तिजनक हैं। भारत के आंतरिक मुद्दों में दखल देकर बोरिस जॉन्सन और जस्टिन टूडो की अपने-अपने देश में लोकप्रियता और अंतरराष्ट्रीय स्तर पर चर्चा में आने की कोशिश को निंदनीय ही कहा जाएगा। अच्छी बात यह रही है, कि इस 'विदेशी दखल' की निंदा करने में विपक्ष भी देश की सरकार के साथ खड़ा दिखा है।

इस लिहाज से कांग्रेस, एनसीपी से लेकर आम आदमी पार्टी सभी कटघरे में हैं।

खैर जॉन्सन और टूडो की राजनीति एक तरफ, लेकिन जाने-अनजाने इस आंदोलन का एक अंतरराष्ट्रीय एंगल तो बना ही हुआ है। हमारे देश में सरकार जिन फसलों पर एमएसपी देती है, उसे अंतरराष्ट्रीय बाजार में सब्सिडी की नजर से देखा जाता है। अंतरराष्ट्रीय नियमों के हिसाब से कोई भी देश अपनी कृषि जीडीपी के 10 फीसद हिस्से से ज्यादा सब्सिडी नहीं दे सकता। किसानों को आर्थिक सहूलियत देने के फेर में हम इस नियम की अवहेलना करते हैं, जिससे अंतरराष्ट्रीय बाजार में हमारे गेहूं-चावल महंगे साबित होते हैं और हम डब्ल्यूटीओ में अपनी उपज का बेहतर मोल-भाव नहीं कर पाते। इससे हमारा निर्यात प्रभावित होता है और काफी फसल हमारे गोदामों में ही पड़ी-पड़ी खराब हो जाती है। कृषि लागत एवं मूल्य आयोग (सीएसीपी) की रिपोर्ट बताती है कि एफसीआई के गोदामों में हमारी जरूरत से 33 मिलियन टन से भी ज्यादा गेहूं-चावल बचा रह जाता है। प्रतिस्पर्धी दामों में अगर यह उपज खुले बाजार में आती है, तो जाहिर है इसका फायदा किसानों को ही मिलेगा। गेहूं-चावल की इस बंपर उपज का ज्यादातर हिस्सा पंजाब-हरियाणा के खेत-खलिहानों से ही आता है। तो ऐसे में क्या वहां की राज्य सरकारों की

जिम्मेदारी नहीं बनती कि वो अपने राज्य के किसानों को बाजार की मांग के अनुरूप दूसरी फसलें भी लगाने के लिए प्रोत्साहित करें?

नए कानून लाने के पीछे मकसद भारतीय कृषि में बरसों से चली आ रही इसी तरह की अव्यवस्था को दूर कर उसे किसानों के लिए फायदेमंद बनाना है। संभवतः इसी रणनीति के तहत मोदी सरकार ने साल 2022 तक किसानों की आय दोगुनी करने का वादा भी किया है। ऐसा भी नहीं है कि खेती-किसानी के पारंपरिक ढांचे में बदलाव की कोशिश देश में पहली बार हुई हो। यूपीए सरकार के दौरान भी इसी तरह के कृषि सुधार लागू करने पर विचार हुआ था। उससे भी पहले साल 2003 में एनडीए के शासनकाल में कृषि सुधार विधेयक का एक मॉडल मसौदा राज्यों को भेजा गया था। लेकिन राजनीतिक इच्छाशक्ति की कमी रही या कोई और वजह, वो तमाम कोशिशें रंग नहीं ला सकीं। तो क्या मोदी सरकार सिर्फ इसलिए कटघरे में है, क्योंकि उसने कृषि में सुधार को लेकर नई लकीर खींची है?

प्रतिस्पर्धी दामों में अगर यह उपज खुले बाजार में आती है, तो जाहिर है इसका फायदा किसानों को ही मिलेगा।

अपने भविष्य को लेकर किसान जिस तरह से लामबंद हो रहे हैं, वो दरअसल इस बात का भी इशारा है कि हम आगे तो बढ़ना चाहते हैं, लेकिन अपनी पुरानी मानसिकता से पीछा छुड़ाने के लिए तैयार नहीं है। अगर याद कर सकते हैं, तो 90 के दशक के शुरुआती साल याद कीजिए। साल 1991 में जब नरसिम्हाराव सरकार के दौरान आर्थिक सुधार लाए गए थे, तब भी देश के भविष्य का डर दिखाकर उसका विरोध किया गया था। लेकिन तीन दशक बाद इकोनॉमिक ग्रोथ से लेकर गरीबी दूर करने में यह सुधार कितने बड़े गेमचेंजर साबित हुए, यह कोई राज की बात नहीं रह गई है। हाल के दिनों में ही नोटबंदी, जीएसटी, एनआरसी, सीएए जैसे तमाम सुधारों को लेकर हुआ विरोध बताता है कि आज भी भारत में किसी तरह का बदलाव आसान नहीं है।

बदलाव के विरोध की यह मानसिकता बेशक दशकों पुरानी हो, लेकिन हम देख रहे हैं कि विरोध की जिद नई संस्कृति को जन्म दे रही है। आए-दिन अपनी मांग के समर्थन या सरकार के विरोध में जिस तरह संसद से सड़क

को ठप करने की कोशिश होती है, उसे बिल्कुल जायज नहीं ठहराया जा सकता। दुर्भाग्यवश किसानों के आंदोलन में भी कई जगहों से ऐसी तस्वीरें सामने आई हैं। क्या यह बेहतर नहीं होगा कि सरकार और किसान आपसी तालमेल दिखाकर इस समस्या का हल निकालें। भले ही सरकार की नीयत शंका से परे हो, उसका इरादा किसानों को उद्यमी बनाने का हो, ताकि उन्हें अपनी उपज का अच्छा दाम मिल सके, बेशक सरकार निजी निवेश को इसलिए प्रोत्साहित करना चाहती हो ताकि ग्रामीण इलाकों में ज्यादा-से-ज्यादा एग्रो इंडस्ट्रीज लग सके, लेकिन किसानों को भरोसे में लेने की जिम्मेदारी भी सरकार की है। राहत की बात यह है कि छह दौर की बातचीत में भी बात नहीं बनने के बावजूद सरकार अब तक अपनी जिम्मेदारी से पीछे नहीं हटी है। उम्मीद करनी चाहिए कि दोनों पक्षों के बीच इस बात का अहसास बना रहे कि संवाद कायम रहेगा तभी समाधान निकलेगा।

राहत की बात यह है कि छह दौर की बातचीत में भी बात नहीं बनने के बावजूद सरकार अब तक अपनी जिम्मेदारी से पीछे नहीं हटी है।

(राष्ट्रीय सहारा, 12 दिसंबर, 2020)

110

वैक्सीन पर लड़ाई, भारत ने राह दिखाई

चीन की सौदेबाजी और अमीर देशों की खेमेबाजी के बीच भारत दुनिया की उम्मीदों का केन्द्र बना है। उम्मीद की जानी चाहिए कि शुरुआती लापरवाहियों के बावजूद कोरोना से लड़ाई के इन निर्णायक क्षणों में डब्ल्यूएचओ भी भारत से सीख लेकर अपनी जिम्मेदारियों को समझेगा। हालांकि डब्ल्यूएचओ ने 'कोवैक्स' नाम के अपने वैश्विक वैक्सीन कार्यक्रम के जरिए 189 देशों में कोविड वैक्सीन के समानुपातिक बंटवारे की अपील की है, लेकिन इतने भर से काम नहीं चलेगा।

दुनिया में कोरोना वायरस का संक्रमण शुरू हुए अब एक साल से ज्यादा वक्त बीत गया है। इस एक साल में लगभग हर देश ने कोरोना के दंश को झेला, लाखों जिंदगियों को गंवाया और कभी न भुलाए जा सकने वाले दर्द के अनगिनत किस्सों को जिंदगी का हिस्सा बना लिया। क्या अमीर, क्या गरीब, क्या गोरा, क्या काला, क्या जवान, क्या उम्रदराज–कोरोना वायरस ने बिना भेदभाव के घाव दिया। लेकिन जो दर्द दुनिया को साथ लाया, उसका इलाज अब दुनिया को बांट रहा है। मर्ज पकड़ में आने के बाद मानवता का फर्ज भुलाया जा रहा है, बेमानी तर्क अमीर-गरीब के फर्क पर भारी पड़ रहे हैं।

> *यह एक तरह से समूची मानवता को बचाने की मुहिम का आगाज है।*

मंगलवार से इंग्लैंड में कोरोना वैक्सीन लगने का काम शुरू होना दुनिया के लिए यकीनन बड़ी राहत लेकर आया है। यह एक तरह से समूची मानवता को बचाने की मुहिम का आगाज है, बाकी देशों की इस उम्मीद की बुनियाद है कि आज नहीं तो कल, अब बहुत जल्द उसका नंबर भी आएगा। लेकिन इस मुहिम पर बेहद करीब से नजर रख रहे एक संगठन के दावे ने इस उम्मीद को तोड़ दिया है। पीपुल्स वैक्सीन अलायंस नाम के इस संगठन ने चिंता जताई है कि वैक्सीन भले अभी आई हो, लेकिन इस पर कब्जा जमाने की होड़ में अमीर देश काफी आगे निकल चुके हैं और हो सकता है कि गरीब देशों तक यह वैक्सीन अगले साल के अंत तक भी न पहुंचे। जब ऐसा होगा, तब भी इस बात का अंदेशा रहेगा कि 10 में से केवल एक गरीब देश को यह वैक्सीन मिल पाएगी। ऐसे देशों की संख्या 70 के आसपास हो सकती है। यानी इन 70 में से 63 देश ऐसे हो सकते हैं, जहां कोरोना के खौफ से गरीब जिंदगियां अगले साल तक भी पटरी पर नहीं लौट पाएंगी। चौंकाने वाले इस खुलासे को जिस संगठन ने किया है वो फ्रंटलाइन एड्स, ग्लोबल जस्टिस, एमनेस्टी इंटरनेशनल और ऑक्सफॉम जैसी नामी संस्थाओं से मिलकर बना है, इसलिए इस दावे को बेहद गंभीरता से लिया गया है। कुछ आंकड़े तो बेहद हैरान करने वाले हैं जैसे कि सबसे कारगर समझी जाने वाली फाइजर/बायोएनटेक वैक्सीन की 96 फीसद खेप पहले ही पश्चिमी देशों के हिस्से में जा चुकी हैं। 95 फीसद असरदार मानी जा रही मॉडर्ना वैक्सीन का

भी यही हाल है। इन वैक्सीनों की कुल 53 फीसद खपत को तो दुनिया के केवल 14 अमीर देश पहले ही अपने हिस्से में कर चुके हैं। कनाडा ने तो वैक्सीन का इतना जमावड़ा कर लिया है कि जो वैक्सीन अब शायद गरीब देशों तक कभी नहीं पहुंच पाएगी, अपने हर नागरिक को वो ऐसे पांच डोज दे सकता है। विडंबना देखिए कि गरीब देश कितने भी हाथ-पैर मार लें, फिर भी वो कोरोना की काट समझी जा रही इन दोनों वैक्सीन्स को हासिल नहीं कर पाएंगे, क्योंकि एक तो अब इसका बड़ा हिस्सा अमीर देशों के गोदामों में पहुंच गया है, फिर दोनों वैक्सीन काफी महंगी भी हैं और इनकी मारक क्षमता को बनाए रखने के लिए जरूरी माइनस 70 डिग्री तापमान वाली अधोसंरचना विकसित करने में ही कई गरीब देशों का दिवाला निकल जाएगा।

स्वास्थ्य मंत्रालय इतनी जल्दी कोल्ड चेन की क्षमता बढ़ाने के काम को बेहद चुनौतीपूर्ण मानकर चल रहा है।

दूसरे देशों की क्या बात करें, हमारे यहां भी फाइजर के इस्तेमाल को इजाजत मिलना मुश्किल दिख रहा है, क्योंकि स्वास्थ्य मंत्रालय इतनी जल्दी कोल्ड चेन की क्षमता बढ़ाने के काम को बेहद चुनौतीपूर्ण मानकर चल रहा है। लेकिन बाकी 70 देशों की तरह 135 करोड़ की हमारी आबादी को परेशान नहीं होना पड़ेगा, क्योंकि हमारी सरकार ने समय रहते जो कदम उठाए, उससे हम वैक्सीन के मामले में न केवल आत्मनिर्भर हो गए हैं, बल्कि दुनिया की उम्मीद का केन्द्र भी बन गए हैं। भारतीय दवा कंपनियां एक-दो नहीं, बल्कि एस्ट्राजेनेका की कोविशील्ड जैसी आठ ऐसी वैक्सीन तैयार कर रही हैं, जो महंगी भी नहीं हैं और ट्रायल में इनके नतीजे भी उत्साहजनक हैं।

सीरम इंस्टीट्यूट ऑफ इंडिया ने एस्ट्राजेनेका की 5 करोड़ डोज तैयार कर ली है, जो कोरोना वैक्सीन के लिहाज दुनिया की किसी भी दवा उत्पादक कंपनी से बहुत ज्यादा है। शायद इसीलिए ऑस्ट्रेलिया के बैरी ओ फैरेल समेत कई विदेशी राजनयिक यह कहने के लिए मजबूर हुए हैं कि वैक्सीन तो कई देश बना रहे हैं, लेकिन दुनिया की जरूरत केवल भारत ही पूरी कर सकता है। हमारे वैज्ञानिकों के साथ इसका काफी श्रेय प्रधानमंत्री नरेन्द्र मोदी की सक्रियता को भी जाता है, जिन्होंने एक तरफ वैक्सीन बना रहे संस्थानों का

दौरा कर इस चुनौतीपूर्ण समय में वैज्ञानिकों की हौसलाअफजाई की है, तो दूसरी तरफ सभी मुख्यमंत्रियों से मुलाकात और सर्वदलीय बैठक कर कोरोना से लड़ने में राजनैतिक सहमति बनाने की रणनीतिक सफलता भी हासिल की है। इस कवायद के बाद प्रधानमंत्री ने इशारा भी किया है कि भारत बहुत जल्द मोबाइल तकनीक से दुनिया का सबसे बड़ा कोविड टीकाकरण शुरू करेगा। इसके लिए बस ड्रग कंट्रोलर ऑफ इंडिया की सहमति मिलने का इंतजार है और उम्मीद है कि इस टीकाकरण के पहले चरण में ही 30 करोड़ बुजुर्गों, गंभीर बीमारी वाले लोगों और कोरोना वॉरियर्स को जीवनरक्षक डोज मिल जाएगा।

इस लिहाज से हम अमेरिका से एक कदम आगे हैं, जहां नव-निर्वाचित राष्ट्रपति जो बाइडेन ने सरकार गठन के पहले 100 दिनों में 100 मिलियन अमेरिकियों यानी 10 करोड़ लोगों को टीकाकरण का वादा किया हुआ है। अमेरिका कोरोना से सबसे बुरी तरह प्रभावित रहा है और वहां मौत का आंकड़ा तीन लाख को पार कर गया है। इसके बावजूद अमेरिकियों को वैक्सीन के उपयोग के लिए खाद्य एवं दवा प्रशासन (एफडीए) की औपचारिक मंजूरी का इंतजार है। हालांकि एफडीए की एक सलाहकार समिति ने आपातकालीन परिस्थितियों में फाइजर/बायोएनटेक वैक्सीन के इस्तेमाल की इजाजत दे दी है।

इस कवायद के बाद प्रधानमंत्री ने इशारा भी किया है कि भारत बहुत जल्द मोबाइल तकनीक से दुनिया का सबसे बड़ा कोविड टीकाकरण शुरू करेगा।

इस सबके बीच चीन ऐसे समय में भी चालबाजी से बाज नहीं आ रहा है। दुनिया में 'मौत का मर्ज' बांटने के बाद अब चीन उसके इलाज में भी सौदेबाजी कर रहा है। जिस तरह कोरोना का फैलाव आज तक रहस्य बना हुआ है, उसी तरह चीन ने किस तरह कोरोना पर लगाम और वैक्सीन का इंतजाम किया, यह भी राज की बात है। ऐसी खबरें हैं कि चीन ने साइनोवैक वैक्सीन विकसित की है, जिसका चीनी जनता पर जुलाई से ट्रायल किया जा रहा है। इसके नतीजे असरकार ही कहे जाएंगे, क्योंकि शनिवार तक डब्ल्यूएचओ के डैशबोर्ड पर चीन कोरोना संक्रमण के मामलों में 79वें नंबर पर पहुंच गया है। इस वैक्सीन की खासियत यह बताई जा रही है कि ऑक्सफोर्ड वैक्सीन की

तरह इसे भी सामान्य तापमान पर स्टोर किया जा सकता है, यानी अमीर-गरीब की लड़ाई में चीन इसे विकासशील देशों में पहुंचाकर कमाई भी कर सकता है और कोरोना फैलाने के 'पाप' से हाथ भी धो सकता है। चीन ठीक ऐसा ही कर भी रहा है। उसने इंडोनेशिया तक अपनी डोज पहुंचा दी है और तुर्की, ब्राजील, चिली जैसे देशों के साथ डील भी कर ली है। वैक्सीन की सौदेबाजी को चैरिटी की शक्ल देने के लिए चीन अफ्रीका महाद्वीप को दो अरब डॉलर और लैटिन अमेरिका एवं कैरिबियाई देशों को एक अरब डॉलर का कर्ज भी दे रहा है।

> *डब्ल्यूएचओ के डैशबोर्ड पर चीन कोरोना संक्रमण के मामलों में 79वें नंबर पर पहुंच गया है।*

बहरहाल, चीन की सौदेबाजी और अमीर देशों की खेमेबाजी के बीच भारत दुनिया की उम्मीदों का केन्द्र बना है। उम्मीद की जानी चाहिए कि शुरुआती लापरवाहियों के बावजूद कोरोना से लड़ाई के इन निर्णायक क्षणों में डब्ल्यूएचओ भी भारत से सीख लेकर अपनी जिम्मेदारियों को समझेगा। हालांकि डब्ल्यूएचओ ने 'कोवैक्स' नाम के अपने वैश्विक वैक्सीन कार्यक्रम के जरिए 189 देशों में कोविड वैक्सीन के समानुपातिक बंटवारे की अपील की है, लेकिन इतने भर से काम नहीं चलेगा। उसे वैक्सीन बना रही दवा कंपनियों को अपना फायदा पीछे रखकर लोगों की जिंदगी बचाने के लिए दवा का फॉर्मूला साझा करने के लिए तैयार करना होगा, जिससे कई देशों में एक साथ दुनिया की जरूरत के हिसाब से वैक्सीन तैयार की जा सके। दुनिया को भी समझना होगा कि मानवता को बचाने के इम्तिहान में एकता ही आखिरकार सबसे बड़ा रामबाण साबित होगा क्योंकि कोरोना पीड़ित एक भी शख्स का बचा रहना संक्रमण की नई चुनौती की गंभीर शुरुआत बन सकता है।

(राष्ट्रीय सहारा, 13 दिसंबर, 2020)

111

नई इमारत, नई इबारत

आजाद देश में 1952, 1957, 1962 और 1967 में लोकसभा और विधानसभा के चुनाव एक साथ हुए। लेकिन फिर 1968 और 1969 में कई विधानसभाओं और 1970 में लोकसभा को समय से पहले भंग कर दिए जाने से यह परम्परा ऐसी थमी कि आज तक नहीं शुरू हो पाई। उम्मीद की जानी चाहिए कि संसद की नई इमारत, इस दिशा में नई इबारत लिखने का काम करेगी। जिस तरह संसद का पुराना भवन आजादी के बाद के भारत को नई दिशा देने का माध्यम बना, उसी तरह नया भवन आत्मनिर्भर भारत के निर्माण का गवाह बने। कुल मिलाकर उम्मीद यही है कि स्वतंत्रता के 75वें वर्ष में संसद जब अपने नए भवन में कामकाज शुरू करे, तो एक नई ऊर्जा से ओत-प्रोत दिखे।

देश को स्वतंत्र हुए यूं तो सात दशक से ज्यादा वक्त गुजर चुका है, लेकिन आजाद देश में अब भी कुछ ऐसी परम्पराएं और प्रतीक बचे रह गए हैं, जो हमें गुलामी के दंश का अहसास करवाते रहते हैं। करीब सौ साल पहले बना संसद का पुराना भवन ऐसा ही एक प्रतीक है। लोकतंत्र की आस्था का सबसे बड़ा प्रतीक कहे जाने वाली हमारी संसद आज बेशक आजाद ख्याली के दम पर तरक्की कर रहे देश की नुमाइंदगी करती हो, फिर भी अंग्रेजों के दौर में हुए निर्माण की वजह से इसे अब तक गुलामी के साए से छुटकारा नहीं मिल पाया है। लेकिन मोदी सरकार ने संसद को अब इस पहचान से मुक्त करने का बीड़ा उठाया है। 10 दिसंबर को नए संसद भवन की आधारशिला रखकर प्रधानमंत्री नरेन्द्र मोदी ने एक मायने में भारत के संसदीय इतिहास में एक नए दौर की शुरुआत भी कर दी है।

10 दिसंबर को नए संसद भवन की आधारशिला रखकर प्रधानमंत्री नरेन्द्र मोदी ने एक मायने में भारत के संसदीय इतिहास में एक नए दौर की शुरुआत भी कर दी है।

सरकार को उम्मीद है कि संसद की नई इमारत केवल ईंट-पत्थर की नहीं, बल्कि नए भारत की 135 करोड़ आकांक्षाओं की नई इबारत लिखने का भी काम करेगी। हालांकि संसद भवन और उसके आसपास के चार किलोमीटर के क्षेत्र को बदलने जा रहे इस सेंट्रल विस्ता प्रोजेक्ट को लेकर फिजूलखर्ची के आरोपों जैसे विरोध के कुछ स्वर भी उठे हैं, जिससे मामला सुप्रीम कोर्ट तक पहुंच गया है। अदालत ने फैसला आने तक नई इमारत के निर्माण और पुराने भवन में तोड़फोड़ पर तो रोक लगाई है, लेकिन आधारशिला रखे जाने पर कोई बंदिश नहीं लगाई है। सरकार की दलील है कि जन-भावना ही नहीं, आने वाले वक्त की जरूरत के हिसाब से भी यह बदलाव जरूरी हो गया था। साल 2026 में अगला परिसीमन प्रस्तावित है। बढ़ी हुई आबादी के हिसाब से लोकसभा में जन-प्रतिनिधित्व का पैमाना भी बढ़ेगा और ऐसी संभावना है कि तब लोकसभा की सीटें मौजूदा 543 से बढ़कर 800 तक जा सकती हैं। इसी अनुपात में राज्यसभा की सीटों का इजाफा भी हो सकता है। यानी नई संसद को अपने जनप्रतिनिधियों के लिए करीब 150 फीसद तक की ज्यादा जगह की जरूरत पड़ सकती है। अभी तो हाल यह है कि दोनों सदनों की

संयुक्त बैठक बुलाने पर सेंट्रल हॉल में अतिरिक्त कुर्सियां लगा कर जैसे-तैसे काम चलाया जाता है। इसके साथ ही नए भवन में सुरक्षा, बिजली खपत और इको-फ्रेंडली जैसी नए दौर की बुनियादी जरूरतों का भी ध्यान रखा जाएगा।

बहरहाल, यह सब तो अधोसंरचना निर्माण से जुड़े विषय हैं, बड़ा सवाल तो मूल्यों के निर्माण का है, क्योंकि लोकतंत्र जब अपने भविष्य की ओर देखता है, तब मूल्यों की मजबूती ही उसकी सुरक्षा का भरोसा दे सकती है। यह बहस का विषय हो सकता है कि संसदीय जवाबदेही सुनिश्चित करने के मोर्चे पर हमारे जनप्रतिनिधियों ने अब तक आम चुनावों को छोड़कर दूसरा कौन-सा नया रास्ता तलाशा है? क्या यह अच्छा नहीं होगा कि नई इमारत के साथ ही संसद और जनप्रतिनिधियों की जवाबदेही पर नए सिरे से चर्चा शुरू की जाए? जब कार्यपालिका और न्यायपालिका से लेकर मतदाताओं तक हर स्तर पर जिम्मेदारी तय की जा रही है, तो संसद एवं सांसदों की उत्पादकता तय क्यों नहीं की जानी चाहिए? बेशक मोदी सरकार के कार्यकाल में संसद के संचालन में सुखद बदलाव आया है। कोविड महामारी के दौर में हुए मानसून सत्र में तो सदन की कार्य उत्पादकता 167 फीसद रही। हमारे संसदीय इतिहास में ऐसा पहले कभी नहीं हुआ, वरना तो संसद में शोर-शराबा और एक-के-बाद-एक बेनतीजा सत्र की पुरानी परिपाटी रही है। दो दिन तक सदन मध्य रात्रि तक काम करता रहा और इस सबका नतीजा ये निकला कि मात्र दस दिन के सत्र में 25 विधेयक पारित हो गए। करीब 99 फीसद विषयों के जवाब देकर सरकार ने भी अपनी जिम्मेदारी बखूबी निभाई। लेकिन अब सरकार की जिम्मेदारी बढ़ गई है, क्योंकि कामकाज का यह सिलसिला केवल एक सत्र तक सीमित होकर नहीं रहना चाहिए।

इसके साथ ही नए भवन में सुरक्षा, बिजली खपत और इको-फ्रेंडली जैसी नए दौर की बुनियादी जरूरतों का भी ध्यान रखा जाएगा।

जब नई संसद अपना कामकाज शुरू करेगी तो सरकार से इसी तरह की अपेक्षाएं चुनाव सुधार को लेकर भी रहेंगी। देश के राजनीतिक तंत्र पर अक्सर यह आरोप लगता है कि कोई भी सरकार वास्तव में चुनाव सुधार नहीं चाहती। नब्बे के दशक में जो चुनाव सुधार हुए, उसका बड़ा क्रेडिट

भी तत्कालीन मुख्य चुनाव आयुक्त टीएन शेषन को जाता है। शेषन की ही तरह मुख्य चुनाव आयुक्त रह चुके सुनील अरोड़ा भी सख्त छवि और प्रशासनिक कौशल के लिए जाने गए। हालांकि मोदी सरकार ने इस मोर्चे पर भी पुरानी परिपाटी को बदला है। चुनावों में संदिग्ध लेन-देन को रोकने के लिए इलेक्टोरल फंडिंग जैसे सुधार हो या काले धन पर लगाम के लिए एंटी-मनी लॉन्ड्रिंग वाला कानून, सरकार ने इस दिशा में हालात सुधारने की इच्छाशक्ति तो दिखाई है। नोटबंदी के पीछे भी मंशा काले धन को रोकने की ही थी, लेकिन अर्थव्यवस्था की चुनौती के बीच यह मकसद अपनी अपेक्षाओं के मुताबिक जमीन पर नहीं उतर पाया। राजनीति को दागियों और अपराधी तत्वों से मुक्त करने का अभियान भी फिलहाल लक्ष्य से काफी दूर दिखता है।

कुछ इसी तरह का हाल वन नेशन, वन इलेक्शन का दिखता है। हालांकि यह मुद्दा मोदी सरकार के महत्त्वाकांक्षी प्रोजेक्ट में शामिल है। प्रधानमंत्री नरेन्द्र मोदी खुद इस विषय को काफी प्राथमिकता देते हैं, यहां तक कि लॉ कमीशन भी 2015 की अपनी रिपोर्ट में कह चुका है कि लोकसभा और विधानसभा के चुनाव एक साथ कराए जाते हैं, तो इससे करोड़ों रुपये बचाए जा सकते हैं। 1952 में जब देश का पहला लोकसभा चुनाव हुआ तब चुनावी खर्च 10.52 करोड़ रुपये रहा था, 2014 तक आते-आते यह आंकड़ा 3,870 करोड़ रुपये तक पहुंच गया यानी करीब 380 गुना की वृद्धि। इसके अलावा बार-बार लगने वाली चुनाव आचार संहिता से देश विकास कार्यों के मोर्चे पर जो पिछड़ता है, वो अलग। व्यावहारिक रूप से यह इसलिए भी चुनौतीपूर्ण दिखता है, क्योंकि देश में हर साल विधानसभा चुनावों का औसत पांच राज्यों का बैठता है। साल 2021 में ही जनवरी से जून के बीच छह राज्यों में चुनाव होने हैं। ऐसे में अगर सरकार लोकसभा एवं विधानसभाओं के चुनाव में एकरूपता लाने में कामयाब हो जाती है, तो यह राजनीतिक तंत्र ही नहीं, बल्कि देश के भविष्य के लिए भी बड़े उत्सव का विषय होगा। वैसे यह जानकारी दिलचस्प हो सकती है कि आजाद देश में 1952, 1957, 1962 और 1967 में लोकसभा और विधानसभा के

राजनीति को दागियों और अपराधी तत्वों से मुक्त करने का अभियान भी फिलहाल लक्ष्य से काफी दूर दिखता है।

चुनाव एक साथ हुए। लेकिन फिर 1968 और 1969 में कई विधानसभाओं और 1970 में लोकसभा को समय से पहले भंग कर दिए जाने से यह परम्परा ऐसी थमी कि आज तक नहीं शुरू हो पाई। उम्मीद की जानी चाहिए कि संसद की नई इमारत, इस दिशा में नई इबारत लिखने का काम करेगी। जिस तरह संसद का पुराना भवन आजादी के बाद के भारत को नई दिशा देने का माध्यम बना, उसी तरह नया भवन आत्मनिर्भर भारत के निर्माण का गवाह बने। कुल मिलाकर उम्मीद यही है कि स्वतंत्रता के 75वें वर्ष में संसद जब अपने नए भवन में कामकाज शुरू करे, तो एक नई ऊर्जा से ओत-प्रोत दिखे।

(राष्ट्रीय सहारा, 23 दिसंबर, 2020)

112

संवाद से सुलझेगा विवाद

कुल मिलाकर मकसद किसानों के जीवन को समृद्ध बनाने का होना चाहिए, जिसकी ओर प्रधानमंत्री नरेन्द्र मोदी इशारा भी करते रहे हैं। प्रधानमंत्री की इस सोच पर कौन ऐतराज करेगा कि भारत का किसान अब और पिछड़ेपन में नहीं रह सकता। सवाल इस सोच को अमल में लाने का है। सरकार दावा कर रही है कि नए कृषि कानून इस दिशा में अब तक उठाए गए कदमों का ही विस्तार हैं, लेकिन किसान इस दावे पर ऐतबार नहीं कर पा रहे हैं।

कृषि कानूनों को लेकर किसान संगठनों और सरकार के बीच गतिरोध लगातार जारी है। किसान संगठन कृषि से जुड़े तीनों नए कानूनों को वापस लेने की मांग पर अड़े हुए हैं, जबकि सरकार भी इन्हें वापस लेने के बजाय संशोधन करने के अपने रुख पर कायम है। मुश्किल यह है कि इससे कोई रास्ता निकल नहीं रहा है और आंदोलन अब अपने 25वें दिन में प्रवेश कर गया है। हर गुजरते दिन के साथ यह सवाल बड़ा होता जा रहा है कि आखिर सरकार और किसानों के बीच सुलह का रास्ता निकलेगा कैसे?

गृहमंत्री अमित शाह से लेकर कृषि मंत्री नरेन्द्र तोमर और सरकार के कई मंत्री किसानों से आंदोलन की राह छोड़कर बातचीत से मसला सुलझाने की अपील कर चुके हैं। सीधे-सीधे न सही, मगर प्रधानमंत्री नरेन्द्र मोदी भी कई सार्वजनिक मंचों से किसानों को मनाने का उपक्रम कर चुके हैं। लेकिन किसान टस-से-मस होने को तैयार नहीं हैं। सुप्रीम कोर्ट ने भी इस मामले में दखल देने से इनकार करते हुए सरकार और किसानों को बातचीत से हल निकालने का मशविरा दिया है।

यह सवाल बड़ा होता जा रहा है कि आखिर सरकार और किसानों के बीच सुलह का रास्ता निकलेगा कैसे?

लेकिन हल निकलेगा तब जब दोनों पक्ष अपने रुख से थोड़ा पीछे हटें और बीच का रास्ता निकालने की बुनियाद बनाएं। यकीनन इसकी जिम्मेदारी सरकार की है, लेकिन किसानों को भी समझना होगा कि 'सारी मांगें मनवाएंगे और ऐसा न होने तक डटे रहेंगे' वाला फॉर्मूला दुनिया के किसी सफल आंदोलन की बुनियाद नहीं बना है। वैसे बीच का रास्ता निकालने और किसानों की आशंकाएं दूर करने के लिए ही सरकार बार-बार कानूनों में संशोधन का प्रस्ताव दे रही है। जिस एमएसपी के मुद्दे पर किसानों को सबसे ज्यादा ऐतराज है, उस पर भी सरकार लिखित में आश्वासन देने को तैयार है। यह भी देखना होगा कि नए कानून को बने छह महीने से ज्यादा का वक्त बीत चुका है और एमएसपी की व्यवस्था उसी तरह जारी है जैसे कानून बनने से पहले थी। एमएसपी पर खरीद भी उन्हीं मंडियों से की जा रही है, जिनके बारे में कहा जा रहा है कि वो नए कानून आने के बाद खत्म हो जाएंगी।

ऐसा भी नहीं कहा जा सकता कि यह व्यवस्था केवल किसानों के गुस्से को शांत करने के लिए की जा रही है। मोदी सरकार के दोनों कार्यकालों का ट्रैक रिकॉर्ड देखें, तो पिछले छह साल में एमएसपी ही नहीं, खरीद का आंकड़ा भी कई गुना तक बढ़ चुका है। पहले गेहूं और धान पर ही एमएसपी मिलती थी, लेकिन मोदी सरकार ने दलहन और तिलहन को भी इसमें शामिल किया है। इसके साथ ही किसानों का मुनाफा बढ़ाने और खेती को आसान बनाने के लिए पीएम किसान सम्मान निधि, फसल बीमा, सॉयल हेल्थ कार्ड, नीम कोटिंग यूरिया जैसी तमाम योजनाएं शुरू की गई हैं। गोदामों और कोल्ड स्टोरेज की चेन को भी गांव-गांव तक पहुंचाने के लिए एक लाख करोड़ रुपये का फंड बनाया गया है। किसान हित में उठाए गए ऐसे कई कदमों का जिक्र कृषि मंत्री नरेन्द्र तोमर की किसानों को लिखी गई चिट्ठी में भी है।

अंतरराष्ट्रीय बाजार का हिस्सा होने की वजह से सरकार के सामने कुछ चुनौतियां भी हैं।

लेकिन अंतरराष्ट्रीय बाजार का हिस्सा होने की वजह से सरकार के सामने कुछ चुनौतियां भी हैं। जैसे एमएसपी की वजह से मक्का, सोयाबीन जैसी कुछ फसलों में स्थानीय खरीद की तुलना में आयात सस्ता पड़ता है। इससे पॉल्ट्री उद्योग और तेल मिलों का संचालन घाटे का सौदा बनता जा रहा है। सरकार की सोच है कि किसानों की आमदनी केवल एमएसपी के ही भरोसे क्यों रहे? क्यों नहीं भविष्य की जरूरतों के हिसाब से इसके लिए कुछ नए विकल्प भी आजमाए जाएं? जैसे अमेरिका में होता है, जहां सरकार वैल्यू एडिशन पर टैक्स लगाकर उसे सब्सिडी की शक्ल में वापस कृषि उद्योग को ही दे देती है।

दूसरी तरफ किसानों का नजरिया है, जिसकी बुनियाद में सालों-साल खेतों में बहाए गए खून-पसीने का जमीनी अनुभव है और जिसे महज 'सियासी छलावा' बताकर खारिज नहीं किया जा सकता। बेशक सरकार एमएसपी पर लुभावने आंकड़े पेश कर रही हो, लेकिन इसके भविष्य को लेकर किसानों का आक्रोश कम होने के बजाय बढ़ता जा रहा है। खासकर एमएसपी पर सरकार के लिखित आश्वासन वाले प्रस्ताव ने किसानों को और सशंकित कर दिया है। किसानों की चिंता इस बात को लेकर है कि अगर सरकार लिखित आश्वासन दे सकती है, तो उसे कानून में शामिल करने में क्यों आनाकानी कर रही है?

जिस तरह सरकार नए कानूनों के समर्थन में विपक्ष के घोषणापत्रों को ढाल बना रही है, उसी तरह किसान साल 2011 में एमएसपी को कानून बनाने की बीजेपी की मांग और आढ़तियों को किसानों का एटीएम बताने वाले दावे को आगे कर रहे हैं। किसानों की दलील है कि फसल के दाम केवल मांग-आपूर्ति के आसरे नहीं रहना चाहिए। महंगाई से आम आदमी को राहत देने के लिए सरकार कई कदम उठाती है, लेकिन उसका बोझ देश का किसान क्यों उठाए? आखिर सब्सिडी की व्यवस्था ऐसे हालात से निपटने के लिए ही तो शुरू की गई है।

सरकार केवल छह फीसद अनाज खरीदती है, बाकी 94 फीसद उपज आज भी बाजार में ही बिकने आती है।

नए कानूनों से देश में कहीं भी फसल बेचने की आजादी के सरकारी दावे पर भी किसानों का अपना तर्क है। किसानों का कहना है सरकार केवल छह फीसद अनाज खरीदती है, बाकी 94 फीसद उपज आज भी बाजार में ही बिकने आती है। इसलिए अगर सरकार का मकसद किसानों का फायदा करना ही है, तो वो एमएसपी को कानून बना दे, ताकि अगर व्यापारी उससे कम पर खरीदे तो उसे सजा का डर रहे। फिर किसानों को अपनी फसल बेचने के लिए न कहीं दूर जाने पड़ेगा, न मंडियों में आढ़तियों के भरोसे रहना पड़ेगा। किसानों को आशंका है कि नए कानून से जो व्यवस्था अमल में आएगी वो किसानों के नहीं, बल्कि एग्री बिजनेस के फायदे के लिए लाई जा रही है। किसानों की आय बढ़ाने के अमेरिकी मॉडल का समर्थन करने वाले सरकारी पक्ष की काट के लिए किसान भी उसी अमेरिकी मॉडल को आगे कर रहे हैं, जहां एग्री बिजनेस ने खेती पर कब्जा कर लिया है और पीढ़ियों से खेती कर रहे परिवार एक फीसद से कम रह गए हैं। भारत में साठ फीसद फैमिली किसान हैं, जिन्हें यह डर सता रहा है कि अगर अमेरिका जैसे हालात यहां बने तो उसका असर बड़ा दूरगामी हो सकता है।

लेकिन हमारे देश की किसानी के लिए किसी दूसरे देश का अनुभव मिसाल बने, इसके लिए न सरकारी तर्क व्यावहारिक दिखता है, न ही किसानों का डर वाजिब लगता है। क्यों नहीं इस मामले में हम स्वदेशी तजुर्बे से समस्या का निदान ढूंढ़ते हैं? केरल मॉडल की कामयाबी क्या किसी मिसाल से कम है?

मौजूदा गतिरोध में भी हमारे राज्य निर्णायक भूमिका निभा कर केन्द्र का बोझ हल्का कर सकते हैं। कृषि राज्य और केन्द्र सरकार दोनों का विषय होता है, इसलिए अगर राज्य अपने किसानों को सुविधा देंगे, तो उसे बाहर भटकने की जरूरत ही नहीं पड़ेगी। अगर राज्य बिचौलियों को खत्म कर देंगे, तो मंडियों में ही किसानों को कारोबार की आजादी मिल सकती है।

कुल मिलाकर मकसद किसानों के जीवन को समृद्ध बनाने का होना चाहिए, जिसकी ओर प्रधानमंत्री नरेन्द्र मोदी इशारा भी करते रहे हैं। प्रधानमंत्री की इस सोच पर कौन ऐतराज करेगा कि भारत का किसान अब और पिछड़ेपन में नहीं रह सकता। सवाल इस सोच को अमल में लाने का है। सरकार दावा कर रही है कि नए कृषि कानून इस दिशा में अब तक उठाए गए कदमों का ही विस्तार हैं, लेकिन किसान इस दावे पर ऐतबार नहीं कर पा रहे हैं। साफ तौर पर फर्क नजरिए का है, जो अलग-अलग खेमों में खड़े होकर नहीं, बल्कि साथ बैठकर बात करने से ही दूर होगा।

केरल मॉडल की कामयाबी क्या किसी मिसाल से कम है?

(राष्ट्रीय सहारा, 20 दिसंबर, 2020)

113

2020 : संदेश और सीख

कोरोना महामारी हो या आंदोलन तेज करने की किसानों की तैयारी, या फिर ऐसी ही कोई दूसरी दुश्वारी, 2020 का साल भारत ही नहीं, दुनिया की उम्मीदों पर भी भारी पड़ा है। हालांकि हमारे लिए यह गर्व की बात होनी चाहिए कि ऐसे चुनौतीपूर्ण समय में भी देश विश्व बंधुत्व और दुनिया की मदद करने की अपनी जिम्मेदारी से पीछे नहीं हटा। जून के महीने में जब कोरोना का तांडव अपने शिखर पर था, तब 'मन की बात' कार्यक्रम में प्रधानमंत्री नरेन्द्र मोदी की कही गई बात याद आती है, जो बीत रहे साल का सबक और आने वाले नए साल की सीख का काम कर सकती है।

जो तारीख दर्ज हो जाए वो इतिहास बन जाती है, जो भुला दी जाए वो गुमनाम याद रह जाती है। चंद दिनों बाद औपचारिक विदाई लेने जा रहे साल 2020 का हाल भी कुछ ऐसा ही है। याद रखने के लिए तो इतिहास बनाने-बिगड़ने की कई ऐसी बातें हैं जिन्हें कोई भूलना नहीं चाहेगा और भुलाने के लिए तमाम ऐसी रातें हैं, जिन्हें कोई याद भी रखना नहीं चाहेगा। जिस साल को सोशल मीडिया पर शौक-शौक में 20-20 का नाम दे दिया गया था, वो 20-20 मुकाबले के अंजाम की तरह ही शॉकिंग साबित होगा, यह किसने सोचा था। समूची दुनिया को एक अजीबोगरीब कशमकश में झूलता छोड़ कर यह एक पूरा साल आखिरकार हमसे विदा लेने जा रहा है।

भारत के लिहाज से कोरोना की सर्द दहशत से शुरू हुआ साल किसानों के आंदोलन की तपिश के साथ खत्म हो रहा है। पूरे साल को अगर चुनौतियों की इन दोनों सरहदों से बांध दिया जाए, तो बीच के हिस्से में बीसियों ऐसी घटनाएं याद आती हैं, जिन्होंने देश और समाज के तौर पर हमारे जज्बे को परखने का कड़ा इम्तिहान लिया और कई नए सबक सिखाए। इस सबके बीच देश की मोदी सरकार के सामने जनता की उम्मीदें पूरी करने की चुनौती रही, जिस पर खरा उतरने में वो काफी हद तक कामयाब भी रही।

जिस साल को सोशल मीडिया पर शौक-शौक में 20-20 का नाम दे दिया गया था, वो 20-20 मुकाबले के अंजाम की तरह ही शॉकिंग साबित होगा, यह किसने सोचा था।

कोरोना महामारी की जिस त्रासदी को दुनिया ने झेला, उससे हमारा देश भी अछूता नहीं रहा। साल के शुरुआती महीने जनवरी में हमारे देश में कोरोना संक्रमण के पहले मामले का पता चला, जो साल खत्म होते-होते दिसंबर में एक से एक करोड़ तक पहुंच गया। संक्रमण की संख्या के लिहाज से यह आंकड़ा यकीनन डराने वाला है, लेकिन देश की आबादी का हिसाब लगाया जाए तो यह एक फीसद से भी काफी कम बैठता है। दुनिया भर में बेलगाम फैली और कई देशों में तो दूसरी-तीसरी लहर के आने के बीच महामारी को इस तरह नियंत्रित रखने पर मोदी सरकार की दुनिया भर में काफी तारीफ हुई। इसमें सही समय पर लगाया गया लॉकडाउन का फैसला काफी कारगर सिद्ध हुआ।

हालांकि इससे प्रवासी मजदूरों के महापलायन समेत करोड़ों दिहाड़ी कामगारों के सामने रोजी-रोटी का संकट भी खड़ा हुआ, लेकिन गरीब परिवारों के लिए मुफ्त अनाज, कोरोना की निःशुल्क जांच और प्रवासी श्रमिकों के लिए विशेष ट्रेनों के संचालन जैसे सरकार के दूरदर्शी फैसलों से समाज के कमजोर तबके को बड़ी ताकत मिली।

विदेशों में फंसे भारतीयों की सुरक्षित देश वापसी के लिए सरकार का वंदे भारत मिशन तो दुनिया के दूसरे कई देशों के लिए मिसाल बना ही, साथ ही बड़ी बात यह रही कि प्रधानमंत्री नरेन्द्र मोदी की विशेष पहल ने पूरी दुनिया को इस महामारी से निपटने के लिए एकजुट कर दिया। सार्क देशों की अगुवाई करने से लेकर अमेरिका समेत दुनिया के 150 देशों तक कोरोना से लड़ाई का सामान पहुंचाने के भारत के सफल मिशन पर प्रधानमंत्री मोदी की व्यक्तिगत छाप ठीक उसी तरह स्पष्ट दिखाई दी, जिस तरह उनकी एक आवाज पर 135 करोड़ आबादी का देश लॉकडाउन में रहने के लिए तैयार हुआ था। सरकार की सार्थक पहल और युद्धस्तर पर छेड़े गए अभियान के कारण ही अब भारत भी जल्द ही उन देशों में शामिल हो जाएगा, जहां कोरोना के खिलाफ वैक्सीन का प्रयोग शुरू हो गया है।

प्रधानमंत्री नरेन्द्र मोदी की विशेष पहल ने पूरी दुनिया को इस महामारी से निपटने के लिए एकजुट कर दिया।

साल 2020 में कोरोना के खिलाफ मानवता की वैश्विक लड़ाई ही नहीं, घरेलू आर्थिक मोर्चे पर भी सरकार कड़ी चुनौती के दौर से गुजरी। हालांकि पहली तिमाही में जीडीपी की जो गिरावट 23.9 फीसद थी, वो दूसरी तिमाही में 7.5 फीसद ही रह गई। करीब 100 दिनों के लॉकडाउन से ठप पड़ी देश की आर्थिक रफ्तार अगर दोबारा पटरी पर लौट पाने में कामयाब हुई, तो इसकी वजह सबसे ज्यादा रोजगार देने वाले एमएसएमई सेक्टर को मिली रियायतों के साथ ही एक लाख 20 हजार करोड़ रुपये का वो भारी-भरकम आर्थिक पैकेज भी रहा, जिसने देश के मानस को आत्मनिर्भरता के संकल्प के लिए तैयार करने का काम किया।

आत्मनिर्भरता के इस संकल्प को चीन के खिलाफ देश की सरहद सुरक्षित रखने की सरकार और सेना की मुहिम से भी प्रेरणा मिली।

गलवान घाटी में जहां भारतीय सेना ने जांबाजी दिखाते हुए चीनी सैनिकों को खदेड़ कर हमारे 20 जवानों की शहादत का बदला लिया, वहीं प्रधानमंत्री मोदी के 'लोकल के लिए वोकल' होने के मंत्र के बाद देश में जिस तरह बड़े पैमाने पर चीनी सामान का बॉयकॉट और 100 से ज्यादा चीनी ऐप को बैन किया गया, उससे चीन की अर्थव्यवस्था को भारी नुकसान पहुंचा। हालांकि चीन से लगी सीमा पर तनाव कम हुआ है, लेकिन विवाद अभी सुलझा नहीं है।

इससे उलट पाकिस्तान से लगती देश की पश्चिमी सीमा पर आतंकवाद के लिए 2020 का साल कहर साबित हुआ। मोदी सरकार की इच्छाशक्ति से पिछले साल हटे अनुच्छेद 370 का असर इस साल जाहिर हुआ। सेना के ऑपरेशन में 110 से ज्यादा आतंकवादी मारे गए और जम्मू-कश्मीर के कई जिले आतंकवाद मुक्त हो गए। पॉलिटिकल लीडरशिप की नजरबंदी हटने के बाद जम्मू-कश्मीर की जिला परिषदों में चुनाव प्रक्रिया भी बहाल हो गई। लंबे समय के बाद इस साल जम्मू-कश्मीर में शांतिपूर्ण माहौल दिखा, जिसका श्रेय यकीनन केन्द्र सरकार को जाता है।

आत्मनिर्भरता के इस संकल्प को चीन के खिलाफ देश की सरहद सुरक्षित रखने की सरकार और सेना की मुहिम से भी प्रेरणा मिली।

संवैधानिक व्यवस्था के साथ ही आस्था के क्षेत्र में भी यह साल मील का पत्थर साबित हुआ। लंबी कानूनी लड़ाई के बाद आखिरकार अयोध्या में भव्य राम मंदिर का रास्ता भी साफ हो गया। प्रधानमंत्री मोदी ने यहां भूमिपूजन कर मंदिर की आधारशिला रख दी। अगले 35-40 महीनों में राम मंदिर के पूर्ण होने का अनुमान है।

हालांकि सबका साथ, सबका विकास और सबका विश्वास की नीति पर काम कर रही सरकार के सामने साल खत्म होने से पहले किसानों का विश्वास जीतने की चुनौती खड़ी हो गई है। कृषि क्षेत्र में क्रांतिकारी सुधार की नीयत से लाए गए सरकार के तीन नए कानूनों के विरोध में किसान पिछले एक महीने से कड़कड़ाती ठंड में भी विरोध का झंडा उठाए हुए हैं और कई दौर की बातचीत के बाद भी गतिरोध दूर नहीं हो पाया है।

बहरहाल, कोरोना महामारी हो या आंदोलन तेज करने की किसानों की तैयारी, या फिर ऐसी ही कोई दूसरी दुश्वारी, 2020 का साल भारत ही नहीं, दुनिया की उम्मीदों पर भी भारी पड़ा है। हालांकि हमारे लिए यह गर्व की बात होनी चाहिए कि ऐसे चुनौतीपूर्ण समय में भी देश विश्व बंधुत्व और दुनिया की मदद करने की अपनी जिम्मेदारी से पीछे नहीं हटा। जून के महीने में जब कोरोना का तांडव अपने शिखर पर था, तब 'मन की बात' कार्यक्रम में प्रधानमंत्री नरेन्द्र मोदी की कही गई बात याद आती है, जो बीत रहे साल का सबक और आने वाले नए साल की सीख का काम कर सकती है। प्रधानमंत्री मोदी ने तब कहा था कि भारत का इतिहास चुनौतियों से भरा रहा है और संकट के समय भारत के संस्कार विश्वास देते हैं। इसलिए चुनौती एक आए या पचास, इससे कोई साल खराब नहीं हो जाता। 2021 के लिए इससे बेहतर संदेश और क्या हो सकता है?

(राष्ट्रीय सहारा, 26 दिसंबर, 2020)

114

सम्मान की चाह, समाधान की राह

यकीनन सरकार और भी बेहतर विकल्पों पर काम कर रही होगी, लेकिन फिलहाल तो राहत की बात यह है कि गतिरोध तोड़ने के लिए एक बार फिर नए सिरे से संभावनाएं तलाशी जा रही हैं। सम्मान निधि के हस्तांतरण से एक दिन पहले ही सरकार ने किसानों को पत्र लिखकर उनसे अगले दौर की बातचीत का समय और स्थान तय करने को कहा है। संयोग से जिस दिन किसानों को सम्मान निधि दी गई, उसे देश 'गुड गवर्नेंस डे' यानी सुशासन दिवस के रूप में भी मनाता है।

दिल्ली की सीमाओं पर डेरा डाले किसानों को अब एक महीने से ज्यादा का वक्त बीत चुका है, हालांकि हालात वही हैं जो पहले दिन थे। किसान तीनों कानूनों को वापस लेने की अपनी मांग पर डटे हुए हैं, जबकि सरकार संशोधन का भरोसा तो दे रही है, लेकिन कानून वापस लेने को तैयार नहीं। देश की चिंता अब एक और वजह से बढ़नी चाहिए। सिंघु बॉर्डर पर जहां किसानों का पिछले महीने से जमावड़ा लगा है, वहां तो किसान सब्र दिखाते हुए शांति से बैठे हैं, लेकिन आंदोलन से जुड़ने के लिए आ रहे किसानों की देश के अलग-अलग हिस्सों में पुलिस से हो रही झड़प परेशान करने वाला विषय है।

इसके लिए सरकार को क्या करना चाहिए?

हालात काबू में रहें, इसके लिए सरकार को क्या करना चाहिए? इसका सीधा-सा जवाब तो यही है कि आंदोलन खत्म किया जाए। लेकिन उसके लिए जरूरी है कि सरकार और किसानों के बीच बातचीत का कोई सिलसिला बने जो कि अब तक नहीं हो पाया है। वैसे शुक्रवार को पूर्व प्रधानमंत्री अटल बिहारी वाजपेयी की जयंती पर किसानों को संबोधित करते हुए प्रधानमंत्री नरेन्द्र मोदी ने इस दिशा में बड़ी पहल की है। देश के किसानों से बातचीत करते हुए प्रधानमंत्री ने जिस तरह नए कानूनों से जुड़ी तमाम आशंकाओं को दूर किया है, उससे गतिरोध के टूटने की उम्मीद जगी है।

इस दौरान प्रधानमंत्री ने पीएम किसान योजना के तहत नौ करोड़ किसानों के खातों में 18 हजार करोड़ रुपये की किसान सम्मान निधि हस्तांतरित की। यूं तो सरकार किसानों के खाते में नियमित रूप से दो-दो हजार रुपये की तीन किस्तों में सालाना छह हजार रुपये हस्तांतरण करती है, लेकिन बीच आंदोलन में इस राशि के हस्तांतरण का सरकार के लिए अलग ही महत्त्व है, क्योंकि इससे खुद को किसान हितैषी बताने के सरकार के दावे को बड़ा मजबूत आधार मिलता है।

पिछले छह साल में मोदी सरकार ने किसानों के हित में ऐसे कई कदम उठाए हैं।

खेती को लाभकारी बनाने के लिए सम्मान निधि के साथ ही फसल बीमा, सॉयल हेल्थ कार्ड, नीम कोटिंग यूरिया जैसी तमाम योजनाएं शुरू की गई हैं।

2013-14 में यूपीए सरकार के दौरान खेती-किसानी का जो बजट 21 हजार 900 करोड़ रुपये था, वो अब बढ़कर एक लाख 34 हजार 399 करोड़ रुपये हो चुका है। एमएसपी का दायरा बढ़ाकर गेहूं-धान के साथ अब दलहन-तिलहन को भी इसमें शामिल किया गया है। गोदामों और कोल्ड स्टोरेज की चेन को भी गांव-गांव तक पहुंचाने के लिए एक लाख करोड़ रुपये का फंड बनाया गया है।

किसान यह जानता-समझता है कि सरकार यह सारे जतन इसलिए कर रही है, क्योंकि जब देश आजादी के 75वें वर्ष का जश्न मनाए, तो अपने पसीने से अनाज के गोदाम भरने वाले अन्नदाता की झोली खाली न रह जाए। साल 2022 तक किसानों की आय दोगुनी करना सरकार का महत्त्वाकांक्षी लक्ष्य है, जहां तक पहुंचने के लिए वो हर मौके पर किसानों के साथ मजबूती से खड़ी दिखी है। फिर नए कानूनों को लेकर दिक्कत कहां आ गई? भले ही आंदोलन कर रहे किसान पूरे देश का प्रतिनिधित्व नहीं करते हों, लेकिन कृषि प्रधान देश में किसानों की चिंताएं केवल इसलिए सरकार की प्राथमिकता से बाहर नहीं हो सकती कि वो केवल दो-चार राज्यों तक ही सीमित है। यह मान भी लिया जाए कि विपक्ष किसानों को बरगलाने में कामयाब हो गया, तो भी क्या यह पड़ताल का विषय नहीं होना चाहिए कि किसानों को भरोसे में लेने में सरकार ने कहां कमी कर दी?

साल 2022 तक किसानों की आय दोगुनी करना सरकार का महत्त्वाकांक्षी लक्ष्य है।

शायद यही आंदोलन के इतना लंबा खिंच जाने की जड़ भी है। एमएसपी, एपीएमसी, कॉन्ट्रैक्ट फार्मिंग जैसे विषय पर सरकार नई सोच के साथ आगे बढ़ना चाहती है, लेकिन किसान इन बदलावों से अपने भविष्य को लेकर सशंकित हैं। मामला इसलिए फंसा हुआ है, क्योंकि छह दौर की बातचीत के बाद भी किसानों की यह शंका दूर नहीं हो पाई है। उस पर किसान यह भी सोच रहे हैं कि जब उन्होंने इन सुधारों की मांग ही नहीं की, तो सरकार इसे लागू करने में इतना उतावलापन क्यों दिखा रही है?

जाहिर तौर पर समस्या सुलझाने की जिम्मेदारी किसानों की नहीं, सरकार की है, लेकिन उसके पास रास्ता क्या है? सरकार चाहे तो दो-तीन विकल्पों में से किसी एक पर आगे बढ़ सकती है। किसानों की सबसे बड़ी आपत्ति

एमएसपी को लेकर है, इसलिए सरकार चाहे तो इस पर एक नया कानून लेकर आ सकती है जिसमें फिलहाल एमएसपी वाली मौजूदा फसलों की खरीद पर गारंटी देने के साथ एक तय समय सीमा में बाकी फसलों को भी इसमें शामिल करने का प्रावधान रखा जा सकता है। इससे सरकार फौरी तौर पर फसल खरीद से होने वाले वित्तीय बोझ से बच सकती है। हालांकि इसके बावजूद सरकार को सम्मान निधि जैसी योजना को चलाते रहना होगा, क्योंकि एमएसपी पर अलग से कानून आने के बाद भी करीब 70 फीसद लघु एवं सीमांत किसानों को इसका फायदा नहीं मिल पाएगा। फिर भी एमएसपी पर नया कानून बनने से किसान शायद तीन कानूनों को वापस लेने की अपनी मांग से पीछे हट सकते हैं।

दूसरे विकल्प के तौर पर सरकार नए कानूनों को अमल में लाने का अधिकार राज्यों पर छोड़ सकती है। इससे दूध का दूध और पानी का पानी हो जाएगा। नए कानून अगर खेती के लिए फायदेमंद साबित होते हैं, तो जो किसान आज इसका विरोध कर रहे हैं, वो भी इसे आजमाने के लिए प्रेरित हो सकते हैं। कानूनों को कुछ समय के लिए होल्ड पर रखने का एक तीसरा विकल्प सुप्रीम कोर्ट ने भी सुझाया है। ऐसा करने पर सरकार को किसानों की शंका दूर करने के लिए वक्त मिल जाएगा। कुछ समय बाद सरकार इन कानूनों को ऐसे संशोधनों के साथ प्रस्तुत कर सकती है जिसमें किसानों की आम राय भी शामिल हो और जो सभी को स्वीकार्य हो।

इससे दूध का दूध और पानी का पानी हो जाएगा।

यकीनन सरकार और भी बेहतर विकल्पों पर काम कर रही होगी, लेकिन फिलहाल तो राहत की बात यह है कि गतिरोध तोड़ने के लिए एक बार फिर नए सिरे से संभावनाएं तलाशी जा रही हैं। सम्मान निधि के हस्तांतरण से एक दिन पहले ही सरकार ने किसानों को पत्र लिखकर उनसे अगले दौर की बातचीत का समय और स्थान तय करने को कहा है। संयोग से जिस दिन किसानों को सम्मान निधि दी गई, उसे देश 'गुड गवर्नेंस डे' यानी सुशासन दिवस के रूप में भी मनाता है। अच्छा तो यही होगा कि ऐसे महत्त्वपूर्ण मौके पर प्रधानमंत्री की ओर से की गई पहल से वो रास्ता भी निकल आए, जिससे खेती में दोबारा सुशासन का माहौल लौट आए।

(राष्ट्रीय सहारा, 27 दिसंबर, 2020)

115

21 में सब पर बीस

प्रधानमंत्री नरेन्द्र मोदी की पहल पर शुरू हुआ आत्मनिर्भर भारत अभियान इस पर मरहम का काम कर सकता है। वोकल फॉर लोकल के मंत्र से बुनियादी बदलाव के संकेत भी मिलने लगे हैं। इस दिशा में पिछले साल के अकेले आखिरी महीने की उपलब्धियों की ही बात करें, तो सीरम इंस्टीट्यूट के जरिए देश में ही कोविड वैक्सीन की तैयारी और निमोनिया की पहली स्वदेशी वैक्सीन को तैयार कर लेना नए भारत के सामर्थ्य का प्रतीक है। देश का पहला डेडिकेटेड फ्रेट कॉरिडोर, पहली ड्राइवरलेस मेट्रो और स्वदेशी आकाश मिसाइल की बढ़ती ग्लोबल डिमांड ने आत्मनिर्भर हो रहे देश को नई पहचान दी है।

नए साल का आना कैलेंडर पर एक तारीख का बदलना भर नहीं होता। यह नैराश्य, नाकामयाबी, नाउम्मीदी जैसे नकारात्मक विषयों से गमन और नए उत्साह, नई उम्मीद और नवजीवन के आगमन का प्रतीक भी होता है। फिर अगर गुजरा साल 2020 बुरी यादों का विशेषण ही बन गया हो, तब तो नववर्ष के लक्ष्य और उसकी राह में आने वाली चुनौतियों का सकारात्मक विश्लेषण और भी महत्त्वपूर्ण हो जाता है।

खुशी की बात यह है कि नए साल में देश इन दोनों मोर्चों को फतह करने की दिशा में बढ़ चला है।

वर्ष 2021 में भारतवर्ष के सामने दो लक्ष्य बेहद स्पष्ट हैं और 2020 को हम चाहे जितना कोस लें, इन दोनों लक्ष्य के लिए हमें गुजरे साल को ही धन्यवाद देना होगा। ये दो लक्ष्य जुड़े हैं स्वास्थ्य और अर्थव्यवस्था से, क्योंकि इनके विश्लेषण की छतरी इतनी बड़ी है कि उसमें तमाम दूसरे विषय भी समा जाते हैं। खुशी की बात यह है कि नए साल में देश इन दोनों मोर्चों को फतह करने की दिशा में बढ़ चला है। स्वास्थ्य के मोर्चे पर कोरोना महामारी अब काबू में आ गई है और इसका इलाज बस हाथ-भर दूर दिख रहा है। प्रधानमंत्री नरेन्द्र मोदी ने भारत में दुनिया के सबसे बड़े टीकाकरण का बीड़ा उठाया है और इसकी शुरुआत आज से ही देश भर में कोरोना वैक्सीन के ड्राई रन से होने जा रही है। दूसरा मोर्चा अर्थव्यवस्था का है, जिसके भंवर से निकलने का रास्ता दुनिया को भले न सूझ रहा हो, लेकिन प्रधानमंत्री नरेन्द्र मोदी की अगुवाई में भारत ने रिकवरी की राह तलाश ली है। यकीनन सफर अभी शुरू हुआ है और मंजिल का रास्ता लंबा है। अर्थव्यवस्था का आकार कृषि, विनिर्माण, मैन्युफैक्चरिंग, रोजगार, सामाजिक सुरक्षा जैसे कई विषयों से तय होता है, जिन्हें कोरोना ने ऐसे घाव दिए हैं, जिन पर लंबे समय तक मरहम लगाने की जरूरत पड़ेगी।

प्रधानमंत्री नरेन्द्र मोदी की पहल पर शुरू हुआ आत्मनिर्भर भारत अभियान इस पर मरहम का काम कर सकता है। वोकल फॉर लोकल के मंत्र से बुनियादी बदलाव के संकेत भी मिलने लगे हैं। इस दिशा में पिछले साल के अकेले आखिरी महीने की उपलब्धियों की ही बात करें, तो सीरम इंस्टीट्यूट के जरिए देश में ही कोविड वैक्सीन की तैयारी और निमोनिया की

पहली स्वदेशी वैक्सीन को तैयार कर लेना नए भारत के सामर्थ्य का प्रतीक है। देश का पहला डेडिकेटेड फ्रेट कॉरिडोर, पहली ड्राइवरलेस मेट्रो और स्वदेशी आकाश मिसाइल की बढ़ती ग्लोबल डिमांड ने आत्मनिर्भर हो रहे देश को नई पहचान दी है।

कृषि आधारित अर्थव्यवस्था के चक्के को मजबूती देने के लिए गांवों को आत्मनिर्भर बनाना होगा और लगता है मोदी सरकार ने इसका एक्शन प्लान भी तैयार कर लिया है। नए साल में सरकार ग्राम पंचायतों में मल्टी एक्टिविटी सेंटर खोलेगी जहां युवाओं को गांव में ही प्रशिक्षित और स्वाबलंबी बनाने का काम किया जाएगा। इसी तरह महिलाओं को स्वयं सहायता समूहों के जरिए आत्मनिर्भर बनाया जाएगा। ज्यादा जोर लघु और कुटीर उद्योग से संबंधित प्रशिक्षण पर रहने वाला है। एमएसएमई सेक्टर देश में सबसे ज्यादा रोजगार देने वाला क्षेत्र है और आत्मनिर्भर भारत के संकल्प को सच करने के लिहाज से आने वाले समय में बेहद महत्त्वपूर्ण भी रहेगा। सरकार ने इसके बकाया भुगतान के लिए 21,000 करोड़ का जो आर्थिक पैकेज दिया है, उसका असर भी इस साल दिखाई देगा।

ज्यादा जोर लघु और कुटीर उद्योग से संबंधित प्रशिक्षण पर रहने वाला है।

बेशक नए साल में असंगठित क्षेत्र में रोजगार के हालात सुधारने का लक्ष्य चुनौतीपूर्ण रह सकता है। लॉकडाउन ने लोगों की जान भले बचाई हो, लेकिन इसने आर्थिक गतिविधियों का दम निकाल दिया। आजीविका खोने के बाद लाखों की संख्या में बड़े शहरों से प्रवासी मजदूरों का पलायन हुआ है और दोबारा यथास्थिति को हासिल कर लेना लंबे समय तक संभव नहीं होगा। असंगठित क्षेत्र में करीब 40 करोड़ से ज्यादा कामगार जुड़े हैं और उन्हें रोजगार उपलब्ध करवाने का मतलब करीब पांच करोड़ परिवारों को सामाजिक सुरक्षा का कवच देना होगा। हालांकि संगठित क्षेत्र में छाई धुंध अब हटने लगी है। जॉब सर्च प्लेटफॉर्म लिंक्डइन का सर्वे बताता है कि नए साल में नौकरियों की संख्या में तेज बढ़ोतरी दिख सकती है। हालांकि परंपरागत सेक्टरों में हालात धीरे-धीरे ही सुधरेंगे, लेकिन हेल्थ केयर, आईटी और ई-कॉमर्स में डिजिटल कौशल पर आधारित रोजगार के नए अवसर बनेंगे।

ऑटोमेशन और वर्क फ्रॉम होम जैसी नई व्यवस्थाओं ने रोजगार के मोर्चे पर नई चुनौतियां बनाई हैं, तो आत्मनिर्भरता के नए द्वार भी खोले हैं।

गवर्नेंस के स्तर पर भी आने वाला समय सरकार के कौशल का इम्तिहान लेगा। अर्थव्यवस्था को रफ्तार देने के लिए सरकार अलग-अलग सेक्टरों और हितग्राहियों को तो राहत दे रही है, लेकिन राजकोषीय घाटे को काबू में रखना भी जरूरी होगा। यह भी सच्चाई है कि कोविड से लड़ाई ने सरकारी खजाने में बड़ा छेद कर दिया है। इस सबके बीच आर्थिक मदद के लिए एक तरफ राज्य दबाव बना रहे हैं, तो दूसरी तरफ लाखों कर्मचारियों के महंगाई भत्तों को दोबारा बहाल करना चुनौती बना हुआ है। ऐसे में वंचित लोगों के लिए सरकार को कल्याणकारी योजनाएं जारी रखते हुए इस मोर्चे को भी फतह करना होगा।

इस लिहाज से विश्व की दो प्रमुख शक्तियों अमेरिका और चीन का उल्लेख जरूरी है।

घरेलू मोर्चों के साथ ही वैश्विक स्तर पर हो रहे बदलाव से सामंजस्य बैठाना भी सरकार की प्राथमिकता में शामिल है। इस लिहाज से विश्व की दो प्रमुख शक्तियों अमेरिका और चीन का उल्लेख जरूरी है। अमेरिका में नेतृत्व बदल रहा है और चीन अपनी हरकतों से बाज नहीं आ रहा है। नए अमेरिकी राष्ट्रपति जो बाइडेन तो नए भारत से नए करार के लिए बेकरार दिख रहे हैं, लेकिन चीन से रिश्तों में आई दरार अभी भरती नहीं दिख रही है। हालांकि प्रधानमंत्री नरेन्द्र मोदी के वोकल फॉर लोकल के मंत्र ने चीन के आर्थिक तंत्र को जो चोट पहुंचाई है, उसने सुपरपावर बनने के चीन के दावे का खोखलापन दुनिया के सामने ला दिया है।

आत्मनिर्भर अभियान के इसी पक्ष को प्रधानमंत्री मोदी विश्व कल्याण के लिए भारत के भविष्य का मार्ग कहते हैं। इसलिए आश्चर्य की बात नहीं कि पिछले एक पखवाड़े में चाहे एसोचैम की स्थापना का समारोह हो या शांतिनिकेतन में विश्व भारती विश्वविद्यालय का शताब्दी समारोह या फिर साल का आखिरी 'मन की बात' कार्यक्रम, प्रधानमंत्री ने हर मौके पर आत्मनिर्भर अभियान को विश्वगुरु बनने के भारत के सपने की बुनियादी जरूरत बताया है।

एक देश के रूप में साल 1947 हमारे लिए केवल अंग्रेजों की गुलामी से स्वतंत्रता का साल ही नहीं था, बल्कि औपचारिक रूप से दुनिया की चुनौतियों से निपटने के लिए अपने पैरों पर खड़े होने की शुरुआत भी थी। साल 2022 में इस सफर के 75 पड़ाव पूरे हो जाएंगे। इसलिए पूर्ण आत्मनिर्भरता के लक्ष्य को हासिल करने के लिहाज से 2021 का यह साल बेहद अहम हो जाता है। प्रधानमंत्री ने शायद इसी बात की अहमियत को जानते-समझते हुए कहा है कि अब हमारे लिए केवल आत्मनिर्भरता महत्त्वपूर्ण नहीं है, बल्कि यह भी जरूरी है कि हम इसे कितनी जल्दी हासिल करते हैं। संयोग से यह इस बात का भी इशारा है कि 2021 का लक्ष्य उसके अंकों के अनुरूप ही केवल इक्कीस में सब पर बीस पड़कर ही संभव हो पाएगा।

(राष्ट्रीय सहारा, 2 जनवरी, 2021)

116

‘दाग’ अच्छे नहीं हैं

भारत से सहयोग बढ़ाने में अमेरिका कितना आगे जाएगा, यह बहुत कुछ हमारे प्रति बाइडेन के रुख पर भी निर्भर करेगा। सीनेट में अपने लंबे कार्यकाल के दौरान बाइडेन भारतीय-अमेरिकी समुदाय के समर्थक रहे हैं। एलएसी पर भारत-चीन गतिरोध के दौरान उन्होंने भी ट्रंप की तरह चीन की आक्रामक और विस्तारवादी नीतियों की आलोचना की थी। बाइडेन इस सोच के पक्षधर रहे हैं कि भारत और अमेरिका के बिना कोई भी साझा वैश्विक चुनौती हल नहीं की जा सकती।

अमेरिका के राष्ट्रपति पद से डोनाल्ड ट्रंप की औपचारिक विदाई चार साल के उनके कार्यकाल की तरह ही विवादित साबित हो रही है। अमेरिका में परंपरागत रूप से 20 जनवरी को सत्ता हस्तांतरण होता है और उससे ऐन पहले ट्रंप के साथ एक और बखेड़ा जुड़ गया है। अमेरिकी कांग्रेस ने रक्षा खर्च फंड पर ट्रंप के वीटो को राष्ट्रीय सुरक्षा के लिए खतरा बताते हुए खारिज कर दिया है। ट्रंप के शासन काल में ऐसा पहली बार हुआ है, उनके पिछले आठों वीटो प्रभावी रहे थे। अमेरिकी सीनेट ने 81-13 यानी राष्ट्रपति के वीटो को खारिज करने के लिए जरूरी दो-तिहाई बहुमत से भी ज्यादा ताकत से ट्रंप का विरोध किया है।

अमेरिकी कांग्रेस ने रक्षा खर्च फंड पर ट्रंप के वीटो को राष्ट्रीय सुरक्षा के लिए खतरा बताते हुए खारिज कर दिया है।

नवंबर के पहले हफ्ते में राष्ट्रपति चुनाव में हार के बाद भी अमेरिका कई अवसरों पर ट्रंप को खारिज कर चुका है, लेकिन ट्रंप पता नहीं किस मिट्टी के बने हैं कि व्हाइट हाउस की गद्दी पर जमे रहने के लिए आए-दिन कोई-न-कोई नया पैंतरा आजमा रहे हैं। सुप्रीम कोर्ट में अपील खारिज होने और इलेक्टोरल कॉलेज में नए राष्ट्रपति जो बाइडेन के पक्ष में बहुमत आने के बाद दुनिया भले ही चैन की सांस ले रही हो, लेकिन अमेरिका अभी भी अपने भविष्य को लेकर आश्वस्त नहीं दिख रहा है।

राष्ट्रपति पद 'हड़पने' के ट्रंप के दांव भले ही एक-के-बाद-एक नाकाम होते जा रहे हों, लेकिन दांव-पेंच के इस खेल से अमेरिकन जनता के एक वर्ग के साथ ही रिपब्लिकन पार्टी पर ट्रंप ने अपना कब्जा जमा लिया है। समर्थकों के इस समूह के लिए तीन नवंबर को चुनावी हार के बाद से उनकी उपलब्धियां बेहद 'प्रभावशाली' हैं। इलेक्शन डिफेंस फंड के नाम पर ट्रंप ने रिपब्लिकन समर्थकों से 170 मिलियन डॉलर से ज्यादा का चंदा हासिल कर लिया है। वो रिपब्लिकन पार्टी पर अपने दबदबे को साबित करने का कोई मौका नहीं गंवा रहे हैं। ज्यादातर रिपब्लिकन अभी भी चुनाव में हेराफेरी के उनके प्रोपेगैंडा का समर्थन कर रहे हैं। जो बच गए हैं, उन्होंने हैरान करने वाली खामोशी ओढ़ रखी है। कल तक जो रिपब्लिकन नेता व्हाइट हाउस में उनके अक्खड़पन को खाद-पानी देते थे, वही अब उनकी डेमोक्रैट विरोधी

भावनाओं को हवा देने का काम कर रहे हैं। वॉशिंगटन पोस्ट का ताजा सर्वे बताता है कि हाउस ऑफ रिप्रेजेंटेटिव्स और सीनेट के लिए चुने गए कुल 249 रिपब्लिकन सांसदों में से अब तक केवल 29 ने बाइडेन की जीत को मान्यता दी है, 220 को अब भी ट्रंप की स्टोरी में नाटकीय क्लाइमेक्स का यकीन है।

हालात इस कदर बिगड़ चुके हैं कि जैसे-जैसे 20 जनवरी की तारीख करीब आ रही है, वैसे-वैसे आम अमेरिकी किसी अनजाने डर की गिरफ्त में जाता दिख रहा है। ज्यादातर अमेरिकियों को अंदेशा है कि इस तारीख के आसपास ट्रंप समर्थक अमेरिका में बड़े पैमाने पर हिंसा कर सकते हैं। राष्ट्रपति चुनाव के दौरान कुछ चुनाव अधिकारियों को जान से मारने की धमकियां मिल रहीं थीं। कुछ दिन पहले ही ट्रंप के कथित हथियारबंद समर्थकों ने मिशिगन के सेक्रेटरी ऑफ स्टेट का घर घेर लिया था। ट्रंप को राष्ट्रपति बनाए रखने के लिए एरिजोना में रिपब्लिकन पार्टी अपने समर्थकों को खुलेआम खुदकुशी के रास्ते पर जाने के लिए उकसा रही है। डर की एक बड़ी वजह ट्रंप का हालिया बयान भी है जिसमें उन्होंने 2024 में दोबारा चुनाव लड़ने की बात कही है। अमेरिका का दक्षिणपंथी मीडिया जिनमें ऐसे कई बड़े समाचार चैनल शामिल हैं जिन्होंने ट्रंप प्रशासन में अपनी कमाई में कई गुना इजाफा किया है। इन सारे प्रयासों को नैतिकता का अमलीजामा पहनाने में जुटा है।

अमेरिका का दक्षिणपंथी मीडिया इन सारे प्रयासों को नैतिकता का अमलीजामा पहनाने में जुटा है।

शह-मात के इस खेल में विजेता की छवि भले स्पष्ट हो चुकी हो, लेकिन ट्रंप की हठधर्मिता से अमेरिका को बड़ा नुकसान उठाना पड़ रहा है। कोरोना महामारी से निपटने में उनकी अपरिपक्वता ने पहले अर्थव्यवस्था को चौपट किया और अब चुनावी हार के बाद उनकी बचकाना हरकतों ने लोकतांत्रिक मूल्यों के सबसे बड़े पुरोधा होने की अमेरिका की पहचान को तार-तार कर दिया है। इस सबके बीच सत्ता बचाने के लिए छद्म राष्ट्रवाद के नाम पर ट्रंप ने जिस तरह अपने देश को बांटने का काम किया, उसने अमेरिका की मशहूर आजाद ख्याली की विरासत को भी दागदार बना दिया।

अमेरिका में चल रही इस उठापटक में चीन सबसे बड़ा लाभार्थी बनकर उभरा है। कोरोना महामारी के उदय से पहले ही चीन अमेरिका के रुतबे को अस्त करने पर उतारू था। बेशक 1776 से 1990 के दशक के मध्य तक अमेरिका ने दुनिया पर एकतरफा बादशाहत कायम रखी हो, लेकिन यह भी सच है कि बीसवीं सदी का चीन शीत युद्ध के सोवियत यूनियन से कहीं ज्यादा ताकतवर निकला। इसीलिए नई सदी में चीन का बही-खाता अमेरिका से ज्यादा बेहतर नजर आता है। न केवल उसकी अर्थव्यवस्था जल्द ही अमेरिका से बड़ी होने जा रही है, बल्कि उसने अपनी डिजिटल करेंसी युआन को हथियार बनाकर डॉलर को भी पस्त करने की तैयारी कर ली है। कोरोना काल में भी दुनिया की इकलौती सकारात्मक रुझान वाली अर्थव्यवस्था के दम पर चीन ने अमेरिका से कोई आर्थिक या सामरिक युद्ध लड़े बिना ही विश्व संतुलन को अपने पक्ष में कर लिया है।

यह भी सच है कि बीसवीं सदी का चीन शीत युद्ध के सोवियत यूनियन से कहीं ज्यादा ताकतवर निकला।

इस घटनाक्रम से इस बात का इशारा मिलता है कि बाइडेन प्रशासन जब काम-काज शुरू करेगा, तो अमेरिका को इस गर्त से निकालने के लिए उसे ऐसे मित्रों की तलाश होगी, जो चीन से हिसाब बराबर करने के लिए उसके कंधे-से-कंधा मिलाकर काम कर सके। भारत अपने आकार, आबादी, भौगोलिक स्थिति और हालिया तरक्की के दम पर इस भूमिका के लिए सबसे उपयुक्त किरदार साबित हो सकता है। चीन को लेकर दोनों देशों की साझा चिंताएं भी हैं। प्रशांत महासागर और चीन सागर में उसका बढ़ता दखल दोनों देशों पर दबाव बढ़ा रहा है।

भारत से सहयोग बढ़ाने में अमेरिका कितना आगे जाएगा, यह बहुत कुछ हमारे प्रति बाइडेन के रुख पर भी निर्भर करेगा। सीनेट में अपने लंबे कार्यकाल के दौरान बाइडेन भारतीय-अमेरिकी समुदाय के समर्थक रहे हैं। एलएसी पर भारत-चीन गतिरोध के दौरान उन्होंने भी ट्रंप की तरह चीन की आक्रामक और विस्तारवादी नीतियों की आलोचना की थी। बाइडेन इस सोच के पक्षधर रहे हैं कि भारत और अमेरिका के बिना कोई भी साझा वैश्विक चुनौती हल नहीं की जा सकती। वो भारत की रक्षा और आतंकवाद-विरोधी

क्षमताओं को मजबूत करने और व्यापार, स्वास्थ्य, उच्च शिक्षा, अंतरिक्ष खोज और मानवीय राहत जैसे क्षेत्रों में सहयोग करने की बात भी कह चुके हैं। हालांकि जम्मू-कश्मीर, धारा 370, एनआरसी-सीएए, धार्मिक स्वतंत्रता ऐसे मसले हैं, जिन पर ट्रंप प्रशासन अधिकतर तटस्थ रहता था, लेकिन डेमोक्रैट इस पर कड़ी प्रतिक्रिया देते रहे हैं। कमला हैरिस के उपराष्ट्रपति पद पर होने से इस सोच में कोई फर्क पैदा होगा, ऐसा नहीं लगता, लेकिन फिर भी उनके भारतीय मूल के होने का प्रतीकात्मक महत्त्व तो है ही।

सवाल कई हैं और हो सकता है कि जवाब के लिए 20 जनवरी के बाद भी लंबा इंतजार करना पड़े।

सवाल कई हैं और हो सकता है कि जवाब के लिए 20 जनवरी के बाद भी लंबा इंतजार करना पड़े। फिलहाल तो सबसे बड़ा सवाल यही है कि क्या नई शुरुआत के लिए बाइडेन के रास्ते के सभी कांटे दूर हो गए हैं, क्या तख्तापलट के लिए ट्रंप की झोली के सारे दांव खत्म हो गए हैं, या फिर अमेरिका के दामन पर अब भी नए दाग लगने बाकी हैं?

(राष्ट्रीय सहारा, 3 जनवरी, 2021)

117

आत्मनिर्भरता ने बढ़ाई साख

भारत के वैज्ञानिकों ने एक बार फिर दुनिया को अपना मेधा की ताकत का अहसास करवाया है। इसमें कोई दो-राय नहीं कि भविष्य की शोध परियोजनाओं में यह कामयाबी मील का पत्थर साबित होगी। हमारे वैज्ञानिक तो अपने भरोसे पर खरे उतरे ही हैं, अब हमारी बारी है। टीकाकरण कोरोना के खिलाफ हमारे पास उपलब्ध सबसे मजबूत विकल्प है। इसलिए सरकार पर भरोसा रखते हुए टीकाकरण कार्यक्रम को आगे ले जाने के लिए हर देशवासी को 'सारथी' की भूमिका निभानी होगी। जब देश ने कोरोना के खिलाफ जंग शुरू की थी, तब प्रधानमंत्री ने महाभारत का स्मरण कराते हुए कहा था कि उस युद्ध में भगवान श्रीकृष्ण सारथी थे, आज 130 करोड़ महारथियों के बूते हमें कोरोना से लड़ाई जीतनी है। ऐसे में प्रधानमंत्री की एक साल पहले कही गई बात आज भी उतनी ही प्रासंगिक बनी हुई है।

महाभारत में नायक की परिकल्पना एक ऐसे विचार के रूप में की गई है, जो प्रतिकूल परिस्थितियों में भी अपने संकल्प की दृढ़ता से मानवता के लक्ष्य को प्राप्त करने का माध्यम बनता है। कोरोना के खिलाफ वैश्विक लड़ाई में भारत महाभारत के ऐसे ही नायक के रूप में प्रस्तुत हुआ है, जिसने महामारी पर विजय को अपना संकल्प बनाया और मानवता को इससे मुक्त करने के दृढ़ प्रयास किए। वो भारत ही था जिसने सबसे पहले पूरी दुनिया को कोरोना के खिलाफ एकजुट होने की अहमियत समझाई, खुद कोरोना से जंग लड़ते हुए पड़ोसी देशों तक मदद पहुंचाई और फिर जरूरत पड़ने पर अमेरिका तक को जीवनरक्षक दवाइयां उपलब्ध करवाईं। और अब जब लड़ाई वैक्सीन पर आई है, तब भी यह भारत ही है, जो वैश्विक उम्मीदों का अग्रदूत बना हुआ है।

लड़ाई वैक्सीन पर आई है, तब भी यह भारत ही है, जो वैश्विक उम्मीदों का अग्रदूत बना हुआ है।

ऑक्सफोर्ड कोविड-19 टीके को भारत में बना रहे सीरम इंस्टीट्यूट ऑफ इंडिया की कोविशील्ड और भारत बायोटेक के स्वदेशी टीके को-वैक्सीन को डीसीजीआई यानी ड्रग्स कंट्रोल जनरल ऑफ इंडिया से सीमित आपात इस्तेमाल की मंजूरी मिल गई है। इस मंजूरी के मिलने से उस प्रक्रिया की बुनियाद भी पड़ गई है, जिसे प्रधानमंत्री नरेन्द्र मोदी ने विश्व के सबसे बड़े टीकाकरण कार्यक्रम का नाम दिया है। आम तौर पर आपात इस्तेमाल की मंजूरी मिलने के 10 दिन बाद वैक्सीन का व्यापक पैमाने पर भी उपयोग शुरू हो जाता है, लेकिन फिलहाल वैक्सीन की कीमतें तय नहीं हुई हैं, इसलिए यह तारीख थोड़ा आगे खिसक सकती है।

बहरहाल, कोरोना के चुनौती काल में हमारे वैज्ञानिकों की इस सफलता ने एक बार फिर देश की वैश्विक साख बढ़ाई है। दोनों टीकों को लेकर दुनिया भर में भारत की तारीफ हो रही है। विश्व स्वास्थ्य संगठन ने महामारी के दौरान भारत की भूमिका की सराहना की है और इससे लड़ने के लिए उठाए गए कदमों को निर्णायक बताया है। भारत की इस तारीफ में डब्ल्यूएचओ ने जो सबसे बड़ी बात कही है, वो यह है कि दुनिया भर में कमजोर लोगों को बचाने के लिहाज से भारत की यह कामयाबी बेहद अहम है।

भारत में लॉकडाउन लगाने पर भी डब्ल्यूएचओ ने वायरस के जोखिम को समय पर पहचानकर कार्रवाई करने के लिए प्रधानमंत्री नरेन्द्र मोदी की तारीफ की थी। यानी कोरोना के खिलाफ दुनिया जब-जब मुश्किल में पड़ी है, डब्ल्यूएचओ की उम्मीदें भारत से ही जुड़ीं हैं।

कोरोना के चुनौती काल में हमारे वैज्ञानिकों की इस सफलता ने एक बार फिर देश की वैश्विक साख बढ़ाई है।

लेकिन भारत की जिस कामयाबी का दुनिया में डंका बज रहा है, उस पर देश में ही सवाल भी उठे हैं। कुछ धार्मिक और सियासी दलों ने वैक्सीन को 'भाजपाई' टीका बताने से लेकर इसमें पोर्क होने जैसी अनर्गल आलोचना की है। जिस टीके को डब्ल्यूएचओ कमजोर देशों का कवच बता रहा है, विपक्षी दल आंकड़ों और परीक्षण की कमी जैसे आरोपों से टीकों के असर और उसे मंजूरी देने की प्रक्रिया को जल्दबाजी बताकर वैज्ञानिकों की मेहनत को कटघरे में खड़ा कर रहे हैं। वैसे यह भी एक हकीकत है कि भारत में बने टीकों का तीसरा ट्रायल अभी नहीं हुआ है। लेकिन अमेरिका और यूरोप में भी फिलहाल इसी प्रोटोकॉल का पालन हो रहा है, क्योंकि टीके को तमाम परीक्षणों से गुजरने और इस्तेमाल के लिए पूरी तरह से सुरक्षित घोषित होने में कई साल लग जाते हैं, जबकि 'लाइलाज' बने कोरोना का जल्द इलाज जरूरी है। हालांकि इसका मतलब यह नहीं कि विपक्षी दलों को टीके या उससे जुड़े शोध पर सवाल करने का भी अधिकार नहीं है। लेकिन सवाल उठाते समय राजनीतिक दलों को इस बात का भी ध्यान रखना होगा कि संवेदनशील मुद्दों पर उनके गैर-जिम्मेदाराना बयान खुद उनकी विश्वसनीयता को आपत्तिजनक ना बना दें। टीकों के नफे-नुकसान की बात तो तब आएगी, जब उनका इस्तेमाल शुरू होगा। फिलहाल तो जरूरी है कि देश एक होकर अपने वैज्ञानिकों की काबिलियत पर भरोसा रखे और इस काबिलियत को जमीन पर उतारने की कोशिशों में सरकार का हाथ बंटाए।

वैसे भी हमारी बड़ी आबादी को देखते हुए वैक्सीन के प्रभावी इस्तेमाल के लिए पल्स पोलियो अभियान जैसी व्यापक प्रक्रिया की जरूरत होगी। इस वक्त दुनिया के इस सबसे बड़े इम्युनाइजेशन कार्यक्रम की सफलता ही हमारी सबसे बड़ी प्रेरणा भी बन सकती है। इसलिए कोरोना टीकाकरण आसान

भले न हो, लेकिन हम पल्स पोलियो अभियान जैसी कर्मशीलता दिखाएंगे, तो यह असंभव भी नहीं है। विशेषज्ञों की राय है कि वैक्सीन की उपलब्धता से ज्यादा जरूरी उसकी उपयुक्तता है। वैक्सीन को आपात इस्तेमाल की मंजूरी मिलने के बाद प्रधानमंत्री ने भी अपने संबोधन में देश को इस बात की अहमियत समझाई थी। उनके मुताबिक किसी उत्पाद की गुणवत्ता उसकी मात्रा जितनी ही महत्त्वपूर्ण है, इसलिए हमें यह सुनिश्चित करना होगा कि वैक्सीन ही नहीं, हम जो भी उत्पाद बनाएं, उसकी ना केवल वैश्विक मांग हो, बल्कि वैश्विक स्वीकार्यता भी हो। इसका सरल अनुवाद यह हो सकता है कि आत्मनिर्भरता की मंजिल तक पहुंचने के लिए हमारे मानक भी ऊंचे होने चाहिए।

> *टीकाकरण की सफलता बहुत कुछ वैक्सीन की कीमत पर भी निर्भर होगी।*

टीकाकरण की सफलता बहुत कुछ वैक्सीन की कीमत पर भी निर्भर होगी। टीका अगर मुफ्त नहीं मिल रहा है, तो इसकी कीमतें कम-से-कम ऐसी होनी चाहिए जो देश के सभी आय वर्ग की पहुंच के अंदर हो। जिस तरह प्रधानमंत्री नरेन्द्र मोदी की एक आवाज पर लोग रसोई गैस पर सब्सिडी छोड़ने को तैयार हो गए थे, उसी तरह की रणनीति वैक्सीनेशन कार्यक्रम में भी आजमाई जा सकती है। अगले कुछ महीनों तक वैक्सीन की सीमित उपलब्धता को देखते हुए जो सक्षम हैं, वो निजी सेक्टर में खुद के खर्चे पर वैक्सीन लगवा सकते हैं, ताकि सरकार पर भी भार कम हो और जरूरतमंद वंचित लोगों का शत-प्रतिशत न सही, ज्यादा-से-ज्यादा वैक्सीनेशन हो जाए। वैक्सीन पर चल रही सियासत के बीच अगर टीकाकरण के शुरुआती नतीजे ज्यादा प्रभावी नहीं होते हैं, तो देश में इसकी सार्थकता को लेकर भ्रम न फैले इसके लिए कम-से-कम सरकार को अभी से जागरूकता कार्यक्रम की शुरुआत कर देनी चाहिए। साथ ही साथ इसके विकल्पों पर भी देशवासियों को अभी से अपडेट करते रहना होगा।

यह भविष्य के लिहाज से भी महत्त्वपूर्ण है। अब तक भारत की ख्याति दुनिया में जेनरिक दवाओं और वैक्सीन के सबसे बड़े उत्पादक के तौर पर थी। पिछला अनुभव है कि किसी भी नए वायरस के लिए वैक्सीन तैयार करने

में कम-से-कम 18 से 20 महीने लग जाते हैं। लेकिन कोरोना वायरस के लिए 12 महीने से भी कम समय में वैक्सीन तैयार कर भारत के वैज्ञानिकों ने एक बार फिर दुनिया को अपना मेधा की ताकत का अहसास करवाया है। इसमें कोई दो-राय नहीं कि भविष्य की शोध परियोजनाओं में यह कामयाबी मील का पत्थर साबित होगी। हमारे वैज्ञानिक तो अपने भरोसे पर खरे उतरे ही हैं, अब हमारी बारी है। टीकाकरण कोरोना के खिलाफ हमारे पास उपलब्ध सबसे मजबूत विकल्प है। इसलिए सरकार पर भरोसा रखते हुए टीकाकरण कार्यक्रम को आगे ले जाने के लिए हर देशवासी को 'सारथी' की भूमिका निभानी होगी। जब देश ने कोरोना के खिलाफ जंग शुरू की थी, तब प्रधानमंत्री ने महाभारत का स्मरण कराते हुए कहा था कि उस युद्ध में भगवान श्रीकृष्ण सारथी थे, आज 130 करोड़ महारथियों के बूते हमें कोरोना से लड़ाई जीतनी है। ऐसे में प्रधानमंत्री की एक साल पहले कही गई बात आज भी उतनी ही प्रासंगिक बनी हुई है।

सरकार को अभी से जागरूकता कार्यक्रम की शुरुआत कर देनी चाहिए। साथ ही साथ इसके विकल्पों पर भी देशवासियों को अभी से अपडेट करते रहना होगा।

(राष्ट्रीय सहारा, 9 जनवरी, 2021)

❑❑